HANS-JOSEF KLAUCK

ALLEGORIE
UND ALLEGORESE
IN SYNOPTISCHEN
GLEICHNISTEXTEN

ASCHENDORFF MÜNSTER

NEUTESTAMENTLICHE ABHANDLUNGEN

Begründet von Augustinus Bludau,
fortgeführt von Max Meinertz, herausgegeben von Joachim Gnilka

Neue Folge
Band 13

Mit kirchlicher Druckerlaubnis
Nr. 305-6-31/77
Münster, den 4. Januar 1978
Paul Ketteler
Stellvertretender Generalvikar

Gedruckt mit Unterstützung
der Deutschen Forschungsgemeinschaft

D 19

Aschendorffsche Buchdruckerei, Münster Westfalen, 1978

ISBN 3-402-03635-5

VORWORT

Die folgenden Untersuchungen wurden im Sommersemester 1977 vom Katholisch-theologischen Fachbereich der Ludwig-Maximilians-Universität in München als Dissertation angenommen. Die Literatur ist bis Mai 1977 berücksichtigt. Ein namhafter Zuschuß der Deutschen Forschungsgemeinschaft, den ich dankbar vermerke, ermöglichte die Drucklegung. Für ihre rasche Durchführung bin ich dem Aschendorff Verlag sehr verbunden.

Fragen der Gleichnisexegese haben mich seit einer Seminararbeit im vierten Studiensemester beschäftigt, wenn sie auch zeitweise ganz in den Hintergrund gedrängt wurden durch anderweitige Studien und durch die Einübung in den pastoralen Dienst. Die Formulierung des Themas geht auf eine Anregung meines Lehrers Prof. Dr. Joachim Gnilka zurück, dessen Assistent ich derzeit bin. Er hat das Werden der Arbeit mit unbestechlicher Kritik und förderlichem Rat begleitet. Dafür möchte ich ihm ganz herzlich danken.

Das Korreferat erstellte Dozent Dr. Josef Hainz, der manchen nützlichen Hinweis gab. Mein Kollege Dr. Werner Bracht war mir mit seinen Kenntnissen des Koptischen behilflich. Auch ihnen sei herzlich gedankt.

Eine weitere Dankesschuld möge die Widmung zum Ausdruck bringen: die Arbeit ist meinen Eltern zugedacht.

München, im Januar 1978

Hans-Josef Klauck

1*

INHALT

Vorwort III

Einleitung 1

Teil A

ZUR FORSCHUNGSGESCHICHTE

Kapitel I:

Der antiallegorische Ansatz: A. Jülicher 4

§ 1: *Der historische Kontext: die allegorische Exegese* 4

§ 2: *Das theoretische Fundament: Vergleich und Metapher* 6

§ 3: *Der geistesgeschichtliche Hintergrund: die Diskussion um Allegorie und Fabel* 8

§ 4: *Der exegetische Befund: Jesus und die Tradition* 10

Kapitel II:

Kritik und Rezeption: P. Fiebig und die Folgen 12

§ 5: *Das neue Problem* 12

§ 6: *Konventionelle Lösungsversuche* 14

   a) R. Bultmann 14

   b) W. Foerster 15

   c) J. Jeremias 15

§ 7: *Ausgleichende Lösungsversuche* 17

   a) M. Dibelius 17

   b) L. Fonck, D. Buzy u. a. 17

§ 8: *Unkonventionelle Lösungsversuche* 18

   a) E. Lohmeyer – M. Hermaniuk 18

   b) B. Gerhardsson u. a. 19

   c) A. M. Brouwer 20

Kapitel III:

Neuorientierung: Erzählstruktur und Metaphorik 21

§ 9: *Das Unbehagen am exegetischen Erbe* 21

§ 10: *Gleichnis und Erzählstruktur (D.O. Via)* 22

§ 11: *Gleichnis und Metaphorik* 26

   a) J. D. Crossan 26

   b) P. Ricoeur 27

   c) E. Kamlah 28

Kapitel IV:

Offene Fragen 29

Teil B
ZUR ALLEGORIK IM ANTIKEN SCHRIFTTUM

Kapitel V:
Die griechisch-römische Literatur 32

§ 12: ὑπόνοια und ἀλληγορία 32
  a) ὑπόνοια als hermeneutischer *terminus technicus* 33
    aa) Platons Dichterkritik 33
    bb) Motive der Mythenexegese I 34
    cc) Motive der Mythenexegese II 36
    dd) Vorsokratische Exegese 37
    ee) Stoische Exegese 38
  b) ἀλληγορία als rhetorischer *terminus technicus* 39
    aa) Die ältesten Belege 39
    bb) Quintilians Definition 41
  c) Die Identifizierung von ὑπόνοια und ἀλληγορία 43

§ 13: *Theorie und Praxis der Allegorese im 1. Jh. n. Chr.* 45
  a) Pseudo-Heraklit 45
    aa) Zur Theorie 45
    bb) Zur Praxis 48
    cc) Konsequenzen 52
  b) Plutarch 53
    aa) Dichtung 53
    bb) Mythos 56
    cc) Mysterien 58
    dd) Brauchtum 60
    ee) Orakel 61

§ 14: *Zur Nachgeschichte* 62
  a) Neuplatonische Exegese 62
  b) Traumdeutung und Allegorik 64

Kapitel VI:
Die jüdische Literatur 67

§ 15: *Traumdeutung und Schriftauslegung* 67
  a) Die Josefsgeschichte 67
  b) Prophetische Visionsberichte 69
  c) Das Buch Daniel 75
  d) Die apokalyptische Literatur 79
  e) Qumran 85
  f) Rabbinisches Schrifttum 88
  Ergebnisse 90

§ 16: *Exegese und Allegorese* 92
  a) Im alexandrinischen Judentum 92
    aa) Autoren vor und neben Philo 92
    bb) Philo von Alexandrien 96
  b) Im palästinensischen Judentum 104
    aa) Schriftauslegung 105
    bb) Gleichnisse 109
    cc) Targume 113

Kapitel VII:
Die frühchristliche Literatur 116

§ 17: ἀλληγορέω *im Galaterbrief* 116
    a) Zur Exegese von Gal 4,21–31 116
    b) Die Gegner des Paulus im Galaterbrief 119
    c) Gal 4,21–31 und 1 Kor 10,1–13 121
    d) Zum Typologieproblem 123
§ 18: μῦθος *und* παραβολή *in nichtpaulinischen Briefen* 125
§ 19: *Ausblick* 127

Teil C
LITERATURWISSENSCHAFTLICHE ASPEKTE

Kapitel VIII:
Allegorie und Symbol 132

§ 20: *Die Problemstellung* 132
§ 21: *Alternative Modelle* 134

Kapitel IX:
Allegorik und Metaphorik 139

§ 22: *Zur Theorie des Bildfelds* 139
    a) Die Metapher 139
    b) Das Bildfeld 141
    c) Der Kontext 143
§ 23: *Text und Kommentar* 145

Teil D
TEXTUNTERSUCHUNGEN

Kapitel X:
Bildworte in Mk 2 und 3 148

§ 24: *Der Arzt* (Mk 2,17 parr Mt 9,12; Lk 5,31) 148
§ 25: *Der Bräutigam* (Mk 2,19–20 parr Mt 9,15; Lk 5,34–35) 160
§ 26: *Alt und Neu* (Mk 2,21–22 parr Mt 9,16–17; Lk 5,36–39) 169
§ 27: *Reich und Haus* (Mk 3,24–25 parr Mt 12,25; Lk 11,17) 174
§ 28: *Die Bindung des Starken* (Mk 3,27 parr Mt 12,29; Lk 11,21–22) 179
    Ergebnisse 184

Kapitel XI:
Das Gleichniskapitel Mk 4,1–34 parr 185

§ 29: *Der Sämann* 186
    a) Das Gleichnis (Mk 4,3–8 parr Mt 13,3b–8; Lk 8,5–8a) 186
    b) Die Deutung (Mk 4,14–20 parr Mt 13,19–23; Lk 8,11b–15) 200
§ 30: *Das Senfkorn* (Mk 4,30–32 par Mt 13,31–32) 210

§ 31: *Die selbstwachsende Saat* (Mk 4,26–29) 218
§ 32: *Einzelsprüche* 227
    a) Die Leuchte (Mk 4,21 par Lk 8,16) 227
    b) Verbergen und Entbergen (Mk 4,22 par Lk 8,17) 235
    c) Das Maß (Mk 4,24) 238
    d) Geben und Nehmen (Mk 4,25 parr Mt 13,12; Lk 8,18) 239
§ 33: *Der Rahmen* 240
    a) Analyse 240
    b) Rekonstruktionsversuch 256
    Ergebnisse 259

Kapitel XII:
Bildworte in Mk 7 und Mk 9 260

§ 34: *Rein und Unrein* (Mk 7,15 par Mt 15,11) 260
§ 35: *Das Brot* (Mk 7,27–28 par Mt 15,26–27) 273
§ 36: *Das Salz* (Mk 9,50) 280
    Ergebnisse 286

Kapitel XIII:
Die Parabel von den bösen Winzern (Mk 12,1–12 parr Mt 21,33–46;
Lk 20,9–19) 286

§ 37: *Analyse, Form und Gattung* 286
§ 38: *Problem und Lösungsversuche* 295
§ 39: *Bildfelder* 298
§ 40: *Tradition und Redaktion* 308
    Ergebnisse 315

Kapitel XIV:
Gleichnisse in Mk 13 316

§ 41: *Der Feigenbaum* (Mk 13,28–29 parr Mt 24,32–33; Lk 21,29–31) 316
§ 42: *Der Türhüter* (Mk 13,33–37) 326
    Ergebnisse 338

Teil E
AUSWERTUNG

Kapitel XV:
Gleichnisallegorik und Wundertradition 340

§ 43: *Der Seesturm* (Mk 4,35–41 parr Mt 8,23–27; Lk 8,22–25) 340
§ 44: *Der Blinde von Bethsaida* (Mk 8,22–26) 348
    Ergebnisse 353

Kapitel XVI:
Zusammenfassung 354

Abkürzungen – Zitationsweise 362
Literaturverzeichnis 363
Register 396
  I. Stellenregister (in Auswahl) 396
  II. Wortregister (in Auswahl) 405
  III. Sachregister 407

EINLEITUNG

Seit A. Jülichers bahnbrechendem Werk über „Die Gleichnisreden Jesu"
spielen in der Gleichnisforschung Begriffe wie Allegorie, Allegorese, Allegorisierung, auch Allegoristik o. ä. eine bedeutsame Rolle. Daß die
genannten Begriffe – für die hier als Sammelname der Terminus Allegorik eingeführt sei – in der Literatur z. T. *promiscue,* z. T. wenig reflektiert
verwandt werden, läßt auf eine gewisse Unsicherheit hinsichtlich der
Sache schließen, die man mit Hilfe solcher Konzepte zu beschreiben
sucht.
Eine detaillierte Monographie, die sich auf das Problem der Allegorik in
der Gleichnistradition konzentriert, liegt meines Wissens bis zur Stunde
nicht vor. In diese Forschungslücke möchten die folgenden Studien vor-
stoßen. Sie unternehmen den Versuch, das Phänomen der Allegorik in
synoptischen Gleichnissen zu beschreiben und zu erklären.
Dieses Ziel wird von verschiedenen Seiten her angegangen. Der erste Teil
der Arbeit bietet einen Forschungsbericht, der einer präziseren Entfaltung des Problems dient. Besondere Aufmerksamkeit wird dem Entwurf
von A. Jülicher gewidmet, der die Weichen für die Allegoriediskussion in
der Gleichnisforschung des 20. Jh. gestellt hat. Abschließend werden die
offenen Fragen festgehalten, die sich aus dem Forschungsbericht ergeben.
Sie begründen zugleich die Notwendigkeit und die Absicht des zweiten
und des dritten Teils der Arbeit, die sich mit der Allegorik in der antiken
Literatur und mit der Allegoriediskussion in der Literaturwissenschaft
beschäftigen.
Der vierte, umfangreichste Teil ist den Texuntersuchungen gewidmet.
Hier war es unumgänglich, eine Auswahl zu treffen. Um rein subjektive
Entscheidungen zu vermeiden, und um einer gewissen Geschlossenheit
willen werden alle Texte des MkEv behandelt, die im weiteren Sinn als
Gleichnisse anzusprechen sind[1], dazu die Parallelen bei Mt und Lk. A.
Jülicher hat sie im zweiten Teil seines Gleichnisbuches bereits erfaßt. Die
Forschung ist, soweit ich sehe, nicht darüber hinaus gegangen.[2]

---

[1] Sofern nicht anders angegeben, wird Gleichnis als Oberbegriff für Bildwort, Gleichnis
im engeren Sinn, Parabel und Beispielerzählung gebraucht.
[2] Versuche wie der von *L. Castellani,* Parábolas, der auf die erstaunliche Zahl von 120
Gleichnissen kommt, können mit guten Gründen außer Betracht bleiben.

Die Textauswahl setzt als Arbeitshypothesé die Zweiquellentheorie voraus[3]: dem MkEv kommt die literarische Priorität zu, Mt und Lk benutzen neben dem MkEv eine schriftliche Logienquelle und Sondergut, voneinander sind sie unabhängig.[4] Wenn Beobachtungen am Text dieser
Arbeitshypothese widersprechen, werden sie eigens erörtert. Es liegt auf
der Hand, daß es sich dabei durchweg um *minor agreements* von Mt und Lk
gegen Mk handeln wird, die zweifellos die offene Flanke der Zweiquellentheorie bilden.[5]
Bei den Texuntersuchungen gelangen die bekannten und erprobten exegetischen Arbeitsweisen zum Einsatz, die W. Richter in einen integrierten und theoretisch begründeten Zusammenhang gebracht hat[6]. In einer
Analyse, die mit literarkritischen Mitteln arbeitet, wird versucht, die
erzählerischen Einheiten abzugrenzen und die Quellenlage zu klären. Es
folgen Überlegungen zu Form und Gattung. Unter Form verstehe ich mit
Richter die sprachliche Gestalt des Einzeltextes. Gattung dagegen fasse
ich als virtuelle Struktur auf, die zum bewußten oder unbewußten Repertoire eines Autors gehört. Dem Interpreten ist sie nur zugänglich durch
einen Vergleich verschiedener, voneinander unabhängiger Texte, die
gemeinsame Formmerkmale aufweisen.[7] Im Anschluß daran wird eine
Betrachtung der verschiedenen Einheiten unter dem Aspekt ihrer Tradierung durchgeführt, die auch die Rückfrage nach dem historischen Jesus
einschließt (Kriterien dafür werden an gegebenem Ort noch besprochen). Auf der Ebene der Redaktionskritik geht es (a) um die Bearbeitung der vorgegebenen Einheiten durch die Evangelisten und (b) um ihre
Einordnung in den Makrotext des jeweiligen Evangeliums. An geeigneter
Stelle werden Überlegungen zum Bildfeld und zu den Realien eingefügt,

---

[3] Vgl. *W. G. Kümmel,* Einleitung 13–53; *B. de Solages,* Composition 9–32; *A. M. Honoré,*
„Study" 95–147.

[4] Daß Lk das MtEv gekannt habe, wird u. a. von *R. Morgenthaler,* Synopse 300–306, und
W. Wilkens, „Beziehung" 48–57, vertreten. Vgl. dagegen die immer noch beachtenswerte
Studie von *J. Schmid,* Mt und Lk, bes. 343–347. Versuche einer Revision der Zweiquel-
lentheorie sind u. a. vorgetragen worden von *L. Vaganay,* Problème 443–449; *M. E.
Boismard,* Synopse II, 15–59 (postuliert eine größere Anzahl schriftlicher Quellen); *D. L.
Dungan,* „Mark" 51–97 (vertritt wie W. R. Farmer die These, Mk sei eine verkürzte
Fassung von Mt und Lk). Diese und ähnliche Versuche erscheinen mir wenig aussichts-
reich.

[5] Vgl. jetzt zusammenfassend *F. Neirynck,* Agreements 11–48 (Forschungs- und Literatur-
bericht).

[6] *W. Richter,* Exegese 49–173. Doch ist Richters Entwurf auf das AT und damit auf die
althebräische Sprache ausgerichtet, was sich vor allem in der tabellarisch zusammenge-
faßten formkritischen Arbeit bemerkbar macht. Ob Vergleichbares auf der Grundlage
des Koine-Griechisch möglich ist, kann dahingestellt bleiben, da wir für unsere zielgerichteten Analysen eigene Wege gehen müssen.

[7] Zum ontologischen Status von Gattungen vgl. die materialreiche Arbeit von *K. W.
Hempfer,* Gattungstheorie, bes. 14–29.122–127.

deren Funktion in anderem Zusammenhang genauer zu begründen ist. Auch die Frage, inwiefern sich im Verlauf dieses Vorgehens allegorische Textelemente erfassen lassen, kann nicht vorgängig beantwortet, sondern nur schrittweise entwickelt werden.

Eine abschließende Zusammenfassung versucht, das Phänomen der Allegorik in der synoptischen Gleichnistradition (a) literarisch zu beschreiben, (b) historisch einzuordnen und (c) theologisch zu würdigen.

Teil A

ZUR FORSCHUNGSGESCHICHTE

Kapitel I

DER ANTIALLEGORISCHE ANSATZ: A. JÜLICHER

§ 1: Der historische Kontext: die allegorische Exegese

Als Ausgangspunkt soll ein Zitat dienen, das Jülichers Anliegen[1] in seltener Deutlichkeit zutage treten läßt. Jülicher schreibt[2]:

> „Der Sinn des Wortes ‚Allegorie' muss hier in erster Linie genau umschrieben werden, weil es der Kampf gegen die *allegorisierende* Auslegung von Jesu-‚Parabeln' ist, an dem ich mich mit dieser Arbeit beteiligen möchte."

Hauptziel ist also die Überwindung der allegorischen Gleichnisexegese, alle Überlegungen zur Allegorie haben diesem Ziel zu dienen.
Die wesentlichen Merkmale allegorischer Gleichnisexegese lassen sich in aller Kürze an den klassisch gewordenen Deutungen ablesen, die der Beispielerzählung vom barmherzigen Samariter im Laufe einer langen exegetischen Tradition zuteil geworden sind: der Samariter ist Christus selbst, das Reittier ist sein irdischer Leib, die Herberge steht für die Kirche, der Herbergswirt für den Apostel Paulus, Öl und Wein weisen auf die Sakramente hin, die beiden Denare bedeuten Altes und Neues Testament.[3]

---

[1] Zu Jülichers Gleichnistheorie vgl. *E. Jüngel,* Paulus und Jesus 88–102. Zur Forschungsgeschichte generell *B. Wiberg,* Lignelser, passim; *P. Bonnard,* „Question" 36–49; *J. D. Kingsbury,* „Trends" 579–596; *S. Pedersen,* „Metodeproblemer" 146–184; *J. Corell,* „Problemática" 5–28. Die ältere Literatur ist erfaßt bei *A. Fridrichsen,* „Parabelforskning" 49–55.393–396.

[2] *A. Jülicher,* Gleichnisreden I, 50 (Hervorheb. im Orig.).

[3] Belege bei *W. Monselewski,* Samariter 29–51; *A. Orbe,* Parábolas I, 105–154.

Vier Dinge sind für Exegesen dieser Art charakteristisch. (a) Jedem Detail der Erzählung entspricht ein Element in der Deutung. Dieses Merkmal nenne ich im folgenden punktuelle Entsprechung. (b) Die Vorstellungen, mit denen die Deutung operiert, entstammen einer ausgearbeiteten kirchlichen Lehre, d. h. „einem dem Wortlaut des Textes fremden, von ihm unabhängigen Sinnzusammenhang"[4], wobei „unabhängig" dahingehend zu präzisieren ist, daß die Auslegung von Entstehungssituation und ursprünglicher Aussage des Textes absieht. Dieses Phänomen kann als anachronistischer Eintrag bezeichnet werden. (c) Den Exegeten leitet die Überzeugung, daß im Text eine tiefe Wahrheit verborgen ist, die sich nicht auf den ersten Blick erschließt. Sein Vorgehen läßt sich demnach als dechiffrierende Interpretation charakterisieren, die einer esoterischen Kommunikationsform korrespondiert. (d) Der Interpret ist am erzählerischen Gehalt des Textes und an seiner literarischen Gestalt nicht interessiert. Man kann von einem narrativen oder ästhetischen Desinteresse des Auslegers sprechen.

Es sei daran erinnert, daß in der Väterzeit und im Mittelalter die allegorische Exegese keineswegs ausschließlich auf Gleichnisse angewandt wurde. Bevorzugte Objekte der Allegorese waren z. B. atl Geschichts- und Gesetzestexte, die man nur so theologisch und homiletisch glaubte auswerten zu können. Das ändert sich erst in der Neuzeit. Im Prinzip verdrängt das jetzt aufkommende historische Bewußtsein die allegorische Exegese und ersetzt sie durch philologische und historisch-kritische Methoden, mit einer Ausnahme. Gleichnisse werden weiterhin allegorisch ausgelegt, bis weit ins 19. Jh. hinein[5], trotz vereinzelter kritischer Stimmen[6].

Jülicher fragt nach dem Grund dieses erstaunlichen Phänomens. Seine Antwort: die Allegorese konnte sich auf dem Gebiet der Gleichnisexegese deswegen so lange halten, weil die Ausleger seit eh und je die Gleichnisse wie Allegorien behandelt haben. Die Verwechslung von Gleichnis und Allegorie ist der durchgängige „Grundirrtum der gesamten abendländischen Kirche"[7]. Die Allegorese kann nur dann überwunden werden, wenn mit literarischen und historischen Mitteln der Nachweis zu führen

---

[4] Aus der Definition der Allegorese bei *G. Ebeling*, Evangelienauslegung 48, die in anderer Weise die hier herausgestellten Punkte enthält.

[5] Ein förmliches *revival* erlebte die allegorische Gleichnisexegese in der Föderaltheologie des Niederländers J. Coccejus (vgl. noch *J. A. Bengel*, Gnomon 87) und in der Tübinger Tendenzkritik (vgl. z. B. *A. Hilgenfeld*, „Gleichnis" 449–464; *A. D. Loman*, „Bijdragen" 175–205). Beide Schulen entdeckten ihr theologisches System in den Gleichnissen wieder. Für die Normalexegese vor und neben Jülicher vgl. *S. Goebel*, Parabeln I/II, 29ff.

[6] Hier sei nur Jülichers Lehrer B. Weiß genannt, der in seinen Synoptikerkommentaren manche Einsicht Jülichers vorwegnahm, vgl. u. a. *B. Weiß*, „Ueber das Bildliche" 309–331 (ein Vortrag, der zugleich die Grenzen seines Ansatzes sehr deutlich macht).

[7] *A. Jülicher*, Gleichnisreden I, 243.

ist, daß Gleichnisse keine Allegorien sind. Das sind die Implikationen des eingangs zitierten programmatischen Satzes.

§ 2: Das theoretische Fundament: Vergleich und Metapher

Ausgehend von der antiken Definition der Allegorie als einer zusammenhängenden Folge von Metaphern[8] wendet Jülicher sich Aristoteles zu, der in seiner Rhetorik zwei Redefiguren nebeneinander stellt: Metapher und Vergleich (εἰκών). Von der Metapher unterscheidet sich der Vergleich durch das Vorhandensein der Partikel ὡς. Doch wertet Aristoteles dieses syntaktische Differenzierungskriterium nicht semantisch aus. Im Gegenteil, der Vergleich ist ihm nur eine Spezialform der Metapher[9], weniger effektiv, da länger, und mit der partikellosen Metapher jederzeit austauschbar[10]. Die antike Rhetoriktradition ist der aristotelischen Ableitung nicht gefolgt, sondern hat umgekehrt die Metapher als abgekürzten Vergleich definiert.[11] Festzuhalten bleibt, daß in jedem Fall Metapher und Vergleich eng aufeinander bezogen sind und der gleichen Sprachebene angehören.[12]
Jülicher zieht aus der aristotelischen Rhetorik seine eigenen Schlüsse, wenn er Metapher und Vergleich als zwei einander ausschließende sprachliche Phänomene auffaßt und definiert[13]:

> „Die Vergleichung bietet das ὅμοιον zu einem ὄν, um dem Nichtverstehenden zu helfen, die Metapher bietet ein ὅμοιον statt eines ὄν. Doch nur dem Verstehenden."

Mit anderen Worten: der Vergleich beruht auf einer Ähnlichkeitsrelation, die den Boden der eigentlichen Rede nicht verläßt. Die Vergleichspartikel konstatiert die Differenz zwischen Sache und Bild. Weil die Sache durch das Bild verdeutlicht wird, kann der Vergleich vorzüglich für didaktische Zwecke nutzbar gemacht werden. Die Metapher dagegen

---

[8] Vgl. Quint., Inst Orat IX 2,46: *allegorian facit continua metaphora.*

[9] Arist., Rhet 1406b 20: ἔστι δὲ καὶ ἡ εἰκὼν μεταφορά · διαφέρει γὰρ μικρόν.

[10] Ebd. 1410b 18f.; 1407a 11–15. Vgl. zur Metaphernlehre des Aristoteles die eindringlichen Analysen von *E. Jüngel*, „Wahrheit" 74f.86–98, und *J. Derrida*, „Mythology" 30–46, die beide die Unterordnung des Vergleichs herausstellen.

[11] Quint., Inst Orat VIII 6,8: *metaphora brevior est similitudo.* H. *Weinrich*, „Metapher" 3, nennt das „eine schlechte Definition, die alle Prioritäten umkehrt".

[12] Für die Antike ausführlich belegt bei *M. H. McCall*, Theories, bes. 24–56; anders W. B. *Stanford*, Metaphor 19–21, doch ohne jeden Anhalt in den Quellen. Auch moderne Autoren zeigen wenig Neigung, Vergleich und Metapher zu trennen, vgl. *P. Wheelwright*, Metaphor 71: „... let it be noted that the grammarian's familiar distinction between metaphor and simile is to be largely ignored."

[13] *A. Jülicher*, Gleichnisreden I, 57.

ist der Modellfall uneigentlicher Rede, weil sie die Sache durch das Bild ersetzt. Sie wird nur verstanden, wenn man in Gedanken den Substitutionsprozeß wieder rückgängig macht. Deshalb ist sie für Nichtinformierte nur schwer verständlich und zur Erzielung eines Erkenntnisfortschritts untauglich.[14]

Daß Jülicher mit dieser Einschätzung der Metapher fehl geht, dürfte auf der Hand liegen. Doch hat er für seine Zwecke ein Doppeltes erreicht.

(1) Da die Allegorie aus der Metapher abzuleiten ist, partizipiert sie an deren negativen Eigenschaften. Sie arbeitet mit dem Substitutionsprinzip und muß in der Deutung punktuell entschlüsselt werden, was die allegorische Exegese dann faktisch tut. Ohne Deutung ist eine Allegorie unverständlich. Ob die Deutung vom Autor selbst mitgeliefert wird (wie in dem Gedicht „Parabel" von F. Rückert) oder ob sie sich aus einem vorgängigen Einverständnis zwischen Autor und Leser ergibt (wie bei dem Stück „Kaiser Julian" von D. F. Strauß)[15], spielt keine Rolle.

(2) Analog dazu kann Jülicher aus dem Vergleich das Gleichnis entwickeln. Die für den Vergleich konstitutive Ähnlichkeitsrelation wird im Gleichnis von der Wortverbindung auf den Text ausgedehnt. Es geht dem Gleichnis nicht um die Vergleichung einzelner Elemente aus Bild- und Sachhälfte. Vielmehr wird aus der Bildhälfte als geschlossener Größe ein Urteil gewonnen und auf die Sachhälfte transferiert. Das ist der einzige Kontaktpunkt zwischen Bild und Sache, das berühmte *tertium comparationis*.

Gleichnis und Allegorie schließen einander ebenso aus wie Vergleich und Metapher. Die punktuelle Entsprechung im Detail ist durch den einen und einzigen Vergleichspunkt ersetzt, verborgene Wahrheiten sind in Gleichnissen beim besten Willen nicht zu finden – deshalb ist auch die allegorische Exegese von ihrer Struktur her für Gleichnisse fehl am Platz.

Die sprachphilosophisch begründete Opposition von Vergleich und Metapher hat theoretisch ihren Dienst getan. Doch sollte deutlich sein, daß sie ein Postulat Jülichers darstellt, das von seinem primären Interesse, dem Kampf gegen die Allegorese, diktiert ist.[16] Jülicher selbst kann seine eigenen Voraussetzungen nicht konsequent durchhalten. Er muß

---

[14] Damit steht Jülicher in klarem Widerspruch zu Arist., Poet 1459a 7f.; Rhet 1410b 10–15; Cic., De Orat III 38,155; 39,157; Quint., Inst Orat VIII 6,6, die übereinstimmend die erhellende, erkenntnisstiftende und präzisierende Kraft der Metapher betonen.

[15] Beide Texte nennt A. *Jülicher*, Gleichnisreden I, 59f., als Beispiele für literarische Allegorien.

[16] Wie Jülicher im einzelnen zu seiner Theorie gelangt ist, läßt sich kaum feststellen. Eine interessante Parallele (vor Jülicher) fand ich bei R. C. *Trench*, Parables 9: „And thus the allegory stands to the metaphor, as the more eleborate and long drawn out composition of the same kind, in the same relation that the parable does to the isolated comparison or simile." Genau entgegengesetzt C. E. *van Koetsveld*, Gelijkenissen I, XXXI, für den die Allegorie „niet anders dan eene voortgezette vergelijking is".

zugeben, daß auch in Gleichnissen punktuelle Entsprechungen zwischen Bild und Sache über das *tertium comparationis* hinaus möglich sind. Er gesteht sogar ein, daß Gleichnisse auf geläufigen Metaphern basieren können.[17] Bezeichnend ist seine Klage: „Der Hang, bei vergleichender Rede zu allegorisieren, liegt uns bis heute im Blute."[18] Und in wahrlich kühnem Gedankenflug überlegt er, ob diese verhängnisvolle Neigung gar erst unter dem Einfluß allegorischer Parabeldeutung gewachsen sei. Solche Argumente stimmen skeptisch gegen die Tragfähigkeit des ganzen Unternehmens.

§ 3: Der geistesgeschichtliche Hintergrund: die Diskussion um Allegorie und Fabel

Als weiteres Element in Jülichers Konzeption ist seine Abwertung der Allegorie als literarischer Form zu nennen, die sich nur zum Teil aus dem bisher Gesagten erklärt. Die Allegorie ist nach Jülicher „eine der künstlichsten Redeformen", für die das „Bedachte, Ueberlegte" charakteristisch ist[19]. Sie wirkt oft „kalt und frostig"[20]. Historisch gesehen begegnet sie vorzugsweise in Perioden, „wo die Litteratur wegen Mangels an grossen Stoffen ... sich die Langeweile zu vertreiben sucht durch die Ausführung schwieriger Kunststücke"[21].

H. G. Gadamer hat in bewußter Zuspitzung den Satz formuliert: „... die Abwertung der Allegorie war das beherrschende Anliegen der deutschen Klassik"[22]. Jülichers Formulierungen verraten, daß er die Vorurteile der klassisch-idealistischen Ästhetik übernommen hat. Man braucht sich nur zu vergegenwärtigen, daß Hegel z. B. in fast wörtlich gleichen Wendungen die Allegorie „frostig und kahl" nennt, „mehr eine Sache des Verstandes, als der konkreten Anschauung und Gemüthstiefe der Phantasie"[23].

Aufschlußreich ist Jülichers Rezeption der Fabeltheorien Lessings und Herders.[24] Lessing unterscheidet zwischen einfacher und zusammenge-

---

[17] *A. Jülicher*, Gleichnisreden I, 76–79.
[18] Ebd. 190.
[19] Ebd. 63.
[20] Ebd. 64. Vgl. 74.
[21] Ebd. 64.
[22] *H. G. Gadamer*, Wahrheit 75.
[23] *G. W. F. Hegel*, Aesthetik I, 529. Vgl. *J. Paul*, Ästhetik 170: „Ein neues, zumal witziges Gleichnis ist mehr wert und schwerer als hundert Allegorien."
[24] Vgl. dazu *H. G. Klemm*, „Gleichnisauslegung" 153–174; *W. Harnisch*, „Sprachkraft" 9–16. Lange vor Jülicher haben *G. C. Storr*, De parabolis 96–111, und *A. F. Unger*, De parabolarum Jesu 24–30, die Fabeltheorie für die Gleichnisexegese fruchtbar zu machen versucht.

setzter Fabel. Zusammengesetzt ist eine Fabel, wenn die erdichtete Geschichte auf einen wirklich geschehenen Fall bezogen ist. Zwischen den Figuren der Erzählung und den Personen der realen Situation besteht eine enge Beziehung, sie sind punktuell miteinander vergleichbar. Trotz seiner Abneigung gegen die Allegorie muß Lessing wider Willen zugeben, daß die zusammengesetzte Fabel von ihrer ganzen Anlage her allegorischen Charakter trägt. Will man die Fabel von den Fesseln der Allegorie befreien, muß man von jeder konkreten historischen Situation abstrahieren und stattdessen von allgemeinen moralischen Wahrheiten ausgehen, zu denen eine anschauliche Geschichte erdichtet wird. So gelangt man zur einfachen Fabel, sie „kann unmöglich allegorisch sein"[25].
Für Herder hingegen gehört die Bindung an einen historischen Kontext konstitutiv zum Wesen der Fabel. Lessings einfache Fabel ist ein theoretisches Konstrukt. Die Annäherung an die Allegorie nimmt Herder bewußt in Kauf. Er fragt[26]:

„Ja beruhet nicht eben auf dieser Vergleichung, auf dieser Allegorie, alle Macht, alles sinnliche Leben, alle Nutzbarkeit der Fabel?"

Die Diskussion zwischen Lessing und Herder ist damit sicher nicht ausgestanden. Worauf es ankommt, ist dies: trotz häufiger Berufung auf Lessing und Herder geht Jülicher auf ihre Konzessionen an die Allegorie nicht ein. Daß er um sie gewußt hat, ist sicher. Bedürfte es dafür noch eines Beweises, wäre er dadurch gegeben, daß Jülicher das gleiche Beispiel wie Lessing – die berühmte Fabel des Stesichoros – bespricht und sich verzweifelt bemüht, gerade diesem Text jeden allegorischen Zug abzusprechen, ohne daß es ihm gelingen würde.[27] Jülicher muß um jeden Preis am nichtallegorischen Charakter der Fabel festhalten, da für ihn die erzählenden Gleichnisse, die sogenannten Parabeln, ihrer literarischen Struktur nach nichts anderes sind als Fabeln. Allegorische Fabeln implizieren allegorische Parabeln.
Jülicher verwickelt sich deshalb in einen Widerspruch. Zunächst behauptet er, Fabeln würden nicht erfunden, „um eine Weisheitsregel oder einen ethischen Lehrsatz anschaulich vorzutragen, sondern um eine schwierige Situation, in der sich der Redner befand, zu klären"[28]. Dann wäre es nur konsequent, bei der Exegese von Fabel und Parabel diese konkrete Situation als Verstehenshilfe heranzuziehen. Das tut Jülicher gerade nicht.

---

[25] *G. E. Lessing,* Fabel 37–62 (Zitat 42).
[26] *J. G. Herder,* Werke Bd. 2, 196. Vgl. Bd. 15, 491.555f.; Bd. 16, 164; Bd. 23, 260f. Unzureichend ist die Darstellung von *R. Dithmar,* Fabel 58–64.81–84, der diesen Befund völlig ignoriert. Besser informiert *E. Leibfried,* Fabel 25f.75.94f.
[27] Vgl. die Argumentation bei *A. Jülicher,* Gleichnisreden I, 94.106, die äußerst gequält wirkt.
[28] Ebd. 99.

Vielmehr vertritt er mit B. Weiß die Meinung, das *tertium comparationis* sei in einer möglichst allgemeinen Wahrheit zu suchen, ein Grundsatz, den er in den Exegesen im zweiten Teil seines Werkes konsequent durchführt. Man hat ihm das oft zum Vorwurf gemacht und seine Neigung zu moralischen Generalisierungen mit dem Hinweis auf sein soziales und religiöses Milieu erklärt, das Religion mit Humanität und Sittlichkeit identifizierte.[29] Das ist nur bedingt richtig. Mindestens ebenso wichtig ist ein literarisches Argument. Jülicher konnte sich gar nicht weiter auf eine zeitgeschichtliche Erklärung einlassen, weil dann sein ganzes System ins Wanken gekommen wäre. Im Blick auf Lessing blieb ihm nichts anderes übrig, als gleichfalls von der historischen Situation zu abstrahieren und sich auf möglichst allgemeine Maximen zu konzentrieren. Nur so blieb die Struktur des Ein-Punkte-Vergleichs gewahrt, nur so konnte jeder Allegorieverdacht ferngehalten werden.

§ 4: Der exegetische Befund: Jesus und die Tradition

Inzwischen hat Jülicher soviele Argumente gegen die Allegorie zusammengetragen, daß er zum entscheidenden Schlag ausholen kann[30]:

„... nur die Allegorie, die nicht verkündigt, sondern verhüllt, die nicht offenbart, sondern verschliesst, die nicht verbindet, sondern trennt, die nicht überredet, sondern zurückweist, diese Redeform konnte der klarste, der gewaltigste, der schlichteste aller Redner für seine Zwecke nicht gebrauchen."

Neben der Aversion gegen die Allegorie kommt hier mit beachtlichem Pathos Jülichers christologischer Ansatz zum Tragen, der im Rahmen der liberalen Leben-Jesu-Forschung verbleibt. Jülichers Interesse gilt fast ausschließlich dem irdischen Jesus, dessen Charakterbild sich auf dem Weg historischer Rekonstruktion erheben läßt. Jesus war eine überragende Persönlichkeit, ein Lehrer der Sittlichkeit, ein großer religiöser

---

[29] Die Kritik an Jülicher ist in diesem Punkt nicht immer fair. Nach *H. Riesenfeld,* „Parables" 141, verrät Jülichers Gleichnisdeutung „a bourgeois attitude to life in a German university town at the end of the nineteenth century". *E. Güttgemanns,* „Gleichnisse" 105, spricht von „moralinsauren Allgemeinplätzen einer kapitalistischen Ideologie" (?). Die rhetorische Frage von *A. M. Hunter,* Parables 39: „Would men have crucified a Galilean Tusitala who told picturesque stories to enforce prudential platitudes?", ist direkt falsch. Nach antiker Legende mußte auch Äsop für seine Fabeln mit dem Leben büßen, vgl. *A. Hausrath,* PRE 12, 1709.

[30] *A. Jülicher,* Gleichnisreden I, 118. Später zeigt Jülicher sich konzessionsbereiter, vgl. schon Gleichnisreden II, 406; dann „Rez. P. Fiebig" 704f.

Genius.[31] Er konnte gar nicht anders als zum Volk in einfachen, anschaulichen Bildern von der Güte des Vaters im Himmel sprechen. An seinen eigenen Worten muß jede spätere Tradition gemessen werden.[32]

Wenn Jesus nicht in Allegorien gesprochen hat, wie erklärt sich dann die Allegorik, die in der synoptischen Gleichnistradition anzutreffen ist? Sie geht auf eine Fehlinterpretation der Gleichnisse Jesu durch die Evangelisten zurück. Sie schon haben die Gleichnisse mit Allegorien verwechselt. Als Erklärung für diese Fehlinterpretation führt Jülicher zunächst eine religionsgeschichtliche Beobachtung an. In der jüdisch-hellenistischen Weisheitsliteratur ist der hebräische Maschal „ganz dem Rätsel in die Arme gesunken"[33]. Während Jesus an die großen prophetischen Meschalim des AT anknüpft, haben die Tradenten die hellenistische Konzeption an die Gleichnisse herangetragen. Ferner meint Jülicher, sie seien aus Ehrerbietung und aus Frömmigkeit zu der Überzeugung gelangt, in Jesu Worten sei nichts enthalten, was sich nicht religiös auswerten ließe. Dazu komme noch das Hochgefühl, „selber eingeweiht zu sein in Mysterien, die den Massen draussen unzugänglich bleiben", und die Vorliebe jener Zeit für „Dunkelheit" und „Geheimniskrämerei".[34]

Dieser Versuch, das synoptische Parabelverständnis religionsgeschichtlich abzuleiten und seine inneren Motive zu erfassen, läßt mehr Fragen offen, als er löst. Das mag daran liegen, daß Jülicher einseitig an den verheerenden Konsequenzen interessiert ist, die nach seiner Meinung aus der Verwechslung von Allegorie und Gleichnis resultieren. Seine Thesen lassen sich in vier Punkten systematisieren.

(1) *En passant* hatte Jülicher mehrfach darauf hingewiesen, daß der Gleichnisstoff alltäglichem Erleben entnommen werde und den Gesetzen der Wahrscheinlichkeit unterworfen sei. Nun finden sich in den Texten Züge, die diesem Postulat nicht entsprechen. Für Jülicher sind das Einschübe, die wir dem allegorisierenden Interesse der Evangelisten verdanken. Die ästhetische Form der Gleichnisse wird zerstört, die Tradenten stellen ihr narratives Desinteresse unter Beweis.

(2) Die allegorischen Einschübe sind von christologischen und soteriologischen Interessen geprägt, die sich so nur nach Ostern herausbilden konnten. Die Tradenten arbeiten mit dem Mittel des anachronistischen Eintrags.

(3) Das Sämannsgleichnis haben sie nach einem punktuellen Schema ausgelegt und diese Auslegung als Musterdeutung dem Gleichnis beige-

---

[31] So A. *Jülicher*, „Religion Jesu" 60–69. Man kann diese bemerkenswerte Passage geradezu als ein Kompendium liberaler Christologie ansehen.

[32] A. *Jülicher*, Gleichnisreden I, 10: „... ihren ungeheuren Wert haben diese Parabeln doch nur, insofern sie Zeugnisse aus Jesu Munde sind."

[33] Ebd. 40.

[34] Ebd. 192f.

fügt. Spätere Allegoristen konnten sich für die Auswertung einzelner Details darauf berufen.

(4) Die Parabeltheorie Mk 4,11f. läßt sich keinesfalls mit dem irdischen Jesus vereinbaren[35], steht aber mit der Auffassung der Evangelisten in Einklang. Sie setzt voraus, daß in den Gleichnissen eine geheime Wahrheit verborgen liegt, die für Eingeweihte zugänglich ist und die sich dechiffrierender Interpretation erschließt.

Alle Charakteristika allegorischer Gleichnisexegese, die eingangs zusammengestellt wurden, lassen sich nach Jülicher schon im Umgang der Evangelisten mit den Gleichnissen nachweisen. Die Übereinstimmungen sind in der Tat frappierend, und es kann nicht verwundern, daß Jülichers These, die allegorische Gleichnisexegese beruhe auf der Verwechslung von Gleichnis und Allegorie, breite Zustimmung fand.[36] Doch bleibt zu bedenken, daß Jülicher disparate Elemente miteinander kombiniert hat: die mk Parabeltheorie, die Deutung des Sämannsgleichnisses, Einfügungen und Schlußbemerkungen der Evangelisten, das Ganze verbunden mit einem neuzeitlichen Allegorieverständnis und einem liberalen christologischen Ansatz. Jülicher war überzeugt, daß schon die Evangelisten den gordischen Knoten geknüpft hätten, den der Exeget nicht entwirren, sondern nur durchtrennen kann. Bleibt zu fragen, ob sich nicht manches entflechten läßt und ob sich bei stärkerer Differenzierung nicht ein ganz anderes Gesamtbild ergibt.

Kapitel II

KRITIK UND REZEPTION: P. FIEBIG UND DIE FOLGEN

§ 5: Das neue Problem

Von seinem der Genieästhetik verpflichteten christologischen Ansatz her war A. Jülicher sehr daran gelegen, Jesu Originalität als Gleichnisredner

---

[35] Ebd. 143: „Durch solche Zweckbestimmung wird ihm das Herz aus dem Leibe gerissen."

[36] Ansätze zur Kritik finden sich bemerkenswerterweise bei *W. Wrede,* Messiasgeheimnis. Wrede unterscheidet zwischen Allegorie und Rätselbild, was für ihn nicht dasselbe ist (a.a.O. 55), und er konstatiert einen „Unterschied der evangelischen Parabelauffassung und -deutung von der der späteren Allegoristen. Dieser Unterschied ist doch nicht ganz unbedeutend und von Jülicher wohl unterschätzt worden" (a. a. O. 60). Es ist schade, daß diese von glänzender Intuition zeugenden Bemerkungen in der Gleichnisforschung nicht die Beachtung fanden, die sie verdienten.

zu verteidigen. Nur unter diesem negativen Aspekt diskutiert er die rabbinischen Gleichnisse.[37] Eingehender beschäftigt sich damit P. Fiebig.[38] Ihm gelingen einige bemerkenswerte Beobachtungen.

(1) Zu Jesu Gleichnissen gibt es keine engeren Parallelen als die rabbinischen Gleichnisse. Die Übereinstimmungen lassen auf Herkunft aus demselben Milieu schließen.

(2) Gleichnisse arbeiten mit geläufigen, festen Metaphern: König und Herr sind Chiffren für Gott; der Knecht ist der Mensch oder spezieller der Prophet; das Hochzeitsmahl ist ein stehendes Bild für die messianische Zeit etc. Gleichnisse können (a) aus solchen Metaphern entwickelt werden und (b) gleichzeitig mehrere solcher Metaphern enthalten. Das macht sie punktuell ausdeutbar. Die Grenze zwischen Gleichnis und Allegorie wird fließend. Fiebig spricht von „Parabeln mit Beimischung von Allegorie"[39]

(3) Vom Stoff her gesehen begegnen in der rabbinischen Literatur Gleichnisse, „die etwas Gemachtes, Seltsames, Auffallendes an sich haben"[40]. „Und auch bei den synoptischen Parabeln ist der Charakter des Seltsamen, Einzigartigen, Erdichteten, Nichtalltäglichen mehrfach nicht zu leugnen."[41] Gemeinhin gilt das Gegenteil als selbstverständlich.[42]

(4) Das Moment des Geheimnisvollen, das der Gleichnisrede nach Mk 4 anhaftet, beruht für Fiebig nicht auf einer formalen Verwechslung von Gleichnis und Allegorie (die zu Unrecht als obskure und rätselhafte Sprachform gilt[43]). Entscheidend ist vielmehr die inhaltliche Nähe zur Apokalyptik, die im Basileia-Begriff faßbar wird. Fiebig fordert, „den

---

[37] Vgl. A. Jülicher, Gleichnisreden I, 164–172. Ebd. 169 äußert er sogar die Vermutung, die Verbreitung der parabolischen Lehrweise im rabbinischen Schrifttum sei möglicherweise auf das Vorbild Jesu zurückzuführen. Ähnlich J. Jeremias, Gleichnisse 8, der es eigentlich besser wissen müßte. Hier ist der Wunsch Vater des Gedankens, vgl. I. Abrahams, Studies I, 90–107.

[38] Vgl. zum folgenden P. Fiebig, Gleichnisse 7–161; ders., Gleichnisreden 220–278; ders., Erzählungsstil 32–76; ders., „Jüdische Gleichnisse" 301–306; ders., „Jesu Gleichnisse" 192–211. Einen ersten, noch unbefriedigenden Vorstoß in die gleiche Richtung hatte C. A. Bugge, Hauptparabeln 28–35, unternommen. Auch W. O. E. Oesterley, Parables, erfüllt nicht die Erwartungen, die der Titel („... in the Light of their Jewish Background") weckt.

[39] Gleichnisse 98. Fiebig kann sich schon auf J. Weiß, „Parabelrede" 308f., berufen.

[40] Gleichnisse 88.

[41] Ebd. 89.

[42] Vgl. nur B. T. D. Smith, Parables 21: „Parable and similitude must be lifelike or fail in their purpose, but it is not essential that the allegorical presentation should conform to any laws of probability or possibility." Fast gleichlautend B. W. Bacon, „Parable" 127; C. W. F. Smith, Parables 16.

[43] J. Breitenstein, „Paraboles" 103, nennt die Allegorie „la forme la plus volontairement obscure". Ähnlich A. Loisy, „Paraboles" 39: „L'allégorie est un genre mystérieux."

historischen Ort der neutestamentlichen Gleichnisse bei der Apokalyptik zu suchen"[44].

Fiebigs Beobachtungen sind wenig systematisiert und machen gelegentlich einen fast zufälligen Eindruck. Doch haben sie ein solches sachliches Gewicht, daß die Gleichnisforschung sie zwar kritisieren[45], aber nicht ignorieren konnte und nach neuen Lösungen suchen mußte.

§ 6: Konventionelle Lösungsversuche

a) R. Bultmann

R. Bultmann sieht Jülicher „methodisch … völlig im Recht gegenüber Fiebig"[46]. Im Gleichnis wird am neutralen Stoff ein Urteil gewonnen und auf eine strittige Frage transferiert. „In der Allegorie handelt es sich nicht um Urteilsübertragung, sondern um geheimnisvolle oder phantastisch spielende Verkleidung eines Sachverhalts."[47] Die Verwendung fester Metaphern trägt in ein Gleichnis keine allegorischen Züge ein. Deutungen wie Mk 4,14–20 machen das Gleichnis nicht zur Allegorie. Es werden lediglich „die Entsprechungen von Bild und Sache durch einfache Identitätssätze" ausgedrückt[48].

Das sind im Grunde Akte definitorischer Willkür. Daß Bultmanns Thesen ständig wiederholt werden, z. T. mit beschwörenden Worten, macht sie nicht überzeugender.[49]

---

[44] Gleichnisse 123; vgl. Gleichnisreden 263f.

[45] Vgl. die scharfe Kritik an Fiebigs Arbeitsweise bei *H. Weinel*, „Talmud" 117–132. In der Diskussion *P. Fiebig – M. Dibelius*, „Erzählungen" 1–12, hat Dibelius sichtlich die besseren Argumente auf seiner Seite.

[46] *R. Bultmann*, Syn. Tradition 215.

[47] Ebd. 214.

[48] Ebd. 202, Anm. 2; wörtlich gleich 214.

[49] Zu Behauptung, daß feste Metaphorik den Unterschied zwischen Gleichnis und Allegorie nicht in Frage stelle, vgl. *P. Vielhauer*, Geschichte 296; *H. Kahlefeld*, Gleichnisse II, 138. Zur Bindung der Allegorie an das Moment des Geheimnisvollen vgl. *E. Fuchs*, Hermeneutik 212f.; *E. Linnemann*, Gleichnisse 17; *G. Eichholz*, Gleichnisse 14: „Die Allegorie – chiffriert die gängige Sprache in eine Art Chiffresprache und verlangt deshalb ein Dechiffrierverfahren."

b) W. Foerster

W. Foerster gesteht zu, daß in Gleichnissen feste Metaphern und unwahrscheinliche Erzählzüge vorhanden sind.[50] Formal gesehen besteht daher kaum ein Unterschied zwischen Gleichnis und Allegorie. Foerster muß metaphysische Konzepte zu Hilfe nehmen. Das Gleichnis ist eine organische Einheit, die in all ihren Teilen transparent ist für den Widerschein des Göttlichen. Es basiert auf dem religiösen Symbol, das den Tiefenschichten menschlicher Existenz entspringt. Der Allegorie fehlt diese Einheit, sie ist konstruiert und kann nicht zur Ganzheitsschau führen. Foerster folgert daraus[51]:

„Die Frage, ob Jesus in Gleichnissen oder in Allegorien oder auch in Mischformen gesprochen hat, berührt darum allerdings letzte Gründe seiner Wirksamkeit überhaupt."

Foersters Versuch, der im Symbol-Denken der deutschen Klassik verharrt, ist ohne größeren Einfluß geblieben. Doch macht er exemplarisch deutlich, daß die Unterscheidung von Gleichnis und Allegorie formal nur schwer abzusichern ist. Meist stehen philosophische, bzw. theologische Vorurteile im Hintergrund.[52]

c) J. Jeremias

In bewußter Distanz zu Jülicher unternimmt J. Jeremias (a) den von A. T. Cadoux und C. H. Dodd[53] angeregten Versuch, die Gleichnisse aus

---

[50] Vgl. *W. Foerster,* „Gleichnis" 42. *H. Hörtnagl,* Bildsprache 150, zieht aus der gleichen Beobachtung den eigenwilligen Schluß: „Jedenfalls zeigt sich die epische Einkleidung der Lehre in den Jesusparabeln durchaus als klägliche Flickarbeit". Das entspricht in etwa der Grundthese seines Buches, das bei allem aufgewandten Scharfsinn für die Allegorieproblematik nichts einträgt.

[51] *W. Foerster,* „Gleichnis" 43. Vgl. *ders.,* Herr ist Jesus 268–272 (Exkurs IV: Zur Methode der Gleichnis-Auslegung). Von ähnlichen philosophischen Voraussetzungen her argumentiert *W. Stählin,* Symbolon I, 31–39.318–344.

[52] Vgl. noch *E. Biser,* Gleichnisse 169–172. Biser konstatiert, daß „Gleichnis und Allegorie, stilistisch gesehen, eng verwandte Sprachformen darstellen", doch verberge sich hinter der scheinbar geringfügigen formalen Differenz „in Wahrheit der Gegensatz zweier Denkweisen" (169). Die Allegorie verbleibe im Bann der platonischen, letztlich mythischen Vorentscheidung des abendländischen Denkens und sei der Rückschau verhaftet, während Gleichnisse nach vorn blickten und neue Existenzmöglichkeiten eröffneten.

[53] *A. T. Cadoux,* Parables 54–59; *C. H. Dodd,* Parables 23f. Vgl. *R. Morgenthaler,* „Gleichnisauslegung" 3–12. Für die Allegorieproblematik bringen beide Arbeiten keinen Fortschritt. Dodd zieht sich auf ein sehr schlichtes Analogieverständnis zurück: „Since nature and super-nature are one order, you can take any part of that order and find in it illumination for other parts" (a.a.O. 20).

Jesu historischer Situation[54] zu erklären. Stärker noch als Fiebig betont er (b), daß Jesus sich einer biblischen Bild- und Symbolsprache bedient habe.[55] Für eine Neubeurteilung der Allegorieproblematik wertet Jeremias beides nicht aus, da er (c) mit Jülicher die allegorische Gleichnisexegese aus der Verwechslung von Gleichnis und Allegorie ableitet.[56] Der Realismus der Gleichnisse dient ihm als Beweis für ihre nichtallegorische Funktionsweise.[57] Jeremias kann hier seine stupende Kenntnis der Umwelt Jesu einbringen, doch bleibt gänzlich unklar, wie der „Griff in den Alltag"[58] eigentlich mit der festen Metaphorik, die Jeremias selbst herausstreicht, vermittelt wird.

Im Grunde ist Jeremias an literarischen Fragen nicht interessiert. Sein Ziel ist ein historisches: „Zurück zur ipsissima vox Jesu, heißt die Aufgabe!"[59] Das Motiv ist theologischer Art: „Niemand als der Menschensohn selbst und Sein Wort kann unserer Verkündigung Vollmacht geben."[60] Damit erweist er sich als konservativer Erbe der liberalen Leben-Jesu-Forschung. Sein Ansatz bedingt notwendigerweise eine negative Einstellung zur Allegorik, die er nur unter dem Aspekt des anachronistischen Eintrags sieht. Die Allegorisierung der Gleichnisse ist ein Störfaktor, den es bei der Rückfrage nach Jesus zu eliminieren gilt.[61]

In gedrängter Kürze nennt Jeremias als treibende Motive für die Allegorisierung (a) den „unbewußte(n) Wunsch … in den schlichten Worten Jesu einen tieferen Sinn zu finden", (b) „die allegorische Deutung der Mythen als Trägerin esoterischer Erkenntnisse" in der hellenistischen Welt, (c) die allegorische Exegese im hellenistischen Judentum, (d) die Musterdeutung der Sämannsparabel und (e) die markinische Verstockungstheorie.[62] Das ist im wesentlichen eine Wiederholung der Thesen Jülichers. Allmählich hätte man sich ihre Verifizierung gewünscht.

---

[54] Daß Jeremias in der 1. Aufl. seines Buches dafür den Terminus *Sitz im Leben* gebrauchte (S. 14f. u. ö.), war ein historisierendes Mißverständnis dieses soziologisch geprägten Begriffs.

[55] Vgl. neben *J. Jeremias,* Gleichnisse 64.117.121 u. ö., noch *ders.,* „Golgotha" 108–128; Abendmahlsworte 225ff.; Theologie I, 74–76.108f.; Verheißung 47–62.

[56] Gleichnisse 9: „So hat man sehr früh begonnen, die Gleichnisse als Allegorien zu behandeln, und die Allegorisierung hat sich jahrhundertelang wie ein dichter Schleier über den Sinn der Gleichnisse gelegt."

[57] Ebd. 49.72.128.171. Die Suche nach einem möglichst konkreten Hintergrund nimmt manchmal groteske Formen an, vgl. etwa *J. Dräseke,* „Gleichnisse" 665–669.

[58] So *G. Eichholz,* „Spiel" 66.

[59] *J. Jeremias,* Gleichnisse 114.

[60] Ebd. 5. Vgl. *ders.,* Jesus 24. Zu den weitreichenden theologischen Implikationen dieses Programms hat *E. Käsemann,* „Sackgassen" 32–41, Treffendes gesagt.

[61] So schon früher *H. Weinel,* Bildersprache 17, der vorschlägt, durch Eliminierung der Gemeindetheologie „echtes Gestein vom Gerölle der Überlieferung zu unterscheiden".

[62] Alle Zitate bei *J. Jeremias,* Gleichnisse 9; vgl. ebd. 88.

§ 7: Ausgleichende Lösungsversuche

a) M. Dibelius

Die bisher diskutierten Entwürfe haben an Jülichers strikter Trennung von Gleichnis und Allegorie festgehalten. Es spricht für den Scharfblick von M. Dibelius, daß er sich mit einer solchen Repristinierung nicht zufrieden gibt. Dibelius unterteilt zunächst den Gleichnisstoff in Regelmäßiges, Typisches, Außerordentliches und Konstruiertes. Im letzteren Fall handelt es sich „um unwahrscheinliche oder gar unmögliche Vorgänge, die dem Lehrzweck zulieb erfunden sind"[63]. Das ist deutliches „Kennzeichen allegorischer Absicht"[64]. Das Problem der festen Metaphern wertet Dibelius in einer methodisch sehr weitreichenden Überlegung in doppelter Hinsicht aus. (a) Vom Erzähler aus gesehen mußte die „Einführung solcher Metaphern in eine Parabel-Erzählung" gelegentlich dazu führen, daß, „dem Erzähler kaum bewußt", eine „zwischen Parabel und Allegorie schwebende Erzählungsart" entstand.[65] (b) Beim Hörer bestand die Neigung,

„das Vorkommen der betreffenden Worte im Sinne der Deutung zu verstehen, auch wenn die Gleichnis-Erzählung selbst keinen Anlaß dazu bietet ... es konnten bei der Weitererzählung der Parabeln unwillkürlich jene Metaphern verwendet werden, es konnten aber auch die bekannten Metapher-Worte, die vielleicht ohne besondere Bedeutung im Parabel-Text vorkamen, allegorisch überdeutet werden."

Das allegorische Gleichnisverständnis ist somit nicht schlechthin als Willkür anzusehen, es hängt eng mit der zielgerichteten Struktur und mit dem metaphorischen Potential der Gleichnisse zusammen. Die historische Frage läßt Dibelius offen: „Wieweit solche halballegorischen Formen bereits auf Jesus zurückgehen, ist schwer zu sagen."[66]

b) L. Fonck, D. Buzy u. a.

Die von Jülicher noch als „mythologische Wesen"[67] perhorreszierten

---

[63] M. Dibelius, Formgeschichte 252f.
[64] Ebd. 254.
[65] Ebd. 256; das folgende Zitat ebd. 255f.
[66] Ebd. 257. Vgl. auch die Diskussion der atl Metaphorik in den Gleichnissen bei E. C. Hoskyns – F. N. Davey, Rätsel 126–137.
[67] A. Jülicher, Gleichnisreden I, 107.

halballegorischen Formen erfreuen sich in der Folgezeit großer Beliebtheit, vorzugsweise, aber keineswegs ausschließlich[68] bei katholischen
Autoren, für die hier stellvertretend D. Buzy und L. Fonck mit ihren
einflußreichen Arbeiten genannt seien[69]. Doch wird der bei Dibelius
anzutreffende Reflexionsstand nicht mehr erreicht. Es ist kein Zufall, daß
fast alle Vertreter der These von den halballegorischen Formen gleichzeitig unbekümmert an Jülichers Ableitung von Gleichnis und Allegorie
aus Vergleich und Metapher festhalten.[70] Zudem muß das konstruierte
genus mixtum allzu oft apologetischen Zwecken dienen. Gegen Jülichers
historische Skepsis sollen die Gleichnisse in ihrer vorliegenden Form als
jesuanisch erwiesen werden. Gelegentlich wird damit ein relatives Recht
allegorischer Gleichnisexegese begründet.[71] Das Gesamtbild bleibt unbefriedigend.

§ 8: Unkonventionelle Lösungsversuche

a) E. Lohmeyer – M. Hermaniuk

E. Lohmeyer unterscheidet paradigmatische und eschatologische Gleichnisse. Erstere sind leicht verständlich und dienen didaktischen Zwecken.
Ihr traditionsgeschichtlicher Ort ist die Weisheitsliteratur. Letztere
haben allegorischen Charakter. Sie offenbaren in geheimnisvoller Weise
Gottes endzeitlichen Plan. Ihr historischer Ort ist die Apokalyptik. Zwar
rücken beide Gleichnistypen mehr und mehr zusammen, weil ihre Traditionskreise sich überschneiden. Doch gelingt es „erst Jesu Parabeln,
geschichtlich gesehen, sie zu einer unlöslichen Einheit zu verschmelzen"[72]. Das erklärt die eigenartige Ambivalenz der Gleichnisse Jesu, die
„ebenso klar und treffend wie dunkel und geheimnisvoll" sind[73]. Sie ver-

---

[68] Vgl. *W. Michaelis*, Gleichnisse 15; *L. E. Browne*, Parables 15 („mixed allegory and similitude"); zur Sache auch *I. K. Madsen*, Parabeln 10f.28.40. Abzulehnen ist der Versuch von
M. Goulder, „Characteristics" 59f., der den Allegorieanteil in Prozentzahlen ausdrücken
will.

[69] *L. Fonck*, Parabeln 17f.; *D. Buzy*, Paraboles XIII; *ders.*, Introduction 218 u. ö. („parabole allégorisante" etc.). Ferner *I. M. Vosté*, Parabolae I, 43–47 („genus mixtum parabolae et allegoriae"); *L. Algisi*, Parabole 81 („mescolanza di parabola e di allegoria"); *M.
Adinolfi*, „L'insegnamento" 139 („parabola mista o allegorizzante"); *J. M. Bover*, „Parábolas" 239 („género mixto de parábola y alegoría").

[70] So alle in der vorigen Anmerkung genannten Autoren. Ferner *M. Meinertz*, Gleichnisse
15. Abweichend, aber unklar *J. Pirot*, Paraboles 475–489.

[71] *M. Meinertz*, „Verständnis" 47: „So gehört ein besonnenes Allegorisieren zum rechten
Verständnis und zur vollen Ausschöpfung der Lehren über das Gottesreich."

[72] *E. Lohmeyer*, „Gleichnisse" 150.

[73] Ebd. 153.

binden die zeichenhafte Offenbarung des hereinbrechenden Reiches mit
der konkreten weisheitlichen Mahnung, die den Menschen aufrufen will
zur eschatologischen Existenz.

M. Hermaniuk gelangt zu dem Schluß, das ntl Gleichnis habe vom AT
Namen und Funktion entlehnt, von der Apokalyptik den Inhalt und vom
rabbinischen Gleichnis die äußere Form.[74] Die Gleichnisse der apokalyptischen Literatur enthalten „une révélation en symbole de desseins
mystérieux de Dieu"[75]. Analog dazu ist dem ntl Gleichnis das Geheimnisvolle, das erst gedeutet werden muß, von Hause aus inhärent. Man
braucht dafür nicht erst eine Verwechslung von sonnenklarem Gleichnis[76] und mysteriöser Allegorie zu bemühen.

Die Ausführungen Lohmeyers sind nicht frei von Paradoxien und
Gewaltsamkeiten, Hermaniuks Ergebnis wirkt äußerst konstruiert.
Beachtenswert bleibt der eingeschlagene Weg, der vielleicht zu einer reli-
gionsgeschichtlichen Einordnung der ntl Allegorik führen kann. Die
Frage nach dem Einfluß der Apokalyptik ist erneut gestellt.

b) B. Gerhardsson u. a.

Einige Forscher vertreten die These, Jesus habe seine Gleichnisse als
exegetische Midraschim konzipiert[77], möglicherweise im Rahmen syn-
agogaler Predigten über atl Texte[78]. Jesu Gleichnisse werden mißverstanden, wenn man sie für schlichte Bilder aus dem täglichen Leben hält.
In Wirklichkeit hat Jesus mit beträchtlichem Scharfsinn atl Schriftstellen
mosaikartig miteinander kombiniert und mehrdimensionale Texte
geschaffen, die eine Fülle von Anspielungen enthalten. Der Exeget muß
diese Allusionen entschlüsseln. Der Allegorieverdacht legt sich nahe, und
in der Tat sagt B. Gerhardsson, Jesus habe „in a veiled allegoric man-
ner"[79] gesprochen.

Kritisch sei angemerkt, daß diesem Vorgehen die methodische Kontrolle
fehlt. Das Auffinden atl Parallelen entbehrt nicht einer gewissen Beliebig-

---

[74] M. Hermaniuk, Parabole 284.301.
[75] Ebd. 152. Auch den atl Maschal umgibt nach Hermaniuk eine „certaine obscurité, un
certain halo de mystère" (a.a.O. 109).
[76] Vgl. J. Schniewind, Mk 76: „Die Gleichnisse sind sonnenklar, Kinder und einfache Leute
verstehen sie ohne weiteres."
[77] J. Doeve, Hermeneutics 99–104.125–128.162f.; I. Abrahams, Studies II, 33–40; J. M. Ford,
„Foolish Scholars" 107–123; B. Gerhardsson, Samaritan 3–31; M. Black, „Use of the OT"
11–14; M. D. Miller, Scripture and Parable 33–37; E. E. Ellis, „Directions" 309–315.
[78] So vor allem C. H. Cave, „Parables" 374–387.
[79] B. Gerhardsson, Samaritan 20.

keit, der Phantasie sind kaum Grenzen gesetzt.[80] Der Sammelname Midrasch muß für alles mögliche herhalten. Doch bleiben zwei Aufgaben gestellt. (a) Der Einfluß des AT auf die Gleichnistradition muß sehr genau geprüft werden. (b) Es ist zu klären, wie die feste Metaphorik im Midrasch funktioniert, ehe Schlüsse auf die synoptischen Gleichnisse gezogen werden können.

c) A. M. Brouwer

A. M. Brouwer erkennt erstaunlich klar die Engführung Jülichers, nämlich „dat hij, omdat hij de allegorese afwijst, meent verplicht te zijn ooch het gebruik van allegorieën door Jezus af te wijzen"[81]. Brouwer lehnt diese Verknüpfung ab. Die Allegorie ist eine literarische Form, die Allegorese eine exegetische Methode.

Sofort ändert sich das Gesamtbild. Die Allegorie gilt nicht länger als minderwertige literarische Gattung. Die festen Metaphern können als allegorische Elemente akzepziert werden. Die ungewöhnlichen Erzählzüge sprengen den Rahmen der Realität und stehen – wenn man so will: allegorisch – im Dienst der Sache. Von der Frage nach der Authentizität ist die Frage nach der Allegorie strikt zu trennen: warum sollte Jesus nicht allegorisch gesprochen haben? Abzulehnen ist allein die Allegorese, die nach einem verborgenen Sinn sucht.[82]

Brouwer erklärt nicht, wie die vorhandenen Berührungspunkte zwischen Allegorie und Allegorese zu verstehen sind. Erstaunlich bleibt, daß der Unterschied zwischen der textproduzierenden Allegorie und der textauslegenden Allegorese in der Gleichnisforschung so gut wie unbeachtet blieb.

---

[80] Solche Vorbehalte sind vor allem gegenüber den zahlreichen Äußerungen von J. D. M. Derrett am Platz.
[81] *A. M. Brouwer,* Gelijkenissen 27.
[82] Ebd. 29.48f.58–63.65–79. Wahrscheinlich hat die Sprachschranke dazu beigetragen, daß diese beachtenswerte Arbeit kaum Resonanz fand.

Kapitel III

Neuorientierung: Erzählstruktur und Metaphorik

§ 9: Das Unbehagen am exegetischen Erbe

Die abweichenden Lösungsversuche, die im letzten Kapitel vorgestellt wurden, sollen nicht darüber hinwegtäuschen, daß Jülichers antiallegorischer Ansatz mit den Modifikationen von Dodd und Jeremias so dominierend war, daß Widerspruch fast aussichtslos erschien. Um so bemerkenswerter sind vereinzelte kritische Stimmen, die gerade den eigentlichen Anspruch dieses Unternehmens, Gleichnisse auf nichtallegorische Weise zu erklären, als mißglückt bezeichnen.
M. Black hat darauf hingewiesen, daß die Interpretation des Winzergleichnisses (Mk 12,1–12) bei C. H. Dodd trotz gegenteiliger Beteuerung der Struktur nach allegorisch, weil punktuell identifizierend ist. Aus Dodds verklausulierten Wendungen lassen sich unschwer folgende Gleichungen herauslesen: Weinberg = Israel; Pächter = Bewohner Jerusalems; Knechte = Propheten; Sohn = Jesus.[83] Black bemerkt sarkastisch[84]:

„While thus showing allegory firmly to the door, one cannot but wonder if Dr. Dodd has not surreptitiously smuggled it in again by the window."

Noch weiter geht T. F. Torrance, wenn er feststellt: „... to say that the parable yields *one idea* is to make it as much an allegory as if it yielded a series of ideas"[85]. Und H. Boers betrachtet den Versuch von Dodd und Jeremias, den Anspruch des irdischen Jesus in den Gleichnissen zu entdecken, grundsätzlich als „a regression to a more refined form of allegorical interpretation"[86].
Zu diesem deutlich artikulierten Unbehagen an Jülichers Hinterlassenschaft treten verschiedene andere Faktoren. E. Fuchs übt mit seiner existentialen Interpretation der Gleichnisse als Sprachereignisse einen unterschwelligen, aber nicht zu unterschätzenden Einfluß aus.[87] Damit

---

[83] *C. H. Dodd,* Parables 97f.
[84] *M. Black,* „Parables" 283. Ähnlich *J. J. Vincent,* „Parables" 85.
[85] *T. F. Torrance,* „NT Communication" 301 (Hervorheb. im Orig.). Vgl. auch *R. E. Brown,* „Parable" 255–257; *R. W. Funk,* „Criticism" 154: „Jülicher's legacy is a trap because he was never able to escape from the allegory he so fervently rejected."
[86] *H. Boers,* Theology 20. Seine eigene, nicht-religiöse Gleichnisinterpretation kann mich aber nicht überzeugen.
[87] Vgl. nur *E. Fuchs,* Hermeneutik 219–230; „Bemerkungen" 136–142; dazu *A. C. Thiselton,* „Language-Event" 437–468. Der Abschnitt über die Allegorie bei der Fuchs-Schülerin

verbunden kommt die Sprachontologie des späten Heidegger, für den das unverstellte Sein im Wort des Dichters zum Ereignis wird, in der Neuen Hermeneutik exegetisch zum Tragen.[88] Vor allem provoziert ein zunehmendes Interesse an der Literaturwissenschaft neue Einsichten und Fragen. Manche Autoren wären hier zu nennen – A. N. Wilder z. B., G. V. Jones und R. W. Funk.[89] Ich beschränke mich auf die Diskussion der Entwürfe von D. O. Via und J. D. Crossan, die um einige Beobachtungen anderer Autoren zu ergänzen sind. Das Hauptaugenmerk gilt dem Ertrag, den ihre Ansätze für die Allegorieproblematik abwerfen. Doch lassen sich einige weiter ausgreifende Überlegungen, die zunächst wie Umwege erscheinen mögen, nicht vermeiden.

§ 10: Gleichnis und Erzählstruktur (D. O. Via)

D. O. Via hat den Versuch unternommen, den nicht-referentialen Charakter der Gleichnisse nachzuweisen und sie dadurch grundsätzlich von der Allegorie zu scheiden. Zur Verdeutlichung müssen einige sprachwissenschaftliche Grundbegriffe eingeführt werden.

F. de Saussure hat die Unterscheidung von Bezeichnendem *(signifiant)* und Bezeichnetem *(signifié)* in die Sprachwissenschaft eingebracht. Das Bezeichnende ist ein Lautbild *(image acoustique)*, das Bezeichnete eine mentale Vorstellung *(concept)*. Beide zusammen bilden das sprachliche Zeichen *(signe linguistique)*. Das Zeichen als Einheit bezieht sich auf eine Größe der außersprachlichen Wirklichkeit *(chose)*, für die inzwischen der Begriff Referent gebräuchlich geworden ist.[90] Bedeutung *(signification)* ist ein reiner Relationsbegriff, ob man nun die Beziehung von Signifié und Signifiant darunter versteht (so S. Ullmann[91]) oder die Beziehung

---

E. Linnemann, Gleichnisse 15–18, bietet eine präzise Zusammenfassung der herrschenden Sicht, aber keine wesentlich neuen Aspekte.

[88] *J. M. Robinson*, „God-Happening" 134–150.

[89] *A. N. Wilder*, Rhetoric 71–88; *G. V. Jones*, Art and Truth 110–205; *R. W. Funk*, Language 124–222. Auch Perrin hat sich mehrfach an der Diskussion beteiligt, vgl. jetzt zusammenfassend *N. Perrin*, Jesus 127–181. Informierend sind *E. C. Blackman*, „Methods" 3–13; *E. Engdahl*, „Liknelser" 90–108.

[90] Zum Ganzen vgl. *F. de Saussure*, Grundfragen 76–79.122–159. Das ganze Modell ähnelt dem scholastischen, auf die griechische Sprachphilosophie zurückgehenden Axiom *voces significant res mediantibus conceptis*. Der Unterschied ist in einer je verschiedenen Fassung von Bedeutung *(significatio)* zu suchen. Leider ist die linguistische Terminologie an dieser Stelle besonders umstritten. Es bleibt nichts anderes übrig, als bestimmte Optionen vorzunehmen. Ich stütze mich hier auf *H. Geckeler*, Semantik 41–83; *H. Stammerjohann*, Handbuch 61–64.

[91] *S. Ullmann*, Sprache 19–32.

verschiedener Signifiés untereinander (so H. Geckeler[92] im Anschluß an
E. Coseriu). Die Verbindung des sprachlichen Zeichens mit dem extra-
linguistischen Referenten wird Bezeichnung (*désignation*) genannt.
Die Sprachwissenschaft braucht sich nach Saussure nur für die syntag-
matischen und paradigmatischen Verbindungen der Zeichen innerhalb
des Systems der Sprache zu interessieren, nicht aber für ihre Verbindung
mit der außersprachlichen Realität. Strukturale. Sprachwissenschaft
arbeitet *per definitionem* non-referential.
Man kann diese methodische Forderung von der Sprachwissenschaft auf
die Literaturwissenschaft übertragen. R. Jakobson hat das in einem
berühmten Aufsatz getan. Von einem Kommunikationsmodell ausgehend, unterscheidet er insgesamt sechs sprachliche Funktionen, von
denen hier zwei interessieren: die referentielle und die poetische Funktion. Die Hauptaufgabe vieler Nachrichten besteht darin, Informationen
über Sachverhalte zu vermitteln, also referential zu bezeichnen. Anders
bei poetischen Texten. Hier gilt das Interesse der Nachricht um ihrer
selbst willen, losgelöst von jedem Referenten. Dichterische Sprache ist
non-referential und ästhetisch autonom.
Während es Jakobson mehr um eine Akzentuierung, nicht um eine Ver-
absolutierung ging[93], sind französische Strukturalisten zu radikaleren
Folgerungen gelangt. Für R. Barthes geschieht in einem erzählenden
Text vom referentiellen Standpunkt aus gesehen buchstäblich nichts. Die
Erzählung hat keinerlei informative Absicht. Vielmehr wird in ihr die
Sprache selbst zum Ereignis.[94]
Via bezieht sich direkt weder auf Saussure noch auf Jakobson, sondern
auf Vertreter der amerikanischen Literaturkritik. Doch stehen bei Via
ganz ähnliche Überlegungen im Hintergrund, wenn er etwa *through-mea-
ning* und *in-meaning* sprachlicher Zeichen unterscheidet. Die ästhetische
Sprache bedient sich der nicht-verweisenden *in-meaning,* nicht-ästheti-
sche Sprache der verweisenden *through-meaning.* Das führt Via zu seiner
zentralen These[95]:

„Beim nicht-ästhetischen Lesen gewahren wir untergeordnet die
Sprache und brennpunktartig das, worauf sie verweist. Aber in der
ästhetischen linguistischen Erfahrung gewahren wir brennpunktartig

---

[92] *H. Geckeler,* Semantik 78–83.
[93] *R. Jakobson,* „Linguistik" 109: „ Die Eigenarten verschiedener poetischer Genera implizieren eine unterschiedliche Teilhabe der anderen Sprachfunktionen zusammen mit der
dominanten poetischen Funktion."
[94] *R. Barthes,* „Analyse structurale" 27: „... ‚ce qui se passe' dans le récit n'est, du point de
vue référentiel (réel), à la lettre: *rien;* ‚ce qui arrive', c'est le langage tout seule, l'aven-
ture du langage, dont la venue ne cesse jamais d'être fêtée."
[95] *D. O. Via,* Gleichnisse 87.

die linguistische Struktur und untergeordnet jeden Verweis nach außen auf die Welt."

D. h., Via postuliert wie Jakobson, weniger radikal als Barthes, eine relative Autonomie des sprachlichen Kunstwerks. Da Gleichnisse ästhetische Objekte sind[96], partizipieren sie an dieser Autonomie. Das hat für ihr Verständnis mehrere Konsequenzen.

(1) Das Hauptaugenmerk des Interpreten hat der inneren Konfiguration des Textes zu gelten[97], nicht irgendwelchen Referenten (Referent ist hier sehr weit zu fassen: es kann sich um die außersprachliche Realität handeln, um eine konkrete Situation, um einen Sinnzusammenhang oder um einen vorgegebenen Text, etwa das AT). Wer nach der Intention des Autors oder nach dem Erwartungshorizont der Hörer fragt, wie J. Jeremias, begeht den Fehler des intentionalen und des affektiven Irrtums[98] und entgeht der Gefahr der Allegorisierung ebensowenig wie Jülicher, der die Gleichnisse auf eine außerhalb ihrer Gestalt liegende Idee reduzierte.

(2) Neben der dominierenden Form gibt es einen teilweise übersetzbaren Inhalt: das Existenzverständnis. Gleichnisse dramatisieren die ontologische Möglichkeit des Menschen, seine Existenz zu gewinnen oder zu verlieren. Die sprachliche Einheit des Textes wird dadurch nicht aufgelöst. Denn Existenz meint „den Menschen als ein wesenhaft sprachliches Dasein, das seine Sprache benutzt, um seinen Ort in der Geschichte zu verstehen"[99].

(3) Nachdem Via sich derart abgesichert hat, kann er großzügig zugestehen, daß Gleichnisse zweifellos allegorische Züge tragen.[100] In jedem Text, auch in ästhetischen, gibt es Elemente, die nach außen weisen. Sie werden sprachfunktional in die organische Einheit des Textes integriert. Der Hörer nimmt sie kaum wahr, eher schon der Interpret.

Via hat nun die Mittel in der Hand, die ihm erlauben, die entscheidende Differenz zwischen Gleichnis und Allegorie zu formulieren[101]:

„Es ist nicht der Unterschied zwischen *einem* Bezugspunkt und *vielen,* vielmehr die unterschiedlichen Weisen, in denen die Elemente der Geschichte aufeinander und auf die Welt der Realität oder Gedanken außerhalb der Geschichte bezogen sind."

[96] Daß sie als ästhetische Objekte anzusehen sind, versucht Via ebd. 94–106 nachzuweisen – mit einiger Mühe!

[97] Vgl. ebd. 49f.

[98] Zu den Begriffen *intentional fallacy* und *affective fallacy* vgl. *W. K. Wimsatt,* Icon 3–39.

[99] *D. O. Via,* Gleichnisse 46.

[100] Es sei darauf aufmerksam gemacht, daß Via an einer traditionsgeschichtlichen Differenzierung nicht interessiert ist, vgl. *D. O. Via,* „Response" 222: „I have no interest at all in even the Persona of the historical Jesus."

[101] Gleichnisse 33.

Die Allegorie existiert nur in der Form der Bezeichnung. Sie empfängt ihren Sinn von außen. Sie ist deshalb kein ästhetisches Objekt.

Diese Unterscheidung von Gleichnis und Allegorie steht und fällt mit der These, daß Gleichnisse (a) als ästhetische Objekte non-referential funktionieren und (b) keinen anderen übersetzbaren Inhalt haben als das Existenzverständnis. Beides wird man anzweifeln dürfen.

(1) Rein formal sind die erzählenden Gleichnisse (nur solche sind Vias Methode zugänglich) mit der Fabel zu vergleichen. Für die Fabel hat W. Gebhard den Nachweis erbracht, daß sie unabdingbar auf Außerliterarisches – z. B. auf gesellschaftliche Zustände – verwiesen bleibt. Sie bewegt sich stets „an der Grenzzone zu außerästhetischen Texten"[102]. Von Autonomie wird man schwerlich sprechen können. Gleiches gilt für die Parabeln, es sei denn, man postuliert für Jesus eine ganz eigene ästhetische Kompetenz als Fabeldichter – womit man ein theologisches Urteil gefällt hat, kein literarisches.

(2) Es ist hier nicht der Ort für eine Auseinandersetzung mit der existentialen Interpretation, die Via konsequent ausgebaut hat.[103] Nur soviel sei gefragt: wie steht es mit dem Bezug der Gleichnisse auf die Basileia-Botschaft, auf die eschatologische Situation und auf die Person Jesu, auf Gott als letzten Referenten religiöser Rede? Oder sind das alles nur Mythologeme, Chiffren dafür, daß der Mensch in die Entscheidung gerufen ist? Daß der einzige Referent der Gleichnisse ihr Existenzverständnis sei, ist – *sit venia verbo* – ein existentiales Dogma, mehr nicht.

Teilt man Vias Voraussetzungen nicht, bleibt von seiner ganzen Theorie nur ein altes Vorurteil übrig: Kennzeichen für die Allegorie ist ein ästhetisches und narratives Desinteresse. Deshalb ist sie als literarische Form der Gleichnisrede Jesu inkompatibel.

§ 11: Gleichnis und Metaphorik

a) J. D. Crossan

J. D. Crossan sucht das sprachtheoretische Fundament für die Unterscheidung von Gleichnis und Allegorie dadurch zu gewinnen, daß er zwei

---

[102] *W. Gebhard,* „Mißverhältnis" 152f. *M. J. Boucher,* Parable 53–73, vertritt in ihrer Dissertation gegen Via die These, Gleichnisse seien zwar literarische, aber keinesfalls poetische Texte. Sie seien niemals autonom, sondern immer auf Referenten bezogen. Boucher bestreitet konsequenterweise jeden Unterschied zwischen Parabel und Allegorie.

[103] Für Via ist z. B. die „fortdauernde Qualität der Existenz ... das, was das NT mit der Auferstehung Jesu meint" (Gleichnisse 199). Bedenkenswerte Kritik an der existentialen Gleichnisauslegung übt *K. P. Jörns,* „Gleichnisverkündigung" 165–173.

verschiedene Funktionsweisen der Metapher herausstellt, die er (a) didaktisch und (b) poetisch nennt.

(1) Die didaktische Metapher dient zur Illustration eines bekannten Referenten. Man kann dasselbe auch auf nicht-figurative Weise sagen, ohne Substanzverlust. Die Allegorie ist als pädagogisch-taktischer Kunstgriff des Lehrers oder Redners aus der didaktischen Metapher entwickelt. Deshalb gilt[104]:

> „... allegory is always logically subordinate and functionally secondary with regard to abstract proposition and statement."

(2) Die poetische Metapher bezieht sich auf einen Referenten, der so neu oder fremd ist, daß es zu ihm keinen anderen Zugang gibt als durch die Metapher selbst. Sie will weder informieren noch illustrieren, sondern eine unmittelbare Teilhabe, eine Art *participation mystique*, ermöglichen. Realisiert wird die poetische Metapher im dichterischen Kunstwerk und – in den Gleichnissen Jesu. Sie stehen im Dienst einer „experienced revelation which seeks to articulate its presence"[105]. In ihrer sprachlichen Gestalt ereignet sich die An-kunft der Basileia (im Sinn der Heideggerschen Sprachontologie). Die Allegorie informiert, das Gleichnis offenbart, „the gulf between them is absolute"[106].

Eines ist bei Crossan neu: daß die Allegorie nicht verdunkelt oder verhüllt, sondern illustriert. Das entbehrt nicht einer gewissen Ironie. Man bedenke, daß Crossans Beschreibung der didaktischen Metapher ziemlich genau auf das hinausläuft, was Jülicher Vergleich genannt und als Vorstufe des Gleichnisses bewertet hat.[107] Das theoretische Fundament Jülichers ist auf den Kopf gestellt, seine Abwertung der Allegorie geblieben. Sie muß so oder so als die dunkle Folie dienen, vor der sich die Gleichnisse Jesu um so strahlender abheben.[108]

Crossan beruft sich für sein theoretisches Konzept auf die Allegorie-Symbol-Diskussion in der klassischen Ästhetik. Er zitiert u. a. Coleridge, der dafür verantwortlich zeichnet, daß „die allgemeine Verketzerung der Allegorie im 19. Jahrhundert"[109] in der englischsprachigen Literaturkri-

---

[104] *J. D. Crossan*, „Example" 87.

[105] *J. D. Crossan*, Parables 21. Das unterscheidet Jesu Gleichnisse auch von den rabbinischen, die nur „didactic stories" sind, „poised somewhere between example and allegory" (ebd. 20).

[106] *J. D. Crossan*, „Example" 87. Vgl. *ders.*, „Experience" 339–342.

[107] Bei *R. W. Funk*, Language 137, nehmen denn auch Vergleich (*simile*) und Metapher die Stelle von didaktischer und poetischer Metapher ein.

[108] Darüber können auch die Konzessionen bei *J. D. Crossan*, Parables 10, nicht hinwegtäuschen. Wie ich nachträglich sehe, hat Crossan seine Position inzwischen teilweise korrigiert, zugunsten einer positiven Neubewertung der Allegorie, vgl. *J. D. Crossan*, „Paradox" 247–281.

[109] *H. G. Gadamer*, Wahrheit 70, Anm. 1.

tik Heimatrecht gewann[110]. Was dort Symbol heißt, nennt Crossan poetische Metapher. Es zeigt sich, in welchem Maße hier Vorentscheidungen im Spiel sind, die unter formalem Aspekt nur unzureichend begründet werden.

Crossan sagt z. B. nicht, wie man sich die Erweiterung einer Metapher zu einem Gleichnis eigentlich zu denken hat. Eine Metapher ist zunächst ein sprachliches Phänomen unterhalb der Satzebene. Ein sprachliches Zeichen wird in einem Kontext gebraucht, in den es seiner lexikalischen Denotation nach nicht hineinpaßt. Die semantische Isotopie des Textes wird gestört, die entstehende Spannung führt zu einer Bedeutungserweiterung oder Bedeutungsübertragung. Das sprachliche Zeichen fungiert in diesem komplexen Vorgang als *vehicle* oder Bildspender, der neue Referent als *tenor* oder Bildempfänger[111].

Wahrscheinlich hat man sich die Ausweitung der Metapher auf den ganzen Text nach Crossan so zu denken: die ganze Erzählung, unter Absehen von einzelnen metaphorischen Wendungen, dient als *vehicle*, der neue Referent, an dem sie partizipieren läßt, ist ihr *tenor*. Das heißt aber, der Begriff Metapher wird nur in analoger, um nicht zu sagen metaphorischer Weise auf den Text angewandt.

b) P. Ricoeur

P. Ricoeur hat erkannt, daß die bloße Beschreibung des Gleichnisses als Metapher zu kurz zielt. Auch die Konzentration auf die Erzählstruktur führt allein nicht ans Ziel. Das eigentliche Problem liegt gerade darin, zu erklären, wie die Kombination von narrativer Struktur und metaphorischem Prozeß zustande kommt. Eine in sich geschlossene Erzählung bedarf keiner metaphorischen Deutung (man denke an die Märchen). Woher kommt bei Gleichnissen das Gefühl, daß die Erzählung nicht sich selbst genügt, sondern eine übertragene Bedeutung hat[112]?

Ricoeurs Antwort: Zeichen der Metaphorizität des Textes ist die Extravaganz der Erzählung. Extravagant nennt er die ungewöhnlichen Züge,

---

[110] Belegt bei *R. Wellek – A. Warren*, Theorie 166.

[111] Die Begriffe *vehicle* und *tenor* gehen auf *I. A. Richards*, Rhetoric 96–100, zurück. Von Bildspender und Bildempfänger spricht *H. Weinrich*, „Münze und Wort" 515 (im Anschluß an *J. Trier*). Man könnte auch Signifié und Signifiant dafür sagen, verläßt damit aber schon den Bereich, den Saussure selbst für diese Begriffe abgesteckt hat.

[112] Nach meinem Dafürhalten ist Ricoeur im Recht, wenn er die Anwendung der von W. Propp entdeckten Strukturgesetze des russischen Volksmärchens (*W. Propp*, Morphologie 31–66.91–115) auf Gleichnisse für problematisch hält (*P. Ricoeur*, „Metapher"

die den Erfahrungsrahmen der Alltagswelt sprengen. Die Spannung zwischen Erzählung und Realität entspricht der Spannung zwischen Lexem und Kontext bei der Metapher. Sie drängt zum Fortschreiten vom internen Sinn zur übertragenen Bedeutung. Die Dimension der Extravaganz befreit „die Offenheit des metaphorischen Prozesses von der Geschlossenheit der Erzählform"[113].

Ricoeur kann seine Beobachtungen mit der Sprachphilosophie von I. T. Ramsey verknüpfen. Nach Ramsey ist seltsame, auffallende Sprache (*odd language*) ein Charakteristikum religiöser Rede. Nur Grenzausdrücke vermögen die Grenzerfahrung einer religiösen Erschließungssituation (*disclosure*) einzufangen.[114]

Hat Ricoeur recht, so muß die Folgerung lauten: Gleichnisse sind nicht autonom, sondern zweckgebunden konstruiert. Ihr vielgerühmter Realismus, der es manchen Forschern erlaubte, wahre Genrebilder palästinensischen Land- und Kleinstadtlebens zu entwerfen[115], wirkt bei näherem Hinsehen arg strapaziert und erweist sich als Mittel erzählerischer Fiktion.

c) E. Kamlah

Die These, Jesu Gleichnisse seien aus der Sprachfigur der Metapher abzuleiten, war im Sinn von Crossan und Ricoeur dahingehend zu präzisieren, daß ein Gleichnis als erzählerische Einheit Eigenschaften aufweist, wie sie sonst der Metapher zukommen. Ungelöst bleibt das Problem der festen Metaphorik.

In einem methodisch ergiebigen Beitrag hat sich vor Crossan und Ricoeur E. Kamlah dieser Frage angenommen. Er zeigt, daß Lk 16,1–8 die Metapher vom Menschen als Knecht Gottes voraussetzt, die in der jüdischen Paränese geläufig war. Ihre Kenntnis kann der Erzähler von seinen Hörern erwarten. Die Umsetzung der Metaphorik in Erzählung verleiht der Metapher eine überraschende, kritische, provozierende

---

55–57). Methodisch ist festzuhalten, daß die Proppschen Gesetze zunächst nur für den Textkorpus gelten, an dem sie gewonnen wurden. Daß sie auf andere Märchenkorpora anwendbar sein würden, stand zu erwarten (vgl. *A. Dundes*, Morphology 50–54). Daß sie universale Geltung für Texte jeglicher Art hätten, ist keinesfalls erwiesen, trotz *A. Greimas*, Semantik 197f. Eine rein strukturale Erzählanalyse vermag zudem die spezifische Metaphorizität der Gleichnisse nicht zu erfassen.

[113] *P. Ricoeur*, „Metapher" 69 (im Orig. z. T. gesperrt). Vgl. noch *ders.*, „Hermeneutics" 114–122; *R. W. Funk*, Language 158; *D. Sabbatucci*, „Parabola" 492 (Gleichnisse verkünden die „crisi della normalità").

[114] *I. T. Ramsey*, Language 106f.112ff.

[115] Das beste Beispiel ist *C. H. Dodd*, Authority 147–152.

Dimension. „Die Metaphorik ist ja bekannt, sie bringt den Hörern nichts Neues. Neu ist nur die Wendung, die die Gleichnisse ihr geben."[116] Kamlah sieht die Kombination von Metaphorik und narrativer Struktur anders und wie ich meine richtiger als Crossan und Ricoeur. Die Funktion der festen Metapher, die der ästhetischen und philosophischen Betrachtungsweise als *quantité négligeable* galt, wird exegetisch ernst genommen. Erst dieses Modell macht einigermaßen klar, wieso man sagen kann, ein Gleichnis sei die narrative Erweiterung[117] oder Dramatisierung[118] einer Metapher. Leider führen Kamlahs Randbemerkungen zur Allegorik nicht weiter. Die Verzahnung von Allegorik und Metaphorik bleibt ein ungelöstes Problem.

Kapitel IV

OFFENE FRAGEN

Die Forschungsgeschichte ergibt ein verwirrendes Bild. Es dominiert die von Jülicher begründete Abwertung der Allegorie. Man bemängelt an ihr je nach Bedarf die Esoterik (R. Bultmann), den anachronistischen Eintrag (J. Jeremias), das ästhetische Desinteresse (D. O. Via) oder den rein äußerlichen, oft punktuellen Bezug auf vorgegebene Referenten (J. D. Crossan). Es ist bisher nicht gelungen, alle beobachteten Fakten (P. Fiebig) in eine widerspruchsfreie Theorie zu integrieren. Daß im Zweifelsfall weitreichende ontologische Konzepte die Unterscheidung von Gleichnis und Allegorie absichern müssen (W. Foerster, E. Biser), zeigt, wie ernst die exegetische Lage anscheinend ist. Die grundsätzliche Kritik an Jülichers Ansatz ist nie ganz verstummt (M. Black u. a.). Mehrfach sind abweichende, untereinander stark divergierende Lösungsversuche vorgetragen worden. Manche sind zu wenig reflektiert und zu harmonisierend (so die Theorie vom *genus mixtum*), andere machen bei aller Einseitigkeit auf offene Fragen aufmerksam (etwa auf die Verbindung zum AT und zur Apokalyptik). Vorwärts weisende Ansätze (M. Dibelius, A. M. Brouwer) haben zu wenig Beachtung gefunden oder sind nicht konsequent genug ausgebaut worden.

---

[116] *E. Kamlah,* „Verwalter" 283. Eine einseitige Auswertung der gleichen Beobachtung bei *H. W. Bartsch,* „Bilder" 103–117.

[117] *B. Snell,* Entdeckung 184ff., hat sehr schön gezeigt, wie bei Homer metaphorisch gebrauchte Verben zum Ausgangspunkt für Gleichnisse werden (Il 4,421–425 z. B. wird das Heranwogen eines Heerhaufens ins Bild vom Wogen der Meeresflut transponiert).

[118] Daß Dramatisierung den gemeinten Sachverhalt trifft, hat *G. Eichholz,* „Spiel" 57–77, deutlich gemacht.

Aus der Fülle der anstehenden Fragen und Probleme bedürfen einige Punkte besonderer Aufmerksamkeit.

(1) Es ist deutlich geworden, daß Allegorik ein vielschichtiges Phänomen ist. Es muß versucht werden, nach sprachfunktionalen Gesichtspunkten genauer zu differenzieren.

(2) Offensichtlich besteht ein enger Zusammenhang zwischen Gleichnis, Allegorik und Metaphorik. Über die Erklärung und Bewertung dieses Faktums herrscht keine Einigkeit.

(3) Das Interesse an den Motiven, die Tradenten und Redaktoren zur Allegorisierung bewegten, ist marginal. Es scheint, *pace* E. Linnemann, doch so zu sein, „daß wir das, was die Überlieferung zu den Gleichnissen hinzugetan hat, als ein wertloses Verpackungsmaterial betrachten, das man fortwirft, sobald man herausgeschält hat, was darin eingewickelt war"[119].

(4) Exegetisch ist zu fragen, wie es um die übliche Verknüpfung von Allegorik und synoptischer Parabeltheorie bestellt ist. Ebenso ist die Verwendung des Allegorieverdachts bei Urteilen über die Authentizität eines Textes kritisch zu prüfen.[120]

(5) Die religionsgeschichtliche Einordnung der synoptischen Allegorik ist in ihren Anfängen stecken geblieben. Ein Vergleich mit der Literatur der Umwelt ist in größerem Umfang nicht durchgeführt worden. Die summarischen Verweise auf die griechische Mythenexegese und die jüdisch-hellenistische Allegorese sind in keiner Weise historisch abgesichert.

(6) Daß die synoptische Gleichnisallegorik in der jüdischen Überlieferung (AT, Apokalyptik, rabbinische Literatur) wurzelt, ist verschiedentlich angedeutet worden. Doch harren diese Zusammenhänge noch einer genauen und kritischen Prüfung.

Mit diesen Fragen beschäftigen sich die folgenden Abschnitte der Arbeit. Der zweite Teil, der einer Skizze der antiken Allegorik gewidmet ist, soll (a) das historische Material bereitstellen, mit dem der Befund, der sich aus der Untersuchung der synoptischen Gleichnistradition ergibt, verglichen werden kann. Zugleich besteht (b) die begründete Hoffnung, daß die historische Rückfrage einige grundlegende Daten systematischer Art liefert, die einer theoretischen Reflexion der Allegorieproblematik zugute kommen.

Der dritte Teil der Arbeit diskutiert literaturwissenschaftliche Aspekte der Allegorik. U. a. wird versucht, historisch bedingte Engführungen aufzuzeigen und sie durch Einbeziehen neuerer Ansätze zu überwinden.

---

[119] *E. Linnemann*, Gleichnisse 53.
[120] Vgl. *I. H. Marshall*, Eschatology 13.

Daneben muß unser besonderes Augenmerk den Fragen um Allegorik und Metaphorik gelten.[121]
Über die Arbeitsschritte der Textuntersuchungen im vierten Teil wurde in der Einleitung das Nötige gesagt. Es steht zu hoffen, daß sich nach Abschluß der verschiedenen Arbeitsgänge einige der hier herausgestellten offenen Fragen einer Lösung näherführen lassen.

---

[121] Von fast dogmatisch zu nennenden Fixierungen an bestimmte linguistische und strukturalistische Theorien halte ich allerdings nichts, das wird aus dem literaturwissenschaftlichen Teil noch deutlicher hervorgehen.

Teil B

ZUR ALLEGORIK IM ANTIKEN SCHRIFTTUM

Kapitel V

DIE GRIECHISCH-RÖMISCHE LITERATUR

§ 12: ὑπόνοια und ἀλληγορία

Den gängigen Darstellungen der antiken Homer- und Mythenexegese – als Beispiele seien die großen Werke von F. Buffière und J. Pépin genannt[1] – dient eine beiläufige Bemerkung Plutarchs als hermeneutischer Leitfaden: οὓς ταῖς πάλαι μὲν ὑπονοίαις ἀλληγορίαις δὲ νῦν λεγομέναις[2]. Plutarchs Gleichsetzung von ὑπόνοια und ἀλληγορία ermöglicht es den genannten Autoren, eine trotz aller Nuancierungen kontinuierliche Linie zu zeichnen, die von der vorsokratischen bis zur späthellenistischen Zeit reicht. Im folgenden wird der Nachweis geführt, daß der Wechsel von ὑπόνοια zu ἀλληγορία Voraussetzungen und Konsequenzen hat, die noch nicht genügend überdacht worden sind. Zugleich sollen einige Merkmale der denkerischen und sprachlichen Phänomene erarbeitet werden, die mit den beiden Begriffen verbunden sind.

---

[1] *F. Buffière*, Mythes, hier bes. 45–48; *J. Pépin*, Mythe, hier 85–92. Beide Autoren bieten reiches Material, das für die folgenden Ausführungen herangezogen wurde. Im übrigen wurde grundsätzlich Wert gelegt auf selbständige Orientierung an den primären Quellen. Aus der Sekundärliteratur nenne ich noch: *I. Heinemann*, „Allegoristik der Griechen" 5–18; *A. B. Hersman*, Studies 7–23; *J. Tate*, „History" 105–114; *J. C. Joosen – J. H. Waszink*, RAC I, 283–293; *K. Müller*, PRE Suppl IV, 16–22. Ein instruktives Einzelbeispiel bespricht *P. Lévêque*, Catena 7–81.

[2] Plut., Aud Poet 4 (19E/F).

a) ὑπόνοια als hermeneutischer *terminus technicus*

aa) Platons Dichterkritik

Die uns interessierenden Belege für ὑπόνοια finden sich bei Xenophon und Platon. In Xenophons Symposium tadelt Sokrates die homerischen Rhapsoden, weil sie die Epen Homers zwar vortragen, ihren tieferen Sinn (ὑπόνοια) aber nicht verstehen.[3] Bei Platon fällt das Wort im Kontext seines vehementen Angriffs auf die Dichter, die er aus seinem Idealstaat verbannen will.[4] Seine Argumentation verläuft etwa so: Poesie arbeitet mit Hilfe der Mimesis, sie ahmt Wirklichkeit nach. Da aber die Wirklichkeit selbst schon Abbild der Ideen ist, kommt der Poesie nur ein ontologischer Status dritten Grades zu. Sie vermag keinen Zugang zur wesenhaften Wahrheit zu vermitteln.[5] Dieser ontologische Gedankengang dient der Absicherung ethischer Vorbehalte. Im dichterischen Werk werden häufig verwerfliche Handlungsweisen und grauenerregende Schicksale dargestellt. Sie erfüllen die Seele des Hörers mit Furcht und Schrecken, sie erwecken seine Begierden, anstatt ihm Muster der Tapferkeit und des Edelmutes vor Augen zu stellen.[6]

Hier kommt nun der Mythos ins Spiel. Denn was Platon als Beispiele für eine moralisch verwerfliche Mimesis anführt, sind mythische Erzählungen, die Homer seinem Werk inkorporiert hat. „Viel lügen die Dichter" – dieses platonische Axiom scheint vor allem auf ihren Umgang mit dem Mythos abzuzielen, dem sie den Schein fiktiver Realität verleihen. Kinder werden dem erliegen und den fingierten Mythos für bare Münze nehmen. Deshalb dürfen bei der Erziehung der Wächter des Idealstaates nur purgierte, moralisch nutzbringende μῦθοι verwandt werden, nicht aber die inkriminierten Abschnitte aus Homer, gleichgültig, ob sie einen tieferen Sinn (ὑπόνοια) enthalten oder nicht.[7]

---

[3] Xenoph., Symp 3,6. Bei Platon rühmt sich der Rhapsode Ion einer Auslegekunst, die die eigentliche Absicht (διάνοια) der homerischen Epen erschließt (Ion 530d). Die Bedeutungsnuancen sind schwierig zu bestimmen. Wahrscheinlich bezieht sich ὑπόνοια mehr auf den objektiv vorhandenen tieferen Sinn, διάνοια mehr auf die Intention des Dichters.

[4] Vgl. zum folgenden S. Weinstock, „Homerkritik" 124–128; J. Tate, „Plato" 142–154; G. Müller, „Dichterkritik" 285–308.

[5] Resp 598b: πόρρω ἄρα που τοῦ ἀληθοῦς ἡ μιμητική ἐστιν. Vgl. G. Müller, „Dichterkritik" 288f.

[6] Aristoteles hat das platonische Dilemma – um ein solches handelt es sich – genial gelöst. Die Mimesis bewirkt beim Hörer einen kathartischen Effekt. „Dichtung, so lautet seine Lehre, steckt nicht an, sondern impft" (M. Fuhrmann, Dichtungstheorie 85).

[7] Resp 378d: οὔτ' ἐν ὑπονοίαις πεποιημένας οὔτε ἄνευ ὑπονοιῶν · ὁ γὰρ νέος οὐχ οἷός τε κρίνειν ὅτι τε ὑπόνοια καὶ ὃ μή.

Die Möglichkeit, daß im Mythos ein tieferer Sinn verborgen liegt, wird von Platon nicht geleugnet.[8] Aber im dichterischen Werk ist dieser Sinn nur schwer aufzuspüren. Das Unternehmen lohnt die aufgewandte Mühe nicht, besser, man beschäftigt sich mit philosophischer Selbsterkenntnis, wie Platon an anderer Stelle ausführt.[9] Damit hat Platon sehr genau die Koordinaten bestimmt, innerhalb derer sich die Suche nach der ὑπόνοια bewegt. Es geht um das Verhältnis von Mythos, Dichtung und Philosophie.

bb) Motive der Mythenexegese I

Der Mythos[10] ist eine archaische Form der Welterklärung. Der Mensch projeziert seine Erfahrungen mit der Natur und mit dem eigenen Innenleben in eine vorzeitliche Götterwelt. Die divinisierte Ursprungsgeschichte begründet die eigene Gegenwart. Im kultischen Ritual und im religiösen Brauchtum wird der Inhalt des Mythos zu erfahrbarer und wirksamer Realität.

Im homerischen Epos werden mythische Stoffe erzählerisch verarbeitet. Die Götter müssen gleichsam ihre Rolle spielen, sie haben eine Funktion in einem Handlungsrahmen zu erfüllen, den in der *Ilias* der Zorn des Achill abgibt. Über allem steht eine geheimnisvolle Schicksalsmacht, ihr sind Götter und Menschen gleichermaßen unterworfen. Die archaische Identifizierung von Gottheit und Naturgewalt wird durch äußere, oft metonymische Zuordnung ersetzt (Zeus beherrscht die Luft, Hephaistos ist der Gott des Feuers etc.). Die Götterwelt selbst gerät Homer unversehens zu einem anthropomorphen Spiegelbild der Welt seiner adligen Heroen. Die Zänkereien von Zeus und Hera, die burleske Ehebruchsgeschichte um Ares und Aphrodite sprechen für sich. Man bedenke, daß in beiden Fällen ein mythischer Hieros Gamos im Hintergrund steht, der seine numinose Aura völlig verloren hat. Die Tendenz Homers zur Auflösung des Mythos, die seine Travestie und Parodie in der Komödie vorwegnimmt, wird deutlich.[11]

---

[8] Das stünde auch im Widerspruch zu seiner eigenen Praxis, wichtige Momente der Ideenlehre in dichterisch gestalteten Mythen einzufangen, vgl. *K. Reinhardt,* Platons Mythen 145–159.

[9] Phaedr 229d–230a. Die Kenntnis der Homerexegese verraten auch Stellen wie Theaet 153b; Prot 316d; Euthyd 297c.

[10] Die Literatur zum Mythos ist umfangreich, aber nicht immer hilfreich. Die folgende Skizze orientiert sich vor allem an *W. Nestle,* Mythos 1–52. Vgl. ferner *J. Bollack,* „Mythos" 67–119; *M. P. Nilsson,* Geschichte I, 13–35, und den informativen Artikel von *W. Aly,* PRE 32, 1374–1411.

[11] Vgl. *W. Nestle,* Mythos 21–44. Anders akzentuieren *E. Howald,* Mythos 39–56; *A. Lesky,* Geschichte 87–95.

Schon der Versuch Hesiods, in Lehrgedichten die Wahrheit des Mythos
und seine Lebensbedeutung herauszustellen, enthält implizit eine Kritik
an den (nach Hesiod) bloß unterhaltenden, bei aller scheinbaren Wirk-
lichkeitsnähe doch trügerischen Fiktionen Homers.[12] Doch bleibt er der
mythischen Sprache verhaftet und verfällt ebenso wie Homer dem Verdikt eines Xenophanes, dessen Kritik sich in erster Linie gegen den
Umgang des Epos mit dem Mythos richtet[13].
Die ionische Naturphilosophie teilt mit dem Mythos die Absicht, die
vorfindliche Welt zu erklären, aber nicht mythisch, sondern rational. Die
ἀρχή alles Seienden ist ein Urelement: Wasser (Thales) oder Feuer
(Heraklit). Chaos und Kosmos haben ihren Ursprung nicht im Leiden
und in der Vereinigung mythischer Gottheiten, sondern im Widerstreit
und Zusammenspiel der Elemente. Die Naturphilosophen rollen gleichsam den Weg, den der Mythos genommen hat, nach rückwärts wieder
auf. Dabei bedienen sie sich weithin der mythischen Sprache, wenn auch
in distanzierter, reflektierter Weise. Heraklit überlegt, ob das Eine nicht
Zeus zu nennen sei.[14] Empedokles gibt den vier Elementen die Namen
homerischer Gottheiten.[15] Die homerische Metonymie wird zur bloßen
Benennung. Hinzu kommt eine erkenntnistheoretische Skepsis. Natur
und Gottheit entziehen sich dem Zugriff des Menschen. Wahrheit muß
mühsam erschlossen werden.[16] Ihre Spuren finden sich in Mythos, Dichtung und Religion, sofern man sie symbolisch versteht.[17]
Diese Überlegungen sollen die These begründen: der philosophische
Umgang mit der mythischen Sprache ist der zeitlich erste und sachlich
wichtigste Grund für die Suche nach der ὑπόνοια von Mythos und Dich-

---

[12] Hier ist das Wort von den „vielen Lügen, die dem Echten gleichen" (Theog 27: ἴδμεν
ψεύδεα πολλὰ λέγειν ἐτύμοισιν ὁμοῖα) aus dem Berufungsbericht Hesiods zu nennen,
das sich gewiß gegen Homer richtet, vgl. *H. Neitzel*, Rezeption 15–19; *K. Latte*, „Dichterweihe" 159–163.

[13] So wird man seinen oft zitierten Ausspruch verstehen dürfen: πάντα θεοῖσ' ἀνέθηκαν
Ὅμηρός θ' Ἡσίοδός τε, ὅσσα παρ' ἀνθρώποισιν ὀνείδεα καὶ ψόγος ἐστίν, κλέπτειν
μοιχεύειν τε καὶ ἀλλήλους ἀπατεύειν (Fr. B 11; VS I 132,2–4). Weil der Anthropomor-
phismus Homers Anhaltspunkte im Mythos hat, wird die Kritik auf die mythische
Religiösität schlechthin ausgedehnt: Fr. B 1 (VS I 128,1–4) und Fr. B 15 (VS I
132,19ff.). Zur Homerkritik noch Heracl., Fr. B 42 (VS I 160;9f.). Zum Ganzen *F. M.
Cleve*, Giants 6–8.28–30. 36f.

[14] Heracl., Fr. B 32 (VS I 159,1f.): ἓν τὸ σοφόν μοῦνον λέγεσθαι οὐκ ἐθέλει καὶ ἐθέλει
ζηνὸς ὄνομα. Vgl. zu dieser Stelle *F. M. Cleve*, Giants 96f.; *J. Bollack*, „Mythos" 100f.

[15] Emped., Fr. B 6 (VS I 311,15–312,2).

[16] Heracl., Fr. B 123 (VS I 178,8f.); Xenophan., Fr. B 34 (VS I 137,2–5). Vgl. auch
Protagor., Fr. B 4 (VS II 265,7–9); Alkmaion, Fr. B 1 (VS I 214,25–27).

[17] Auf die symbolische Auffassung vom Orakelwesen deutet z. B. Heraklits bekanntes Wort
hin: ὁ ἄναξ, οὗ τὸ μαντεῖόν ἐστι τὸ ἐν Δελφοῖς, οὔτε λέγει οὔτε κρύπτει ἀλλὰ σημαίνει (Fr. B 93; VS I 172,6f.).

tung.[18] Homers Umgang mit dem Mythos war der philosophischen Deutung theologisch ein Stein des Anstoßes, methodisch ein wichtiger Anknüpfungspunkt.

cc) Motive der Mythenexegese II

In der Forschung werden weitere, mehr oder minder plausible Gründe angeführt. Der Hinweis, daß sich in allen Kulturen, die alte Schriften tradieren, früher oder später das Problem der Auslegung stellt, ist an sich richtig, vermag aber nicht, die spezifisch griechische Problematik zu erklären.[19] Wichtiger ist eine Bemerkung von H. Dörrie, für den die „zentrale These, in Homers Gedichten sei eine Erlösungslehre verborgen, … gewiß aus der Orphik" stammt[20]. Nach allem, was wir wissen – viel ist es nicht[21] –, versuchte die Orphik, das soteriologische Potential des Mythos im Mysterienkult zu realisieren. Orphisches Traditionsgut ist früh in den Pythagoreismus eingedrungen. Pythagoras selbst war ein entschiedener Gegner Homers[22], aber in seiner Schule wurde anscheinend versucht, die kultische Homerdeutung der Orphik mit der eigenen Geheimlehre zu koordinieren[23]. Zudem kann die verloren gegangene orphische Theogonie mit ihrem Interesse am Problem des ἓν καὶ πολλά als Übergangsstufe zwischen Hesiods Theogonie und der frühen Naturphilosophie angesehen werden. Nimmt man hinzu, daß naturwissenschaftliche Fragen auch im Pythagoreismus eine wesentliche Rolle spielen, lassen sich beide Strömungen sinnvoll in die oben skizzierte Entwicklung einordnen, die vom Mythos über die Dichtung zur Philosophie führt.

Schon bei Demokrit wird die Lehre von der göttlichen Inspiration der Dichter faßbar.[24] Auch Platon hat sie zeitweise vertreten. Weil Dichter

---

[18] *J. Bollack*, „Mythos" 94: „Um die ihn bezwingende Wahrheit auszusprechen, verfügt der Philosoph über keine andere Sprache als die der mythischen Metapher."

[19] Vgl. *J. Leipoldt – S. Morenz*, Heilige Schriften 127–130. Sie halten die Deutung ägyptischer Totenbuchtexte für eine frühe Analogie zur griechischen Homerallegorese.

[20] *H. Dörrie*, „Exegese" 125. Vgl. *K. Ziegler*, PRE 36, 1323f.

[21] Vgl. den Überblick bei *M. P. Nilsson*, Geschichte I, 678–699. Sehr zuversichtlich zeigt sich K. Ziegler in seinem schon zitierten PRE-Artikel. An einschlägigen frühen Testimonien (aus Platon und Aristoteles) vgl. nur Orph Frag II, 15–18.24–27 (Kern). Zur Weiterführung und Auslegung homerischer Theogonie und Kosmologie Orph Frag II, 63–70 (Kern) etc.

[22] Diog. L., Vit Phil 8,21.

[23] Fr. 7 B 7 (VS I 50,12) spricht von τὰς Πυθαγόρου ὑπονοίας. Vgl. des Näheren *A. Lesky*, Geschichte 189–200; *M. P. Nilsson*, Geschichte I, 699–708.

[24] Democr., Fr. B 18 (VS II 146,14f.): μετ' ἐνθουσιασμοῦ καὶ ἱεροῦ πνεύματος. Vgl. *R. M. Grant*, Letter 2–6.

Hermeneuten der Gottheit sind[25], darf man in ihren Werken nach theologischen Auskünften suchen. In ähnliche Richtung weist der Glaube, Homer habe in seinen Epen enzyklopädisches Wissen verarbeitet. Sie wurden als wissenschaftliche Handbücher für Fragen der Medizin, der Metereologie, der Geographie etc. benutzt.[26] Die Suche nach dem Sinn des dichterischen Werkes geht auf verschiedene Objekte aus, bleibt aber in keinem Fall beim buchstäblichen Verständnis stehen, sondern strebt nach tieferer Einsicht.[27]

Historisch wird man, wie schon angedeutet, differenzieren müssen. Jedenfalls sind für die vorsokratische Zeit eine Reihe von Motiven nachzuweisen, deren jedes für sich genommen genügte, die Suche nach der ὑπόνοια von Mythos und Dichtung zu begründen.

dd) Vorsokratische Exegese

Angesichts dieses Sachverhalts scheint es kaum nötig (und angesichts der Quellenlage kaum möglich), einen zeitlich gesehen ersten Homerausleger namhaft zu machen. Daß dies in der Forschung durchweg geschieht, liegt an einigen Zeugnissen aus hellenistischer Zeit, die übereinstimmend den Grammatiker (oder war er Rhapsode?[28]) Theagenes aus Rhegion (Ende des 6. Jh. v. Chr.) als ersten „allegorischen" Homerausleger anführen und ihm eine physikalische und moralische Allegorese der homerischen Theomachie zuschreiben.[29] Doch ist hier Vorsicht am Platz. Der Gebrauch der *termini technici* ἐπιλύω und ἀλληγορία[30] weist in erheblich spätere Zeit, wie noch zu zeigen sein wird. Die Betonung der mora-

---

[25] Ion 534e: οἱ δὲ ποιηταὶ ουδὲν ἀλλ᾿ ἢ ἑρμενῆς εἰσιν τῶν θεῶν. Ebd. 533d vertritt Platon noch die Meinung, auch der Homerausleger müsse an der θεία δύναμις des Dichters partizipieren. Vgl. auch Phaedr 245a; Ap 22c.

[26] Xenophan., Fr. B 10 (VS I 131,15): ἐξ ἀρχῆς καθ᾿ Ὅμηρον ἐπεὶ μεμαθήκασι πάντες. Vgl. Heracl., Fr. B 56 (VS I 163,3f.). Dazu *F. Buffière,* Mythes 204–227. Mitgemeint ist die Tatsache, daß die Odyssee im Schulunterricht als Elementarfibel benutzt wurde, vgl. *H. I. Marrou,* Erziehung 23–25.

[27] *H. Dörrie,* „Symbolik" 4, Anm. 8, macht darauf aufmerksam, daß diese Art der Auslegung erst nach der schriftlichen Fixierung der Epen möglich war. „Als die Hör-Dichtung der alten Zeit als Lese-Dichtung weitertradiert wurde, war der Über-Interpretation die Tür geöffnet, so als hätten die Alten einen doppelten Sinn in ihre Texte gelegt (was tatsächlich gar nicht möglich war)."

[28] Vgl. die widersprüchlichen Urteile bei *G. Glockmann,* Homer 22, Anm. 1.

[29] Theagenes, Fr. 1–4 (VS I 51,15–52,19). Da Rhegion in Unteritalien liegt, wo auch Pythagoras nach seiner Emigration wirkte, rechnet *F. Wehrli,* Deutung 90, mit einer Abhängigkeit des Theagenes von pythagoreischer Mythendeutung. Das ist eine ansprechende Vermutung.

[30] Fr. 2 (VS I 52,2). Es handelt sich um ein Porphyrius-Zitat aus Schol Hom B.

lischen Exegese verrät stoischen Einfluß. Auch die Notiz, Theagenes
verfolge den apologetischen Zweck, Homer gegen Anwürfe zu verteidigen[31], unterliegt kritischen Bedenken. Daß die Allegorese apologetischen
Zwängen entspringt, ist zwar weitverbreitete Überzeugung neuzeitlicher
Forschung. Doch scheint Apologetik zunächst eine untergeordnete Rolle
zu spielen und erst in der späten Stoa ein deutliches Übergewicht zu
gewinnen.

Zudem ist die Priorität des Theagenes nicht unbestritten geblieben. Tate
hat Pherekydes von Syros, der möglicherweise einige Jahrzehnte früher
zu datieren ist, als ersten Allegoreten ausgegeben.[32] Die erhaltenen Fragmente erweisen ihn als einen Naturphilosophen, der seinen τρεῖς πρώτας
ἀρχάς mythologische Namen gibt.[33] In einem späten Zeugnis wird sein
Vorgehen als allegorisch-theologisches Auslegen bezeichnet.[34] Das zeigt
(a) die Unsicherheit der Spätantike hinsichtlich der Ursprünge der „allegorischen" Exegese und (b) den engen Zusammenhang von Naturphilosophie, Mythendeutung und Homerauslegung. Theagenes mag einer der
ersten gewesen sein, der die vorhandenen Korrespondenzen systematisch
zusammengestellt hat. Mehr geben die Zeugnisse nicht her.

Auf etwas festerem Boden bewegen wir uns bei Metrodor von Lampsa-
kos. Er deutet in eigentümlicher Weise die Heroen des Epos als Naturelemente (Agammemnon ist der Aether, Achill die Sonne, Helena die Erde
etc.), die Götter als menschliche Organe (Demeter ist die Leber, Apollo
die Galle etc.). Die Absicht dürfte deutlich sein: der Krieg um Helena ist
ein Sinnbild für den Kampf der Elemente, der menschliche Organismus
ist ein Bild für die Organisation des Götterstaates.[35] Diese Deutung ist
nicht ganz so willkürlich, wie es zunächst scheinen mag. Il 19,397f. vergleicht Homer Achill auf seinem Kampfwagen mit dem Sonnengott. Die
tödlichen Pfeile Apolls (Il 1,43ff.) verursachen unter den Griechen eine
Seuche, die nach Anaxagoras medizinisch gesehen von der Galle ausgeht.
Von diesen sicher schwachen Anhaltspunkten aus entwickelt Metrodor
sein System von Beziehungen und Entsprechungen.[36]

ee) Stoische Exegese

Aus der weiteren, sich mehr und mehr verzweigenden Geschichte sei nur

---

[31] Ebd. 52,13: τρόπος ἀπολογίας.
[32] *J. Tate*, „Allegory" 214. Das Für und Wider erörtert *R. Pfeiffer*, Philologie 26f.
[33] Pherekydes, Fr. A 8–11; B 2 (VS I 46,8–26; 48,1–12).
[34] Ebd. 47,18f.: ἀλληγορήσας ἐθεολόγησεν.
[35] Metrodor, Fr. 4 (VS II 49,22–27). Der Gedanke vom Gemeinwesen als Organismus
     findet seine politische Anwendung in der Fabel des Menenius Agrippa. Ob Verbindun-
     gen vorliegen?
[36] Den Nachweis hat *W. Nestle*, „Metrodor" 503–510, geführt.

noch ein Punkt herausgegriffen. R. Pfeiffer bemerkt: „Seine weltweite Verbreitung aber verdankte der Allegorismus seiner Übernahme durch die stoische Schule."[37] Das ist richtig, auch wenn man gegen Pfeiffer festhalten muß, daß apologetische Absichten in der frühen Stoa schwerlich nachzuweisen sind. Auch das Anliegen, „sich für ihre eigene Philosophie des Beistandes Homers und anderer großer Dichter der Vergangenheit" zu versichern[38], spielte im Grunde eine untergeordnete Rolle[39]. Das entscheidende Motiv ist in der stoischen Sprachphilosophie zu suchen.[40] Der eine, vernunftgemäße Logos, der das ganze All zusammenhält, wirkt auch in Sprache, in Mythos und Poesie.[41] Zwischen Name und Sache besteht ein von Natur gegebenes Band, das sich der etymologischen Nachfrage erschließt. Die etymologische Deutung homerischer Namen, die schon Platon diskutiert[42], wird zum Hauptwerkzeug stoischer Mythen- und Homerexegese.

Das Wort ἀλληγορία ist bisher noch nicht gefallen. Die Suche gilt der ὑπόνοια von Dichtung und Mythos innerhalb des Bezugsrahmens der jeweiligen Philosophie.

b) ἀλληγορία als rhetorischer *terminus technicus*

aa) Die ältesten Belege

Der früheste Beleg für ein Derivat des Wortstamms ἀλληγορ- findet sich auf einem Papyrusfragment mit Teilen der Rhetorik des Philodemos von

---

[37] R. Pfeiffer, Philologie 290; vgl. E. Zeller, Philosophie III 1,330–343; M. Pohlenz, Stoa 183f. An Texten seien exemplarisch genannt: SVF (v. Arnim) I, 167 = Cic., Nat Deor 1,36; I, 535 = Plut., Aud Poet 11 (31D); I, 504 = Cic., Nat Deor 2,40f.; I, 547 = Plut., Is et Os 66 (377D); I, 244 = Diog. L., Vit Phil 7,120; II, 1021f. = Diog. L., Vit Phil 7,147f.; II, 1045 = Plut., Fac Lun 12 (926C); II, 1075 = Cic., Nat Deor 2,66; II, 1093 = Plut., Is et Os 40 (367C).

[38] R. Pfeiffer, ebd.; vgl. Cic., Nat Deor 1,41: *ut etiam veterrimi poetae, qui haec ne suscipati quidem sint, stoici fuisse videantur.*

[39] F. Buffière, Mythes 140: „Les Stoïciens, il est important de le noter, n'apportent dans leur exégèse aucune préoccupation d'apologétique ou de morale."

[40] Vgl. K. Barwick, Sprachlehre 29–33.58–69; A. Le Boulluec, „Allégorie" 301–321.

[41] Cornutus (1. Jh. n. Chr.), sonst stoisch ausgerichtet, zeigt sich hier peripatetisch beeinflußt, wenn er zwischen Mythos und Poesie differenziert. Die Dichter haben den ursprünglichen Mythos nicht immer verstanden und durch Hinzufügen fiktiver Elemente seine theologische Aussage verstellt, vgl. Theol Graec 17 (31,15–17 Lang): τὰ δὲ μυθικώτερον ἀφ' αὐτοῦ προσθέντος, ᾧ τρόπῳ καὶ πλεῖστα τῆς παλαιᾶς θεολογίας διεφθάρη. Vgl. schon Pind., Olymp 1,28. Zum Ganzen J. Tate, „Cornutus" 41–45.

[42] Krat 391c–393b; der Abschnitt ist wie manches im Kratylos wohl ironisch zu verstehen. Vgl. K. Barwick, Sprachlehre 70–79. Auch die Etymologie hat Anhaltspunkte bei Homer: Il 9,501f. (Λῖται aus λίσσομαι); 19,91 (Ἄτη aus ἀᾶται).

Gadara, die in die Zeit zwischen 70 und 60 v. Chr. zu datieren ist.[43] Philodemos, epikureischer Philosoph mit dichterischen Neigungen, der seit ca. 70 v. Chr. in Italien wirkt, nennt die Allegorie einen rhetorischen Tropus, der der Metapher eng benachbart ist.[44] Offensichtlich kennt er schon eine Unterteilung der Allegorie in Rätsel, Sprichwort und Ironie.[45] Philodemos bezeugt einen Sprachgebrauch, der sich im 1. Jh. v. Chr. in der griechischen Rhetorik durchsetzt. Der alexandrinische Grammatiker Tryphon definiert die Allegorie als einen Logos, der auf der Basis einer Ähnlichkeitsrelation etwas anderes sagt, als er meint.[46] Cicero hat Philodemos gekannt.[47] Es ist anzunehmen, daß er sich auf ihn bezieht, wenn er um 46 v. Chr. die Allegorie als eine *Rede*form definiert, die aus mehreren Metaphern besteht und im übertragenen Sinn zu verstehen ist.[48] In einem seiner Briefe gibt er der Befürchtung Ausdruck, sein Schreiben werde zensiert. Er wolle sich daher einer verhüllenden allegorischen *Schreib*weise bedienen.[49] Dazu findet sich eine Parallele in einem antiken Briefsteller: der allegorische Brief ist nur dem Adressaten verständlich, weil er mit Hilfe von Anspielungen arbeitet.[50] In seinen theologischen Schriften verspottet Cicero die stoische Homer- und Mythendeutung. Seine Polemik, die er z. T. wörtlich von Philodemos übernimmt, reflektiert die traditionelle Ablehnung stoischen Denkens in epikureischen und skeptischen Kreisen. Hervorzuheben ist, daß in diesem Kontext das Wort ἀλληγορία nicht fällt (auch bei Philodemos nicht[51]). Cicero spricht von *explicatio fabularum et enodatio nominum,* wenn er

---

[43] *F. Büchsel,* ThWNT I, 260, der Philo und Cicero als früheste Belege anführt, ist demnach zu korrigieren. Gelegentliche Hinweise auf Belege vor dem 1. Jh. v. Chr. halten kritischer Nachprüfung nicht stand, das gilt besonders für SVF I, 526 (v. Arnim). Vgl. zum Ganzen *R. Hahn,* Allegorie, passim, der eine nützliche Materialsammlung bietet.

[44] Philodem., Rhet 4,3 (I 164,20–23 Sudhaus): τρόπον μ[ὲν] οἷ[ον] με[ταφορ]ὰν ἀλληγο-ρίαν [πᾶ]ν τὸ τοιοῦ[το]. Rhet 4,14 (I 174,23–25 Sudhaus): πότε [δεῖ] χρῆσθαι μετα-φοραῖς ἢ ἀλληγορίαις καταγράφουσιν.

[45] Rhet 4,22f. (I 181,25.18–20 Sudhaus): καὶ τὰ περὶ τῶν ἀλληγορί- // [ῶν] ... Δια[ι-ροῦν]ται [δ᾽] αὐτὴ[ν] εἰς εἴδη τρι᾽ α⟨ἴ⟩ν[ιγμα], παροιμίαν, εἰρωνείαν.

[46] Tryphon, Tropon (III 193,9–11 Spengel): Ἀλληγορία ἐστὶ λόγος ἕτερον μέν τι κυρίως δηλῶν, ἑτέρου δὲ ἔννοιαν παριστάνων καθ᾽ ὁμοίωσιν. Der Traktat ist um 50 v. Chr. zu datieren, falls er echt ist, was sich nicht genau sichern läßt.

[47] Das geht aus Cic., Piso 68–72, hervor. Vgl. *E. Schmidt,* KP IV, 759.

[48] Cic., Orator 27,94. In der etwas früher zu datierenden *Rhetorica ad Herennium* fehlt die Vokabel, die Sache ist schon vorhanden (*permutatio*), vgl. *M. H. McCall,* Theories 62–64.

[49] Cic., Att II 20,3: *Si erunt mihi plura ad te scribenda,* ἀλληγορίαις *obscurabo.*

[50] Ps.-Demetr., Typoi Epistolikoi 15 (8,7–9 Weichert): ἀλληγορικός, ὅταν πρὸς ὃν γράφομεν αὐτὸν βουλώμεθα μόνον εἰδέναι καὶ δι᾽ ἑτέρου πράγματος ⟨ἕτερον⟩ σημαίνωμεν. Auf diesen Text (50 v. Chr. – 50 n. Chr.), der R. Hahn entgangen ist, wurde ich durch *R. P. C. Hanson,* Allegory 38, aufmerksam.

[51] Es verwundert sehr, daß *W. Bienert,* Allegoria 32, Philodemos einen der Hauptvertreter allegorischer Exegese nennt.

die stoische Deutung charakterisieren will.[52] ἀλληγορία wird von Cicero nie in exegetischem Sinn verwandt.

bb) Quintilians Definition

Quintilian hat etwa ein Jahrhundert nach Cicero in seinem Rhetoriklehrbuch, das kanonische Gültigkeit erlangte, verschiedene Aspekte der Allegorie besprochen. Seine Ausführungen sind stellenweise sehr knapp und bedürfen der Erläuterung.[53]

(1) Beispiel einer *reinen* Allegorie ist die Ode des Horaz *O navis referent in mare te novi fluctus* (Carm 1,14). Horaz schildert vordergründig ein Schiff, das in eine Sturmflut gerät. Die Schilderung ist geschlossen und stimmig. Nichts hindert, sich mit ihrem wörtlichen Verständnis zu begnügen. Doch hat Horaz in Wirklichkeit das Schicksal des Staates im Auge, der vom Bürgerkrieg bedroht wird. Wahrscheinlich hat ein bestimmter zeitgeschichtlicher Kontext den Hörern ein übertragenes Verständnis nahegelegt, entscheidend aber ist, daß Horaz die traditionelle Metapher vom Schiff des Staates aufgreift und ausarbeitet. Die Kenntnis der grundlegenden Metapher legt es nahe, auch andere Wendungen metaphorisch zu verstehen (z. B. Sturmflut = Krieg etc.). Alle Details zu übersetzen, ist nicht erforderlich.

(2) Die *vermischte* Allegorie verbindet mit dem sprachlichen Bild einen expliziten Hinweis auf die angezielte Deutung (z. B. „Sturmflut der Versammlung").[54]

(3) Es gibt auch Allegorien, die ohne Metaphern arbeiten. In einer Idylle aus Vergils *Georgica* (2,541) ist alles wörtlich zu nehmen, nur unter dem Hirten Menalcas hat man Vergil selbst zu verstehen. Das Allegorische besteht in der vom Autor intendierten Verschlüsselung der Zentralfigur.[55]

(4) Ist eine Allegorie zu dunkel (infolge fehlender Hinweise oder unbekannter Metaphern), wird sie zum Rätsel. In der Beurteilung des Rätsels schwankt Quintilian. Das hängt mit der engen Bindung der allegorischen Form an die besondere Situation der forensischen Rede zusammen, die nach argumentativer und emotionaler Überzeugungskraft verlangt. Ein unverständliches Rätsel ist nicht publikumswirksam[56] und deshalb

---

[52] Cic., Nat Deor 3,62. Vgl. 1,39–41; 2,63f.

[53] Zum folgenden vgl. Quint., Inst Orat VIII 6,44–58.

[54] Davon zu unterscheiden ist die Mischform aus Vergleich, Metapher und Allegorie, vgl. VIII 6,49.

[55] *R. Hahn*, Allegorie 81, nennt das „Decknamen-Allegorie".

[56] *J. Kopperschmidt*, Rhetorik 51: „Rechtssprechung hieß aber Rechtssprechung durch ein Gremium von Amateur-Richtern, das bis zu 1501 Personen umfassen konnte."

unbrauchbar. Wird ein Rätsel aber so angelegt, daß das Publikum es aus eigener Kraft zu lösen vermag, kann es mit gutem Erfolg angewandt werden. Es wirkt erkenntnisstiftend, überzeugend und werbend.[57]
(5) Ein weiterer Fall von Allegorie ist das historische Exempel ohne Angabe des Sinns. Als Beispiel nennt Quintilian die Redewendung „Dionysos in Korinth". Diese Abbreviatur löst sich auf, wenn wir Pseudo-Demetrius zur Hilfe nehmen.[58] In dem Satz liegt die versteckte Drohung: „Dionysos war Herrscher von Syrakus, ein bedeutender Mann wie du, muß aber jetzt sein Leben als Schulmeister in Korinth fristen." Die knappe Anspielung[59] ist effektvoller als eine klare und direkte Aussage[60].
(6) Weitere Spezies des allegorischen Genus sind Ironie, Sarkasmus und Sprichwort.[61] Wer ironisch oder sarkastisch redet, kann ungefähr das Gegenteil von dem sagen, was er meint. Die Anwendung von Sprichwörtern erfordert die Übertragung sprichwörtlicher Erfahrung in neue Situationen.
(7) Die Allegorie gehört nicht unbedingt zur Kunst- und Bildungssprache, sondern steht der Alltagssprache aller Schichten zur Verfügung.[62]
Quintilians Analyse der rhetorischen und poetischen Allegorie erweist sich als sehr komplex. Was die teils divergierenden Elemente zusammenhält, ist eine bestimmte Form des Hörerbezugs (linguistisch gesehen ein pragmatischer Aspekt). Der Rezipient wird an der Konstitution des Sinns beteiligt. Von ihm wird erwartet, daß er die notwendigen Sinnübertragungen vornimmt.[63] Er soll Metaphern als solche erkennen, Rätsel auflösen, Andeutungen und Anspielungen verstehen, Ähnlichkeiten wahrnehmen, Ironie erkennen und die Anwendung von Sprichwörtern nachvollziehen. Die Kenntnis traditioneller Metaphorik, ein bestimmter historischer Kontext, der Tonfall eines Redners u. ä. können ihm zur Hilfe kommen und das Verstehen erleichtern.

---

[57] Schon Arist., Rhet 1412a 24–26, sagt vom gelungenen Rätsel, es sei erfreulich, erhellend und bildhaft.

[58] Ps.-Demetr. Phal., De Eloc 8–9.102 (5,13–30; 25,25–27 Radermacher). Der Traktat gehört ins 1. Jh. n. Chr., vgl. *D. M. Schenkeveld,* Studies 135–138. Vgl. Philo, Jos 132.

[59] De Eloc 243 (51,11–15 Radermacher) fallen die Stichworte σύμβολα, βραχυλογία, ὑπονοῆσαι, ἀλληγορικῶς auf engstem Raum. Es geht um eine bedeutungsschwere Anspielung.

[60] De Eloc 99f. (25,11–18 Radermacher) erläutert das an Hand eines anderen Beispiels, dessen Funktionsweise Arist., Rhet 1412a 23, mit μὴ ὃ φησι λέγειν beschreibt (im Gesagten klingt das Ungesagte mit an).

[61] Vgl. noch Inst Orat V 11,21, neben VIII 6,57.

[62] Cic., De Orat III 38,155: *etiam rustici dicunt* (sc. *translationem*).

[63] Vgl. die schöne Formulierung von *H. Lausberg,* Handbuch I, 284: „Die Zumutung des Verständnisses an das Publikum bedeutet die Aufforderung zur aktiven (verständnisentschlüsselnden) Teilnahme des Publikums an der Schöpfung des Werkes."

Der relativen Einheitlichkeit im Hörerbezug steht eine Differenzierung der Allegorie nach ihrer jeweiligen Funktion gegenüber. Wird die Allegorie in der forensischen Rede verwandt, ist sie prinzipiell auf Klarheit und Verständlichkeit angelegt, weil sie einer Strategie der Überzeugung zu dienen hat. Das gesprochene Wort geht auf Einverständnis mit dem Zuhörer aus. Die schriftliche Kommunikation zwischen einander vertrauten Partnern ermöglicht es, eine Mitteilung so zu formulieren, daß sie nur dem Adressaten verständlich ist. In Briefen kann die Allegorie als Mittel der Chiffrierung angewandt werden. Wird ein poetisches Werk von vornehrein als Lesedichtung konzipiert, ist damit zu rechnen, daß wiederholtes, interpretierendes Lesen dem Verstehen zur Hilfe kommt. Dichter wie Horaz und Vergil können ihren Lesern mehr zumuten als ein Redner seinen Hörern. Die poetische Allegorie bedient sich einer komplexeren Metaphorik und einer bewußteren Verschlüsselung. Was von den antiken Autoren als Beleg für allegorische Formen beigebracht wird, weist in die Richtung der hier unternommenen Differenzierung.

c) Die Identifizierung von ὑπόνοια und ἀλληγορία

Im 1. Jh. v. Chr. dringt ὑπόνοια in die rhetorische Fachsprache ein. Ein Dionysius von Halikarnass zugeschriebenes Rhetoriklehrbuch kennt eine Redefigur κατ' ὑπόνοιαν, die zum ἁπλῶς λέγειν im Kontrast steht.[64] Quintilian hat dafür das Äquivalent *per suspicionem. Per suspicionem* sprechen heißt, etwas ungesagt lassen und auf den Spürsinn des Hörers vertrauen[65], was genau dem Aspekt der Allegorie entspricht, den wir Andeutung oder Anspielung nannten. Das noch fehlende Glied der Beweiskette liefert Pseudo-Demetrius. Im Kontext seiner Allegoriedefinition nennt er das direkte Reden σαφὲς καὶ φανερόν, das allegorische ὑπονοούμενον.[66] Ὑπόνοια und ἀλληγορία werden als Formen indirekter Rede miteinander identifiziert.

Hinzu kommt ein Zweites. Die Überzeugung, allem religiösen Reden eigne etwas Symbolisches, Indirektes, Geheimnisvolles, gewinnt in dem Zeitraum, der hier zur Debatte steht, mehr und mehr an Gewicht. Strabo führt aus, das ehrfurchtgebietende Geheimnis, das die Mysterienkulte umgebe, sei eine gelungene Nachahmung der wesenhaften Natur des Göttlichen, das sich unserer menschlichen Wahrnehmungsfähigkeit ent-

---

[64] Dion. Hal., Art Rhet 9,1 (VI 323,7f. Usener–Radermacher). Den frühesten Beleg für diesen Sprachgebrauch bietet Polybius, vgl. Liddell–Scott 1890; Thes Steph VIII, 391.

[65] Quint., Inst Orat VI 3,88: *intelligitur enim quod non dicitur*. IX 2,65: *aliud latens et auditori quasi inveniendum.*

[66] Ps.-Demetr. Phal., De Eloc 100 (25,16f. Radermacher).

ziehe.[67] Hochbedeutsam ist in diesem Zusammenhang eine Bemerkung des Pseudo-Demetrius: der Inhalt der Mysterienkulte wird ἐν ἀλληγορίαις zum Ausdruck gebracht, „wegen der Ehrfurcht und des Erschauerns, wie in Dunkel und Nacht. Denn es gleicht die Allegorie dem Dunkel und der Nacht"[68]. Dionysius von Halikarnass wendet sich als einer von wenigen kritisch gegen die Theorie, Mythen enthielten theologische Wahrheit in verhüllter Form. Er räumt aber ein, daß manche Mythen „die Werke der Natur allegorisch darstellen"[69].

Dem Inhalt von Mythos und Mysterium ist die allegorische Sprachform besonders angemessen. Der Allegoriebegriff wird ins Mythologische und Theologische ausgeweitet, er entwickelt sich langsam zum *terminus technicus* für die Hermeneutik religiöser Rede. Damit partizipiert er am hermeneutischen Bedeutungspotential von ὑπόνοια. Zwar meint ὑπόνοια mehr den objektiven Sinn des Mythos, während ἀλληγορία sich stärker auf die Form der Darstellung bezieht, doch ist dieser Unterschied gradueller Art. Das platonische ἐν ὑπονοίαις kann auch als Kennzeichnung der Form verstanden werden, und die Verwendung von ὑπόνοια in der Rhetorik setzt eine Akzentverschiebung vom Inhaltlichen zum Formalen voraus. Die allegorische Form ihrerseits bleibt keine rein äußere Zutat zum Mythos, sondern gibt den Schlüssel für sein inhaltliches Verständnis an die Hand. Die in der Rhetorik vorbereitete Gleichsetzung von ὑπόνοια und ἀλληγορία wird in der Hermeneutik religiöser Rede vollzogen. In der Forschung ist dieser Prozeß erstaunlicherweise fast unbeachtet geblieben, deshalb war der vorstehende, einigermaßen mühsame Nachweis zu führen. Die notwendigen Schlußfolgerungen können erst im nächsten Abschnitt gezogen werden, der sich mit Pseudo-Heraklit und Plutarch beschäftigt. Beide Autoren sind für unsere Fragestellung aus zwei Gründen von besonderem Interesse. (a) Die Ersetzung von ὑπόνοια durch ἀλληγορία ist ganz nur zu verstehen, wenn man Pseudo-Heraklits Konzeption kennt.[70] (b) Beide schreiben in der Zeit, in der auch die Schriften des NT entstehen. Bei

---

[67] Strabo, Geogr X 3,9 (657,22–24 Meineke): ἥ τε κρύψις ἡ μυστικὴ τῶν ἱερῶν σεμνοποιεῖ τὸ θεῖον, μιμουμένη τὴν φύσιν αὐτοῦ φεύγουσαν ἡμῶν τὴν αἴσθησιν. Zu ἀλληγορέω in Verbindung mit Homer vgl. ebd. I 2,7 (23,17–19): Ὅμηρος ... μυθολογεῖται ... πρὸς ἐπιστήμην ἀλληγορῶν. Damit ist Pseudo-Heraklit schon vorbereitet.

[68] Ps.-Demetr. Phal., De Eloc 101 (25,19–21 Radermacher): Διὸ καὶ τὰ μυστήρια ἐν ἀλληγορίαις λέγεται πρὸς ἔκπληξιν καὶ φρίκην, ὥσπερ ἐν σκότῳ καὶ νυκτί. ἔοικεν δὲ καὶ ἡ ἀλληγορία τῷ σκότῳ καὶ τῇ νυκτί.

[69] Dion. Hal., Ant Rom II 20,1 (I 181,6f. Jacoby): ἐπιδεικνύμενοι τὰ τῆς φύσεως ἔργα δι' ἀλληγορίας.

[70] R. Hahn, Allegorie 49, vermutet sogar, „daß Plutarch bei ‚νῦν‘ unter anderem seinen Zeitgenossen Pseudo-Heraklit im Auge hat, der offenbar das Wort ἀλληγορία ... in der Homererklärung erst endgültig eingebürgert hat".

ihnen wird man am ehesten nach hellenistischem Vergleichsmaterial für die synoptische Gleichnisallegorik suchen dürfen.[71]

§ 13: Theorie und Praxis der Allegorese im 1. Jh. n. Chr.

a) Pseudo-Heraklit[72]

Pseudo-Heraklit, zu dessen Person wir keinerlei Zeugnisse haben, wird gemeinhin als Grammatiker bezeichnet. Dafür gibt es nur einige, allerdings gewichtige Hinweise in seinem kleinen Werk, das in der zuverlässigsten Handschrift den Titel trägt: Ἡρακλείτου Ὁμηρικῶν προβλημάτων εἰς ἃ περὶ θεῶν Ὅμηρος ἠλληγόρησεν.[73] Die Datierung der Schrift ins 1. Jh. n. Chr. darf als gesichert gelten. Im Aufbau folgt Pseudo-Heraklit den beiden homerischen Epen und bietet mehr oder minder ausführliche Exegesen zu besonders markanten oder schwierigen Stellen. Wir fragen zunächst nach seinem theoretischen Konzept und erläutern dann seine exegetische Praxis an Hand einiger Beispiele.

aa) Zur Theorie

Pseudo-Heraklit geht von einer technischen Definition der Allegorie aus. Sie ist ein rhetorischer Tropus, der es ermöglicht, etwas zu sagen und gleichzeitig auf etwas anderes anzuspielen.[74] Als Beispiele nennt er drei poetische Stücke aus dem 7. und 6. Jh. v. Chr., d. h., er projeziert den

---

[71] Cornut., Theol Graec, ist zwar in die gleiche Zeit zu datieren, gibt für unsere Zwecke aber nicht so viel her, da er keine Textexegesen bietet und das Wort ἀλληγορία (mit Absicht?) vermeidet.

[72] Ich lege den kritischen Text zugrunde, den F. Buffière neu erstellt hat (CUFr). Für Datierungsfragen etc. sei auf seine ausführliche Einleitung verwiesen. Vgl. ferner J. Leipoldt, „Herakleitos" 9–14. An K. Meiser, Allegorien, ist besonders das negative Gesamturteil interessant: „Wenn diese bis ins Lächerliche ausgedehnte allegorische Deutung auch noch so verkehrt ist, Heraklit ist es ernst damit..." (a.a.O. 3).

[73] Titel wie Ὁμηρικὰ ζητήματα oder Λύσεις τῶν Ὁμηρικῶν προβλημάτων waren in der Antike geläufig für eine Literaturgattung, die sich um die Lösung philologischer und sachlicher Schwierigkeiten des Homertextes mühte. Die Verbindung mit ἀλληγορέω ist nur hier belegt und bringt des Verfassers eigene Absicht zum Ausdruck. Es ist dennoch anzunehmen, daß es mehrere Schriften von gleicher Art gab. Daß Heraklits Schrift als einzige erhalten ist, mag damit zusammenhängen, daß sie den byzantinischen Philologen, die sie überlieferten, als besonders repräsentativ galt. Vgl. F. Buffière, Introduction VI–X.

[74] All Hom 5,2: Ὁ γὰρ ἄλλα μὲν ἀγορεύων τρόπος, ἕτερα δὲ ὧν λέγει σημαίνων, ἐπωνύμως ἀλληγορία καλεῖται.

Allegoriebegriff auf Texte vergangener Zeit.[75] Archilochos vergleicht den
Krieg mit den entfesselten Wogen des Meeres. Alkaios beschreibt – wie
später Horaz – ein Schiff in einem Seesturm, was auf eine politische
Situation zu deuten ist[76]. Anakreon spricht von einem widerspenstigen
Fohlen und meint ein Mädchen, das sich unzugänglich zeigt.[77]
Pseudo-Heraklit verzichtet auf jede weitere Nuancierung, da ihm an
einem möglichst weiten Allegoriebegriff sehr gelegen ist. Im nächsten
Schritt versucht er nämlich, den Nachweis zu erbringen, daß Homers
Epen klare Beispiele für poetische Allegorien enthalten. Er zitiert Il
19,222f. („das Erz mäht die Halme in Haufen zu Boden") und gibt dazu
den Kommentar[78]:

> Gesprochen wird von der Landwirtschaft, gedacht ist an die Schlacht.
> Was man eigentlich sagen will, wird mit Hilfe ganz anderer Sachver-
> halte zum Ausdruck gebracht.

Man wird darüber streiten können, ob die zitierte Stelle „noch" als
Gleichnis anzusehen ist oder „schon" als Allegorie. Es gibt bei Homer
andere figurative Passagen, die auch einem engeren Allegoriekonzept
entgegenkommen, so die vieldiskutierte Stelle[79]:

> Denn die reuigen Bitten sind Töchter des großen Zeus. Hinkenden
> Fußes, runzlig, mit seitwärts schielenden Blicken, schreiten sie hinter
> der Schuld einher.

Man kann diese Stelle als Allegorie interpretieren: in Wirklichkeit wird
das mitleiderregende Verhalten des Bittenden mit Hilfe einer Personifikation im Bilde dargestellt.[80] Die Frage ist, ob Homer das so gemeint hat.
Es bleibt dem literarischen Urteil ein Ermessensspielraum.

---

[75] Vgl. zu dieser Praxis Dion. Hal., De Dem 5 (V 138,1f. Usener–Radermacher), der den
unglücklichen Gebrauch von Allegorien bei Platon kritisiert. Ähnlich Ps.-Long., De
Sub 32,7 (90,33 Brandt).

[76] Neuere Versuche, den allegorischen Charakter dieses Stückes zu leugnen, nennt *A. Lesky*,
Geschichte 162, „eine schwer verständliche Verkennung dieser Kunst". Im Rahmen
einer rein aristotelischen Rhetorik müßte man je nachdem von μεταφορά, εἰκών und
παραβολή sprechen.

[77] All Hom 5,3–12. *K. Reinhardt*, „Personifikation" 35f., konzediert, das seien „drei Muster-
beispiele, die nicht so ohne weiteres von der Hand zu weisen sind". Vgl. auch *O. Seel*,
„Allegorik" 12–18.

[78] All Hom 5,16: Τὸ μὲν γὰρ λεγόμενόν ἐστι γεωργία, τὸ δὲ νοούμενον μάχη · πλὴν ὅμως
δι᾽ ἐναντίων ἀλλήλοις πραγμάτων τὸ δηλούμενον ἐπείπομεν.

[79] Il 9,502–504 (Übersetzung nach H. Rupé). Dazu Cornut., Theol Graec 12 (12,5–10
Lang); Ps.-Demetr. Phal., De Eloc 7 (5,11–13 Radermacher). Weitere möglicherweise
allegorische Passagen nennt *S. P. G. Small*, „Allegory" 423–430.

[80] So All Hom 37,2f. Vgl. *R. Pfeiffer*, Philologie 20: „Man kann kaum leugnen, daß diese
Stelle eine echte Allegorie ist."

Pseudo-Heraklit überschreitet diesen Spielraum bei weitem, wenn er in einem kurzen, aber folgenschweren Satz erklärt, die Allegorie sei ein gebräuchlicher, auch von Homer verwandter Tropus, also müsse es auch erlaubt sein, Stellen, „die Anstößiges über die Götter enthalten, mit Hilfe dieses Verteidigungsmittels zu rechtfertigen"[81]. Was ist hier geschehen? Ein Zweifaches, wie mir scheint.

(1) Es steht zu vermuten, daß Pseudo-Heraklit die Ausweitung des Allegoriebegriffs ins Hermeneutische kannte und eine Möglichkeit sah, sie methodisch stringenter zu begründen. Er entdeckt in Homers Epen Stellen, die metaphorisch zu verstehen sind. Sie ähneln dem Sprachmuster, das in der Rhetorik Allegorie genannt wird. Pseudo-Heraklit nimmt sie als ein Signal dafür, daß auch andere Stellen, denen man es auf den ersten Blick nicht ansieht, als Allegorien aufzufassen sind.[82] Sind es Allegorien, muß man nach ihrem eigentlichen Sinn fragen. Die Tiefendeutung des Mythos ist so von der literarischen Struktur der Dichtung her geradezu gefordert.

(2) Der ganze Gedankengang dient einzig und allein der Legitimierung einer längst geübten Praxis. Das wird deutlich, wenn man Pseudo-Heraklits Exegesen überprüft, die ganz traditionellem Muster folgen (insbesondere macht sich stoischer Einfluß bemerkbar) und sich keineswegs an Regeln halten, die für die Auslegung einer literarischen Allegorie gelten würden. Doch hat sein Versuch Geschichte gemacht. Denn die Verknüpfung der allegorischen Form mit der Mythenexegese hat zur Folge, daß Derivate vom Wortstamm ἀλληγορ- endgültig in die exegetische Fachsprache eingehen.[83] Kriterium für die Entdeckung der Kryptoallegorien Homers ist die theologische Anstößigkeit einer Stelle. Die Art und Weise, wie Homer mit den Göttern umgeht, wäre gottlos, wenn sie sich nicht als allegorisch erweisen ließe.[84] Die Allegorie ist jetzt τῆς ἀσεβείας ἀντιφάρμακον (22,1). Pseudo-Heraklit macht es sich förmlich zum Anliegen, Unstimmigkeiten, Schwierigkeiten und Anstößigkeiten herauszuarbeiten.[85] Je unmöglicher es erscheint, den Literalsinn zu akzeptieren, um so glänzender kann sich seine neuentdeckte Methode bewähren.

---

[81] All Hom 6,1: τὶ παθόντες, ὅσα φαύλως ἔχειν δοκεῖ περὶ θεῶν, οὐ διὰ τοιαύτης ἀπολογίας θεραπεύσομεν;

[82] All Hom 75,12: ἀλληγορίας πλήρη τὴν ὅλην ποίησιν εὑρίσκομεν.

[83] Thes Steph I, 1521, gibt für ἀλληγορέω die beiden Bedeutungen *aliis verbis significo* und *aliter interpretari*.

[84] All Hom 1,1: πάντα γὰρ ἠσέβησεν, εἰ μηδὲν ἠλληγόρησεν. So auch Ps.-Long., De Sub 9,7 (44,11f. Brandt).

[85] Z. B. All Hom 43,4f.10: Warum arbeitet Hephaistos, schlimmer als ein Tagelöhner, Tag und Nacht? Warum ist der Schild des Achill nicht ganz aus Gold, wie der des Glaukon?

Die Absicht, die Pseudo-Heraklit mit der Allegorese verfolgt, ist eindeutig apologetischer Art. Er unternimmt einen erstaunlich scharfen Angriff auf Homers „Erzfeinde" Platon und Epikur, deren sittliche Integrität und philosophische Originalität er in Frage stellt.[86] Es scheint, Pseudo-Heraklit war tatsächlich ein Grammatiker bzw. Literat, dem Homer vor allem als unersetzliches Bildungsgut galt.[87] Weil er durch popularphilosophische Strömungen den Bildungswert der homerischen Epen in Frage gestellt sah, fühlte er sich aufgerufen, Homer zu verteidigen. Seine Profession mag erklären, warum er der literarischen Argumentation so hohen Wert zumißt. Einen eigenen philosophischen Standpunkt vertritt er nicht. Das zeigt, wie sich die Situation im Vergleich zur vorsokratischen oder zur stoischen Exegese gewandelt hat.

Von ὑπόνοια spricht Pseudo-Heraklit nicht mehr. Den objektiven Tiefensinn nennt er ἀλήθεια, φιλοσοφία und θεωρία.[88] Signifikant ist sein Gebrauch der Mysterienterminologie. Nichteingeweihte können in die Tiefe der Weisheit Homers nicht vordringen. Wer es tut, muß sich gleichsam rituellen Waschungen unterziehen, wie sie Voraussetzung für die Zulassung zum Mysterienkult sind.[89] Homer ist der große Hierophant, d. h. der höchste Priester des Kultes, der uns den Weg zum Himmel erschließt.[90] Die Ausleger sind Priester und Kultdiener seiner göttlichen Dichtung.[91] Die analoge Verwendung ritueller Sprache dient offensichtlich dazu, dem eigenen Unternehmen die religiöse Weihe zu geben. Das Geheimnis der homerischen Epen steht dem Inhalt der Mysterien an Dignität nicht nach.

bb) Zur Praxis

In seinen Einzelexegesen hat Pseudo-Heraklit z. T. recht wahllos, wenig originell und nicht immer widerspruchsfrei eine Fülle von traditionellem Material verarbeitet. Im wesentlichen lassen sich drei Formen exegetischer Arbeit unterscheiden.[92]

---

[86] All Hom 17,4–18,1; 76,6–79,1.
[87] Vgl. die bewegenden Worte All Hom 1,5–7: Homer begleitet uns von der Wiege bis zur Bahre, ohne daß wir mit ihm je an ein Ende kämen.
[88] All Hom 3,2; 6,5; 24,2; 25,12; 42,1.
[89] All Hom 3,2f.: ἡμεῖς δ' οἳ τῶν ἀβεβήλων ἐντὸς περιρρραντηρίων ἡγνίσμεθα. Vgl. 6,6; 53,2.
[90] All Hom 76,1: ὁ μέγας οὐρανοῦ καὶ θεῶν ἱεροφάντης Ὅμηρος, ὁ τὰς ἀβάτους καὶ κεκλεισμένας ἀνθρωπίναις ψυχαῖς ἀτραποὺς ἐπ' οὐρανὸν ἀνοίξας.
[91] All Hom 79,13: ἱερεῖς δὲ καὶ ζάκοροι τῶν δαιμονίων ἐπῶν αὐτοῦ πάντες ἐσμὲν ἐξ ἴσου.
[92] In der Beurteilung und Zuordnung der Exegesen gehe ich mit *F. Buffière*, Introduction XXI–XXVI, nicht ganz einig.

(1) Die physikalische Exegese – traditionsgeschichtlich gesehen die älteste – interpretiert die Götter als Personifikationen der Naturelemente. Zeus ist der Äther, Hera die Luft etc. Die aufgestellten Gleichungen sind nicht starr fixiert, nicht einmal die Zahl der anfänglichen Elemente ist festgelegt – ein weiteres Zeichen für einen philosophischen Eklektizismus. Wenn Pseudo-Heraklit Homer den Vater der naturphilosophischen Elementenlehre nennt, mag das neben der apologetischen Absicht noch ein Ahnen der ursprünglichen Zusammenhänge von Mythos und Philosophie verraten (22,2). Es dient ihm des weiteren als willkommener Beweis für Homers universale Kompetenz in allen Wissensbereichen.[93] Aufschlußreich ist die Argumentation: wenn sich schon die Philosophen symbolisch-allegorischer Sprache bedienen, warum sollte es dann nicht auch der Dichter tun?[94]

Kosmogonisch interpretiert Pseudo-Heraklit neben dem Proteus-Mythos[95] und der Burleske um Ares und Aphrodite[96] insbesondere die Herstellung des Schildes, den Hephaistos für Achill schmiedet. Die Beschreibung dieses Vorgangs bei Homer im 18. Buch der *Ilias* hat stellenweise kosmologischen Charakter.[97] Für uns ist ein Detail besonders interessant. Nach Il 20,266–272 besteht Achills Schild aus zwei Lagen Bronze, zwei Lagen Zinn und einer Lage Gold. Die goldene Schicht befindet sich in der Mitte, zwischen Zinn und Bronze. Das entspricht ausgezeichnet der allegorischen Deutung auf die Zonen des Universums. Die beiden äußeren, kalten Zonen, die der Bronze entsprechen, sind Arktis und Antarktis, das Zentrum (Gold) ist glühend und feurig, dazwischen liegen die beiden wohltemperierten, bewohnbaren Mischzonen (All Hom 50,1–5). Nur kann es schlecht mit der Wirklichkeit übereinstimmen. Gold als (a) sehr weiches und (b) sehr kostbares Material gehört notwendig auf die Oberseite des Schildes. Das Problem wird schon von den antiken Philologen empfunden. Nicht ohne Grund scheint Aristarch die entsprechenden Verse als Interpolation gestrichen zu haben.[98] Hier liegt ein sekundärer Einschub vor, der einen bildhaften Text unter dem Einfluß seines allegorischen Verständnisses im Sinne der späteren Auslegung verdeutlicht.

---

[93] All Hom 34,8: ἀρχηγὸς δὲ πάσης σοφίας. Das Thema wird später zum großen Anliegen der anonymen, fälschlicherweise Plutarch zugeschriebenen Schrift Vit Poes Hom.

[94] All Hom 24,1–3. Hier nennt er auf engstem Raum die Schlüsselbegriffe seines Unternehmens: ἀλληγορέω, θεολογέω, σκοτεινός, συμβολικός, αἰνιγματώδης.

[95] All Hom 65,1–67,5 (zu Od 4,455–460).

[96] All Hom 69,8–11 (zu Od 8,267–299). Ares und Aphrodite sind νεῖκος und φιλία, die Prinzipien allen Werdens und Vergehens nach Emped., Fr. B 17 (VS I 316,1f.).

[97] Wahrscheinlich hat Zenodot aus diesem Grunde die ganze Episode, die sich kaum rein wörtlich verstehen läßt, gestrichen, vgl. *R. Pfeiffer*, Philologie 293. *Ø. Andersen*, „Shield" 5–18, setzt sich aus erzählerischen Gründen für ihre Authentizität ein.

[98] *F. Buffière*, Mythes 163.

Ich schlage vor, für diesen Vorgang die Bezeichnung Allegorisierung zu reservieren.

Als konsequente Fortbildung der physikalischen Deutung ist die Tendenz anzusehen, den Mythos auf naturwissenschaftliche oder handwerklich-technische Vorgänge zu reduzieren. Der Hieros Gamos zwischen Zeus und Hera wird metereologisch als Vereinigung von Luft und Äther gedeutet, die den Frühling hervorbringt.[99] Der Ehebruch von Ares und Aphrodite ist eine Allegorie der Schmiedekunst. Das Eisen (Ares), vom Feuer (Hephaistos) bezwungen, wird zu einem künstlerisch schönen Erzeugnis (Aphrodite) verarbeitet und zur Abkühlung ins Meer (Poseidon) gehalten.[100] Das Schicksal des Dionysos, der sich, verfolgt und gequält, ins Meer flüchtet, ist ein Sinnbild für das Werden des Weines, von der Lese über das Keltern und die Gärung bis zum Versetzen des Weines mit Meerwasser.[101]

(2) Die moralische Exegese findet u. a. in der Theomachie ihre Anwendung. Nur ein Teil der Götter wird physikalisch gedeutet, andere verkörpern menschliche Tugenden, Leidenschaften und Laster. Athene, die Weisheit, tritt gegen den blinden Zorn (Ares) und die amourösen Begierden (Aphrodite) in die Schranken (54,2–7). Hebe und Eris wirken schon bei Homer wie durchsichtige Personifikationen von Jugend und Streit. Hermes ist, wie der Name sagt, der Gott des vernünftigen, beredten Wortes (73,4f.). Er hat Flügel, weil Homer die Worte ob ihrer Schnelligkeit geflügelt (πτερόεντα) nennt (67,6f.). Dem greisen Priamos, der in einer ergreifenden Szene um den Leichnam seines Sohnes bittet, gibt nach Homer der Gott Hermes die rechten Worte ein, die Achill umstimmen. Pseudo-Heraklit wertet das als Symbol für die überwältigende Kraft des Wortes.[102]

Die moralische Exegese ähnelt mehr und mehr einer psychologischen Analyse menschlicher Verhaltensweisen. Il 1,207–214 besänftigt Athene den Zorn des Achill. Das ist eine Beschreibung des inneren Vorgangs in einem maßlos zornigen Menschen, der zur Besinnung kommt (20,1–12). Wenn Athene dem jungen Telemach erscheint, will das sagen, daß der

---

[99] All Hom 39,2–17 (zu Il 14,346–353).

[100] All Hom 69,12–16 (zu Od 8,306–366). Der Vergleich mit 69,8–11 zeigt, wie die gleiche Episode verschiedenen Deutungen offensteht.

[101] All Hom 35,1–9 (zu Il 6,130–137). Hier wird die Metonymie in den Dienst der Allegorese gestellt, ebenso All Hom 26,8–14 (zu Il 1,590–594): daß Hephaistos vom Himmel geschleudert wird, will besagen, daß es den Menschen mit Hilfe von optischen Instrumenten gelungen ist, beim höchsten Stand der Sonne ein Feuer zu entzünden. Daß er seitdem hinkt und am Stock geht, weist darauf hin, daß Feuer ohne Holz nicht brennt. Auch von der Etymologie macht Pseudo-Heraklit reichlich Gebrauch, vgl. z. B. All Hom 7,5–13 (Deutung der Epitetha Apolls).

[102] All Hom 59,1–9 (zu Il 24,456–516); vgl. Apg 14,12.

heranwachsende Odysseussohn lernt, seine Vernunft zu gebrauchen (61,3 u. ö.). In den Kampf zwischen Odysseus und den Freiern greift Athene mehrmals helfend ein, was nicht mehr heißt, als daß Odysseus seinen Kampf mit List und Geschick führt (75,9f.), was nicht verwundert, gilt er doch, wie neben ihm nur noch Herakles[103], als Idealbild des Weisen, der seinen Kampf mit den Versuchungen und Verstrickungen der Welt siegreich besteht[104].

(3) Als drittes exegetisches Modell kann man die historische Auslegung im engeren Sinn ausgrenzen (wobei man über die Zuordnung im Einzelfall wird streiten können). Sie war im Altertum mit dem Namen des Euhemeros verbunden. Ereignisse des Mythos werden auf historische Personen oder Fakten zurückgeführt, die die Überlieferung ins Wunderbare und Göttliche überhöht hat.[105] Ob der historische Hintergrund selbst real oder fiktiv ist, spielt zunächst keine Rolle.

Il 5,385–391 berichtet Homer, wie die beiden Brüder Otos und Ephialtes den Kriegsgott Ares überwältigen und dreizehn Monate in Ketten gefangen halten, bis er durch eine List ihrer Stiefmutter befreit wird. Nach Pseudo-Heraklit haben die beiden tapferen jungen Männer in ihrer Familie für Frieden und Eintracht gesorgt, bis wieder eine Frau ins Haus kam und der Streit von vorne begann, als sei Ares losgelassen (32,1–6). Eine ähnliche Behandlung erfährt die Erzählung von der Liebe der Göttin Eos zum Jüngling Orion, der Artemis ein Ende setzt, indem sie Orion tötet (Od 5,121–124). Ein vornehmer junger Mann war gestorben. Beim Anbruch des Tages trug man ihn zu Grabe. In euphemistischer Weise sagte man damals: „Eos, die Göttin der Morgenröte, hat ihn zu sich genommen" (68,1–6). Pseudo-Heraklit verleiht auch dieser historischen Deutung das Etikett ἀλληγορία. Eustathius (12. Jh. n. Chr.) schreibt nicht ohne Grund in seinem Iliaskommentar: „Auch die Rechtfertigung der Mythen mit Hilfe historischer Exegese scheint für die Alten eine Allegorie zu sein."[106]

Die ausgesprochen rationalistische Tendenz mancher Exegesen tritt deutlich hervor.[107] Mythen werden auf banale Alltagsereignisse redu-

---

[103] All Hom 33,1: Herakles ist ein ἀνὴρ ἔμφρων καὶ σοφίας οὐρανίου μύστης.

[104] All Hom 70,1ff. Wie sehr gerade die Erzählung von der Zauberin Kirke, die Männer in Tiere verwandelt, einer moralischen Deutung offenstand, bedarf kaum eines Kommentars. Die Kirchenväter haben die Stelle besonders geschätzt.

[105] Ein Beispiel schon bei Plat., Phaedr 229bc.

[106] Eustath., Comm in Il A 19,1 (31,8f. Valk): ἀλληγορία γάρ τις καὶ ἡ διὰ ἱστοριῶν θεραπεία τῶν μύθων εἶναι δοκεῖ τοῖς παλαιοῖς (den Beleg verdanke ich *J. Pépin*, „Signe de l'allégorie" 405).

[107] Man hat diese Art der Mythendeutung im Altertum mit dem Namen des Palaiphatos in Verbindung gebracht, der als Spezialist der Aristotelesschule für rationalistische Exegese galt. Doch scheint es nicht angebracht, deshalb einen weiteren exegetischen Typus

ziert, die Götter viel schärfer noch als im Epos fast zu Marionetten degradiert. Man fragt sich, was hier eigentlich apologetisch verteidigt werden soll. Der Götterglaube wohl kaum. Pseudo-Heraklit geht es einzig und allein um Homer. Er will nachweisen, wie in der eigenen Gegenwart ein sinnvoller Umgang mit der homerischen Dichtung möglich ist. Historisch-kritische Methodik und darauf aufbauende Hermeneutik standen ihm für sein Unternehmen nicht zur Verfügung. Doch hat er sich seine Gedanken gemacht. Aus methodischen Erwägungen heraus adaptiert er den Allegoriebegriff, knüpft er mit seinen Deutungen an Etymologie, Metonymie und Metaphorik[108] an. Während er inhaltlich wenig Neues bietet, hat der methodische Ansatz, für den er unser Kronzeuge ist, erhebliche Konsequenzen gehabt.

cc) Konsequenzen

(1) Bei Quintilian bezeichnet ἀλληγορία eine literarische Form, bei Pseudo-Heraklit tritt der Auslegungsvorgang hinzu. Das macht den Allegoriebegriff äußerst unscharf und für die Arbeit fast unbrauchbar. Um etwas zu differenzieren, wird in dieser Arbeit für die literarische Form der Begriff Allegorie, für den Auslegungsvorgang der Begriff Allegorese verwandt.
(2) In der Literaturwissenschaft wird die Allegorie bis heute u. a. als personifizierende Darstellung abstrakter Eigenschaften in bildender Kunst und Dichtung definiert. Von dieser Definition aus versteht sich bereits die allegorische Auffassung der Λῖται-Stelle bei Homer.[109] Man sollte sich darüber im klaren sein, daß dieses Moment in Quintilians Analyse der Allegorie fehlt (die „Decknamen-Allegorie" ist etwas ganz anderes). Erst auf dem Umweg über die allegorische Mythenexegese ist der Personifikationsbegriff in die Definition der Allegorie eingegangen.
(3) Welchem Zuhörerkreis eine Allegorie verständlich ist, war nach Quintilian von ihrer jeweiligen Funktion abhängig. Die These, Allegorien seien die angemessene Sprachform für dunkle Mythen und geheimnisvolle Mysterien, bringt es mit sich, daß aus der rhetorischen Allegoriede-

---

auszugrenzen, da Mythendeutung im Grunde immer rationalistisch ist, sofern sie auf eine Harmonisierung des Mythos mit dem jeweiligen Erkenntnisstand ausgeht. Vgl. zu Palaiphatos und Euhemeros *J. Pépin*, Mythe 147–150; *F. Buffière*, Mythes 231f.245–248.

[108] Das Wort μεταφορικῶς fällt All Hom 73,4.

[109] Die gleiche Definition liegt zugrunde, wenn man die Satiren des Aristophanes, in denen Krieg und Tumult, Reichtum und Armut als handelnde Personen auftreten, Allegorien nennt, vgl. die Aristophanes-Studie von *H. J. Newiger*, Metapher und Allegorie, bes. 3–8. 181f.

finition das Moment des Verhüllenden einseitig ausgegrenzt und überbetont wird.

(4) Daß der Oberflächensinn einer Allegorie notwendig unstimmig, ja unsinnig sei, hat bei Quintilian keinerlei Anhaltspunkte. Das Dogma von der scheinbaren Sinnlosigkeit einer unaufgelösten Allegorie stammt aus der Mythenexegese. Hier wird es als Kriterium angewandt, um Kryptoallegorien im Homertext aufzuspüren, die eine Tiefendeutung verdienen.

(5) In der Folgezeit läßt sich eine Wechselwirkung zwischen exegetischer Allegorese und poetischer Allegorie feststellen. So bietet die erste christliche allegorische Dichtung, die *Psychomachia* des Prudentius, eine personifizierende Darstellung des Kampfes zwischen Tugend und Laster in der Seele des Menschen. Damit folgt Prudentius, bewußt oder unbewußt, dem Strukturmuster der moralischen Allegorese von Homers Theomachie.[110] Doch darf diese Entwicklung, die für das Mittelalter maßgeblich wurde, nicht den Blick für die Ursprünge der Allegorieproblematik verstellen, die aus der Überlagerung zweier zunächst selbständiger Phänomene resultiert.

b) Plutarch[111]

Aus dem umfangreichen literarischen Schaffen Plutarchs (ca. 45–125 n. Chr.) sind uns neben den wertvollen Parallelbiographien zahlreiche vermischte Schriften erhalten, die popularphilosophisches Gepräge tragen. Sie ermöglichen eine Erweiterung unserer bisherigen Überlegungen in materialer Hinsicht.

aa) Dichtung

In seinem Traktat *Quomodo adolescens poetas audire debeat* setzt sich Plutarch, der philosophisch sonst einen eklektischen Standpunkt mit platoni-

---

[110] Ein Hinweis in ähnlicher Richtung bei R. *Herzog,* Prudentius 8. H. R. *Jauß,* Allegorische Dichtung 152–170, weist nach, daß die allegorische Dichtung der romanischen Volkssprache sich „aus einer fortschreitenden Verweltlichung und Literalisierung der Bibelexegese" (a.a.O. 150) entwickelt hat.

[111] Als Textgrundlage dienen die Ausgaben der Bibliotheca Teubneriana und der Loeb Classical Library. Daneben wurden die kommentierten Editionen von L. *Heirman* (Aud Poet), *T. Hopfner* (Is et Os), *J. G. Griffiths* (Is et Os) und R. *Flacelière* (Pyth Or; E ap Delph) herangezogen. Benutzt wurde ferner die Materialsammlung von H. D. *Betz u. a.,* Plutarch's Theological Writings. Für alle Einleitungsfragen sei auf den monographischen Artikel von K. *Ziegler,* PRE 41, 636–962, verwiesen.

scher Dominante vertritt, implizit mit Platons Dichterkritik auseinander
und bekennt sich zu einer konzilianteren, an peripatetischem Denken
orientierten Haltung. Vorsicht ist angebracht, weil Dichtung es nicht mit
der unverstellten Wahrheit zu tun hat, sondern infolge ihres mimetischen
Umgangs mit dem Mythos einen großen Anteil ψεῦδος enthält.[112] Doch
kann die Lektüre dichterischer Werke Heranwachsenden gestattet werden, wenn man zugleich einige Regeln beachtet, die einem negativen
Effekt der Dichtkunst vorbeugen. Der Schüler soll u. a. lernen, den figurativen, insbesondere den metaphorischen und metonymischen Sprachgebrauch der Dichter zu erkennen.[113] Vornehmstes Ziel der literarischen
Erziehung muß es sein, die positive moralische Instruktion aufzuzeigen,
die der Dichter mit oder ohne Absicht seinem Werk inkorporiert hat. Der
Zweck der Kunst erschöpft sich in dem, was sie an Nützlichem, Heilsa-
mem und Förderlichem zu sagen hat.[114] Das deckt sich mit den Aufgaben
der praktischen Philosophie, die nach Plutarch zur ἀρετή, d. h. zur rechten Lebensgestaltung und damit zur εὐδαιμονία anleiten will. Tatsächlich ist Dichtung für Plutarch nichts anderes als ein philosophisches Pro-
pädeutikum.[115] Durch Hinzufügung des narrativen und mimetischen
Elements kann Dichtung, richtig verstanden, dem Heranwachsenden
das Lernen philosophischer Erkenntnis leichter und angenehmer
machen.[116]
Im gleichen Traktat fällt das nachgerade berühmte Wort von den Auslegungen, die in alter Zeit ὑπόνοιαι hießen und nun ἀλληγορίαι genannt
werden. Plutarch lehnt diese Exegesen als gewaltsam und willkürlich
ab.[117] Dazu ist sehr zu beachten, daß das Wort ἀλληγορία bei Plutarch
nur dort fällt, wo es um physikalische oder moralische Exegesen im engeren Sinn geht. An unserer Stelle führt Plutarch die physikalische Deutung
von Hera und Zeus als Luft und Äther an.[118] An anderer Stelle wendet er
sich gegen die Identifizierung der Aphrodite mit der Begierde. Dort gibt
er auch den Grund für seine Ablehnung der psychologischen Allegorese
an: uns bedroht ein Abgrund von Atheismus, wenn wir menschliche

---

[112] Aud Poet 2 (16C): οὐκ ἴσμεν δ᾽ ἄμυθον οὐδ᾽ ἀψευδῆ ποίησιν.

[113] Ebd. 6 (22C–25B).

[114] Ebd. 1 (16A): ἐν τῷ τέρποντι τὸ χρήσιμον ζητεῖν.

[115] Ebd. 14 (37B): ὑπὸ ποιητικῆς ἐπὶ φιλοσοφίαν προπέμπηται.

[116] Ebd. 1 (15F). Vgl. 14 (36E): man kann nicht direkt in die helle Sonne blicken, sondern
muß sich erst im Dämmerlicht der Dichtung an den Umgang mit ihr gewöhnen.

[117] Ebd. 4 (19F): παραβιαζόμενοι καὶ διαστρέφοντες.

[118] Aud Poet 4 (20A). Außerdem erwähnt er die Deutung von Ares und Aphrodite als
Sternbilder. Nach seiner eigenen Auslegung will der Ehebruch von Ares und Aphrodite
darauf aufmerksam machen, wohin ein sittlich verwahrlostes Leben notwendig führt,
während die Vereinigung von Zeus und Hera auf dem Gipfel des Ida samt der Nachgeschichte zeigt, daß trügerisch erkaufte Gunstbeweise in Ärger und Zorn umschlagen.

Fehlhaltungen so deifizieren[119].
In ähnlicher Richtung werden seine Motive für die Ablehnung der physikalischen Allegorese zu suchen sein. Der von Plutarch heftig bekämpften stoischen Götterlehre, die bis auf Zeus alle Götter in periodisch auftretenden Weltkatastrophen umkommen läßt, wird durch die Identifizierung der Götter mit den Naturelementen nur Vorschub geleistet. Im Grunde wehrt sich Plutarch aus einem theologischen Anliegen heraus gegen die Auffassung, Götter seien Personifikationen naturwissenschaftlicher oder psychologischer Abstrakta. Seine philosophische Exegese verfolgt *expressis verbis* das Ziel, die Poesie aus dem Bann des personifizierenden Mythos zu befreien.[120] Pseudo-Heraklit hat die homerischen Epen z. T. als Personifikationen interpretiert. Das erklärt Plutarchs Reserven gegenüber dem Begriff ἀλληγορία. Der Abstand zwischen Plutarch und Pseudo-Heraklit entspricht in etwa der philosophischen Distanz zwischen mittlerem Platonismus und jüngerer Stoa.

Manche Autoren haben aus diesem Sachverhalt den Schluß gezogen, Plutarch kenne keine allegorische Exegese.[121] Ob das zutrifft oder nicht, hängt wesentlich davon ab, was man unter Allegorese versteht. An Plutarchs enger Fassung des Begriffes wird man sich dabei kaum orientieren können, da sie schon für Pseudo-Heraklit nur bedingt zutrifft. Seine eigene Dichterinterpretation hat mit den Merkmalen allegorischer Exegese drei Punkte gemein. (a) Die Reduzierung der Dichtung auf abstrakte moralische Sätze läßt ein ästhetisches Desinteresse erkennen. (b) Der Eintrag philosophischer Lehren in die zeitlich frühere Dichtung hat anachronistische Züge. (c) Der Sinn ist im Text verborgen und muß durch den Ausleger erst herausgeholt werden.[122] Wenn man will, kann man Plutarchs philosophische Exegese mit J. Pépin[123] als moralisierende

---

[119] Amat 13 (757B/C): ὁρᾷς δήπου τὸν ὑπολαμβάνοντα βυθὸν ἡμᾶς ἀθεότητος, ἂν εἰς πάθη καὶ δυνάμεις καὶ ἀρετὰς διαγράφωμεν ἕκαστον τῶν θεῶν. Im Gegensatz zu Pseudo-Heraklit ist Plutarch also mehr um den Götterglauben als um Homer besorgt.

[120] Aud Poet 14 (36D): τὸ γὰρ οὕτω συνάπτειν καὶ συνοικειοῦν τοῖς δόγμασι ἐξάγει τὰ ποιήματα τοῦ μύθου καὶ τοῦ προσωπείου.

[121] Vgl. *J. Tate*, „History" 110. Ganz irrig ist die Bewertung Plutarchs bei *I. Christiansen*, Auslegungswissenschaft 10f. Auch *A. B. Hersman*, Studies 25–57, befriedigt nicht ganz.

[122] Aud Poet 10 (28D): die moralische Lehre ist in der Philosophie verborgen wie die Weintraube im üppigen Blätterwerk der Rebe. Aud Poet 12 (32E) und Aud 8 (41F): wie die Biene zwischen Dornen Honig findet, so entdeckt der geschulte Ausleger auch in gewagten Passagen nutzbringenden Sinn.

[123] *J. Pépin*, Mythe 178–188. Doch kann man keineswegs, wie Pépin es tut, das Frag. 157 *De Daedalis Plataensibus* (VII 94–99 Sandbach) als Beleg für Plutarchs Allegorese anführen. Die dort vorgetragene physikalische Interpretation des aitiologischen Mythos eines Herakultes steht zu Plutarchs sonstiger Praxis in ausdrücklichem Widerspruch. Sollte der Text von Plutarch stammen, gibt er doch einen Standpunkt wieder, den Plutarch nur referiert, aber nicht selbst teilt.

oder besser als ethisch-paränetische Allegorese bezeichnen. Zudem ändert sich das Gesamtbild, wenn wir neben der Dichtung andere Objekte von Plutarchs Auslegekunst heranziehen.

bb) Mythos

Im Gegensatz zu den Fabeleien der Dichter bietet der reine Mythos[124] die Möglichkeit, zur Erkenntnis Gottes vorzudringen. Als Beispiel für seine These behandelt Plutarch den ägyptischen Mythos von Isis und Osiris. Er zeigt sich mit dieser Themenwahl jener Ägyptomanie der hellenistischen Welt verhaftet, die in der durch Exotik faszinierenden orientalischen Theologie Fragmente einer uralten Weisheit vermutete, deren Spuren innerhalb der eigenen Überlieferung durch die Dichter verstellt worden sei.

Der Kern des Mythos ist einfach. Osiris wird von seinem Gegenspieler Typhon überlistet und getötet, sein Leichnam zerstückelt und über Ägypten verstreut. Seine trauernde Gattin Isis sucht die Teile auf langer Wanderschaft zusammen und bestattet sie. Ihr gemeinsamer Sohn Horus rächt den Vater, indem er Typhon bekämpft und besiegt. Dieser erzählerische Leitfaden[125] ist mit den disparatesten Elementen angereichert worden – z. B. mit dem Glauben an die Auferstehung der getöteten Gottheit –, was bei Plutarch zu manchen Unstimmigkeiten und Widersprüchen führt. Gleich zu Beginn stellt er heraus, daß er sich um eine purgierte Fassung des Mythos bemüht. Die „schmählichsten Episoden" hat er bewußt ausgelassen.[126] Überhaupt darf der Mythos keinesfalls wörtlich genommen werden, als berichte er wirkliche Geschehnisse aus dem Leben der Götter.[127] Er bedarf vielmehr einer symbolischen Interpretation.

Plutarch diskutiert teils ablehnend, teils zustimmend verschiedene Deutungsversuche. Neben dem euhemeristischen Ansatz, der nach seiner Meinung dem Atheismus Vorschub leistet[128], weist er auch die physika-

---

[124] Zu dieser Unterscheidung, die den Ausführungen von Aud Poet 14 (36D) teils widerspricht, vgl. Is et Os 20 (358F).

[125] *T. Hopfner*, Is et Os I, 16, vermutet, es handle sich im Kern um ein schlichtes Märchen vom guten König, seinem bösen Bruder, der liebenden Gattin und dem treuen Sohn. Es fragt sich, ob so das Verhältnis von Märchen und Mythos richtig bestimmt ist oder ob nicht umgekehrt gesunkenes mythisches Gut im Märchen Verwendung findet, vgl. *M. Lüthi*, Märchen 11f.

[126] Is et Os 20 (358E). Zu ihrem Inhalt vgl. *T. Hopfner*, Is et Os I, 142. Zum Ganzen *J. G. Griffiths*, Is et Os 33–74.

[127] Is et Os 20 (358E/F); 11 (355B): μηδὲν οἴεσθαι τούτων λέγεσθαι γέγονος οὕτω καὶ πεπραγμένον. Zum folgenden vgl. *T. Hopfner*, Is et Os II, passim.

[128] Is et Os 22–24 (359D–360D).

lische Auslegung zurück, nach der Osiris für den Nil steht, Isis für die Erde und Typhon für die See.[129] Gewisse Sympathie empfindet er für eine abstraktere Form der physikalischen Allegorese, die Osiris zum Prinzip der Feuchtigkeit erhebt und Typhon zum konträren Prinzip der unfruchtbaren Trockenheit. Sie läßt die vorhandenen Parallelen zur griechischen Mythologie erfreulich klar zutage treten. Im Grunde beschreiben ja die verschiedenen Mythen die gleichen Sachverhalte und lassen sich deshalb ineinander überführen.[130]

An Deutungen, die in Ägypten besonders beliebt sind, nennt Plutarch die astronomische Interpretation (der Tod des Osiris symbolisiert das Abnehmen des Mondes oder eine Mondfinsternis[131]) und die agrarische Auslegung (in Aussaat und Wachstum des Getreides spiegelt sich das Schicksal der begrabenen und zum Leben erweckten Gottheit[132]).

Selbst vertritt er zunächst eine dämonologische Deutung. Neben den unveränderlichen Göttern und den leidenden, irrenden Menschen gibt es eine Gruppe von dämonischen Zwischenwesen, die mit den Göttern die Macht, mit den Menschen das Unterworfensein unter Vergänglichkeit und Tod gemein haben. Die Mythen berichten nicht von Göttern, sondern von guten und bösen Dämonen. Das erklärt ihre menschlich-allzumenschlichen Züge.[133] Plutarchs Dämonenlehre steht nicht nur hier seltsam unvermittelt neben seiner philosophischen Religiosität. Den Charakter einer Verlegenheitsauskunft kann sie nicht ganz verleugnen.

Plutarch gibt sich denn auch mit der dämonologischen Lösung nicht zufrieden. Sein Hauptinteresse gilt der dualistischen Interpretation. Unter betonter Zurückweisung des stoischen Monismus und des Materialismus eines Demokrit und Epikur stellt er heraus, daß wenigstens zwei höchste Wesen, ein gutes und ein böses, beim Ursprung der Welt am Werk waren. Osiris verkörpert das gute Prinzip, Typhon steht für alles Ungeordnete und Destruktive.[134] Auch Platon hat diesen Dualismus vertreten. Das gibt Plutarch die Möglichkeit, den ägyptischen My-

---

[129] Ebd. 32 (363D–F). Der Mythos würde dann die alljährliche fruchtbare Überschwemmung des Landes durch den Fluß und seine Auflösung ins Meer schildern.

[130] Ebd. 33 (364A–C) und 35 (364E–365A). Zum Beweis für die Parallelität der verschiedenen Mythologien bedient Plutarch sich ausgiebig der etymologischen Methode, vgl. z. B. 60–61 (375C–376A).

[131] Ebd. 42–44 (367E–368F).

[132] Ebd. 65 (377B). Vgl. auch seine Kritik an einer agrarischen Deutung des Demetermythos in Fac Lun 27 (942D/E).

[133] Is et Os 25–27 (360D–361E). Vgl. zu Plutarchs Dämonologie noch Fac Lun 30 (944D) und Def Or 10–15 (415A–418D): Dämonen sind Mittler und Diener der Gottheit. Sie versehen den Orakeldienst, beaufsichtigen das Opferritual und leiten den Mysterienkult. In Gen Socr übernimmt der Dämon die Rolle eines persönlichen Schutzgeistes.

[134] Is et Os 45 (369A). Plutarch belegt seinen Dualismus u. a. aus der persischen Mythologie.

thos schließlich als inhaltliches Pendant zur platonischen Philosophie zu erweisen. Psychologisch gesehen entspricht Osiris dem vernunftbegabten Nous, Typhon den irrationalen Leidenschaften. In kosmologischer Sicht ist Osiris das Intelligible (νοητόν), Isis die mütterliche Materie (ὕλη), ihr gemeinsamer Sproß Horus die Schöpfung (κόσμος).[135] Plutarchs Umgang mit dem Mythos steht der traditionellen Tiefendeutung näher, als seine Ausführungen in *De Audiendis Poetas* erwarten lassen. Seine starken Reserven gegenüber dem Wort ἀλληγορία sind einmal aus den stoischen Konnotationen erklärbar, die der Begriff für ihn hatte. Zum andern war er Philosoph, nicht Grammatiker wie Pseudo-Heraklit. Dessen ganzen Aufwand, die Mythendeutung literaturtheoretisch zu rechtfertigen, scheint er für recht unerheblich gehalten zu haben. Sein eigenes Vorgehen stützt sich auf gewichtigere ontologische und theologische Argumente.

Die Vorzugswörter Plutarchs sind αἴνιγμα, bzw. αἰνίττομαι und σύμβολον. Der Mythos arbeitet mit rätselhaften Anspielungen und symbolischen Bildern, weil er einen schwachen Abglanz philosophischer und theologischer Wahrheit enthält.[136] Er gleicht dem Regentropfen oder Regenbogen, in dem sich vielfach gebrochen die Sonne spiegelt.[137] Daß die ägyptische Religion in besonderer Weise dem Geheimnisvollen und Rätselhaften verpflichtet ist, hat nach Plutarch seinen bildhaften Ausdruck in den unergründlichen Sphingen gefunden (die den Ägyptern im übrigen gar nicht als rätselhaft galten). Auch die Inschrift an der Statue der Göttin von Sais[138] und die Hieroglyphen[139] weisen darauf hin.

cc) Mysterien

Der Isis-Mythos diente zur Zeit Plutarchs als λεγόμενον, d. h. als aitiologische Kultlegende und liturgische Agende eines Mysterienrituals. Plutarch spielt darauf an, wenn er zu Beginn seines Traktats ausführt, Typho zerstückele die heilige Lehre, Isis füge sie wieder zusammen und

---

[135] Ebd. 49–56 (371A–373F). Vgl. besonders die Parallelisierung des Osiris-Mythos mit Platons Mythos von Penia, Poros und Eros 57 (374C/D).
[136] Is et Os 9 (354C): ἐπικεκρυμμένης τὰ πολλὰ μύθοις καὶ λόγοις ἀμυδρὰς ἐμφάσεις τῆς ἀληθείας καὶ διαφάσεις ἔχουσιν, ὥσπερ ... αἰνιγματώδη σοφίαν τῆς θεολογίας αὐτῶν ἐχούσης.
[137] Ebd. 20 (358F); 74 (381A). Das hat seine Parallelen in der Objektwelt. Die Natur selbst ist ein Spiegel (ἐσόπτρον) der Gottheit, ebd. 76 (382B). Der Gedanke an 1 Kor 13,12 legt sich nahe.
[138] Ebd. 9 (354C): καὶ τὸν ἐμὸν πέπλον οὐδείς πω ἀπεκάλυψεν.
[139] *W. Benjamin*, Trauerspiel 184–189, führt die allegorische Emblematik des Barock auf die theosophische Beschäftigung der humanistischen Gelehrten „mit den sogenannten symbolischen oder änigmatischen Hieroglyphen" (a.a.O. 186) zurück.

mache sie den Initianden zugänglich.[140] Ob Plutarch selbst Eingeweihter des Isiskultes war, läßt sich nicht sicher entscheiden.[141] Die Frage verliert an Bedeutung, wenn man Plutarchs Umgang mit der Mysteriensprache beachtet. Das Interesse an der soteriologischen, sakramentalen Wirkung der Liturgie tritt in den Hintergrund. Die Mysterien sind kein Selbstzweck, sie wollen Einsicht und Wissen um das Wesen des Seienden vermitteln.[142] Für das Verständnis der λεγόμενα und δρώμενα (rituelle Handlungen) ist die Philosophie der beste Mystagoge.[143] Der wahre Myste befragt sie auf ihre denkerische Wahrheit hin.[144]

Wie Pseudo-Heraklit spiritualisiert Plutarch die Mysterienterminologie. Kultdiener (ἱεραφόροι) werden zu Recht nur jene genannt, die in ihrer Seele wie in einem Gefäß (κίστη) ein geläutertes Gottesbild tragen.[145] In dem Fragment De Anima vergleicht Plutarch das Schicksal der Seele im Tod mit den Erfahrungen eines Initianden während des Aufnahmerituals. Nach ruheloser, zielloser Wanderung und einer kurzen Periode höchsten Schreckens gelangt der Myste in ein paradiesisches Land voll Licht und Musik.[146] Das Ritual gewinnt moralisch-paränetischen Sinn. Es wiederholt imitierend den ἀγών der Isis, ihr Suchen und Leiden, um so allen, die sich in ähnlichen Prüfungen befinden, ein Paradigma an Frömmigkeit und ungebrochenem Mut vor Augen zu stellen.[147]

Plutarch stellt durch seine Verwendung der Mysterienterminologie die Suche nach der Wahrheit des Mythos auf eine Stufe mit der begehrten Teilnahme an den Mysterien. Zugleich unterstreicht er den „mysteriösen" Charakter der Mythenexegese. Die Erkenntnis des theologischen Inhalts ist wie ein Mysterium einem kleinen Kreis von Auserwählten vorbehalten.[148] Die Struktur des Offenbarungsgeschehens ist in Mythos und Mysterium ein und dieselbe.[149]

---

[140] Is et Os 2 (351F).

[141] Vgl. die Diskussion bei *J. G. Griffiths,* Is et Os 96–98.

[142] Is et Os 2 (352A): γνῶσιν καὶ εἴδησιν τοῦ ὄντος. Plutarch leitet ᾽Ισις von οἶδα ab.

[143] Ebd. 68 (378A). Vgl. 2 (351E): die intellektuelle Suche nach der philosophischen Wahrheit ist gottgefälliger als rituelle Reinigung und Tempeldienst.

[144] Ebd. 3 (352C): λόγῳ ζητῶν καὶ φιλοσοφῶν περὶ τῆς ἐν αὐτοῖς ἀληθείας.

[145] Ebd. 3 (352B). In der κίστη wurde der zentrale Kultgegenstand aufbewahrt. Die Vergeistigung bei Plutarch wird noch deutlicher, wenn man bedenkt, daß es sich dabei oft um ein eindeutiges sexuelles Symbol handelte, vgl. *O. Kern,* PRE 32,1238f.

[146] Fr. 178 (VII 107–110 Sandbach). Vgl. Fac Lun 27 (942E).

[147] Is et Os 27 (361D/E). In anderer Richtung wird das Motiv vom ἀγών Gen Socr 1 (575C); 24 (593E) u. ö. entfaltet. Vgl. zum Hintergrund *V. C. Pfitzner,* Agon Motif 28–37.

[148] Dieser elitäre und esoterische Zug gewinnt in anderer Weise Gen Socr 20 (589C); 24 (593A–D) Gestalt. Gott sucht sich einige Männer aus (θεῖοι ἄνδρες), die er befähigt, seine Sprache direkt zu verstehen, während sie für die große Menge ein Rätsel bleibt.

[149] Anmerkungsweise sei auf *R. Merkelbach,* Roman und Mysterium, hingewiesen, der versucht, die hellenistische Romanliteratur aus dem Mysterienkult abzuleiten. Ein Beispiel

dd) Brauchtum

Soweit die Rücksicht auf die strenge Geheimhaltung der Mysterienkulte es nicht verbietet, wendet Plutarch seine exegetische Technik auf eine Fülle von Kultgegenständen und religiösen Gebräuchen an, die er symbolisch-allegorisch erklärt. Einige Beispiele: Das Sistrum – eine Rassel, die beim Isisdienst Verwendung findet – will zeigen, daß alles Seiende in ständiger Bewegung bleiben und aufgeschreckt werden muß, wenn es zu erlahmen droht.[150] Der Dreifuß, auf dem die Pythia in Delphi sitzt, deutet auf die zwei Prämissen und die Schlußfolgerung des logischen Syllogismus hin.[151] Daß beim Eheritus der Hera ein Tier geopfert wird, dem man vorher die Galle entfernte, will besagen, daß die Ehe ohne Bitterkeit und Zorn geführt werden soll.[152]
Interessiert zeigt sich Plutarch auch an der Erklärung von Speisevorschriften (ein bevorzugtes Feld der jüdisch-hellenistischen Allegorese). Die ägyptischen Priester trinken keinen Wein und essen keinen Fisch. Dafür gibt es eine Reihe von Gründen, mystische, mythologische, asketische und physiologische. Plutarch bevorzugt die beiden letzteren. Sein Bemühen gilt dem Nachweis, daß die heiligen Bräuche nicht unvernünftig oder abergläubisch sind, sondern einen moralischen Grund haben,

(vgl. dazu auch *ders.*, „Symbolische Erzählungen" 163–168) mag das verdeutlichen. In den *Metamorphosen* des Isispriesters Apuleius wird der Held Lucius in einen Esel verwandelt. Nach langer Irrfahrt und schweren Prüfungen gewinnt er während einer Isisprozession seine menschliche Gestalt wieder. Dieses Erzählgerüst ist Träger eines mehrschichtigen Sinns. (a) Der bunte, abenteuerliche Oberflächentext ist narrativ strukturiert und arbeitet mit realistischen Versatzstücken. (b) Der Text gewinnt an Tiefe, wenn man bedenkt, daß der Esel dem bösen Typhon zugeordnet ist. Die Initianden mußten vor ihrer Aufnahme eine Eselsmaske tragen. Der Roman nimmt das Ritual beim Wort. (c) Die Irrungen und Wirrungen des Lucius haben ihre Analogie im ἀγών der Gottheit, von dem der Mythos berichtet. Der imitierende Nachvollzug mythischer Konstellationen hat soteriologische Wirkung, im Ritual wie im Roman. (d) Auf einer letzten Sinnebene geht es um das Schicksal der menschlichen Seele, die sich in einen tierischen Körper verirrt, auf langer Wanderschaft geläutert wird und in ihre ewige Heimat zurückkehrt. – Ob Merkelbachs umstrittene These in allem zu halten ist, braucht hier nicht entschieden zu werden. Auf keinen Fall wird man ihm bestreiten können, daß die Romane für mysterienkundige Leser zu Trägern allegorischer Signifikation werden konnten. Diese allegorische Projektion der Soteriologie auf die erzählerische Form verdiente einen Vergleich mit den Evangelien.

[150] Is et Os 63 (376C).
[151] E ap Delph 6 (387C). Diese eigentümliche Deutung hängt mit der Erklärung des Buchstabens E zusammen, der über dem Eingang des Apolloheiligtums in Delphi angebracht war. Manche Erklärer verstanden das E als abgekürzte Schreibweise für εἰ = wenn, das im dialektischen Syllogismus unentbehrlich ist. Plutarch selbst bevorzugt die Deutung εἶ = du bist. Gott allein kann das Sein als Prädikat zugesprochen werden. Ein neuerer Erklärungsversuch bei *J. G. Griffiths,* Is et Os 537.
[152] Praec Coniug 27 (141E/F).

aus einer geschichtlichen Begebenheit sinnvoll erwachsen sind oder auf eine korrekte naturwissenschaftliche Beobachtung zurückgehen.[153]

ee) Orakel

Plutarch war in den letzten Jahrzehnten seines Lebens Priester am Heiligtum des Apollo zu Delphi. Es gelang ihm, das daniederliegende Orakelwesen[154] zu einer bescheidenen neuen Blüte zu führen. In den pythischen Dialogen beschäftigt er sich *ex professo* mit den Fragen der Orakelexegese.

Die Orakel sind von alters her in dunklen, mehrdeutigen Versen abgefaßt.[155] Das hat seinen Grund. Apollo will seine Offenbarung davor schützen, profaniert und mißbraucht zu werden. Daher arbeitet er mit Anspielungen (ὑπονοίαι) und Mehrdeutigkeiten (ἀμφιλογίαι), die nur den eigentlichen Adressaten verständlich sind. Außerdem stachelt die rätselhafte Form das Verlangen nach Erkenntnis an und treibt den Suchenden vorwärts auf dem Weg zur Wahrheit.[156] Das steht alles in vollem Einklang mit Plutarchs sonstiger theologischer Konzeption.

Doch sieht Plutarch sich hier mit einem ernsten Problem konfrontiert. Die Pythia seiner Tage sprach nicht mehr in dunklen Versen, sondern in klarer, unmißverständlicher Prosa. Die verschiedenen Erklärungen, die er vorträgt – am bedeutsamsten ist seine eigens zu diesem Zweck entwikkelte Inspirationslehre[157] – überzeugen nur zum Teil. Plutarch macht schließlich aus der Not eine Tugend und erklärt, die Einfachheit und Klarheit des Orakels sei ein ungewöhnlicher Gnadenerweis. Wer sie kritisiere und sich nach Rätseln, Allegorien und Metaphern zurücksehne, die doch nur Spiegelungen des Göttlichen in der menschlichen Einbildungskraft seien, gleiche einem Kinde, das lieber Regenbogen und Kometen sieht als Sonne und Mond.[158]

---

[153] Is et Os 6–8 (353B–354A). Vgl. auch die medizinische Erklärung des jüdischen Schweinefleischverbotes und die ganze Diskussion Quaest Conv 4,5 (669E–671B).

[154] Def Or 5 (411F): καὶ πολὺς ἐπέσχηκε μαντικῆς αὐχμὸς τὴν χώραν.

[155] Ein schönes Beispiel findet sich Gen Socr 7 (579B/C). Vgl. auch die Auslegung einer Grabinschrift ebd. 7 (578E–579A) und die Deutung eines Vorzeichens ebd. 17–18 (587A–C).

[156] Vgl. Pyth Or 25 (407E); E ap Delph 1 (384F); 2 (385C).

[157] Pyth Or 7 (397B/C): Gott dichtet nicht selbst, sondern setzt nur den Anstoß, der in der Seele der Pythia eine Erschütterung auslöst und sie zur Prophetie befähigt. Die Formulierung im einzelnen hängt von ihrer Fähigkeit ab, vgl. ebd. 22 (405C). Die jetzige Prophetin ist ein einfaches Bauernmädchen ohne literarische Bildung (ein Zeichen für das geringe Ansehen des Orakels, vgl. *R. Flacelière* z. St.). Eine konkretere Inspirationslehre (πνεῦμα als Dunst, der aus dem Felsspalt aufsteigt und von der Pythia Besitz ergreift) findet sich Def Or 40 (432D) u. ö.

[158] Pyth Or 30 (409C/D). Die Zusammenstellung von αἴνιγμα, μεταφορά und ἀλληγορία läßt darauf schließen, daß Plutarch mit einer rhetorischen Allegoriedefinition vertraut war.

Diese Ausnahme bestätigt nur die Regel, die rückblickend kurz festgehalten sei. Weil Offenbarung änigmatisch geschieht, gibt es für Plutarch ohne Auslegung und Deutung keinen sinnvollen Umgang mit der religiösen Tradition. Den Leitfaden für die exegetische Praxis gibt ein umgreifendes philosophisches Daseinsverständnis ab, das auf das wahre, d. h. ideelle Sein und eine entsprechende sittliche Lebensführung ausgerichtet ist.

§ 14: Zur Nachgeschichte

a) Neuplatonische Exegese

Die neuplatonische Homerinterpretation, die Homer mit Platon zu versöhnen sucht, indem sie den Dichter an der Schau der Ideen partizipieren läßt, stellt unstreitig einen Höhepunkt allegorischer Exegese dar.[159] Doch fällt sie bereits in nachneutestamentliche Zeit, so daß hier auf eine ausführliche Behandlung verzichtet werden kann. Es sei lediglich eine sehr dichte Stelle aus dem kleinen Werk *De diis et mundo* von Salloustios, einem Vertrauten Kaiser Julians, besprochen, wo einige Linien, die schon bei Plutarch zutage treten, weiter ausgezogen sind. Der Text mag hier als Zusammenfassung der theoretischen Allegoriekonzeption des Hellenismus stehen, die in allen wesentlichen Punkten auch für die ntl Zeit ihre Gültigkeit hat.[160]

Daß die inspirierten Poeten, die großen Philosophen, die Gründer der Mysterienkulte und die Götter sich der rätselhaften mythischen Redeweise bedienen[161], hat nach Salloustios mehrere Gründe.

(1) Die doppelbödige Sprache des Mythos besitzt die eigentümliche Fähigkeit, alle Menschen von der faktischen Existenz der Götter in Kenntnis zu setzen, gleichzeitig aber die Einsicht in ihre wahre Natur einer besonders befähigten Elite vorzubehalten.[162]

---

[159] Über die neuplatonische Exegese handelt vorzüglich *W. Theiler*, „Mythos" 15–36.

[160] Das Wort ἀλληγορία fällt bei Salloustios nicht. Seine Verwendung in exegetischem Sinn war nicht so verbreitet, wie man nach der Lektüre von Pseudo-Heraklit annehmen möchte. Sachlich ist mit seinen Ausführungen das theoretische Fundament der Mythenexegese abgedeckt, die Pseudo-Heraklit allegorisch nennt. Ähnlich ergiebig ist die Stelle Vit Poes Hom 92 (VII 378,11–379,4 Bernadakis), aus der im folgenden einige Parallelen notiert seien. Vit Poes Hom 70 (VII 368,12–17 Bernadakis) kennt ἀλληγορία als Bezeichnung für einen rhetorischen Tropus.

[161] Salloust., De diis 3 (2,22–24 Nock). Vgl. Vit Poes Hom 92 (VII 378,22–25 Bernadakis): εἰ δὲ δι᾽ αἰνιγμάτων καὶ μυθικῶν λόγων τινῶν ἐμφαίνεται τὰ νοήματα, οὐ χρὴ παράδοξον ἡγεῖσθαι· τούτου γὰρ αἴτιον ποιητικὴ καὶ τὸ τῶν ἀρχαίων ἦθος.

[162] De diis 3 (4,5–7 Nock): οὕτως οἱ μῦθοι τὸ μὲν εἶναι θεοὺς πρὸς ἅπαντας λέγουσι, τίνες δὲ οὗτοι καὶ ὁποῖοι τοῖς δυναμένοις εἰδέναι.

(2) Wenn die Wahrheit in klarer, unzweideutiger Sprache allen zugänglich gemacht würde, hätte das nur negative Folgen. Die Unvernünftigen, die doch nicht zum Lernen bereit sind, erhielten Gelegenheit, über die heilige Lehre zu spotten, die Eifrigen würden zur Gleichgültigkeit verleitet.[163]

(3) Demgegenüber bietet der änigmatische Stil nur Vorteile. Er schützt das Heilige vor Profanierung, und er stachelt die Wißbegierigen zum Fragen und Suchen an.[164]

(4) Auch die schimpflichen und Anstoß erregenden Episoden dienen diesem Ziel. Ein wacher Geist erspürt hinter dem befremdlichen Wortlaut intuitiv die verborgene Wahrheit.

(5) Die Struktur der mythischen Offenbarung hat ihr Analogon in der Struktur des Universums. Die Scheinwelt der Körper ist der sinnlichen Wahrnehmung zugänglich. Das Seelische und Intelligible öffnet sich nur der philosophischen Spekulation.[165] Die Allegorese findet in der Ideenlehre ihr philosophisches Fundament.

(6) Trotz seiner narrativen Oberflächenstruktur ist der Mythos durchaus unhistorisch. Er berichtet nicht geschichtliche Ereignisse, sondern kündet vom ewigen, unveränderlichen Sein: ταῦτα δὲ ἐγένετο μὲν οὐδέποτε, ἔστι δὲ ἀεί. Die Sprache entfaltet in chronologischer Reihenfolge, was der Verstand als zeitlose Einheit erkennt.[166]

Rückblickend muß herausgestellt werden, daß in der hellenistischen Theorie der Allegorese wesentliche Elemente dessen enthalten sind, was Jülicher an der allegorischen Exegese moniert: ein ästhetisches (und historisches) Desinteresse, anachronistische Einträge von einem umgreifenden Vorverständnis her, das Moment der esoterischen Kommunikationsform und der dechiffrierenden Interpretation. Es fehlt die Forderung einer punktuellen, detaillierten Entsprechung von Text und Auslegung. Es fehlt vor allem die Ableitung der Allegorese aus der literarischen Form der Allegorie. Wie Plutarch kommt Salloustios ohne dieses Theorem aus, dessen Einführung bei Pseudo-Heraklit sich erneut als sekundäre, wenn auch folgenreiche Entwicklung erweist.

---

[163] Das Axiom ist auch in die Fabeltradition eingegangen, vgl. Phaedr., Fab App 7 (380,17f. Perry): *consulto involvit veritatem antiquitas ut sapiens intellegeret, erraret rudis.*

[164] Vgl. Vit Poes Hom 92 (VII 378,25–379,2 Bernadakis): ὅπως οἱ μὲν φιλομαθοῦντες μετά τινος εὐμουσίας ψυχαγωγούμενοι ῥᾷον ζητῶσί τε καὶ εὑρίσκωσι τὴν ἀλήθειαν, οἱ δ᾽ ἀμαθεῖς μὴ καταφρονῶσι τούτων ὧν οὐ δύνανται συνιέναι.

[165] De diis 3 (4,9–11 Nock): ἔξεστι γὰρ καὶ τὸν κόσμον μῦθον εἰπεῖν, σωμάτων μὲν καὶ χρημάτων ἐν αὐτῷ φαινομένων, ψυχῶν δὲ καὶ νῶν κρυπτομένων. Vgl. *H. Dörrie,* „Symbolik" 6: „In solchem Sinne ist die Welt als Ganzes ein Mysterium, das der Weise zu entschlüsseln vermag."

[166] De diis 4 (8,14–16 Nock): ... καὶ ὁ μὲν νοῦς ἅμα πάντα ὁρᾷ, ὁ δὲ λόγος τὰ μὲν πρῶτα τὰ δὲ δεύτερα λέγει.

b) Traumdeutung und Allegorik

Das Traumbuch des Artemidor kennt eine Klasse allegorischer Träume, die etwas anderes bedeuten, als sie sagen, und die auf Vorgänge der Natur und des Seelenlebens anspielen.[167] Der erste Teil dieser Definition setzt den rhetorischen, der zweite den exegetischen Allegoriebegriff voraus. Sie kann insofern schwerlich vor dem 2. Jh. n. Chr. entstanden sein. Doch wird schon bei Cicero die Traumdeutung kritisch mit der Orakel-exegese und der grammatischen, d. h. stoischen Dichterexegese verglichen.[168] Die Praxis der Traumdeutung ist alt, älter noch als die Mythendeutung καθ᾽ ὑπόνοιαν. Die homerischen Epen setzen bereits eine ausgefeilte Technik der Traumdeutung voraus.[169]
Die Parallelen zwischen Traumdeutung und Allegorik sind in der Forschung nicht unbemerkt geblieben.[170] H. Gunkel hat die These aufgestellt: „Eine urtümliche Wurzel der A(llegorie) ist besonders die Traumdeutung."[171] Deshalb seien einige Beobachtungen zur Analogie zwischen Traum und Allegorik zusammengestellt.
S. Freud hat die Zensur des Über-Ich, das die verdrängten Wünsche und Konflikte des Es im Traum nur in entstellter Form zu Wort kommen läßt, mit der Situation eines Schriftstellers verglichen, der seine Kritik an einem totalitären System in versteckten Anspielungen formulieren muß.[172] Das erinnert an A. Jülicher, der zwei politische Satiren als Beispiele für literarische Allegorien anführt.[173] Auch die vielzitierten Seefahrtsgedichte des Alkaios und des Horaz sind politische Allegorien. Und bei den allegorischen Schreibweisen der apokalyptischen Literatur wird man sicher mit einer bewußten Chiffrierung infolge der politischen Situation rechnen müssen.
Doch bleiben diese Analogien äußerlich. Der Traum ist subjektiv, egozentrisch und voll nur aus der individuellen, biographisch geprägten

---

[167] Artemid., Onirocr 1,2 (5,9–11 Pack): ἀλληγορικοὶ δὲ οἱ δι᾽ ἄλλων ἄλλα σημαίνοντες, αἰνισσομένης ἐν αὐτοῖς φυσικῶς τι [καὶ] τῆς ψυχῆς.

[168] Cic., Divin 1,116: *Hic magna quaedam exoritur neque ea naturalis sed artificiosa somniorum [Antiphontis] interpretatio eodemque modo et oraculorum et vaticinationum [sunt enim explanatores, ut grammatici poetarum].* Der Hrsg. A. S. Pease hält die eingeklammerten Stellen für Glossen. In dem Fall bliebe immerhin nach dem Verständnis des Interpolators zu fragen.

[169] Il 1,63; 5,149 (ὀνειροπόλος).

[170] *C. Schäublin*, Exegese 120f., Anm. 143, konstatiert Parallelen zwischen der Traumauslegung Artemidors und der allegorischen Exegese atl Visionen bei Theodor von Mopsuestia. *J. Hempel*, „Jahwegleichnisse" 74–104, versucht, Artemidors Technik für das Verständnis des allegorischen Charakters prophetischer Gleichnisse fruchtbar zu machen. Vgl. auch *H. Werle*, Allegorie 16f.23f.30ff.

[171] RGG I², 220 (im Orig. z. T. gesperrt). Man vermißt eine Differenzierung von Allegorie und Allegorese (letztere ist gemeint).

[172] *S. Freud*, Traumdeutung 158f.

[173] *A. Jülicher*, Gleichnisreden I, 59f.

Psyche des einzelnen verstehbar. Die Allegorie als eine Form literarischen Schaffens setzt eine Transformierung eigenen Erlebens in mitteil-
bare sprachliche Gestalt voraus. Davon hängt wesentlich ihr ästhetisches
Gelingen ab. Aus diesem Grund trägt der Vergleich zwischen Traum und
Allegorie nicht viel ein.[174]
Anders steht es mit einem Vergleich zwischen Traumdeutung und Allegorese.
(1) Der antike Mensch erlebt die Manifestationen des Unbewußten im
Traum als etwas Fremdes, von außen auf ihn Zukommendes. Es kann
sich dabei ebensogut um eine Offenbarung Gottes handeln wie um Vor-
spiegelungen böser Dämonen, oder, bei entsprechend aufgeklärtem
Bewußtsein, um Trugbilder menschlicher Einbildungskraft. Diese ambivalente Beurteilung des Traums[175] hat ihr Pendant in der Haltung zum
Mythos, der sowohl Trug wie Wahrheit enthalten kann.
(2) Die psychoanalytische Unterscheidung zwischen manifestem Trauminhalt und latentem Traumgedanken hat ihre Entsprechung in der Differenzierung von Oberflächentext und tieferem Sinn in der Mythenexegese.
(3) Der Traum ist „überdeterminiert", d. h., es sind mehrere „richtige"
Deutungen möglich. Auch der Mythos läßt mehrere Auslegungen zu, die
Annäherungswerte an das eigentlich Gemeinte darstellen.
(4) Zwischen Traumbild und Deutung besteht eine – wenn auch kom-
plexe – Ähnlichkeitsrelation.[176] Dazu ist die Anknüpfung der Allegorese
an Metaphern, Metonymien und Etymologien zu vergleichen.
(5) Die von Jung inspirierte Tiefenpsychologie hat archetypische Symbole aufgedeckt, die zum kollektiven Unbewußten gehören und mit steter

---

[174] Zwar spielt der Traum später eine bedeutende Rolle als Aufbauelement in der allegorischen Dichtkunst. So trägt *Pilgrim's Progress* im Untertitel die Bemerkung „delivered
under the Similitude of a Dream", und acht in sich allegorische Träume bilden das
Strukturgerüst von *Piers Plowman* (weitere Beispiele für die literarische Verwendung des
Traumes bei *H. R. Jauß*, „Allegorie" 179.195; *C. S. Lewis*, Allegory 167f.235.272.291).
Doch ist hier schon die vielfältige Verflechtung zwischen allegorischer Exegese und
allegorischer Schreibweise in Mittelalter und Neuzeit zu beachten. In *Pilgrim's Progress* ist
wohl das Schema von der visionären Jenseitsreise vorausgesetzt, dessen Beziehung zur
Allegorik auf noch zu erörternde apokalyptische Traditionen zurückgeht.

[175] Sie findet sich auch bei Plut., vgl. einerseits Ser Num Vind 10 (555A); Fac Lun 26
(941F); Def Or 22 (422C); E ap Delph 21 (393D): der Traum ist der direkten Schau weit
unterlegen, er kann mit der defektiven Art und Weise irdischen Erkennens verglichen
werden. Andererseits Def Or 39–40 (431E–432A); Gen Socr 20 (588D); Suav Viv Epic
28 (1105C/D): die Seele kann sich nur im Schlaf und in der Stunde des Todes (vgl. Cic.,
Divin 1,63–65) vom Dunst des körperlichen Daseins befreien und sich im Traum der
Gottheit öffnen. Vgl. im übrigen schon Od 19,560–567 („Es gibt zweierlei Pforten, durch
die uns Träume erscheinen ..."). Eine ähnliche skeptische Quelle wie Plutarch scheint
Philo, Jos 126–141, zu kennen.

[176] Nach Arist., Div Somn 464b 5ff., ist derjenige ein guter Traumdeuter, der Ähnlichkeiten
zu sehen vermag (τεχνικώτατος δ᾽ ἐστὶ κριτὴς ἐνυπνίων ὅστις δύναται τὰς ὁμοιότη-
τας θεωρεῖν).

Regelmäßigkeit wiederkehren. Eine Vorahnung dieser neuzeitlichen Erkenntnis mag die antiken Traumdeuter bewegt haben, wenn sie ein System fester Korrespondenzen zwischen Traumbild und Auslegung erstellten und es in Traumbüchern niederlegten, die in manchem den allegorischen Lexika des Mittelalters gleichen.

(6) Die Bildersprache des Traumes wird in der Deutung in rationale Begrifflichkeit umgesetzt. Ähnlich verfährt die allegorische Exegese mit dem Mythos.

(7) Ohne Deutung erscheinen Träume oft absurd, bar jedes logischen Zusammenhangs. Für die Allegorese ist die Absurdität des Oberflächensinns ein beliebter Anknüpfungspunkt.

(8) Träume können mit schockierend unmoralischen Szenen aufwarten. Das Vorkommen ähnlicher Anstößigkeiten im Mythos, die vom Exegeten wegrationalisiert werden müssen, läßt vermuten, daß im Mythos ähnliche seelische Projektionsmechanismen am Werk sind wie im Traum.

Die Parallelen beweisen, daß Gunkels These unter strukturellem Aspekt ernst zu nehmen ist. Offen bleibt die historische Frage. Es scheint trotz allem, daß für die griechische Mythen- und Homerexegese dem philosophischen Umgang mit der mythischen Sprache die historische Priorität und das sachlich größere Gewicht zukommt.[177] Belege für eine bewußte Parallelisierung von Exegese καϑ’ ὑπόνοιαν, bzw. Allegorese einerseits und Traumdeutung andererseits finden sich erst in hellenistischer Zeit. Sie werden lange nebeneinander her bestanden haben, wurden wohl auch von unterschiedlichen sozialen Gruppen getragen, bis sie im „Deutemilieu" des späten Hellenismus, für das die Vielfalt exegetischer Objekte bei Plutarch einen hinreichenden Beleg bietet, miteinander vermengt worden sind.

Diese Einsicht ermöglicht eine differenziertere Beurteilung religionsgeschichtlich vergleichbarer Phänomene. K. Berger vertritt z. B. die These, die Allegorese des apokalyptischen und hellenistischen Judentums sei aus der Traum- und Orakeldeutung abzuleiten, nicht aus der stoischen Homerauslegung.[178] Ob sich das Verhältnis von griechischer und jüdischer Allegorese in einer so einfachen Kurzformel einfangen läßt, muß das nächste Kapitel erweisen, das aus gegebenem Anlaß mit der Traumauslegung einsetzt.

---

[177] Es gibt zu denken, daß sich ein so methodenbewußter Ausleger wie Pseudo-Heraklit die Gelegenheit soll haben entgehen lassen, die Homerallegorese mit dem Hinweis auf die allegorischen Träume und die Traumdeutungen in Homers Opera zu rechtfertigen.

[178] „Gleichnisse" 74–76.

Kapitel VI

Die jüdische Literatur

§ 15: Traumdeutung und Schriftauslegung

Eine ambivalente Beurteilung des Traums findet sich, auf verschiedene Traditionsschichten verteilt, auch im AT. Seine negative Bewertung bei Jeremias[179] und in der Weisheitsliteratur[180] wird u. a. mit dem subjektiven, unkontrollierbaren Moment des Träumens und mit der Gefahr abergläubischer und magischer Praktiken[181] zusammenhängen. Doch bleibt sie eher die Ausnahme. Der Elohist z. B. betrachtet den Traum als ein bevorzugtes Medium für den Kontakt zwischen Gott und Mensch.[182] Im Traum kann Gott sich in unzweideutiger, direkter Weise mit seinen Befehlen und Verheißungen an den Menschen wenden, er kann sich aber auch symbolischer Bilder bedienen, die eine nachträgliche Deutung erforderlich machen[183], wie es in den Träumen der Josefsgeschichte der Fall ist.

a) Die Josefsgeschichte[184]

Die beiden Träume des jungen Josef (Gen 37,5–11) arbeiten mit einer einfachen Symbolik, die von den Hörern intuitiv richtig verstanden wird. Sie tragen ihm den Haß seiner Brüder ein und werden so mitauslösend für seinen Verkauf nach Ägypten. Das wiederum ist die Voraussetzung für seinen späteren Aufstieg. Die erzählerische Kunst, mit der diese Motive verknüpft sind, steht im Dienst eines theologischen Anliegens.

---

[179] Jer 23,25–32; 27,9; 29,8; vgl. Sach 10,2.

[180] Sir 34,1–8; Koh 5,2.6; vgl. Ijob 20,8; Ps 73,20; 126,1; Jes 29,7.

[181] Vgl. *E. L. Ehrlich*, Traum im AT 19–27; *W. Richter*, „Traumdeutung" 218f. Zum Ganzen *A. Oepke,* ThWNT V, 220–238.

[182] Das entspricht nach *G. von Rad*, Gen 181, „einer theologisch verfeinerten Vorstellung von dem Offenbarungsvorgang selbst".

[183] Die Unterscheidung zwischen revelatorischen und allegorischen Träumen ist im Alten Orient ebenso geläufig wie in der hellenistischen Welt, vgl. *A. L. Oppenheim*, Interpretation 184–217. Philo, Somn 2,1–4, kennt eine Dreiteilung. Zu weitergehenden Klassifizierungen vgl. *J. Waszink*, „Fünfteilung" 65–85.

[184] Zur Quellenscheidung vgl. *L. Ruppert*, Josephserzählung 29f.61.68–70: bis auf einige Einsprengsel aus J gehören Gen 37,5–11; 40,2–23 und 41,1–32 zu E. Anders *D. B. Redford*, Story 182–186.251–253: die Traumberichte gehören zu der mehrfach überarbeiteten „original story".

Rückblickend zeigt sich, daß Gott dem jungen Josef die Träume sandte, die als handlungsauslösendes Moment seinen Plan mit Israel vorantreiben. Josefs Geschick in Ägypten ist eng an seine Meisterschaft als Traumdeuter geknüpft. Die Berichte in Gen 40 und 41 sind im Blick auf den Aufbau (1), auf die Symbolik (2), auf das technische Vokabular (3) und auf die theologische Aussage (4) als Variationen eines Grundschemas anzusehen.

(1) Auf eine Traumereignisformel (Gen 40,5; 41,1.5a) folgt der Traumbericht aus der Perspektive des Erzählers (Gen 41,2–4.5b–7). Die vergebliche Suche nach einer Auslegung (Gen 40,8a; 41,8) wird durch das Auftreten des inspirierten Deuters beendet (Gen 40,8b; 41,14–16). Der Traumbericht wird aus der Perspektive des Träumers wiederholt (Gen 40,9–11.16–17; 41,17–24). Der Deuter gibt die richtige Erklärung (40,12f.18f.; 41,26–31), die in zeitlichem Abstand von den Ereignissen bestätigt wird (Gen 40,20–22; 41,47.53f.).

(2) Die Symbolik der Träume ist durchsichtig. Die Beeren und das Backwerk auf die Berufe von Mundschenk und Bäcker zu deuten, liegt ebenso nahe wie die Auslegung der Kühe und der Ähren auf die Fruchtbarkeit des Landes. Entscheidend ist das Umsetzen der Zahlenangaben in Zeitangaben. Eine weitere Leistung des Deuters besteht darin, daß er Gen 40 den verschiedenen Skopus der Parallelträume erkennt, Gen 41 ihr Identität. Während man die Traumbilder Gen 40 zur Not noch als reale Vorkommnisse verstehen könnte, sprengen sie in Gen 41 den Rahmen der Wirklichkeit.[185] Doch ist die bizarre und irreale Welt der Träume nur angedeutet. Wir haben es nicht mit Berichten von wirklichen Träumen zu tun, sondern mit literarisch geformten und stilisierten Traumtexten, die eine bestimmte Funktion innerhalb eines umgreifenden Kontextes zu erfüllen haben.[186] Das erklärt auch die nahtlose Entsprechung von Traum und Deutung.

(3) Als *terminus technicus* für die Traumdeutung wird Gen 40–41 die Vokabel פתר (als Verb und als Substantiv) verwandt.[187] A. L. Oppenheim [188] verweist auf die akkadische Wurzel *pšr*, deren Grundbedeutung er mit

---

[185] *G. von Rad*, Gen 307: „Daß Kühe einander fressen, ja daß Ähren einander verschlingen, das gehört zu der unwirklichen Welt der Träume." Der an Gen 41 anknüpfende Traumbericht bei Jos., Bell 2,112, erzielt durch Verknüpfung beider Motive einen stärkeren Realitätsbezug. Vgl auch Jos., Ant 2,75; Philo, Jos 106.

[186] Deshalb geht die Deutung von *P. Jensen*, „Joseph-Träume" 233–245, der einzelne Details als mythologische Chiffren interpretiert, an der Intention der Erzählung vorbei. Gleiches gilt für die psychoanalytische Interpretation von *E. Lorenz*, „Träume" 99–111.

[187] Gen 40,5.8(bis).12.16.18.22; 41,8.11.12(bis).13.15(bis).

[188] *A. L. Oppenheim*, Interpretation 217–220. Generell zur Deuterminologie *G. Dautzenberg*, Prophetie 43–121.187–194.

„lösen, auflösen" angibt. Das kann sich, wie eine ägyptische Parallele zeigt, ganz gegenständlich auf das Aufflechten eines Taus beziehen[189], aber auch im übertragenen Sinn auf das Erklären einer dunklen Stelle. In der akkadischen Traumliteratur bedeutet *pšr* (a) „reporting of a dream", (b) „interpreting of an enigmatic dream" und (c) „removing the evil consequences (of a dream)"[190]. Die unter (b) genannte Bedeutung stimmt mit dem Gebrauch von פתר in Gen 40–41 überein.[191]

(4) Bäcker und Mundschenk sehnen sich nach einem professionellen Traumdeuter, der auf Grund erlernter Technik ihre Träume auszulegen vermag. Josef weist sie auf ihren Irrtum hin: „Traumdeutung steht bei Gott" (Gen 40,8b). Gleiches gibt er dem Pharao zu verstehen (Gen 41,16). Die berufsmäßigen Ausleger sind am Ende ihrer Kunst. Daß Josef die Träume zu deuten vermag, liegt an seiner charismatischen Begabung. Neben der offensichtlichen Polemik gegen heidnische Wahrsagepraktiken und dem Aufweis der Überlegenheit des Jahweglaubens enthält die Erzählung *in nuce* schon die Theorie eines zweistufigen Offenbarungsgeschehens, die uns in der apokalyptischen Literatur wiederbegegnen wird. Die erste Offenbarung – der Traum – wird erst vollständig verstanden, wenn Gott eine zweite Offenbarung – die inspirierte Deutung – hinzutreten läßt.[192]

b) Prophetische Visionsberichte

Das Verhältnis von Traum und Vision hat verschiedene Bestimmungen erfahren. Wo ein Gegensatz konstruiert wird – wie bei Jeremias –, steht die Absicht im Hintergrund, den charismatischen Charakter und die

---

[189] Das Wissen um die Grundbedeutung mag noch entfernt im Hintergrund stehen, wenn es Dan 5,12(16) heißt, Daniel vermöge „Träume auszulegen, Rätsel zu deuten und Knoten zu lösen".

[190] Vgl. zu (c) den Abwehrwunsch Dan 5,16c und die bBer 10b; 55b; jSanh 28c berichteten Praktiken.

[191] Das hebr. *ptr* ist im AT sonst nicht belegt. Der Targum hat die Ortsangabe Pethor Num 22,5 von *ptr* her verstanden und aus Bileam einen Traumausleger gemacht, so auch Ant Bibl 18,2: *interpretem somniorum*.

[192] Noch vielschichtiger argumentiert der Targum. In einem förmlichen Exkurs führt TgN Gen 40,12.18 aus, die in der MS gebotenen Deutungen seien zwar richtig, aber nicht vollständig. Josef habe die drei Rebzweige sofort mit Abraham, Isaak und Jakob identifiziert und beide Träume auf den Exodus gedeutet, diese letzte, „geheime" Offenbarung aber für sich behalten. Zu vgl. ist auch Ri 7,13–15: der Traum, den ein Midianiter träumt, und die Deutung, die ihm ein anderer Midianiter gibt, dienen Gideon als göttliche Beglaubigung für den zuvor ergangenen Auftrag. Jos., Ant 5,220, deutet das Traumsymbol vom geringwertigen Gerstenbrot (Ri 7,13) auf Israel, das verachtet ist unter den Völkern.

höhere Objektivität der prophetischen Vision herauszustellen. Daneben stehen Zeugnisse, die keinen qualitativen Unterschied zwischen Traum und Vision zu kennen scheinen.[193] Diese Haltung hat ihren pointierten Ausdruck in den synonymen Parallelismen von Num 12,6–8 gefunden: den Propheten offenbart Gott sich in Träumen, Gesichten und Rätseln. Antithetisch steht dazu die Aussage: mit Moses spricht er von Angesicht zu Angesicht (vgl. Dtn 34,10; Ex 33,11).[194]

Die dritte und vierte der fünf Visionen, die den Grundbestand des Amosbuches ausmachen, können formal als Modifizierung des Traumdeutungsschemas verstanden werden. An die Stelle des Träumers tritt der Prophet, der im Ich-Stil erzählt. Die Deutung gibt Jahwe selbst. Es ergeben sich folgende Formelemente: Ereignisformel (Am 7,7a; 8,1a) – Visionsbericht (7,7b; 8,1b) – Zwiegespräch zwischen Jahwe und dem Seher mit Wiederholung des Visionsberichtes (7,8a; 8,2a) – Deutung durch Jahwe (7,8b; 8,2b). Der Übergang vom Bild zur Sache wird durch ein Wortspiel hergestellt, das auf metaphorischem Sprachgebrauch oder auf klanglicher Assonanz beruht.[195]

Ähnliche Beobachtungen lassen sich zu den sieben Nachtgesichten im Protosacharjabuch anstellen.[196] Obwohl mannigfache Variationen von einem freien Gestaltungswillen zeugen, sind unschwer einige feste Strukturelemente zu erkennen, die dem Traumdeutungsschema entstammen. Auf die Eröffnungs- oder Ereignisformel (1,8aα; 2,1a etc.) folgt die Visionsbeschreibung (1,8aβb; 2,1b; 4,2b–3; 5,1b; 6,1–3), die in einigen Fällen wiederholt (5,2b) oder durch eine Ereignisschilderung ergänzt (1,10–11; 5,9) wird. Die Verständnisfrage des Sehers („Was hat das zu bedeuten?": 1,9a; 2,2a; 4,4.11; 5,6a; 6,4; vgl. Mk 4,10) oder des Auslegers („Weißt du nicht, was das bedeutet?": 4,5.13; vgl. Mk 4,13) leitet zur Deutung über, die Elemente des Bildes aufgreift und umsetzt (2,2b.4; 4,10.14; 6,5f.) und die in einem Jahwewort gipfeln kann (1,12–15; 2,12; 5,4). Das Bilderrepertoire entstammt der Sakralsymbolik der Tempelarchitektur und des Kultrituals. Zwischen Bild und Sache lassen sich metaphorische Bezüge aufzeigen.[197] Vision und Deutung sind schon im

---

[193] Vgl. Ijob 4,13; 7,14; Joel 3,1; 1 Sam 28,6–15; grHen 13,8: καὶ ἰδοὺ ὄνειροι ἐπ' ἐμὲ ἦλθον καὶ ὁράσεις ἐπ' ἐμὲ ἐπέπιπτον. 11QPsᵃZion 17 (DJD IV, 87 Sanders): „Nimm eine Vision an … und Träume von Propheten." Zur rabbinischen Verhältnisbestimmung von Traum und Prophetie vgl. bHag 5b; bBer 17b; 57b: „Der Traum ist der sechzigste Teil der Prophetie."

[194] Vgl. *M. Noth*, Num 85f.; *G. Dautzenberg*, Prophetie 172–185.

[195] Am 7,8: Lot anlegen = Gericht halten (2 Kön 21,13; Jes 28,17; 34,11). Am 8,2: קיץ (Obst) - קץ (Ende). Vgl. *A. Weiser*, Am 184.

[196] Ich stütze mich hier auf *K. Seybold*, Bilder. Die Josuavision (Sach 3,1–10) ist mit Seybold, a. a. O. 16f., als Einschub zu werten, da sie einen abweichenden Aufbau zeigt.

[197] Nachweise bei *K. Seybold*, Bilder 61–63.

Ansatz eng aufeinander bezogen, und zwar dergestalt, daß die Vision als Illustration für die vorgängige theologische Aussage dient. Im Verlauf von Tradition und Redaktion der protosacharjanischen Schrift ist durch Einfügung von epexegetischen Sprüchen weiter kommentiert worden (1,16f.; 2,14–17), wie im Amosbuch (vgl. Am 7,9; 8,3). Der wichtige Unterschied zu Amos besteht darin, daß bei Sacharja an die Stelle Jahwes sein Bote getreten ist, der *angelus interpres*[198], der in der apokalyptischen Literatur eine so bedeutsame Rolle spielt.

Zum ersten Mal begegnet der *angelus interpres* im Schlußabschnitt des Ezechielbuches. Er führt den Seher durch die visionäre Welt des endzeitlichen Tempels (Ez 40,3f.) und erklärt ihm die Bedeutung der geschauten Dinge (Ez 42,13; 47,8). Das Ezechielbuch kennt vier große Visionsberichte (1,1–3,15; 8–11; 37,1–14; 40–48), die z. T. sehr weitgehende Bearbeitungen und Erweiterungen erfahren haben. Eine feste Grundstruktur läßt sich kaum noch herausschälen. Doch hat die Gleichnisrede Ez 17,1–24 manche formalen Merkmale mit dem bisher erarbeiteten Schema gemeinsam.[199] Zwischen Bildrede (V. 3–8) und Erklärung durch Jahwe (12b–15) ist eine Verständnisfrage eingeschaltet (12a: „Versteht ihr nicht, was das bedeutet?"[200]). Die Deutung ist durch eine Wortereignisformel (V. 11), die der Eröffnungsformel parallel läuft, als neues Offenbarungsgeschehen gekennzeichnet. Die Bildhälfte wäre auch für sich genommen verständlich. Die unwahrscheinlichen Züge der Erzählung (Tätigkeit des Adlers, Agieren des Weinstocks) verbieten es, sich mit einem wörtlichen Verständnis zu begnügen. Die Bilder von Weinstock (Ps 80,9–15) und Zeder (2 Kön 14,9) lassen eine Anspielung auf das Volk Israel und sein Königshaus vermuten (vgl. Ez 19,10–14). „Krämerland" und „Händlerstadt" (V. 4) weisen auf die geographischen Gegebenheiten der zeitgeschichtlichen Situation hin, die das Ihre dazu beiträgt, daß den Hörern der angezielte Sachverhalt nicht verborgen bleiben konnte. Das Jahwewort in Frageform, das eine verhüllte Drohung enthält (V. 9; V. 10 ist Dublette), bildet den passenden Abschluß dieser in sich geschlossenen Einheit.

---

[198] Vgl. seine Definition grBar 11,7: ὁ ἡμέτερος ἀδελφὸς καὶ ὁ τὰς ἀποκαλύψεις διερμενεύων τοῖς καλῶς τὸν βίον διερχομένοις. K. *Seybold*, Bilder 38f., nennt an möglichen atl Vorbildern des *angelus interpres* den Mal'ak Jahwes der altprophetischen Tradition (1 Kön 19,5.7; 2 Kön 1,3) und den Engel der Heiligtumslegenden (Gen 16,7; 22,11.15; Ri 6,12; vgl. Mk 16,5f.). Ferner denkt er an den Majordomus des orientalischen Königshofes und an den Traumexperten der Heiligtümer. Zusätzlich wäre Ijob 33,23 heranzuziehen.

[199] Vgl. zum folgenden W. *Eichrodt*, Ez 136–143; W. *Zimmerli*, Ez 372–390.

[200] Vgl. dazu die Verständnisfrage des Volkes, die in die Symbolhandlungen Ez 24,15–24; 37,15–28 eingefügt ist: „Willst du uns nicht erklären, was es bedeutet, was du da tust?" (24,19; 37,18). Dadurch kommt ein dreiteiliges Schema zustande, das dem Visionsschema sehr ähnelt. Weiteres Material bei G. *Fohrer*, Handlungen 47–71.

So wiederholt die Deutung nur im Klartext, was aus dem Bild schon hervorgeht.[201] Der Zedernwipfel steht für den Davididen Jojachin, den der babylonische Großkönig (der erste Adler) deportiert hat. Der Sproß, der sich zum Weinstock entwickelt, ist sein Nachfolger Zidkija (aus einer Nebenlinie), der versucht, mit Hilfe Ägyptens das babylonische Joch abzuschütteln. Man wird zwischen Gleichnis und Deutung traditionsgeschichtlich differenzieren können. W. Zimmerli nimmt an, daß die in Prosa gehaltene Interpretation der poetischen Bildrede zwar vom Propheten selbst stammt, aber in einem gewissen zeitlichen Abstand formuliert worden ist.[202] Zusätzlich wird man vermuten dürfen, daß die ungedeutete Bildrede noch einen Reflex der mündlichen Verkündigung Ezechiels enthält, während die vorliegende Fassung auf schriftliche Fixierung zurückgeht. Die formale Struktur Gleichnis – Verständnisfrage – Deutung wäre dann Ergebnis einer bewußten literarischen Tätigkeit.[203] In den VV. 16–24 sind weitere Kommentierungen angefügt. 17,16–18 reflektiert bereits als geschichtliches Ereignis, was zunächst nur als Drohung ausgesprochen war. Ähnlich ist 17,19–21 zu beurteilen, das die Antwort auf die Frage in V. 15 enthält. 17,22–24 fügt eine Heilsverheißung an, die den in 17,3–8 verwandten Strukturfragmenten der Pflanzenfabel unter Rückgriff auf mythologische Vorstellungen eine neue Dimension verleiht. Der wachsende zeitliche Abstand eröffnet die Möglichkeit und die Notwendigkeit der zusätzlichen Interpretation.

Die Bildrede Ez 17 ist in V. 2 mit „Rätsel und Gleichnis" (חירה ומשל) überschrieben. Nun geht aus den ältesten Belegen eindeutig hervor, daß *mšl* als Gattungsname zunächst nur das Volkssprichwort bezeichnet (z. B. 1 Sam 10,12; 24,14), dann, davon abgeleitet, den Spottvers, das Spottlied und den Gegenstand des Spotts (Dtn 28,37; 1 Kön 9,7).[204] Deshalb möchte O. Eißfeldt für Ez 17,2 eine *ad hoc* geschaffene Neuprägung annehmen, die unmittelbar aus der Grundbedeutung „gleich

---

[201] Vergleichbar ist die Bildrede Ez 15,1–8. Die polemische Verzerrung des Bildes vom Weinstock, der paradoxerweise unter dem Blickwinkel der Nutzbarkeit seines Holzes beurteilt wird, ergibt einen deutlichen Skopus. Die Beschreibung der Wirkung des Feuers bildet die Zeitgeschichte exakt ab, vgl. *W. Eichrodt,* Ez 114. Die „Deutung" erschöpft sich denn auch in einem drohenden Gerichtswort. Ähnliche Aufbauelemente finden sich Ant Bibl 47,4–8.

[202] *W. Zimmerli,* Ez 384.

[203] *W. Eichrodt,* Ez 121, vermutet, die überfüllte Bildrede Ez 16,1–63 sei auf eine sehr kurze Parabel in poetischer Form zurückzuführen, die für den mündlichen Vortrag bestimmt war. In die schriftliche Fassung sind extensive Zusätze eingearbeitet worden, z. T. schon von Ezechiel selbst.

[204] Zwischen Sprichwort und Spottvers schillert der Gebrauch von *mšl* Ez 12,22f.; 14,8; 16,44; 18,2f. Hier wird auch Ez 24,3 (Einleitung zu einer Symbolhandlung) einzuordnen sein. Daß *mšl* im Grundtext des Ezechielbuches verankert ist, wird man aus Ez 21,5 schließen können.

sein, ähnlich sein"[205] geflossen sei[206]. Dieser etymologische Neuansatz scheint aber unnötig. Es lassen sich zwei Querverbindungen zur Weisheitsliteratur herstellen, die hinreichen, um das Vorkommen von *mšl* Ez 17,2 zu erklären.

(1) Das Sprichwort ist in der gnomischen Weisheitsüberlieferung zu Hause. Das macht verständlich, warum *mšl* auf andere weisheitliche Gattungen wie Weisheitsspruch und Lehrrede (Spr 26,7.9; Ijob 27,1) übertragen werden kann. 1 Kön 5,12f. legt die Vermutung nahe, daß unter den dreitausend Meschalim des Salomo auch Tier- und Pflanzenfabeln enthalten waren, die zum festen Bestandteil der orientalischen Weisheitsliteratur gehören.[207] Die fragmentarischen Fabelmotive in Ez 17,3–8 verbinden diesen Text mit dem weisheitlichen *mšl*.

(2) Auch das Rätsel hat seinen Sitz in der Weisheitsüberlieferung.[208] Der weisheitliche Psalm 78, der mit *ḥjdh* und *mšl* eingeleitet wird (vgl. Ps 49,5), versucht, die rätselhafte Geschichte des Volkes zu deuten. Mit unverkennbar apokalyptischen Einschlag, aber doch auf älteren Weisheitstraditionen fußend heißt es Weish 8,8[209]:

> Begehrt jemand auch reiches Wissen –
> sie ist es, die das Vergangene und Zukünftige errät;
> sie versteht sich auf kunstvolle Reden
> und auf die Lösung von Rätseln.
> Zeichen und Wunder erkennt sie im voraus
> und die Ausgänge von Zeiten und Fristen.

Die Kenntnis ähnlicher, noch unapokalyptischer Traditionen steht vermutlich hinter Ez 17,2. Ezechiel ist der weise Interpret, der die Rätsel der Geschichte durch seine kunstvolle Bildrede aufhellt, allerdings so, daß in den Ereignissen plötzlich Gottes strafendes Gericht sichtbar wird. Vielleicht muß man sogar mit einer polemischen Adaption der weisheitlichen

---

[205] Anders bestimmen die Grundbedeutung *A. H. Godbey*, „Mašal" 89ff. (magisch-symbolische Handlung), und *J. Pirot*, „Mâšâl" 566ff. (Satire). Manche Bedeutungsnuancen ließen sich so zwar besser erklären, doch dürften diese Hypothesen sprachgeschichtlich nicht zu verifizieren sein. Vgl. noch *A. R. Johnson*, „משׁל" 162f.

[206] *O. Eißfeldt*, Maschal 37. Zum Ganzen *F. Hauck*, ThWNT V, 742–748.

[207] Deutlicher noch Jos., Ant 8,44: δένδρου παραβολὴν εἶπεν. Vgl. zur orientalischen Fabel *H. Gunkel*, Märchen 16–30. *E. Brunner-Traut*, Fabel 41–43.56f. Daß Texte wie Ri 9,8–15; 2 Kön 14,9f.; Jes 5,1–7 nicht mit *mšl* eingeleitet sind, wird man deshalb nicht überbewerten dürfen, mit *O. Eißfeldt*, Maschal 28, und *M. J. Lagrange*, „Parabole" 350, gegen *M. Hermaniuk*, Parabole 119, dem *L. Hick*, „Parabelbegriff" 8f., folgt.

[208] *H. P. Müller*, „Weisheit" 277, unterscheidet von der höfischen und der Volksweisheit eine mantische Weisheit, die das „Deuten änigmatisch chiffrierter Orakel" zum Ziel hat. An folkloristischen Motiven vgl. den Rätselwettkampf zwischen Salomo und der Königin von Saba 1 Kön 10,1, ferner Ri 14,12–18.

[209] Text nach der Zürcher Bibel. In der gleichen Tradition steht Sir 39,1–3, vgl. bes. Sir 39,3b (ἐν αἰνίγμασι παραβολῶν) und 47,15b (ἐν παραβολαῖς αἰνιγμάτων), ferner Spr 1,6.

Gattung rechnen, vergleichbar der Travestie eines Leichenliedes in Ez 27,2–10.25b–36.

Wir können hier eine weitere Überlegung anknüpfen. Daß die apokalyptische Literatur *mšl* zur Bezeichnung von Visionsschilderungen verwendet, ist schon immer als Problem empfunden worden. Eine Erklärung bietet m. E. die Herleitung aus Ez 17,2[210], und zwar in doppelter Hinsicht. Erstens haben die apokalyptischen Visionen es wie die Bildreden des Ezechiel mit der Deutung der Geschichte zu tun. Zweitens scheinen die Apokalyptiker das prophetische Schrifttum vorwiegend unter dem Aspekt des Visionären betrachtet zu haben. Das wird verständlich, wenn man folgendes bedenkt. (a) Eine Bildrede, die von Gott ausgeht (Ez 17,1), kann als illustrierende Entfaltung des auditiven Moments verstanden werden, das in keiner Vision fehlt. (b) Die Bildinhalte weisen, bedingt durch die federführende Aussage, teils erhebliche Abweichungen von der Realität auf, was sie der bizarren Bilderwelt des Traumes vergleichbar macht. (c) Das beobachtete Schema Bildrede – Frage – Deutung hat mit der Ausführung des Traumdeuteschemas wichtige Strukturelemente gemein.[211]

Was Formelemente, Vokabular und Bildmaterial angeht, konnte die Apokalyptik an das prophetische Schrifttum anknüpfen. Inhaltlich bleiben gewichtige Unterschiede bestehen. Das Gericht vollzieht sich bei Ezechiel innerhalb, nicht außerhalb der Geschichte. Der visionäre Inhalt seiner Prophetie ist ausdrücklich für die öffentliche Verkündigung bestimmt (Ez 37,12–14).[212]

---

[210] Eine Herleitung des apokalyptischen Sprachgebrauchs aus den Bileamreden (vgl. *O. Eißfeldt,* Maschal 20.28) hingegen wird sich nicht empfehlen. Zwar kündet Bileam im *mšl,* d. h. in dunklen Orakelworten (Num 23,7.18; 24,3.15.20f.23), was Gott ihm eingibt (Num 23,5.16), z. B. in einem Nachtgesicht (Num 22,20). Doch besteht der begründete Verdacht, daß diese Stücke in nachexilischer Zeit überarbeitet wurden. Der *mšl* der Bileamsprüche ist wahrscheinlich als Zeuge für die apokalyptische Verwendung des Begriffs zu werten und setzt seine Ableitung aus Ez 17 schon voraus. Der Targum nennt die Bileamsprüche stereotyp „prophetisches Meschalim" (במתל נביותה). Abweichend von der MS heißt es dort, daß Gott dem Bileam alle Geheimnisse (רזי) enthüllt, die selbst den Propheten verborgen waren (TgN Num 24,3f.). Die apokalyptische Profilierung Bileams ist nicht zu übersehen (vgl. 4Qtest 9–12). Bei *G. Vermes,* Scripture 127–177, kommt dieser Aspekt zu kurz.

[211] Die *Gesichte* und Rätsel von Num 12,8 werden SNum z. St. bezeichnenderweise zu Rätseln und *Gleichnissen.*

[212] Nach Dan 12,4.9 bleiben die Worte „versiegelt und verschlossen bis zur Endzeit", vgl. Dan 8,26.

c) Das Buch Daniel[213]

Das Buch Daniel ist die einzige literarische Apokalypse im atl Kanon. Sein Verfasser hat Stoffe, die z. T. eine lange Vorgeschichte haben, formal und inhaltlich auf ein Gesamtziel hin ausgerichtet. Die Geschichte, in deren heilloser Gegenwart Gottes Wirken nicht mehr deutlich wird, läuft auf ihr Ende zu. Der Einbruch des neuen Äons steht unmittelbar bevor. Die Profilierung seiner Vorlagen erreicht der Verfasser durch ihre bewußte Strukturierung nach dem Vorbild der Traumdeutungstexte und der Visionsberichte.

Dan 2 variiert das Aufbauschema von Gen 40–41 durch die Einführung des erschwerenden Motivs vom Traumerraten.[214] Der Trauminhalt, der mythische Vorstellungen von der Welt als Makroanthropos und von der Abfolge der Zeitalter miteinander kombiniert, mag ursprünglich als politisches Orakel gedient haben.[215] Vom fiktiven Standpunkt des Exilspropheten Daniel aus (Ez 14,14.20; 28,3) setzt der Prozeß der Deterioration soeben ein, für den Verfasser des Danielbuches ist sein Endstadium erreicht. Das verdeutlicht seine Interpretation des Traumes, die zunächst nichts anderes tut als die politischen Konnotationen der Mythologeme zu verdeutlichen, dann in den VV. 40–43 zu konkreten zeitgeschichtlichen Anspielungen übergeht[216] und schließlich in V. 44 apokalyptische Naherwartung zum Ausdruck bringt. Fast beschwörend klingt der Wunsch: „Wahr ist der Traum, und zuverlässig seine Deutung." Wie die Traumdeutungen des Josef sich als treffend erwiesen haben, so möge sich auch Daniels prophetische Interpretation in der Gegenwart erfüllen, das ist die Hoffnung, die der Verfasser mit der Übernahme des Traumdeutungsschemas verbindet.[217]

Die Erstoffenbarung – der Traum des Königs – wird in einer Zweitoffenbarung, die in zeitlichem Abstand davon ergeht, erst erschlossen. Weil sie sich auf die Endzeit bezieht, ist ihr Inhalt ein Geheimnis[218], das allein der Gott Israels, „der die Geheimnisse enthüllt"[219], dem charismatischen

---

[213] Zu Einleitungsfragen vgl. *F. Dexinger,* Daniel, passim, und *J. C. H. Lebram,* „Danielforschung" 1–33. Zu den besprochenen Stellen die Kommentare von *A. Bentzen* und *O. Plöger,* ferner *P. von der Osten-Sacken,* Apokalyptik 13–52.

[214] Reiches Vergleichsmaterial bei *E. L. Ehrlich,* Traum im AT 92–101. Nach Jos., Ant 10,195, hatte Nebukadnezar den Traum vergessen. Dan 2,9 läßt eher auf Mißtrauen gegenüber professionellen Wahrsagern schließen.

[215] So die ansprechende Vermutung von *J. J. Collins,* „Court-Tales" 221–224.

[216] Z. B. V. 43: Diadochenehen zwischen seleukidischem und ptolemäischem Herrscherhaus.

[217] Vgl. *E. L. Ehrlich,* Traum im AT 122f.

[218] *rz:* Dan 2,18f.27f.29f.47(bis), vgl. 4,6.

[219] Vgl. die Gottesprädikation ὁ ἀποκαλύπτων μυστήρια Dan 2,28.29 LXX/Theod.

Interpreten in einem Nachtgesicht offenbaren kann (2,19).[220] Das persische Lehnwort רז und das von den Übersetzern gebrauchte μυστήριον haben hier zum erstenmal „den für die weitere Geschichte des Begriffes bedeutsamen Sinn eines eschatologischen Geheimnisses, d. h. einer verhüllten Ankündigung der von Gott bestimmten, zukünftigen Geschehnisse"[221].

Dan 3,31–4,34 arbeitet ebenfalls mit Strukturelementen aus Gen 40–41. Das Faktum des Traums wird konstatiert (4,2), die Suche nach einer Deutung ausführlich geschildert (4,3–6). Es folgen Traumerzählung (4,7–14) und Deutung (4,17–23), die in eine Paränese ausläuft (4,24).[222]

---

[220] Hier ist Jos., Bell 3,352f., zum Vergleich heranzuziehen. Abweichend von Michel/Bauernfeind wird man so übersetzen können: „Josephus war fähig, im Hinblick auf die Auslegung von Träumen das von Gott (im Traum) auf zweideutige Weise Gesagte zu erraten, da er, selbst ein Priester und aus priesterlichem Geschlecht, die Prophetien der heiligen Schriften kannte. Zu eben dieser Stunde geriet er aufgrund dieser (Prophezeiungen) in Verzückung und holte die erschreckenden Bilder der letzten Träume wieder hervor." Vier Momente bestimmen diesen komplexen Offenbarungsvorgang. (a) Josephus beherrscht die rationale Technik der Traumdeutung. (b) Er kennt die traditionelle Symbolik der prophetischen Schriften, die er als Reservoir fester Bilder und Inhalte benutzen kann. (c) Es liegt eine besondere Situation vor, die eine Aktualisierung der Prophetie erfordert. (d) Entscheidend für den ganzen Vorgang ist die momentane Inspiration, die sich im ekstatischen Erleben ereignet. Dieser Versuch, rationale, traditionelle und intuitiv-charismatische Elemente miteinander zu kombinieren, steht apokalyptischer Offenbarungstheorie nahe. Vgl. O. Betz, Offenbarung 105–108.

[221] G. Bornkamm, ThWNT IV, 821 (im Orig. z. T. gesperrt). R. E. Brown, Background 1–12, möchte rz inhaltlich auf die atl Vorstellung von der himmlischen Ratsversammlung zurückführen, zu der die Propheten zugelassen werden, damit sie die geheimen Beschlüsse erfahren (Am 3,7). Die Folgerungen, die er daraus für den semantischen Inhalt von μυστήριον zieht, verkennen das Eigengewicht der Terminologie. Die kultisch-religiösen Konnotationen von μυστήριον sind ungemein stark (vgl. die wichtigen Belege bei Moult–Mill 420). Ein profaner Sprachgebrauch ist nur spät und spärlich bezeugt. Den Übersetzern war das bekannt, dafür spricht die Vermeidung von μυστήριον in den protokanonischen Büchern. Die Verwendung im profanen (2 Makk 13,21 u. ö.) und im polemischen Sinn (Weish 14,15.23 u. ö.) weist in die gleiche Richtung. Die positive Übernahme in den griechischen Versionen des Danielbuches setzt eine bewußte, z. T. wohl polemische Transformierung voraus, die der Verwendung der Mysterienterminologie bei Pseudo-Heraklit und Plutarch in einer Hinsicht vergleichbar ist. Doch wird hier weniger spiritualisiert, vielmehr werden die soteriologischen und gnoseologischen Inhalte der Mysterienkulte durch das Wissen um die Geschehnisse der nahen Endzeit überboten. Vgl. M. Hengel, Judentum 461: „Die große Bedeutung der Apokalyptik hängt damit zusammen, daß sie das jüdische, auf dem alttestamentlichen Geschichtsdenken gegründete Pendant zur hellenistischen Mystik und den Mysterienreligionen bildete."

[222] Vgl. die konkreten Ratschläge Josefs Gen 41,33–36. Die Verbreitung des Traumdeutungsschemas in chassidischen und essenischen Kreisen belegen u. a. die mit Dan 2 und 4 vergleichbaren Texte 1QGenApoc 19,14–27 und Est A 1–11; F 1–10 (Zählung nach LXXGotting VIII, 3 Hanhart). Bedeutungsschwere Träume auch TestL 8,1–19; TestN 5,1–7,3; Ant Bibl 9,10; Trag Ez, Fr. 5 u. 6 (PVTG III 210 Denis). Ein schöner allegorischer Traum mit anschließender Deutung TestAbr 7 (in beiden Rezensionen).

Der Bericht vom Eintreten des Vorhergesagten schließt sich an
(4,25.30–34). Die singuläre Wiederholung der Traumauslegung durch
eine Stimme vom Himmel (4,28f.) verfolgt die Intention, die Offenbarungsqualität der Interpretation hervorzuheben. Inhaltlich zielt die Darstellung auf Gottes souveräne Herrschaft über die Hybris des Großkönigs
(4,27), der sich im Traum mit dem Weltenbaum vergleicht.
In Dan 5 wechselt die Perspektive von der Traumauslegung zur eng
benachbarten Deutung eines Orakels oder Vorzeichens. Die rätselhafte
Schrift, die an der Wand erscheint, nennt drei Gewichts- oder Währungs-
einheiten in fallender Reihenfolge. Die Deutung faßt die Nominalformen
als Partizipien auf. Sie bringt damit im Grunde nur den metaphorischen
Gehalt der Währungsskala zum Ausdruck. Belschazzar soll „gesagt werden, daß seine Regierung im Bilde der landesüblichen Währung eine
völlige Inflation darstellt"[223].
Der Traum in Dan 7 und das Gesicht in Dan 8 werden als Eigenerleb-
nisse des Sehers ausgegeben. Sie sind deshalb im Ich-Stil prophetischer
Visionsberichte gehalten. Der Traum von den vier Weltreichen, die in
Tiergestalt dem Chaosmeer entsteigen, und das endzeitliche Gericht
über sie, das einer Neuschöpfung gleichkommt, stützen sich auf mythologisches Gedankengut. Die Tierversion Dan 8, die mit einer Entrückung
einhergeht, setzt die Symbolik der orientalischen Astrologie voraus.[224]
Die Deutung erteilt der *angelus interpres* (7,16), bzw. der Engel·Gabriel
(8,16). Entscheidend für das richtige Verständnis ist der Bezug auf die
Endzeit, deren Ablauf in genauen Zeitangaben eingefangen wird. Daß
Daniel das Gesicht trotz Deutung nicht versteht (8,27, vgl. 7,28; 12,8),
hängt einmal mit der literarischen Fiktion des Buches zusammen. Ein
exilischer Prophet brachte für die Offenbarung der endzeitlichen Ereignisse kein unmittelbares Verständnis auf. Gleichzeitig mag dieser Zug
als Appell an den Leser dienen, doch selbst die Zeichen der Zeit nicht zu
übersehen.
Das Schema von Text und Deutung, unterbrochen durch ein langes
Gebet, liegt auch Dan 9 zugrunde. Die 70 Jahre der Leidenszeit des
Volkes, die im Buch Jeremia vorhergesagt wurden (Jer 25,11f.; 29,10),
sind für den Verfasser des Buches Daniel längst verstrichen, die angekün-
digten Ereignisse aber durch die erlebte Geschichte nicht eingelöst. Der
Deuteengel löst das Rätsel. Die Zahl 70 bezieht sich auf 70 Jahrwochen,
deren letztes Septennium schon angebrochen ist. Der tiefere Sinn der
Prophetie erschließt sich erst der gottgeschenkten eschatologischen Inter-
pretation.
Der lange Visionsbericht Dan 11–12 ist durch die Vorbereitung des
Sehers und die begleitenden Umstände (10,1–20) als besonders bedeut-

---

[223] O. *Plöger*, Dan 89.
[224] A. *Bentzen*, Dan 69.

sam qualifiziert. Es fehlt eine eigene Deutung, was z. T. an der Länge des Textes liegen mag, z. T. wohl auch damit zusammenhängt, daß eine Verwendung älteren Materials, das durch Deutung den eigenen Zwecken angepaßt werden muß, nicht zu erkennen ist. Es fehlt ferner die Verschlüsselung der Geschichte in symbolischen Bildern.[225] An ihre Stelle ist die Verwendung von Decknamen getreten[226], wie „König des Nordens", bzw. „des Südens" (11,6 u. ö.) oder „verächtlicher Mensch" (11,21). Mit Hilfe durchsichtiger Anspielungen, die dennoch ein gewisses Flair des Geheimnisvollen wahren, gibt der Verfasser einen Geschichtsrückblick in futurischer Form, der sich teilweise mit den visionären Abläufen in Dan 7 und 8 deckt. Die Futurform will hier wie dort durch den Verweis auf das tatsächliche Eintreten „vorhergesagter" Ereignisse das Vertrauen in die Genauigkeit der eigentlichen Vorhersagen stärken. Dan 11,40 geht der Rückblick in eine Weissagung über, die mit dem späteren Geschichtsverlauf nicht mehr übereinstimmt.

Als *terminus technicus* wird in Dan 2–7, dem aramäischen Teil des Buches, 33mal die Wurzel פשר gebraucht.[227] Sie entspricht sachlich und etymologisch dem פתר der Josefsgeschichte.[228] Nach Kap. 7 treten בין (8,16.27) und שכל (9,22) an die Stelle von פשר. Das wird seinen Grund nicht nur im erneuten Sprachenwechsel haben. Im Blick auf das Jeremiaszitat Dan 9,2 muß man annehmen, daß für Daniel *pšr* noch gattungsmäßig an Träume, Visionen und Orakel gebunden war und nicht für die Schriftauslegung verwandt werden konnte.

Dan 12,8b („Was ist das Ende dieser Dinge?") wird in der LXX folgendermaßen wiedergegeben: τίς ἡ λύσις τοῦ λόγου τούτου; καὶ τίνος αἱ παραβολαὶ αὖται; Wahrscheinlich hat der Übersetzer seinen Text falsch verstanden.[229] Daß er aber überhaupt auf den Gedanken kam, es handle

---

[225] Anders geht die aus gleicher Zeit stammende Tierapokalypse äthHen 85–90 vor. Sie bleibt gleichfalls ungedeutet, doch ist nach 85,1 in der Erzählung selbst die Deutung mitgegeben. Das Verständnis ist durch die Konstellation der Ereignisse gewährleistet, deren Analogie zur Geschichte Israels keinem Leser lange verborgen bleiben konnte. Vgl. noch die Zehnwochenapokalypse äthHen 93; 91,12–17 und (unverschlüsselt) AssMos 2–10.

[226] Das Wort fällt bei *A. Mertens*, Daniel 138ff., der auf die gleiche Praxis in Qumran („Frevelpriester", „Lügenmann") verweist.

[227] Substantiv: Dan 2,4f.6(bis).7.9.16.24f.26.30.36.45; 4,3f.6.15(bis)16(bis).21; 5,7f.12.15 (bis).16(bis).17.26; 7,16. Verb: 5,12.16.

[228] Als Aramaismus ist *pšr* auch ins Hebräische eingedrungen. Im AT begegnet es noch Koh 8,1 und (als Femininum) Sir 38,14, vgl. *O. Eißfeldt*, „Menetekel" 108f., Anm. 4. In Koh geht es um das Aufdecken der verborgenen Wahrheit eines Weisheitsspruchs, d. h. um seine Anwendung auf einen konkreten Fall. In Sir ist die ärztliche Diagnose gemeint, vgl. zu ähnlichen Parallelen zwischen hermeneutischer und diagnostischer Terminologie im Griechischen *G. Dautzenberg*, „Hintergrund" 95. Zum Ganzen *A. Finkel*, „Pesher" 357–370; *I. Rabinowitz*, „Pesher" 219–232 (nicht überzeugend).

[229] *O. Plöger*, Dan 170, vermutet eine Verwechslung von אחידה und אחרית.

sich bei den Visionen Daniels um παραβολαί, läßt sich nur erklären, wenn ihm der apokalyptische *mšl*-Begriff bekannt war.
mšl in Verbindung mit *rz* ist ein konstitutives Aufbauelement der literarischen Apokalypsen, *pšr* in Verbindung mit *rz* ein Merkmal qumranischer Kommentarliteratur. Die theologischen Inhalte und ihre formale Ausgestaltung, die in den genannten Traditionskreisen mit dem technischen Vokabular verbunden sind, gilt es im folgenden zu überprüfen.

d) Die apokalyptische Literatur

Die Abfolge von Traum oder Vision, Verständnisfrage und Deutung gehört zu den wichtigsten Teilgattungen des apokalyptischen Schrifttums. Die vierte, fünfte und sechste Vision des 4 Esr sind nach diesem Schema gestaltet. Es läßt sich im Henochbuch nachweisen und begegnet, wie unter einem Mikroskop vergrößert, in der Baruchapokalypse.[230] Es geht ferner mit einem weiteren Gattungsmerkmal der apokalyptischen Literatur, der visionären Jenseitsreise des Sehers unter Leitung eines Engels, eine enge Verbindung ein, und zwar dergestalt, daß (a) die Reiseschilderungen durch die Abfolge „ich sah – ich fragte – er erklärte" gegliedert werden[231] und (b) der Dialog zwischen Seher und Engel als retardierendes Moment in die teils sehr langen Visionsberichte eingebaut wird[232].

[230] In der folgenden Übersicht seien einige Belege zusammengestellt:

	Gesicht	Frage	Deutung
4 Esr	9,38–10,27	10,28–39	10,40–57
	11,1–12,3	12,4–9	12,10–35
	13,1–13	13,14–24	13,25–56
äthHen	40,1–7	40,8	40,9–10
	53,1–3	53,4	53,5–7
	54,1–3	54,4	54,5–6
syrBar	36,1–11	38,1–4	39,1–40,4
	53	54–55	56–74
[231] äthHen	23,2	23,3	23,4
	26,2–5	26,6–27,1	27,2–4
grBar	2,3	2,4	2,5
	3,3	3,4	3,5–8
	4,3	4,4	4,5–6
TestL	2,7–8	2,9	2,10–12

[232] Letzteres ist vor allem im Hirt des Hermas der Fall, der unapokalyptische Stoffe (Bußlehre etc.) in eine apokalyptische Form kleidet, wohl in der Absicht, seinem paräneti-

Die realitätsferne Vorstellungswelt der Visionen – nach G. Beer sind es gar „fratzenhafte Bilder und absurde Motive"[233] – ruht z. T. auf überkommenem Gut auf. H. Gunkel[234] hat z. B. wahrscheinlich gemacht, daß es sich 4 Esr 9,26–10,24 ursprünglich um den Beginn einer novellistischen Erzählung handelt, die von einer Witwe, dem Tod ihres einzigen Sohnes bei der Hochzeitsfeier (vgl. Tob 7,11) und seiner Auferweckung durch einen Propheten berichtete. Durch Kürzung, Bearbeitung und detaillierte, manchmal recht gezwungene Deutung auf das traurige Schicksal Jerusalems hat der Verfasser diese Vorlage seinen Zwecken dienstbar gemacht. B. Violet vermutet hinter der Deutung der Adlervision (4 Esr 12,13–28), die in manchem noch dunkler bleibt als die Vision selbst, als Vorlage ein sibyllinisches Orakel.[235] Die Vorbedingung für diesen Umgang mit der Tradition ist 4 Esr 12,11f. niedergelegt:

> *Aquilam quam vidisti ascendentem de mari, hoc est regnum quartum, quod visum est in visu Danihelo fratri tuo, sed non est illi interpretatum quomodo ego nunc tibi interpretor vel interpretavi.*

Daniel selbst hat die vollen Implikationen seiner Vision nicht durchschaut. Eine neue Auslegung in einer neuen geschichtlichen Situation vermag in vorgegebenen Traditionen neue Offenbarungsinhalte zu erschließen.[236] Die Zeit wird somit als entscheidender Faktor in den exegetischen Vorgang eingeführt. Im Grunde sagt Dan 12,4b in Bezug auf das eigene Buch etwas ganz ähnliches: „Viele werden es durchforschen, und die Erkenntnis wird wachsen."
Inhaltlich geht es um die Geheimnisse Gottes, die in erster Linie Eintritt und Ablauf der Endereignisse beinhalten (4 Esr 14,5: *temporum secreta et temporum finem*), daneben in zunehmendem Maße kosmologische und naturwissenschaftliche Fragen einbeziehen. Was immer in dieser Welt geschieht, hat einen transzendenten Wirklichkeitsgrund, der dem Seher

---

schen Aufruf die Qualität eines Offenbarungsvorgangs zu verleihen (*Å. V. Ström*, Allegorie 1–40, geht hier von einer zu einseitigen Fragestellung aus). Zur Kombination von Visionsbericht und Dialog vgl. nur das nachgetragene neunte „Gleichnis" Herm 78–110 mit dem Einschnitt in 89,1 (Zählung nach GCS 48 Whittaker). *M. Dibelius*, „Offenbarungsträger" 80–93, vermutet hinter der Greisin (Herm 2) eine Sibylle, hinter dem Hirten den Gott Hermes, der als hellenistisches Pendant zum *angelus interpres* gelten kann. Enge Parallelen zu apokalyptischen Visionsschilderungen finden sich bei Plut., Gen Socr 22 (590B–592E); Ser Num Vind 23–33 (563E–568A). Im Hintergrund stehen Platons eschatologische Mythen.
[233] In Kautzsch II, 233.
[234] Ebd. II, 344.
[235] GCS 32, 167.
[236] Vgl. *J. Gruenwald*, „Esoteric Literature" 39.

zugänglich ist. Die Apokalyptik usurpiert so das Gebiet der Bildungs-
weisheit und macht es dem eigenen hohen Anspruch dienstbar.[237]
Das apokalyptische Geheimwissen richtet sich nicht an die Allgemein-
heit, sondern an den Seher und an ausgewählte Leser (4 Esr 12,36–38).
Das hat seine soziologischen Gründe. Apokalypsen sind kein Propagan-
daschrifttum, sondern Konventikelliteratur, zur inneren Festigung und
Stützung einer Minderheit bestimmt, die sich in die Isolierung gedrängt
fühlt.

Besonders interessiert in unserem Zusammenhang noch die schon ange-
sprochene Identifizierung von Traumgesichten und Gleichnissen, bzw.
Bilderreden. Im griechischen Henochbuch folgt auf die Überschrift der
Satz: καὶ ἀναλαβὼν τὴν παραβολὴν αὐτοῦ εἶπεν Ἐνώχ. Im äthiopi-
schen Text, der nach einer griechischen Vorlage angefertigt wurde, steht
für παραβολή *mesale*, das mit *mšl* und *mtl* (aram.) in Verbindung steht.
Die Eröffnung ist sicher in bewußter Anlehnung an Num 24,3 LXX
stilisiert. Es steht zu vermuten, daß sie von einem Endredaktor stammt,
der das Buch der Bilderreden (äthHen 37–71) integrieren wollte. Die drei
Bilderreden behandeln (a) angelogische und astronomische Geheimnisse,
(b) das Kommen des Menschensohnes und (c) das Endgericht, Stoffe
also, wie sie auch anderen Teilen dieses Sammelwerkes nicht fremd sind.
Für den Redaktor sind Gesichte und Bilderreden in jeder Hinsicht aus-
wechselbare Größen, wie aus den Rahmenstücken hervorgeht.[238] Den
Haftpunkt für den apokalyptischen Sprachgebrauch bildet wahrscheinlich das Vorkommen von *mšl* im älteren Noahbuch[239], vgl. 60,1: „In jener
Bilderrede sah ich …“ und 68,1:

Darauf gab mir mein Großvater Henoch in einem Buch die Zeichen
aller Geheimnisse sowie die Bilderreden, die ihm gegeben worden
waren, und er stellte sie für mich in den Worten des Buches der Bilderreden zusammen.

Der Parallelismus der Satzteile läßt darauf schließen, daß die Bilderreden
in schriftlicher Form die geheimnisvollen Zeichen fixieren sollen, die der

---

[237] Deshalb die Apokalyptik primär aus der Weisheit abzuleiten, wie es *G. von Rad,* Theologie II, 316–331, versucht, empfiehlt sich nicht. Verwiesen sei auf die treffende Unterscheidung beider Traditionskreise bei *M. Hengel,* Judentum 456f. Zum Weisheitsan-
spruch der Apokalyptiker vgl. äthHen 37,2–4; 82,1–3.

[238] Vgl. äthHen 37,1 mit 37,5; ferner 38,1; 45,1; 57,3; 58,1. Die Datierung der Bilderreden,
die als einziger Teil des Henochbuches unter den Fragmenten der Qumranhöhlen nicht
vertreten sind, schwankt zwischen dem 1. Jh. v. Chr. (*O. Eißfeldt,* Einleitung 839) und
dem 2. Jh. n. Chr. (*J. C. Hindley,* „Date" 551–565; *J. Milik,* Dix ans 31).

[239] Zur Quellenscheidung vgl. *L. Gry,* „Composition" 27–71. Vgl. auch *M. Black,* „Eschatology" 1–10.

Seher in seinen Visionen erfahren hat. Die Anlehnung an das visionär verstandene prophetische Schrifttum ist deutlich.[240]
Schwierigkeiten bereitet das Vorkommen von *mesla* äthHen 43,4. Auf die Frage des Sehers nach der Bedeutung der Sterne erklärt der Engel ihm ihre „sinnbildliche Bedeutung" (so G. Beer). Es könnte sein, daß sich hier schon ein Sprachgebrauch ankündigt, der *mšl* nicht mehr formal oder inhaltlich faßt, sondern exegetisch, bzw. hermeneutisch, als Bezeichnung für eine Auslegungsweise, die den Text als gleichnishaft versteht und ihn entsprechend behandelt.

4 Esr ist insofern aufschlußreich, als hier *similitudo* sowohl für παραβολή im Sinne der griechischen Rhetorik als auch für den visionären *mšl* steht. Die *tres similitudines* 4 Esr 4,3 sind Adynata, die von einer evidenten innerweltlichen Unmöglichkeit aus *a fortiori* auf die Schwierigkeit schließen, Ewiges zu begreifen. Solche Gleichnisse werden vom Engel ge*sagt*, vgl. 4 Esr 8,2: *dicam autem coram te similitudinem.*[241] Apokalyptische Gleichnisse dagegen werden ge*schaut*, vgl. 4 Esr 4,48: *et steti et vidi* (es folgt der Anblick des glühenden Ofens und der Regenwolke) und anschließend vom Engel interpretiert, vgl. 4 Esr 4,47: *demonstrabo tibi interpretationem similitudinis.*[242] Nur letztere tragen mysteriösen Charakter.

Die Deuterminologie ist nicht sonderlich ausgeprägt.[243] Doch gibt es in 4 Esr einige Anhaltspunkte, die uns weiterhelfen. Mehrfach begegnet die stereotype Formulierung: *haec est interpretatio somnii/visus huius*[244]. *Interpretatio,* bzw. *interpretari* aber ist in der Itala wie in der Vulgata die häufigste Übersetzung für *ptr/pšr,* gefolgt von *solutio.*[245] Für *distinctio* 4 Esr 12,8 vermutet B. Violet (GCS 32, 161) im Urtext פשר oder פתרון. Der gleiche Autor (ebd. 144) führt *haec absolutio est* 4 Esr 10,43 auf ein griechisches ἐπίλυσις zurück. Nun kann ἐπίλυσις/ἐπιλύειν als direkte Übersetzung

---

[240] Vgl. 4 Esr 12,42.

[241] In der armenischen Überlieferung wird die Fabel von den Bäumen des Waldes und den Meereswogen 4 Esr 4,13–21 *parabola* genannt (GCS 18,29 Violet). Weitere Gleichnisse sind 4 Esr 4,40–42 und 7,3–9, vgl. dazu *E. Hammershaimb,* „Lignelser" 38–49; zu den eigentlichen Visionen *W. Harnisch,* Verhängnis 250–267.

[242] Ähnlich liegen die Verhältnisse im Hirt des Hermas. Herm 43,18f. bringt ein Adynaton. 51,1–4 ist ein Naturgleichnis mit moralischer Anwendung. 55,1–11 folgt synoptischem Vorbild. Vom 6. Gleichnis an gehen die παραβολαί in Visionen über, vgl. 62,1: βλέπεις, und 67,1: ἔδειξέ μοι. Eine Reflexion über die Parallelität von Gleichnissen und Visionen enthält 57,2: „Wenn du mir etwas zeigst und es nicht erklärst, habe ich es umsonst gesehen, denn ich verstehe nicht, was es bedeutet. So ist es auch, wenn du mir Gleichnisse erzählst und sie nicht auflöst. Ich habe sie umsonst von dir vernommen." Vgl. auch die an Mk 4,13 gemahnende Frage des Deuterengels TestAbr(B) 8 (112,29 James): οὐκ ἔγνως αὐτὸν τίς ἐστιν.

[243] syrBar 38,3; 71,2 u. ö. steht für deuten *pūsāqā,* für das Brockelmann s. v. als Bedeutung *interpretatio* und *solutio (aenigmatis)* angibt.

[244] 4 Esr 12,10.16.18.20.23.30.35; vgl. 13,15.21.22.25.28.53; 14,8.

[245] Vgl. nur Gen 40,8(bis).12.16.18.22 it; Dan 2,4.6.7.9(bis).26.30.45 vulg.

von *ptr/pšr* angesehen werden. Weil diese These im Blick auf Mk 4,34 von einiger Tragweite ist, sei sie eingehender begründet.[246] Wir gehen von den Belegen in den Übersetzungen aus. Aq übersetzt die Partizipialform פותר Gen 40,8; 41,8 mit ἐπιλυόμενος. פתרנים Gen 40,8 gibt er mit ἐπίλυσις, פתר Gen 41,12 mit ἐπέλυσεν wieder (die LXX bevorzugt κρίνω und Derivate). Sym hat für פשר Dan 2,25 ἐπίλυσις (vgl. Dan 2,22 LXX: κατάλυσις). Für Koh 8,1 bietet die Hexapla neben λύσις (LXX) als Variante ἐπίλυσις (Codd. 23, 253; fortasse Sym?).[247] Statt οὐδὲ δήλων Hos 3,4 LXX liest Theod οὐδὲ ἐπιλυομένου, Sym οὐδὲ ἐπιλύσεως. In der MS ist von Teraphim die Rede. In jedem Fall wird ἐπιλύω hier mit der Orakeldeutung in Zusammenhang gebracht. Möglicherweise ist zudem Teraphim durch Metathesis aus *ptrjm* entstanden oder zumindest vom Übersetzer so abgeleitet worden.[248] In die gleiche Richtung weisen die Belege bei Philo und Josephus. Josephus gebraucht das Wort in seiner Erzählung vom Rätselwettkampf zwischen Salomo und der Königin von Saba.[249] Philo berichtet, daß in der Versammlung der Therapeuten der Gemeindeleiter Probleme der Schriftauslegung bespricht (ζητέω = דרש, vgl. Bauer WB 669f.) und im Zusammenhang damit auftretende Fragen löst.[250] Philo denkt hier offensichtlich an die allegorische Exegese der Sekte (Vit Cont 28).

Das Vorkommen von ἐπίλυσις/ἐπιλύω im christlichen Schrifttum ordnet sich in diese Linien ein. 2 Petr 1,20 heißt es: „Als erstes sollt ihr wissen, daß keine prophetische Schrift eine eigenmächtige Deutung (ἐπίλυσις) zuläßt." Nach den judenchristlichen Pseudoklementinen übergab Moses dem Volk das Gesetz samt seiner Auslegung (ἐπίλυσις).[251] Vor allem ist hier der Hirt des Hermas zu nennen. Visionen (Herm 90,9: ἔχεις τὴν ἐπίλυσιν τῶν ἀποβεβλημένων, sc. der vorher geschauten) und Gleichnisse (Herm 58,1: ἐπερωτῶν τὰς ἐπιλύσεις τῶν παραβολῶν) müssen erklärt und gedeutet werden, wenn der Seher sie verstehen soll.[252]

---

[246] Einen Teil der folgenden Belege hat schon *J. Gnilka*, Verstockung 62f., zusammengestellt. Sie werden nicht mehr im Wortlaut angeführt.

[247] Statt ἀνάπαυσιν Sir 38,14 LXX ist in Zieglers Apparat ἀνάλυσιν vorgeschlagen (conj. R. Smend).

[248] *C. J. Labuschagne*, „Teraphim" 115–117; *G. Dautzenberg*, Prophetie 56.

[249] Ant 8,167; vgl. Ant 8,148f.

[250] Vit Cont 75: ζητεῖ τι τῶν ἐν τοῖς ἱεροῖς γράμμασιν ἢ καὶ ὑπ' ἄλλου προταθὲν ἐπιλύεται. In anderem Kontext verwendet Philo ἐπιλύειν für die Leistung der Logik, die „doppelsinnige und zweideutige Aussagen eindeutig macht und die trügerische Glaubwürdigkeit der Sophismen auflöst" (Agric 16: τὰς διὰ τῶν σοφισμάτων πιθανότητας ἐπιλύῃ).

[251] Ps.-Clem., Hom II 38,1 (GCS 42, 51,2–4 Rehm): τοῦ προφήτου Μωυσέως γνώμῃ τοῦ θεοῦ ἐκλεκτοῖς τισιν ἑβδομήκοντα τὸν νόμον σὺν ταῖς ἐπιλύσεσιν παραδεδωκότος. Ein weiterer Beleg ist Clem. Alex., Paed II 14,2 (GCS 56, 163,24f. Stählin–Treu).

[252] Herm 56,1.2; 57,2.3; 60,1; 72,3; 77,1; 87,5; 88,9; 93,1.

Daß ἐπιλύω zur Wiedergabe von *ptr/pšr* verwandt werden konnte, liegt zunächst an der gleichen Grundbedeutung „lösen, auflösen"[253]. Wichtiger noch ist seine metaphorische Verwendung im hellenistischen Schrifttum, die sich mit der Bedeutungsbreite von *ptr/pšr* ungefähr deckt.[254] Es steht „öfters bei Grammatikern von der Auflösung der Probleme in der Erklärung alter Schriftsteller"[255]. Nach den Homerscholien löst Ödipus das Rätsel der Sphinx, d. h. hier, er erfüllt ihre dunkle Voraussage durch sein konkretes Verhalten.[256] Für das Lösen von Rätseln begegnet ἐπιλύειν zweimal bei Athenäus.[257] Heliodor bringt es mit der Traumauslegung und der Orakeldeutung in Verbindung.[258] Sextus Empiricus verwendet es wie Philo für die Auflösung von Sophismen.[259] Der Astrologe Vettius Valens gebraucht es in einem Kontext, wo es darum geht, daß die geheimnisvolle Ordnung der himmlischen Gestirne nur eingeweihten Mystagogen zu entdecken sei.[260] Iamblichos schließlich verwendet ἐπίλυσις zweimal im Zusammenhang mit der pythagoreischen Geheimlehre.[261]

Das Eindringen dieses technischen Vokabulars in die zwischentestamentliche Literatur hat seine Gründe. An die Stelle primärer Offenbarungsformen tritt mehr und mehr der spekulative, interpretierende Umgang mit alten Traditionen und mit den Phänomenen von Natur und Geschichte. Daß wir in diesem Zusammenhang immer wieder auf dunkle Schriftworte, rätselhafte Träume, geheimnisvolle Orakel u. ä. treffen, läßt weitreichende Rückschlüsse auf das zugrunde liegende Offenbarungsverständnis zu.

---

[253] Liddell-Scott 644. Das lat. *enodare* = aufknoten charakterisiert bei Cic., Nat Deor 3,62, die Allegorese der Stoiker. Belege für *enodare* = allegorisch auslegen im christlichen Schrifttum bei *H. J. Spitz,* Metaphorik 241, Anm. 29.

[254] In den Papyri wird die Grundbedeutung in andere Richtung abgewandelt. ἐπιλύω steht für das Auslösen einer Schuld o. ä., vgl. Preisigke Wört I, 563.

[255] Pape I, 959 (mit Verweis auf Aristarch 2,203 Lehrs).

[256] Schol. Hom., Od 11,271 (496,5f. Dindorf): ἐπιλυσάμενος τὸ τῆς Σφιγγὸς αἴνιγμα τὸ λέγον, τί δίπους, τί τρίπους, τί τετράπους. Der Erfüllungsgedanke ist der Pescher-Technik nicht fremd, im Griechischen hier wohl singulär.

[257] Athen., Deipn 10,71 (II 477,20 Kaibl); 10,73 (II 479,27 Kaibl).

[258] Hel., Aeth I 18,3 (27,11 Colonna); IV 9,1f. (125,5f. Colonna): τῶν χρησθέντων ἤδη τὴν ἐπίλυσιν.

[259] Sext. Emp., Pyrrh Hyp II, 229.232.246 (I 123,24; 124,9a; 128,27–30 Mutschmann), insgesamt 6 Belege.

[260] Vett. Val., Anth 4,11 (173,4–6 Kroll): καὶ μάλιστα ἐπιγνόντας τὸ ἄφθονον καὶ τὸ τῆς ἀληθείας μέρος ὡς ὑπὸ οὐδενὸς ἀνδρὸς ἐπιλελυμένον αὐτὸς ἐφώτισα. Weitere Belege ebd. 5,9 (221,9 Kroll); 6,8 (259,4 Kroll); 11,1 (330,10 Kroll).

[261] Iambl., Protr 21 (105,13 Pistelli): ἐξωτερικάς τινας ἐπιλύσεις. Ebd. (106,16 Pistelli): ἑκάστου συμβόλου τὰς ἐπιλύσεις.

e) Qumran

Das Qumranschrifttum geht einen Schritt über das Buch Daniel hinaus, insofern es *pšr* (Substantiv) für die Schriftauslegung verwendet, und zwar in einer so stereotypen und perfektionierten Weise, daß der schriftlichen Fixierung der Kommentarliteratur eine längere Entwicklungsphase vorausliegen muß. Die formale Variationsbreite ist gering. Auf den zu deutenden Vers folgt פשר הדבר oder, häufiger noch, פשרו, gelegentlich auch ein einfaches פשר. [262] Daran schließt sich eine Auslegung an, die das Schriftwort auf die Gegenwart der Gemeinde bezieht, die zugleich als Endzeit verstanden wird.

Die Peschertechnik ist in doppelter Weise gattungsgebunden. Einmal wird sie fast ausschließlich auf die Prophetenbücher und die Psalmen angewandt, die man in Qumran anscheinend zu den prophetischen Schriften rechnete. [263] Wahrscheinlich war den Auslegern die Herkunft von *pšr* aus der Traumdeutung noch gegenwärtig. Prophetien konnte man aber ohne weiteres visionär verstehen und wie Träume behandeln. Zum anderen bleibt *pšr* für die Gattung der Schriftkommentare reserviert. Außerhalb der Kommentarliteratur begegnet es bei der Exegese prophetischer Texte nur CD 4,14 (zu Jes 24,17), nicht aber CD 4,2 (zu Ez 44,15) oder 1QS 8,14 (zu Jes 40,3), um nur zwei Beispiele zu nennen. Die beiden einzigen wirklichen Ausnahmen, die auf eine Erweiterung des Anwendungsbereiches schließen lassen, sind 1Q22 1,3 und 1Q30 1,6. Nach dem Mosesmidrasch 1Q22 beauftragt Gott den Moses, den Häuptern der Familien die Torah auszulegen: פשׁ]ור לראשׁי א[בות. Im Fragment 1Q30, von den Hrsg. versuchsweise als liturgischer Text eingestuft, folgt auf die Wendung ס[פרים חומשׁים (Z. 3) wenig später פשריהם(Z. 6). Sollten die Pescharim, d. h. die Kommentare der Sekte, hier als letztes Glied der Kette in eine Reihe mit den fünf Büchern (des Moses? des Psalters?) gestellt werden? Der Gedanke wäre verführerisch, er würde den hohen Anspruch, den die Sekte mit ihrer Auslegung verband, treffend charakterisieren. Doch ist der Text zu zerstört, um diese Schlüsse zu tragen.

Die theologischen Implikationen des erwähnten Anspruchs mögen zwei Zitate aus dem Habakukkommentar deutlich machen, die weitgehend für sich sprechen. Daß nach Hab 1,5 die Verkündigung des großen Werkes

---

[262] Die Stellen brauchen hier nicht aufgeführt zu werden, da sie *K. G. Kuhn*, KQT 182; *ders.*, „Nachträge" 219f., übersichtlich zusammengestellt hat. Nachzutragen wäre etwa 4QpJes^c 4–7,II,4.8.14.17; 22,1; 23,II,10, 29,3; 4QpJes^e 1–2,3; 5,2; 6,6; 4QpZef 1–2,2 (DJD V, 18f.23f.26.28ff.42 Allegro). Hinzu kommt eine Reihe von Lakunen, für die die Rekonstruktion der Pescherformel als gesichert gelten kann, z. B. 1QpH 1,2; 2,1 etc.

[263] Die Peschertechnik findet Verwendung in 1QpH; 1Q14 (Kommentar zu Micha); 1Q15 (zu Zef); 1Q16 (zu Psalmen), 4QpJes^a–e; 4QpHos^a–b; 4QpNah; 4QpZef; 4QPs37; 4Qflor.

Gottes keinen Glauben findet, deutet 1QpH 2,1–10 auf den Priester, d. h. den Lehrer, und seine ungläubigen Gegner[264]:

Z. 6: Sie sind die Gewalt[tätigen am B]unde, die nicht glauben,

Z. 7: wenn sie alles hören, was kom[men wird über] das letzte Geschlecht, aus dem Munde

Z. 8: des Priesters, in [dessen Herz] Gott [Einsicht] gegeben hat, um zu deuten (לפשור) alle

Z. 9: Worte seiner Knechte, der Propheten ...

Die auslegende Tätigkeit (in der Kommentarliteratur begegnet *pšr* nur hier als Verbform) wird auf den Gründer der Sekte zurückgeführt, was historisch gesehen wohl zutreffen dürfte[265]. Er ist von Gott dazu in besonderer Weise berufen und befähigt. Er erschließt den eigentlichen Inhalt der prophetischen Botschaft, wie 1QpH 7,1–5 hervorhebt:

Z. 1: Und Gott sprach zu Habakuk, er solle aufschreiben, was kommen wird

Z. 2: über das letzte Geschlecht. Aber die Vollendung der Zeit hat er ihm nicht kundgetan.

Z. 3: Und wenn es heißt: „Damit eilen kann, wer es liest" (Hab 2,2),

Z. 4: so bezieht sich seine Deutung auf (פשרו על) den Lehrer der Gerechtigkeit, dem Gott kundgetan hat

Z. 5: alle Geheimnisse der Worte seiner Knechte, der Propheten.

Betrachtet man das Verhältnis, in dem Erstoffenbarung (Prophetenwort) und Zweitoffenbarung (inspirierte Auslegung) stehen, wird man dem Urteil K. Elligers kaum ausweichen können: „Damit wird faktisch die Inspiration des Lehrers der Gerechtigkeit der der heiligen Schriften übergeordnet."[266] Das läßt sich hinreichend nur aus einer konsequenten Naherwartung erklären.[267] Sie führt zu der Überzeugung, aufgrund der eigenen eschatologischen Situation tiefer ins Geheimnis Gottes eindringen zu

---

[264] Text und Übersetzung hier und im folgenden nach Lohse.

[265] Auf die historischen Fragen um den Lehrer der Gerechtigkeit brauchen wir hier nicht einzugehen, vgl. die einschlägige, weithin überzeugende Arbeit von G. *Jeremias*, Lehrer 140–166.

[266] K. *Elliger*, Studien 278. Ob man Elligers harte Sachkritik (a.a.O. 156: „Daß hier eine Autorität nur erschlichen wurde ...") teilen muß, ist eine andere Frage. Vgl. zur Sache noch E. *Osswald*, „Habakuk-Kommentar" 243–256; L. H. *Silberman*, „Riddle" 323–364; D. *Patte*, Hermeneutic 289–308.

[267] Das läßt alle Versuche, die Qumranexegese mit den Regeln der rabbinischen Schriftauslegung in Einklang zu bringen (z. B. E. *Slomovic*, „Understanding" 3–15), fragwürdig erscheinen. Über äußere Parallelen kommen sie in entscheidenden Fragen nicht hinaus.

können als die Propheten, weil alle Geheimnisse[268], ob sie sich nun auf den Kosmos (1QH 1,11), auf die Vorsehung (1QS 4,18) oder auf die rätselhafte Macht des Bösen (1Q27 1,2) beziehen, letztlich auf das Ende hingeordnet sind, das Gott herbeiführen wird.

Als Beispiel für die Schriftauslegung außerhalb der Kommentarliteratur sei ein Stück aus CD 6 zitiert, wo das Brunnenlied Num 21,18 auf die intensive Beschäftigung der Gemeinde mit der Torah (vgl. 1QS 6,6–8) angewandt wird[269]:

Z. 4: ... Der Brunnen, das ist (הוא) das Gesetz, und die ihn gegraben haben, das sind (הם) die Bekehrten Israels ...

Z. 7: ... und der Stab ist der, der das Gesetz erforscht (הוא דרש התורה) ...

Z. 8: ... und die Edlen des Volkes, das sind die (הם),

Z. 9: die gekommen sind, um den Brunnen auszuschachten mit Hilfe der „Stäbe", die der „Stab" vorgeschrieben hat.

O. Betz hat diese Art der Schriftauslegung von der Exegese der Pescharim grundsätzlich trennen wollen: „Die Pescherauslegung unterscheidet sich nach Form und Inhalt von der Allegorese."[270] Das ist nur teilweise richtig. Zum Inhaltlichen ist zu sagen, daß es bei der Torahauslegung gewiß nicht um endzeitliche Spekulationen geht. Doch steht der dem Lehrer zugewiesene Anspruch, die Torah als einziger normativ auszulegen, dem eschatologischen Selbstgefühl des Prophetenauslegers um nichts nach. Schließlich war es der Streit um das Torahverständnis, das zum Bruch zwischen dem Lehrer und dem Tempel führte.

Von noch mehr Bedeutung ist eine formale Beobachtung, die noch nicht die Beachtung gefunden hat, die sie verdient. Die Verbindung zwischen dem Schriftwort und seiner Auslegung wird an der soeben zitierten Stelle viermal mit Hilfe eines Pronomens hergestellt, ein Zug, der sich auch sonst in der Schriftauslegung der Damaskusschrift und der Sektenregel findet.[271] Pronomina begegnen an der gleichen Stelle auch in den Pescharim, und zwar nicht nur als gelegentliche Einschaltung (so O. Betz),

---

[268] Zu *rz* als Schlüsselwort im Qumranschrifttum vgl. die Materialsammlung von *E. Vogt*, „Mysteria" 247–257; ferner *O. Betz*, Offenbarung 82–87.

[269] Zur Einzelauslegung vgl. *G. Jeremias*, Lehrer 269–273; *O. Betz*, Offenbarung 23–32. Bemerkenswert sind die sprachlichen Verbindungen von Text und Auslegung. Der Vergleich von Brunnen und Thora ist auch CD 3,16 bezeugt. Man kann statt באר = Brunnen auch באר = erklären lesen (1Q22 2,8). חפר = graben kann auch auskundschaften heißen und so auf das deutende Vorgehen bezogen werden. שרים = Fürsten ist eine Selbstbezeichnung der Gemeinde (1QH 6,14).

[270] *O. Betz*, Offenbarung 78.

[271] היאה: 1QS 8,15; 9,19; הם: CD 4,2; 7,15.17; 8,10; הוא: CD 7,17; 8,10.11.

sondern als fester Bestandteil des Auslegungsvorgangs. Dafür kann nicht
nur die Formel פשרו הוא (1QpH 10,3), bzw. פשרו הם (4QpNah 4,1)
angeführt werden oder die Wiederaufnahme eines פשר durch ein später
folgendes הוא (1QpH 1,13). Es begegnen auch Fälle, wo eine typische
Pescherauslegung lediglich durch ein Pronomen eingeleitet wird
(4QpJes[b] 2,6.7.10), das Pronomen folglich ein פשר ersetzt. Die Belege
lassen sich mehren.[272] Die Identifizierung von Textelementen und deutenden Aussagen, die mit Hilfe dieses Mittels erreicht wird, gehört zur
festen Typik von Traum- und Visionsdeutungen. Im Griechischen würde
die im Hebräischen fehlende Kopula hinzutreten. Es entstehen dann
Formen wie οὗτός ἐστιν o. ä., exegetische Gleichungen also, als deren
erster Sitz im Leben die Traumauslegung anzusehen ist, wie ein kurzer
Blick in die Texte zeigt.[273]
Diese Beobachtung ist nicht unwichtig. In der Homerallegorese begegnen solche Gleichungen nämlich nicht. Dort wird die Verbindung von
Lemma und Kommentar durch σημαίνει, ἀλληγορεῖται, αἰνίττεται u.
ä. hergestellt. Daß in Mk 4,15.16 οὗτοί εἰσιν steht, gibt demnach zu
denken. Zugleich zeigt sich, daß die Exegese von Qumran, und zwar die
der Pescharim wie die der Regelwerke, in die Traditionsgeschichte des
apokalyptischen Schriftverständnisses einzuordnen ist, auch formal.[274]

f) Rabbinisches Schrifttum

In der rabbinischen Literatur begegnet *ptr*, gelegentlich auch *pšr*, erwartungsgemäß im Kontext der Traumdeutung, etwa bei der Auslegung

---

[272] הוא: 1QpH 3,2; 5,6; 4QpNah 1,11; הואה: 4Qflor 1,2.3; היא: 1QpH 12,7; 4QpJes[a] 1,4;
היאה: 4Qflor 1,2; הם: 4QpNah 1,10; 2,1; 3,9.11; המה: 4Qflor 1,16.17; 4QPs37 2,5;
3,12; 4QpJes[a] 8–10,5.6.

[273] οὗτός ἐστιν: grHen 18,14; Est F 6; TestAbr(A) 7 (84,22 James); οὗτοί εἰσιν: Sach
4,10bLXX; grBar 2,7; 12,3; TestAbr(A) 10 (88,1 James) u. ö.; Herm 13,1f.5.; 14,1.3.5 u.
ö.; αὕτη ἐστίν: Sach 5,8LXX; ταῦτά ἐστιν: Sach 6,5LXX. Vgl. Ri 7,14LXX: οὐκ ἐστὶν
αὕτη ἀλλ᾿ ἤ, sowie die vergleichbare Auslegung eines Bildes Jes 9,13f. (MS und LXX).

[274] Es bleibt noch darauf hinzuweisen, daß sich dort, wo die Männer von Qumran nicht nur
rezeptiv und regulativ, sondern auch gestalterisch tätig wurden, wie in den Hodajot,
geschichtliche Skizzen in verhüllter bildlicher Form finden, die mit den symbolischen
Geschichtsabrissen der apokalyptischen Literatur vergleichbar sind. 1QH 8,4–26 greift
biblische Motive auf: Gott pflanzt Bäume (= Volk) an eine Wasserquelle (= Gesetz),
doch nur ein heiliger Schößling (= der Lehrer) „treibt Blüten zur Pflanzung der Wahrheit" (= er gründet die Gemeinde), vgl. *C. M. J. Gevaryahu*, „Parable" 50–57. 4Q184/1
(DJD V, 82f. Allegro) verwendet die aus Hos und Ez bekannte Figur der Dirne für „un
poème satirique contre la secte rivale" (*J. Carmignac*, „Poème allégorique" 374, vgl. *H.
Burgmann*, „Wicked Woman" 323–359). Die häufige Verwendung von Decknamen für
historische Personen wurde schon erwähnt. Sie macht die genaue Datierung der Vorkommnisse, auf die dauernd angespielt wird, so problematisch und kontrovers.

biblischer Traumberichte (GenR 40,5; SNum 18,20) oder – sehr häufig –
in den rabbinischen Traumbüchern bBer 55a–57b und jMS 55b/c.[275] Die
dort praktizierte Übersetzung von Traumsymbolen in Sachaussagen
arbeitet mit Methoden, wie sie auch aus der rabbinischen Schriftauslegung bekannt sind: Gematrie, Zerlegung von Wörtern, klangliche Assoziationen etc.[276]
Von den palästinensischen Amoräern wird *ptr* für die Auslegung von
Schrifttexten und Mischnasätzen gebraucht.[277] P. Bloch hat schon 1885
auf die formalen Eigenschaften der sogenannten Pitra-Exegese aufmerksam gemacht.[278] In den Midraschim, besonders in HldR und KohR,
findet sich die stereotype Formel: ... ב קריא פתר ר׳. Die Deutung kann
fortgeführt werden durch die Pronomina אלה, זה, זו, die einzelne
Details des Schrifttextes mit den Begriffen der Auslegung verbinden.
Die Pronomina können auch an die Stelle von *ptr* treten.
Inhaltlich hatte Bloch diese Art der Exegese dahingehend bestimmt, daß
sie einen allgemein gehaltenen Satz der Schrift durch Beziehung auf
einen individuellen Fall spezifiziere. I. Heinemann hat in Weiterführung
des Bloch'schen Ansatzes darauf hingewiesen, daß die Pitra-Exegese dem
auszulegenden Text den Charakter des Geheimnisvollen und Rätselhaften zuschreibt. Durch Auflösen des Rätsels will sie seiner eigentlichen
Intention näher kommen.[279]
Die Nähe zur Pescher-Exegese von Qumran ist deutlich. Doch will die
Pitra-Exegese bewußt nur ausschöpfen, was im Text angelegt ist. Sie
nimmt für den Auslegungsvorgang weder eine besondere Inspiration
noch neue Offenbarungsqualität in Anspruch. Man könnte, etwas
überspitzt, die Pitra-Exegese als eine Pescher-Exegese bezeichnen, die
den Filter passiert hat, den die Entwicklungen im Judentum nach 70 n.
Chr. bilden. Mit dem apokalyptischen Schrifttum wird die apokalyptische Eschatologie und die apokalyptische Exegese ausgeschieden. Was
bleibt, hat M. Hengel treffend als „Torahontologie" charakterisiert.[280]

---

[275] Allein bBer 55b finden sich auf einer Folioseite 6 Belege. Zur Beziehung von Traum und
Deutung vgl. bBer 55b: „Ein Traum, der nicht gedeutet wird, gleicht einem Brief, der
nicht gelesen wird." Weiteres bei *A. Kristianpoller*, Traum, passim; *E. L. Ehrlich*, „Traum
im Talmud" 133–145; Bill. I, 53–63. Zum Gebrauch von Pronomina vgl. nur SNum
18,20.
[276] Auf diese Zusammenhänge macht *S. Lieberman*, Hellenism 70–78, aufmerksam.
[277] Belege bei *W. Bacher*, Terminologie II, 178–180. Vgl. zur Schriftauslegung GenR 1,2;
HldR 1,7; zur Mischnaexegese jSchab 9a; bKet 107b.
[278] *P. Bloch*, „Studien" 264–269.385–392.
[279] *I. Heinemann*, Altjüdische Allegoristik 18: „In Wahrheit leitet der Ausdruck sehr oft
allegorische Deutungen ein."
[280] *M. Hengel*, Judentum 307–318. Man vgl. dazu auch die unapokalyptische Fassung des
rabbinischen Geheimnisbegriffs. רז (vgl. Ab 6,2: תורה (רזי, סוד und Mysterion, das

Ergebnisse

Die vorstehend besprochenen Texte haben eins gemeinsam: sie alle sind in der Forschung schon mit dem Epitheton „allegorisch" belegt worden. Daß diese Bezeichnung aus der Objektsprache nicht abzuleiten ist, bedarf keiner Diskussion. Inwieweit sie metasprachlich berechtigt ist, bleibt zu prüfen. Kriterien geben uns die Ergebnisse aus Kapitel V an die Hand.

(1) Mit Quintilians rhetorischer und literarischer Allegorie verbindet einen Teil unserer Texte die Verwendung figurativer Rede- und Schreibweisen[281]. Bevorzugt werden feste Metaphern und traditionelle Bilder, die gelegentlich polemisch verzerrt werden können. Elemente der Ironie und der Satire fehlen nicht. Eine weitere Gemeinsamkeit besteht im häufigen Gebrauch mehr oder minder deutlicher Anspielungen, oft politischen und zeitgeschichtlichen Inhalts. Was den Hörerbezug angeht, kann die mündliche Gerichtspredigt der Propheten geradezu mit der forensischen Situation verglichen werden, die in der griechisch-römischen Rhetorik vorausgesetzt ist. In der apokalyptischen Literatur, die ans Medium der Schrift gebunden ist, wird der verhüllende Charakter der allegorischen Sprachform wie bei Cicero zur bewußten Beschränkung des Adressatenkreises eingesetzt.

(2) Legt man einen durch Rückwirkung der Mythenexegese erweiterten Allegoriebegriff zugrunde, der Personifikation und gestörten Wirklichkeitsbezug umfaßt, ergeben sich weitere Vergleichspunkte. Personifikationen sind nicht häufig, kommen aber vor.[282] Die wirklichkeitsfremde Konstruktion der Bildseite ist die Regel. Inhaltlich ist sie durch die federführende Sachaussage bedingt, formal durch die Übernahme des visionären Schemas legitimiert. Nicht übersehen sei in diesem Zusammenhang die relativ häufige Verwendung mythischer Motive in der prophetischen und apokalyptischen Bildrede. Insofern handelt es sich auch hier um den Versuch, das Problem des Mythos zu bewältigen. Doch ist der Mythos durch die atl Tradition bereits entschärft und dem Glauben an das geschichtsmächtige Handeln Gottes untergeordnet.

---

als Fremdwort übernommen und mit dem Hifil von מתר in Verbindung gebracht wird, bezeichnen u. a. die mündlich überlieferte Mischna (ExR 47,1), die Beschneidung (GenR 49,2), die Kalendereinschaltung (jRH 58b). Vgl. neben Bill. I, 659f. jetzt ausführlich *G. A. Wewers*, Geheimnis 63–118.191–197.

[281] Als literarische Allegorie kann auch die metaphorische Beschreibung des Alters Koh 12,1–6 angesehen werden (ähnlich bSchab 152a). Der Versuch von *J. F. Sawyer*, „Ruined House" 519–531, ein „reines" Gleichnis zu rekonstruieren, überzeugt nicht.

[282] Herm 92,2f. z. B. entpuppen sich die zwölf Jungfrauen als Personifikationen abstrakter Tugendbegriffe, ihr Widerpart, die schwarzgekleideten Frauen, als Vertreterinnen der Laster.

(3) Merkmale der Allegorese begegnen im Umgang mit biblischen Texten. Die eigene Gestalt der Vorlage interessiert wenig, die Esoterik des Verstehens wird betont und mit dem allein angemessenen eschatologischen Verständnis der Texte begründet. Die Technik der Allegorese ist aus der Traumdeutung abgeleitet, nicht aus der Homerexegese, was sich an einer formalen Eigentümlichkeit aufweisen läßt. Die Verbindung von Text und Auslegung wird u. a. durch Metaphorik, Etymologie[283], Klangassoziation u. ä. hergestellt.

(4) Der deutende Umgang mit der Tradition führt zur Allegorisierung, d. h., vorgegebene bildhafte Stoffe werden im Sinn der neuen Auslegung bearbeitet, durch Auswahl, Kürzung und Erweiterung, durch Einfügung verdeutlichender Details und durch kontextuale Hinweise. Diesem Prozeß, den wir an einem Einzelbeispiel auch in der Homerüberlieferung beobachten konnten, leistet die lange Überlieferungsgeschichte prophetischer und apokalyptischer Stoffe und ihre relativ späte (und nicht immer endgültige) schriftliche Fixierung in ganz anderer Weise Vorschub.

(5) Das Traumdeutungsschema weist darüber hinaus wichtige Eigentümlichkeiten auf. Wo Traum und Deutung schon im Ansatz aufeinander bezogen sind, wie in den Visionen des Protosacharja, entsteht eine literarische Form, die in der rhetorischen Theorie keine Parallele hat. Wo dieses Schema zur Bearbeitung vorliegender Tradition eingesetzt wird, resultieren daraus neue Texte, die bewußten Gestaltungswillen verraten. Die zeitliche und sachliche Distanz zwischen Vorlage und Kommentar, die in der Homer- und Mythenallegorese deutlich erkennbar bleibt, wird so überwunden.

(6) Die Frage der historischen Abhängigkeit ist angesichts der universalen Verbreitung der Traumdeutung nur schwer zu beantworten. Immerhin ist das Hervortreten der Deuteterminologie in den Spätschriften des AT und in der zwischentestamentlichen Literatur bemerkenswert. Man wird mit einiger Sicherheit festhalten dürfen, daß auf den Gebieten der Kleinmantik und der Traumdeutung in den Jahrhunderten vor und nach der Zeitwende zwischen jüdischer Volksfrömmigkeit und hellenistischer Popularreligiösität ein Austausch stattgefunden hat, der in der apokalyptischen Literatur sein Echo findet. Ein direkter Einfluß der wissenschaftlichen Mythenexegese der Griechen läßt sich nicht nachweisen.

---

[283] Auch für die Etymologie gibt es Anknüpfungspunkte im AT, vgl. die aitiologischen Namensdeutungen Gen 2,23; 17,5; 21,6 u. ö.

§ 16: Exegese und Allegorese

Nachdem im Vorstehenden etwas abweichend von der gängigen Allegoriediskussion eine relativ selbständige Entwicklungslinie aufgezeigt wurde, gilt es nun noch, in der gebotenen Kürze das weite Feld jüdischer Schriftauslegung auf allegorische Techniken hin zu durchmustern. Vom Stoff her legt sich eine Trennung zwischen der Literatur des griechischsprechenden Judentums in Alexandrien, das in Philo seinen Exponenten hat, und den palästinensischen Traditionen, die für das rabbinische Judentum nach 70 n. Chr. maßgebend geworden sind, nahe.

a) Im alexandrinischen Judentum

aa) Autoren vor und neben Philo

(1) Von Aristobulos (um 150 v. Chr.) sind bei Eusebius und Clemens Alexandrinus Fragmente eines Torahkommentars erhalten.[284] Darin wird versucht, in Fortführung einer Tendenz, die sich schon in der LXX bemerkbar macht, die Anthropomorphismen des AT, das unbefangen von den Händen, vom Gehen und vom Antlitz Gottes reden kann, rational zu erklären. Aristobul befindet sich gegenüber diesen Anthropomorphismen in einer ähnlichen Lage wie der aufgeklärte Grieche angesichts des Gottesbildes in Mythos und Epos. Mit der stoischen Dichter- und Mythenexegese war Aristobul vertraut, das zeigt die Art und Weise, wie er den z. T. apokryphen Siebenerversen aus Homer und Hesiod einen tieferen Sinn entnimmt, um sie mit dem Sabbat in Verbindung zu bringen.[285] Auch sein Umgang mit der griechischen Deuteterminologie verrät, daß er sich um die Adaption einer entliehenen Methode bemüht. Das Adverb φυσικῶς, das an sich nur die physikalische Mythendeutung betrifft, meint bei ihm den eigentlichen tieferen Sinn schlechthin.[286] Doch begnügt Aristobul sich nicht mit einer mechanischen Anwendung

---

[284] Vgl. zum folgenden *N. Walter*, Aristobulos, passim; *M. Hengel*, Judentum 295–307. Zum Ganzen *E. Zeller*, Philosophie III 2,261–298; Schürer III, 420–633; Schmid–Stählin II 1,535–656.

[285] Aristob., Fr. 5 (PVTG III 255,10–226,15 Denis).

[286] Fr. 2 (a.a.O. 217,23); Fr. 5 (a.a.O. 224,8). Für den tieferen Sinn verwendet Aristobul auch μεγαλεῖον (Fr. 2: 218,13f.; 219,10.14), das in dieser Bedeutung sonst nicht belegt ist. An Deutetermini, die aus der griechischen Exegese bekannt sind, begegnen noch σημαίνω (Fr. 2: 218,15f.; Fr. 5: 224,29 u. 226,10); δηλόω (Fr. 2: 219,5 u. 220,6; Fr. 5: 224,32); διάνοια (Fr. 4: 223,27); διασαφέω (Fr. 2: 218,14; Fr. 5: 224,22 u. 225,1.12) und διερμενεύω (Fr. 5: 225,11).

der Methode, sondern versucht, ihre Übernahme durch eine hermeneutische Reflexion zu rechtfertigen[287]:

> Vielfach nämlich, wenn unser Gesetzgeber Moses in bezug auf das, was er eigentlich sagen will, Worte gebraucht, die sich auf andere Dinge – ich meine: auf die Dinge des äußeren Augenscheins – beziehen, dann macht er (damit) Aussagen über wesentliche Sachverhalte und über die Beschaffenheit bedeutender Dinge.

Mit dieser noch recht umständlichen und mühsamen Überlegung soll eine übertragene Auslegeweise, die es ermöglicht, „die Hände auf die Macht Gottes zu beziehen"[288], aus dem figurativen Sprachgebrauch der Schrift selbst begründet werden. Im Ansatz handelt es sich um das gleiche Verfahren, dessen sich später Pseudo-Heraklit mit mehr Geschick bedient.

Bei Aristobul begegnet ferner der Gedanke, griechische Dichter und Denker wie Platon und Pythagoras hätten einzelne Gedanken von Moses bzw. aus dem Pentateuch übernommen.[289] Dieser Topos, der bei den jüdischen Historikern noch massivere Formen annimmt[290], ist eine Rezeption der erstaunlich bereitwillig akzeptierten[291] Behauptung orientalischer Propagandaschriftstellerei, die griechischen Weisen seien in Ägypten in die Schule gegangen. Moses rückt zugleich als Lehrer jeglicher Weisheit an die Stelle, die bei Pseudo-Heraklit Homer zukommt. Beides hat exegetische Konsequenzen. Der Versuch, aus dem AT platonisches oder pythagoreisches Gedankengut zu gewinnen, ist unter diesen Voraussetzungen nicht willkürlich, sondern vollkommen legitim und sachgemäß.

Schließlich macht Aristobul sich die monotheistischen Neigungen der Stoa und den Synkretismus des Hellenismus, der mittels allegorischer Deutungen alle theologischen Systeme ineinander zu überführen suchte, geschickt zunutze. In einem Zitat aus Aratos ersetzt er die Gottesbe-

---

[287] Fr. 2 (a.a.O. 217,27–218,2): πολλαχῶς γὰρ ὃ βούλεται λέγειν ὁ νομοθέτης ἡμῶν Μωσῆς ἐφ᾽ ἑτέρων πραγμάτων λόγους ποιούμενος (λέγω δὲ τῶν κατὰ τὴν ἐπιφάνειαν), φυσικὰς διαθέσεις ἀπαγγέλλει καὶ μεγάλων πραγμάτων κατασκευάς (Übersetzung nach JSHRZ III, 270 Walter).

[288] Fr. 2 (a.a.O. 219,5f.). Vgl. die Überlegung, daß man schon beim Menschen die Bezeichnung „Hand" im übertragenen Sinn (μεταφέροντας) gebrauchen kann (ebd. 7f.).

[289] Fr. 3 (a.a.O. 221,17–222,16). Vgl. Fr. 2 (218,6–10) und Fr. 4 (223,1–8).

[290] Vgl. Artap., Fr. 3 (PVTG III 188,4f. Denis): Moses als Lehrer des Orpheus. Eupol., Fr. 1 (ebd. 179,14f.): Moses als Erfinder des Alphabets. Ferner Jos., Ap 1,162–165; 2,156.168; Philo, Leg All 1,108; Omn Prob Lib 57; Sib 3,419–432. Vgl. K. Thraede, RAC V, 1243–1247; N. Walter, Aristobulos 45–51.

[291] Vgl. nur Plut., Is et Os 10 (354E).

zeichnungen Δίς und Ζεύς durch θεός, „da ihr innerer Sinn auf Gott (d. h. Jahwe) hinweist"[292].

(2) Der Aristeasbrief, der in die Zeit zwischen 127 und 118 v. Chr. zu datieren ist[293], verbindet eine Polemik gegen griechischen Polytheismus und ägyptischen Tierkult (Arist 134–138) mit der Frage nach dem tieferen Sinn (λόγος βαθύς[294]) der Gesetzesvorschriften über reine und unreine Tiere. Diese Vorschriften verdanken ihr Entstehen weder dem Zufall noch der Willkür noch der mythenbildenden Phantasie. Sie sind um der Wahrheit und der Gerechtigkeit willen gegeben worden (131.161.168), was Einsichtigen nicht verborgen bleiben wird[295]. Allgemein gesehen will das Gesetz die Einheit und die Herrschermacht Gottes offenbaren (132) und das Volk vor verderblichem Umgang mit den Heidenvölkern schützen (139.142). Außerdem handelt es sich bei den reinen Vögeln, die als Speise erlaubt sind, um zahme Tiere, bei den unreinen um wilde, was darauf hinweist, daß man im Umgang miteinander Milde walten lassen und auf Gewalt verzichten soll (145–149). Zweihufigkeit und Wiederkäuen sind Symbole für Unterscheidungsvermögen und Erinnerung (161).[296] Daß Moses das Wiesel unrein nennt (Lev 11,29), hat seinen Sinn. Weil es „durch die Ohren empfängt und durch den Mund gebiert" (165)[297], ist es ein Symbol für die gottlosen Denunzianten (166). Dieser Umgang mit den Speise- und Reinheitsgesetzen ist von der gleichen pythagoreischen Tradition abhängig, die auch Plutarch beeinflußt hat. Die Speisetabus, die Pythagoras in kurzen, sprichwortartigen Regeln (δόγματα, ἀκούσματα) formuliert hatte, werden im Neupythagoreismus

---

[292] Fr. 4 (a.a.O. 223,26f.). Vgl. Arist 16.

[293] So *N. Meisner*, Aristeas-Brief 207. Zum folgenden ebd. 188–191.

[294] Anscheinend eine *ad hoc* geschaffene Benennung. Als Hinweis auf den tieferen Sinn wird man auch Arist 171 τὴν σεμνότητα καὶ φυσικὴν διάνοιαν τοῦ νόμου zu verstehen haben. Wie bei Aristobul meint φυσικός hier die Tiefendeutung schlechthin. An anderen Stellen kommt es in wörtlicher Bedeutung vor (Arist 89.143 u. ö.). An Deutetermini begegnen noch διασαφέω (Arist 171.306, vgl. Jos., Ant 2,12; Gen 40,8 LXX); σημαίνω (Arist 143.315: δι' ὀνείρου σημαθέντος) und σημειόω (Arist 148.151). Auch ὑπόνοια kommt vor, aber nicht im exegetischen Sinn, sondern in der Bedeutung „Vermutung" (Arist 316). Arist 150 steht τροπολογῶν: die Gesetze sind so zu behandeln, als ob sie Tropen, d. h. übertragene Redewendungen wären. Im Hintergrund scheint eine ähnliche hermeneutische Überlegung wie bei Aristobul zu stehen. Vgl. dazu auch Arist 306: μεταφέροντες.

[295] Arist 148: τοῖς συνετοῖς. Arist 153: τοῖς νοοῦσιν.

[296] Vgl. Philo, Spec Leg 4,106–109; Agric 131–135. Zum Ganzen 4 Makk 1,34; 5,16.25, bes. 5,26: „Was unserer Seele verwandt ist, gestattet er uns zu essen."

[297] Die gleiche Vorstellung bei Plut., Is et Os 74 (381A), wo diese Eigenschaft positiv auf das Zustandekommen der Sprache gedeutet wird. Vgl. auch Barn 10,1–12 (doch ist die Deutung des Wiesels in V. 8 nicht auf Gesinnungssünden zu beziehen, wie Bauer WB 57 meint, sondern auf grobe Unsittlichkeit, vgl. *H. Windisch*, Barn z. St.).

als änigmatische Symbole aufgefaßt und entsprechend interpretiert.[298]
(3) Hinter der kurzen Bemerkung Weish 18,24a: „Auf seinem (Aarons)
wallendem Gewand war der ganze Kosmos (abgebildet)", steht ein ganzes System physikalischer Exegese, wie die parallelen, sehr viel eingehen-
deren Erörterungen bei Philo und Josephus zeigen[299]. Die beiden Sma-
ragdsteine des hohepriesterlichen Gewandes (Ex 28,9) versinnbildlichen
die beiden Hemisphären, die 12 Edelsteine auf der Brusttasche (Ex
28,17) deuten auf den Sternkreis hin. Die blaue Farbe (Ex 28,31) ist
Symbol für die Luft etc. Traditionsgeschichtlich gesehen gehört diese
Auslegung zum ältesten Bestand der Mythenexegese. Schon Pherekydes
von Syros, den manche, wie erwähnt, für den ältesten Allegoriker halten,
deutet den Hochzeitsmantel der Hera auf den Kosmos.[300]
Die heftige Polemik des Weisheitsbuches gegen jede Art von Götzendienst, für dessen Entstehung Weish 14,12–21 eine euhemeristische
Erklärung bietet, richtet sich nach 12,3 gegen die Kananäer, nach 12,24
gegen die Ägypter. Doch hat der Verfasser gleichzeitig die zeitgenössischen Mysterienkulte im Auge, wie die Übernahme der Mysterienterminologie Weish 12,5c und 14,15.23 beweist.[301] Neben die Polemik tritt der
Versuch, die Mysterienkulte durch die Präsentation der eigenen Lehre
im mysterienhaften Gewand zu überbieten (Weish 2,22; 6,22; 8,4; 10,10).
Diese konkurrierende Adaption läßt sich auch im orphischen Gedicht
beobachten[302], dessen Urfassung etwa aus der gleichen Zeit stammt
(nach 50 v. Chr.). Das hat Folgen für die Schriftauslegung. Die Torah
wird zur Gründungs- und Kultlegende, zum Hieros Logos, dessen tiefere
Wahrheit sich der philosophischen Betrachtungsweise entbirgt. Diese
Einstellung zum Text verlangt von selbst nach einer dechiffrierenden
Methode, wie das Griechentum sie ausgebildet hat.[303]
(4) In der Forschung herrscht keine Einigkeit darüber, ob es sich bei den
besprochenen Auslegungen um Allegoresen handelt oder nicht. Während
P. Heinisch die genannten Stellen ganz selbstverständlich in seine

---

[298] Plut., Is et Os 10 (354F): ἀναμείξας αἰνίγμασι τὰ δόγματα. Einzelnachweise bei *I.
Heinemann*, Philo 498–501.

[299] Philo, Spec Leg 1,82–97; Vit Mos 2,117–131; Somn 1,215; Jos., Ant 3,184–187; vgl. *U.
Früchtel*, Vorstellungen 72–106.

[300] Fr. B 2 (VS I 48,5–7): „Und als der dritte Tag der Hochzeit kam, da macht Zas einen
Mantel groß und schön und auf ihn wirkt er bunt Ge und Ogenos ...". Vgl. Plut., Is et
Os 77 (382C/D).

[301] Die legendenhafte Überlieferung 3 Makk 2,29f. (Ptolemäus IV Philipator versucht, die
Juden Alexandriens zur Teilnahme an den Dionysosmysterien zu zwingen) macht
zumindest deutlich, daß die Mysterienkulte als konkrete Bedrohung erfahren wurden.

[302] PseuOrph 1.43 (PVTG III 164,1 u. 167,1 Denis). Zur verwickelten Überlieferungsgeschichte vgl. *N. Walter*, Aristobulos 202–261.

[303] Das hat *L. Cerfaux*, „Influence" 101–104, richtig gesehen. Zu beachten sind auch die

knappe Skizze der jüdisch-alexandrinischen Allegorese einordnet[304],
erkennt I. Heinemann darin nur „metaphorische Umdeutungen anthro-
pomorpher Wendungen und symbolische Erläuterungen von Gesetzen",
für die sich im AT Ansätze finden (Dtn 10,16; 30,6)[305]. Die eigene Entscheidung wird wesentlich davon abhängen, wie man die Allegorieproblematik historisch und sachlich beurteilt.[306] Daß der Einfluß griechischer Mythendeutung vorherrscht, belegen die Anwendung des Erfindertopos, die kosmologische Deutung des Gewandes und die Adaption der
Deute- und Mysterienterminologie. Es ist die gleiche exegetische Tradition, die Pseudo-Heraklit später mit dem Etikett „allegorisch" versieht.
Unter sachlichem Gesichtspunkt sind zwei Momente der allegorischen
Exegese vorhanden: der anachronistische Eintrag von einem fremden
Sinnzusammenhang her und die Annahme eines verborgenen, esoterischen Sinns.

bb) Philo von Alexandrien[307]

Während die Erforschung der exegetischen Entwicklung im alexandrinischen Judentum vor Philo an der Spärlichkeit der Überlieferung leidet,
wird die Erfassung der philonischen Allegorese durch die Fülle des teils
widersprüchlichen Materials erschwert, das Philo in seinem umfangreichen Werk verarbeitet hat. Philos häufiger Bezug auf seine Vorgänger,
die gleich ihm die Schrift allegorisch auslegen[308], vermag einen gewissen
Eindruck vom Umfang des verloren gegangenen Schrifttums zu vermitteln. Es kann als sicher gelten, daß Philo manche seiner Quellen fast

---

symbolischen Auslegungen Weish 14,7f. (Holz der Arche – Holz der Idole); 16,6 (die
eherne Schlange als Symbol der Rettung); 16,27f. (das Manna erinnert an die Dankes-
pflicht gegen Gott); 17,20 (die ägyptische Finsternis als Vorbild künftiger Strafen).
Unter dem Gesichtspunkt der literarischen Allegorie sind die personifizierende Darstellung des Gotteswortes als Krieger (Weish 18,15) und die figurative Schilderung des
kämpfenden Gottes (Weish 5,17–22) zu betrachten.

[304] *P. Heinisch*, Einfluß 14–28.
[305] *I. Heinemann*, „Allegoristik der Juden" 138.
[306] *H. A. Wolfson*, Philo I, 134, hält „distinctions, mainly arbitrary, between what is real
allegory and what is not real allegory" für nutzlos. Doch ist seine eigene Definition zu
vage, um brauchbar zu sein: „The allegorical method essentially means the interpretation of a text in terms of something else, irrespective of what that something is" (ebd.).
[307] Über die Positionen der Philo-Forschung orientiert *R. Arnaldez*, Introduction. Zur philonischen Allegorese vgl. *J. Pépin*, „Remarques" 131–167; *H. A. Wolfson*, Philo I, 87–138;
G. Delling, „Wunder" 98–111.
[308] Die Belege hat *E. Zeller*, Philosophie III 2,286, Anm. 2, zusammengestellt. Vgl. nur Spec
Leg 3,178.

wörtlich übernommen hat, wie er ja auch griechische philosophische Schriften ausschreibt, wenn Rekonstruktionen im einzelnen auch hypothetisch bleiben müssen[309]. Philo läßt uns so einen Blick in die hermeneutische Auseinandersetzung im Judentum seiner Zeit tun, der uns sonst verwehrt bliebe.[310]

Philo kennt zunächst die Literalisten, die beim wörtlichen Verständnis der Schrift stehen bleiben. Er spricht von ihnen mit einer gewissen Hochachtung, ihr Vorgehen bringt brauchbare Ergebnisse zustande. Nur möchte er sie einladen, den entscheidenden zweiten Schritt zu tun und die notwendige und berechtigte wörtliche Exegese zu überschreiten auf die allegorische Auslegung hin, die der Text doch selbst nahelegt.[311] Dem entspricht sein eigenes Vorgehen in den Questiones zu Genesis und Exodus und in den Schriften über Abraham und Josef, wo er jeweils wörtliche und allegorische Exegese aufeinander folgen läßt. Allerdings muß man berücksichtigen, daß auch die wörtliche Auslegung den moralischen Gehalt in einer Weise betont, die die Texte über Gebühr strapaziert und von Allegorese nicht mehr weit entfernt ist.[312]

Kritik übt Philo an den Literalisten, die hartnäckig gegen die Allegorese polemisieren. Er zeigt auf, daß man so auf Dauer mit den anstößigen Stellen der Schrift nicht fertig wird und Gefahr läuft, sie analog zu den griechischen Mythen, gegen die er heftig polemisiert[313], mißzuverstehen[314]. Wohin das führen kann, macht das erschreckende Beispiel der jüdischen Apostaten deutlich, die für das väterliche Erbe nur noch Spott und Verachtung übrig haben, weil sie darin aufgrund eines oberflächlichen wörtlichen Verständnisses nur mythische Fabeleien und Narreteien entdecken. Diesen Abtrünnigen aus den eigenen Reihen gilt Philos gan-

---

[309] Den nach wie vor gründlichsten und scharfsinnigsten Versuch einer Quellenscheidung hat *W. Bousset,* Schulbetrieb 8–154, unternommen. Die Tragfähigkeit seiner Ergebnisse ist strittig.

[310] Soweit ich sehe, hat nur *M. J. Shroyer,* „Literalists" 261–284, die Quellen unter diesem Gesichtspunkt ausgewertet.

[311] Vgl. die wichtige Stelle Conf Ling 190f.

[312] Vgl. nur Abr 142–147; Quaest in Gen 4,189.

[313] Poster C 2; Deus Imm 59; Plant 35; Migr Abr 76; Praem Poen 8. Bei Jos., Ap 2,255, heißt es in einer Polemik gegen die griechischen Mythen, echte Philosophen würden auch die geistlose Allegorese verachten (τὰς ψυχρὰς προφάσεις τῶν ἀλληγοριῶν). Andererseits sagt er Ant 1,24, der Gesetzgeber habe in Einklang mit der Struktur des Universums (φύσει σύμφωνον) manches in Rätsel gehüllt (τὰ μὲν αἰνιττομένου), anderes allegorisch zum Ausdruck gebracht (τὰ δ'ἀλληγοροῦντος), wo nötig, aber auch in direkter Weise (ῥητῶς) gesprochen. Mit beidem wird er von griechischen Quellen, z. T. auch direkt von Philo (vgl. Op Mund 1f.) abhängig sein. Daß Philo die stoische Interpretation der Mythen kannte, geht aus Stellen wie Quaest in Gen 2,72; Aet Mund 63; Somn 2,249 hervor.

[314] Op Mund 157; Sacr AC 96; Gig 7.58; Deus Imm 21f.; Agric 97.

zer Zorn.[315] Gegen einen solchen Umgang mit der Schrift hilft nur ein Mittel, die Allegorese, die als ausschließliche Interpretationsmöglichkeit immer dann in Ansatz zu bringen ist, wenn eine wörtliche Auslegung die Gefahr des mythischen Mißverständnisses in sich birgt.[316] Sie wird so, wie bei Pseudo-Heraklit, zum ἀντιφάρμακον τῆς ἀσεβείας.

Schließlich kennt Philo noch allegorische Ausleger, die des Guten zuviel tun und durch symbolische Exegese den Inhalt des Gesetzes derart verflüchtigen, daß seine konkrete Beachtung im täglichen Leben sich von selbst erübrigt. Ihnen hält Philo an der oft besprochenen Stelle Migr Abr 89–93 entgegen, daß die äußere Gebotserfüllung zwar nur dem Körper, der spirituelle Sinn hingegen der Seele gleiche (vgl. Abr 236), daß wir aber auch im Alltag für den Körper sorgen müßten, um der Seele nicht zu schaden. Ebenso seien gerade im Interesse des tieferen Sinns auch Buchstabe und Wortlaut des Gesetzes zu beachten.

Philo bewegt sich hier auf schwankendem Boden, da das Vorgehen der radikalen Allegoristen nur eine Konsequenz aus seiner eigenen Methode ist. Es ist nicht recht zu sehen, wie Philo auf Dauer einer spiritualisierenden Verflüchtigung des Gesetzes entgehen zu können glaubte. Das richtige Empfinden für diese der philonischen Exegese inhärente Gefahr dürfte dafür mitverantwortlich sein, daß Philos Einfluß auf die palästinensische Exegese gering ist und daß er vom rabbinischen Judentum stillschweigend aus dem Kanon jüdischer Überlieferung ausgeklammert wurde.

Inwieweit Philo umgekehrt von der palästinensischen Überlieferung abhängt, ist eine strittige Frage. Eine bloße Zusammenstellung von Parallelen, wie sie E. Stein vorgelegt hat[317], besagt nicht viel, solange nicht geklärt ist, wie sie zustande gekommen sind. Dafür gibt es verschiedene Möglichkeiten. Die alexandrinischen Juden werden aus ihrer Heimat ein exegetisches Erbe mitgebracht haben, das sie selbständig weiterentwikkelten. Durch Zuwanderer und durch Tempelbesuche sind möglicherweise weitere Kontakte aufrecht erhalten worden. Vor allem aber – und das dürfte der springende Punkt sein – ist die Möglichkeit in Anschlag zu

---

[315] Agric 90.157; Conf Ling 2: οἱ μὲν δυσχεραίνοντες τῇ πατρίῳ πολιτείᾳ. Quest in Gen 4,168; besonders Mut Nom 60–62 (einer dieser Spötter begeht Selbstmord). Immerhin hatte Philo einen prominenten Apostaten in der eigenen Familie: seinen Neffen Tiburtius Alexander.

[316] Leg All 3,4; Det Pot Ins 13.156; Quaest in Gen 4,56. Ähnlich wie Pseudo-Heraklit bemüht sich Philo, die Schwierigkeiten, die der Wortsinn bereitet, möglichst kräftig herauszustreichen, vgl. Op Mund 154; Somn 1,93; Leg All 1,43; Det Pot Ins 95.167.

[317] E. Stein, Philo 1–51. In jeder Hinsicht unhaltbar ist das Urteil von L. Treitel, Studien 117, die Allegorese Philos sei „auf eigenstem jüdischen Boden erwachsen", als „ein Produkt des im jüdischen Volke lebenden Genius, der dem abstrakten Ausdrucke für Dinge, der Abstraktion, das Bild, den bildlichen Ausdruck, vorzieht".

bringen, daß die palästinensische Exegese selbst zu einem frühen Zeitpunkt von hellenistischem Gedankengut beeinflußt worden ist. D. Daube und (ihm folgend) G. Mayer haben den Nachweis geführt, daß die sieben hermeneutischen Regeln Hillels der hellenistischen Rechtsauslegung in einer Weise benachbart sind, die bloßen Zufall ausschließt.[318] Daube hat auch eine historische Verbindungslinie aufzeigen können. Schemaja und Abtaljon, nach glaubwürdiger rabbinischer Überlieferung die Lehrer Hillels (Ab 1,10–12; bPes 66b), waren vielleicht alexandrinische Proselyten, zumindest haben sie lange in Alexandrien gelebt.[319]

Für eine genauere Einordnung Philos in die Entwicklungsgeschichte der allegorischen Methode lohnt es sich, einen kurzen Blick auf die von ihm verwandte Deuterminologie zu werfen (was man in der Philo-Literatur bislang vermißt).[320] Zunächst ist festzustellen, daß bei Philo zum ersten Mal innerhalb der jüdischen Literatur Derivate vom Wortstamm ἀλληγορ- begegnen[321], und zwar 25mal das Verb, 16mal das Substantiv und 1mal das Adjektiv. Die jeweiligen Bedeutungsnuancen sind nur schwer zu bestimmen, zumal Philo nirgends ausdrücklich auf sein Instrumentarium reflektiert. Gelegentlich scheint der rhetorische Sprachgebrauch durchzuklingen[322], doch schiebt sich in der Mehrzahl der Fälle der hermeneutische Sinn in den Vordergrund, so wenn Philo ἀλληγορία und ῥητόν (wörtlicher Sinn) kontrastiert[323] oder eine psychologische Deutung mit φυσικῶς ἀλληγορεῖ einführt (Leg All 2,5). Öfter noch als ἀλληγορία kommen ὑπόνοια (41mal) und ὑπονοέω (22mal) vor. Dabei kön-

---

[318] Der Text der sieben Middot findet sich TSanh 7,11 (427 Zuckermandel). Sie wurden durch Auffächerung der fünften Regel zu den 13 Regeln des R. Jischmael erweitert, vgl. SLev, Prooem (1a/b Weiß). Vgl. *H. L. Strack*, Einleitung 96–100.

[319] *D. Daube*, „Methods" 239–264; *G. Mayer*, RAC VI, 1196–1198. Vgl. auch *E. E. Hallewy*, „Midrash" 157–169.264–280; *D. Patte*, Hermeneutic 109–115. Das vermag hinreichend eine Reihe von Parallelen zu erklären, die *C. Siegfried*, Philo 165 („eine Mischung aus den Auslegungsregeln der Agada und den ... hermeneutischen Grundsätzen der Stoiker") konstatiert. Die zahlreichen Regeln, die Siegfried zusammengestellt hat, sind im übrigen nicht identisch mit den νόμοι und κανόνες τῆς ἀλληγορίας bei Philo (Somn 1,73.102; Abr 68 u. ö.).

[320] Die folgenden Angaben sind an Hand von *G. Mayer*, Index, ausgezählt.

[321] Ob sich evtl. schon die unbekannten Vorgänger Philos dieser Vokabel bedient haben, läßt sich nicht mehr ausmachen. Im Blick auf die Entwicklung in der griechischen Literatur wird man festhalten, daß ein Nebeneinander von ὑπόνοια und ἀλληγορία in exegetisch-hermeneutischem Sinn frühestens gegen Ende des 1. Jh. v. Chr. möglich war, also zur Zeit Philos.

[322] Dec 1: τρόπος ἀλληγορίας. Vgl. auch die mehrfachen Hinweise, etwas sei τροπικώτερον gemeint, bzw. zu verstehen (z. B. Conf Ling 134; Poster C 1). Zu beachten ist auch Philos Gebrauch von παρεμφαίνω (= andeuten, mit zu verstehen geben) in allegorischen Kontexten: Rer Div Her 86.112; Ebr 142; Somn 2,195; Abr 200: φύσιν δὲ τοῖς πολλοῖς ἀδηλοτέραν ἔοικε παρεμφαίνειν.

[323] Spec Leg 2,147: τὰ ῥητὰ τρέπειν πρὸς ἀλληγορίαν.

nen ὑπόνοια und ἀλληγορία in einer seltsamen, in der griechischen Literatur sonst nicht belegten Weise miteinander verschränkt werden.[324] Doch nehmen ὑπόνοια und ἀλληγορία nur einen bescheidenen Platz in Philos Deutevokabular ein. Andere Termini sind erheblich häufiger vertreten, so ἑρμενεύω (152mal, dazu 18mal διερμενεύω, teils vom Übersetzen, teils vom Deuten ausgesagt), das bei Plutarch beliebte αἰνίττομαι (72mal), ferner σημαίνω (26mal), ὑπερσημαίνω und σημειόω (je 8mal), dazu eine Reihe ungemein häufig vorkommender Begriffe, die nur z. T. in exegetischem Sinn verwandt werden: διάνοια, διακρίνω, δηλόω, ζητέω, ζήτησις. Als Bezeichnung für die auszulegende Sache oder Person bevorzugt Philo σύμβολον (ca. 200mal, dazu 50mal συμβολικός) und τύπος (80mal), bzw. ἀρχέτυπος (78mal). Der Wortstamm ἀλληγορ- spielt eine untergeordnete Rolle und ist noch nicht zum stehenden Terminus für die Tiefendeutung geworden. Unter formalem Aspekt ist sehr zu beachten, daß die Auslegung mit Hilfe der Identifikationsformel οὗτός ἐστιν, die wir aus der Traumauslegung abgeleitet haben, bei Philo keine große Rolle spielt, selbst da nicht, wo er biblische Traumberichte auslegt.[325]

In dem Zusammenhang muß auch Philos Umgang mit der Mysterienterminologie bedacht werden. Philo kennt die eleusinische Unterscheidung von kleinen und großen Mysterien.[326] Er bezeichnet Moses als den großen Hierophanten, der die auserwählten Mysten in das Geheimnis des göttlichen Rituals einführt[327], und er vergleicht die Essener mit einer

---

[324] Praem Poen 65: ἐν ταῖς καθ' ὑπόνοιαν ἀλληγορίαις. Vit Cont 78: δι' ὑπονοιῶν ἐν ἀλληγορίαις.

[325] Es ist auch kein Zufall, daß ἐπιλύω im Kontext der Schriftexegese bei Philo nur in seinem Bericht über die Therapeuten begegnet. *I. Heinemann*, RE II 10, 2321–2346, hat sich um eine Scheidung von Dichtung und Wahrheit in Philos Traktat bemüht. Die asketischen Praktiken der Therapeuten sind im Judentum als Vorbereitung auf einen Visionsempfang bekannt. Philo hat in seiner *interpretatio graeca* das visionäre Moment zugunsten des kontemplativen unterdrückt. Während *E. Stein*, Exegese 35f., noch phantasievoll vermutete, der Name Therapeuten sei daher zu erklären, daß sie die Allegorese als θεραπεία μύθων anwandten, hat *G. Vermes*, Studies 8–29, wahrscheinlich gemacht, daß es sich um eine Übersetzung von aram. אסא = heilen handelt. Auf die gleiche Wurzel sei der Name „Essener" zurückzuführen. Damit wären die Therapeuten aus ihrer religionsgeschichtlichen Isolierung gelöst, in die sie durch Philo geraten sind. Mir scheint zudem wahrscheinlich, daß ἐπιλύω als Äquivalent von פשר auf die visionäre Exegese der Therapeuten zu beziehen ist und von Philo aus einer Sektenschrift übernommen wurde. Philo hat sie mit seiner eigenen philosophischen Exegese verknüpft, vgl. die mit Deutetermini überladenen Sätze Vit Cont 28f., ferner (von den Essenern) Omn Prob Lib 82: τὰ γὰρ πλεῖστα διὰ συμβόλων ἀρχαιοτρόπῳ ζηλώσει παρ' αὐτοῖς φιλοσοφεῖται.

[326] Abr 122; Sacr AC 62.

[327] Poster C 173; Gig 54: ἀλλὰ καὶ ἱεροφάντης ὀργίων καὶ διδάσκαλος θείων, ἃ τοῖς ὦτα κεκαρθαμένοις ὑφηγήσεται. Vgl. auch Sacr AC 94; Poster C 164; Dec 18; Somn 2,78 etc. Cher 49 ist Jeremias der μύστης und ἱεροφάντης.

Mysteriengemeinschaft[328]. Andererseits bemüht er sich offensichtlich, die Therapeuten, bei denen man am ehesten eine Basis für eine konkrete Mysterienfeier vermuten würde, vom Verdacht geheimer Kultbegehungen mit ihren möglichen Auswüchsen reinzuwaschen (Vit Cont 88), und er polemisiert heftig gegen die Teilnahme von Israeliten an Mysterienritualen[329].

Hinzu kommt die spiritualisierende Tendenz Philos im Umgang mit der Mysteriensprache. Die Initiierten werden zum lebendigen Schrein der Gottheit (Quaest in Ex 2,51), sie tragen nach Cher 48 die mystische Erkenntnis wie einen Schatz in ihrem Herzen (man fühlt sich an Plutarchs Umgang mit der κίστη erinnert). Somn 1,164f. ist das Geheimnis, das viele nicht kennen und das der Hierophant uns aufschließen soll, das richtige Verständnis von Gen 28,13.[330]

Diese Beobachtungen bringen die Frage nach dem Charakter des philonischen Mysteriums einer Lösung näher.[331] Für Philo ist das Mysterium keine kultische Größe, sondern eine hermeneutische. Der Heilsweg besteht im immer tieferen Eindringen in die verborgene Wahrheit der heiligen Schrift. Sie erschließt sich der methodischen exegetischen Nachfrage, die von leidenschaftlichem Erkenntnisdrang geleitet und von ekstatischen Inspirationserlebnissen begleitet wird.[332]

Vergleichen wir diese Ergebnisse mit der Skizze der griechischen Allegorese in Kapitel V, können wir Philo etwas genauer lokalisieren. Früher als Pseudo-Heraklit, jedenfalls von ihm unbeeinflußt[333] bezeugt Philo die allmähliche Identifizierung von ὑπόνοια und ἀλληγορία als zunächst

---

[328] Omn Prob Lib 14.

[329] Spec Leg 1,319 (anknüpfend an Dtn 23,28bLXX add.).

[330] Vgl. Plant 36; Fug 179: ἀλληγορίας ... ἀμύητοι. Zum selektiven, esoterischen Charakter der Tiefendeutung vgl. Somn 1,191: der Hieros Logos tritt den einen wie ein König gegenüber, anderen wie ein Lehrer oder Ratgeber, manchen auch wie ein Freund, der an Geheimnissen teilhaben läßt, die nicht für alle bestimmt sind. Vgl. Abr 200; Quaest in Gen 4,8; Sacr AC 60.

[331] Die extremen Positionen sind durch E. R. Goodenough, By Light 235–264, und W. Völker, Fortschritt 34–39, abgesteckt. Goodenough denkt an eine kultische Mysterienfeier, die von den alexandrinischen Juden begangen wurde. Völker spricht vom „Flitter von Mysterienformeln", die „lediglich ein dekoratives Element darstellen" (a.a.O. 197). Vgl. auch Bousset–Gressm 449–454; H. Hegermann, Schöpfungsmittler 9–26, die eine mittlere Lösung vertreten.

[332] Leg All 2,32.85; Migr Abr 35.

[333] An direkten Parallelen sind zu vergleichen Quaest in Gen 2,9 (zu Gen 6,17) mit All Hom 14,3 (zu Il 1,50): daß Tiere die ersten Opfer göttlichen Zornes sind, will sagen, daß sie bei Seuchen und Epidemien eher sterben als die Menschen. Mut Nom 108 (zu Num 25,8) mit All Hom 34,3f. (zu Il 5,393): die Lanze, mit der Pinehas den Leib der Midianiterin durchstößt, und der Dreizack des Herakles, mit dem er Hera verwundet, deuten auf den philosophischen Logos hin, der alles erforscht und der die Wolken des Nichtwissens und der Leidenschaft vertreibt.

rhetorische, dann exegetische Größen auf dem Boden einer philosophischen, vom Mysteriendenken geprägten Hermeneutik religiöser Rede, wie sie uns bei Pseudo-Demetrius vielleicht am deutlichsten begegnet ist. Da Philo einerseits nicht als Urheber dieses Denkens gelten kann, andererseits erheblich mehr und erheblich deutlichere Belege dafür enthält als das griechisch-römische Schrifttum seiner Zeit, gibt er zugleich einen breiten Einblick in eine sonst nur fragmentarisch zu rekonstruierende Entwicklung und bestätigt indirekt die in Kapitel V vertretene Sicht der kritischen Phase zwischen Philodemos von Gadara und Pseudo-Heraklit. Es bleibt noch die Aufgabe, näher auf Philos exegetische Praxis einzugehen. Philo unterscheidet zwischen physikalischer und moralischer Exegese, wobei er letztere bevorzugt. Die erkenntnistheoretischen Voraussetzungen sind in beiden Fällen die gleichen. Quaest in Gen 4,1 zitiert Philo das bekannte Wort Heraklits, demzufolge die Natur es liebt, sich zu verbergen[334]. Mut Nom 10 stellt er die skeptische Frage, wer denn imstande sei, das Wesen der Seele zu erkennen (τίς γὰρ ψυχῆς οὐσίαν εἶδεν). Hier hilft die inspirierte Exegese weiter, insofern sie vom Text ausgehend Einsicht in die verborgene Analogie zwischen dem Makrokosmos des Universums und dem Mikrokosmos der Psyche schenkt, die im intelligiblen Logos aufgehoben und vermittelt sind.[335] Physikalische und moralische Exegese werden in die mystische überführt. „This is the consummation of the contemplative life and all the virtues, (namely) to see nature naked and all the coverings of nature by which it is concealed ..." (Quaest in Gen 4,21).

Als Beispiel für die physikalische Exegese möge der Hinweis auf die kosmologische Auslegung des hohepriesterlichen Gewandes, die schon besprochen wurde, genügen. Exemplarisch für die moralische Exegese sei die Deutung der Episode um Abraham, Sara und Hagar referiert, mit der sich auch Paulus im Galaterbrief beschäftigt.[336] Die Erzählung Gen 16,1–16 kann sich nach Philo nicht im wörtlichen Sinn erschöpfen, weil dann von nichts anderem die Rede wäre als von der Eifersucht zweier Frauen (Congr 180), was für die heilige Schrift kein angemessenes

---

[334] Fr. B 123 (VS I 178,8f.): ἡ φύσις κρύπτεσθαι φιλεῖ. Philo läßt das Wort mehrfach anklingen, z. B. Fug 179.

[335] I. Christiansen, Auslegungswissenschaft, hat Philos exegetische Methode aus der technischen Anwendung der platonischen Diairesislehre als Mittel einer ontologisch fundierten Begriffsbildung im mittleren Platonismus erklärt. Man wird ihr soweit zustimmen können, ohne alle ihre Folgerungen zu übernehmen. Vor allem halte ich ihren Versuch, die Allegorese Philos unter ontologischem Aspekt mit der rhetorischen Allegoriedefinition in Verbindung zu bringen, für gänzlich verfehlt. Hier rächt sich bitter, daß Christiansen auf die historische und literaturwissenschaftliche Fragestellung fast völlig verzichtet.

[336] Philo ist des öfteren auf diese Stelle eingegangen, vgl. Cher 3–9; Fug 202–213; Abr 247–254; Congr 1–23.71–88.151–158.

Thema darstellt. Die Eruierung des tieferen Sinns setzt mit der Erkenntnis ein, daß Abraham ein Symbol der lernenden Seele ist. Sara dagegen verkörpert die Tugend oder Weisheit. Sie kann Mutter zahlreicher Kinder genannt werden, weil die Tugend ohne Unterlaß erbauliche Reden und lobenswerte Handlungen hervorbringt (Congr 4).[337] Daß Moses sie unfruchtbar nennt, ist *e contrario* zu verstehen. Auf der allegorischen Sinnebene ist Abraham selbst daran schuld, weil er noch nicht so weit fortgeschritten ist, daß er sich mit der Weisheit vereinigen könnte.

In dieser Situation muß die suchende Seele sich den propädeutischen Studien zuwenden, die aus Grammatik, Rhetorik etc. bestehen. Die Propädeutik wird sinnbildlich von Hagar dargestellt. Sie stammt aus Ägypten, was aufgrund von Philos Gleichung Ägypten = Sinnlichkeit, Leiblichkeit darauf hindeutet, daß die vorbereitenden Studien sich an die Sinne wenden (Congr 21). Sie ist Sklavin und Konkubine und tritt nie an die Stelle der rechtmäßigen Gattin, d. h., man wird nicht ein Leben lang bei der Propädeutik verweilen, sondern ihren vorbereitenden Charakter sehr wohl im Auge behalten (Congr 154).

Ismael, der Sohn der Sklavin, wird von Moses Bogenschütze genannt (Gen 21,20). Er ist ein Sophist, dem die echte Weisheit fehlt, der aber mit Argumenten spitz wie Pfeile sicher ins Ziel trifft.[338] Entsprechend seiner etymologischen Namensdeutung ist er der Mann, der Gott hört.[339] Israel, Saras Sohn, hingegen verkörpert die selbstgenügsame Tugend und Weisheit (Congr 35–37). Er steht noch allgemeiner für die Seele, die Gott schaut.[340]

Die Vorordnung des Sehens vor dem Hören, die hier impliziert ist, wird von Philo durchgehend vertreten. Er wertet das Hören sogar als trügerisch ab zugunsten des zuverlässigen Sehens: ἀπατηλὸν ἀκοή, ἀψευδὲς δ᾽ ὅρασις (Fug 208, vgl. Abr. 150). Eine solche Denkweise wäre auf dem Boden des AT, wo das Hören des Gotteswortes im Zentrum steht und das Schauen Gottes zum theologischen Problem wird, undenkbar. Sie setzt die platonische Ausrichtung auf die Schau der Ideen voraus. Daß damit auch ein Geschichtsverlust verbunden ist, mag wie ein Schlagwort klingen, ist aber dennoch wahr. Die Offenheit der Geschichte, in der sich

---

[337] Hier wird die Tendenz Philos deutlich, die Personen der biblischen Erzählung in Personifikationen seelischer Kräfte zu verwandeln, vgl. Abr 52: die Stammväter sind τρόποι ψυχῆς. Quaest in Gen 4,200: die handelnden Personen gleichen einer Ansammlung psychischer Instanzen (R. Marcus rekonstruiert: ὡσεὶ ἐν ἐκκλησίᾳ ψυχικῶν τρόπων). Quaest in Gen 4,206: „Es ist, als ob Esau in mir selbst wäre, wie ein Charakterzug . . .“.

[338] Poster C 131; vgl. Congr 129. Man beachte, wie hier die sprachliche Metaphorik in den Dienst allegorischer Auslegung gestellt wird.

[339] Mut Nom 202: ᾽Ισμαήλ ἐστιν ἀκοὴ θεοῦ. Vgl. Fug 208; Quaest in Gen 3,32. In der Etymologie von Gen 16,11 ist Gott Subjekt, bei Philo Objekt.

[340] Leg All 3,212: ὁ ὁρῶν τὸν θεόν. Zugrunde liegt eine Etymologie wie אִישׁ רָאָה אֵל oder יִרְאֶה אֵל. Vgl. noch Conf Ling 56; Rer Div Her 78; Plant 58; Ebr 82; Abr 57 u. ö.

das Wort Gottes ereignet, ist in der Prophetie des AT (die Philo mit
Schweigen übergeht) angelegt und bleibt in der Apokalyptik erhalten.
Bei Philo dagegen wird „die Jenseitigkeit Gottes in seiner Zukünftigkeit
zur Jenseitigkeit der Mystik. Damit verliert die Geschichte ihre Bedeu-
tung und wird zur allegorischen Illustration der Psychologie und der
Ethik und hat ihr τέλος verloren"[341].
An der Einsicht, daß Philo das AT mit seinem platonisierenden Denken
überfremdet, wird man gegenüber allen harmonisierenden Entwürfen, an
denen es in der Philo-Forschung nicht fehlt, festhalten müssen. Auch für
Philo trifft in mancher Hinsicht der Satz des Salloustios zu: ταῦτα δὲ
ἐγένετο μὲν οὐδέποτε, ἐστὶ δὲ ἀεί. Was die Schrift als historisches
Ereignis schildert, wird zum Sinnträger zeitloser Wahrheit.

b) Im palästinensischen Judentum

Ab 5,22 wird ein Ausspruch des Ben Bag Bag, der als Schüler Hillels zur
Zeit Jesu lebte, über die Torah zitiert: „Wende sie hin und wende sie her,
alles ist in ihr."[342] Gemeint ist hier nicht nur die schriftliche Thora, die
Moses am Sinai gegeben wurde, sondern auch die mündliche Torah mit
den Traditionssätzen der Schriftgelehrten, die mit gleichem Autoritätsan-
spruch neben die schriftliche Torah tritt und die im Traktat Abot durch
die Erstellung einer kontinuierlichen Tradentenkette ebenfalls auf die
Sinaioffenbarung zurückgeführt wird. Die so definierte Torah enthält
Antwort auf alle denkbaren Fragen, sofern man sie nur richtig betrachtet,
d. h. auslegt. Deshalb wurde, wie G. Scholem dargetan hat, „der Kommentar die charakteristische Ausdrucksform des jüdischen Denkens über
die Wahrheit, dessen, was man rabbinischen Genius nennen könnte"[343].
Es ist schwierig, aus der verwirrenden Fülle des rabbinischen Schrifttums
exegetische Schulen und Techniken auszugrenzen, die man eindeutig
allegorisch nennen kann. Wir werden uns zunächst mit einigen Versuchen beschäftigen, die in dieser Richtung unternommen wurden. Dabei
beschränken wir uns nach Möglichkeit auf Belege aus der frühen tannai-
tischen Zeit, die sich z. T. mit der ntl Zeit überschneidet.[344] Danach
wenden wir uns der Funktionsweise rabbinischer Gleichnisse und dem

---

[341] *H. Thyen,* „Philo-Forschung" 245 (im Anschluß an Bultmann).

[342] הפך בה והפך בה דכלא בה. Zu seiner Person und zu der seltsamen Namensge-
bung vgl. *W. Bacher,* Tannaiten I, 8f. Zur mündlichen Torah *D. Patte,* Hermeneutic
87–109.

[343] *G. Scholem,* Grundbegriffe 101.

[344] Vgl. neben der Einleitung von Strack und dem Sammelwerk von Bacher noch Schürer,
History I, 68–114; *F. Maass,* „Ursprünge" 129–161. Zur rabbinischen Allegorese *L.
Ginzberg,* JE I, 403–411; *J. Bonsirven,* „Exégèse allégorique" 513–541.

Umgang des Targum mit der atl Bildersprache zu, weil beides für unser Thema von einigem Interesse ist.

aa) Schriftauslegung

J. Z. Lauterbach hat zwei alten exegetischen Schulen, deren Anhänger anonym geblieben sind, den Dorsche Reschumot und den Dorsche Ḥamurot, eine eindringliche Studie gewidmet.[345] Der Name der ersten Gruppe ist von רשם = andeuten abzuleiten. Damit ist zugleich ihr exegetisches Vorgehen charakterisiert. Sie lesen schwierige Stellen der Schrift so, als ob der Wortsinn in metaphorischer Weise etwas anderes andeuten wolle. Die Wendung „Gott anhangen" Dtn 11,22 könnte man anthropomorph mißverstehen, sie muß als Redefigur angesehen werden (SDtn z. St.). „Dein Leben siehst du im Ungewissen schweben" (Dtn 28,66) gibt wörtlich genommen keinen Sinn. Es ist von einem Mann gesagt, der die Teffilin einfach an die Wand hängt (bBer 24a). Basis für diese Auslegung bildet die Gleichsetzung von Frömmigkeit und Leben Dtn 30,15.20 u. ö. Das Wasser in der Wüste deuten die Dorsche Reschumot unter Berufung auf Jes 55,1 auf das Gesetz (bBQ 82a), das Holz, mit dem Moses das Wasser süß macht (Ex 15,25), auf die Torah, weil sie Spr 3,18 Lebensbaum heißt (Mek Ex z. St.).

Der Name der Dorsche Ḥamurot kommt wahrscheinlich von חמר = schwer, gewichtig. Es sind also Ausleger, die ein besonderes Gewicht in die Stellen hineinlegen.[346] Sie beziehen z. B. die den Priestern zustehenden Teile des Opfertieres (Dtn 18,3) symbolisch auf den Priester selbst, wofür die Aussagen über Pinehas Num 25,7f. die nötige Hilfe geben (bḤull 134b). Von Jochanan ben Zakkai (vor 80 n. Chr.) werden mehrere Auslegungen כמין חמר berichtet. Dem jüdischen Sklaven, der auf seine Freilassung im siebten Jahr verzichtet, soll nach Ex 21,6 ein Ohr durchbohrt werden. Jochanan versteht das bQid 22b symbolisch. Der Sklave hat nicht auf die Aussage des Gesetzes gehört, daß die Israeliten nur Gottes Knechte sind (Lev 25,55).

Von den 32 hermeneutischen Regeln, die R. Eliezer ben Jose Ha-gelili (um 150 n. Chr.) zugeschrieben werden, lautet die Regel Nr. 26 כמשל: deute es, als wenn es ein Gleichnis wäre. Begründet wird diese Regel

---

[345] *J. Z. Lauterbach,* „Allegorists" 291–333.503–531. Vgl. auch *J. Lévi,* „Dorschè" 24–31.

[346] Weitere Möglichkeiten bei *W. Bacher,* Terminologie I, 62. *J. Perles,* „Etudes" 111, entscheidet sich für die Ableitung von תמורה = Vertauschung (hier: des Textsinns). Das „correspond parfaitement au grec ἀλληγορία". *J. Z. Lauterbach,* „Allegorists" 525, Anm. 50, äußert die Vermutung, daß, falls statt חמר doch חמר zu lesen wäre, hier Exegeten gemeint seien, die die Schrift auslegten wie die Griechen ihren Homer (khmr).

zunächst mit den beiden Fabeln Ri 9,8–15 und 2 Kön 14,9, deren zeitgeschichtlicher Bezug in der Deutung punktuell dargetan wird. Die
Methode darf auf das Gesetz aber nur in drei von R. Jischmael (vor 135
n. Chr.) besonders sanktionierten Fällen angewandt werden.[347]
Besondere Schwierigkeiten bereiteten dem Judentum das Buch Kohelet
wegen seines Skeptizismus, das Buch der Sprüche wegen der Trivialität
mancher Sentenzen und das Hohelied wegen seines unverkennbaren erotischen Gehalts. Ihre Kanonisierung ließ sich erst dadurch sichern, daß
man sie für משלים erklärte, die man allegorisch auslegen konnte.[348]
Insbesondere für das Hohelied ist eine allegorische Auslegung früh
bezeugt.[349]
Wir treffen hier mehrfach auf einen Gedankengang, der mit den Überlegungen eines Pseudo-Heraklit durchaus vergleichbar ist (obwohl keine
direkten Zusammenhänge bestehen). Man geht von unbestreitbaren
Metaphern im Text aus und konzipiert eine Theorie des metaphorischen
Verstehens, die man dann auch bei Texten in Anschlag bringt, die
ursprünglich nicht dafür gedacht sind. Der kritische Punkt liegt genau
da, wo das Verstehen metaphorischer Stellen übergeht in die metaphorische Auslegung nichtmetaphorischer Texte, was zur Allegorese führt.
Diesen Übergang zu erfassen, scheint ein Hauptproblem der an Schwierigkeiten gewiß nicht armen Allegorieproblematik zu sein.[350]
Ein Gespür für dieses Problem spricht wohl aus manchen rabbinischen
Sentenzen. Die knappe Formulierung bSanh 92a/b, wo es um den Stellenwert von 1 Sam 2,6 geht, kann man so paraphrasieren: „Wenn es sich
im wörtlichen Sinn um ein reales Faktum handelt, kann es keine gleichnishafte Dichtung sein. Ist es umgekehrt eine Art Gleichnis, wie kannst
du es dann wörtlich verstehen, als Realität?"[351] Der vielzitierte Ausspruch des Jischmael: „Die Schrift redet in der Sprache der Menschenkinder" (SNum 15,31) steht im Zusammenhang seiner Kontroverse mit

---

[347] Text bei *S. Schechter*, Midrash Haggadol XXIV. Vgl. *W. Bacher*, Terminologie I, 122. Die
drei allegorisch gedeuteten Stellen bei *W. Bacher*, Tannaiten I, 239. Vgl. ebd. 204–208 die
Ausführungen zur Allegorese des Eleazar aus Modiim (vor 135 n. Chr.).

[348] AbRN 1 (1c Schechter). Beim Buch der Sprüche legte sich das durch den Titel nahe. Im
Hld begegnen zweifellos literarische Allegorien, z. B. die erotischen Anspielungen Hld
4,13–5,1 (vgl. Sir 26,12).

[349] Vgl. z. B. 4 Esr 5,24.26. Näheres bei *W. Riedel*, Auslegung 40–46; *R. Loewe*, „Motifs"
159–196.

[350] *J. Bonsirven*, Exégèse rabbinique 210, weicht der eigentlichen Frage gerade aus, wenn er
in entschuldigendem Ton feststellt: „... l'interprétation allégorique, dans une littérature
donnée, se présente comme l'extension et l'application de genres spéciaux pratiquées en
cette littérature."

[351] אם אמת למה משל ואם משל למה אמת אלא באמת משל. Ähnliche Schwierigkeiten scheint das Nebeneinander von אמת und רשם Dan 10,21a bereitet zu
haben, vgl. jJeb 13a.

Akiba, der es meisterlich verstand, aus kleinsten verbalen Details weitreichende Schlüsse zu ziehen. Der Einwand will wohl sagen, daß stilistische Eigentümlichkeiten der Schrift zum Wortsinn gehören und allegorische Spekulationen nicht legitimieren.[352]

Solche Reserven sind vor allem von der Befürchtung getragen, daß eine unkontrollierte Gesetzesallegorese auf Dauer zur spiritualisierenden Verflüchtigung der Torah führen muß. Es ist das gleiche Problem, dem sich auf seine Weise Philo konfrontiert sieht. Man wird mit J. Z. Lauterbach annehmen können, daß der christliche Umgang mit dem atl Gesetz, wie ihn der Barnabasbrief am extremsten vertritt, die rabbinische Abneigung gegen die Allegorese verstärkt hat.[353]

Auf diesem Hintergrund ist die bei Bill. III, 398f. referierte Auseinandersetzung zu verstehen, die mit den Namen von Amoräern aus dem 4. Jh. n. Chr. verbunden ist. Das Verbot, ein Vogelnest völlig auszurauben (Dtn 22,6f.), muß als positives Recht gewertet werden, nicht als symbolischer Hinweis auf Gottes Güte, die alle Lebewesen umfaßt.[354] Dahinter mag stehen, daß Ant Bibl 53,10 gerade Dtn 22,6 mit dem Gebot der Elternliebe in Verbindung bringt und somit umdeutet.[355]

Abschließend bleibt noch die Aufgabe, den Charakter der rabbinischen Allegorese genauer zu bestimmen. Daß der rabbinischen Exegese über die genannten Beispiele hinweg ein anachronistischer Zug eigen ist, kann nicht verwundern. Das Anliegen, die Schrift in konkreten Situationen zu aktualisieren, und der Versuch, Lebensformen aus der Schrift zu legitimieren, müssen fast zwangsläufig dazu führen, solange das Korrektiv historisch-kritischen Denkens fehlt. Der Ausspruch „Es gibt kein Früher oder Später in der Hl. Schrift"[356], läßt ein statisches Geschichtsverständnis erkennen, das das Heilshandeln Gottes in paradigmatische Episoden auflöst. Doch bleibt es von dem ἐστὶν δὲ ἀεί der griechischen Allegorese

---

[352] Vgl. auch bSchab 63a: „Kein Schriftvers verliert die einfache Bedeutung seines Wortlauts" (vgl. bJeb 24a); SLev 14,2 (68b Weiß): „Siehe du sagst zur Schrift, schweig, bis ich dich erkläre" (שאדרוש עד לכתוב שתוק אומר את הרי – Vorwurf des R. Jischmael an Eliezer ben Hyrkanos).

[353] J. Z. Lauterbach, „Allegorists" 526–531. Auf dem Gebiet der Haggada konnte man großzügiger verfahren.

[354] Meg 4,9; bMeg 25a. Bill. bringt das in Zusammenhang mit dem paulinischen Verständnis von Dtn 25,4 in 1 Kor 9,9f. Die rhetorische Frage „Kümmert sich Gott etwa um Ochsen? Redet er nicht um unseretwillen?" wertet Bill. als Allegoriesignal. Vgl. R. Longenecker, Exegesis 126: „1 Cor 9:9f. is certainly allegorical." Man könnte Dtn 25,4 aber auch als Sprichwort verstehen (E. König, Stilistik 83), das auf unterschiedliche Situationen anwendbar ist. Dann handelt es sich bei Paulus nicht um allegorische Exegese, sondern um Adaption eines Sprichwortes, ein Vorgang, der mit Quintilian unter rhetorischem Aspekt allegorisch genannt werden kann.

[355] Vgl. auch die allegorische Deutung der Opfertiere Ant Bibl 23,7.

[356] MekEx 15,8. Von W. Bacher, Tannaiten I, 240f., wird er Jischmael zugeschrieben.

geschieden, da es die Historizität der Heilstaten Gottes nicht negiert. Es bringt nur in den verschiedenen Akten den einen erwählenden Willen Jahwes zur Geltung. Den für die Allegorese charakteristischen „fremden" Sinnzusammenhang bildet im Rabbinat die Schrift selbst. Ihre zentralen Aussagen über Bund und Gesetz geben den hermeneutischen Horizont ab für das deutende Verstehen der einzelnen Stelle.[357]
Von ästhetischem Desinteresse kann bei der Auslegung von Gesetzestexten keine Rede sein. Wo es um poetische oder erzählende Texte geht, ist es in Anschlag zu bringen. Die Rabbinen waren nicht ohne Grund an der Ethik mehr interessiert als an der Ästhetik. Punktuell identifizierende Exegese begegnet bei der Auslegung von Traumberichten[358] und Bildworten[359].
Wichtig ist vor allem, daß das Moment des Mysteriösen und Geheimnisvollen völlig fehlt, mit einer signifikanten Ausnahme, der Pitra-Exegese, die es von ihren apokalyptischen Ahnen geerbt hat. Den Einfluß der Esoterik, der sich mit mysteriöser Allegorese gern verbindet, wird man für die frühe tannaitische Zeit sehr gering veranschlagen müssen[360] und keinesfalls mit der Schriftauslegung in Verbindung bringen, sagt doch G. Scholem von den ältesten mystischen Schriften, deren Ansätze er ins 2. Jh. n. Chr. hinaufreichen läßt, sie „entbehren so gut wie völlig des exegetischen Momentes"[361].
Die Rabbinen haben keine Theorie eines verborgenen oder höheren Schriftsinns entwickelt, was ein Blick auf einen mehrfach variierten Leitsatz bestätigen kann: „Wie ein Hammer Felsen zersplittert und Funken

---

[357] Diesem Bestreben, „die Bibel als Ganzes am einzelnen Punkte zur Geltung zu bringen" (*I. Heinemann*, Altjüdische Allegoristik 81), kommen die hermeneutischen Regeln Hillels entgegen. Man denke an den Analogieschluß oder an das „Gründen einer Familie", wo jeweils die Auslegung einer Stelle von anderen, aus irgendeinem Grund vergleichbaren Stellen her beeinflußt wird.

[358] Vgl. die Auslegung von Dan 8,4–7 in SNum 19,9: der Widder ist Akiba, der Ziegenbock Jose der Galiläer (Deutung von R. Tarphon, um 110 n. Chr.).

[359] Vgl. die Auslegung von Koh 12,11 durch Eleazar ben Azarja (um 100 n. Chr.) bHag 3b. Hierher gehört natürlich auch die schon besprochene Pitra-Exegese. Vgl. ferner Bill. III, 393f., und das dreifache τοῦτ' ἔστιν Röm 10,6–8, mit dessen Hilfe Paulus Dtn 30,12–14 christologisch auslegt.

[360] *J. Jeremias*, Jerusalem 270–273; Abendmahlsworte 119–122, überschätzt die Verbreitung esoterischer Tradition im 1. Jh. n. Chr. erheblich. Sein Gesamtbild beruht auf einer Kombination ganz disparater Elemente. *G. A. Wewers*, Geheimnis 207ff., läßt vermuten, daß die Esoterik im breiteren Umfang nach der Zerstörung Jerusalems einsetzte.

[361] *G. Scholem*, Mystik 49. Das jüdische Mittelalter kennt einen vierfachen Schriftsinn, dessen Regeln im 13. Jh. n. Chr. ausformuliert wurden. Sie sind zusammengefaßt in dem Merkwort PaRDeS. P steht für פשט = wörtlicher Sinn, R für רמז = versteckte allegorische Anspielung, D für דרוש = homiletisch-moralische Anwendung, S für סוד = mystischer Sinn, vgl. *W. Bacher*, „Merkwort" 294–305. Aspekte der Allegorese jüdischer Religionsphilosophen bei *I. Heinemann*, „Allegoristik des MA" 611–643.

sprühen läßt, so zerfällt ein Schriftvers in viele Deutungen."[362] Hier wird
nicht in unergründliche Tiefen gegraben oder auf Eingebung von oben
gewartet. Vielmehr wird versucht, mit Hilfe eines geeigneten Instrumen-
tariums dem vorgegebenen Wort die ganze Fülle seines Sinns abzugewin-
nen, der von Anfang an in ihm beschlossen liegt, mit all seinen überraschenden Aspekten und Momenten.

bb) Gleichnisse[363]

Über die Verbreitung der Gleichnisse in der rabbinischen Literatur
braucht kaum ein Wort verloren zu werden. Sie sind, wenn auch noch
spärlich, schon für die erste tannaitische Generation belegt.[364] In struk-
tureller und funktionaler Hinsicht weisen sie eine große Konstanz auf,
was die Bedeutung der Datierungsfrage, auf die natürlich nicht verzichtet
werden kann, doch etwas relativiert. Eine hermeneutische Reflexion auf
den Stellenwert der Gleichnisse ist mit den Namen von Tradenten aus
dem 3. Jh. n. Chr. verbunden. Nach ihnen ist das Gleichnis ein Henkel,
der den Korb der Torah „griffig" macht, ein Ariadnefaden, mit dessen
Hilfe man sich im Labyrinth der Schrift zurechtfinden kann, oder ein
billiger Docht, in dessen Schein man eine kostbare Perle (d. h. das rechte
Torahverständnis) wiederfindet.[365] Innerhalb der umfassenden kom-
mentierenden Beschäftigung mit der Torah kommt den Gleichnissen die
spezielle Aufgabe des Illustrierens und Verdeutlichens zu.[366]
An Stelle einer ausgedehnten Untersuchung, die in unserem Zusammenhang weder möglich noch nötig ist, sei hier ein Beispiel etwas ausführ-
licher diskutiert. Wir wählen dazu einen Text aus SNum und ziehen für
seine Erläuterung weitere Stellen aus dem gleichen Midrasch heran. Hier
zunächst Wortlaut und Kontext der beiden anonym überlieferten Gleichnisse[367]:

[362] Vgl. Jer 23,29. Verschiedene Fassungen und Belege bei Bill. III, 39.
[363] Neben den schon besprochenen Arbeiten von P. Fiebig (hinzuzunehmen wäre noch P.
Fiebig, Rabbinische Gleichnisse, eine kleine Textsammlung) seien aus der Literatur
genannt: R. Pautrel, „Canons" 5–45; A. Sulzbach, „Maschal" 337–348; J. B. Bauer,
„Gleichnisse" 297–307; J. Petuchowski, „Significance" 76–86. Eine ziemlich zufällige Auswahl von Belegstellen bei M. Goulder, Midrash 66–69, und bei Bill. IV, 1232f. Wenig
ergiebig ist M. Gaster, Exempla.
[364] Die älteste Schicht hat T. Guttmann, Mašal 7–9, zusammengestellt.
[365] Belege bei Bill. I, 653f. Der Vergleich der Schriftauslegung mit einer Perle hat manche
Autoren veranlaßt, den Namen der Dorsche Hamurot von חמר = Perle abzuleiten.
[366] Wieso C. Barry, „Artistic Beauty" 376, von den Rabbinen sagen kann: „With them the
tradition was strong to introduce an element of obscurity and mystery into their parables", bleibt mir unerfindlich.
[367] SNum 10,35 (§ 84); Text bei H. S. Horovitz, SNum 80,17–22; übersetzt nach K. G. Kuhn,
SNum 221. Von den im folgenden herangezogenen Gleichnissen aus SNum sind 5 mit

Ein Schriftwort sagt: „Nach dem Befehl des Herrn lagerten sie und nach dem Befehl des Herrn brachen sie auf" (Num 9,20) und ein anderes Schriftwort sagt, nach dem Befehl des Moses seien sie aufgebrochen (Num 10,35). Wie können diese beiden Schriftworte aufrecht erhalten werden? Ein Gleichnis mit einem KÖNIG von Fleisch und Blut, der zu seinem KNECHT sagt: „Bitte, sei so gut und mahne mich daran aufzustehen, weil ich gehen will, um meinem SOHN ein Erbteil zu geben." – Ein anderer Ausspruch: Wem gleicht die Sache? Einem KÖNIG von Fleisch und Blut, der sich auf einer Reise befindet und dessen FREUND mit ihm zieht. Wenn er aufbrechen will, sagt er: „Ich breche nur auf, wenn mein FREUND dabei ist", und wenn er lagern will, sagt er: „Ich lagere nur, wenn mein FREUND dabei ist." – Es ergibt sich, daß sich aufrechterhalten läßt sowohl: nach dem Befehl des Moses lagerten sie, als auch: nach dem Befehl des Herrn lagerten sie, und sowohl: nach dem Befehl des Moses brachen sie auf, als auch: nach dem Befehl des Herrn brachen sie auf.

Die beiden Gleichnisse dienen der Lösung eines exegetischen Problems. Es geht darum, zwei scheinbar widersprüchliche Schriftstellen zu harmonisieren. Dazu wird der Nachweis geführt, daß es im Grunde gleichgültig ist, wer den Aufbruch befiehlt, Gott oder Moses, da Gott nicht ohne Moses handelt und Moses nur die Pläne Gottes ausführt. Diese prosaische Antwort wird nicht direkt gegeben, sie ist in den Gleichnissen enthalten.

Die Beziehung zwischen Gleichnis und Schriftwort wird durch drei Metaphern hergestellt, die einen biblischen Hintergrund haben. Die Bezeichnung Gottes als König ist aus der atl Vorstellung von der Herrschaft Gottes abgeleitet. Für die Gleichsetzung Israels mit dem Sohn genügt der Hinweis auf Hos 11,1. Moses als Knecht begegnet u. a. Num 12,8. Die gleiche Metaphernkombination findet sich im Schlußgleichnis SNum 35,34, wo es um das Wohnen Gottes inmitten seines Volkes geht: „Der KÖNIG sagt zu seinem KNECHT: Wenn du mich suchst, ich bin bei meinem SOHN." Von da aus ergeben sich weitere metaphorische Bezüge. Das Erbteil im ersten Gleichnis ist das gelobte Land, die Reise im zweiten Gleichnis ist Israels Zug durch die Wüste.[368] Zwischen dem Gleichnis und dem angezielten Sachverhalt besteht eine bis ins Detail gehende Kongruenz.

Daß Moses im zweiten Gleichnis nicht mehr als Knecht, sondern als Freund bezeichnet wird (was sich leicht aus der Vorrangstellung erklärt,

---

dem Namen des R. Schimon ben Jochai (um 150 n. Chr.) verbunden, 2 mit dem Namen Rabs (vor 247 n. Chr.), die übrigen sind anonym.

[368] So auch der Vergleich *e contrario* SNum 10,33. Vom Erbteil handeln noch die Gleichnisse SNum 18,20 und 26,53.

die Moses im Vergleich zu allen anderen Knechten des Herrn einnimmt), läßt auf eine gewisse Variabilität der Metaphorik schließen. Während die Identifizierung Gottes mit einem König in fast allen Gleichnissen aus SNum vorkommt[369], übernimmt Israel, das bevorzugt als Sohn geschildert wird[370], auch die Rolle eines Sklaven (SNum 15,41), einer untreuen Gattin (SNum 25,1b) und einer rebellischen Stadt (SNum 25,1c). Moses ist nicht nur der Knecht oder Freund des Königs, sondern auch sein Statthalter (SNum 12,8) oder gar sein Sohn, der aber nicht ins Innere des Palastes, d. h. ins gelobte Land, eintreten darf (SNum 27,12). Die stereotype Einleitung „Ein König von Fleisch und Blut" (מלך בשר ודם) mag dazu dienen, der Bildhälfte ein gewisses Eigengewicht zu geben, indem sie durch ein linguistisches Signal in die Alltagswelt verlegt wird. Doch bleibt die erzählerische Selbständigkeit beider Gleichnisse gering. Allzu deutlich ist der rudimentäre narrative Ablauf vom zugrunde liegenden Schrifttext diktiert. Nicht nur die Rollenverteilung ist außengesteuert, sondern auch die erzählerische Konstellation. Isoliert man die Gleichnisse von ihrem Kontext, werden sie zwar nicht völlig unverständlich, aber es ist so gut wie keine Pointe mehr zu erkennen. Die Kenntnis besonderer Realien ist hingegen für ihr Verständnis nicht erforderlich.

Nimmt man einige Begriffe strukturaler Erzählforschung zur Hilfe, kann man sagen, daß die beiden Gleichnisse keine selbständige narrative Basis besitzen, wohl aber eine gemeinsame paradigmatische Basis, die sie mit den meisten Gleichnissen in SNum teilen. Sie wird von drei Größen (Aktanten) gebildet, die dem Schrifttext entnommen sind: Gott, Moses und Israel. Ihre jeweilige Zuordnung in der kommentierten Stelle ist als Tiefenstruktur anzusehen, die im Oberflächentext (dem Gleichnis) abgebildet wird. Dabei kommen Akteure zum Einsatz, die einem festen, ziemlich begrenzten metaphorischen Repertoire entstammen.

Zieht man andere Texte aus SNum heran, werden diese Beobachtungen etwas modifiziert. An einigen Stellen tritt die feste Metaphorik zurück, es dominiert der freie Vergleich.[371] Vereinzelt treten Personen auf, die in der Sachhälfte keine detaillierte Entsprechung haben und die der Ausmalung des Bildes dienen, so der Pädagoge, der den Königssohn erzieht (SNum 11,5; 12,10) und der Feldherr, der die aufrührerische Stadt belagert (SNum 25,1c). Das Gleichnis vom römischen Centurio (SNum 25,1a) setzt eine genaue Kenntnis der Offizierslaufbahn im römischen

---

[369] Vgl. noch SNum 11,1; 18,8. Eine Ausnahme macht SNum 11,15.

[370] SNum 11,2.5.9; 12,10. Stark abweichend ist hier SNum 31,2.

[371] Hierher gehört z. B. das Gleichnis von den beiden Frauen SNum 27,14. Vgl. auch SNum 28,2: Moses empfiehlt dem Herrn das Volk, wie die Frau eines Königs in der Sterbestunde ihrem Gatten die Kinder anbefiehlt.

Heer voraus. Es bringt in stärkerem Maße den sozio-ökonomischen Kontext ins Spiel, dessen Kenntnis für das Verstehen von Gleichnissen manchmal unentbehrlich ist.[372] Weiten wir den Blick über SNum hinaus aus, werden wir schnell feststellen, daß rabbinische Gleichnisse nicht ausschließlich im Dienst der Exegese stehen, sondern auch der Polemik und der Paränese dienen können.[373] Es steht schließlich auch nicht zu erwarten, daß sich ein so großes Korpus an Texten ohne weiteres auf den gleichen Nenner bringen läßt. Doch dominieren eindeutig die am AT orientierten Gleichnisse der besprochenen Art.

An Folgerungen halten wir fest: (a) Gleichnisse dieser Art sind in ihrem Informationswert redundant. Sie sagen inhaltlich nichts neues, weil sie nur wiederholen, was an der Basis vorgegeben ist. (b) Das heißt nicht, daß sie im Grunde wertlos seien. Narrative Oberflächentexte haben ihren eigenen Reiz. Durch Neuarrangement können sie je nach Anlage vorgegebene Strukturen in verfremdender oder vertraut machender Weise zum Ausdruck bringen. (c) Obwohl die Gleichnisse referential auf Schriftstellen bezogen sind, bleiben sie formal streng davon geschieden. Der Schrifttext wird nie in Zitatform in das Gleichnis selbst eingebaut. Er geht voraus oder er folgt, deutlich abgesetzt.[374]

In die herkömmlichen Kategorien der Gleichnisforschung ist der besprochene Gleichnistyp nur schwer einzuordnen. Mit der allgemeinen Idee Jülichers, der Urteilsübertragung Bultmanns oder der ästhetischen Autonomie Vias läßt sich hier nichts anfangen. Erklärt man punktuelle Identifizierbarkeit und referentialen Außenbezug zu Merkmalen der Allegorie, muß man unsere Gleichnisse sicher allegorisch nennen, aber im Sinne der rhetorischen Allegorie, nicht der exegetischen Allegorese, obwohl sie andererseits im Dienst der Exegese stehen. A. Feldman hat seinerzeit von einer „metaphor-expansion" gesprochen, was soviel besagt wie exegetische Erweiterung vorhandener biblischer Metaphern zu neuen parabolischen Texten.[375] Auch der Begriff „creative exegesis", den A. Wright

---

[372] Vgl. die Bemerkungen von *K. G. Kuhn*, SNum 504f., Anm. 14. Insofern bleibt auch die archäologische Rückfrage nach den Realien, wie sie z. B. *I. Ziegler*, Königsgleichnisse, durchführt, für die Exegese bedeutsam. Es muß ihr nur der richtige Stellenwert zugewiesen werden.

[373] In diesem Zusammenhang erfreut sich die Tier- und Pflanzenfabel großer Beliebtheit, die sich auf Grund ihrer argumentativen Struktur besonders für Streitgespräche und Mahnreden eignet, vgl. bBer 61b; bSanh 38b–39a; *R. A. Stewart*, „Parable" 135–137.

[374] Das gilt anscheinend für die gesamte rabbinische Literatur, vgl. *M. P. Miller*, Scripture 36. Es könnte ein Differenzierungskriterium zu synoptischen Gleichnissen abgeben, wo Schriftzitate bekanntlich in die Erzählung integriert sein können.

[375] *A. Feldman*, Parables 9, vgl. ebd. 7: „A considerable number of Midrashic similes are formed by the expansion of compressed Biblical metaphors." Feldmans Buch gehört zum Lesenswertesten, was über rabbinische Gleichnisse geschrieben worden ist.

für den Midrasch verwendet[376], erscheint bedenkenswert. Jedenfalls sehen wir uns mit Beobachtungen konfrontiert, die komplexer und vielschichtiger sind, als gängige Behandlungen rabbinischer Gleichnisse vermuten lassen.

cc) Targume

Targume sind für den liturgischen Gebrauch bestimmte paraphrastische Übersetzungen des AT ins Aramäische, die beim Synagogengottesdienst im Anschluß an die Verlesung des Bibeltextes mündlich vorgetragen wurden (schriftliche Fixierungen waren zunächst für den privaten Gebrauch bestimmt).[377] Die Bedeutung der Targume für das Verständnis des NT ist in den letzten beiden Jahrzehnten zunehmend ins Blickfeld gerückt. Der traditionelle Spätansatz, der in den Standardwerken von Moore[378], Schürer und Billerbeck sein Echo findet, hat einer differenzierteren Betrachtungsweise Platz gemacht. A. Diez Macho z. B. vertritt mit Bestimmtheit für den Grundbestand des palästinensischen Targums eine Datierung ins 1. Jh. v. Chr.[379] Im folgenden werden einige Beobachtungen zum Umgang des Targums mit der Bildersprache des AT zusammengestellt. Datierungsfragen sind wiederum nicht von entscheidender Bedeutung, da es nicht um den Nachweis inhaltlicher Abhängigkeit geht, sondern um bestimmte strukturelle Züge, die große Konstanz aufweisen. Wir wenden uns zunächst der Abschiedsrede des Jakob Gen 49 zu, die voll ist von metaphorischen Bildern und Anspielungen. Sie werden im Targum Neofiti in dreifacher Weise entfaltet.[380] Knappe Vergleiche werden ausgeweitet und mit einer Einleitungsformel versehen (1). In den Weissagungen Jakobs entdeckt man die vergangene Geschichte der Jakobssöhne (2) und Elemente der künftigen Geschichte Israels (3). Dazu einige Beispiele.
(1) Die Aussage der MS über Ruben (Gen 49,4: „Du walltest über wie Wasser") liest sich im Targum so: „Ich will dich vergleichen (מרמי) mit einem kleinen Garten, in den ausufernde Wasserströme eingebrochen sind, die du nicht ertragen konntest." Das Aufwallen der übermächtigen

---

[376] A. G. Wright, Midrash 69.
[377] Vgl. A. Díez Macho, „Le Targum" 169–174; M. McNamara, Targum 38–41; D. Patte, Hermeneutic 49–81; M. P. Miller, „Targum" 29–36.
[378] G. F. Moore, Judaism I, 175f. („erroneous notion that they antedated the Christian era").
[379] A. Díez Macho, El Targum 74–95.
[380] Text bei A. Díez Macho, TgN I, 327–339. Parallelen aus TgJ bei J. Bowker, Targum 277–281.

Leidenschaft Rubens wird zu einem regelrechten Gleichnis ausgebaut.[381]
Das zeigt schon die Einleitung mit דמה, das zum festen Bestand der
Eröffnungsformel in rabbinischen Gleichnissen gehört (vgl. nur SNum
11,15). Ähnlich heißt es TgN Gen 49,9: „Ich vergleiche dich mit einem
Löwenjungen ..." (MS: „ein junger Löwe ist Juda"). Von besonderem
Interesse ist im Blick auf die synoptischen Naturgleichnisse die Targumfassung von Gen 49,22: „Ich vergleiche dich, Josef, mit einem Weinstock,
an Wasserquellen gepflanzt, der seine Wurzeln in die Erde sendet ... und
seine Zweige hoch empor, so daß er alle Bäume überschattet." Man kann
im Blick auf diese Eigentümlichkeit des Targums gleichfalls vom Prinzip
der metaphorischen Erweiterung sprechen.

(2) Die Anspielung auf die Gewalttätigkeit Simons und Levis verdeutlicht der Targum, indem er „ihre Versammlung" (Gen 49,6) konkretisiert zu „Versammlungen gegen die Festung von Sichem". In den Spruch
über Juda Gen 49,9 wird die Tamar-Episode eingetragen. Die Pfeilschützen, die Josef bedrohen (Gen 49,23), sind Männer, die ihn beim Pharao
verleumden, wie überhaupt der Targum in den Sprüchen über Josef einen
kleinen Abriß der ganzen Josefsgeschichte unterbringt. Naftali, nach Gen
49,21 „eine flüchtige Hindin, von ihm kommen liebliche Reden", ist im
Targum z. St. der Bote, der die frohe Nachricht überbringt
(בשר בשורן טבן), d. h., er meldet Jakob, das Josef lebt.[382]

(3) Aus dem Satz „Er (Gad) drängt ihnen nach" (Gen 49,19b) schließt
der Targum, der Stamm Gad habe eine besondere Rolle bei der Eroberung des Landes zu spielen. Issachar, der „fronende Knecht" (MS),
beugt seinen Rücken „für das Studium des Gesetzes" (TgN Gen 49,15).
In Benjamins Gebiet wird das Heiligtum errichtet (TgN Gen 49,27). Die
Beute, die Benjamin morgens erjagt und abends verteilt, deutet der Targum auf das Lammopfer der Priester am Morgen und am Abend. In Gen
49,10–12 verdeutlicht der Targum den möglichen messianischen Bezug,
indem er den Namen des Messiaskönigs ausdrücklich nennt.

Im Targum ist also die Tendenz zu beobachten, Metaphern und Bilder
des hebräischen Textes zu erweitern und zu interpretieren.[383] Den
Bezugsrahmen gibt die vergangene und künftige Geschichte ab. In der
Übersetzung ist die Deutung mit der Vorlage zu einem neuen, untrennbaren Ganzen verbunden.

---

[381] Vgl. *G. Hauptmann*, Der Ketzer von Soana 182: „‚Ich war ein sorgsam angebautes kleines
Gärtchen zu deiner Ehre‘, sagte Francesco zu Gott. ‚Nun ist es in einer Sintflut ertrunken‘."

[382] In TgN Gen 49,17: הוא שמשון (Dan ist Samson) beachte man die Verwendung des
identifizierenden Pronomens.

[383] Diese Beobachtung läßt sich auch an prophetischen Texten verifizieren. *S. H. Levey*,
Messiah 94, bemerkt zu Hab 3,13, der Vers sei „interpreted by the Targumist as allegory
reflecting the early history of Israel". Einige weitere Beispiele ebd. 78–81.90f.

Diese Verschmelzung von Deutung und Vorlage ist im Traditionsprozeß des AT eine Selbstverständlichkeit. Vor allem in der Spätphase des AT begegnet ein enges Ineinander von literarischem Wachstum und beginnender Interpretation, dem erst die abschließende Kanonisierung ein Ende setzt.[384] Die besondere Übersetzungssituation bringt es mit sich, daß im Targum der festgeschriebene atl Text gleichsam verflüssigt und aktualisierender Umdeutung erneut zugänglich wird.[385] Sofern es sich bei der Vorlage um bildhafte Texte handelt, kann man dieses Vorgehen als Allegorisierung bezeichnen.

Einen Sonderfall stellt die Targumversion einer atl Fabel dar. Im Targum zu den Hagiographen wird die Joasfabel 2 Chron 25,18 folgendermaßen wiedergegeben[386]:

> Und es sandte Joas, König von Israel, zu Amazja, König des Hauses Juda, und ließ sagen: Der Dornbusch des Libanon sandte zur Zeder des Libanon und ließ sagen: Gib deine Tochter meinem Sohn zur Frau. Es kam Wildgetier vom Libanon und zertrat den Dornbusch. *So hast du getan, indem du gegen mich gesandt hast und 100000 bewaffnete Männer vom Haus Israel angeheuert hast für 100 Zentner Silber und danach hast du sie weggeschickt, ohne sie mit dir in die Schlacht zu nehmen. Und sie waren sehr zornig, als du sie wegschicktest, und sie sind in das Land deines Königtums eingedrungen und haben 3000 Männer getötet und geplündert und große Beute gemacht.*

Der Fabel ist eine ausführliche Deutung beigegeben, die das 2 Chron 25,6–13 Gesagte kurz wiederholt. Sie wird so mit der historischen Situation in detaillierte Entsprechung gebracht. Zwar wird die Deutung nicht vom Text abgesetzt, sondern Joas selbst in den Mund gelegt. Doch dringen andererseits keine deutenden Züge in die Fabel selbst ein, sie bleibt als selbständige Einheit erhalten. Wir haben es mit einem nachträglichen allegorischen Kommentar zu tun, der seine Anknüpfungspunkte aus dem literarischen Kontext der Fabel bezieht.[387]

---

[384] *J. Seeligmann*, „Midraschexegese" 151, spricht davon, „dass die Anfänge des Interpretierens hinaufreichen bis in das Werden der biblischen Texte selber".

[385] Insofern gleicht die Technik des Targum dem Vorgehen des erzählenden Midrasch, der das AT in freier Paraphrase auslegt und erweitert, während im exegetischen und homiletischen Midrasch Text und Kommentar säuberlich geschieden bleiben. Vgl. zum Midrasch u. a. *R. Bloch*, DBS V, 1263–1281; *G. Vermes*, Studies 59–91. Doch bleibt beim Targum die Aufgabe des Übersetzens vorherrschend.

[386] Text bei *A. Sperber*, Bible IV A, 55, und bei *R. Le Déaut – J. Robert*, Tg Chron II, 137 (mit geringfügigen Abweichungen). Eigene Übersetzung.

[387] *R. Le Déaut*, „Phénomène" 512, durch den ich auf dieses Beispiel aufmerksam wurde, schlägt von hier aus eine Brücke zur Auslegung der Sämannsparabel.

Kapitel VII

DIE FRÜHCHRISTLICHE LITERATUR

Im ntl Schrifttum begegnet der Wortstamm ἀλληγοϱ- nur ein einziges Mal, nämlich Gal 4,24. Wir werden uns mit dieser Stelle näher befassen müssen. Sachliche Nähe zur Allegorese oder Auseinandersetzung mit der Allegorieproblematik kann auch dort gegeben sein, wo das Wort selbst fehlt. In der nichtpaulinischen Briefliteratur ist das gelegentlich der Fall, wie kurz zu zeigen ist. Die Gleichnisallegorik bleibt zunächst außer Betracht. In nachapostolischer Zeit setzen Rezeption und Weiterentwicklung der allegorischen Methode auf breiter Basis ein. Diese Entwicklung auch nur ansatzweise nachzuzeichnen, liegt außerhalb des Interessenkreises dieser Arbeit. Ich greife in Form eines Ausblicks lediglich einige Punkte heraus, die geeignet scheinen, das Problem der Gleichnisallegorik näher zu beleuchten.

§ 17: ἀλληγοϱέω im Galaterbrief

a) Zur Exegese von Gal 4,21–31[388]

In Gal 4,21–31 greift Paulus das Thema der Abrahamskindschaft wieder auf, das den Gedankengang von Gal 3,6–4,7 beherrscht hat. Paulus belegt seine These, daß die nicht ans Gesetz gebundenen Glaubenden die wahren Söhne Abrahams sind, zunächst aus der Schrift, dann aus einem Erfahrungssatz des täglichen Lebens. Die Einleitungsformel κατὰ ἄνθϱωπον λέγω Gal 3,15a (vgl. Röm 3,5), für die es rabbinische Äquivalente gibt, markiert den Übergang vom Schriftbeweis zum *argumentum ad hominem*.[389] Gal 3,16 wertet Paulus die Beobachtung aus, daß vom σπέϱμα Abrahams Gen 17,7; 22,18 u. ö. immer im (generischen) Singular die Rede ist, nie im Plural.[390] Eine ähnliche Sensibilität für Numerus, Kasus und andere sprachliche Details zeichnet auch die rabbinische und philonische Allegorese aus. Paulus bedient sich hier zudem der allegorischen Identifikationsformel ὅς ἐστιν Χϱιστός.

---

[388] Vgl. neben den Kommentaren von *H. Schlier, A. Oepke* und *F. Mußner* noch *J. Eckert,* Verkündigung 73–99; *C. K. Barrett,* „Allegory" 1–16.

[389] Das hat gegen Bill. III, 136–139, und über *D. Daube,* Judaism 394–400, hinaus *C. J. Bjerkelund,* „Funktion" 90–93, nachgewiesen.

[390] Vgl. dazu *D. Daube,* Judaism 438–444.

In Gal 4,1 setzt Paulus zu einem Gleichnis an, das thematisch mit einer Reihe von rabbinischen Gleichnissen verwandt ist, die vom Erben oder Königssohn handeln, der als Unmündiger einem Pädagogen übergeben ist.[391] Nach Paulus ist sein sklavenähnliches Dasein dem Zustand der Galater vergleichbar, ehe sie durch den Sohn Gottes (4,4) und seinen Geist (4,6) zu wahren Kindern Gottes wurden. Damit sind Gal 3,6–4,7 wesentliche Begriffe angeklungen, die 4,21–31 wiederbegegnen: Bund, Gesetz, Verheißung (3,16.21), Kindschaft, Sklaverei. Neu ist die Betonung der Freiheit (4,22.23.26.30.31), die nur in 2,4 angesprochen war. Die große Ratlosigkeit des Apostels, mit der der Zwischenabschnitt endet (4,20b: ἀπορούμαι ἐν ὑμῖν), ist ihm Anlaß für den erneuten Anlauf.[392] Paulus nimmt die Galater beim Wort. Wenn sie schon bereit sind, das ganze Gesetz zu halten, sollen sie auch darauf hören, was das Gesetz wirklich sagt. Er führt die Episode von Hagar, Sara und ihren beiden Söhnen an, die er über den biblischen Text hinaus durchgehend antithetisch strukturiert. Es ergeben sich folgende Gegensatzpaare:

V. 22:	ἐκ τῆς παιδίσκης	vs	ἐκ τῆς ἐλευθερίας
V. 23:	κατὰ σάρκα	vs	διὰ τῆς ἐπαγγελίας
V. 24:	Ἁγάρ	vs	–––
V. 28:	–––	vs	Ἰσαάκ
V. 29:	κατὰ σάρκα	vs	κατὰ πνεῦμα[393]
V. 30:	υἱὸς τῆς παιδίσκης	vs	υἱὸς τῆς ἐλευθέρας

Die Namen von Sara und Ismael sind nicht genannt. Auffällig ist die Inklusion, die durch die Korrespondenz von V. 22 mit V. 30 und V. 23 mit V. 29 zustande kommt. Die paulinische Paraphrase ist zielgerichtet. Die Gegenüberstellung von σάρξ und πνεῦμα, von Magd und Freier wird transparent für die Situation in der galatischen Gemeinde.
Der Situationsbezug wird auf zwei weiteren Argumentationsebenen theoretisch und praktisch entfaltet, theoretisch in der Allegorese 4,24–27, die sprachlich kenntlich gemacht ist durch das formelhafte αὗταί εἰσιν und ἥτις ἐστίν in V. 24.26, praktisch durch den direkten Zuspruch der VV. 28–31, deren imperativischer Charakter in dem ὑμεῖς ἐστε V. 28 zum Ausdruck kommt. Die Allegorese besteht aus zwei antithetischen Reihen allegorischer Gleichungen, die z. T. parallel laufen, z. T. signifikante Leerstellen aufweisen. Es ergibt sich folgendes Bild:

[391] Vgl. z. B. SNum 12,10. Zahlreiche Belege bei *I. Ziegler*, Königsgleichnisse 419–430. Für Paulus steht Gal 3,24 im Hintergrund: das Gesetz ist παιδαγωγός auf Christus hin.
[392] So richtig *F. Mußner*, Gal 316f., während *A. Oepke*, Gal 147, meint: „Der folgende mühsam wieder von vorn anfangende Schriftbeweis ... ist dem Apostel wohl erst nachträglich eingefallen."
[393] Trotz dieser Formulierung wird hier nicht an das Theologoumenon von der Jungfrauengeburt zu denken sein, gegen *M. Dibelius*, „Jungfrauensohn" 27–30. Vgl. die Kritik bei *O.*

	Hagar	vs		Sara
=	διαθήκη ἀπὸ ὄρους Σινά	vs	=	???
=	ἡ νῦν Ἰερουσαλήμ	vs	=	ἡ ἄνω Ἰερουσαλήμ³⁹⁴
=	δουλεία	vs	=	ἐλευθερία
=	???	vs	=	μήτηρ ἡμῶν

Paulus sagt nicht, was dem Sinaibund positiv entspricht, obwohl er 2 Kor
3,6.14 als erster von der καινή und der παλαιὰ διαθήκη redet. Offensichtlich kann er diese Alternative hier nicht brauchen. Der Sinaibund ist
mit dem Alten Bund nicht einfach identisch, da er erst lange nach dem
Bundesschluß mit Abraham zustande kam (Gal 3,17). Ebenso wird das
Pendant zu μήτηρ ἡμῶν nicht genannt. Die Logik der Allegorese würde
es nahelegen, Hagar als Mutter des Volkes Israel, bzw. der nichtchristli-
chen Juden zu verstehen, wie es manche Ausleger tun.[395] Paulus scheint
diese Konsequenz gerade vermeiden zu wollen. Das jüdische Volk von
Hagar, der Ägypterin[396] abstammen zu lassen, wäre in der Tat eine
Neufassung der Geschichte Israels, die sich mit Röm 9–11 schwer verträgt.
Außerdem kommt man mit der praktischen Anwendung in 4,28–31 dann
in Schwierigkeiten. Daß Ismael den Isaak verfolgt – ein Motiv, das aus
targumischer und rabbinischer Tradition bekannt ist[397] –, wäre dann auf
die Verfolgung von Christen durch Juden zu deuten, was nicht der Fall
ist. Das Zitat aus Gen 21,10 in 4,30 („Vertreibe die Magd mit ihrem
Sohn") käme der Aufforderung zu einem Pogrom gleich. In Wirklichkeit

---

Michel – O. Betz, „Von Gott gezeugt" 18. Philo, Cher 40–51, ist für das Verständnis der
paulinischen Allegorese nicht heranzuziehen, da sein schon referierter Umgang mit der
Hagar-Sara-Episode offensichtlich keine Spuren bei Paulus hinterlassen hat.

[394] Ein Topos der apokalyptischen Literatur, vgl. Jub 4,26; syrBar 4,1–6; Offb 3,12; 21,2.10.
A. Oepke, Gal 151, vermutet „eindringenden Platonismus", der „für religiös wertvolle
Objekte ein himmlisches Urbild" annimmt.

[395] Z. B. A. T. Hanson, Studies 94f.

[396] Vgl. TgPsJ Gen 16,1; Bill. III, 573. Diese Tradition steht vielleicht im Hintergrund von
V. 25a, der notorisch schwierig ist. Textkritisch (durch Eliminierung des gutbezeugten
Ἀγάρ) dürfte dem Problem nicht beizukommen sein. Eine Kenntnis komplizierter geo-
graphischer Verhältnisse, wie sie H. Gese, „Ἀγάρ" 91–93, darlegt, konnte Paulus bei
seinen Adressaten kaum voraussetzen. Ein Rekurs auf arabische Etymologie scheint
nicht weniger weit hergeholt. Am ansprechendsten ist die Vermutung von J. Doeve, Hermeneutics 110: Paulus bedient sich einer Buchstabenvertauschung. Statt הגר liest er
ההר = der Berg (ähnlich F. Ogara, „Per allegoriam" 71, Anm. 1). Der Berg schlechthin
aber ist der Offenbarungsberg. Die Funktion des Verses dürfte klar sein. Er soll die
Verbindung zwischen Hagar und dem Sinaibund absichern, die ja alles andere als
selbstverständlich ist.

[397] Bill. III, 575f.; R. Le Déaut, „Traditions" 37–43.

geht es Paulus um eine nachdrückliche Ermahnung, die Galater sollten sich von den τινές (1,7), gegen deren verderblichen Einfluß der ganze Brief gerichtet ist, deutlich distanzieren. Für das Verständnis der paulinischen Allegorese ist die Berücksichtigung der gegnerischen Front unerläßlich. Sie vermag auch eine historische Begründung dafür zu liefern, warum Paulus hier und nur hier das Verb ἀλληγορέω verwendet.[398]

b) Die Gegner des Paulus im Galaterbrief

Eine Beschreibung der Gegner des Paulus besitzen wir nicht, wir müssen ihren Standpunkt aus seinen Aussagen erschließen. Vorrangig sind dafür die Informationen, die der Galaterbrief selbst bereitstellt. Erst in zweiter Linie sind religionsgeschichtliche Konjekturen zur Hilfe zu nehmen. Andere paulinische Briefe wird man nur mit großer Vorsicht heranziehen dürfen.[399] Daß es sich in allen Briefen um die gleiche Front handelt, wie W. Schmithals will[400], geben die Texte nicht her.

Berücksichtigt man diese Prämissen, ergibt sich folgendes Bild. Die Gegner verlangen von den christlichen Galatern vor allen Dingen die Beschneidung, wie aus Gal 5,2f.11; 6,12 hervorgeht sowie aus Gal 5,12, wo Paulus in einer für jüdische Ohren blasphemischen Weise das Bundeszeichen der Beschneidung mit der sakralen Selbstentmannung kleinasiatischer Kulte in Verbindung bringt. Wiewohl selbst Christen (1,7), rühmen sie sich ihrer jüdischen Abstammung. Deshalb betont Paulus seinen früheren untadligen Wandel im Judentum (1,13f.). Ferner behaupten sie, Paulus sei kein wirklicher Apostel (1,1), weil er sein Evangelium von den Altaposteln empfangen habe (1,11f.), und sie werfen ihm vor, er interpretiere den Kompromiß hinsichtlich der Heidenchristen auf dem Apostelkonzil völlig falsch. Darum ist Paulus so sehr bemüht, sein Verhältnis zu den Jerusalemer Autoritäten klarzustellen. Nach dem bisher Gesagten erscheint die traditionelle These, nach der es sich bei den Gegnern um gesetzestreue Judenchristen handelt, die wahrscheinlich mit Jerusalem in Verbindung standen, durchaus begründet. Man kann vermuten, daß Paulus sie zu den Falschbrüdern zählt (2,4), zum rechtsradi-

---

[398] Vgl. *D. Lührmann*, Offenbarungsverständnis 67, Anm. 2.

[399] So mit Recht *J. Eckert*, Verkündigung 29f., dem diese methodischen Leitsätze entnommen sind. *U. Borse*, Standort 144–174, nimmt 2 Kor für das Verständnis der Gegner im Gal zur Hilfe.

[400] *W. Schmithals*, „Häretiker" 43f. *J. J. Gunther*, Opponents 314–317, konstruiert eine einheitliche Front, die er im sektiererischen Judentum (Qumran) beheimatet sieht. Vgl. zur Forschungsgeschichte *J. B. Tyson*, „Opponents" 241f.; *R. Jewett*, „Agitators" 198–200; *F. Mußner*, Gal 11–29.

kalen Flügel der Jerusalemer Urgemeinde also, der das Ergebnis des Apostelkonzils ganz anders als Paulus verstand.[401] Stellen wie 5,3 oder 6,13 widersprechen dem nicht. 5,3 braucht nicht mehr zu besagen, als daß die Judaisten sich zunächst mit der Beschneidung zufrieden gaben, in der Hoffnung, die Beachtung des ganzen Gesetzes werde sich im zweiten Schritt schon erreichen lassen. 6,13 ist ein paulinisches Theologoumenon, das nicht die tatsächliche Gesetzesobservanz im Auge hat, sondern das generelle Unvermögen des Menschen, das Gesetz zu halten (Röm 2,17–29). Aussagen, die man auf libertinistische Neigungen beziehen könnte (5,1.19–21; 6,1), dürften ausnahmslos die galatischen Gemeinden als Ganze im Blick haben. Sie tragen mehr usuellen als aktuellen Charakter.

Einen neuen Aspekt bringen 4,9 und 4,10 ein. Das lexikographisch schwierige στοιχεῖα 4,9 kann sich auf Elemente oder Gestirne beziehen.[402] Vielleicht stehen kosmologische Spekulationen im Hintergrund, die an vorhandene Neigungen der Galater anknüpfen konnten (4,3). Ein ausgesprochenes Interesse an der Kosmologie ist kennzeichnend für die Apokalyptik. Auch die Beschäftigung mit kalendarischen Fragen, Festtagen etc., die 4,10 voraussetzt, ist aus der Apokalyptik bekannt (Qumran, Jubiläenbuch) und steht mit astronomischen Interessen in engem Zusammenhang. Apokalyptische Neigungen der galatischen Judaisten lassen sich mit ihrer Gesetzestreue durchaus vereinbaren. In der Apokalyptik ist das als Einheit verstandene Gesetz die überdauernde Größe, die aus dem gegenwärtigen in den kommenden Äon hineinreicht.

Anscheinend haben die Gegner aus der Abrahamsgeschichte mit Hilfe einer exegetischen Methode, die sie selbst allegorisch nannten[403], den Nachweis erbracht, daß wahre Gotteskindschaft auch vom Christen die Übernahme des Gesetzes verlangt. Wie gezeigt, war die Allegorese der rabbinischen Schriftauslegung des 1. Jh. n. Chr. nicht fremd. Apokalyptische Neigungen konnten den Hang zur Allegorese nur verstärken.[404] Ein direkter Einfluß philonischer Allegorese ist nicht anzunehmen, doch kann es auch so nicht verwundern, daß Jerusalemer Judaisten auf griechischem Boden die Vokabel ἀλληγορέω adoptierten. Sie kamen damit wahr-

---

[401] Das vermutet *W. G. Kümmel*, Einleitung 262.

[402] Vgl. nur *G. Delling*, ThWNT VII, 670–687.

[403] In seltener Einheitlichkeit bemerken Kommentatoren und Lexikographen, ἅτινά ἐστιν ἀλληγορούμενα bedeute „das ist allegorisch gesagt", nicht „das ist allegorisch zu verstehen". Das scheint alles andere als sicher. Wo ἀλληγορέω vom engeren Gebiet der Rhetorik auf die religiöse Rede ausgeweitet wird, verschwindet das Interesse an der Form sehr schnell. Auch für Gal 4,24 ist die hermeneutische Bedeutung von ἀλληγορέω stärker in Anschlag zu bringen.

[404] *G. Ebeling*, Evangelienauslegung 101: „... die Apokalyptik verleitet zu ungeduldig enträtselnder Allegorese."

scheinlich auch bestimmten Vorlieben der Galater entgegen, für die das Wort Assoziationen an Mythos, Kult und Mysterienfrömmigkeit in sich barg. Auf diesem Hintergrund ist die paulinische Allegorese Gal 4,21–31 zu sehen. An dem Wort selbst lag Paulus nicht viel. Ihm ging es darum zu zeigen, daß er aus dem gleichen Text mit der gleichen Methode ganz andere Schlußfolgerungen ziehen konnte als seine Gegner. Er konnte das um so eher, als die hier praktizierte Exegese ihm keineswegs fremd war, wenn er ihr auch sonst nicht diesen Namen gab.

c) Gal 4,21–31 und 1 Kor 10,1–13[405]

Die Stelle im paulinischen Schrifttum, die die größte Nähe zu Gal 4,21–31 aufweist, ist 1 Kor 10,1–13. Statt ἀλληγορέω begegnet hier ein anderer hermeneutischer Terminus, nämlich τύπος (V. 6), bzw. τυπικῶς (V. 11). τύπος bedeutet Vorbild oder Abbild. Nimmt man V. 11b hinzu („das steht geschrieben uns zur Lehre"), könnte man zunächst vermuten, daß Paulus das AT lediglich als eine Art Erbauungsbuch betrachtet, das als Fundgrube für historische Paradigmen benutzt werden kann. Doch dieser Eindruck täuscht. Das christliche Verständnis des AT ist für Paulus sakramental, eschatologisch und christologisch fundiert. Die Geschehnisse in der Wüste präfigurieren die christlichen Sakramente, die Taufe und das Abendmahl (1 Kor 10,2–4). Daß sich dieser tiefere Sinn gerade jetzt erschließt, hängt damit zusammen, daß die Endzeit angebrochen ist (1 Kor 10,11). Unterfangen und begründet wird beides durch die Einsicht, daß der präexistente Christus schon im atl Heilsgeschehen gegenwärtig ist: ἡ δὲ πέτρα ἦν ὁ Χριστός (1 Kor 10,4). In dieser christologischen Fundierung der Allegorese trifft sich 1 Kor mit dem Galaterbrief (und mit Röm 10,6–8). Im Galaterbrief wird die christliche Freiheit, die Paulus im AT angekündigt sieht, auf das erlösende Handeln Gottes in Christus zurückgeführt. „Christus hat uns zur Freiheit befreit" (Gal 5,1).[406]
Methodisch und motivgeschichtlich weist die Exegese, wie Paulus sie an diesen markanten Stellen treibt, in den Bereich der pharisäisch-rabbinischen Schriftauslegung des 1. Jh. n. Chr. Das kann nicht weiter verwundern, wenn man bedenkt, daß Paulus nach der historisch unverdächtigen Notiz Apg 22,3 Schüler des Hilleliten Gamaliel war.[407] Von der paulini-

---

[405] Vgl. *H. Conzelmann*, 1 Kor 187–200; *B. J. Malina*, Manna Tradition 94–99.
[406] Der Vers ist deshalb zum Vorhergehenden zu ziehen. Vgl. zum Problem der Abgrenzung *O. Merk*, „Beginn" 98f.
[407] Vgl. dazu *J. Jeremias*, „Paulus" 88–94.

schen Allegorese gilt zunächst ähnliches wie von der rabbinischen. Sie ist nicht vorherrschend, aber vorhanden.[408] Im einzelnen sind zwei Momente hervorzuheben.

(1) Wie der rabbinischen fehlt auch der paulinischen Allegorese das Moment des Mysteriösen und Geheimnisvollen. Paulus bringt den Begriff μυστήριον, der inhaltlich apokalyptisch, nicht christologisch gefüllt ist[409], nie mit seiner Schriftauslegung in Verbindung. Im vorgegebenen Mosesmidrasch 2 Kor 3,12–18[410] geht er noch einen Schritt weiter. Wahrscheinlich hatten die Exegeten, die er angreift, den verhüllenden Charakter des AT, den sie aus der metaphorisch verstandenen Decke des Moses ableiteten, als ein Positivum gewertet, das den Leser zur Suche nach der verborgenen Wahrheit anstacheln will, in Übereinstimmung mit der änigmatischen Offenbarungstheologie des Hellenismus. Paulus hält dem sein *quod non* entgegen. Zwar gibt es ein pneumatisch-christologisches Verständnis der Schrift, und allein dieses ist ihr wirklich angemessen (2 Kor 3,6). Doch ist das kein geheimnisvoller Vorgang, sondern ein Ereignis, das im hellen Licht der alles überstrahlenden Herrlichkeit des Herrn steht (2 Kor 3,8–11.17f.).

(2) Den für die Allegorese charakteristischen Horizont, auf den die Texte bezogen werden, bildet bei Paulus das Christusereignis. Die jüdische Schriftauslegung findet im ganzen AT die Torah, Paulus entdeckt überall Christus (Röm 10,6–8). Torahzentrik wird abgelöst durch Christozentrik.

---

[408] Verfehlt ist die Bemerkung von *H. J. Schoeps*, Paulus 252, Anm. 1, Gal 4,21–31 sei „wüster hellenistischer Spekulationsmidrasch auf nicht ganz klarem apokalyptischem Hintergrund" und ein „Verstoß gegen die Grundregel rabbinischer Hermeneutik".

[409] Es geht nicht an, μυστήριον in die Mitte paulinischer Theologie zu rücken, wie das etwa *D. Deden*, „Mystère" 403–442, versucht. Ein solches Bild kann nur entstehen, wenn man auf literarkritische Differenzierungen verzichtet. In aller Kürze: 1 Tim 3,9.16 scheidet als sicher nachpaulinisch aus. Die 11 Belege in Eph, Kol und 2 Thess reflektieren die Weiterentwicklung paulinischen Gedankengutes bei seinen Schülern. Röm 16,25 ist sicher sekundär, 1 Kor 2,1 textkritisch umstritten. Es bleiben Röm 11,25 und die fünf Belege in 1 Kor. Das läßt vermuten, daß Paulus in 1 Kor ein Schlagwort seiner Gegner korrigierend aufgreift. Vielleicht rühmten sie sich der Fähigkeit zur Mysterienrede, vielleicht stellten sie auch Vergleiche mit den Mysterienkulten an (vgl. ähnlich zu Kol und Eph *L. Cerfaux*, „L'influence" 279–285). Paulus bestimmt den Begriff demgegenüber im Sinn der apokalyptischen Tradition. Es geht um den Plan Gottes hinsichtlich der endzeitlichen Ereignisse, der schon in Kraft tritt, weil mit Christus der neue Äon angebrochen ist. Vgl. noch *J. Schneider*, „Mysterion" 262–275.

[410] Vgl. zur Vorlage *S. Schulz*, „Decke" 1–30; *D. Georgi*, Gegner 258–282 (mit differierenden Ergebnissen).

d) Zum Typologieproblem

In der Forschung hat sich eingebürgert, zwischen Allegorie und Typologie zu unterscheiden. Die Allegorie (richtiger: Allegorese) sei eine ungeschichtliche, willkürliche Methode, die ihre Heimat in der Mythenexegese und bei Philo habe. Der Typologie (besser: Typologese[411]) gehe es um den Aufweis legitimer geschichtlicher Entsprechungen. Sie sei die einzige und eigentliche Form ntl Schriftauslegung und mache auch den Kern der nachbiblischen Exegese aus. So steht es zu lesen bei atl und ntl Exegeten[412], bei Patristikern[413] und bei Literaturwissenschaftlern[414]. Gegen den ausdrücklichen Wortlaut hat diese Unterscheidung auch für Gal 4,21–31 Anwendung gefunden. O. Michel und E. E. Ellis z. B. insistieren darauf, daß es sich auch hier in Wirklichkeit um Typologie handle, nicht um Allegorese, oder daß zumindest das typologische Moment bei weitem überwiege.[415] H. Schlier hält dem entgegen, Gal 4,21–31 entspreche nicht den Bedingungen, die an eine echte Typologie zu stellen seien, da hier nicht historische Gestalten oder Ereignisse miteinander verglichen würden, sondern spirituelle Größen.[416]
Der ntl Befund, der den modernen Sprachgebrauch stützen soll, ist der Typologiethese nicht günstig. Es überwiegt der Sinn: aktuelles Vorbild für das christliche Leben (Phil 3,17; 1 Thess 1,7 etc.). In 1 Kor 10,6.11 ist der Vorbildcharakter auf die Geschichte projiziert. Hebr 8,5; 9,24 und Apg 7,43f. geht es um die himmlischen Urbilder irdischer Vorrichtungen, was uns in die Nähe Philos bringt, dem der Begriff ja keineswegs fremd ist.[417] Bleiben lediglich Röm 5,14 (Adam und Christus) und 1 Petr 3,21 (die Taufe als ἀντίτυπος zur Sintflut). In beiden Fällen steht τύπος, bzw. ἀντίτυπος nicht für den Auslegungsvorgang, sondern für einen der beiden Pole, die durch die Exegese in Beziehung gebracht werden.
Das ist in der ganzen Auslegungsgeschichte so geblieben. Das Wissen um die Existenz von τύποι geht nicht verloren[418], doch hat es eine *typologia*,

---

411 Von Typologese spricht jetzt *A. Strobel* in seinem Kommentar zum Hebräerbrief (NTD).
412 *W. Eichrodt*, „Exegese" 164; *L. Goppelt*, Typos 19; *G. W. H. Lampe – K. J. Woollcombe*, Essays 30–35.39–42; *K. H. Schelkle*, „Auslegung" 209; *R. Longenecker*, Exegesis 172f.
413 *J. Daniélou*, Sacramentum 257f.; *R. P. C. Hanson*, Allegory 7; *H. Crouzel*, „Distinction" 161–174. Abweichend *H. Clavier*, „Esquisse" 33: „La typologie est donc une espèce du genre allégorique …".
414 Vgl. vor allem *E. Auerbach*, „Figura" 11–71; *H. Lausberg*, Handbuch I, 445f. Einen guten Überblick gibt *P. Jentzmik*, Grenzen 6–136.
415 *O. Michel*, Paulus 110; *E. E. Ellis*, Use 53. So auch *F. Pastor*, „Alegoría" 116–118.
416 *H. Schlier*, Gal 218f. Vgl. *F. Mußner*, Gal 319f. (mit weiteren Stellungnahmen).
417 Angesichts der zahlreichen Belege könnte man mit mehr Recht von einer philonischen Typologie sprechen, die aber nur ein Aspekt der philonischen Allegorese wäre.
418 Das klingt bei Chrys., Ad Gal 4,24 (PG 61, 662) an: καταχρηστικῶς τὸν τύπον ἀλληγορίαν καλεῖται. Wahrscheinlich zeigt sich Chrysostomos vom Gegensatz zwischen

die als eigene Methode einen Platz im Schema des vierfachen Schriftsinns gefunden hätte, nie gegeben. Die Typologie war bei den Vätern und im Mittelalter ganz selbstverständlich der *allegoria* integriert.[419] Soweit ich sehe, begegnet der Begriff Typologie zum ersten Mal im 19. Jh. Das Interesse, das sich mit seiner Einführung verbindet, scheint sehr durchsichtig zu sein. Da die Allegorie mehr und mehr in Mißkredit gerät, fürchtet man den Verlust bleibender Werte altkirchlicher Exegese. Um sie zu retten, entwickelt man den Begriff der typologischen Exegese, der, wie H. de Lubac bemerkt, dazu dienen soll, „die ganze hellenistische Spreu vom Korn der christlichen Schriftauslegung zu scheiden"[420].

Fragt man nach dem Hintergrund der Vorstellungen, die Röm 5,14 und 1 Petr 3,21 aufleuchten, ist man zunächst an die prophetische Eschatologie verwiesen. Sie malt das endzeitliche Gottesreich mit paradiesischen Farben aus (Am 9,13; Jes 11,6–8), läßt Ereignisse der Wüstenzeit sich wiederholen (Hos 2,16; Jes 40,3), spricht vom neuen Bund (Jer 31,31) und von der neuen Schöpfung (Jes 65,17). Manches davon hat sich im rabbinischen Denken erhalten. Im Leben der Patriarchen ist das Leben der Nachkommen präfiguriert. Die Zeiten des letzten Erlösers (Messias) werden wie die Zeiten des ersten Erlösers (Moses) sein.[421] Vor allem ist hier natürlich die Apokalyptik zu nennen, für die eine Entsprechung von Urzeit und Endzeit geradezu konstitutiv ist, wie u. a. H. Gunkel dargetan hat.[422]

Das alles genügt nicht, um eine eigene typologische Methode zu konstruieren, die jegliche Allegorese ausschließt. L. Goppelt, ein Protagonist der Typologiethese, bemerkt denn auch mehrfach, es gehe bei der Typo-

---

alexandrinischer und antiochenischer Schule beeinflußt. Bei den Antiochenern, die vor allem nach messianischen Typen suchten, war auch ein gewisses Bewußtsein dafür lebendig, daß ἀλληγορία sich primär auf die literarische Form bezieht, vgl. *H. N. Bate,* „Terms" 60; *C. Schäublin,* Exegese 120–122.

[419] Den Nachweis führt *H. de Lubac,* „Typologie" 180–226.

[420] *H. de Lubac,* Geist 451. In diese Bewertung spielt schon die neuzeitliche Symboltheorie hinein. *K. H. Schelkle,* „Symbolverständnis" 136, unterscheidet in der Väterexegese echte Symbolik und oberflächliche Allegorese. *M. D. Chenu,* „Histoire" 60, und *C. Spicq,* Esquisse 28, entdecken in der mittelalterlichen Exegese den Gegensatz von *symbolisme historique* und *allégorisme artificielle.* Ähnliche Absichten verfolgt die Theorie vom *sensus plenior,* vgl. zur Information *J. Coppens,* „Schriftsinne" 831–838. Angesichts all dieser Versuche darf an ein Verdikt von *F. Overbeck,* Christentum 91, erinnert werden: „Alle theologische Exegese ist allegorisch,* verschämt oder unverschämt ..." (Hervorheb. im Orig.).

[421] Bill. I, 85–87; *S. Cavalletti,* „Tipologia" 223–251.

[422] *H. Gunkel,* Schöpfung 398 (seine Herleitung des Stoffes braucht uns hier nicht zu interessieren). Belege bei Volz Esch 338f.359ff.411–417. Vgl. *E. Käsemann,* Röm 119: Typologie „ist mindestens für Pls konstitutiv eine apokalyptische Aussageweise". Wahrscheinlich war Paulus schon als Rabbinenschüler mit apokalyptischem Denken in Berührung gekommen, er hat es also nicht erst aus urchristlicher Tradition adaptiert, vgl. *U. Wilckens,* „Bekehrung" 273–293. Anders anscheinend *J. Baumgarten,* Paulus 227–239.

logie nicht um eine Methode, sondern um eine pneumatische Betrachtungsweise.[423] Dazu ist zu bemerken, daß (a) auch die Allegorese mit einigem Recht beanspruchen kann, eine spirituelle Betrachtungsweise zu sein, und (b) die methodische Frage damit nicht gelöst ist. Worum es bei der ganzen Debatte im Grunde geht, ist dies: Es soll die unverzichtbare Bindung christlicher Theologie an die geschichtliche Offenbarung demonstriert werden, im Gegensatz zur a-historischen Theologie der Mythen. Daß dieses Anliegen berechtigt ist, wird man nicht bezweifeln wollen. Doch können solche theologischen Grundsatzfragen nicht schon auf der Ebene der Methoden abgehandelt werden. Man kann ganz verschiedene theologische Inhalte mit ganz vergleichbarem, sogar mit entliehenem exegetischem Handwerkszeug entschlüsseln.

Sofern damit eine bestimmte Akzentuierung verbunden ist, mag man den Begriff Typologese mit einigem Nutzen verwenden. Den ausschließenden Sprachgebrauch, der sich eingebürgert hat, halte ich für wenig glücklich. Er soll uns nicht daran hindern, Allegorese zu nennen, was Allegorese ist.

§ 18: μῦθος und παραβολή in nichtpaulinischen Briefen[424]

(1) Der Verfasser des 2 Petr wehrt sich gegen eine Verwechslung der Botschaft von Jesus Christus mit ausgeklügelten Mythen und betont ihre Bindung an die historische Person Jesu. Sie ist gesichert durch die Augenzeugenschaft des Apostels, dessen Standpunkt der Verfasser dank des Kunstgriffs der Pseudepigraphie einnehmen kann. Die Augenzeugenschaft bezieht sich auf die Verklärung Jesu (2 Petr 1,16–18). Nur deshalb kann der Verfasser für Augenzeuge ἐπόπτης verwenden, das die höchste Weihestufe im Mysterienkult bezeichnet. Der Hieros Logos des christlichen Mysteriums ist das verborgene Aufleuchten der göttlichen Herrlichkeit im Leben des irdischen Jesus.

In den Pastoralbriefen spielt der Mythos in der Auseinandersetzung mit den Irrlehrern eine Rolle, deren Schilderung synkretistische Züge trägt. Daß der Mythos als Geschwätz alter Weiber bezeichnet wird (1 Tim 4,7), erinnert an Platon, daß man ihm bloßen Ohrenkitzel zum Vorwurf macht (2 Tim 4,3f.), an Plutarch, der den trügerischen Reiz der mythischen Fiktion kritisiert. Auf jüdischen Ursprung führt Tit 1,10.14 (vgl. 3,9) die bekämpfte Lehre zurück. Damit stimmt überein, daß ihr Inhalt

---

[423] L. Goppelt, Typos 195.244.278. G. von Rad, „Auslegung" 17, führt die Typologie gar auf „eine Elementarfunktion alles menschlichen Denkens und Deutens" zurück. Kritisch äußert sich R. Bultmann, „Typologie" 369–380, der auf die gemeinantike Vorstellung von der ewigen Wiederkehr des Gleichen zurückgreift.

[424] Vgl. G. Stählin, ThWNT IV, 793–798, und die Kommentare.

1 Tim 1,4 und Tit 3,9 mit γενεαλογία umschrieben wird, was sich offensichtlich auf ein bestimmtes Verständnis des biblischen Schöpfungsberichts bezieht.[425] Die asketischen Tendenzen der Häretiker (1 Tim 4,3f.) und ihre Auferstehungslehre (2 Tim 2,18) lassen an Frühformen der Gnosis denken. Neben μῦθος und γενεαλογία steht 1 Tim 1,4 ἐκζήτησις (vgl. 1 Tim 6,4; 2 Tim 2,23; Tit 3,9: ζήτησις). Bei Philo und im Hellenismus gehört ζητέω zum exegetischen Vokabular. Wahrscheinlich bezieht es sich in den Pastoralbriefen auf die allegorische Exegese, die zur Zeit ihrer Abfassung mit dem Mythos bereits eine untrennbare Verbindung eingegangen ist.[426]

Deutlicher wird das bei Aristides, dem ältesten Apologeten, der seine Kritik an der heidnischen Mythologie mit der Bemerkung schließt: Mythen bleiben es, ob allegorisch verstanden oder nicht. Hier fällt zum ersten Mal in der christlichen Literatur seit Paulus wieder das Wort ἀλληγορικός.[427] Diese Kritik an der Mythenallegorese wird von den christlichen Autoren zwar fortgesetzt, hindert sie aber nicht daran, für die eigenen Zwecke die Allegorese zu adoptieren, wie die Auseinandersetzung um den Geltungsbereich der allegorischen Methode zwischen Celsus und Porphyrius auf der einen und Origines auf der anderen Seite exemplarisch zeigt.[428]

(2) Im Hebräerbrief und im Barnabasbrief wird das AT allegorisch ausgelegt. Wir können hier nicht weiter in die Auseinandersetzung um die Exegese des Hebräerbriefes und ihre religionsgeschichtliche Einordnung eintreten.[429] Uns interessiert vor allem die im NT singuläre Verwendung von παραβολή Hebr 9,9 und 11,19. Nach Hebr 9,8f. ist die Unzugänglichkeit des Allerheiligsten ein Zeichen (παραβολή) für das Ungenügen des atl Opferdienstes. Nach Hebr 11,19 erhält Abraham den Isaak zurück als Bestätigung (παραβολή) für seinen Glauben an die Auferweckung der Toten. Die Erkenntnisse, die der Verfasser des Hebräerbriefes aus dem AT gewinnt, sind für fortgeschrittene Christen gedacht (Hebr 5,14: τέλειοι, ein Begriff aus dem Mysterienwesen).

Nach Barn 6,10 ist der biblische Bericht über das gelobte Land ein prophetisches Gleichnis, dessen tieferer Sinn sich auf die Wiedergeburt des Gläubigen bezieht. Diese Einsicht erschließt sich nur jenen, denen der

---

[425] Vgl. Gen 2,4: תּוֹלְדוֹת (LXX: βίβλος γενέσεως).

[426] ζήτησις kann auch Wortgefecht, Streiterei heißen, vgl. Bauer WB 670, der aber selbst die andere Möglichkeit offenhält.

[427] Aristid., Apol 13,7 (18 Goodspeed): εἰ δε ἀλληγορικαί, μῦθοί εἰσι καὶ οὐκ ἄλλο τι. Vgl. zu dieser Stelle G. Glockmann, Homer 86–91; W. den Boer, „Problems" 155f.

[428] Vgl. Orig., Cels V, 57 (GCS 3, 60f. Koetschau); Eus., Hist Eccl VI 19,7f. (GCS 9, 560 Schwartz).

[429] Vgl. den Überblick bei F. Schröger, Verfasser 11–32.269–307.

Herr „Verständnis für seine Geheimnisse" (κρυφίων αὐτοῦ) geschenkt hat. Sie ist Bestandteil der vollkommenen christlichen Gnosis.[430] In beiden Briefen meint παραβολή also Berichte des AT unter dem Aspekt ihres vertieften christlichen Verständnisses.

Die beiden Tendenzen, die sich hier abzeichnen – exegetische Verwendung von παραβολή und Verbindung von παραβολή und esoterischer Gnosis – werden bei Justin noch deutlicher. Der Patriarch Jakob hat in geheimnisvollen Gleichnisworten von Christus gesprochen (Dial 52,1). David weissagt über ihn im Ps 22 ἐν παραβολῇ μυστηριώδει (Dial 97,3). Der Prophet Sacharja spricht in gleichnishafter Weise von seinem Geheimnis (Dial 115,1: ἐν παραβολῇ δεικνύντι τὸ μυστήριον τοῦ Χριστοῦ καὶ ἀποκεκρυμμένως κηρύσσοντι).[431]

O. Eißfeldt hat diesen Sprachgebrauch aus der Verwendung von *mšl* in der apokalyptischen Literatur abgeleitet.[432] Die Verbindung von παραβολή und μυστήριον spricht für seine These, ebenso die Zusammenstellung von παραβολή und δηλόω Hebr 9,8f. Die LXX verwendet δηλόω 14mal als Übersetzung von *pšr* in Dan 2 (dazu Dan 7,16 LXX und Dan 4,18 Theod). Herm 57,1.5 u. ö. (insgesamt ca. 30mal) steht es im Austausch mit ἐπιλύω für das Auflösen der παραβολαί. grHen 9,6 gebraucht es für das Erschließen von Geheimnissen.[433] Dieser Hintergrund erklärt den Charakter des Geheimnisvollen und des Allegorischen, den παραβολή an den besprochenen Stellen annimmt.

§ 19: Ausblick

(1) Bisher hatten wir es nur mit Allegoresen zum AT zu tun, die zunächst vorherrschend bleiben.[434] Erst mit Origenes tritt die allegorische Exegese

---

[430] *H. Windisch*, Barn 308: „Eine exegetische Methode, die einen tieferen Sinn im AT offenbar macht, ist das Mittel, womit diese Gnosis arbeitet." Vgl. auch Barn 17,2.

[431] Vgl. noch Dial 36,2; 63,2; 68,6 (ἐν παραβολαῖς ἢ μυστηρίοις ἢ ἐν συμβόλοις); 90,2 (παραβολαῖς καὶ τύποις); 114,2; 123,8. *H. von Soden*, „Mysterion" 202, weist auf Justins Neigung hin, παραβολή, μυστήριον, σύμβολον und τύπος miteinander zu identifizieren. *E. Scheffer*, Mysterium 10f., macht auf den gleichen Sachverhalt bei Tertullian, Cyprian und Ambrosius aufmerksam. Nach Iren., Haer V 26,2 (PG 7, 1195: *et in parabolis, et in allegoriis*), hat Justin auch παραβολή und ἀλληγορία gleichgesetzt, doch fehlt dieser Satzteil bei Eus., Hist Eccl IV 18,9 (GCS 9, 366,22–24 Schwartz). Clem. Alex., Strom VI 130,1 (GCS 52, 497,20f. Stählin–Früchtel), schließlich identifiziert παραβολή mit αἴνιγμα.

[432] *O. Eißfeldt*, Maschal 38, Anm. 1. Vgl. die Verwendung von *similitudo* Ant Bibl 17,3; 54,2, sowie (christlich) AscJes 4,20: „Der Rest der Gesichte des Herrn, er ist in Gleichnissen aufgezeichnet ...".

[433] ἐδήλωσεν τὰ μυστήρια. Vgl. grHen 7,1; 9,8; 10,2.7.11; ApkMos 3 u. 30.

[434] Vgl. z. B. den Danielkommentar des Hippolyt, darin bes. seine Auslegung der Susannageschichte (GCS 1, 23,27–24,2 Bonwetsch).

des NT endgültig in den Vordergrund. Sie scheint in gnostischen Kreisen eingesetzt zu haben[435], was sich zumindest für die Gleichnisse wahrscheinlich machen läßt. Die Naassener deuten das gute Land aus dem Sämannsgleichnis auf das vollkommene Pleroma[436]. Die Doketen beziehen den dreifachen Ernteertrag auf ihr Drei-Äonenlehre.[437] W. Monselewski hat für die Deutung des Samaritergleichnisses, die Origenes schon von einem „gewissen Presbyter" gehört hat[438], gnostischen Ursprung wahrscheinlich gemacht. P. Siniscalco hat den gleichen Nachweis für die allegorische Auslegung der Gleichnisse vom verlorenen Schaf und der verlorenen Drachme erbracht.[439]

Die Gnostiker sind nicht beim allegorischen Verständnis der Gleichnisse stehen geblieben, sondern haben den gesamten Rede- und Erzählstoff der Evangelien, selbst Worte des Paulus allegorisch ausgelegt.[440] Die Vermutung liegt nahe, daß auch die Gnostiker in einer uns inzwischen vertrauten Denkbewegung von der Existenz einzelner parabolischer Texte aus auf die Berechtigung eines allegorischen Verständnisses der ganzen Schrift schlossen oder dieser Argumentation zumindest als Legitimation benutzten. Zur Stützung dieser These wären genaue Einzeluntersuchungen erforderlich. Wir können immerhin auf Clemens von Alexandrien hinweisen, der zur Begründung des allegorischen Schriftsinns an einer wichtigen Stelle γνῶσις, μυστήριον und παραβολή zusammenstellt.[441] Wie eine Korrektur gnostischer Vorstellungen mutet es an, wenn er im gleichen Zusammenhang den parabolischen Charakter der Schrift auf die Inkarnation, die „gleichnishafte" und doch reale Menschwerdung des Herrn zurückführt.[442]

---

[435] H. Jonas, Gnosis I, 214–223, hat bei seinen Ausführungen über die gnostische Allegorese nur die Mythologie und das AT im Blick. Er zeigt, daß für gnostisches Denken die Allegorese nicht „eine Aussöhnung zwischen dem aufgeklärten Denken und den ehrwürdigen Überlieferungen anstrebt" (a.a.O. 217), sondern die „aggressive Umkehrung, das Paradoxe und gewissermaßen Blasphemische" (a.a.O. 219).

[436] Hipp., Ref V 8,29f. (GCS 26, 94,16–29 Wendland).

[437] Hipp., Ref VIII 9,1 (GCS 26, 227,17–21 Wendland).

[438] Orig., Hom in Luc 34 (GCS 49, 190,14f. Rauer). Vgl. W. Monselewski, Samariter 18–28.

[439] P. Siniscalco, Mito 35–67. Weitere Beispiele bei M. F. Wiles, „Exegesis" 294f. Reiches Material bietet A. Orbe, Parábolas I–II, passim.

[440] Vgl. C. Barth, Interpretation 52–92; E. H. Pagels, Gospel 14: „Gnostic theologians claim that those apparently simple gospel narratives are actually allegories – which, read ‚spiritually', disclose in symbolic language the process of inner redemption."

[441] Clem. Alex., Strom VI 126,2 (GCS 52, 495,22–24 Stählin–Früchtel): τοῖς ἐκλεκτοῖς τῶν ἀνθρώπων τοῖς τε ἐκ πίστεως εἰς γνῶσιν ἐγκρίτοις τηρούμενα τὰ ἅγια τῶν προφητειῶν μυστήρια ταῖς παραβολαῖς ἐγκαλύπτεται. Vgl. zur Allegorese bei Clemens des näheren R. M. Grant, Letter 85–89.

[442] Ebd. 126,3 (495,24–26): παραβολικὸς γὰρ ὁ χαρακτὴρ ὑπάρχει τῶν γραφῶν, διότι καὶ ὁ κύριος, οὐκ ὢν κοσμικός, ὡς κοσμικὸς εἰς ἀνθρώπους ἦλθεν. Vgl. H. J. Horn, „Motivation" 489ff.

(2) Gedeckt u. a. durch die große Autorität eines Augustinus[443] wurde
die Allegorese zur beherrschenden exegetischen Methode der mittelalterlichen Kirche. Die Terminologie ist leider keineswegs klar, in der Theorie
nicht und noch weniger in der Praxis. *Allegoria* kann einmal den tieferen
Sinn schlechthin meinen (*sensus mysticus, spiritualis* etc.), kann aber auch
im Schema des vierfachen Schriftsinns[444] als der spezifisch dogmatische
Sinn neben den moralischen (tropologischen) und den eschatologischen
(anagogischen) treten.

Eine tiefer liegende Spannung im Allegoriebegriff verrät die Unterscheidung von *allegoria verbi* und *allegoria facti*, die häufig anzutreffen ist (sich
aber keineswegs mit der modernen Unterscheidung von Allegorie und
Typologie deckt). Die *allegoria verbi* hat es mit poetischen Redefiguren zu
tun, mit einem sprachlichen Phänomen also. In der *allegoria facti* geht es
um außersprachliche heilsgeschichtliche und sakramentale Realitäten.
Letzten Endes verrät diese Unterscheidung ein gewisses Gespür für die
grundlegende Dichotomie von rhetorischer Allegorie und exegetischer
Allegorese, aber auch eine gewisse Hilflosigkeit angesichts dieses Phänomens.[445]

Am klarsten hat Thomas von Aquin die Schwierigkeiten gesehen und
einen im Ansatz beachtlichen Lösungsversuch vorgelegt. Neben den
eigentlichen Literalsinn stellt er den metaphorischen Literalsinn, der
vom geistigen Sinn streng geschieden bleibt.[446] Auch allegorische Redefiguren haben einen wörtlichen Sinn, die *allegoria verbi* kann nicht zur
Legitimierung der *allegoria facti* herangezogen werden. Letztere beruht
auf rein theologischen Grundlagen.[447]

Gegenüber dieser scharfsinnigen Unterscheidung bedeutet es einen
Rückschritt, wenn Cornelius a Lapide (17. Jh.) als einer von vielen
bemerkt, gerade in die Gleichnisse habe Jesus außer dem wörtlichen Sinn

---

[443] Vgl. August., Con 5,14 (96f. Skutella) und 6,4 (104 Skutella). Zur christlichen Allegorese u. a. *J. L. Koole*, „Schriftverklaring" 14–22; *E. Knowlton*, „Notes" 159–181; *V. Harris*,
„Allegory" 1–23 (aufschlußreich für die beginnende Neuzeit).

[444] Seine Theorie ist zum erstenmal ausformuliert bei Cassian, Coll 14,8 (CSEL 13,404f.
Petschenig), und Euch., Form Spir Intell, Praef (CSEL 31, 4f. Wotke). Vgl. dazu neben
dem Standardwerk von Lubac noch *E. von Dobschütz*, „Schriftsinn" 1–13.

[445] Vgl. *H. de Lubac*, Exégèse I, 381; II.2, 131.140 u. ö. *A. Strubel*, „Allegoria" 356, schließt
daraus zu Recht, die allegorische Theorie sei „jamais sortie de la confusion originelle du
terme d'*allegoria*, qui recouvre des processus radicalement différents". Das wird auch in
der Auslegungsgeschichte von Gal 4,24 deutlich, die *H. Freytag*, „Quae sunt . . ." 27–43,
nachgezeichnet hat.

[446] Thom. Aq., Ad Gal 4, Lect 7,254: *Et ideo sub sensu litterali includitur parabolicus seu metaphori-
cus*.

[447] Ebd.: *Deus, in cuius potestate est, quod non solum voces ad designandum accomodet . . . sed etiam res
ipsas*. Vgl. *M. Arias Reyero*, Thomas 108.120.169f.213–215.

noch einen geheimnisvollen allegorischen Sinn hineingelegt.[448] Wir haben damit den Anschluß an die Fragestellung erreicht, von der wir in der Forschungsgeschichte ausgegangen sind, und können ihre Implikationen besser durchschauen. Die Theorie eines a Lapide vollzieht das antike Mißverständnis in umgekehrter Richtung nach. Bei Pseudo-Heraklit ging es darum, mit dem Hinweis auf einzelne allegorisch-parabolische Texte die Allegorese eines ganzen Textkorpus zu rechtfertigen. Jetzt wird die Allegorese für nicht-parabolische Texte als unsachgemäß abgewiesen, für Gleichnisse aber beibehalten, weil man die Allegorese fälschlicherweise als eine allegorischen Texten adäquate Methode betrachtet.

Historisch gesehen ist Jülichers frontaler Angriff gegen die Allegorik durchaus verständlich, nur reicht er sachlich nicht aus. Das ist im folgenden unter literaturwissenschaftlichem Aspekt weiter abzuklären.

---

[448] C. a Lapide, Commentaria XV, 29: *In multis parabolis praeter id ad quod primo et principaliter assumuntur, Christus secundario mysteria aliqua insinuare voluit, quasi sensu tropologico, vel allegorico.*

Teil C

LITERATURWISSENSCHAFTLICHE ASPEKTE

Vor allzu großer Euphorie hinsichtlich der Ergiebigkeit der literaturwissenschaftlichen Fragestellung sei eingangs gewarnt. Neuere Versuche, Textwissenschaft auf linguistischer Basis zu betreiben, erheben zwar einen hohen theoretischen Anspruch. Doch sind sie in der Praxis zu sehr mit Abgrenzungsproblemen und Definitionsschwierigkeiten beschäftigt[1], als daß sie für die Erfassung eines so komplexen Gegenstandsbereiches, wie die Allegorik es ist, eine Hilfe sein könnten. In der herkömmlichen Literaturwissenschaft wird die Allegorieproblematik unter einem Blickwinkel diskutiert, der von dem hier vertretenen notwendig abweicht. Wir haben unsere Aufmerksamkeit den Ursprüngen des allegorischen Problems gewidmet und waren unter literarischem Aspekt vor allem an allegorischen Kleinformen interessiert. Deshalb war Quintilian für uns von Bedeutung, weil er als einziger Theoretiker eine Analyse bietet, die von der Rückwirkung allegorischer Exegese noch unbeeinflußt ist. Die Literaturwissenschaft dagegen blickt auf eine lange Tradition allegorischer Großformen zurück, in der allegorische Exegese und allegorische Textproduktion eine untrennbare Verbindung eingegangen sind.[2]

Diese Überlagerung bringt es mit sich, daß eine Trennung von Allegorie und Allegorese, deren methodische Berechtigung von einigen Autoren ausdrücklich anerkannt wird[3], sich am Text nicht immer säuberlich durchführen läßt. Hinzu kommt als belastendes Erbe die schon erwähnte Abwertung der Allegorie in der Zeit der Klassik.[4] Ohne Gesagtes zu wiederholen, müssen wir auf die Diskussion um Allegorie und Symbol kurz eingehen, wobei unser Hauptaugenmerk der Entwicklung eines alternativen Modells gilt. Daneben stellen wir in einem zweiten Arbeitsgang eine Reflexion über den Zusammenhang von Allegorik und Metaphorik, die sich schon mehrfach als dringend erforderlich erwies.

---

[1] Ich verweise nur auf *J. Ihwe*, Linguistik 15–110.

[2] Bekanntes Beispiel ist Dante, der selbst bemerkt, die verschiedenen Sinnebenen seiner Dichtung seien nach dem Schema des vierfachen Schriftsinns angelegt.

[3] Vgl. *H. G. Jantsch*, Studien 345–362; *W. Blank*, Minneallegorie 7–44. Zum Ganzen u. a. noch *T. Silverstein*, „Allegory" 28–32; *J. MacQueen*, Allegory 1–73.

[4] Vgl. *G. Hess*, „Allegorie" 561: „Das 19. Jahrhundert scheint ... eine Phraseologie der

Kapitel VIII

ALLEGORIE UND SYMBOL

§ 20: Die Problemstellung

Auszugehen ist von Goethes folgenschwerem Diktum, demzufolge Symbolik und Allegorie zwar beide die Erscheinung – d. h. erfahrbare Phänomene der Wirklichkeitswelt – in ein Bild verwandeln, die Allegorie jedoch auf dem Umweg über den abstrakten Begriff, während die Symbolik die Idee in die Mitte stellt. Die Allegorie geht vom Allgemeinbegriff aus und sucht nach illustrierenden Bildern. Symbolik liegt da vor, „wo das Besondere das Allgemeinere repräsentiert, nicht als Traum und Schatten, sondern als lebendig-augenblickliche Offenbarung des Unerforschlichen"[5]. Goethes Definition läßt manche Wünsche offen. So vermißt man eine klare Bestimmung des Verhältnisses von Idee und Begriff. Das eher mystifizierende Reden von der Offenbarung des Unerforschlichen weist darauf hin, daß die strikte Trennung von Allegorie und Symbol nicht literaturtheoretisch, sondern weltanschaulich bedingt ist. Goethe hat offensichtlich die Stellung der Allegorie in der Ästhetik des Barock im Auge, die auf metaphysischen Voraussetzungen aufruht. Zwar macht das exemplarische und symbolische Denken des Mittelalters, das die ungebrochene Annahme einer allegorischen Verweisungsstruktur des ganzen Universums gestattete, im Barock einem Dualismus Platz, der starke innere Spannungen aufweist. Doch gelingt es zunächst noch, sie einem einheitlich christlichen Weltbild zu integrieren, das die Korrespondenz von sinnlich-erfahrbarer Wirklichkeit und übersinnlich-transzendentem Wirklichkeitsgrund vorsieht. Innerhalb dieses Bezugsrahmens bleibt die sinnbildliche Darstellung des vorgegebenen Allgemeinen eine sinnvolle Aufgabe, der sich Dichter und bildende Künstler des Barock mit Eifer widmen.

Auch das Weltbild der deutschen Klassik ist einheitlich, aber unter Verzicht auf die Transzendenz. Das Kunstwerk bezieht seinen Sinn nicht

---

Allegoriekritik entwickelt zu haben, die in Ästhetik und Kunstkritik wie in Rhetorik und Poetik, in Literatur- und Kunstgeschichte wie in der theologischen Hermeneutik mit nur wenigen geistreichen Varianten reproduziert wird." Abwertend u. a. noch *E. Auerbach,* Mimesis 249; *W. Stammler,* „Studien" 3. Zahlreiche Quellentexte bei *B. A. Sörensen,* Allegorie, passim. Ein gutes Beispiel für die theologische Rezeption ästhetischer Vorurteile bietet *W. Bornemann,* Allegorie 3–37. Die Antrittsvorlesung von *G. A. van den Bergh van Eysinga,* Interpretatie 5–34, aus der gleichen Zeit geht unbelastet den historischen Phänomenen nach und kommt zu einer objektiveren Würdigung.

[5] *J. W. Goethe,* Werke, Bd. 2, 693.813. Goethe ließ sich dadurch im übrigen nicht daran hindern, in *Faust II* ausgesprochen allegorische Techniken anzuwenden.

von außen, sondern trägt ihn deutlich sichtbar in sich selbst. Der geniale Künstler kopiert nicht, sondern schafft seine eigene Welt, an der er den Leser durch das ästhetische Erleben partizipieren läßt. In der Genie- und Erlebnisästhetik der Klassik setzt die Kunst sich autonom und gibt sich die nötigen religiösen Weihen.

Man kann es als eine Ironie der Geistesgeschichte betrachten, daß ausgerechnet der Symbolbegriff dazu herhalten muß, die Emanzipation der Kunst theoretisch zu fassen und sprachlich zu beschreiben. Denn Goethe hat ihn nachweislich nicht etwa von Kant übernommen, sondern aus der theologischen Sakramentenlehre, und somit nur ein religiös belastetes Theorem durch ein anderes ersetzt.[6] Der Realpräsenz des Transzendenten im sakramentalen Geschehen entspricht jetzt das in weltlicher Immanenz verbleibende Zusammenfallen von Allgemeinem und Besonderem im dichterischen Symbol.

So nachhaltig Goethes Theorie gewirkt hat, unbestritten ist sie nicht geblieben. Manche Romantiker, unter ihnen F. Schlegel, haben die Erwartungen, die Goethe an das Symbol stellt, als Überforderung der Sprache gewertet. Das Absolute läßt sich nicht mit dem Individuellen zur Deckung bringen, die Distanz alles poetischen Sprechens zum Unendlichen findet in der Allegorie ihren angemessenen Ausdruck: „Das Höchste kann man eben weil es unaussprechlich ist, nur allegorisch sagen."[7]

E. Bloch – um nur noch ein weiteres Beispiel zu nennen – hält die klassische Unterscheidung zwar bei, jedoch zugunsten der Allegorie und auf Kosten des Symbols. Von seinem materialistischen Standpunkt aus kritisiert er am Symbol, daß es eine Identität und Harmonie vorspiegele, die faktisch nicht vorhanden sei, wohingegen die Allegorie das Unbefriedigende an den herrschenden Verhältnissen offen konstatiere. So ist sein zunächst änigmatisch wirkender Ausspruch zu verstehen: „Das Allegorische schickt metaphorisch immer wieder herum, das Symbolische versucht metaphorisch zu landen."[8]

Erst eine Überwindung der Allegoriefeindlichkeit der klassisch-idealistischen Ästhetik macht den Weg frei für die Entwicklung alternativer Modelle, denen wir uns im folgenden zuwenden. Schon jetzt darf festgehalten werden, daß für den Gleichnisexegeten kein Grund besteht, für die umstrittene Scheidung von Allegorie und Symbol zu optieren. Die entsprechenden Fragezeichen sind, wie erinnerlich, bei der Skizze der Forschungsgeschichte schon angebracht worden.

---

[6] Vgl. *H. Looff,* Symbolbegriff 195f.; *H. G. Gadamer,* Wahrheit 71f.
[7] *F. Schlegel,* Poesie 324. Dagegen aus verständlichen Gründen *G. W. F. Hegel,* Aesthetik I, 530. Vgl. *N. Hopster,* „Allegorie" 137f.; *D. Brüggemann,* „Allegorien" 305–307.
[8] *E. Bloch,* Einleitung 338f.

§ 21: Alternative Modelle

In der neueren Zeit mehren sich in der anglo-amerikanischen Forschung Studien, die sich eine unvoreingenommene Beschreibung allegorischer Verfahrensweisen zum Ziel setzen. Unter ihnen ragen die Arbeiten von E. Honig und A. Fletcher hervor. Im Anschluß an sie stelle ich einige Punkte zusammen, die im Blick auf die Gleichnisexegese bemerkenswert erscheinen.

(1) Für Fletcher ist die Allegorie ein bestimmter Modus symbolischen Denkens und Schreibens, der in der westlichen Literatur universelle Verbreitung gefunden hat.[9] Allegorie ist deshalb kein Gattungsname, sondern Bezeichnung für ein Strukturelement dichterischer Sprache, das selten in reiner Form verwirklicht wird, das aber mit den verschiedensten Gattungen eine mehr oder minder enge Verbindung eingehen kann.[10] Es gibt allegorische Dramen, allegorische Epen, allegorische Gedichte, in der Neuzeit auch allegorische Kurzgeschichten und allegorische Romane (Musterbeispiel: Melvilles *Moby Dick*[11]). Daraus folgt: „… in discussing literature generally we must be ready to discern in almost any work at least a small degree of allegory."[12]

(2) In einem kurzen, aber inhaltsreichen Aufsatz hat G. Hough versucht, ein zirkuläres Modell zu konstruieren, das es ermöglicht, den unterschiedlichen Allegorieanteil in vorfindlichen Werken theoretisch einzuordnen.[13] Er legt seinem Diagramm ebenso einfach wie anschaulich das Zifferblatt einer Uhr zugrunde. Als Ausgangspunkt (zwölf Uhr) wählt er eine Verfahrensweise, die er mit N. Frye naive Allegorie nennt. Sie ist „nichts anderes … als eine mit zwei oder drei veranschaulichenden Bildern versehene begriffliche Darstellung" in didaktischer Absicht und sollte „weniger als Literatur denn als ein Dokument der Geistesgeschichte behandelt werden"[14]. Es dominiert das abstrakte, meist konventionelle Thema, während die nicht weniger konventionelle bildliche Realisierung reines Ornament bleibt. Die Gegenposition (sechs Uhr) ist vom ebenso naiven Realismus besetzt, der sich auf die quasi-dokumentarische

---

[9] *A. Fletcher,* Allegory 1: „ALLEGORY is a protean device, omnipresent in Western literature from the earliest times to the modern era."

[10] Vgl. *E. Honig,* Conceit 15.

[11] *E. Honig,* Conceit 71–73.140–145. *E. M. Forster,* Novel 141–144, möchte den Begriff Allegorie vermeiden, arbeitet aber deutlich den vielschichtigen Symbolcharakter des Romans heraus, für den er den Namen *prophetic fiction* prägt.

[12] *A. Fletcher,* Allegory 8.

[13] *G. Hough,* „Circle" 203–207. Auf diesen Artikel wurde ich durch E. Tinsley aufmerksam, der selbst das Allegorieverständnis der Gleichnisexegese mehrfach kritisiert hat, vgl. z. B. *E. Tinsley,* „Parable" 161–180; *ders.,* „Criteria" 32–39.

[14] *N. Frye,* Analyse 94. Allegoriefeindliche Kritiker neigen nach Frye dazu, „jede Art von Allegorie so zu behandeln, als ab sie naive Allegorie … sei" (ebd.).

Wiedergabe konkreter Ereignisse und Fakten beschränkt, ohne sie in thematisch bedeutungsvolle Bilder zu verwandeln, wie das in der Fiktion geschieht.[15] Zwischen bedeutungsüberladener Bilderschrift und selbstgenügsamem Realismus als den beiden Extremen läßt sich auf der rechten Hälfte des Zifferblatts in gradueller Abstufung ein Großteil der abendländischen Literatur unterbringen.[16] Im ersten Viertel dominiert das Thema. Hier haben allegorische Großformen wie *The Pilgrim's Progress* und *The Faerie Queene* ihren Platz. Im zweiten Viertel tritt das Bild (*image*), das eine mimetische Transformierung der Wirklichkeit voraussetzt, in den Vordergrund. Hierher gehören die meisten Romane, je nach dem Grad ihrer symbolischen Aussagekraft.

Die vermittelnde Schlüsselposition (drei Uhr) nimmt eine Aussageweise ein, in der abstraktes Thema und konkretes Bild eine völlige Fusion eingegangen sind. Hier ist innerhalb des allegorischen Zirkels ein Punkt erreicht, der den Ästhetikern der Klassik vorgeschwebt haben mag, wenn sie vom Symbol sprechen. G. Hough wählt dafür den Namen *incarnation*, bzw. *incarnational literature*, wenn auch unter ausdrücklicher Ablehnung theologischer Implikationen. Realisiert sieht er diese Position in Shakespeares Dramen[17], mit einigen Abstrichen auch in Miltons Epen und Tolstois Romanen.

Es wäre zu überlegen, ob sich der unfruchtbare Gegensatz von Gleichnis und Allegorie in der herkömmlichen Exegese nicht durch eine Adaption dieses Modells ersetzen läßt. Gleichnis und Allegorie können dann gar nicht miteinander konfrontiert werden, da sie verschiedenen Ebenen angehören. Die Allegorie ist ein fundamentaler Modus fiktiven Redens und Schreibens. Das Gleichnis gehört mit der Fabel und dem Paradigma zur Gattung der parabolischen Kleinformen und findet als solches seinen Platz innerhalb eines für diesen Fall konstruierten allegorischen Zirkels. Die beiden Extreme sind auch hier naive Bilderschrift (Gleichnisse dienen nur der Einkleidung vorgefertigter Ideen) und programmatischer Realismus (Gleichnisse wollen über die sozio-kulturellen Verhältnisse in Israel informieren). Dazwischen gibt es genügend Platz für die verschiedensten Abstufungen. Die genaue Stellung eines Textes auf dieser Skala wird durch das jeweilige Verhältnis von Aussageabsicht und benutztem Material bestimmt. Natürlich liegt die Versuchung nahe, die Gleichnisse

---

[15] Ähnlich ist die Konfrontierung von *prescriptive allegory* und *programmatic realism* bei E. Honig, Conceit 180, zu verstehen.

[16] Die linke Hälfte des Zifferblatts, die es mit Symbolismus (im nachklassischen Sinn) und Emblematik zu tun hat, braucht uns hier nicht zu interessieren.

[17] Zu Shakespeares allegorischer Technik vgl. A. D. Nuttall, Concepts 1–14.136–160.

Jesu an der Stelle unterzubringen, die Hough *incarnation* genannt hat.[18]
Doch bleibt das zunächst nur ein theologisches Vorurteil.

(3) Mit dem Vorstehenden ist auch das Verhältnis von allegorischem
Modus und außersprachlicher Realität angesprochen, das sich nicht auf
eine einfache Formel bringen läßt. Die verbreitete Behauptung, die Allegorie vertrage sich nicht mit realistischer Schilderung, ist sicher falsch. E.
Honig weist z. B. darauf hin, daß Melville in seinen allegorischen
Roman *Moby Dick* eine Fülle exakter Details über den Walfang eingearbeitet hat.[19] Die Beispiele ließen sich mehren.

Andererseits ist ebenso deutlich festzuhalten, daß allegorische Schreibweisen weitreichende Verzerrungen der Wirklichkeit mit sich bringen
können. Doch ist hier, wie schon angedeutet, sehr zu beachten, daß (a)
die Verwendung bizarrer und surrealer Bilder durch die literarische
Form des Traum- oder Visionsberichts legitimiert sein kann und daß (b)
gerade in parabolischen Kleinformen die Sprengung der Realität oft die
innerste Aussageabsicht des Textes zum Ausdruck bringt. Die Realien
werden vom Autor nicht um ihrer selbst willen geschildert, sondern in
den Dienst einer Aussage gezwungen.[20] Nach ihrer Herkunft und Funktion zu fragen, ist durchaus sinnvoll, sie sofort gegen den allegorischen
Charakter eines Textes auszuspielen, geht keinesfalls an.[21] „Volkserzäh-
lungen sind … niemals ein direkter Spiegel wirklicher Bräuche"[22] – man
möchte diesen Satz dem Gleichnisexegeten förmlich ins Stammbuch
schreiben.

(4) Auch die Frage nach dem verhüllenden Charakter der Allegorie kann
nicht eindeutig beantwortet werden.[23] Schon bei der Beschäftigung mit

---

[18] Vgl. *G. Ebeling*, Evangelienauslegung 108: „Das Gleichnis … ist die der Inkarnation
entsprechende Form der Rede Jesu."

[19] *E. Honig*, Conceit 103f.132. Ebd. 147 zitiert er Melvilles schönen Satz: „In behalf of the
dignity of whaling, I would advance nought but substantiated facts." Vgl. auch sein
zusammenfassendes Urteil ebd. 179: „The literary allegory does not oppose a realistic
account of the universe."

[20] Vgl. *E. Lämmert*, Bauformen 27: „Es macht geradezu das Wesen des Dichterischen aus,
daß alle benutzten Realien ihres transliterarischen Bezugssystems entkleidet werden und
innerhalb der fiktiven Wirklichkeit der Dichtung neuen Stellenwert und eine neue,
begrenzte Funktion erhalten."

[21] Ähnliches gilt für das Verhältnis von allegorischem Modus und narrativer Struktur.
Gestörter erzählerischer Ablauf kann auf allegorische Absicht schließen lassen, ist
aber keine *conditio sine qua non*. Bevorzugt werden im übrigen Handlungsschemata, die an
sich schon symbolträchtig sind: die Pilger- oder Forschungsreise, der ritterliche *Quest*,
Kampf und Krieg etc., vgl. *A. Fletcher*, Allegory 150f.181ff.

[22] Eine These der russischen Formalisten, vgl. *V. Erlich*, Formalismus 226.

[23] Vgl. einerseits *C. S. Lewis*, Allegory 48: „There is nothing ‚mystical' or mysterious about
medieval allegory." Ebd. 333: „We have also learned by now that allegory is not a
puzzle." Andererseits *M. Murrin*, Veil 68–74, der für die Renaissance den verhüllenden
Charakter der Allegorie betont und ihn über christliche und neuplatonische Traditionen
auf die biblische Prophetie und die antike Mysterientheologie zurückführt.

Quintilian haben wir gesehen, daß nach Funktion und Situation sehr
wohl zu differenzieren ist. Generell wird man sagen können, daß auch ein
allegorischer Text dem Kommunikationsprozeß zwischen einem Autor
und seinen Adressaten dienen will und somit auf Verstehen angelegt ist.
Durch Rückgriff auf mystifizierende Ausdrucksweisen kann eine bewußte
Beschränkung des Adressatenkreises erreicht werden. Das ist etwa der
Fall, wenn eine Allegorie sich der Sondersprache einer eng umgrenzten
Gruppe bedient oder politische Zensur umgehen will. Häufiger ist die
bewußte Verschlüsselung, wo sie vorliegt, als Herausforderung an den
Leser zu verstehen, sich aktiv an der Konstituierung des Sinns zu beteili-
gen. Meist kommen ihm in diesem Fall fixierte Gattungsmerkmale oder
typische Signale (z. B. „der Aufbruch zu einem fremdartigen und abge-
sonderten Schauplatz"[24]) zu Hilfe. Daß ein naiver Leser den Text dennoch mißverstehen kann, ist ein vom Autor einkalkuliertes Risiko.
Streng davon zu unterscheiden ist der Fall, wo eine Allegorie im zeitlichen Abstand zum Rätsel wird, weil die linguistischen Signale, die Bilder
oder die Referenten nicht mehr bekannt sind. Das kann nicht der allegorischen Verfahrensweise als solcher angelastet werden. Zu beachten ist
schließlich, daß sich große Dichtung einer erschöpfenden Erklärung ihres
Sinns stets widersetzt, ob allegorisch oder nicht.

(5) D. O. Via hat, wie im Forschungsbericht ausgeführt, die Frage nach
der Allegorie eng mit dem Problem der Referenz verbunden. Dazu finden
sich bei Fletcher und Honig manche Parallelen. Die außersprachlichen
Bezüge auf historische Ereignisse und soziale Zustände brauchen uns
nicht mehr zu interessieren, ihr allegorischer Charakter steht außer
Frage. Hervorzuheben wäre höchstens, daß sie nicht unbedingt punk-
tueller und detaillierter Entsprechungen bedürfen, wie Via gegen den
herrschenden Trend der Gleichnisforschung richtig gesehen hat. Selbst
naive Allegorien sind im allgemeinen redundant, d. h., sie weisen Details
auf, die nicht übertragbar sind und dem Ganzen ein realistisches Flair
geben.
Wichtiger ist Fletchers Hinweis, daß allegorische Texte oft eine Bindung
an vorgegebene Ideen und Ideale, an weltanschauliche Positionen und
dogmatische Überzeugungen erkennen lassen.[25] Sie sind referential auf
einen umfassenden Sinnzusammenhang bezogen. Das könnte für die Verbindung der Gleichnisse zur Basileiabotschaft Jesu zutreffen.
E. Honig hat weiter bemerkt: „We find the allegorical quality in a twice-
told tale written in rhetorical, or figurative, language and expressing a

---

[24] *M. Wünsch*, „Allegorie" 524 (vgl. Mk 4,10). *J. Dubois u. a.*, Rhetorik 227–230, nennen als
Allegoriesignale: ungenügende Isotopie der primären semantischen Ebene, kodifizierte
Bilder, Kontext und Verweis auf den Referenten.
[25] *A. Fletcher*, Allegory 305–308.368.

vital belief."[26] Allegorie liegt also auch dort vor, wo ein Autor eine alte, vielleicht sprichwörtlich gewordene Geschichte zum Vorwurf für seine eigene Schöpfung nimmt. Die neue Geschichte, die ein hohes Maß an Selbständigkeit erreichen kann, bleibt referential auf die alte Geschichte bezogen. Bei ntl Gleichnissen wäre das der Fall, sobald sie auf eine atl Vorlage zurückgreifen.

G. Reiss geht in einer lesenswerten Studie zu Thomas Manns Roman *Doktor Faustus* einen Schritt weiter.[27] Er macht die Beobachtung, daß die lineare Abfolge des Erzählens ständig aufgehoben und durch Simultaneität ersetzt wird. Die Hilfsmittel, die diesen Effekt erzeugen, sind Leitmotivik, Überlagerung verschiedener Zeitebenen und zahlreiche Vor- und Rückverweise. Es entsteht ein komplexer Bedeutungszusammenhang, der den ganzen Roman umspannt. Die einzelnen Sinnträger haben keine individuelle Funktion, sondern sind auf den umgreifenden Hintergrund bezogen und erhalten von dort ihren Sinn. Das Ganze ist ständig präsent und schwingt an jeder einzelnen Stelle mit.[28] Diese Verfahrensweise bezeichnet Reiss als allegorisierendes Erzählen.

Man wird über diese Ausweitung des Allegoriebegriffs streiten können. Via würde wahrscheinlich mit einigem Recht einwenden, daß es sich vielmehr um ein Musterbeispiel nichtreferentialen Erzählens handle, da alle Verweise innerhalb des geschlossenen Rahmens des Romans verbleiben. Ohne hier eine Entscheidung zu treffen, können wir diese Beobachtung doch in anderer Weise für die Gleichnisexegese fruchtbar machen.

Gestehen wir Via für den Augenblick einmal zu, daß Gleichnisse autonome ästhetische Objekte sind, die eine geschlossene Struktur aufweisen. Die Frage ist dann, was geschieht, wenn sie in den erzählerischen Ablauf des Evangeliums integriert werden. Widersetzen sie sich um jeden Preis? Oder lassen sie sich mit der Evangelienform verschmelzen? Läßt sich vielleicht gar eine ähnliche Interdependenz zwischen einzelner Textstelle und umgreifendem Ganzen ausmachen, wie sie Reiss und Lämmert in literarisch einheitlichen Texten beobachtet haben? Ist letzteres der Fall, so ist die geschlossene Struktur der Gleichnisse – falls es sie je gab[29] – aufgebrochen, sie verweisen jetzt auf den Gesamtzusammenhang des

---

[26] *E. Honig,* Conceit 12.

[27] *G. Reiss,* Allegorisierung, bes. 205–249. Der Titel *Doktor Faustus* verspricht übrigens *a twice-told tale.*

[28] Vgl. die ungemein wichtige Bemerkung von *E. Lämmert,* Bauformen 195: „Letzten Endes kommt es nur auf die Feinfühligkeit des Beobachters an, um an jedem Punkt des fortschreitenden Erzählens die mitschwingenden Gehalte aus der näheren und ferneren Umgebung aufzudecken. Jede Einzelinterpretation einer Textstelle zielt auf solche Beziehungen."

[29] Vgl. immerhin *E. Leibfried,* Wissenschaft 299: „Das Kunstwerk ruht weder in sich, noch stellt es ‚ein geschlossenes Geflecht von Strukturen' dar ...".

Evangeliums und haben somit einen neuen Referenten erhalten. Dieser Vorgang wäre nach allem, was wir ausgeführt haben, allegorisch zu nennen.

Praktische Folgerung aus unserem Gedankenexperiment ist dies: für die Diskussion um den allegorischen Charakter der Gleichnisse sind genaue Beobachtungen zur Wechselwirkung von Gleichnisgattung und Evangelienform von eminenter Wichtigkeit.

Kapitel IX

ALLEGORIK UND METAPHORIK

§ 22: Zur Theorie des Bildfelds

Im folgenden wenden wir uns dem Zusammenhang von Allegorik und Metaphorik zu, den wir in Kapitel IV zu den offenen Fragen gerechnet haben. Vorausschicken müssen wir einige Bemerkungen zur Theorie der Metapher, die das im Forschungsbericht hier und da Angedeutete etwas vertiefen.[30]

a) Die Metapher

Die antike Theorie schreibt der Metapher seit Aristoteles zwei Aufgaben zu, das Ausfüllen einer semantischen Lücke und die Ausschmückung der Rede im Interesse ihrer Erfreulichkeit und Wirksamkeit.[31] Daran hat sich bis in die Neuzeit wenig geändert. Im 19. Jh. dominiert dann die diachrone Betrachtungsweise, die staunend vermerkt, daß sich viele lexikalisierte Wörter auf Metaphern zurückführen lassen. Jean Paul gibt dem Ausdruck: „Daher ist jede Sprache in Rücksicht geistiger Bezeichnungen ein Wörterbuch erblaßter Metaphern."[32] Gleichzeitig bleibt das Mißtrauen der idealistischen Philosophie gegen die Irreführung durch das

---

[30] Aus der umfangreichen Literatur nenne ich nur: *H. H. Lieb*, Umfang (diskutiert 125 Definitionen); *H. Meier*, Metapher (umfassende Sichtung der herkömmlichen Diskussion); *M. Black*, Models 25–47.

[31] Vgl. Cic., De Orat III, 155: *sic verbi translatio instituta est inopiae causa, frequentata delectationis.*

[32] *J. Paul*, Ästhetik 165. In dieser Tradition steht noch der bei Theologen beliebte Beitrag von *K. Löwith*, „Sprache" 48: „Aber: kann man überhaupt sprechen ohne in Metaphern zu reden?".

schöne Bild bestehen. R. Eucken hält eine metaphorische Redeweise in der Philosophie für „durchgehend gefährlich" und für einen „Quell dogmatischer Verirrung"[33]. Am weitesten geht F. Nietzsche. Um die Wahrheit zu diskreditieren, nennt er sie ein „bewegliches Heer von Metaphern", das wir dem trügerischen „Fundamentaltrieb des Menschen" zur Metaphernbildung verdanken.[34]

Lassen wir Nietzsches polemische Absicht beiseite, so bleibt doch die Frage nach Ursprung und anthropologischer Verankerung der Metapher gestellt. H. Werner hat versucht, sie im Rückgriff auf ethnologische Beobachtungen zu beantworten.[35] Die echte Metapher entstammt dem Tabu-Denken des Primitiven mit seiner numinosen Furcht, die zur Verhüllung zwingt. L. Röhrich sieht dieses Sprachtabu noch in der Volksdichtung am Werk, die gerade in den numinosen Bereichen von Liebe und Tod mit verschlüsselten Metaphern und Rätseln arbeitet.[36] Beides geht uns insofern an, als es A. Jülicher sehr entgegenkommt, für dessen Entwurf die These von der verbergenden Absicht der Metapher grundlegend ist. Doch haben Werners Thesen einer Überprüfung nicht standgehalten[37], und die Beobachtung von Röhrich wird man nur als Hinweis auf die Leistungsfähigkeit der Metapher werten können, die ganz verschiedene Funktionen übernehmen kann, nicht aber als Nachweis einer grundsätzlichen Verhüllungstendenz.

Im Gegenteil, fragt man schon nach Primärfunktion und Herkunft der Metapher, wird man die Antwort in entgegengesetzter Richtung suchen müssen. Die Metapher steht im Dienst der sinnerschließenden und sinnstiftenden Bewältigung der Wirklichkeitswelt. Mit Hilfe des analogischen Denkens, das die Grundlage jeder Metaphorik bildet, können im ungeordneten Chaos der Phänomene sinnvolle Beziehungen entdeckt und hergestellt werden. H. Blumenberg hat einleuchtend gezeigt, wie einige wenige absolute Metaphern, die sich nicht in die Logizität zurückholen lassen, den Grundbestand philosophischer Sprache ausmachen.[38] Daß insbesondere alles religiöse Sprechen der metaphorischen Aussageweise zutiefst verpflichtet ist, braucht kaum betont zu werden.[39]

---

[33] *R. Eucken,* Bilder 30.57. In die gleiche Richtung weist ein Essay von *F. Schiller,* „Über die notwendigen Grenzen beim Gebrauch schöner Formen" (Werke, Bd. 21, 3–27).

[34] *F. Nietzsche,* Werke, Bd. 3, 314.319. Vgl. dazu *E. Jüngel,* „Metapher" 105ff.

[35] *H. Werner,* Ursprünge 191–197 u. ö. Etwas anders *H. Lausberg,* Handbuch I, 286: „Die Metapher ist ein urtümliches Relikt der magischen Identifizierungsmöglichkeit ...".

[36] *L. Röhrich,* Gebärde 37–114. Dazu noch *W. Ingendahl,* Prozeß 193.209f.285.

[37] Vgl. die Kritik bei *K. Bühler,* Sprachtheorie 351–355.

[38] *H. Blumenberg,* Paradigmen 9–11.

[39] Vgl. *C. M. Turbayne,* Metaphor 96: „The histories of the sciences of psychology and theology record, in large part, the unending search for the best possible metaphors to illustrate their unobservable subjects."

In der Gegenwart hat sich vor allem H. Weinrich in überzeugender Weise um eine theoretische Fundierung der Metapher bemüht.[40] Für Weinrich ist die Metapher ein semantisches Basisphänomen.[41] Partikuläre Erscheinungen wie Metonymie, Synekdoche und Vergleich sind als besondere Spezies dem Genus der Metapher unterzuordnen, die als Oberbegriff alle Formen des sprachlichen Bildes umschließt.[42]

b) Das Bildfeld

Für unsere Zwecke ist die Theorie des Bildfelds von Bedeutung, die H. Weinrich analog zur Wortfeldtheorie entwickelt hat.[43] Das Wortfeld ist ein synchrones Paradigma, das nach der Saussure'schen Unterscheidung zur *langue* gehört, d. h. zum überindividuellen Sprachsystem. Wird ein Wort aus einem Wortfeld auf der Ebene der *parole* syntagmatisch realisiert, bringt es den Bedeutungsgehalt mit ein, der ihm im Paradigma aufgrund seiner Relation zu anderen Elementen des Feldes zukommt. Ähnlich ist das Bildfeld zu fassen. Bildfelder enthalten den objektiven, überindividuellen Metaphernbestand einer Sprach- und Kulturgemeinschaft. Eine Einzelmetapher, die einem vorhandenen Bildfeld entnommen ist, bleibt paradigmatisch auf ihr Feld verwiesen, das bildet die Grundlage für ihre mögliche Expansion. Wegen ihrer Wichtigkeit sei diese These an zwei Beispielen erläutert.

Das erste Beispiel stammt von Weinrich selbst. Er geht von der metaphorischen Wendung „Wortmünze" aus. Als Bildspender fungiert hier Münze, als Bildempfänger Wort. Damit sind die beiden Sinnbereiche der Finanzwirtschaft und der Sprache ins Spiel gebracht. Aus ihrer Interaktion entsteht ein Bildfeld, das es z. B. erlaubt, eine ideologisch verfälschende Redeweise als Falschmünzerei und ein leeres Versprechen als

---

[40] *H. Weinrich,* „Metapher" 3–17; *ders.,* „Kühne Metapher" 325–344; *H. Weinrich u. a.,* „Bochumer Diskussion" 100–130. Zusammengefaßt in *H. Weinrich,* Sprache 276–341.

[41] Anhänger der generativen Transformationsgrammatik hingegen können die Metapher nur als Abweichung und Verletzung der Selektionsregeln betrachten, vgl. *S. R. Levin,* „Deviation" 284–296.

[42] Anders *R. Jakobson,* Aufsätze 117–141, der Metapher und Metonymie als die beiden fundamentalen Tropen ansieht. Anders *K. Burke,* Dichtung 30f., für den die Synekdoche die „Grundfigur aller menschlichen Rede" ist. Zur Kritik sei verwiesen auf *N. Ruwet,* „Synecdoques" 371–388. Die Bezeichnung „sprachliches Bild" ist insofern berechtigt, als die Metapher eine dem Bild vergleichbare Leistung erbringt. Ein Bild kann synchron mehrere Sinnebenen zur Anschauung bringen, die in der Sprache normalerweise nacheinander beschrieben werden müssen – sofern sie nicht durch eine geglückte Metapher gleichzeitig zum Aufleuchten gebracht werden, vgl. *M. Imdahl,* „Bildsyntax" 187f.

[43] *H. Weinrich,* „Münze und Wort" 508–521. Mit unwesentlichen Änderungen auch in *H. Weinrich,* Sprache 276–290.

ungedeckten Scheck zu bezeichnen. Andere Metaphern aus dem gleichen Bildfeld sind Wortschatz, Wortreichtum, sprachliche Ökonomie, ein Wort prägen, in gleicher Währung heimzahlen ...

Die Erfindung einer neuen Metapher erschöpft sich oft darin, eine leere Stelle in einem vorhandenen Bildfeld auszufüllen. Die metaphernschaffende Kreativität des Dichters ist eine relative. Ständiges Bemühen um grundlegend neue Metaphern wirkt schnell maniriert und ruft Überdruß hervor. Die geschickte Ausnutzung vorgegebener Bildfelder mit ihrem reichen Gehalt an Ober- und Untertönen kann durchaus Kennzeichen größerer sprachlicher Meisterschaft sein.

Ein zweites, recht anschauliches Beispiel verdanke ich F. E. Sparshott, den ich frei paraphrasiere.[44] Wenn wir vom Kamel als „Wüstenschiff" sprechen, stellen wir uns die Wüste als unwirtlichen Ozean vor. Die Sanddünen sind Wogen, die Oasen Inseln. Die Karawane gleicht einem Flottengeleitzug, der Gefahr läuft, von feindlichen Beduinen torpediert zu werden. Und schließlich mag es uns so vorkommen, als würden die Rippen eines verendeten Kamels wie Spanten eines Schiffwracks durch moderne Planken schimmern.

Hier wird eine Wüstengeschichte auf eine Schiffahrtsgeschichte projiziert. Die Schiffahrtsgeschichte bildet die Leinwand, auf der die Wüstengeschichte abläuft.[45] Die recht banale Metapher, von der wir ausgegangen sind, läßt sich problemlos ausspinnen. „In der Tat kommt eine Metapher selten allein"[46] – sie bringt ihr ganzes Bildfeld mit ins Spiel. Zugleich zeigt sich, wie sich das Ausspinnen einer Metapher fast von selbst mit rudimentären narrativen Strukturen verbindet. Wir könnten jetzt mit Leichtigkeit eine kleine Geschichte erfinden, die einen Wüstenzug mit den Termini einer Schiffsreise beschreibt. Wir hätten damit nichts anderes getan als die anfängliche Metapher unter Zuhilfenahme ihres Bildfeldes zu einer Allegorie erweitert, die eben wegen des konventionellen Bildfeldes leicht verständlich ist.

Auf die antike Lehre von der Allegorie als *metaphora continua* fällt so neues Licht. Auch für die Anspielung, der in Quintilians Allegoriedefinition ein nicht unbedeutender Stellenwert zukommt, lassen sich unsere Beobach-

---

[44] *F. E. Sparshott,* „Metaphor" 82.

[45] Von der Projektion zweier Geschichten, die in jeder gelungenen Metapher stattfinde, sprechen die Autoren des von H. Weinrich beeinflußten Lektürekollegs zur Textlinguistik, vgl. *W. Kallmeyer u. a.,* Textlinguistik 161–176.

[46] *P. Ricoeur,* „Metapher" 64.

[47] Quintilian hat allerdings in erster Linie historische Anspielungen im Blick, die ebenso wie seine Decknamenallegorie nichtmetaphorischer Art sind. Um eine theoretische Fundierung der Anspielung bemüht sich soweit ich sehe nur *J. Rodi,* „Anspielungen" 115–134. Er spricht von „kulturellen Kommunikationseinheiten", die zur „elliptischen Verständigung" dienen (a.a.O. 115).

tungen ausnutzen.[47] Eine Metapher, die einem klar strukturierten Bildfeld angehört, ist umgeben von einem Netz oder Bündel möglicher Assoziationen. Sie vermag den ganzen Komplex von Wertungen und Einstellungen zu evozieren, der mit der Überlagerung zweier Gegenstandsbereiche im Bildfeld verbunden ist.

Es steht zu erwarten, daß gegen die Theorie vom Bildfeld die gleichen Einwände vorgebracht werden wie gegen die Wortfeldtheorie: daß es sich nur um ein Konstrukt handelt (was nicht bestritten sei – auch die Transformationsgrammatik ist nur ein Konstrukt), daß sich nicht alle Bilder einem Feld zuordnen lassen bzw. daß sie gleichzeitig mehreren Feldern angehören können etc. Es soll auch gar nicht behauptet werden, die Bildfeldtheorie sei die einzige oder die beste Möglichkeit, das Metaphorische zu erfassen. Die kognitive Rolle der Metapher als Instrument der Wirklichkeitsbewältigung kommt sicher zu kurz, über das anfängliche Zustandekommen der Bildfelder wird nichts gesagt. Doch scheint die Bildfeldtheorie in besonderer Weise geeignet zu sein, jene traditionellen, vorgegebenen Metaphernbestände, von denen schon E. R. Curtius spricht[48], zu erfassen. Damit ist sie unserem Material besonders angemessen, denn in der biblischen Sprache haben wir es vorzugsweise mit festen, durch lange religiöse Tradition geprägten Metaphern zu tun. Die Annahme eines Bildfeldes kann die Konsistenz dieser Metaphern erklären. Sie bildet zugleich die theoretische Grundlage für Phänomene wie metaphorische Erweiterung und Metaphernmodernisierung, die manche Exegeten intuitiv in biblischen und nachbiblischen Gleichnissen am Werk sahen.

Über den allegorischen Charakter eines Gleichnistextes und über seine sekundäre Allegorisierung wird man also nicht diskutieren können, ohne die implizierte Metaphorik und ihre mögliche Relation zu einem Bildfeld zu beachten. Zugänglich ist uns ein solches Bildfeld nur über die *parole*. Konkret bedeutet das: wir müssen die Umweltliteratur des NT unter Einschluß des AT und seiner zeitgenössischen Auslegung nach festen Metaphern durchforschen.[49]

c) Der Kontext

Wir sind mit unseren Problemen noch nicht am Ende. Wörter, die als Bildspender für feste Metaphern dienen, haben die Eigenschaft, daß sie

---

[48] *E. R. Curtius,* Literatur 138–145.

[49] Da wir es bei den synoptischen Gleichnissen mit Texten zu tun haben, beschränken wir uns in der Regel auf literarische Zeugnisse und verzichten auf das außersprachliche Material, das E. R. Goodenough in seinem monumentalen Werk *Jewish Symbols* zusammengetragen hat.

nach wie vor auch in ihrer nichtmetaphorischen Grundbedeutung vorkommen können. Es fragt sich, wer darüber entscheidet, ob metaphorischer Gebrauch vorliegt oder nicht.

Die Antwort kann nur lauten: der Kontext. Daß die Bedeutung eines Lexems durch den engeren sprachlichen Kontext mitbestimmt wird, ist ein linguistischer Allgemeinplatz.[50] Die meisten Lexeme sind mehr oder weniger polysem. Eindeutigkeit wird erst innerhalb eines Satzes oder Textes erzielt. Aus dem Bedeutungsangebot der einzelnen Lexeme werden diejenigen semantischen Merkmale ausgewählt, die einander verträglich sind und syntagmatische Anschließbarkeit ermöglichen. Die Isotopie des Textes, die so erstellt wird, wirkt monosemierend auf die Lexeme zurück.[51]

Dieses Verwiesensein auf den engeren sprachlichen Kontext gilt erst recht für die Metapher. H. Weinrich hat die Metapher geradezu definiert als „ein Wort in einem konterdeterminierenden Kontext"[52]. Die Determinationserwartung wird durch den Kontext empfindlich gestört, eine Isotopie scheint nicht zustandezukommen. Das zwingt zur Produktion eines neuen, metaphorischen Sinns. Bei habitualisierten Metaphern wird die Kontextabhängigkeit reduziert, die ursprüngliche Spannung kaum noch als solche empfunden. Ein Grenzfall ist erreicht, wenn die feste Metapher ins Lexikon eingeht und fortan zu den Konnotationen des polysemen Bildspenders zählt.

Daneben ist der weitere sprachliche Kontext zu berücksichtigen. Es kann sich dabei um ein größeres Werk, etwa um einen Roman, handeln, um das Gesamtkorpus eines Autors, im Extremfall um die gesamte Literatur einer bestimmten Epoche oder eines geographischen Raums.[53]

Zum sprachlichen Kontext treten der situative und der sozio-kulturelle Kontext. Der situative Kontext hat es mit den außersprachlichen Umstände und Bedingungen zu tun, die beim Entstehen eines Textes eine Rolle spielen. Ihm kommt naturgemäß für die mündliche Rede, die in besonderer Weise an ihre Entstehungssituation gebunden ist, größte Bedeutung zu. Ob jemand auf dem Sterbebett sagt: „Ich gehe fort", oder ob er die gleiche Äußerung an der Haustüre stehend beiläufig tut, macht einen beträchtlichen Unterschied.[54] Mündliche Rede, die ohne jeden Hinweis auf einen situativen Kontext tradiert wird, kann mißverständlich, ja unverständlich sein. Mit diesem Fragenkomplex beschäftigt sich

---

[50] *L. Wittgenstein*, Tractatus 3.3: „Nur der Satz hat Sinn; nur im Zusammenhang des Satzes hat ein Name Bedeutung." Vgl. die Theorie des synsemantischen Umfeldes bei *K. Bühler*, Sprachtheorie 154–168.
[51] Vgl. zu diesem Modell *W. Kallmeyer u. a.*, Textlinguistik 143–161.
[52] *H. Weinrich*, „Metapher" 6.
[53] So *N. Frye*, „Path" 273f.
[54] *U. Eco*, Semiotik 136f.

besonders die Sprechakttheorie. Sie versucht, die Regeln zu ergründen, die das Zusammenspiel von Situation und sprachlicher Äußerung leiten.[55]

Der sozio-kulturelle Kontext meint das epochale Wirklichkeitsmodell, das den umfassenden Horizont für die Verständigung des Autors mit seinen Adressaten abgibt.[56] Dazu gehören auch akzeptierte Wertvorstellungen, Sitten und Gebräuche, technische Daten u. a. m., kurz, die Frage nach den Realien, die der Text impliziert oder voraussetzt.

Der situative und der sozio-kulturelle Kontext sind uns oft nicht unmittelbar zugänglich. Wir müssen sie erst aus den Indizien rekonstruieren, die in den Text eingegangen sind. Eine solche Frageweise läuft der primären Intention der Texte zuwider (sofern es sich nicht um ausgesprochene Sachtexte handelt), sie liest den Text gleichsam gegen den Strich, insofern ist Vorsicht geboten. Darauf verzichten können wir andererseits nicht, wenn wir uns nicht eines wichtigen Instruments der wissenschaftlichen Erkenntnis berauben wollen.

Es ist leicht zu sehen, daß diese Erfordernisse einer allgemeinen Literaturtheorie von der Gleichnisexegese in verschiedenem Maße berücksichtigt worden sind. J. Jeremias hat sich vor allem um die Rekonstruktion des situativen und des sozio-kulturellen Kontexts bemüht, das ist sein bleibendes Verdienst. Die strukturale Untersuchung kleiner Einheiten, die zu diesem Zweck autonom gesetzt werden, kann man als bewußte Beschränkung auf den engeren sprachlichen Kontext ansehen. Die Beschäftigung mit dem weiteren sprachlichen Kontext wäre eine Aufgabe der Redaktions- und Gattungskritik. Für unsere Zwecke kommt es darauf an, die verschiedenen kontextualen Beobachtungen in einen integrierten Zusammenhang zu bringen und für die Frage nach Metaphorik und Allegorik auszuwerten.

§ 23: Text und Kommentar

Bislang haben wir uns ausschließlich mit der Allegorie beschäftigt, nicht aber mit der Allegorese, d. h. mit der Technik des allegorischen Kommentars. Das liegt z. T. an der eingangs skizzierten Lage in der Literaturwissenschaft. Die sonst so zuverlässigen Arbeiten von E. Honig und A. Fletcher enttäuschen in diesem Punkt, weil sie eine ursprüngliche Affinität von Allegorie und Mythos annehmen und daher keine Schwierigkeiten sehen, beide mit Hilfe der Allegorese ineinander zu überführen. Im Rückgang auf die frühen Quellen hat sich uns dieser Ansatz als Ergebnis einer sekundären Entwicklung erwiesen.

---

[55] Ich verweise nur auf ihre Rezeption bei *J. Kopperschmidt*, Rhetorik 74–100.
[56] Vgl. *J. Lyons*, Linguistik 422; *U. Eco*, Semiotik 191f.

Nun vertritt N. Frye die Ansicht, „daß jeder Kommentar allegorische
Interpretation bedeutet, ein Anknüpfen von Ideen an die Struktur der
poetischen Bilderwelt"[57]. Wir können daraus zunächst eine wichtige Folgerung ziehen, die den Unterschied von Allegorese und sekundärer Allegorisierung eines Textes betrifft. Die Allegorisierung verbleibt innerhalb
des Bildfeldes der Metapher, die sie weiter ausspinnt. Die Allegorese löst
die metaphorischen oder mythischen Bilder auf und setzt sie in die
Begrifflichkeit einer philosophischen oder theologischen Weltanschauung
um. Letzteres trifft auf die patristische Allegorese des Samaritergleichnisses zu, die uns schon mehrfach als Beispiel diente.

Doch können wir Fryes weitreichende Behauptung, jeder Kommentar sei
allegorisch, nicht in dieser Schroffheit stehen lassen. Was aber unterscheidet einen nicht-allegorischen Kommentar von einem allegorischen?
Dazu müssen wir zunächst feststellen, wonach wir bei der Interpretation
eines Textes eigentlich fragen. Die herkömmliche Antwort, die E. Hirsch
wieder mit großem Aufwand verteidigt hat, lautet: nach der Intention
des Autors. Das ist ein wichtiger und unverzichtbarer Gesichtspunkt.
Doch kann er allein nicht befriedigen. Das zeigt sich schon daran, daß
die Vertreter dieser These sich gezwungen sehen, zwischen Interpretation und kritischer Wertung zu unterscheiden[58] oder vorbewußte und
unbewußte Faktoren zur Intention des Autors zu rechnen[59], was einer
contradictio in adjecto gleichkommt. Am Ende ist der Text doch klüger als
sein Verfasser.

Zwei Faktoren müssen neben der Intention des Autors noch berücksichtigt werden, und zwar (a) die innere Struktur des Textes, durch die Sinn
überhaupt erst zustande kommt, und (b) der Erwartungshorizont der
Adressaten, der darüber mitentscheidet, was man einem Autor noch
zumuten kann und was nicht.[60] Das Ensemble dieser drei Faktoren
kann man mit einem von P. Ricoeur entlehnten Begriff[61] intentionale
Textur nennen und die These daran anknüpfen: ein Kommentar, der
auf die Erhebung der intentionalen Textur abzielt, ist im Ansatz

---

[57] *N. Frye,* Analyse 93.

[58] *E. D. Hirsch,* Interpretation 179–208.

[59] So *W. Babilas,* Tradition 37–39. Vgl. die pointierte Kritik von *R. Wellek – A. Warren,*
Theorie 35: „Der ganze Gedankengang, daß die ‚Absicht' des Dichters der eigentliche
Gegenstand der Literaturgeschichte sei, scheint mir jedoch unbedingt ein Irrweg zu
sein."

[60] Die Berücksichtigung der Wirkungsgeschichte eines Textes, die nach *H. Gadamer,* Wahrheit 284–290, jetzt *H. R. Jauß,* Literaturgeschichte 171–207, im Namen seiner Rezep-
tionsästhetik fordert, ist gleichfalls von Bedeutung, gehört aber einer anderen Frage-
ebene an. Sie bekommt es in unserem Fall eigentlich immer mit allegorischen Auslegungen zu tun.

[61] *P. Ricoeur,* Interpretation 24.

nichtallegorisch (ob auch im Ergebnis, ist eine andere Frage: Vorwürfe an den jeweiligen Gegner, er lege allegorisch aus, sind auch in der neueren Literatur nicht gerade selten); ein Kommentar, der von der intentionalen Textur absieht und eigene Einsichten und Überzeugungen im Text bestätigt findet, ist allegorisch. Letzteres ist wiederum bei der patristischen Auslegung des Samaritergleichnisses der Fall. Darüber hinaus ist es die inhärente Gefahr der gesamten Allegorese der Väterzeit und des Mittelalters und nicht auf Gleichnisse beschränkt.

Wir sind am Schluß der vorbereitenden Untersuchungen angelangt. Auf die Formulierung von Leitlinien für die Exegese sei bewußt verzichtet. Es ging darum, die Fragestellung zu präzisieren, die historische Verflechtung auszuleuchten und einige sprachtheoretische Kategorien bereitzustellen. Die ntl Texte sollen in einer genauen Exegese zunächst für sich selbst sprechen. Es wird sich zeigen, ob sie sich mit dem historischen Material vergleichen und mit den literaturwissenschaftlichen Kategorien beschreiben lassen oder nicht.

Teil D

TEXTUNTERSUCHUNGEN

Kapitel X

BILDWORTE IN MK 2 UND 3 PARR

§ 24: Der Arzt (Mk 2,17 parr Mt 9,12; Lk 5,31) [1]

a) Analyse

Die redaktionelle Einheit, zu der Mk 2,17 gehört, beginnt Mk 2,13. V. 13
ist redaktionell: καὶ ἐξῆλθεν korrespondiert καὶ εἰσελθών Mk 2,1. Das
Seeufer ist auch Mk 1,16; 3,7; 4,1; 5,1 der Ort des Wirkens Jesu. Seine
bevorzugte Tätigkeit ist das Lehren (1,21f.; 4,2; 6,2.34).[2] Die Scharen
drängen sich in steigendem Maße zu ihm (1,45; 2,2). V. 14 enthält eine
knappe Berufungsgeschichte, die sich durch Wortwahl und Aufbau[3] als
Parallele zu den beiden Berufungsgeschichten Mk 1,16–20 erweist. Das
macht redaktionelle Bildung wahrscheinlich.[4]
Die vormarkinische Einheit setzt mit dem Erzählsignal καὶ γίνεται V. 15
ein. Schwierigkeiten bereitet bei einer isolierten Betrachtungsweise die
Pronominalisierung in V. 15a. αὐτόν verweist kataphorisch auf τῷ
Ἰησοῦ 15b, was als Erzähleinleitung schwierig, aber denkbar ist. Der
Genetiv αὐτοῦ bei ἐν τῇ οἰκίᾳ, der im jetzigen Kontext anaphorisch auf
Levi zu beziehen ist, hängt in der Luft. Manche Autoren vermuten,
αὐτοῦ gehe gleichfalls auf Jesu, der hier als Gastgeber in sein eigenes
Haus einlädt.[5] Doch ist diese Deutung sprachlich wie sachlich gleicher-
maßen schwierig. Jesus war als umherziehender Wanderprediger auf
Gastfreundschaft angewiesen. Als nächste Parallele ist Mk 14,3 anzuse-

---

[1] Der Vers wird im Rahmen der Gleichnisse behandelt von A. Jülicher, Gleichnisreden II,
174–177; L. Fonck, Parabeln 849–853; H. Weinel, Gleichnisse 85; I. M. Vosté, Parabolae I,
441; J. Pirot, Paraboles 20–24; C. E. Carlston, Parables 110–116.
[2] Zu θάλασσα und διδάσκω als Vorzugswörter der mk Redaktion vgl. L. Gaston, Horae
71.74.
[3] Vgl. zu den topischen Elementen B. M. F. van Iersel, „Vocation" 215f. Als atl Vorbild,
das freilich intensiviert wird, kann die Berufung des Elischa durch Elija gelten, vgl. M.
Hengel, Nachfolge 18–20.
[4] So R. Pesch, „Levi" 43–45. Von einer Berufung zu einem der Zwölf ist nichts gesagt.
Insofern besteht für Mk die später empfundene Spannung zu den Zwölferlisten noch
nicht, vgl. D Θ φ it: Ἰάκωβον, und Mt 9,9.

hen: ἐν τῇ οἰκίᾳ Σίμωνος τοῦ λεπροῦ[6]. Ähnlich wird hier vom Haus des Alphäus-Sohnes Levi die Rede gewesen sein. Mk hat aus der Namensnennung und aus den τελῶναι die Berufungsgeschichte in V. 14 herausgesponnen und in V. 15 den Eigennamen durch das Pronomen ersetzt. Während V. 15b ohne Schwierigkeiten dem vormarkinischen Erzählfaden zugeordnet werden kann[7], wirkt V. 15c nachgetragen. ἦσαν γὰρ πολλοί ist auf das unmittelbar voraufgehende τοῖς μαθηταῖς αὐτοῦ zu beziehen, nicht auf πολλοὶ τελῶναι καὶ ἁμαρτωλοί am Satzanfang. Offensichtlich wollte Mk die Anwesenheit vieler Jünger (als Pendant zu den vielen Zöllnern und Sündern?) herausstreichen, was ihm durch die bisher berichteten Berufungen, die eine Gesamtzahl von fünf Jüngern ergeben, nicht genügend gesichert erschien.[8] Auch das folgende καὶ ἠκολούθουν αὐτῷ wird man als redaktionelle Notiz werten. Es bezieht sich nicht etwa auf die Nachfolge von Zöllnern und Sündern. Auch die von ℵ L 33 u. a. vertretene Lesart, die καὶ ἠκολούθουν zu V. 16 zieht und die Gegner Jesus ins Haus folgen läßt, erscheint wenig plausibel.[9] Vielmehr ist gemäß mk Sprachgebrauch an die Jüngernachfolge gedacht (deshalb das Imperfekt: andauernde Handlung).

Die singuläre Wendung οἱ γραμματεῖς τῶν Φαρισαίων bereitet Seitenreferenten, Abschreibern und Kommentatoren gleichermaßen Schwierigkeiten. Es wird sich um eine historisch exakte Angabe handeln. Schriftgelehrte gab es auch unter den Sadduzäern, und die Pharisäer waren „in der Mehrzahl ... Männer aus dem Volke ohne schriftgelehrte Bildung"[10]. Pharisäische Schriftgelehrte als eigene Gruppe hervorzuheben erscheint durchaus sinnvoll (vgl. Apg 23,9).

---

[5] So E. Lohmeyer, Mk 55; J. Jeremias, Gleichnisse 225; H. Braun, „Eröffnung" 97. Vorsichtiger K. L. Schmidt, Rahmen 85. E. Ravarotto, „Casa" 399–419, denkt an das Haus des Petrus in Kapharnaum.

[6] Vgl. R. Pesch, „Zöllnergastmahl" 71f.78; E. Haenchen, Weg 108f.

[7] Eine sachliche Spannung besteht zwischen τελῶναι und ἁμαρτωλοί. Das Verhältnis der beiden Begriffe ist inkludierend. Die Zöllner sind Sünder, weil ihr Beruf sie zur Unehrlichkeit verleitet und zum Umgang mit Heiden zwingt, vgl. J. Donahue, „Tax Collectors" 39–61 (der einige Differenzierungen anbringt). Sünder sind (a) im Verständnis der Pharisäer alle, die sich nicht an die strenge Gesetzesobservanz halten. In der Meinung des Volkes sind es (b) solche, die einen unmoralischen Lebenswandel führen oder (c) einen unehrenhaften Beruf ausüben. Vgl. J. Jeremias, „Zöllner" 293–300; I. Abrahams, Studies I, 54–61; Bill. I, 377ff. Wahrscheinlich ist das konkrete τελῶναι an unserer Stelle älter, während der Sammelbegriff ἁμαρτωλοί sekundär, aber vormarkinisch eingefügt wurde, vgl. E. Lohmeyer, Mk 55; E. Schweizer, Mk 35.

[8] So z. B. V. Taylor, Mk 205; C. E. B. Cranfield, Mk 104. Das Wort μαθητής fällt im MkEv hier zum erstenmal.

[9] So jedoch E. P. Gould, Mk 42. Vgl. aber Bl-Debr § 442,4b und 471,4.

[10] J. Jeremias, Jerusalem 279. Vgl. Schürer II, 380f.

V. 16b wird das aus V. 15b schon bekannte Faktum der Mahlgemeinschaft Jesu mit Sündern und Zöllnern (man beachte die Umstellung) erneut konstatiert, was ausgesprochen pleonastisch wirkt, zumal wenn man V. 16c hinzunimmt. Wahrscheinlich geht diese Doppelung auf das Konto der mk Redaktion. Nach Einfügung von V. 15c sah Mk sich gezwungen, das Objekt zu ἰδόντες erneut zu präzisieren. Seine Vorliebe für *duality* mag mitspielen.[11]
Faßt man das ὅτι in V. 16c als *recitativum* auf, handelt es sich um eine vorwurfsvolle oder anklagende Feststellung. Doch kann ὅτι auch eine indirekte Frage einleiten.[12] Auffällig ist, daß die Frage nach dem Verhalten Jesu sich an die Jünger richtet, Jesus aber selbst die Antwort gibt (αὐτοῖς = den Gegnern, nicht den Jüngern). Nachdenklich stimmt ferner, daß die Antwort ein Doppellogion enthält. Ein einzelnes Logion würde genügen. Es läßt sich zunächst eine vormarkinische Einheit eruieren, die Mk 2,15ab.16ac.17 umfaßt. Eine weitere Differenzierung erscheint möglich.
Mt und Lk folgen dem Mk-Text.[13] Daß beide die mk Einleitung und die überschüssigen VV. 15c und 16b auslassen, kann nicht verwundern. Die einzige positive Übereinstimmung gegen Mk besteht in der Ersetzung von ὅτι Mk 2,16 durch διὰ τί Mt 9,11 par Lk 5,30. Das erklärt sich aus dem gemeinsamen Anliegen, die direkte Frage zu verdeutlichen. Abhängigkeit oder selbständige Überlieferung liegt nicht vor.

b) Form und Gattung

Als Ganzes gehört die Einheit Mk 2,15–17 zur Gattung der apophthegmatischen Streitgespräche[14]. Sie folgt in ihrem Aufbau dem Mk 2,6–10.18–20.23–28 belegten Schema. Das ungewöhnliche Verhalten Jesu oder seiner Jünger löst eine Frage aus, die mit einem christologischen Logion abschließend beantwortet wird. Doch können die Jesuslogien in V. 17bc auch unabhängig von ihrer erzählerischen Rahmung

---

[11] Vgl. *F. Neirynck*, Duality 114.

[12] Bl-Debr § 300,2. Vgl. die Textvarianten und Mk 9,11.28.

[13] Mt 9,10 ersetzt κατακεῖσθαι, das er durchgehend meidet, durch ἀνακεῖσθαι. Das mehrdeutige αὐτοῦ läßt er aus. Lk 5,29 verdeutlicht es durch ἐποίησεν δοχὴν μεγάλην Λευίς. Das entspricht seiner Tendenz, Jesus als Gast zu zeichnen, vgl. Lk 7,36; 10,38; 14,1; 19,5. Ob dieses lk „Mittel der Gestaltung" aber „aus alten mythischen Quellen kommt", wie *W. Grundmann*, Lk 132, will, erscheint fraglich. Weiter führt der Hinweis auf die griechisch-hellenistische Literaturgattung des Symposiums, vgl. *X. de Meeûs*, „Genre symposiaque" 847–870.

[14] Vgl. dazu *R. Bultmann*, Syn. Tradition 9–26; *H. Zimmermann*, Methodenlehre 179f.; zu rabbinischen Parallelen *D. Daube*, Judaism 170–195.

betrachtet werden. A. Jülicher faßt die beiden Logien als Einheit auf. Nur zusammen ergeben sie ein Gleichnis im engeren Sinn. Bildhälfte (17b) und Sachhälfte (17c) berühren sich im *tertium comparationis*, das in der Bedürftigkeit der Kranken, bzw. Sünder besteht.[15] A. Jülicher hat sich bei seiner Gattungsbestimmung von seiner aristotelischen Gleichnisdefinition leiten lassen. Der parallele Aufbau der beiden Verse, der durch das vorangestellte οὐ und das gliedernde ἀλλά erreicht wird, kommt ihm entgegen.[16] Doch sind bei einer genauen Formanalyse die syntaktischen Trenner nicht zu übersehen. Das Tempus wechselt vom Präsens zum Aorist, das Subjekt von der 3. Pers. Plural zur 1. Pers. Singular.

Hinzu kommt, daß beide Vershälften verschiedenen Gattungen angehören. Für die Gattung, der V. 17b zuzurechnen ist, hat R. Bultmann den Terminus „Bildwort" geprägt. Genauer handelt es sich um ein eingliedriges Bildwort in Frageform ohne Angabe der Sachhälfte. Als Belege, die es erlauben, von einer Gattung zu sprechen, nennt Bultmann u. a. Mt 3,10; 5,14; 24,28; Lk 4,23; 5,39.[17] Die auf Satzgrenze beschränkten synoptischen Bildworte stehen in enger Berührung mit den sprichwortartigen Meschalim der atl Weisheitsliteratur, die alltägliche Erfahrungsweisheit in prägnante, oft bildhafte Sentenzen komprimiert.[18] V. 17c hingegen gehört zu den Ich-Worten, näherhin zu den ἦλθον-Sprüchen, zu denen auch einige Logien vom Gekommensein des Menschensohns zu rechnen sind (vgl. vor allem die Aussage, der Menschensohn sei gekommen, zu retten was verloren ist, Lk 19,10 = Mt 18,11 v.l.; Lk 9,56 v.l.). Die ἦλθον-Sprüche enthalten Selbstaussagen Jesu über das Ziel seines Gekommenseins, die z. T. wie ein theologischer Rückblick wirken.[19]

---

[15] *A. Jülicher*, Gleichnisreden II, 174.

[16] Doch markiert οὐ ... ἀλλά 17b einen ausschließenden Gegensatz, während für 17c die dialektische Negation in Anschlag zu bringen ist, die *H. Kruse*, „Idiom" 385–400, im Hebräischen beobachtet hat, vgl. *R. Pesch*, „Zöllnergastmahl" 74f. Es geht um Betonung, nicht um Gegensatz, etwa in dem Sinn „nicht so sehr ... sondern vor allem". Das ist wichtig für das Verständnis von δίκαιος V. 17c.

[17] *R. Bultmann*, Syn. Tradition 181. Einen Teil dieser Texte hat Bultmann, ebd. 84f., schon unter dem Oberbegriff ein- und zweigliedriger Maschal abgehandelt. *H. Zimmermann*, Methodenlehre 188–191, hält diese Gattungsbestimmung bei. Doch wird sich bei der bekannten Weite von *mšl* eine Verwendung in diesem engumgrenzten Sinn nicht empfehlen.

[18] Vgl. *G. von Rad*, Theologie I, 430–454. Zum Verhältnis von Sprichwort und Bildwort *A. Jolles*, Formen 166f. Zu den synoptischen Sprichworten *W. A. Beardslee*, „Proverb" 61–73.

[19] *R. Bultmann*, Syn. Tradition 164–168, begegnet deshalb allen ἦλθον-Sprüchen mit historischer Skepsis. Vgl. dagegen *J. Schneider*, ThWNT II, 665; jetzt vor allem *E. Arens*, ΗΛΘΟΝ-Sayings 14–16 u. ö. Parallelen finden sich in der apokalyptischen Literatur im Mund des *angelus interpres*: Dan 9,23; 10,14.20; 11,2 LXX, vgl. *B. M. F. van Iersel*, „Vocation" 223, Anm. 25.

Eine Kombination von zwei Logien, die verschiedenen Gattungen angehören, kann mit Sicherheit als sekundär gelten. V. 17 ist keine ursprüngliche Einheit.

c) Bildfeld

Im Bildfeld, das für Mk 2,17b eine Rolle spielt, fungiert als Bildspender
(*vehicle*) der medizinisch-therapeutische Bereich, Bildempfänger (*tenor*)
im weitesten Sinn ist alles, was mit dem geistigen oder religiösen Zustand
des Menschen zu tun hat. Wir gehen von der religionsgeschichtlichen
Beobachtung aus, daß im archaisch-primitiven Denken zwischen Krankheit und Sünde ein enger, mythisch-magischer Zusammenhang
besteht.[20] Im AT wird dieses Denken theologisiert und metaphorisiert, d.
h., physische Krankheit ist (a) Folge einer Verfehlung gegen Gott und
kann (b) als Bild für den sündigen Zustand des einzelnen oder des Volkes
gebraucht werden. Daraus ergibt sich (c) die Vorstellung, daß Gott der
Arzt ist, der die seelischen und leiblichen Gebrechen seines Volkes heilt.
Einige markante Beispiele. Das sündige Volk hat an seinem ganzen Körper keine heile Stelle mehr (Jes 1,4–6). Der Gottesknecht trägt seine
Krankheiten und Wunden zum Heil des Volkes (Jes 53,5 LXX: ἡμεῖς
ἰάθημεν). Der Prophet Jeremias fragt, ob es keinen Arzt und keine Heilung gebe für die Tochter Israels (Jer 8,22; vgl. Sach 10,2 LXX diff MS).
Hos 6,1f.11 bindet das heilende Handeln Gottes an die Umkehr des
Volkes (vgl. Hos 11,3; Jer 3,22). Der Großkönig kann Ephraim nicht
heilen (Hos 5,13). Nach Ex 15,26 wird Gott das Volk mit Krankheit
verschonen, wenn es die Gebote hält, denn, so die Begründung, „ich bin
dein Gott, der dich gesund macht" (LXX: ἐγὼ γάρ εἰμι κύριος ὁ
ἰώμενός σε).
In der Gebetssprache der Psalmen wird die Bitte, Gott möge heilen, mit
dem Bekenntnis der Sünde verbunden: ἴασαι τὴν ψυχήν μου, ὅτι
ἥμαρτόν σοι (ψ 40,5, vgl. ψ 146,3). Das Verb ἰᾶσθαι wird zum *terminus
technicus* „für die gnädige Heilszuwendung Gottes"[21]. Für Tritojesaja ist
es der Freudenbote, zu dessen Aufgaben neben dem εὐαγγελίζεσθαι
auch das ἰᾶσθαι gehört (Jes 61,1). Dtn 30,3 LXX setzt die Identifizierung von Heilen und Vergeben voraus: καὶ ἰάσεται κύριος τὰς
ἁμαρτίας σου. Jes 6,10 lesen MS (רפא) und LXX (ἰᾶσθαι) übereinstimmend „heilen" (so auch Mt 13,15), während der Targum, dem Mk 4,12
folgt, es durch „vergeben" (שׁבק) ersetzt.[22]

---

[20] Nachweise bei *A. Oepke*, ThWNT IV, 1085f.

[21] *A. Oepke*, ThWNT III, 203.

[22] Vgl. noch Dtn 32,39; 2 Kön 1,16; Jes 7,4 LXX; 30,26; 57,18; Ez 34,16; ψ 6,3; 29,3; 102,3;
   ferner die Metapher vom Wundarzt Jes 3,7MS (diff LXX) und die Pfuschärzte Ijob 13,4
   LXX. Vgl. *T. Struys*, Ziekte 175–213.

Aufschlußreich ist das Lied vom Arzt Sir 38,1–15, das hellenistische Einflüsse zeigt.[23] Zwar bleibt die Heilkunst an Gott gebunden (V. 1f.4–6.8.14). Gebet, Läuterung des Herzens und Opfer sind eine Voraussetzung für die Heilung (V. 9f.). Doch steht daneben die Forderung, dem Arzt seinen Spielraum zu lassen, da man ihn nötig braucht und das Gelingen zu Zeiten in seiner Hand steht (V. 12).[24] Der Schlußvers bringt die im Frühjudentum nach wie vor geläufige Überzeugung vom kausalen Zusammenhang zwischen Krankheit und Sünde zum Ausdruck.[25] Daneben bleibt die Vorstellung von Gott als heilendem Arzt erhalten (MekEx 15,26). SDtn 11,18 (§ 45) wird Gott in einem Gleichnis als König geschildert, der seinem Sohn ein Pflaster auf die Wunde legt. Gemeint ist die Torah, die Gott als Arznei des Lebens schenkt (vgl. bJoma 72b; bQid 30b).[26]

Reiches Belegmaterial bietet die hellenistisch-römische Literatur. Quintilian vergleicht Heilkunst und Redekunst.[27] Nach Plutarch handelt Gott, der die Sünder straft, wann er will, wie ein Arzt, der seinen Patienten die Gründe für sein therapeutisches Verhalten nicht zu nennen braucht.[28] Für Epiktet muß die Schule des Philosophen der Kammer des Arztes gleichen, in der man heilsame Schmerzen erleidet.[29] Bei Philo zählt das Bild vom Arzt neben dem vom Athleten und vom Steuermann zu den beliebtesten Vergleichen.[30]

Als direkte Parallelen zu Mk 2,17b werden in der Literatur sprichwortartige Sentenzen aus der kynisch-stoischen Diatribe angeführt.[31] Dort die-

---

[23] Vgl. U. Luck, ThWNT VIII, 311. Der einleitende Vers 38,1 (τίμα ἰατρὸν πρὸς τὰς χρείας αὐτοῦ τιμαῖς αὐτοῦ) wird im rabbinischen Schrifttum als mšl angesehen, vgl. A. Schlatter, Mt 306.

[24] Man halte dagegen 2 Chron 16,12f.: Asa muß sterben, weil er sich nicht an Gott wendet, sondern an den Arzt. Vgl. Jes 26,14 LXX.

[25] Sir 38,15: „Wer gegen seinen Schöpfer sündigt, fällt in die Hände des Arztes." Vgl. Joh 9,2; Bill. II, 194–197.529.

[26] grHen 10,7 tut der Engel Rafael (= Gott wird heilen) im Auftrag Gottes der Erde die Heilung von dem Verderben kund, das durch die gefallenen Engel über sie gekommen ist. Vgl. auch TestIjob 38,8: „Meine Heilung und meine Pflege kommt vom Herrn, der auch die Ärzte schuf."

[27] Inst Orat II 17,25.39. Vgl. VII 10,10; VIII 3,75 u. ö. Unter seinem Namen ist eine Rede überliefert mit dem Titel Orator, medicus, philosophus (92–97 Ritter).

[28] Ser Num Vind 4 (549F–550A); vgl. ebd. 25 (564F); Gen Socr 3 (576F); Lib Educ 18 (13D). Vgl. schon Plat., Resp 332e: μὴ κάμνουσί γε μήν... ἰατρὸς ἄχρηστος.

[29] Diss III 23,30 (320,9–13 Schenkl). Vgl. noch E. Zeller, Philosophie III 1,611f.759f.

[30] Sacr AC 70f.123 (Laster als Krankheit); Deus Imm 67 (der Gesetzgeber als der beste Arzt der Seele); Poster C 142; Det Pot Ins 44; Conf Ling 22; Leg All 3,226; Cher 15.

[31] Sie sind z. T. gesammelt bei Wettstein I, 358f.; Wendland Hell Kult 82, Anm. 2; Clemen 229; A. Jülicher, Gleichnisreden II, 176f. Ich habe die Belege, die seitdem anscheinend unverändert tradiert werden, verifiziert und ergänzt. Das Material aus Lukian erfaßt H. D. Betz, Lukian 137 (mit Anm. 7).

nen sie, meist als gerahmte Apophthegmen, der Rechtfertigung des eigenen Tuns. Antisthenes verteidigt bei Diogenes Laertius seinen Umgang mit zweifelhaften Gestalten (πονηροῖς) mit dem Hinweis: „Auch die Ärzte sind mit Kranken zusammen, ohne Fieber zu bekommen."[32] Aristipp gibt auf den Vorwurf, man sähe die Philosophen immer an den Türen der Reichen, zur Antwort: „Man sieht doch auch die Ärzte an den Türen der Kranken."[33] Mit ähnlichen Sätzen begründen Diogenes[34] und Pausanias[35], warum sie den Spartanern, die offensichtlich von sich aus das kynische Ideal erfüllen, nicht zu predigen brauchen. Vergleichbare Wendungen finden sich noch bei Dio Chrysostomus[36] und Artemidor[37]. Für die frühchristliche Literatur sei auf Hermas verwiesen, der eine feste Verbindung von ἁμαρτία und ἴασις kennt.[38] Für Ignatius ist Christus selbst der einzige, göttliche Arzt (Eph 7,2: εἷς ἰατρός ἐστιν).[39]

d) Tradition

(1) Wir wenden uns zunächst der Frage nach der Authentizität des Bildworts in V. 17b zu. Die Forschung hat für die Rückfrage nach Jesus verschiedene Kriterien bereitgestellt. Als wichtigstes wird meist mit E. Käsemann das Unähnlichkeitskriterium angesehen (a). Demnach ist als jesuanisch gesichert, was sich weder aus dem Frühjudentum noch aus dem Urchristentum ableiten läßt. Das Unähnlichkeitskriterium kann und muß ergänzt werden durch das Kriterium der vielfachen Bezeugung (b) und das Kriterium der Kohärenz (c). Vielfache Bezeugung besagt, daß ein Motiv oder ein Logion wahrscheinlich authentisch ist, wenn es sich in unabhängigen Traditionsschichten und in verschiedenen Gattungen findet. Das Kriterium der Kohärenz geht davon aus, daß als jesuanisch gelten kann, was sich mit dem kritisch gesicherten Minimum zu

---

[32] Phil Vit 6,6 (249,8–10 Long).

[33] Phil Vit 2,70 (86,24–26 Long): „καὶ γὰρ οἱ ἰατροί", φησί, „παρὰ ταῖς τῶν νοσούντων· ἀλλ᾿ οὐ παρὰ τοῦτό τις ἂν ἕλοιτο νοσεῖν ἢ ἰατρεύειν".

[34] Stob., Ecl III 13,43 (III 462,14f. Hense).

[35] Plut., Apophth Lac, Paus 2 (230F): „ὅτι οὐδ᾿ οἱ ἰατροί", ἔφη, „παρὰ τοῖς ὑγιαίνουσιν, ὅπου δὲ οἱ νοσοῦντες, διατριβεῖν εἰώθασιν". Entfernte Parallelen sind Plut., Max Princ Phil 1 (776C) und Vit Phoc 10,5 (746).

[36] Gewöhnlich wird Or 8,5 (I 121,28–122,6 Budé) genannt. Vgl. aber auch Or 3,100; 13,32; 27,7; 32,17 (alle Texte bei G. Mussies, Dio Chrysostom 52).

[37] Oneirocr 4,22 (258,2 Pack): οὐ γὰρ τοῖς ὑγιαίνουσιν ἀλλὰ τοῖς κάμνουσι δεῖ θεραπεύων. Vgl. ebd. 2,29 (151,7f.); 2,57 (186,11–13); 3,39 (221,3f.); 4,45 (272,1f.).

[38] Herm 1,9; 3,1; 29,11; 60,3f.; 66,4; 77,3; 100,5; 105,5.

[39] Weitere medizinische Metaphern sind Ign., Eph 20,2; Tr 6,2; Pol 1,3; vgl. bes. Pol 2,1: „Wenn du gute Schüler liebst, verdienst du kein Lob. Bringe lieber die mit verderblicher Krankheit behafteten dazu, sich zu fügen."

einem überzeugenden Gesamtbild vereinigen läßt. Das Verhältnis von Wort- und Erzähltradition hat E. Fuchs in glücklicher Weise thematisiert: Authentizität ist vor allem dann gesichert, wenn Jesu Wort und Tat übereinstimmen (d). Eine nicht zu unterschätzende Hilfe ist schließlich die Bestimmung des semitischen Substrats und der Nachweis sprachlicher Eigentümlichkeiten (e).[40] Diese Kriterien sind keine Beweismittel von mathematischer Stringenz. Sie implizieren Vorentscheidungen und lassen dem Ermessen manchen Spielraum. Doch ermöglichen sie es, mit aller Vorsicht zwar, aber ohne übertriebene Skepsis die Rückfrage nach Jesus anzugehen. Ganz abgesehen von aller theologischen Notwendigkeit müssen wir uns dieser Frage schon deshalb stellen, weil die These im Raum steht, die Gleichnisallegorik habe die eigenen Worte Jesu bis zur Unkenntlichkeit überfremdet. Angewandt auf Mk 2,17b scheint das Unähnlichkeitskriterium zunächst zu versagen, da es Parallelen gibt, wahrscheinlich schon im Judentum, sicher in der Diatribe, wo sie den hellenistischen Gemeinden zugänglich waren. Doch ist zu beachten, daß mit dem Vers die Zuwendung Jesu zu den religiösen Randgruppen seines Volkes gerechtfertigt wird. Diese Handlungsweise ist im Frühjudentum alles andere als selbstverständlich, und die christliche Gemeinde brachte sehr bald weniger Toleranz für Sünder in den eigenen Reihen auf. Wir haben es mit einem Verhalten zu tun, das typisch ist für Jesus selbst. Es wird zudem in verschiedenen Traditionsschichten und Gattungen bezeugt[41] und gehört zum kritisch gesicherten Minimum. Als Wort Jesu steht Mk 2,17b im Einklang mit seiner Tat. Da sich außerdem ein semitisches Substrat wahrscheinlich machen läßt[42], kann das Logion als jesuanisch gelten.

In der Diatribe ist der Arzt, d. h. der Philosoph, Subjekt. Mk 2,17b sind es die Gesunden und die Kranken. Die Person des Sprechers steht nicht im Mittelpunkt. Jesus kommentiert sein Verhalten mit Hilfe eines profanen, weisheitlichen Wortes, das von Hause aus keine religiösen Konnotationen zu haben braucht. Doch wirkt die Situation theologisch qualifizierend auf das Logion zurück. In der eschatologischen Zeichenhandlung

---

[40] Vgl. zu (a) *E. Käsemann*, „Problem", bes. 205f.; zu (b) *F. Mußner*, „Methodologie" 127f. (der von Querschnittsbeweis spricht); zu (c) *N. Dahl*, „Jesus" 118–120; zu (d) *E. Fuchs*, Jesus 1–9; zu (e) *J. Jeremias*, Theologie I, 14–45; *H. Schürmann*, „Sprache" 83–108. Zum Ganzen ferner *M. Lehmann*, Quellenanalyse 163–205. Zum Grundsätzlichen *F. Hahn*, „Rückfrage" 11–77.

[41] Vgl. Lk 7,37–42; 15,1f.4–7.11–32; 18,9–13; Mt 11,19 par Lk 7,34 (Q); Mt 21,31f. Dazu *P. Fiedler*, Jesus 119–153.

[42] Semitisch ist κακῶς ἔχοντες anstelle des νοσοῦντες der hellenistischen Parallelen, möglicherweise auch ἰσχύοντες (vgl. Sir 30,14), das erst Lk gräzisiert, vgl. auch Lk 7,10 diff Mt 8,13; Lk 15,27. *J. Jeremias*, Gleichnisse 125, Anm. 1, vermutet Fehlübersetzung eines aramäischen (ה)בריא = stark, gesund (Dalman Wört s. v.), doch siehe die klassischen Belege bei Bauer WB 758.

Jesu wird Gottes „ärztliche" Zuwendung zu seinem Volk erfahrbar, die mit dem Anbruch der Gottesherrschaft einhergeht. Die religiöse Dimension des angesprochenen Bildfeldes ins Spiel zu bringen und die indirekte Christologie des Logions in eine direkte zu verwandeln ist ein naheliegender Schritt.

(2) Zu seiner mündlichen Tradierung bedurfte das an sich mehrdeutige Bildwort eines zumindest rudimentären sprachlichen Kontexts. So entsteht das apophthegmatische Streitgespräch, das als erste Stufe der nachösterlichen Traditionsbildung anzusehen ist. Bemerkenswert konkrete Angaben lassen auf einen Haftpunkt im Leben Jesu schließen. Die als Unstimmigkeiten viel kritisierten erzählerischen Typisierungen[43] machen deutlich, daß es gleichzeitig um die Schaffung einer idealen Szene geht, die ein Charakteristikum Jesu einzufangen sucht. Die Frage der Gegner richtet sich an die Jünger, weil die nachösterliche Gemeinde sich angesprochen sieht. Da bestimmte Interessen der Gemeindepraxis noch nicht zu erkennen sind, liegt die Vermutung nahe, daß es noch um eine Deutung oder Verteidigung des irdischen Jesus geht. Jedenfalls rückt Jesus in den Mittelpunkt. Das ermöglicht eine punktuelle Identifizierung von Bildwort und Rahmen (Jesus als Arzt, die Zöllner als Kranke) und verstärkt das Mitklingen atl Assoziationen.

(3) Ehe diese Überlieferungseinheit zu Mk gelangte, wurde sie durch die Einfügung von ἁμαρτωλοί in V. 15b.16c und durch die Anfügung des ἦλθον-Spruchs – der ja ebenfalls auf die ἁμαρτωλοί abzielt – erweitert. Es liegt nahe, diese Erweiterung, die vielleicht mit der Verschriftlichung einhergeht, dem Redaktor der vormarkinischen Sammlung zuzuschreiben, der die drei Streitgespräche in Mk 2,15–28 zusammengestellt hat.[44] Die Austauschbarkeit von Zöllnern, Sündern und Heiden Mt 5,46f. par Lk 6,32f.; Mt 18,17; Mk 10,33 diff Mk 14,41 (vgl. Gal 2,15) und die Mahlszene lassen vermuten, daß es Mk 2,15–17 um die Tischgemein-

---

[43] Die Einwände lauten: „Woher und wozu kommen die Pharisäer?" (*R. Bultmann*, Syn. Tradition 16, Anm. 3). Wieso können sie Jesus in Tischgemeinschaft mit den Zöllnern sehen, wenn sie nicht am Mahl teilnehmen? Wie kann Jesus hören, was sie den Jüngern sagen? Vgl. *E. Hirsch*, Frühgeschichte I, 11; *J. Wellhausen*, Mc 17; *H. Braun*, „Eröffnung" 99. Wer die Erzählung in dieser Weise psychologisierend hinterfragt, (miß-)versteht den Text als Icon der Wirklichkeit und übersieht die perspektivischen Verzerrungen und Verkürzungen, die in der erzählten Welt möglich sind, treffend *R. Pesch*, „Zöllnergastmahl" 69.73.76.

[44] Den Anfang der Sammlung sehe ich in 2,15, mit *R. Pesch*, Mk 151.162, gegen *H. W. Kuhn*, Sammlungen 53–57, der noch Mk 2,1–12 hinzunimmt. Was den Abschluß angeht, ist H. W. Kuhn der Vorzug zu geben (Mk 2,23–24.27–28), gegen *R. Pesch*, Mk 178f. Wieder anders *W. Thissen*, Erzählung 176–186 u. ö., der die vormarkinische Sammlung von 2,1 bis 3,6 reichen läßt.

schaft von Judenchristen und Heidenchristen geht, die sichtlich ein Problem war (Gal 2,11–14; Apg 11,1–10).[45]
Das Logion V. 17c mag einem anderen Kontext entnommen oder isoliert umgelaufen sein. Die Parallelen zeigen, daß es ein eigenständiges Leben führen konnte.[46] Den Absichten des vormarkinischen Redaktors kommt es in mehrfacher Hinsicht entgegen. καλέσαι ist Vorzugsvokabel der Gleichnissprache, wo es „einladen" (zum Mahl) bedeutet.[47] Die Tischgemeinschaft, in der Jesus als Gast weilt, wird transparent für die Umrisse des endzeitlichen Mahles, zu dem Jesus als Gottes Bote einlädt.[48] Zugleich gibt der theologisch gefüllte Vers dem Bildwort die notwendige christologische Absicherung. Die beiden Logien laufen parallel. Kranke sind Sünder, Gerechte Gesunde, Jesus ist der Arzt, der wie Jahwe die Gebrechen des Volkes heilt. Man kann das, wenn man will, allegorisch nennen.[49]

e) Redaktion

(1) Mk hat καλέσαι ἁμαρτωλούς V. 17c als Ruf in die Nachfolge verstanden und durch die Berufungsgeschichte V. 14 konkretisiert. Die Zuwendung Jesu zu den Sündern, zunächst in der symbolträchtigen Mahlgemeinschaft verwirklicht, vollendet sich in der Berufung eines Zöllners in die Jüngerschaft.
Im weiteren Kontext sind Elemente des Bildfeldes von V. 17 in verschiedener Weise realisiert. Mk 1,32.34; 6,55 wird κακῶς ἔχοντες im wörtlichen Sinn auf physisch Kranke bezogen, die Jesus heilt. In der unmittelbar voraufgehenden Perikope 2,1–12, die Mk an diese Stelle gesetzt hat, ist die Heilung mit der Vergebung der Sünden verbunden. Für Jesus wird eine Vollmacht reklamiert, die im jüdischen Denken nicht dem Menschensohn und nicht dem Messias, sondern nur Jahwe selbst zukommt.[50] Der Evangelienkontext wirkt auf das Bildwort Mk 2,17 zurück. Jesus ist der Arzt, der kraft göttlicher Vollmacht den Kranken Heilung und den Sündern Vergebung bringt.

---

[45] Vgl. *H. W. Kuhn*, Sammlungen 91–95. Anders *E. Schweizer*, Mk 35; *E. Lohmeyer*, Mk 57, die bei ἁμαρτωλοί an sündige Christen denken.

[46] 1 Tim 1,15; Barn 5,9; Did 4,10; 2 Clem 2,4; Just., Apol I 15,8. Zur Diskussion um die Authentizität vgl. *E. Arens*, ΗΛΘΟΝ-Sayings 344f.

[47] *L. Gaston*, Horae 44. Vgl. das Rufen der Weisheit zum Mahl Spr 9,3.

[48] Vgl. *J. Jeremias*, Gleichnisse 121.

[49] Für *C. H. Dodd*, Parables 89, ist V. 17c „no part of the original saying, but a rough interpretation of the parable on allegorical lines".

[50] Gegen *K. Koch*, „Messias" 134–144. Aus TgJes 53,4–12 geht eher hervor, daß Gott selbst auf die Bitte des Messias hin die Sünden vergibt. Wahrscheinlich hat in der ursprüngli-

(2) Mt hat in die Pharisäerfrage 9,11 ὁ διδάσκαλος und in die Antwort Jesu 9,13 ein Zitat aus Hos 6,6 eingefügt.[51] Beides hängt zusammen. Das Zitat wird mit πορευθέντες δὲ μάθετε eingeleitet, einem rabbinischen Schulausdruck (צא ולמד), der als „dramatisches Element der exegetischen Terminologie"[52] dient. 12,7 gebraucht Mt das gleiche Zitat im Streitgespräch über den Sabbat, das bei Mk in unmittelbarer Nachbarschaft des Zöllnergastmahls steht. Die Zitationsformel lautet diesmal εἰ δὲ ἐγνώκειτε. In verschiedener Akzentuierung verbinden beide Formeln den Vorwurf, den wahren Sinn der Schrift, d. h. ihre christologische Tiefe, noch nicht erfaßt zu haben, mit der Aufforderung, sich von Jesus, der die Schrift autoritativ auslegt, darüber belehren zu lassen.

Das Verhältnis des eingeschobenen Zitats zum Bildwort hat H. J. Held dahingehend bestimmt, daß für Mt „die Rechtfertigung des Handelns Jesu durch Gründe der natürlichen Einsicht ... nicht genügt"[53]. Man wird zusätzlich beachten, daß die Perikope bei Mt in einem Zyklus von Wundergeschichten untergebracht ist. Der Lehrer Jesus verweist auf die Forderung Gottes nach Barmherzigkeit (ἔλεος θέλω), der Wundertäter Jesus praktiziert sie in seinen Krankenheilungen.

Der abschließende ἦλθον-Spruch ist durch γάρ in ein begründendes Verhältnis zum Schriftwort gebracht. Auch das Rufen der Sünder ist Verwirklichung des geforderten Erbarmens. Das Prophetenzitat wird so zur Weissagung, das Jesuslogion konstatiert die Erfüllung. Die Denkweise der Reflexionszitate liegt nicht mehr fern. Zugleich wird die prophetische Kritik an einer Veräußerlichung des Kultes aktuell. Jesus wendet sich denen zu, die aufgrund der Reinheitsvorschriften des Opferkults (θυσία) als Sünder galten.

chen Wundergeschichte Jesus dem Kranken die Vergebung durch Gott zugesprochen (theologisches Passiv: ἀφίενται = Gott vergibt). Das bleibt erstaunlich genug, da der prophetische und priesterliche Zuspruch der Vergebung an Sühnopfer, Fürbittgebet und Bekenntnis gebunden war (2 Sam 12,13; Lev 5,6–19). Die Einfügung Mk 2,5b–10 geht noch einen Schritt weiter. Beschrieben wird der „Menschensohn Jesus in der Exusia seines Erdenwirkens" (H. E. Tödt, Menschensohn 129).

[51] Für A. Jülicher, Gleichnisreden II, 176, hat erst dieses Vorgehen eine „bis heute nachwirkende Allegorisierung" zur Folge, die „bei Mc und Lc durch nichts indiziert" sei. Das unzutreffende Urteil ist eine Folge seiner verfehlten Gattungsbestimmung.

[52] W. Bacher, Terminologie I, 75. Vgl. SNum 15,41; SElijR 18; Bill. I, 499. Der technische Sinn wird verkannt bei T. Zahn, Mt 376 („... weist Jesus auch diesmal die Phar. von sich hinweg"). Zu μάθετε ist Mt 11,29 zu vergleichen: μάθετε ἀπ᾽ ἐμοῦ. Weil die Jünger von Jesus gelernt haben, können sie mit ähnlich klingenden Formeln zum Verkünden ausgesandt werden, vgl. Mt 10,7; 11,4; 28,19: πορευθέντες οὖν μαθητεύσατε. Auch ein paränetischer Ton mag mitschwingen, vgl. Jes 1,17 LXX: μάθητε καλὸν ποιεῖν. Vgl. H. Frankemölle, Jahwebund 98f.

[53] H. J. Held, Wundergeschichten 246. Zur Textform des Zitats vgl. K. Stendahl, School 128f. Zu seiner Verwendung im zeitgenössischen Judentum AbRN 4; Bill. I, 500; R. Hummel, Auseinandersetzung 38–40.97–100.

(3) Lk hat die Situationsangabe mit der Einleitung zum Gleichniskapitel Lk 15,1–2 parallelisiert, wie das (διε)γόγγυζον zeigt. Nur richtet sich Lk 5,30a das Murren der Pharisäer gegen die Jünger. Das hat in V. 30b den Wechsel von ἐσθίει zu ἐσθίετε zur Folge. Der Bezug auf innerkirchliche Fragen wird unterstrichen. Die Verbindung von ἐσθίειν und πίνειν macht eine Anspielung auf Lk 7,34 wahrscheinlich. Die Kirche sieht sich dem gleichen Vorwurf ausgesetzt, der schon Jesus traf.[54] Daß Lk 5,32 ἦλθον durch ἐλήλυθα ersetzt (vgl. Lk 7,33.34 diff Mt 11,18.19), hat mehr als nur stilistische Bedeutung. Das Perfekt bezeichnet eine in der Vergangenheit „vollendete Handlung zugleich auch als in ihren Wirkungen und Folgen noch fortbestehend"[55]. Lk schaut auf das vorösterliche Heilswirken Jesu zurück und reflektiert seine Bedeutung für die Gegenwart. Die Ergänzung des ἦλθον-Spruchs durch εἰς μετάνοιαν läßt ein bevorzugtes lk Thema anklingen.[56] Umkehr und Buße sind die Grundvoraussetzungen christlicher Existenz (vgl. Lk 15,7; 24,47). Der Zöllner Levi – nur Lk 5,27 wird er so genannt –, der alles verläßt (καταλιπὼν πάντα[57]) und Jesus nachfolgt, wird zum Exempel dafür, was es heißt, dem Ruf zur Umkehr nachzukommen.

Blicken wir auf den Evangelienkontext, so fällt auf, daß ἰᾶσθαι zu den lk Vorzugswörtern zählt.[58] In der Einleitung zur Speisung der Fünftausend schreibt Lk 9,11 über Mk 6,34 hinaus und abweichend von Mt 14,14: καὶ τοὺς χρείαν ἔχοντας θεραπείας ἰᾶτο. Nur Lk hat in der Nazarethperikope das programmatische Zitat aus Jes 61,1f. Zwar läßt er gerade die Worte ἰάσασθαι τοὺς συντετριμμένους τὴν καρδίαν aus.[59] Doch bleibt inhaltlich mit dem Verkünden auch das Heilen (τυφλοῖς ἀνάβλεψιν) und das Vergeben (ἄφεσιν, ἐν ἀφέσει aus Jes 58,6[60]) verbunden. Nicht

---

[54] E. Arens, ΗΛΘΟΝ-Sayings 61, hingegen vermutet: „Lk might be thinking in terms of the Eucharistic celebration."

[55] Kühner–Gerth II 1,147 (im Orig. gesperrt). Vgl. E. Arens, a.a.O. 62.

[56] Vgl. H. Conzelmann, Mitte 213; R. Michiels, „Conception" 54f. Die Einfügung von εἰς μετάνοιαν bei Mt und Mk, die im wesentlichen von den gleichen Zeugen vertreten wird, ist sekundär. Zur Formulierung vgl. Weish 11,23: καὶ παρορᾷς ἁμαρτήματα ἀνθρώπων εἰς μετάνοιαν.

[57] B. M. F. van Iersel, „Vocation" 231, ordnet diesen Zusatz, der sich zunächst aus der Topik der Berufungsgeschichten erklärt, in das lk Thema vom Besitzverzicht als Bedingung für Umkehr und Nachfolge ein.

[58] Die Verteilung ist nach Morgenthaler (in der Reihenfolge Mt/Mk/Lk/Apg) 4/1/11/4. Die meisten Stellen sind redaktionelle Eingriffe in den Mk-Text: Lk 5,17; 6,18.19; 8,47; 9,42; 22,51; vgl. noch Lk 9,2 diff Mt 10,1; Lk 14,4; 17,15 (S).

[59] Die handschriftliche Bezeugung (ℵ A Θ) reicht nicht aus, um den Vers als ursprüngliche Lesart anzusehen, gegen W. Grundmann, Lk 120; H. Schürmann, Lk 229. Als Grund für die Auslassung kann man mit M. Rese, Motive 145, vermuten, daß es Lk hier auf die Betonung des εὐαγγελίσασθαι und des κηρύξαι ankam.

[60] Der Gebrauch von ἄφεσις oszilliert zwischen metaphorischem und wörtlichem Verständnis, vgl. R. Bultmann, ThWNT I, 508.

zufällig folgt wenige Zeilen später das Sprichwort: ἰατρέ, θεράπευσον σεαυτόν (Lk 4,23).[61] Deutlicher noch als die anderen Evangelien führt Lk „Jesus unter dem Bilde des heilenden Arztes ein"[62].

(4) Die Einzelüberlieferung ist in mannigfacher Weise referential auf den Makrotext der Evangelien bezogen. Ein Teil der Bezüge wird dadurch hergestellt, daß *tenor* (Sünde und Vergebung) und *vehicle* (Krankheit und Heilung) an anderen Evangelienstellen in wörtlicher und metaphorischer Bedeutung gebraucht werden. Die syntagmatische Abfolge der Erzählung wird von einem Paradigma überspannt, das auf die einzelne Stelle einwirkt. Dadurch kommt der symbolische Charakter unserer Perikope zustande, der von den meisten Auslegern intuitiv erspürt wird.

§ 25: Der Bräutigam (Mk 2,19–20 parr Mt 9,15; Lk 5,34–35)

a) Analyse

Die periphrastische Wendung ἦσαν ... νηστεύοντες Mk 2,18a zeichnet das Bild der Johannesjünger, die gerade ihr gewohnheitsmäßiges Fasten halten.[63] Die Fragesteller V. 18b sprechen von den Johannesjüngern in der dritten Person. Die Plurale ἔρχονται und λέγουσιν sind deshalb unpersönlich zu fassen. Der Subjektwechsel ist abrupt. Mit καὶ ἔρχονται ist ein guter Perikopenanfang gegeben. V. 18a ist als Einleitung nachträglich hinzugefügt, wahrscheinlich vom Redaktor der vormarkinischen Sammlung, der eine Parallele zu den Angaben in 2,15a.23a brauchte. Der gleichen Hand wird man die Einfügung von οἱ μαθηταί τῶν Φαρισαίων 18a und 18c zuschreiben.[64] Während es Johannesjünger sicher gab (Mk 6,29), kann man von „Pharisäerjüngern" schwerlich sprechen, höchstens von Jüngern der pharisäischen Schriftgelehrten.

V. 19 macht einen überfüllten Eindruck. Nach der Überleitung 19a und dem Jesuslogion 19b verdeutlicht 19c durch ὅσον χρόνον die zeitliche Komponente des ἐν ᾧ von 19b, ansonsten enthält 19c nur Wiederholungen. Der Vers, der in D W it fehlt, wird auf das Konto der mk Redaktion mit ihrer Vorliebe für Verdoppelungen gehen. Die Wendung οἱ υἱοὶ τοῦ

---

[61] ThEv 31 = POxy 1 setzt die lk Redaktion voraus: „Ein Prophet ist in seinem Heimatort nicht annehmbar. Ein Arzt heilt die nicht, die ihn kennen." Vgl. *J. É. Ménard*, ThEv 127f.

[62] *H. Schürmann*, Lk 513.

[63] *C. E. B. Cranfield*, Mk 108f.; *J. Bowman*, Mark 115f.; *C. W. F. Smith*, Parables 174, denken an ein Trauerfasten der Johannesjünger nach der Hinrichtung ihres Meisters (vgl. immerhin 1 Sam 31,13; Jdt 8,6). Dagegen schon *A. Jülicher*, Gleichnisreden II, 178. Ein Stichwortanschluß ist durch den Kontrast von ἐσθίειν und νηστεύειν gegeben, vgl. *J. Sundwall*, Zusammensetzung 17.

[64] Die Lesart οἱ (μαθηταί) τῶν Φαρισαίων ist als *lectio ardua* auch für V. 18a vorzuziehen.

νυμφῶνος ist ungriechisch (trotz Moult–Mill 649) und wie ὁ υἱὸς τοῦ ἀνθρώπου nur als Übersetzung aus dem Semitischen zu verstehen. Zugrunde liegt ein בני החופה, das sich auf die Hochzeitsgäste allgemein oder auf die Freunde des Bräutigams bezieht, denen bei der Hochzeitsfeier, die bis zu einer Woche dauern konnte (Tob 11,19; Est 2,18 LXX), eine besondere Rolle zukam.[65]

ἐλεύσονται δὲ ἡμέραι V. 20 hat apokalyptischen Klang (vgl. Lk 17,22; 21,6). Das Hapaxlegomenon ἀπαρθῇ[66] erinnert an Jes 53,8 LXX ὅτι αἴρεται ἀπὸ τῆς γῆς ἡ ζωὴ αὐτοῦ. Der Vers spielt auf den Tod des Bräutigams an. Er kann wegen der veränderten Tonlage getrost von V. 19 getrennt werden.[67] Das nachhinkende ἐν ἐκείνῃ τῇ ἡμέρᾳ (zu seinen eschatologischen Konnotationen vgl. Mal 3,19; Zef 1,15; Am 9,11 etc.) steht in Spannung zu dem Plural ἡμέραι am Versanfang und muß einer späteren Traditionsstufe zugewiesen werden. Als ursprüngliche kleine Einheit bleibt Mk 2,18bc.19ab.

Mt und Lk stimmen gegen Mk nur im Auslassen der Einleitung und der Verdoppelung V. 19c überein. Beide verbleiben innerhalb der Gastmahlszene von Mk 2,15f. Bei Lk setzen die Pharisäer von 5,30 ihren Angriff fort.[68] Mt führt die Johannesjünger als neue Fragesteller ein.[69] Für die Annahme einer Sonderüberlieferung besteht kein Anlaß.[70]

b) Form und Gattung

Formal ist das Logion V. 19b durch das betont vorangestellt μή gekennzeichnet, das auch δύνανται nach vorn gezogen hat. Daraus resultiert der zwingende Charakter der Frage, auf die es nur die Antwort „natürlich

---

[65] Material bei Bill. I, 45–53.500–518; II, 372–399. Joh 3,29 (φίλος τοῦ νυμφίου) bezieht sich auf einen der beiden Brautführer (שושבינין), die bSukk 25b; TBer 2,10 neben den בני החופה nennt. Zu νυμφών vgl. Tob 6,14.17 („Brautgemach") und Mt 22,10 („Hochzeitssaal"). Daß die altlateinische Überlieferung filii sponsi liest (eingedrungen in D: υἱοὶ τοῦ νυμφίου), ist als Folge, nicht als Ursache der allegorischen Identifikation des Bräutigams mit Jesus zu werten, vgl. F. G. Cremer, „Söhne" 246–253.

[66] Apg 1,9 ist es als v. l. (D) für ἐπήρθη = er wurde entrückt bezeugt. Vgl. das Hinweggenommensein des Lehrers der Gerechtigkeit CD 19,35; 20,14.

[67] Der Versuch von A. T. Cadoux, Parables 73, die Einheitlichkeit zu retten, wirkt eher amüsant. Wenig überzeugend auch J. B. Muddiman, „Fasting" 279.

[68] Inhaltlich knüpft ihre Frage an εἰς μετάνοιαν Lk 5,32 an: wie kann Jesus zur Umkehr rufen, wenn er ausgerechnet Fasten und Beten als Übungen der Buße geringschätzt? Vgl. zur Lk-Fassung B. Reicke, „Fastenfrage" 321–328.

[69] Die Einleitung τότε προσέρχονται ist typisch für Mt. Die Verteilung ist 90/6/14/21 für τότε und 52/5/10/10 für προσέρχεσθαι.

[70] Gegen T. Schramm, Markusstoff 106f., der u. a. ἐσθίειν καὶ πίνειν Lk 5,33 (vgl. 5,30) für eine Sondertradition auswerten will.

nicht" geben kann. Die kleine Einheit ist wieder ein Apophthegma. Das isolierte Logion kann als Bildwort in Frageform eingestuft werden.[71]

c) Bildfeld[72]

Bei der Suche nach Metaphern, die ihre Bildspender aus dem Bereich von Brautzeit, Vermählung und Ehe holen, stoßen wir sehr bald auf mythische Fundamente. Ausgangspunkt ist die kosmogonische Verbindung des Himmelsgottes mit der Mutter Erde (vgl. noch Jes 62,4).[73] Das Eingehen von Götterwesen bei irdischen Frauen (Gen 6,1–4) ist als Variation dieses Themas zu werten. Der homerische Demeterhymnus und Platons Mythos von Poros und Penia setzen ähnliche Vorstellungen voraus. In veränderter Form bleiben sie im Hieros Gamos der Mysterienkulte erhalten und erleben in den Spekulationen der Gnosis eine späte Blüte.

Bei den Propheten beobachten wir ein bewußtes Abrücken vom Mythos, dessen rituelle Manifestationen sie in den kananäischen Fruchtbarkeitskulten erfuhren. Wo sie das Verhältnis zwischen Jahwe und Israel als Ehebund beschreiben, binden sie es zugleich an Bund, Schöpfung und Geschichte zurück. Jes 54,5 heißt es: „Dein Eheherr ist es, der dich erschaffen hat." Ez 16,8.60 redet an einer Stelle, wo wir die Eheschließung erwarten würden, vom Bundesschluß (vgl. Hos 2,18). Jer 2,2 nennt den Aufenthalt in der Wüste die Brautzeit des jungen Israel (vgl. Hos 2,16f.; Jes 54,6).

Eine Eigentümlichkeit der prophetischen Botschaft ist die Wendung des Bildes ins Negative. Der Abfall des Volkes ist Unzucht (Hos 1,2; 2,7) und Ehebruch (Hos 2,4; 3,1), was Hosea wider Willen in einer Gleichnishandlung darstellen muß, indem er eine Dirne zur Frau nimmt, während Ezechiel Bilder von schockierender Direktheit malt (Ez 16,15–34; 23,1–49).

---

[71] Vgl. aus der apokalyptischen Literatur syrBar 22,2–8; äth Hen 101,4–9. Der Weg zu den mit τίς ἐξ ὑμῶν eingeleiteten Fragegleichnissen ist nicht mehr weit, vgl. dazu H. Greeven, „Wer unter euch ..." 86–101.

[72] Vgl. R. A. Batey, Imagery 1–76; J. Gnilka, Eph 273–294; E. Stauffer, ThWNT I, 651f.; W. Schließke, Gottessöhne 116–172.

[73] Man denkt unwillkürlich an Eichendorffs Gedicht: „Es war, als hätt der Himmel die Erde still geküßt ...". Hier wird, gewollt oder nicht, Mythisches ins Lyrische transponiert, wie ähnlich an manchen Stellen im Hohenlied.

[74] Die LXX läßt Jes 62,4c aus und ersetzt in 62,5a das Subjekt Jahwe durch οἱ υἱοί σου, ähnlich Jes 54,5 LXX diff MS – vielleicht ein polemischer Reflex des alexandrinischen Entstehungsmilieus?

Ins Eschatologische gewendet findet das Bild sich bei Tritojesaja: „Wie der junge Mann sich mit der Jungfrau vermählt, vermählt sich mit dir dein Erbauer. Und wie der Bräutigam sich freut über die Braut, wird dein Gott sich über dich freuen" (Jes 62,5; vgl. 49,18; 61,10).[74] Für den Tag, an dem Jahwe sich erbarmt, gilt die Verheißung: „Man wird wieder Jubel hören und Jauchzen, Jubel des Bräutigams und der Braut" (Jer 33,11). Umgekehrt heißt es Jer 7,34; 16,9; 25,10; Bar 2,23 in fast gleichbleibenden Wendungen, daß Gott am Tag des Gerichts dem Jubel des Bräutigams und dem Jubel der Braut ein Ende macht.[75]

Für die ntl Zeit ist an die allegorische Auslegung des Hohenliedes zu erinnern, die im 1. Jh. n. Chr. sicher nachzuweisen ist.[76] In der Esra-Apokalypse begegnet dem Seher eine trauernde und fastende Witwe, deren einziger Sohn beim Betreten der Brautkammer starb (4 Esr 9,38–10,4), was der Deuteengel ziemlich gewaltsam auf die Zerstörung Jerusalems bezieht (4 Esr 10,44–48). Die Rezeption des Bildes in der Apokalyptik bezeugt weiter Offb 19,7.9; 21,2.9; 22,17. Ein verzerrtes Gegenbild ist die Eheschließung der Hure Babylon bzw. Roms (Sib 3,356–359) mit dem Verführer der Endzeit (OdSal 38,9–12). Die Tendenz zur Remythisierung wird spürbar.[77]

In der rabbinischen Literatur finden sich Gleichnisse, die mit Hilfe dieser Bilderwelt das Sinaigeschehen nachempfinden. Gott ist König oder Bräutigam, das Volk Israel die Braut oder Gattin, Moses der Brautführer und die Torah der schriftliche Ehevertrag.[78] In einer rabbinischen Ausdeutung des Schöpfungsberichts betätigt Gott selbst sich als Brautführer, der Eva – nach Ant Bibl 32,15 die Repräsentantin Israels – dem Adam zuführt.[79] ExR 15,2: „Diese Welt ist die Verlobungszeit …, in den Mes-

---

[75] Vgl. Joel 1,8: „Wehklage, wie die Jungfrau im Trauerkleid über den Gemahl ihrer Jugendzeit." Mit den Kontrasten Hochzeitsfreude und Trauer arbeitet auch 1 Makk 1,27 (im Klagelied über die Schändung des Tempels): „… die Braut trauerte in der Kammer", und 1 Makk 9,39–41. *J. B. Muddiman*, „Fasting" 278, möchte das Jesuslogion von Joel 2,16 herleiten. Solche Ableitungen bleiben beliebig, solange nicht das ganze Bildfeld in den Blick genommen wird.

[76] 4 Esr 5,24.26. Im TgHld – einer späten Kompilation – gleicht die Gemeinde Israel einer keuschen Braut (4,8.9.10.11; 5,1). In der LXX haben Alexandrinus und Sinaiticus gegen den Vaticanus, dem Rahlfs folgt, im Hld ca. 15mal νυμφίος und ca. 50mal νυμφή eingetragen (Hatch-Redp 951), wohl unter dem Einfluß der allegorischen Auslegung , vgl. bes. Hld 1,7(S): πρὸς τὸν νυμφίον τὸν χριστόν.

[77] Man beachte das auffällige Interesse an Gen 6,1–4 (z. B. Hen 6–9 u. ö.). Mit bestimmten Mythologemen setzt sich auch Eph 5,22–33 auseinander. Philo, Abr 99f., entmythisiert, indem er den Gamos moralisierend auf ein innerseelisches Geschehen deutet. Weish 8,2f. ist es die Sophia, die der Liebhaber als Braut heimführen will. Volkstümlichen Aberglauben bezeugt Tob 3,8; 6,14; 7,11.

[78] MekEx 19,7; ExR 46,1. Vgl. Bill. I, 501f.969; II, 393.

[79] AbRN 4; bEr 18b; Bill. I, 503f. Vgl. 2 Kor 11,2f.: Paulus möchte dem Parusiechristus die Gemeinde als reine Jungfrau zuführen (παραστῆναι, vgl. Ps 45,10 LXX).

siastagen wird die Hochzeit sein"[80], läßt zugleich das auf Jes 25,6 zurückgehende Bildfeld vom eschatologischen Freudenmahl anklingen, das
auch als messianisches Hochzeitsmahl geschildert werden kann.[81]
Wichtig wäre für uns ein außerchristlicher Beleg, der Bräutigam als
Metapher für den Messias verwendet. Die Frage, ob 1QJes[a] 61,10 auf
den priesterlichen Messias anspielt, ist wohl mit Nein zu beantworten.[82]
In JosAs ist die Gestalt des Bräutigams Josef sichtlich messianisch stilisiert (vgl. nur 21,3), doch ist mit christlichen Interpolationen zu rechnen.[83] TgHld 8,1: „Ich (sc. die Braut) will dich führen, König Messias",
gibt immerhin zu denken. Der einzige sichere Beleg, Pesik 149a (mit
Zitat aus Jes 61,10), ist sehr spät zu datieren.[84] Anscheinend war diese
Metapher im Judentum möglich, im 1. Jh. n. Chr. aber noch nicht ausgebildet. Somit ist der ntl Befund, der die feste Gleichung Messias = Bräutigam voraussetzt[85], als innovierende Leistung zu werten.

d) Tradition

(1) Die Authentizität des semitisierenden Logions Mk 2,19b ist mit Hilfe
des Unähnlichkeitskriteriums einwandfrei zu sichern. Das Judentum
kennt zwar eine gesetzliche Verpflichtung zum Fasten nur am Versöh-
nungstag.[86] Doch hat sich daneben in nachexilischer Zeit eine viel umfassendere Fastenpraxis herausgebildet. Fasten ist wie Beten und Almosengeben eine zwar freiwillige, aber selbstverständliche Frömmigkeits-

---

[80] *J. Jeremias*, ThWNT IV, 1095.

[81] Hen 62,14; bBB 75a; Ab 4,16; Bill. I, 517. Eine ähnliche Überlagerung von Bildfeldern
liegt Sir 15,2f. vor: die Weisheit nimmt den Suchenden auf ὡς γυνὴ παρθενίας und
bewirtet ihn.

[82] Für יכהן der MS, das allgemein durch die Konjektur יכי ersetzt wird, liest 1QJes[a]
61,10 ככהן (gleich einem Priester; ähnlich verdeutlicht der Targum). Vgl. die gegen-
sätzlichen Positionen von *W. H. Brownlee*, „Motifs" 205f., und *J. Gnilka*, „Bräutigam"
298–301.

[83] Anders *C. Burchard*, JosAs 114f.

[84] *J. Jeremias*, Gleichnisse 49, Anm. 2.

[85] Vgl. noch Joh 3,29: Jesus ist der messianische Bräutigam, die Gemeinde, die sich um ihn
sammelt (Joh 3,26), ist seine Braut. Dem Täufer wird die Rolle des Brautführers zugewiesen. Daß u. U. jüdische Hochzeitssitten vorausgesetzt sind (sehr konkret *J. Jeremias*,
ThWNT IV, 1094; doch vgl. bildlich-eschatologisch Jer 40(33),11 LXX: φωνὴ νυμφίου), ändert nichts am allegorischen Charakter des Bildworts, gegen *R. Bultmann*, Joh
126; *B. Lindars*, „Parables" 324–329.

[86] Lev 16,29–31; 23,27–32; Num 29,7; Ant Bibl 13,6. Zu weiteren (späteren) Fasttagen vgl.
Sach 7,3–5; 8,19; Est 9,31. Ein befristetes öffentliches Fasten in Zeiten nationaler Not
kennen 1 Sam 7,6; Est 4,3.16. Vgl. zum Ganzen Bill. II, 241–244; IV, 77–114; *J. Behm*,
ThWNT IV, 928–932; *J. Elbogen*, Gottesdienst 126–130; Schürer II, 572–574.

übung.[87] Für die Zeit Jesu ist das zweimalige Wochenfasten am Montag und Donnerstag[88] als pharisäischer Brauch belegt (bTaan 12a; Lk 18,12). Die Johannesjünger werden sich darüber hinaus an der asketischen Lebensweise ihres Meisters orientiert haben. Das Fasten des Täufers ist Ausdruck der Buße[89], die er als Vorbereitung auf die Endzeit fordert. Daß Jesus das Frömmigkeitsfasten für sich selbst und seine Jünger ablehnt (Mt 4,2 ist kein Gegenargument), unterscheidet ihn deutlich vom Täufer (Lk 7,33f. par Mt 11,18f.) und von anderen religiösen Gruppierungen seiner Zeit.

Die nachösterliche Gemeinde hat wieder gefastet. Wahrscheinlich haben wir in der judenchristlichen Urgemeinde zunächst mit einer unreflektierten Übernahme jüdischer Sitten zu rechnen, vergleichbar der anfänglichen Teilnahme am Gebetsgottesdienst im Tempel (Apg 3,1).[90] Die Didache, die altes Traditionsgut enthält, bezeugt christliches Fasten am Mittwoch[91] und am Freitag, dem Todestag des Herrn (Did 8,1). Auch aus der Gemeinde ist das Logion nicht abzuleiten.

Ein Wort noch zu seiner Rahmung. Die Frage der Gegner geht an Jesus, zielt aber auf das Verhalten der Jünger ab.[92] Bei einer nachösterlichen Bildung gäbe das nur Sinn, wenn damit das Nichtfasten der Christen begründet werden soll. Nach H. Ebeling ist das der Fall. Die Gemeinde „weiß sich seit Ostern durchaus in der Gegenwart ihres Herrn"[93], die Freude darüber läßt ein Fasten nicht zu. Von anderen Schwierigkeiten ganz abgesehen[94] ist hier die Funktion der Erhöhungsvorstellung sicher verkannt.

Wir haben es Mk 2,18f. in Logion und Rahmung mit weithin authentischer Jesusüberlieferung zu tun. Daß Jesus in dieser Situation von Hochzeitsgästen spricht, ist nicht nur als Griff in den Alltag zu verstehen. Ein

---

[87] Tob 12,8: ἀγαθὸν προσευχὴ μετὰ νηστείας καὶ ἐλεημοσύνης καὶ δικαιοσύνης. Zur Verbindung von Fasten und Beten Lk 5,33 vgl. Esr 8,23; Bar 1,5; Neh 1,4; 2 Makk 13,12; Dan 2,18 LXX; TestB 1,4; TestJos 4,8; Herm 9,2 (νηστεύσας πολλάκις καὶ δεηθείς).

[88] Für Witwen legt Ket 1,1 den Donnerstag als Hochzeitstag fest.

[89] Vgl. Jon 3,5; 1 Kön 21,27; Neh 9,1; 1 Makk 3,47; PsSal 3,8; TestSim 3,4.

[90] Vgl. Apg 13,2f.; 14,23, sowie Apg 10,30 v. l.; Mk 9,29 v. l.; 1 Kor 7,5 v.l. Herm 54,1–5 ist Fasten eine gewohnheitsmäßige, theologisch nicht reflektierte Übung.

[91] Zur viel umrätselten Wahl des Mittwochs (Tag des Todesbeschlusses? des Verrats?) vgl. R. Arbesmann, RAC VII, 510.

[92] Zum Hintergrund vgl. D. Daube, „Responsibilities" 1–15.

[93] H. J. Ebeling, „Fastenfrage" 393. Mit einem Nichtfasten nach Ostern rechnen auch T. A. Burkill, Light 41; J. A. Ziesler, „Removal" 192f.

[94] Da Ebeling V. 19 und V. 20 als einheitliche Gemeindebildung ansieht – so aus anderen Gründen wieder A. Kee, „Question" 161–173 –, muß er die Vorstellung in Anspruch nehmen, in den Wehen der Endzeit werde der Messias von seiner Gemeinde weggenommen. TestD 4,7 und TestAss 1,8 können dafür die Beweislast nicht tragen. Auf die Endzeit deutet auch G. Braumann, „An jenem Tage" 264–267.

Bezug auf die prophetische Bilderwelt scheint beabsichtigt. Die Jünger brauchen nicht mehr zu fasten, weil die Heilszeit schon angebrochen ist. Daß die Gegenwart des Bräutigams in einem Nebensatz erwähnt wird, deutet die Bindung dieses Zuspruchs an die Person Jesu an[95], ohne daß schon an eine Selbstprädikation als Messiasbräutigam zu denken wäre. Es bleibt bei bedeutungsvollen Anspielungen, die in einem reichen assoziativen Feld stehen. Das Logion läßt einen kreativen Umgang Jesu mit vorgegebener metaphorischer Sprache erkennen.

(2) Nachösterlich mußte die Angabe ἐν ᾧ ὁ νυμφίος μετ᾽ αὐτῶν ἐστιν[96] sofort als Verweis auf die künftige Abwesenheit Jesu aufgefaßt werden. Die ausdrückliche allegorische Identifizierung mit dem Bräutigam ist damit vollzogen. Nimmt man die messianische Interpretation der Gestalt Jesu hinzu, steht der Vorstellung vom Messiasbräutigam nichts mehr im Wege. Eine freie und zentrale Stelle im Bildfeld ist zum ersten Mal besetzt.

(3) Die weitere Bestimmung des Traditionsprozesses ist schwierig. J. Roloff vermutet, treibendes Anliegen der Überlieferung sei zunächst das Interesse am irdischen Jesus, doch belastet er seine diskutable These mit der Annahme, νηστεύειν sei metaphorisch zu verstehen („in Trauer entbehren" o. ä.)[97], was für keine Überlieferungsstufe wahrscheinlich scheint. Bei der Einfügung von V. 20 geht es sicher um eine aitiologische Begründung kirchlichen Fastens mit Hilfe einer Vorhersage Jesu in prophetisch-apokalyptischem Ton.[98]

Die eigentliche Schwierigkeit liegt in dem ἐν ἐκείνῃ τῇ ἡμέρᾳ. Wenn es, wie H. W. Kuhn annimmt, schon in der vormarkinischen Sammlung stand (es könnte immerhin auch von Mk stammen), muß die Verknüpfung von V. 20 mit V. 19b noch früher erfolgt sein, u. U. schon auf der ältesten Stufe. Letzte Sicherheit läßt sich nicht gewinnen. Für den Inhalt hat H. W. Kuhn erneut die verbreitete Deutung auf den Freitag als einen der beiden wöchentlichen Fasttage untermauert.[99]

---

[95] Vgl. *H. Patsch,* Abendmahl 199.

[96] *J. Wellhausen,* Mc 18, und *M. Dibelius,* Formgeschichte 62, verdächtigen auch diesen Nebensatz als sekundären Eintrag. Doch bleibt von einem Jesuslogion dann nicht mehr viel übrig. Vielleicht ist der terminierende Aspekt beim Übersetzen ins Griechische über Gebühr betont worden.

[97] *J. Roloff,* Kerygma 233. Ähnlich (offenkundig in der Absicht, die Authentizität von V. 20 zu retten) *K. T. Schäfer,* „... dann werden sie fasten" 140; *A. Feuillet,* „Controverse" 274; *F. G. Cremer,* Fastenansage 148f. u. ö. Metaphorischer Sprachgebrauch liegt ThEv 27 vor.

[98] *K. Niederwimmer,* Askese 59, entdeckt Mk 2,19b–20 einen „der ältesten Belege für die mythologische Vorstellung von der Syzygie zwischen Christus und der Kirche" (im Orig. gesperrt). Schon Clemen 230, der sonst des Guten eher zu viel tut, hat für diese Stelle ein mythologisches Verständnis abgelehnt.

[99] *H. W. Kuhn,* Sammlungen 66–71. Anders wieder mit den alten Argumenten *C. E. Carls-*

Die Verbindung von Trauerfasten und Tod des Bräutigams ist uns im apokalyptischen Schrifttum begegnet, auch der Umschlag von Hochzeitsjubel in Trauer ist mehrfach belegt. Das allegorisierende Fortspinnen des Jesuslogions, das nur so erhalten werden konnte[100], bedient sich der Möglichkeiten, die im Bildfeld angelegt sind.

e) Redaktion

(1) Mk hat durch die Einfügung von V. 19c mit der Zeitangabe ὅσον χρόνον den Blick noch entschiedener auf Jesus gelenkt. Im Kontext des Evangeliums fungiert V. 19f. als erste, überraschend deutliche Todesvorhersage.[101] Die Folge von Streitgesprächen beschließt Mk 3,6 mit dem Hinweis auf den Todesbeschluß der Pharisäer und Herodianer, wohl kaum verfrüht, sondern mit Absicht. Das Bildwort wird in den Konflikt hineingestellt, der Jesu ganze Wirksamkeit durchzieht. Die christologische Allegorisierung gewinnt an Resonanz.

(2) Daß Mt 9,15 νηστεύειν aus Mk 2,19 in πενθεῖν = klagen, trauern (z. B. über einen Toten[102]) umwandelt, νηστεύσουσιν aus Mk 2,20 aber beibehält, scheint sich nur schwer mit seiner Aufforderung zum frohen Fasten Mt 6,16–18 zu vertragen. Man wird am besten von Mt 5,4 μακάριοι οἱ πενθοῦντες her interpretieren. πενθεῖν „ist aus der eschatologischen Gedankenwelt zu verstehen", als Zeichen der „inneren Geschiedenheit von diesem Aeon"[103], die im rechten Fasten ihren Ausdruck finden kann.

Mt hat das Bild von der Hochzeit des Messiasbräutigams an zwei weiteren Stellen seines Evangeliums verwendet, in der Parabel von den 10 Jungfrauen[104] und in der Parabel vom königlichen Hochzeitsmahl mit dem angehängten Gleichnisfragment vom Gast ohne hochzeitliches

---

ton, Parables 120, Anm. 17. Vgl. zur Formulierung Herm 56,7: ἐν ἐκείνῃ τῇ ἡμέρᾳ ᾗ νηστεύεις. Doch brauchte Kuhn seine These nicht durch die Annahme zu komplizieren, daß aus dem einmaligen Fasten am Freitag das zweimalige Wochenfasten hervorgegangen sei. An unserer Stelle ist nur vom Todestag die Rede, weil es im Kontext schon vorher um Jesu Tod ging.

[100] Gut gesehen von *M. Dibelius*, Formgeschichte 63.

[101] Insofern würde der Hinweis auf Jesu Tod ἐν ἐκείνῃ τῇ ἡμέρᾳ gut in den Rahmen der mk Redaktion passen.

[102] Vgl. noch Sir 22,12; 1 Makk 9,20; 13,26. Der Versuch von *J. Jeremias*, ThWNT IV, 1096, Anm. 41, πενθέω als Übersetzungsvariante zu aram. אבל = fasten oder trauern (vgl. aber Dalman Wört 316, s. v. II) zu erweisen, ist methodisch unhaltbar.

[103] *R. Bultmann*, ThWNT VI, 43. Vgl. *G. Strecker*, Weg 189; anders *A. Sand*, Gesetz 134f.

[104] Mt 25,1–13. Es handelt sich um eine nachösterliche Bildung, die das Problem der Parusieverzögerung mit apokalyptischem Bildmaterial inszeniert, vgl. *E. Gräßer*, Parusieverzögerung 119–127; *J. Gnilka*, Jesus 131–136; anders wieder *I. Maisch*, „Gleichnis"

Kleid[105]. Hier kann mit Nutzen eine rabbinische Parallele herangezogen werden, da sie auf Jochanan ben Zakkai, einen Zeitgenossen des Mt, zurückgeht.[106] Von den geladenen Gästen eines Königs halten sich die klugen in sauberen Kleidern bereit, die törichten gehen ihrer Arbeit nach. Illustriert wird Koh 9,8: „Alle Zeit seien deine Kleider weiß, und Öl mangle nicht auf deinem Haupte." Öl und weißes Kleid deutet Jochanan auf Gebotserfüllung, Torahstudium und gute Werke. Mt hat diese Metaphern in die Bildwelt seiner Gleichnisse integriert. Der kluge und der törichte Bauherr im Schlußgleichnis der Bergpredigt (7,24–27) machen den Unterschied von bloßem Hören und praktischem Tun deutlich. Das Bildwort vom Licht deutet Mt 5,16 auf die guten Werke (vgl. 13,43: οἱ δίκαιοι ἐκλάμψουσιν). Ähnlich versinnbildlichen das Öl für die Lampen und das hochzeitliche Kleid die Haltung tätigen Glaubens, die für die Spanne zwischen Berufung und Endgericht erwartet wird.[107] Die Gleichnisse sind paränetisch allegorisiert, der thematischen Geschlossenheit entspricht die ineinander verflochtene Metaphorik.

(3) Lk 5,34 steht die Gegenfrage in der 2. Pers. Plural (μὴ δύνασθε ... ποιῆσαι). Das entspricht der lk Vorliebe für Fragegleichnisse, die den Hörer direkt einbeziehen. Des weiteren fordert die Hereinnahme der

---

244–259; haltlos *J. M. Ford*, „Foolish Scholars" 107–123; vgl. *K. P. Donfried*, „Allegory" 415–428 (Lit.). Der recht mühsame Versuch, den Ablauf einer realen Hochzeit zu rekonstruieren (*J. Jeremias* u. a.), trägt letzten Endes für die Authentizitätsfrage nicht viel ein. *K. Niederwimmer*, Askese 60f., kommt wieder mythologisch daher. Wie weit der Text auf Mt zurückgeht, kann hier nicht entschieden werden, vgl. ansatzweise *A. Kretzer*, Herrschaft 196–201.

[105] Mt 22,1–10.11–14. Am Anfang der Tradition steht ein reines Gastmahlgleichnis, das Lk 14,15–24, der auf die Heidenmission auslegt, besser erhalten hat. Der Sohn ist aus Mt 21,37 eingetragen, die Hochzeit aus dem Bildwort vom Bräutigam. Zur Verwandlung in ein Königsgleichnis vgl. neben den zahllosen Parallelen bei I. Ziegler noch ApocEz, Fr. 1,7: „Als der König seinem Sohn die Hochzeit ausrichtete ...". Für 22,6f. vermutet *J. Sickenberger*, „Zusammenarbeitung" 253–261, ein selbständiges (drittes) Gleichnis von den Feinden eines Königs. *K. H. Rengstorf*, „Stadt" 106–129, rechnet mit einem militärischen Topos, der u. a. im Gleichnis von der rebellischen Stadt SNum 25,1 vorliegt. Mt hat diesen Gleichniszug aufgegriffen und ihn in den Dienst einer zeitgeschichtlichen (allegorischen) Anspielung auf die Zerstörung Jerusalems gestellt. Vgl. zum Ganzen *F. Hahn*, „Festmahl" 51–82 (Lit.).

[106] Nach bSchab 153a. Die Parallelüberlieferung KohR 9,8 verbindet das Diktum mit R. Jehuda ha-Nasi, doch voran geht auch dort die entscheidende Deutung der Kohelet-Stelle durch Jochanan. Die Geschichte vom Zöllner Bar Ma'jan ist nicht heranzuziehen, gegen *W. Salm*, Beiträge 145f.

[107] Vgl. *W. Trilling*, „Hochzeitsmahl" 259f. Das apokalyptische Motiv vom himmlischen Heilsgewand, das mitspielen wird, ist auch Offb 19,8 auf die δικαιώματα τῶν ἁγίων bezogen. Damit erübrigt sich die Suche nach orientalischen Sitten und Gebräuchen, die im Hintergrund stehen sollen, so u. a. *G. R. Castellino*, „L'abito" 819–824; *K. Haacker*, „Kleid" 95–97.

Fragesteller ins Bildwort auch die Gleichsetzung des Bräutigams und seiner Freunde mit Jesus und den Jüngern. Die allegorische Identifikation, bei Mk und Mt vorausgesetzt, ist bei Lk auch sprachlich vollzogen.[108] Die Gastmahlszenen aus dem Leben Jesu, die Lk in seinem Evangelium mit sichtlicher Liebe ausmalt, gewinnen vom Bild der messianischen Hochzeit her gleichnishafte Dimensionen.

(4) ThEv 104 lautet unser Logion: „Wenn der Bräutigam aus der Kammer kommt, dann laßt sie fasten und beten." Da ThEv 6 und 14 Fasten, Beten und Almosengeben als Lüge und Sünde betrachten, muß man ergänzen: der wahre Gnostiker wird die Brautkammer nicht mehr verlassen. Er hat die angestrebte Einheit erreicht (ThEv 106).[109] Die Zusammenstellung von Fasten und Beten verrät den Einfluß lk Redaktion. Unabhängige Überlieferung liegt nicht vor.[110]

§ 26: Alt und Neu (Mk 2,21–22 parr Mt 9,16–17; Lk 5,36–39)

a) Analyse

In der vormarkinischen Sammlung hat das Apophthegma Mk 2,18–20 mit den Versen 19f. seinen Abschluß gefunden, wie die gleichfalls zweigliedrigen Logien Mk 2,17 und 2,27f. zeigen. Die Verse 21f. hat Mk ohne jede Überleitung angefügt.[111] τὸ καινὸν τοῦ παλαιοῦ V. 21 ist eine Glosse zu τὸ πλήρωμα ἀπ' αὐτοῦ. V. 22c ἀλλὰ οἶνον νέον εἰς ἀσκοὺς καινούς schießt über. Wir können in beiden Fällen mit der Hand des Mk rechnen. Der mühsame Satzbau und einzelne Wendungen machen ein semitisches Substrat wahrscheinlich.[112] Die Realien weisen in den palästinensischen Raum.[113]

---

[108] Gesehen nur von *J. Gnilka*, Verstockung 68.

[109] Vgl. *W. Schrage*, ThEv 193; *E. Haenchen*, „Anthropologie" 212–215. Anders *R. Kasser*, ThEv 114.

[110] Eine Übersicht über die wichtigsten Positionen der Forschung mit den nötigen bibliographischen Angaben zum ThEv gibt *B. Dehandschutter*, „Paraboles" 199–210. Vgl. auch *K. Rudolph*, „Gnosis" 181–194. *G. Quispel* vor allem vertritt in zahlreichen Publikationen unermüdlich die These, im ThEv liege unabhängige Tradition vor (vgl. nur „Remarks" 276–290). Das kann in dieser Verallgemeinerung sicher nicht überzeugen. Im Einzelfall bleiben die Argumente zu prüfen.

[111] Der Verzicht auf überleitendes δέ kann mk sein, vgl. die Verteilung: 491/160/548/558. Mt hat δέ. Zu der von Lk formulierten Überleitung ἔλεγεν δὲ καὶ παραβολὴν πρὸς αὐτούς vgl. Lk 4,23; 6,39; 12,16 etc.

[112] Nach *J. Wellhausen*, Mt 41, ist πλήρωμα = Füllstück „sicherer Aramaismus". Zu σχίσμα ohne Artikel vgl. *M. Black*, Approach 94. Zu αἴρω ohne Objekt Bauer WB s. v. 4.

[113] Im graeco-ägyptischen Raum verwendet man nicht Schläuche, sondern Krüge. Vgl. Dalman Arbeit IV, 372f.; *S. Krauß*, Archäologie II, 236f.

Mt und Lk weisen einige *agreements* auf, die sich erklären lassen. ἐπιβάλλει Mt 9,16a par Lk 5,33b (in verschiedener Stellung) kann aus dem stammverwandten ἐπίβλημα gewonnen sein.[114] γε bei εἰ δὲ μή (Mt 1mal, Lk 2mal) ist ein zu geringfügiges Detail. ἐκχεῖται/ἐκχυθήσεται und ἀπόλλυνται/ἀπολοῦνται sind als Erklärung der ungeschickten Wendung Mk 2,22b zu werten. βάλλουσιν/βλητέον Mt 9,17c par Lk 5,38 ist stilistisch erforderliche Wiederaufnahme des βάλλει aus Mk 2,22a. Die Annahme einer Sonderüberlieferung erweist sich als unnötig.[115] Dagegen spricht auch die Beobachtung, daß Lk 5,33c abweichend von Mt καινός aus Mk 2,21b aufgreift und sich somit von mk Redaktion beeinflußt zeigt.

b) Form und Gattung

Nach Ausscheiden der Glossen erhalten wir zwei parallel gebaute Verse:

οὐδεὶς   ἐπίβλημα ῥάκους ἀγνάφου ἐπιράπτει ἐπὶ ἱμάτιον
καὶ οὐδεὶς βάλλει οἶνον   νέον   εἰς ἀσκοὺς
                      παλαιόν·
                      παλαιούς·
εἰ δὲ μή, αἴρει τὸ πλήρωμα ἀπ᾽   αὐτοῦ καὶ χεῖρον σχίσμα
εἰ δὲ μή, ῥήξει ὁ οἶνος   τοὺς ἀσκοὺς καὶ   ὁ οἶνος
                      γίνεται.
                      ἀπόλλυται (καὶ οἱ ἀσκοί?).

Beide Logien sind formal durch einleitendes οὐδείς, das mit εἰ δὲ μή fortgesetzt wird, gekennzeichnet. Dem entspricht die inhaltliche Aussage. Der Vordersatz schildert in anschaulichen Bildern ein unmögliches Verhalten, der Nachsatz die drohenden katastrophalen Folgen. Der synonyme Parallelismus legt es nahe, die Verse zur Gattung der doppelgliedrigen Bildworte zu rechnen.[116]

c) Bildfeld

J. Jeremias hat versucht, auch für Mk 2,21f. ein Bildfeld zu konstruieren. Für das alte Kleid verweist er auf Hebr 1,10–12. Mit einem Zitat aus Ps

---

[114] Vgl. *V. Taylor*, Mk 213.
[115] Gegen *T. Schramm*, Markusstoff 105–111; *A. T. Cadoux*, Parables 166. Texkritisch ist den *agreements* nicht beizukommen. Die an Mt/Lk angeglichene Lesart für Mk 2,22b in den meisten Zeugen (Text nur B 892 cop^bo) ist sekundär, ebenso βλητέον für Mk 2,22c (Text nur ℵ* B).
[116] Vgl. *R. Bultmann*, Syn. Tradition 181f.210f. (mit reichem Vergleichsmaterial).

102,26–28 wird dort geschildert, „wie Christus bei der Parusie den Kosmos wie einen alten Mantel zusammenfaltet und den neuen Kosmos ausbreitet"[117]. Mk 2,21 setzt nach Jeremias die mythologische Chiffre vom Weltenmantel voraus. Es scheint Jeremias gar nicht bewußt geworden zu sein, daß sich seine Deutung auf dem ureigenen Gebiet der Mythenallegorese bewegt.[118] Zusätzlich zieht er noch die Vorstellung vom Symbolgewand der Heilszeit heran. Für Mt 22,11 haben wir damit zu rechnen, hier ist sie fehl am Platz.[119]

Auch der Wein ist nach Jeremias Symbol der Heilszeit. Im AT begegnen Wein, Weinrebe etc. öfter in Kontexten, wo es um Wohlstand und Fülle geht.[120] Eschatologische Konnotationen treten an der messianisch ausdeutbaren Stelle Gen 49,11f. (vgl. syrBar 36,3.6f.; 39,7) und in einigen prophetischen Worten hinzu (Am 9,13f.; Jes 65,21). Nach TgHld 8,1 gehört zum messianischen Festmahl alter Wein, „der seit dem Tag, da die Welt geschaffen ist, in den Trauben verborgen war".

Für ein geprägtes metaphorisches Feld gibt es schwache Ansätze. Es müßten schon zwingende sprachliche Indizien in den Logien selbst vorliegen, um seine Heranziehung zu rechtfertigen. Solche Indizien fehlen. Beide Logien verbleiben auf dem Boden sprichwörtlicher Alltagserfahrung. Es sind Küfer- und Schneiderregeln, wie Lohmeyer treffend bemerkt. Nicht das einzelne Wort, sondern der ganze Vorgang wird zum *vehicle* für den *tenor*, den Gegensatz von Alt und Neu.[121]

d) Tradition

(1) Mit der Gattungsbestimmung ist eine traditionsgeschichtliche Frage bereits vorentschieden. Wir gehen von der ursprünglichen Einheit der

---

[117] *J. Jeremias,* Gleichnisse 118. Vgl. ψ 101,27; Jes 50,9; 51,6. Wenig glücklich ist der Verweis auf Apg 10,11; 11,5. Mit mehr Recht hätte grHen 1,7 angeführt werden können: καὶ διασχισθήσεται ἡ γῆ σχίσμα ῥαγάδι.

[118] Jeremias beruft sich auf *R. Eisler,* Weltenmantel (vgl. bes. I, 194–198), der u. a. die exegetischen Traditionen heranzieht, auf die wir bei Pherekydes von Syros, Philo und Josephus gestoßen sind.

[119] Es verwundert, daß anscheinend niemand auf die Idee gekommen ist, Mk 2,18–22 als einheitlichen Midrasch zu Jes 61,10 aufzufassen, wo Heilsgewand und Bräutigam nebeneinander stehen. Zum Konstruieren von Midraschim braucht man nur etwas Bibelkenntnis und ausreichend Phantasie. Deshalb unsere wiederholte Forderung nach einer strengeren methodischen Kontrolle des *midrashic approach.*

[120] J. Jeremias verweist auf Num 13,23f. und Joh 2,11 (auf Gen 9,20 hätte er in Anbetracht des Kontexts besser verzichtet). Vgl. ferner Gen 27,28; 1 Kön 5,5; 2 Kön 18,31; Spr 3,10; Mich 4,4; 1 Makk 14,12. Material bei *E. Busse,* Wein 11–70; *V. Zapletal,* Wein 1–43.

[121] Als nächste Parallele ist Ijob 13,28 LXX anzusehen, wo der Mensch in seiner Hinfälligkeit mit einem alten Schlauch und einem zerfressenen Gewand verglichen wird (ὃ παλαιοῦται ἴσα ἀσκῷ ἢ ὥσπερ ἱμάτιον σητόβρωτον), vgl. Ijob 32,19.

beiden Logien aus. Ihre Interpretation wird dadurch erleichtert. Isoliert
genommen sind die Pointen keineswegs klar. Der ungewalkte Flicken, der
sich bei Nässe zusammenzieht und alten, brüchigen Stoff zerreißt, ist an
sich wertlos. Daraus auf ein Interesse am Bewahren des gefährdeten
Alten zu schließen[122], ist nicht unmöglich, aber auch nicht zwingend. Im
zweiten Logion gilt das Interesse dem jungen, gärenden Wein, der noch
eine Zukunft vor sich hat, während die rissigen alten Schläuche so oder so
bald ausgedient haben.[123] Das zweite Logion interpretiert das erste, ihre
Kombination ersetzt den fehlenden Kontext. Tenor des Bildworts ist die
Dynamik des Neuen, „wo das Neue kommt, da erweist sich das Alt- und
Überholtsein des Alten, seine ‚Brüchig'keit und Vergänglichkeit"[124].
Nimmt man zu dieser Aussageabsicht die erwähnten sprachlichen Eigen-
tümlichkeiten hinzu, kann man das Bildwort mit gutem Grund in der
Botschaft des irdischen Jesus verankern. Das Neue ist der Anbruch der
Gottesherrschaft, der sich in Jesu Wort und Tat verwirklicht. Wie sie in
Spannung zum Hergebrachten geraten, zeigen die historisch verbürgten
Konflikte um Sündenvergebung, Zöllnermahl, Fastenpraxis und Sabbat-
observanz. Das Bildwort interpretiert sie und rückt sie in eschatologische Perspektive.[125]
(2) Anscheinend wurden die sehr einprägsamen Logien ohne wesentliche
Veränderung tradiert, wahrscheinlich, weil ihre sprachliche Gestalt und
das wenig ausgeprägte Bildfeld keinen Anhaltspunkt für ein allegorisierendes Weiterspinnen boten. Mit ihrer Verwendung in verschiedenen
Kontexten haben wir zu rechnen, ausmachen läßt sich darüber nichts
mehr.

e) Redaktion

(1) Die beiden kurzen Zusätze bei Mk lassen Rückschlüsse auf ein
bestimmtes Verständnis zu. Während νέος in der ursprünglichen Fassung ganz im Bereich des Profanen bleibt[126], steht das neueingeführte

---

[122] Vgl. A. Schlatter, Mt 314 („Fürsorge für das Alte"). Abschwächend interpretiert auch P.
Trudinger, „Generation Gap" 311–315. Für A. Kee, „Old Coat" 13–21, geht es überhaupt
nicht um Alt und Neu. Jesus warne vielmehr vor gedankenlosem Handeln.

[123] Dies um so mehr, wenn man das καὶ οἱ ἀσκοί schon als interpretierenden Eintrag aus
V. 22c werten darf. Die Form würde dadurch gewinnen.

[124] F. Hahn, „Bildworte" 370.

[125] Die Deutung auf den Gegensatz zwischen Täuferjüngern, Pharisäern und Jüngern Jesu
dagegen wertet den Kontext in unangemessener Weise für eine historische Engführung
aus. So in verschiedenen Variationen E. Lohmeyer, Mk 62; ders., Mt 175; T. Zahn, Mt 382;
J. B. Muddiman, „Fasting" 279f.

[126] J. Behm, ThWNT IV, 901f.

καινός, das „als zielweisendes Leitwort der apokalyptischen Verheißung"[127] belegt ist, im Dienst der theologischen Aussage. Die abschließende Regel ἀλλὰ οἶνον νέον εἰς ἀσκοὺς καινούς gibt dem Ganzen eine paränetische Note. Das Neue, das mit Jesus angebrochen ist, muß sich in adäquaten neuen Formen verwirklichen können. Manche Ausleger haben daraus geschlossen, das Neue sei für Mk das christliche Fasten, das sich in Begründung und Praxis vom jüdischen Fasten unterscheidet.[128]

Man kann dieses Verständnis, das dem Bildwort im mk Kontext einen eng gefaßten neuen Referenten zuschreibt, wegen V. 22c nicht ganz von der Hand weisen. Doch ist die mk Perspektive sicher umfassender. Da die Fastenfrage in der älteren Sammlung und im jetzigen Kontext jeweils die Mitte einer drei, bzw. fünf Einheiten umfassenden Komposition bildet, wird sie für Mk zum bevorzugten Paradigma des grundsätzlichen Konflikts, der sich an Jesus entzündet. Wenn Mk diesen Konflikt durch Einrücken des Bildworts 2,21f. ins Zentrum der Streitgespräche als unversöhnlichen Gegensatz von Alt und Neu interpretiert[129], trifft er im Grunde die Intention, die Jesus selbst mit dem Bildwort verbunden hat.

(2) Das Verständnis des Mt ist aus dem Zusatz καὶ ἀμφότεροι συντηροῦνται 9,17c zu erheben. Mt kommt es nicht auf den Gegensatz zwischen alten und neuen Schläuchen an, der durch die Mk-Vorlage und die Logik des Bildes geboten war. Wenn er eine Möglichkeit sieht, beide, Wein und Schläuche, zu retten, wird man das auf sein Interesse an den positiven Werten der atl Überlieferung deuten dürfen, die er in die Jesustradition zu integrieren trachtet. Zum Vergleich ist das Selbstporträt Mt 13,52 heranzuziehen. Der „christliche γραμματεύς" (J. Hoh) gleicht dem guten Hausvater, der Altes und Neues aus dem Schatz der Überlieferung hervorholt.[130]

(3) Lk hat in V. 36 erhebliche Änderungen an der Mk-Vorlage angebracht. Das Unmögliche des geschilderten Verhaltens wird kraß herausgestellt. Niemand wird ein neues Kleid zerschneiden, um ein altes schlecht und recht zu flicken. Eine andere Nuancierung des Sinns ist nicht zu verkennen. Lk sieht das Neue bedroht und kämpft für seine Erhaltung und Integrität.[131]

Von dieser Aussageabsicht her ist V. 39, mit dessen Anfügung Lk im Bild verbleibt, zu interpretieren. Entgegen dem ursprünglichen Sinn dieser

---

[127] *J. Behm*, ThWNT III, 451. Vgl. Offb 21,5; 2 Kor 5,17.

[128] *E. Hirsch*, Frühgeschichte I, 13; *E. Haenchen*, Weg 118, Anm. 7; *H. W. Kuhn*, Sammlungen 72; *R. Pesch*, Mk 177.

[129] Vgl. *J. Roloff*, Kerygma 235.

[130] Damit ist eine etwaige Spannung zwischen Mt 9,16f. und Mt 13,52 ausgeglichen. Vgl. z. St. *O. Betz*, „Alt und Neu" 69–84, der an einen Midrasch zu Jes 43,18f. denkt, und *J. Dupont*, „Nova et Vetera" 55–63, der kaum zu Recht mit einem Jesuswort rechnet.

[131] *H. Schürmann*, Lk 298.

volkstümlichen Sentenz[132] geht es Lk nicht um eine Würdigung des
Alten[133]. Man kann eher eine fast resignierte und melancholische
Feststellung herauslesen: wie schwer hat es das Neue doch, sich gegen
menschliches Beharrungsvermögen, das am Alten hängt, durchzusetzen.
Doch ist die eigentliche Intention paränetischer Art. Es geht um die
Warnung vor jeglichem Kompromiß und um die Aufforderung, sich um
die Aneignung des Neuen verstärkt zu bemühen.
(4) ThEv 47c.d.e bringt die Themen von Lk 5,33–39 in umgekehrter
Reihenfolge.[134] Die Bilder sind z. T. bis zur Sinnlosigkeit entstellt. So
heißt es 47d: „Man gießt nicht alten Wein in einen neuen Schlauch,
damit er ihn nicht verdirbt", und 47e: „Man legt nicht einen alten Lap-
pen auf ein neues Kleid, weil es einen Riß geben wird."
Der Schlüssel für das Verständnis liegt in dem antithetischen Entweder-
Oder, das die fünf Verse in ThEv 47 bestimmt. Alt und Neu, ursprünglich *tenor*, sind jetzt selbst zum *vehicle* geworden, zur beliebigen Illustration für die Grundthese, daß die Einheit des Gnostikers kein Hin- und
Hergerissenwerden zwischen Geist und Welt verträgt.[135]
Die christologischen und paränetischen Erweiterungen und Anwendungen durch die Synoptiker tendieren zur Allegorisierung, bleiben aber im
Bild. Der Umgang des ThEv mit dem Text läßt etwas von jener Willkür
ahnen, die H. Jonas für die gnostische Allegorese nachgewiesen hat.

§ 27: Reich und Haus (Mk 3,24–25 parr Mt 12,25; Lk 11,17)

a) Analyse

Die größere redaktionelle Einheit, in der Mk 3,24f. steht, umfaßt Mk
3,20–35. Für Mk 3,22–30 haben wir mit einer Parallelüberlieferung in Q

---

[132] Von den zahlreichen antiken Parallelen bei Wettstein I, 689–691, seien hervorgehoben
Pind., Olymp 9,48f.; Ab 4,20; Sir 9,10b: „Neuer Wein, neuer Freund, nur alt trinkst du
ihn gern."

[133] Vgl. *J. Schmid*, Lk 126; *M. Steinhauser*, „Neuer Wein" 118f.; anders *H. Flender*, Heil 25.
Einen Überblick über Positionen der Forschung gibt *J. Dupont*, „Vin vieux" 286–304.
Seine eigene Lösung (die Entschiedenheit, mit der man alten Wein bevorzugt, ist *tertium
comparationis*) überzeugt nicht.

[134] Weil hier wieder lk Redaktion vorausgesetzt ist, hat die Fassung des ThEv keine Aussicht auf Ursprünglichkeit, gegen *H. Montefiore*, „Parables" 238; *W. Nagel*, „Neuer Wein"
1–8.

[135] Vgl. *E. Haenchen*, Botschaft 51. Angesichts dieser Deformierung des Bildes wird die
Annahme älterer Überlieferung vollends unglaubwürdig. Warum man mancher Orten
dem ThEv mit einem sichtlich positiven Vorurteil gegenübersteht (symptomatisch *H.
Köster*, Entwicklungslinien 163; *C. H. Hunzinger*, „Traditionsgut" 843–846), ist mir nicht
recht verständlich.

zu rechnen. Das geht aus den Übereinstimmungen von Mt und Lk gegen Mk hervor.

Mk 3,20 ist unter Benutzung einer Vorlage redaktionell geformt.[136] V. 21 weist auf V. 31 voraus. Die οἱ παρ' αὐτοῦ sind Jesu Verwandte, die sich seiner bemächtigen wollen, weil sie an seinem ekstatisch-charismatischen Wirken Anstoß nehmen.[137] Mk bedient sich hier der Schachteltechnik, die zu den bevorzugten Mitteln seiner Kompositionstätigkeit zählt.[138] Von V. 22 an folgt Mk der gleichen Überlieferung wie Q. Die beiden vorausliegende Einheit hat mit einer Situationsangabe eingesetzt, die sich nicht mehr rekonstruieren läßt. Q liest τινὲς δὲ ἐξ αὐτῶν, weil in Q die knappe Wundergeschichte von der Austreibung eines stummen Dämons vorausgeht.[139] Doch ist diese Kombination von Wundergeschichte und Streitgespräch sekundär (vgl. Mk 2,1–12). Den Vorwurf der Gegner hat Q besser erhalten. Mk hat ihn in zwei Teile zerlegt und mit ὅτι ἐξέστη V. 21 parallelisiert. Nicht nur das Dämonenbündnis steht zur Debatte, sondern mehr noch das Besessensein Jesu.[140] Mit ἐν παραβολαῖς weist Mk 3,23a redaktionell auf die Gleichnisrede in Mk 4 voraus. Den eingeschobenen Vers Mk 3,23b πῶς δύναται σατανᾶς σατανᾶν ἐκβάλλειν hat Mk wahrscheinlich aus der Frage gewonnen, die in Q am Schluß steht (Lk 11,18b par Mt 12,26b). Damit hat er erneut eine Inklusion geschaffen. 23b und 26a umschließen die VV. 24–25 und geben ihnen ihre thematische Ausrichtung. Den Schluß ändert Mk zu οὐ δύναται στῆναι und fügt das überschüssige ἀλλὰ τέλος ἔχει an.

Lk 11,17[141], von dem Mt 12,25a sich durch redaktionelles ἐνθυμήσεις (vgl. Mt 9,4) unterscheidet, folgt Q. Gegenüber der Konditionalform Mk 3,24f., die auf Angleichung an V. 26a zurückgehen kann, macht die semi-

---

[136] 12 Wörter gehören nach Gaston und Hawkins zum mk Vorzugsvokabular: καί, ἔρχομαι, εἰς, οἶκος, πάλιν, ὄχλος, ὥστε, ἀκούω, παρά, ἐξέρχομαι, κρατέω, ἄρτος. Für eine Vorlage spricht u. a. der Wechsel von ἔρχεται zu αὐτούς in V. 20.

[137] Das ist lexikalisch möglich, vgl. Bauer WB s. v. παρά 4bβ; s. v. ἐξίστημι 2. Andere Erklärungsversuche ehrwürdigen Alters grenzen ans Abenteuerliche, vgl. die Hinweise bei K. L. Schmidt, Rahmen 121, Anm. 3. Neuere Wiederbelebungsversuche erwecken wenig Zutrauen, vgl. z. B. H. Wansbrough, „Mark iii. 21" 233–235; H. H. Schroeder, Eltern 110–116; D. Wenham, „Meaning" 295–300. Weiteres bei L. Oberlinner, Überlieferung 154–176 (Lit.). Eine besonnene Verteidigung der traditionellen Sicht bei E. Best, „Mark iii. 21" 309–319.

[138] Vgl. E. Klostermann, Mk 36; É. Trocmé, Formation 66 (mit Beispielen).

[139] Lk 11,14 par Mt 12,22–23. Doch steht die Dublette Mt 9,32f. näher bei Lk und damit bei Q. In Mt 12,23a verrät ἐξίσταντο den Einfluß des ἐξέστη aus Mk 3,21 (G. Strecker, Weg 168, Anm. 6). Vgl. seine Verwendung in Wundergeschichten Mk 2,12; 5,42; 6,51.

[140] Vgl. die Bemerkung über den Täufer Mt 11,18 par Lk 7,33: καὶ λέγουσιν · δαιμόνιον ἔχει.

[141] Lk 11,16 ist als Vorverweis auf Lk 11,29 redaktionell.

tisierende Konstruktion mit Partizip und einleitendem πᾶσα (כול) Lk
11,17b par Mt 12,25b den ursprünglicheren Eindruck.[142] Keinesfalls
wird man Lk 11,17c καὶ οἶκος ἐπὶ οἶκον πίπτει als Text von Q ansehen.[143] Lk hat den übertragenen Sinn von οἰκία = Familie nicht wahr-
genommen und das Zusammenstürzen von Gebäuden als passende Illustration für die Verwüstung eines Reiches angesehen. Für Q nehmen wir
Mt 12,25c in Anspruch, mit Ausnahme von πόλις, das Mt eingefügt
hat[144].
Lk 11,18ab par Mt 12,26 (ἐκβάλλει bei Mt geht auf Mk 3,23b zurück)
stand schon in der Vorlage von Q. Lk 11,18c ist redaktionell und erinnert
an Mk 3,30. Umstritten ist die Frage, ob Mk 3,27 auch in Q stand. Lk
11,21f. und Mt 12,29 stimmen in keiner Silbe gegen Mk überein. Doch ist
es (a) ungewöhnlich, wenn Lk in einen Block mit Q-Material plötzlich
Mk-Stoff einschiebt. Und (b) erscheint es möglich, ἢ πῶς δύναται Mt
12,29 diff Mk als Indiz dafür zu werten, daß dieser Vers ursprünglich an
πῶς σταθήσεται Lk 11,18b par Mt 12,26b anschloß. Erst in Q wären
dann die Verse Lk 11,19f. par Mt 12,27f., die bei Mk fehlen, eingescho-
ben worden.[145]
Der Spruch von der Lästerung des Geistes stand in Q an anderer
Stelle.[146] Ihn hat Mk, dem Mt folgt, hier eingebracht. Das geht aus der
redaktionellen Notiz Mk 3,30 hervor. In Q folgt die thematisch verwandte Gleichniserzählung von der Rückkehr des Dämonen Lk 11,24–26
par Mt 12,43–45.

b) Form und Gattung

Als gemeinsame Vorlage von Q und Mk läßt sich eine Einheit eruieren,
die eine Situationsangabe, den Vorwurf des Dämonenbündnisses (Lk
11,15) und drei Jesuslogien (Lk 11,17.18; Mt 12,29) enthielt. Ihre Gattung ist als erweitertes Apophthegma zu bestimmen. Die Erweiterungen

---

[142] Die Hinzufügung von διά zu μερισθεῖσα stammt von Lk. Gegenüber καθ᾽ ἑαυτῆς bei
Mt wird man ἐφ᾽ ἑαυτὴν bei Lk bevorzugen, das auch Mk hat und zu dem Mt 12,26a
zurückkehrt. Anders *S. Schulz*, Q 205.

[143] Gegen *J. Lambrecht*, „Verwantschap" 137, dem der Nachweis, Mk sei von Q abhängig,
schwerlich gelungen ist. Vgl. *B. S. Easton*, „Beezebul" 60.

[144] Die Erklärung, es handle sich um Hellenisierung oder um eine Antiklimax sozialer
Größen (Reich – Stadt – Familie), befriedigt nicht ganz. Mit *J. D. Crossan*, „Mark" 91,
Anm. 2, wird man ernsthaft erwägen, ob hier nicht wie Mt 22,7 eine allegorische Anspie-
lung auf die Zerstörung Jerusalems vorliegt.

[145] Vgl. *E. Klostermann*, Mt 108.

[146] Vgl. *P. Hoffmann*, Studien 150f. Abgesehen von der Einleitung mit Amen ist die Form des
Logions bei Mk gegenüber Q sekundär, vgl. *H. E. Tödt*, Menschensohn 282–288; ferner
K. Berger, Amen-Worte 36–41; anders wieder *C. Colpe*, „Spruch" 63–69.

sind mit hoher Wahrscheinlichkeit sekundär. Lk 11,18ab par Mt 12,26 zieht nach Art eines Enthymems[147] den induktiven Schluß aus dem Voranstehenden, von wo auch das Vokabular entlehnt ist. Mk 3,27 parr ist *ad vocem* οἰκία angefügt. Übrig bleibt ein doppelgliedriges Bildwort, das etwa so ausgesehen hat:

πᾶσα βασιλεία ἐφ᾽ ἑαυτὴν μερισθεῖσα   ἐρημοῦται,
καὶ πᾶσα οἰκία   ἐφ᾽ ἑαυτὴν μερισθεῖσα οὐ σταθήσεται.

c) Bildfeld und Realien

Das Bildwort argumentiert mit der Uneinigkeit, die sich in Staat und Familie unheilvoll auswirkt. Geprägte Metaphern scheinen nicht vorzuliegen, doch gibt es Parallelen in der antiken Literatur, die sprichwörtlichen Klang haben.[148] Das könnte auf eine allgemeine Pointe schließen lassen, etwa: „Einigkeit macht stark." Doch ist, wie mehrfach gezeigt, bei Sprichwörtern die Anwendung in einer bestimmten Situation entscheidend für den Sinn.[149]

Der Text setzt ferner die synkretistische Dämonologie des Frühjudentums voraus.[150] Satan ist zunächst der Staatsanwalt am himmlischen Hof, später wird er zum großen Verführer und zum Störfaktor in Gottes Heilsplan. Daneben entwickelt sich aus dem Glauben an das Wirken von Totengeistern die Lehre von den Dämonen. Beides geht mit dem Mythos vom Engelfall eine enge Verbindung ein. Die Dämonen bilden schließlich ein hierarchisch geordnetes Reich, das unter der Leitung eines Fürsten, d. h. meist eines gefallenen Engels, steht.[151] Im dualistischen Denken der Apokalyptik verkörpert der Dämonenfürst mit seiner Streitmacht das Prinzip des widergöttlichen Bösen. Zum eschatologischen Endkampf

---

[147] Zum Enthymem (ῥητορικὸν συλλογισμόν) vgl. Arist., Rhet 1356b 2–27; *E. Zeller*, Philosophie II 2,758f.

[148] Vgl. Bill. I, 635; Wettstein I, 391. Bes. Soph., Ant 672f. Zusätzlich Plut., Aud Poet 6 (23E).

[149] Vgl. *R. Bultmann*, „Wahrheiten" 172.

[150] Vgl. die Artikel von *W. Foerster*, ThWNT II, 1–21.74–80; VII, 151–164. Ferner Bill. IV, 501–535; *K. Thraede*, RAC VII, 55–63; *G. Baumbach*, Verständnis 32–35. Das Vergleichsmaterial bei Plutarch ist noch nicht hinreichend ausgewertet.

[151] Satan: TestD 5,6 (ὁ ἄρχων ὑμῶν); Belial: 1QS 1,18; TestL 3,3; Asmodi: Tob 3,8; bGit 68a; Mastema: Jub 17,16 Μαστιφὰμ ὁ ἄρχων τῶν δαιμονίων (PVTG III 94,n᾽ Denis); Asael: grHen 8,1; Semjasa: grHen 6,3.7 (ἄρχων αὐτῶν). Vgl. *O. Böcher*, Dämonenfurcht 104–106; *J. Maier*, RAC IX, 626–640.

wird Gott mit seinen Heerscharen gegen ihn antreten und den endgültigen Sieg erringen.[152]
Nun ist der Name Beelzebul im außerchristlichen Schrifttum nirgends
belegt. Es spricht viel dafür, daß es sich um eine *ad hoc* geprägte Bezeichnung für Jesus handelt, die auf einem diffamierenden Wortspiel beruht,
vergleichbar den pejorativen Decknamen in Qumran.[153] Einen Beleg
bietet Mt 10,25 (εἰ τὸν οἰκοδεσπότην Βεελζεβοὺλ ἐπεκάλεσαν), wo
zugleich eine Deutung des schwierigen Namens versucht wird. Beelzebul
ist der „Herr der (Himmels-)Wohnung", d. h. des Luftraums, in dem
sich die Dämonen aufhalten.[154]

d) Tradition

(1) Daß Jesus selbst exorzistische Handlungen vorgenommen hat, steht
außer Zweifel. Daß gegen seine offenkundigen Erfolge polemisiert wurde,
ist anzunehmen. Solcher Polemik kann der Vorwurf Mk 3,22 parr entstammen. Dahinter steht die Vorstellung, daß der Dämonenfürst sich
zeitweise mit einem Menschen gegen seine eigene Gefolgschaft verbün-
den kann, daß es sich im Grunde aber nur um eine Kriegslist handelt, die
der Verblendung der Menge dient.
Ist die Situation richtig getroffen, ergeben sich Konsequenzen für das
Verständnis des Bildworts. Zunächst kann es als authentisch gelten, da
es als Jesu Wort seine Tat interpretiert. Sein allgemeiner Skopus wird
durch den situativen Kontext konkretisiert. Mit οἰκία spielt Jesus auf
den Vorwurf an, der in dem Namen Beelzebul steckt. βασιλεία ist nicht
eine beliebige illustrative Größe, sondern das Reich des Widersachers.
Ob dieser durch solche Tricks, wie Jesu Gegner sie ihm unterstellen,
seiner Sache wirklich schadet, ist durch das Bildwort nicht erwiesen,

---

[152] In der Kriegsrolle von Qumran überlagern sich die apokalyptische Vorstellung vom
Kampf mit Belial und die Erwartung des irdischen Krieges mit dem nationalen Feind,
vgl. 1QM 1,10f.; 7,6; 12,7f. Dazu *J. Becker*, Heil 74–83; *P. von der Osten-Sacken*, Gott und
Belial 28–115. Vgl. ferner AssMos 10,1–7; Jub 23,29; 4 Esr 6,27; Ant Bibl 60,3; TestD
6,4.

[153] Vgl. *M. Limbeck*, „Beelzebul" 31–42, der aber zu Unrecht nachösterliche Entstehung
annimmt. Vgl. auch die Behauptung, Jesus habe Zauber getrieben, und die Warnung,
sich in seinem Namen heilen zu lassen, Bill. I, 36.39.631.

[154] Die Lesart *Beelzebub* (= Herr der Fliegen) der alten Lateiner ist sekundäre Angleichung
an die Verbalhornung des Namens einer phönizischen Gottheit 2 Kön 1,2.3.6.16. Zu
weiteren Möglichkeiten (Herr des Mistes, des Götzenopfers, der Feindschaft, des Tempels) vgl. Bill. I, 631f.; *W. Foerster*, ThWNT I, 605f.; *L. Gaston*, „Beelzebul" 247–255. Die
ca. 15 Stellen im TestSal sind christlichen Ursprungs. Die Kommentatoren setzen
gewöhnlich unbesehen voraus, Beelzebul sei ein sonst unbekannter Name für einen
Dämonen oder für Satan.

insofern schlägt die parabolische Logik nicht ganz durch. Doch interessiert das im Grunde wenig. Wichtiger ist die positive Feststellung: wo Dämonen ausgetrieben werden, ist Gott selbst am Werk.[155] Jesus stellt apokalyptisches Bildmaterial in den Dienst seiner Basileia-Botschaft. Die entscheidende Schlacht hat Gott schon geschlagen (Lk 10,18), in Jesu zeichenhaftem exorzistischen Wirken bricht sein Reich an.[156] Das Logion Lk 11,20 par Mt 12,28 kann als Interpretationshilfe dienen: „Wenn ich mit dem Finger Gottes[157] Dämonen austreibe, ist das Gottesreich schon zu euch gekommen."

(2) Die nachösterlichen Tradenten haben die Zielrichtung des Wortes Beelzebul abgewandelt, indem sie Beelzebul mit dem Dämonenfürsten und beide mit Satan in eins setzen. Die älteste Interpretation liegt in Lk 11,18ab par Mt 12,26 vor. Sie verdeutlicht, daß es in dem Bildwort um die Vorstellung vom endzeitlichen Bösen geht. Daß damit die eigene exorzistische Praxis unter das Wort Jesu gestellt werden soll[158], ist anzunehmen. Doch gründet diese zugleich in dem Sieg über das Böse, den Jesus in Tod und Auferstehung errungen hat. Beides wird zusammengeschaut, wenn das Logion Mk 3,27 in der vor Q und Mk liegenden Überlieferung den christologischen Kommentar zur Beelzebulperikope ausspricht, wie im folgenden näher zu zeigen ist.

§ 28: Die Bindung des Starken
(Mk 3,27 parr Mt 12,29; Lk 11,21–22)

a) Analyse, Form und Gattung

Sieht man von dem überleitenden ἢ πῶς ab, kann die Frageform bei Mt ursprünglicher sein, zumal sich die Einleitung ἀλλ᾽ οὐ δύναται bei Mk

---

[155] Die positive Folgerung, die sich für die Wertung jüdischer Exorzismen daraus ergibt, wird Lk 11,19 par Mt 12,27 ausdrücklich gezogen. Tatsächlich benutzen jüdische Exorzisten den Namen Jahwes, eines Patriarchen oder Salomos (Jos., Ant 8,45–49). Selbst den Namen Jesu scheint man verwandt zu haben, vgl. Mk 9,38; Apg 19,13f.; Schürer III, 409f. Doch fehlt ihrem Tun die eschatologische Komponente. Darin sieht Q den grundsätzlichen Unterschied.

[156] Vgl. *H. C. Kee*, „Terminology" 239; *J. M. Robinson*, History 35–38; *J. Becker*, Heil 209–217.

[157] ἐν δακτύλῳ bei Lk – eine Anspielung auf Ex 8,15 (Zauberpriester des Pharao) – ist ursprünglicher als ἐν πνεύματι bei Mt, das auf die Sünde wider den Geist vorausblickt. Die lk Vorliebe für πνεῦμα macht eine Änderung durch Lk vollends unwahrscheinlich, vgl. *E. Schweizer*, ThWNT VI, 395. Zur „unbestrittene(n) Authentie" des Logions vgl. *E. Käsemann*, „Lk 11,14–28" 244; *F. Hahn*, Hoheitstitel 298.

[158] Vgl. *O. Böcher*, Mächte 54 (zu Mk 3,15 im unmittelbaren Kontext).

als Parallele zu Mk 3,26b verstehen läßt. Der mit καὶ τότε eingeleitete Nachsatz wirkt ausgesprochen redundant.[159] Die Gattung der Einheit hat R. Bultmann als erweitertes Bildwort bestimmt.[160] Läßt man die letzte Zeile weg, handelt es sich um ein einfaches Bildwort in Frageform, das versuchsweise so wiedergegeben sei:

τίς δύναται εἰς τὴν οἰκίαν τοῦ ἰσχυροῦ εἰσελθὼν τὰ σκεύη
αὐτοῦ ἁρπάσαι,
ἐὰν μὴ πρῶτον δήσῃ τὸν ἰσχυρόν;

b) Bildfeld

Es hat nicht an Versuchen gefehlt, das Anschauungsmaterial des Bildworts aus realen Verhältnissen abzuleiten. Bezeichnenderweise muß dafür die farbigere Lukasfassung herhalten.[161] Man merkt die antiallegorische Absicht und ist verstimmt.

Mehr Zutrauen verdient der Hinweis auf Jes 49,24, wo die skeptische Einrede des Volkes im Exil zitiert wird[162]: „Kann man einem Starken (נבור[163]) den Raub (LXX: σκῦλα) entreißen, oder entrinnen die Gefangenen eines Mächtigen?" Der Vers basiert auf Erfahrungsweisheit und konnte leicht zum Sprichwort werden[164]. Deuterojesaja beantwortet ihn im Rahmen nationaler Eschatologie. Gott wird das Volk aus der Hand des übermächtigen Gegners retten (Jes 49,25f.). Wenig später sagt Deuterojesaja vom Gottesknecht, als Lohn für sein Leiden werde er mit den Starken die Beute teilen.[165]

Vielleicht können wir von Jes 49,24f. eine Verbindungslinie zu TestSeb 9,8 ziehen, wo einige Textzeugen lesen: „Er selbst (Gott) wird alle Gefan-

---

[159] Von οἰκία und ἁρπάζειν war schon in der ersten Zeile die Rede, die Argumentation ist ohnehin klar, die Frageform wird gestört. Doch hat die dritte Zeile wohl schon in Q gestanden, da Mt und Lk rein mk Verdoppelungen gern streichen. Gegenüber dem glättenden Infinitiv εἰσελθεῖν verdient das Partizip bei Mk den Vorzug.

[160] Syn. Tradition 182.

[161] Vgl. *L. Fonck*, Parabeln 325; *C. H. Dodd*, Parables 92: „We may think of a border incident on the frontiers of Syria, always exposed to Bedouin raids." Abwegig ist die Verbindung, die *W. Grundmann*, Mk 84, zu Lk 12,39 herstellt.

[162] Vgl. *C. Westermann*, Jes 179; *M. E. Boismard*, Synopse II, 172.

[163] Die LXX gibt es mit γίγας wieder, da נבור = ἰσχυρός sonst für Gott steht, vgl. Dtn 10,17; auch TestIjob 4,11; Ant Bibl 11,8 u. ö. (*fortis*). PsSal 17,40 ist der Messias ἰσχυρὸς ἐν ἔργοις αὐτοῦ. TestSal(D) 6,1 kündet ein ἄνεμος ἰσχυρός die Gegenwart des Dämons.

[164] So verwendet ihn PsSal 5,3: οὐ γὰρ λήψεταί (τις) σκῦλα παρὰ ἀνδρὸς δυνατοῦ.

[165] Jes 53,12MS. Die LXX liest statt dessen καὶ τῶν ἰσχυρῶν μεριεῖ σκῦλα (die Beute der Starken verteilt er). Vgl. Jes 9,2 LXX.

genschaft (αἰχμαλωσίαν[166]) der Menschenkinder von Belial erlösen." Jedenfalls ist die Vorstellung von der Bindung der bösen Macht durch Gott in der Apokalyptik reichlich belegt, so TestL 18,12: καὶ ὁ Βελίαρ δεθήσεται ὑπ᾽ αὐτοῦ[167], oder grHen 10,4: δῆσον τὸν ᾽Αζαήλ[168]. Im Jubiläenbuch werden die bösen Geister, mit deren Hilfe Mastema seine Herrschaft ausübt, auf Befehl Gottes gebunden und am Ort der Verdammnis eingeschlossen (Jub 10,5–11, vgl. 48,18). δέω gewinnt an diesen und anderen Stellen exorzistische Konnotationen.[169] Gleiches gilt für τὰ σκεύη, wörtlich „Geräte" oder „Gefäße". Beide Bedeutungen werden metaphorisch entfaltet.[170] ApkMos 16.26 nennt die Paradiesesschlange Gefäß oder Werkzeug des Teufels. C. Fuchs hat hinter σκεῦος ἀχάριστον ApkMos 26 ein כלי בליעל vermutet.[171] Das wird durch 4Qtest 25 bestätigt: einer der Verfluchten Belials, der als Verführer auftritt, ist Werkzeug der Gewalttat (כלי חמס). TestN 8,6 heißt es von dem, der das Gute nicht tut: „Und der Teufel wird ihn bewohnen wie sein eigenes Gefäß."[172] Damit hängt die Vorstellung zusammen, die Lk 11,24–26 voraussetzt: der Besessene ist das Haus des Dämons. Einen schönen Gegenbeleg bietet Herm 33,2:

> Wenn du großmütig bist, wird der heilige Geist, der in dir wohnt, rein sein. Nicht verfinstert von einem anderen bösen Geist, sondern im Geräumigen wohnend, jubelt er und freut er sich mit dem Gefäß (μετὰ τοῦ σκεύους), in dem er wohnt.

c) Tradition

(1) Der Kontext und das Bildfeld legen den Schluß nahe: auch Mk 3,27 interpretiert von Anfang an das exorzistische Wirken Jesu. Die Bindung des Starken steht im Zusammenhang mit der Überwindung Satans.

---

[166] Die LXX liest Jes 49,24f. z. T. sinnentstellend zweimal αἰχμαλωτεύσῃ.

[167] J. Becker, JSHRZ III, 61, rechnet mit einem Fragment aus einer jüdischen Apokalypse, die von Gott sprach (Subjekt in V. 13), nicht von dem messianischen Hohenpriester der voraufgehenden Verse, der christliche Züge trägt. Anders M. de Jonge, Testaments 89f., dem J. Gnilka, „Erwartung" 407, folgt.

[168] Vgl. grHen 18,16; äthHen 54,5; TestD 5,10; Jes 24,21f.; Offb 20,2. Dazu W. Grundmann, ThWNT III, 403f.; E. Best, Temptation 12f. Die böse Hebdomas grHen 21,3 bildet den verblaßten Hintergrund für Lk 11,26 par.

[169] Vgl. Tob 8,3 (ἔδησεν αὐτὸ ὁ ἄγγελος). Aus entgegengesetzter Perspektive Lk 13,16. Vgl. F. Büchsel, ThWNT II, 59; O. Michel, RAC II, 374f.

[170] Vgl. Röm 9,21f.; 1 Thess 4,4; 1 Petr 3,7. Dazu C. Maurer, ThWNT VII, 363–368. Im Töpfergleichnis Jer 18,2–6 übersetzt die LXX ἀγγεῖον, nicht σκεῦος, vgl. aber PsSal 17,23.

[171] Kautzsch II, 511.

[172] καὶ ὁ διάβολος οἰκειοῦται αὐτὸν ὡς ἴδιον σκεῦος. Zu vgl. sind MartJes 2,1; bGit 52a. Zur Vorstellung vom Körper als Gefäß auch 4 Esr 7,88; TestN 2,2.

Rechnet man mit einem authentischen Jesuswort – und nach den Ausführungen im vorigen Paragraphen besteht kein Grund, es nicht zu tun –, bleibt nur noch die Frage, wer den Starken bindet, Gott oder Jesus. Das apokalyptische Vergleichsmaterial läßt an ersteren denken. Auch hier können Lk 10,18 und Lk 11,20 herangezogen werden. Jesus führt sein eigenes Wirken auf den Anbruch des Gottesreiches zurück. Gott hat den Sieg schon errungen, es sind nur noch Nachhutgefechte zu führen.[173]

(2) Für weitergehende Ausdeutungen ist das Bildwort geradezu prädestiniert. Im Streit darüber, ob τὰ σκεύη nun die Dämonen (= Geräte des Starken) oder die Besessenen (= Gefäße des Starken) meint, wird man am ehesten A. Loisy folgen, der die allegorischen Implikationen gut heraushebt: „L'homme fort est Satan; sa maison est la masse des hommes qu'il tyrannise; ses outils sont les démons, et celui qui, après l'avoir lié, met sa maison au pillage, n'est pas autre que Jésus."[174] Dieses punktuelle Verständnis in allem auf Jesus zurückzuführen ist nicht nötig, in manchem – etwa in der expliziten Christologie – auch nicht möglich. Doch hat es zweifelsohne einen Anhaltspunkt in Jesu eigener Redeweise. Inwieweit die christologische Verdeutlichung zu Eingriffen in den Text führte, ist schwierig zu beurteilen. Immerhin könnte die dritte Zeile καὶ τότε τὴν οἰκίαν αὐτοῦ διαρπάσει Anfügung sein. Aus der Perspektive Jesu futurisch formuliert, blickt sie sachlich auf sein Wirken zurück. Jesus selbst hat die kosmische Entscheidungsschlacht geschlagen. Die frühe Zusammenstellung einschlägiger Jesusworte zu einem exorzistischen Leitfaden spiegelt aktuelles Gemeindeinteresse, das christologisch unterfangen wird.[175]

d) Redaktion

Wir greifen unter dem Aspekt der Redaktion nur zwei Punkte von besonderem Interesse heraus: die Bearbeitung des Bildworts vom Starken durch Lk und das Parabelverständnis in Mk 3,20–35.[176]

---

[173] Das spricht gegen *J. Jeremias*, Gleichnisse 123; *E. Best*, Temptation 10–15, und andere, die eine Anspielung auf die Versuchungsgeschichte vermuten. Selbst auf redaktioneller Ebene bleibt das fraglich.

[174] *A. Loisy*, Évangiles I, 708.

[175] ThEv 35 steht diesmal nahe bei der Mk/Mt-Fassung. σκεύη begegnet nicht hier, sondern ThEv 21, verbunden mit dem Bildwort vom Einbrecher, der „ins Haus seines Reiches" eindringt. Die anschließende Mahnung, sich vor der Welt zu hüten, legt auch für ThEv 35 das gleiche Verständnis nahe. In Umkehrung des synoptischen Bildes ist der Starke der Gnostiker, der sein inneres Reich durch die Welt bedroht sieht, vgl. *E. Haenchen*, Botschaft 69; *W. Schrage*, ThEv 90. Anders *R. M. Grant – D. N. Freedman*, Worte 144, die Jesus als Überwinder in die Mitte stellen. Vermittelnd *R. M. Wilson*, Studies 74.

[176] Zur Redaktion von Mt 12,22–45 vgl. *R. Hummel*, Auseinandersetzung 122–128; *R. Walker*, Heilsgeschichte 52–55. Charakteristisch ist die polemische Verschärfung, vgl. die Deutung, die Mt 12,45c dem Gleichnis vom Rückfall gibt.

(1) Lk hat das Bildwort redaktionell in vierfacher Hinsicht entfaltet. (a) Das Bild selbst führt er weiter aus, indem er Termini der militärischen Fachsprache aufgreift. πανοπλία[177] und καθωπλισμένος gehören hierher[178], auch φυλάσσω, νικάω und in einer Hinsicht σκῦλα[179]. (b) Nur Lk zeigt sich deutlich von Jes 53,12 beeinflußt, wenn er im Anschluß an die LXX vom Verteilen der Beute spricht. Ein Einbezug der Gottesknechtschristologie scheint beabsichtigt. (c) An der Identität des Siegers läßt Lk keinen Zweifel. Mit ἰσχυρότερος ist Jesus ausdrücklich benannt (vgl. Lk 3,16).

(d) Das eigenste Anliegen des Lk hat uns S. Legasse sehen gelehrt. αὐλή = Gehöft, Burg, auch Palast, weist auf den Reichtum des Starken hin. ὑπάρχοντα[180] = Besitz, Vermögen, begegnet mehrfach in der Warnung vor törichtem Reichtum (Lk 12,15) und in der Aufforderung zum Besitzverzicht (Lk 14,33). ἐφ᾽ ᾗ ἐπεποίθει hat weisheitlichen Klang. So sprechen Ps 49,7 und Spr 11,28 (ὁ πεποιθὼς ἐπὶ πλούτῳ) vom törichten Vertrauen auf Reichtum und Besitz. Nur Lk hat dreimal διαδιδόναι, außer an unserer Stelle noch Lk 18,22: διάδος πτωχοῖς, und Apg 4,35: διεδίδετο δὲ ἑκάστῳ καθότι ἄν τις χρείαν εἶχεν. Der Schluß ist zwingend: „Le mal est vaincu par le Christ dans une de ses expressions les plus redoutables aux yeux du troisième évangéliste: la richesse, et ceci au bénéfice des pauvres."[181]

(2) Die Insertionstechnik, die Mk anwendet, hat den Effekt, daß die so verschachtelten Traditionen sich gegenseitig interpretieren. In Mk 3,20–35 stoßen wir demnach auf zwei Fronten. Auf der einen Seite stehen die Jünger und die Menge, die mit ihm im Hause sind und die um ihn herum (περὶ αὐτόν) im Kreise sitzen, auf der anderen die Verwandten und die Schriftgelehrten mit ihren fast gleichlautenden Vorwürfen. Die Verwandten befinden sich draußen (ἔξω), sicher nicht nur im räumli-

---

[177] *W. Grundmann*, Lk 239, erinnert an das mythische Bild von der Waffenrüstung Gottes. Es begegnet Jes 59,17; Weish 5,17–20 und – übertragen auf den Frommen – Eph 6,10–17, vgl. *J. Gnilka*, Eph 303–314; *A. Oepke*, ThWNT V, 300f. (der einseitig die Realien herausstellt); *W. Straub*, Bildersprache 91f. Doch hat Lk gerade die dämonologische Seite nicht weiter ausgemalt. Vgl. immerhin äthHen 8,1: Azael lehrt die Menschen, Schilde und Panzer zu schmieden.

[178] 4 Makk 3,12(A): πανοπλείας καθωπλίσαντο. Metaphorisch 4 Makk 11,22: καλοκἀγαθία καθωπλισμένος. Vgl. Wettstein I, 728f.

[179] σκῦλα ist zunächst die „dem getöteten Feind ausgezogene Rüstung" (Bauer WB s. v.).

[180] Die Verteilung von ὑπάρχω ist 3/0/15/25. Weitere Lukanismen sind εἰρήνη (4/1/13/7), ἐπέρχεσθαι (0/0/3/4) und πείθειν (3/0/4/17).

[181] *S. Legasse*, „L'homme fort" 9. Vergegenwärtigt man sich den mehrdimensionalen Sinn, den Lk dem Text gegeben hat, wird man doch skeptisch gegenüber dem verallgemeinernden Urteil von *J. Jeremias*, Gleichnisse 85f., Lk habe von den Synoptikern am wenigsten allegorisiert.

chen Sinn.[182] In geistiger Hinsicht stehen auch die Schriftgelehrten außerhalb, obwohl Jesus sie in seine räumliche Nähe ruft[183], um ἐν παραβολαῖς zu ihnen zu sprechen. Bildworte dienten auch in Mk 2 als Antwort auf die Einwände der pharisäisch-schriftgelehrten Gegner, wiewohl sie dort nicht παραβολαί genannt werden. Den Vorwurf des Besessenseins interpretiert Mk 3,28f. als Lästerung des Geistes, eine Sünde, für die es keine Vergebung gibt. E. Lövestam hat den biblischen Zusammenhang von Lästerung des Geistes und Verstocktheit des Menschen als ihrem inneren Grund gut herausgearbeitet.[184] Das Reden in Gleichnissen steht damit nach Mk in ursächlicher Verbindung.

Durch Komposition von Traditionsstücken und redaktionelle Eingriffe hat Mk wichtige Themen des Gleichniskapitels schon angedeutet: die Scheidung von ἔξω und περὶ αὐτόν, die unvergebbare Verstockung. Es fehlt das Geheimnismotiv, das in Mk 4 eine Auslegung der Gleichnisse erfordert. Im Rahmen von Streitgesprächen haben Bildworte argumentative Funktion. Von Argumenten erwartet man, daß sie klar sind. Wenn sie ihr Ziel nicht erreichen, führt man das normalerweise nicht auf gewollte Obskurität, sondern auf bösen Willen des Gegners zurück. Von Mk 3,20–35 her muß eine Verknüpfung von verstockender Wirkung und mystifizierender Zielsetzung der Gleichnisse sehr zweifelhaft bleiben.[185]

Ergebnisse

(1) Wir konnten für die fünf untersuchten Einheiten Authentizität wahrscheinlich machen. Ein relatives Vertrauen in die Zuverlässigkeit der Gleichnistradition scheint gerechtfertigt, zumindest, was die *traditio triplex* angeht.[186]

(2) Die Bearbeitung der Bildworte durch die Tradition kann man formal als Allegorisierung bezeichnen, d. h. als Erweiterung unter Einfluß der

---

[182] Über den Grund für diese negative Zeichnung brauchen wir hier nicht zu handeln, vgl. ausführlich *L. Oberlinner*, Überlieferung 149–242.

[183] Daß die Schriftgelehrten in dem Haus von 3,20 schwerlich Platz gefunden hätten, kann auf der Ebene der Literarkritik ausgewertet werden, nicht aber auf der Ebene der Redaktion, wo wir mit dem typisierenden Vorgehen evangeliaren Erzählens zu rechnen haben.

[184] *E. Lövestam*, Spiritus 51–57. Vgl. z. B. Ps 95,8f. mit Jes 63,10 und Ps 106,32f.

[185] Zu den redaktionellen Verbindungslinien von Mk 3,20–35 zu Mk 4,1–34 vgl. *J. M. Robinson*, History 50; *J. D. Crossan*, „Mark" 90. Daraus zu schließen, Mk 4,10–12 habe einmal an Mk 3,20–35 angeschlossen – so *J. Coutts*, „Those Outside" 155–157 –, besteht kein Grund.

[186] Die Skepsis von *K. Berger*, „Materialien" 36f., vermag ich nicht zu teilen. Die Parallelen, die er beibringt, sind teils gesucht, teils sehr spät. Die überraschenden Urteile von *É. Trocmé*, Jesus 100–107, sind ohne exegetisches Fundament.

Deutung. Eine wichtige Rolle spielen bei der Ausgestaltung Bildfelder aus der atl Tradition und der apokalyptischen Literatur.

(3) Die punktuelle Identifizierbarkeit nimmt zu, doch kann von einer *metabasis eis allos genos* nicht die Rede sein. Die Gattung bleibt dieselbe. Auch ein Text wie Mk 2,19–20 ist keine Allegorie, sondern ein erweitertes Bildwort.

(4) Referent der Bildworte ist bei Jesus die Basileia Gottes, mit der er seine Person indirekt in Beziehung setzt. In der Tradition ist es zunächst Jesus selbst. Daneben stehen Probleme der Gemeindepraxis. Doch ist es so, daß die Christologie die Paränese unterfängt und begründet. Die Dominanz der christologischen Allegorisierung, die sehr früh einsetzt, läßt sich bis ins MkEv hinein verfolgen.

(5) Bei allen drei Synoptikern sind die Bildworte referentiell eng in die Thematik und Metaphorik des evangeliaren Makrotexts verflochten.

(6) Dafür, daß Bildworte in der Tradition als geheimnisvolle Rätselworte aufgefaßt würden, denen ein esoterischer Tiefensinn zu entnehmen sei, fand sich kein Anhaltspunkt, ebensowenig für die These, die Gleichnisrede Jesu sei nach Ostern mißverstanden worden.

Kapitel XI

DAS GLEICHNISKAPITEL MK 4,1–34 PARR

Einleitend seien die wichtigsten Beobachtungen zusammengestellt, die eine Auffächerung des Textes und eine Bestimmung der vorausliegenden Einheiten ermöglichen.[1]

Die Situation von Mk 4,1f. (Jesus lehrt die Menge am See) ist in 4,10 verlassen. Jesus ist mit einer bestimmten Gruppe allein (κατὰ μόνας), womöglich in einem Haus[2] oder im Boot. 4,33 aber scheint vorauszusetzen, daß Jesus außer der Sämannsparabel zumindest noch die Gleichnisse 4,26–29.30–32 zum Volk sprach. Auch ἀφέντες τὸν ὄχλον 4,36 greift auf 4,1 zurück. Es ist also ein weiterer, nicht genannter Situationswechsel anzunehmen, den die meisten Erklärer zwischen 4,25 und 4,26

---

[1] Zu Positionen der Forschung vgl. *J. Gnilka,* Verstockung 53–56; *J. C. Little,* Criticism 240–246. Zur Analyse *E. Wendling,* Entstehung 27–42; *E. Hirsch,* Frühgeschichte I, 26–33 (dazu *M. Lehmann,* Quellenanalyse 57–89); *J. Jeremias,* Gleichnisse 9–14.

[2] Daran denken *V. Taylor,* Mk 255; *C. Masson,* Paraboles 26.

ansetzen.[3] Der Rahmen erweist sich als uneinheitlich. Auch die verschiedenen Überleitungsformeln καὶ ἔλεγεν (V. 9.26.30), καὶ ἔλεγεν αὐτοῖς (V. 2.11.21.24) und καὶ λέγει (V. 13) können als Indiz für sekundäre Zusammenstellung gewertet werden, ohne daß sich daraus schon ein schlüssiges Argument für die Verteilung auf Tradition und Redaktion ableiten ließe[4]. V. 9.(23) ist in evangeliarer und außerevangeliarer Literatur mehrfach belegt. Die vier Einzellogien Mk 4,21–25 sind unabhängig von Mk auch in Q tradiert, ebenso das Gleichnis vom Senfkorn Mk 4,30–32. Das Gleichnis von der selbstwachsenden Saat ist Mk-Sondergut. Als selbständige Einheiten kristallisieren sich heraus: (1) die Parabel vom Sämann 4,3–8 und ihre Deutung 4,14–20; (2) das Gleichnis vom Senfkorn 4,30–32; (3) das Gleichnis von der selbstwachsenden Saat 4,26–29 und (4) die Einzellogien 4,21.22.24.25. Dazu kommt (5) ein in sich nicht konsistenter Rahmen, der die Verse 4,1–2.3a.9.10–13.(23).33–34 umfaßt. Wir untersuchen zunächst die kleinen Einheiten in der angegebenen Reihenfolge mit Hilfe der in Kapitel X erprobten Methode. Im Anschluß an eine Analyse des Rahmens werden dann einige Daten zu Genese und Struktur des Gleichniskapitels zusammengestellt. Das Hauptaugenmerk gilt der Frage nach Herkunft und Stellenwert der Allegorik in Mk 4,1–34 parr.

§ 29: Der Sämann

a) Das Gleichnis (Mk 4,3–8 parr Mt 13,3b–8; Lk 8,5–8a)

aa) Analyse

Im Mk-Text finden sich auffällig viele Semitismen.[5] Dazu gehört in V. 3 die partizipiale Wendung σπείρων[6] mit dem generischen Artikel, in V. 4 ἐγένετο ἐν τῷ c. inf., das für ... בַּ וַיְהִי steht[7], und παρά, sofern es ein עַל

---

[3] Anders *T. Soiron*, „Parabellehre" 392, der schon 4,21–25 ans Volk gerichtet sein läßt. Anders *J. C. Little*, Criticism 139: „the entire section between v. 10 und v. 32 is addressed κατὰ μόνας to the smaller circle in the boat".

[4] Die Zuversicht, mit der das bei *W. Marxsen*, „Parabeltheorie" 16, und *H. W. Kuhn*, Sammlungen 130f., geschieht, hat *H. Räisänen*, Parabeltheorie 89–109, gründlich erschüttert. Kritisch auch *J. Lambrecht*, „Parabels" 28f.34. *W. Essame*, „καὶ ἔλεγεν" 121, macht auf das rabbinische הוּא הָיָה אָמַר aufmerksam.

[5] Vgl. *M. Black*, Approach 63. Doch kann sein Rekonstruktionsversuch ebd. 162f. methodisch nicht überzeugen, da er an mehreren Stellen die Lk-Fassung heranzieht.

[6] Man würde im Griechischen σπορεύς erwarten, vgl. Xenoph., Oecon 20,3; Preisigke Wört II, 477; *D. Haugg*, „Ackergleichnis" 76.

[7] Bl-Debr § 404, Anm. 1; *K. Beyer*, Syntax I, 30f.60. Die Verteilung für ἐν τῷ c. inf. ist 3/2/32, für ἐγένετο ἐν τῷ c. inf. 0/1/23. Dieser Befund ist auf Nachahmung der LXX-Sprache durch Lk zurückzuführen.

= auf (den Weg) wiedergibt[8], in V. 7 καρπὸν διδόναι anstelle von καρποφορεῖν 4,20.28 und in V. 8 das dreimalige ἕν, das für das aramäische Multiplikationszeichen חד = x-fach steht[9]. Dazu kommt das Dominieren der Parataxe und das völlige Fehlen hypotaktischer Partizipien, die zum griechischen Erzählstil gehören (eingeführt von Lk: φυέν 8,6b.8a, und Mt: ἐλθόντα 13,4c; ἀνατείλαντος 13,6a).

Die Verse 4bc und 7ab weisen eine parallele, fast rhythmische Struktur auf, die von den drei Verben ἔπεσεν – ἦλθεν – κατέφαγεν, bzw. ἔπεσεν – ἀνέβησαν – συνέπνιξαν, jeweils gefolgt von Ortsangabe, neuem Subjekt und αὐτό, bestimmt ist. V. 5f., wo man einen ähnlichen Aufbau erwarten würde, macht demgegenüber einen überfüllten Eindruck. Das ὅπου οὐκ εἶχεν γῆν πολλήν können wir zunächst als Verdoppelung des διὰ τὸ μὴ ἔχειν βάθος γῆς Mk zuschreiben, der eine Vorliebe für die adjektivische Verwendung von πολύς zeigt.[10] Es bleiben die Wiederaufnahme von διὰ τὸ μὴ ἔχειν βάθος γῆς durch διὰ τὸ μὴ ἔχειν ῥίζαν, die Assonanz von ἐξανέτειλεν und ἀνέτειλεν sowie die inhaltliche Nähe von ἐκαυματίσθη und ἐξηράνθη. Das wird auf die ausschmückende Tendenz mündlichen Tradierens zurückzuführen sein, das zum Zersagen neigt. Ein Urteil über das Ursprüngliche ist schwer zu fällen. Weil in V. 4b und 7b die Opponenten (Vögel, Dornen) und ihre Tätigkeit jeweils genannt sind, wird man am besten an ὁ ἥλιος festhalten und folgenden, V. 4bc und 7ab parallelen Vers rekonstruieren: καὶ ἄλλο ἔπεσεν ἐπὶ τὸ πετρῶδες, καὶ ἀνέτειλεν ὁ ἥλιος καὶ ἐκαυμάτισεν αὐτό.

V. 7c καὶ καρπὸν οὐκ ἔδωκεν ist wegen des Singulars nicht auf die VV. 4–7 insgesamt zu beziehen[11], sondern nur auf V. 7. Es kann als Zusatz gelten, der aus ἐδίδου καρπόν V. 8 herausgesponnen wurde. Der Plural ἄλλα V. 8 dient als Pendant zu ἄλλο V. 5 und V. 7. Auf ἄλλα greift ἀναβαίνοντα καὶ αὐξανόμενα zurück, eine Verdoppelung von ἀνέβησαν V. 7, die hinter καρπόν grammatisch ungeschickt plaziert ist. Sollte ἀναβαίνει Mk 4,32, das in Q fehlt, von Mk stammen, wäre man auch hier versucht, an einen mk Eintrag zu denken[12].

---

[8] So ThEv 9. Doch wäre sprachlich und sachlich auch die Bedeutung „am Wegrand hin" möglich, vgl. Bauer WB s. v. παρά III, 1b.d.

[9] Dan 3,19. Vgl. Bl-Debr § 248,3; M. Black, Approach 124; D. Haugg, „Ackergleichnis" 197f. Das dreimalige ἕν ist mit B. M. Metzger, Commentary 83, den Varianten ἐν (ℜ), εἰς (ℵ Δ C) u. a. vorzuziehen.

[10] Vgl. J. Gnilka, Verstockung 61. Auch das folgende (καὶ) εὐθύς ist mk Vorzugswort: 7/42/1/1.

[11] So J. D. Crossan, „Seed Parables" 246. A. H. McNeile, Mt 188, denkt an eine späte Glosse.

[12] Vgl. W. Wilkens, „Redaktion" 316, der eine Anspielung auf das Wachsen der Jüngererkenntnis vermutet. Doch kann die Möglichkeit einer traditionellen Vorlage, die dann als Modell für Mk 4,32 gedient hat, nicht ausgeschlossen werden.

Mt und Lk stimmen gegen Mk negativ in einigen Auslassungen überein[13], was einer schon mehrfach beobachteten unabhängigen Tendenz
entspricht. An positiven *agreements* finden sich nur τοῦ vor σπείρειν, bzw.
σπεῖραι, das den finalen Sinn des Infinitivs verdeutlicht[14], und αὐτόν,
das zu ἐν τῷ σπείρειν das Subjekt angibt. Mt bleibt nahe beim Mk-Text,
bis auf den Schlußvers, wo er die Zahlenangaben in umgekehrter Reihenfolge bringt und mit ὃ μέν, ὃ δέ verbindet.
Lk hat den Text freier bearbeitet. ἄλλο ersetzt er dreimal durch ἕτερον.
κατεπατήθη zeigt, wie Lk παρὰ τὴν ὁδόν verstanden hat. πετεινὰ τοῦ
οὐρανοῦ hat biblischen (Gen 1,26.28.30) und lk Klang (Lk 9,58; Apg
10,12).[15] Mk 4,5f. hat Lk aus gutem Stilempfinden heraus gänzlich neu-
gestaltet. πετρῶδες ist zu πέτρα gräzisiert, das Verdorren führt Lk dem-
entsprechend auf Mangel an Flüssigkeit zurück. Eine ursprüngliche
Überlieferung wird hinter der Lk-Fassung nicht erkennbar, auch nicht in
dem ἑκατονταπλασίονα Lk 8,8[16]. Die dreifache Staffelung des Erfolgs ist
von der Struktur und vom erzählerischen Duktus her zwingend gefordert,
wie im folgenden zu zeigen ist.

bb) Form und Gattung

Bei allem Wissen um das Hypothetische eines solchen Versuchs sei
zunächst der Text sichtbar gemacht, der sich aus der Analyse ergibt.

	ἐξῆλθεν	ὁ σπείρων
		σπεῖραι.
καὶ	ἐγένετο	ἐν τῷ σπείρειν
ὃ μὲν	ἔπεσεν	παρὰ τὴν ὁδόν,
καὶ	ἦλθεν	τὰ πετεινὰ
καὶ	κατέφαγεν	αὐτό.
καὶ ἄλλο	ἔπεσεν	ἐπὶ τὸ πετρῶδες
καὶ	ἀνέτειλεν	ὁ ἥλιος
καὶ	ἐκαυμάτισεν	αὐτό.

---

[13] Sie lassen aus: ἀκούετε, ἐγένετο, καὶ καρπὸν οὐκ ἔδωκεν, ἀναβαίνοντα καὶ αὐξανόμενα καὶ ἔφερεν.

[14] Vgl. Bl-Debr § 400,5 mit Anm. 7. Statt ἀπέπνιξαν aus Lk 8,7 ist Mt 13,7 mit ℵ D Θ φ
ἔπνιξαν zu lesen.

[15] Die Auslassung von τοῦ οὐρανοῦ in D W veranlaßt *B. M. Metzger,* Commentary 144, zu
der Vermutung, es sei als „inappropriate in an allegorical reference to the devil" empfunden worden.

[16] Gegen *T. Schramm,* Markus-Stoff 115.121. Vgl. ähnlich schon *F. Spitta,* „Parabelabschnitt" 552–557. *D. Wenham,* „Suggestions" 17–38, versucht vergeblich, für das ganze
Gleichniskapitel Mt-Priorität zu erweisen. Ähnliches unternimmt für die Sämannsparabel *X. Léon-Dufour,* „Semeur" 269f.

καὶ ἄλλο ἔπεσεν   εἰς τὰς ἀκάνθας,
καὶ   ἀνέβησαν   αἱ ἄκανθαι
καὶ   συνέπνιξαν αὐτό.

καὶ ἄλλα ἔπεσεν   εἰς τὴν γῆν τὴν καλὴν
καὶ   ἐδίδου   καρπὸν
καὶ   ἔφερεν

ἓν τριάκοντα καὶ ἓν ἑξήκοντα καὶ ἓν ἑκατόν.

Als formales Strukturelement dient die *regel de tri,* die zum Grundbestand volkstümlicher Erzählkunst gehört.[17] Auf die Exposition, die dreimal σπείρειν verwendet, folgen drei parallele Strophen mit je drei Verben. Das wiederholte ἔπεσεν schafft eine Verbindungslinie, die bis in die vierte Strophe reicht. Im übrigen ist die letzte Strophe durch ἄλλα und τὴν καλήν deutlich abgesetzt. Die Saat, in Strophe 1–3 passives Objekt (αὐτό), wird zum agierenden Subjekt. Der dreifach gestaffelte Ertrag bildet in betonter Schlußstellung das nötige Gegengewicht zum dreimal geschilderten Mißerfolg.[18]

Der Aufbau und das Erzähltempus lassen an eine Parabel denken. Daß in der Forschung dennoch immer wieder von einem Gleichnis im engeren Sinn die Rede ist, liegt am Stoff. Eine Parabel erzählt nach Jülicher und Bultmann einen einmaligen, ungewöhnlichen Vorgang, ein Gleichnis schildert alltägliche, typische Begebenheiten. Ob letzteres hier der Fall ist, muß geprüft werden.

cc) Realien

Die Forschung hat den agrarischen Verhältnissen, die der Text voraussetzt, ungewöhnlich viel Aufmerksamkeit gewidmet. Die vielverhandelte Frage, ob in Palästina vor *oder* nach dem Säen gepflügt wird, ist dahingehend zu beantworten, daß sich aus den Quellen beides belegen läßt.[19]

---

[17] Vgl. *A. Olrik,* „Gesetze" 4; *C. L. Mitton,* „Threefoldness" 228–230.

[18] *A. Olrik,* „Gesetze" 7: „achtergewicht mit dreizahl verbunden ist das vornehmste merkmal der volksdichtung." Auf die Strukturparallele zu Ri 9,8–15 macht *B. Lindars,* „Jotham's Fable" 363f., zu Recht aufmerksam. Nur steht dort die positive Aussage in der mittleren Dreiergruppe, die betonte negative am Schluß.

[19] Der wichtigste Beleg für Pflügen nach der Saat ist Jub 11,11. Er wirft zugleich Licht auf Mk 4,4: „Und der Fürst Mastema schickte Raben und Vögel, damit sie die Saat, die auf der Erde gesät war, fräßen … Ehe sie den Samen einpflügten, lasen ihn die Raben von der Oberfläche der Erde auf." Vgl. *W. G. Essame,* „Sowing" 54. Nicht beachtet wurde m. W. bislang das Gleichnis Tanch. מקץ 5 (50a Epstein): „Der König stellt sich neben sein Feld, nicht wenn es besät, nicht wenn es gepflügt, nicht wenn es gehackt wird …". Die Papyri setzen Pflügen vor dem Säen voraus: PAmherst 91.

Das Normale aber scheint ein Pflügen vor *und* nach dem Säen gewesen zu sein.[20] J. Jeremias geht es bei seiner gegenteiligen Argumentation darum, das realistische Kolorit der Erzählung zu erweisen. Der Sämann handelt nicht ungeschickt oder verschwenderisch[21], denn der Fußpfad, der über den Acker führt, und das Dornengestrüpp werden nachher mit untergepflügt, und der felsige Untergrund ist unter der dünnen Ackerkrume vor dem Pflügen nicht zu erkennen.[22] Man kann zurückfragen: wieso picken die Vögel dann nur die Körner vom Pfad auf (anders z. B. Jub 11,18–24)? Setzt das nicht voraus, daß sie längere Zeit auf dem Weg liegen bleiben, evtl. gar nicht mit untergepflügt werden? Wieso wachsen die Dornen trotz Unterpflügen wieder mit hoch? Hätte man sie dann nicht besser entfernt? Oder handelt es sich um noch unsichtbare Keime (Dalman, Schniewind)? Auch V. 5f. gibt in der jetzigen Form Fragen auf: geht die Saat etwa über Nacht auf, so daß sie von der nächsten Morgensonne schon versengt werden kann?[23] Wir haben es mit einer Erzählung zu tun, die mit Typisierungen und perspektivischen Verkürzungen arbeitet, nicht mit einem Handbuch für palästinensische Agrartechnik. Der Rückfrage nach dem sozio-kulturellen Milieu sind Grenzen gesetzt.[24] Für den Hörerbezug, den der Text herstellen will, ist allein wichtig, daß die Widerstände, die dem Wachstum im Wege stehen, aus realen Verhältnissen zu belegen sind: die verschiedene Qualität des Ackerbodens[25], sengende Sonne und Dürre[26], Unkraut[27] und allerlei Getier[28]. Daß sie hier

---

[20] Vgl. *Y. Feliks,* „Ploughing" 21–45. Varro, Rer Rust I 29,2.

[21] Hier setzt die Deutung von *J. Schniewind,* Mk 75f., ein: „Auch in Palästina wäre ein Bauer, der dreiviertel seiner Saat verloren gehen ließe, grotesk ... Der normale Erfolg des Wortes Gottes ist der Mißerfolg." Das wurde gelegentlich dahingehend modifiziert, daß die geheimnisvolle Großzügigkeit des Sämanns als Abbild der nichtberechnenden göttlichen Gnade der Vergleichspunkt sei. Großen Anklang hat diese Deutung nicht gefunden, vgl. immerhin *J. Danten,* „Révélation" 453.

[22] Vgl. *J. Jeremias,* Gleichnisse 7f. Auf die nicht ganz stichhaltige Kritik von *K. D. White,* „Sower" 300–307, hat *J. Jeremias,* „Palästinakundliches" 48–53, mit neuen Belegen geantwortet. Jeremias fußt im wesentlichen auf *G. Dalman,* „Acker" 120–132. Dalman Arbeit II, 179–196; III, 153–165, enthält u. a. stillschweigende Korrekturen. Vgl. auch die kritischen Nachfragen bei *H. Frankemölle,* „Implikationen" 194; *J. Drury,* „Sower" 368–370.

[23] Vgl. SLev 26,4 (Bill. IV, 948f.): in den Messiastagen wird der Same noch am Tag der Aussaat Frucht tragen. Vgl. auch SDtn 1,7; Jona 4,6.10. Das Problem wird gesehen von *E. Linnemann,* Gleichnisse 122.

[24] Sie werden beträchtlich überschritten bei *D. Buzy,* Paraboles 9, und *L. Fonck,* Parabeln 75. Gänzlich verfehlt ist auch das Stimmungsbild, das *C. C. Bell,* Sower 17, zeichnet.

[25] Gitt 5,1; bBM 105b; Cato, Agric 6,1; Xenoph., Oecon 16,3.

[26] Sir 43,3f.; Theophr., Caus Plant I 4,1; Jak 1,11; Jos., Bell 4,471.

[27] Vergil, Georg 1,150–159 (Ersticken der Pflanze durch Disteln).

[28] ThEv 9 nennt zusätzlich den Wurm, der an der Wurzel nagt, vgl. Jona 4,7. Ein ganzer Katalog möglicher Schadensursachen bei Theophr., Hist Plant VIII 6,1.

gehäuft auftreten, sprengt wiederum den Rahmen der Realität und steht im Dienst der Aussage.

Umstritten ist auch die Realitätsnähe des 30- bis 100fachen Ertrags. Üblich ist, die Menge des Saatguts zum Gesamtertrag des Ackers ins Verhältnis zu setzen.[29] Demnach wäre ein 4- bis 8facher Ertrag normal, 10- bis 12fach gilt schon als ausnehmend gut. Das geht aus den Papyri[30] und aus den Zuverlässigsten unter den antiken Agrarschriftstellern[31] eindeutig hervor. Aussagen über einen höheren, bis zu 300fachen Ertrag[32] sind entweder einfach falsch oder hyperbolisch zu verstehen und oft genug ausdrücklich als Hyperbeln gekennzeichnet.[33] Man hilft sich, indem man sagt, hier sei ein einzelnes Samenkorn gemeint, das eine Ähre hervorbringt, die tatsächlich dreißig und mehr Körner enthalten kann (allerdings auch weniger).[34] Dagegen spricht, daß im Text nicht von Körnern die Rede ist, sondern von Saatmengen. Außerdem wäre auch in diesem Fall der Blickwinkel immer noch ungewöhnlich, da er von der harten Realität, die im Endeffekt einen viel geringeren Gesamtertrag kennt, förmlich ablenkt.

Der Text ist eine Parabel, kein Gleichnis. Er arbeitet mit dem Stilmittel der Verfremdung. Der breit ausgemalte Mißerfolg wird aufgewogen durch einen Erfolg, der reale Dimensionen sprengt. Der Gedanke an Gen 26,12 legt sich nahe[35]: „Und Isaak säte in dem Land, und er erntete hundertfältig in dem Jahr, denn der Herr segnete ihn." Das Bildfeld verdient mindestens ebensoviel Aufmerksamkeit wie die Realien, zumal es die Brücke zur Auslegung schlägt.[36]

---

[29] HldR 7,3 § 3: „Man zählt die Saat, bevor man sie hinausträgt zum Säen, und man zählt sie wieder, wenn sie hineingebracht wird von der Tenne." Vgl. *M. Ben-David,* Ökonomie 103.

[30] PColt 82 (Text: *C. J. Kraemer jr.,* Excavations III, 239. Zur Auswertung *M. Ben-David,* Ökonomie 104f.). Vgl. schon Sir 7,3.

[31] Columnella, Rer Rust III 3,4: *Nam frumenta majore quidem parte Italiae quando cum quarto responderint, vix meminisse possumus. H. Vogelstein,* Landwirtschaft 8, spricht von einem 5fachen Ertrag. Dalman Arbeit III, 154, gibt für die Neuzeit einen 10- bis 15fachen Ertrag an. *G. Sprenger,* „Erntegleichnisse" 84, erklärt die höheren Angaben des Gleichnisses wenig einleuchtend „aus der intensiveren Ackerbewirtschaftung zu Jesu Zeit".

[32] Theophr., Hist Plant VIII 7,4; Plin., Hist Nat 18,94f.; Herod., Hist 1,193; 4,198; Strabo, Geogr XV 3,11.

[33] Theophr., Hist Plant VIII 2,9, versieht eine entsprechende Angabe mit dem Vermerk εἴπερ ἀληθής, Varro, Rer Rust I 44,2, mit *dicunt.* Ganz phantastisch sind die Schilderungen der rabbinischen und apokalyptischen Literatur, die für die messianische Zeit mit tausendfachem (Hen 10,19), zehntausendfachem (syrBar 29,5) und millionenfachem Ertrag rechnen, vgl. Bill. I, 657f.; IV, 889.

[34] So neben vielen Kommentaren und Gleichnisbüchern *F. Dunkel,* „Sämann" 86; *U. Holzmeister,* „Aliud . . ." 219–223; vgl. *J. Sonnen,* „Landwirtschaftliches" 84f.

[35] Das umso eher, als TgO zu Gen 26,12 חד מאה liest, was hinter dem mk ἕν zu vermuten ist.

[36] Einen Zugang von der atl Metaphorik her sucht auch *J. L. Davies,* Parabolic Material 301–318.410–445; vgl. ferner *E. C. Hoskyns – F. N. Davey,* Rätsel 131–133; *K. Grayston,* „Sower" 138f.; *N. A. Dahl,* „Parables" 154.

dd) Bildfeld

Dem Geschehen um Aussaat und Ernte kommt in der antiken Agrarkultur ein hoher Stellenwert zu. So verwundert es nicht, wenn es in mannigfacher Weise zum Ausgangspunkt für metaphorische Bildungen dient, die insbesondere den geistigen und religiösen Bereich betreffen.

(1) Die Verbindung von Samen und Wort, von Säen und Reden findet sich ausgeprägt im griechischen Raum. Platon malt in einem Vergleich die Saatmetapher aus, um die Überlegenheit des gesprochenen Wortes über das geschriebene zu erweisen.[37] Plutarch beschreibt mit ihrer Hilfe ein Gespräch: „Wir säten Worte und ernteten sie sofort … sie sproßten uns und wuchsen längst des Weges."[38] Ihre nachhaltigste Ausfaltung hat sie in der stoischen Lehre vom *logos spermatikos* gefunden. Ein Partikel der göttlichen Weltvernunft ist jedem einzelnen Lebewesen gleichsam eingesät. Die christliche Apologetik griff nur zu gern darauf zurück.[39]

Im AT findet sich eine ähnliche Verbindung nur ansatzweise bei Deuterojesaja, im Gleichnis von der Zuverlässigkeit des göttlichen Wortes[40]:

> Denn wie Regen und Schnee vom Himmel herabkommen
> und nicht dahin zurückkehren,
> sondern die Erde tränken,
> daß sie fruchtbar wird und sproßt
> und dem Sämann Samen und dem Essenden Brot gibt,
> so auch mein Wort, das aus meinem Munde kommt:
> es kehrt nicht leer zu mir zurück,
> sondern es wirkt, was ich beschlossen.

Ins Paränetische gewendet wird das Bild vom Säen Hos 10,12: „Säet Gerechtigkeit, erntet nach dem Maß der Liebe." Der kausalen Relation von Aussaat und Ernte bedienen sich manche Weisheitsworte, die den Zusammenhang von Tun und Ergehen im Blick auf das menschliche

---

[37] Plat., Phaedr 276b–277a. Vgl. Phaedr 260d; ferner die sprichwörtlichen Bildungen Cic., De Orat 2,65; Arist., Rhet 1406b 10. Vgl. 1 Kor 9,11; Jak 1,21; Ign., Eph 9,1. Zum Ganzen G. Quell – S. Schulz, ThWNT VII, 537–547.

[38] Plut., Phyth Or 1 (394E): σπείροντες λόγους καὶ θερίζοντες εὐθύς … βλαστάνοντας ἡμῖν καὶ ὑποφυομένους κατὰ τὴν ὁδόν. Zur weiteren metaphorischen Verwendung vgl. Plut., Reg Imp Apophth (182A); E ap Delph 8 (388C); Fac Lun 30 (945C); Aisch., Per 821f. Was A. Bonhöffer, „Pendant" 571–573, aus Lukian anführt, ist keine Parallele, nicht einmal eine entfernte. Eine solche hingegen bietet das Gleichnis bei Ps.-Plut., Lib Educ 4 (2B): mit der Erziehung verhält es sich wie mit der Landwirtschaft. Der Boden (= Anlage) muß gut sein, der Landmann (= Lehrer) geschickt und der Same (= Wort der Lehre) brauchbar.

[39] Just., Apol II 13,3–6. Vgl. G. Glockmann, Homer 155–158.163–165.

[40] Jes 55,10f. Übersetzung nach der Zürcher Bibel.

Handeln illustrieren: „Wer Unrecht sät, wird Unrecht ernten."[41] Hier ist die Aussage von TestL 13,6 schon vorbereitet: „Sät Gutes in eure Seelen, damit ihr es im Leben findet. Denn wenn ihr Böses sät, werdet ihr Unruhe und Trübsal (θλῖψιν) ernten."
Besonders aufschlußreich ist die variable Verwendung der Metapher in 4 Esr. Hier findet sich zunächst die auch im Henochbuch belegte eigentümliche Vorstellung, daß Menschen in die Welt gesät sind[42]:

Denn wie der Landmann vielen Samen auf die Erde sät
und eine Menge Pflanzen pflanzt,
aber nicht alles Gesäte zur Zeit bewahrt bleibt,
und nicht alles Gepflanzte Wurzel schlägt,
so werden auch die, die in der Welt gesät sind,
nicht alle bewahrt bleiben.

Sachlich geht es bei dieser Aussage, die an atl Vorbilder anknüpfen kann[43], um die Differenz von Verlorenen und Erlösten, von Auserwählten und Verdammten. Bezeichnend ist der Protest des Sehers: „Der Samen des Landmanns ... geht freilich zugrunde. Aber das Menschenkind ... das hast du dem Samen des Landmanns gleichgestellt?" (4 Esr 8,43f.). 4 Esr 9,17 wird der Mensch und sein Tun mit dem Boden und mit dem Landmann selbst verglichen: „Wie der Boden, so die Saat ... wie der Landmann, so die Ernte." 4 Esr 4,30–32 und 9,31 wenden die Metapher vom Ackerboden auf das Herz des Menschen an. Ins Herz des Adam wurde ein Körnchen bösen Samens gesät, das die jetzige Frucht des Bösen hervorgebracht hat. Ins Herz der Väter hat Gott sein Gesetz gesät, damit es Frucht bringt.[44] Paradoxerweise geht durch den Ungehorsam des Menschen nicht das Gesetz verloren, wie die Logik des Bildes es erfordern würde. Argumentiert wird *e contrario*.[45] Das Gesetz stammt von Gott und überdauert die Zeiten, es „bleibt in seiner Herrlichkeit" (4 Esr

---

[41] Spr 22,8. Vgl. Hos 8,7; Ijob 4,8; Sir 7,3; grBar 15,2; auch Lk 19,21.22 par; 2 Kor 9,6.9.10 (Appell zur Spende); Gal 6,7b.8 (Aufruf zur Entscheidung). Vgl. *W. Straub*, Bildersprache 66f.

[42] 4 Esr 8,41. Die Übersetzung folgt *H. Gunkel*, in: Kautzsch II. Zur Interpretation vgl. *W. Harnisch*, Verhängnis 165–175.275; *U. Luck*, „Säemann" 73–92. Vgl. äthHen 62,8: „Die Gemeinde der Heiligen und Auserwählten wird gesät werden und alle Auserwählten werden an jenem Tag vor ihm stehen."

[43] Im Hintergrund steht die Vorstellung von Israel als der Pflanzung Gottes, vgl. bes. Hos 2,25: „Und ich will ihn (Jesreel = Israel) mir im Lande einpflanzen" (LXX: σπερῶ); Jer 31,27 (LXX 38,27: σπερῶ ... σπέρμα ἀνθρώπου); Ez 36,9; Sach 10,9 LXX; Am 9,15; Ps 90,5; PsSal 14,4; Jub 36,6; 1QS 8,5. Zu anderen Konnotationen des Bildfelds vgl. *R. Bach*, „Pflanzen" 7–32.

[44] Vgl. auch 4 Esr 8,6: „Gib Samen in unser Herz ... daß Frucht erwachse." Für diese Ausprägung des Saatmotivs ist hellenistischer Einfluß nicht auszuschließen, vgl. *K. H. Rengstorf*, Lk 106. Doch sei auch an Dtn 30,14 erinnert. Für Querverbindungen zur Saatsymbolik der Mysterienkulte (Demeter) gibt es keine Anhaltspunkte.

9,37). Verloren geht der Mensch: „Wir, die das Gesetz empfangen, müssen wegen unserer Sünden verloren gehen samt unserem Herzen, in das es getan ist" (4 Esr 9,36).
Eine Schlüsselstellung nimmt 4 Esr 4,28f. ein. Thema ist die Unvereinbarkeit der beiden Äonen. Im Unterschied zur ntl Parabel können guter und schlechter Acker nicht koexistieren. Sie schließen einander aus:

Denn gesät ist das Böse, wonach du mich fragst,
und noch ist seine Ernte nicht erschienen.
Ehe das Gesäte also noch nicht geerntet
und die Stätte der bösen Saat nicht verschwunden ist,
kann der Acker, da das Gute gesät ist, nicht erscheinen.

Bei Philo ist der ganze Bildkomplex von der Idee der „psychischen Landwirtschaft" (Det Pot Ins 111: ἡ γεωργικὴ ψυχῆς) bestimmt. Gott sät in die Seelen Einsicht und Tugend.[46] Die Seele des Weisen ist der gute Boden, der als Frucht das Schöne hervorbringt (Leg All 3,249). Jede eschatologische Komponente fehlt.
In der rabbinischen Literatur wird die Metapher vom Säen mit dem Schriftstudium verbunden.[47] Der Gemarakundige gleicht einem Kornbesitzer.[48] In verschiedenen Variationen findet sich die an Hld 7,3 anknüpfende Gleichsetzung Israels mit einem Saatkorn.[49] Die apologetische Verwendung des Bildes vom Samen, der sich auflöst und neue Körner hervorbringt, als Analogie für die Modalitäten der Auferstehung hat auch in die urchristliche Literatur Eingang gefunden.[50]
(2) Auf die Vorstellung von der übergroßen Fruchtbarkeit als Signum der eschatologischen Fülle wurde schon aufmerksam gemacht.[51] Dem korrespondiert negativ die Aussage, daß besäte Felder ohne Frucht Zeichen des

---

[45] 4 Esr 9,34f.: „Nun aber ist doch die Regel: wenn die Erde Samen aufnimmt ... und das Gesäte ... zugrunde geht, so bleibt doch auch dann die Stätte, dahinein es getan ist, erhalten. Bei uns aber ist es ganz anders geschehen."
[46] Leg All 1,49.79; Conf Ling 196; Cher 52.
[47] bBQ 60a; bSanh 99a.
[48] bBB 145b; bHor 14a; bBer 64a.
[49] HldR 7,3 § 2; weiteres bei *A. Feldman,* Parables 64–68.
[50] bKet 111b; bSanh 90b; vgl. *G. Stemberger,* „Auferstehungslehre" 239–242. Im NT 1 Kor 15,36–38.42–44; Joh 12,24. Doch ist zu bedenken, daß in allen Fällen das Absterben sprachlich kenntlich gemacht wird, vgl. z. B. 1 Clem 24,5: ξηρὰ καὶ γυμνὰ διαλύεται. Insofern ist die Deutung der Saatgleichnisse durch *Q. Quesnell,* Mind 209–221, alles andere als überzeugend. Etwas differenzierter *H. Riesenfeld,* „Analogy" 171–186.
[51] S. o. Anm. 33. Gegenüber manchen Angaben der Apokalyptik bleiben die Aussagen der prophetischen Literatur mehr allgemein: Ez 36,29; Hos 2,23f.; Joel 2,24; Sach 8,12. Vgl. ferner Ps 65,10.14 („die Täler hüllen sich in Korn"); Ps 72,16; 1QS 4,7; Sib 3,263f.; Jub 24,15 (100facher Ertrag).

Endes sind (4 Esr 6,22).[52] Die Frucht selbst wird in der Weisheitslitera-
tur[53] und im urchristlichen Schrifttum[54] als Metapher für das sichtbare
Resultat der sittlich-religiösen Haltung des Menschen verwandt. Die
Ernte, die mehrfach als Bild für das endzeitliche Gericht dient, ist in der
Sämannsparabel *expressis verbis* nicht angesprochen. Doch liegt vom
erzählerischen Duktus her Ps 126,5f. (vgl. Jes 9,2) nicht fern:

> Die mit Tränen säen, werden mit Jubel ernten.
> Man schreitet hin unter Tränen und streut den Samen aus,
> mit Jubel kehrt man heim und bringt die Garben ein.

(3) Im nachexilischen Schrifttum begegnen Wurzel, Dürre und Dornen
als feste Bildträger. Daß Gottlose Wurzel schlagen, wachsen und Frucht
bringen (Jer 12,2), ist dem Propheten ein Ärgernis. Normal wäre:

> Kaum sind sie (sc. die Fürsten der Welt) gesät,
> kaum wurzelt ihr Stamm in der Erde,
> so bläst er (sc. Gott) sie an,
> und sie verdorren (Jes 40,24).

Die Wurzel des Frevlers stößt auf Felsengestein (Sir 40,15). Das Ausrei-
ßen der Wurzel ist ein Bild für das göttliche Strafgericht (Sir 10,15;
äthHen 91,5.8.11).[55] Zeichen göttlicher Strafe ist es auch, wenn ein
Acker statt Getreide nur Dornen und Disteln trägt: „Sie haben Weizen
gesät und Dornen geerntet, haben sich fruchtlos abgemüht, sind zuschan-
den geworden an ihrem Ertrag ob der Zornglut des Herrn."[56] Die Widersacher Gottes gleichen abgehauenen Dornen (Nah 1,10). Frevler werden
wie Dornen im Feuer verbrannt (2 Sam 23,6f.).[57] Jer 4,3 fordert zur
Umkehr auf mit den Worten: „Brecht euch einen Neubruch und sät nicht
in Dornen." Welken und Verdorren, zunächst ein Ausdruck menschlicher Hinfälligkeit[58], verwendet R. Akiba SNum 10,9 als Bild für die Not
der Gemeinde. Eine Zusammenstellung verschiedener einschlägiger
Metaphern bietet Jer 17,7f. (vgl. Ps 1,3):

---

[52] Vgl. Hag 1,6; syrBar 10,9: „Ihr Ackerbauer sollt nicht mehr säen, und du Erde, warum
gibst du deine Früchte her." äthHen 80,2f.: „In jenen Zeiten werden die Früchte der
Erde sich verzögern ..."
[53] Spr 10,16; 11,30; 12,14; 13,12; 18,20; vgl. auch 4 Esr 3,20.33; 6,28.
[54] καρπός: Röm 6,21f.; Jak 3,18; Eph 5,9; Phil 1,11; καρποφορεῖν: Röm 7,4f.; Kol 1,6.10;
Barn 11,11; vgl. Mt 3,8.10; 7,16–20. Dazu *F. Hauck*, ThWNT III, 617–619; *E. Lohmeyer*,
„Baum und Frucht" 33–56. Mit eschatologischem Kontext Herm 53,5.8.
[55] Vgl. noch Mal 3,19; Hos 9,16; sowie Pol 1,2 (Verbindung von „Fruchtbringen" und
„Wurzel des Glaubens"). Zum Ganzen *C. Maurer*, ThWNT VI, 985–991.
[56] Jer 12,13. Vgl. Gen 3,18; Jes 5,6; 7,23–25; 27,4; 32,13; Ijob 31,40; Hos 10,8.
[57] Vgl. bBQ 60a; bBM 83b (Dornen = Diebe), und die Rolle der Dornen in den Gleichnissen GenR 44,4; 45,4. Bei Philo, Somn 1,89, sind Dornen Symbol der Laster, die die Seele
stechen und verwunden.
[58] Vgl. Ps 37,2; 90,5; Jes 40,6–8; 1 Petr 1,24; Jak 1,11; auch Joel 1,17; äthHen 82,16.19.

Gesegnet der Mann, der auf den Herrn vertraut,
er ist wie ein Baum, am Wasser gepflanzt,
der seine Wurzeln zum Feuchten (ἐπὶ ἰκμάδα) streckt.
Er fürchtet nichts, wenn die Hitze kommt ...
Ihm bangt nicht im Jahr der Dürre.
Er hört nicht auf, Früchte zu bringen.

Schließlich ist noch ein Beleg aus der urchristlichen Literatur zu nennen. Hermas sieht im neunten Gleichnis zwölf Berge. Die Dornen und Disteln des dritten Berges deutet der Engel auf Wohlhabende und in weltliche Geschäfte Verwickelte (Herm 97,1). Die an der Wurzel verdorrten Pflanzen des vierten Berges, auf den die Sonne brennt (Herm 78,6), sind Zweifler, die sich bei Trübsal (θλῖψις) abwenden und Gläubige, die nur mit den Lippen, nicht mit dem Herzen bekennen (Herm 98,1–3).

Der Befund ist eindrucksvoll genug. Auf verschiedene Traditionskreise verteilt, lassen sich die einzelnen Bestandteile der Sämannsparabel in metaphorischer Verwendung nachweisen. Die Frage ist, was davon für die erste Fassung in Anschlag gebracht werden kann, was für etwaige Expansionen und was für die Deutung.

ee) Tradition

(1) Die Bestimmung der Pointe der ursprünglichen Parabel[59] muß von ihrer erzählerischen Struktur ausgehen. Der Ton liegt auf dem hyperbolischen Kontrast. Dem Hörer wird eingeräumt[60], daß der gegenwärtige Mißerfolg scheinbar beängstigende Ausmaße annimmt. Doch ist in Wirklichkeit der Keim für den künftigen überwältigenden Erfolg schon grundgelegt. Diese Aussage ist von der Saatmetaphorik in der Apokalyptik abzuheben. Der gute Acker und die fruchtbare Saat treten nicht erst im jenseitigen Äon in Erscheinung, sondern sie sind schon da.

Das steht grundsätzlich mit der Ausrichtung der primären Bildworte in Mk 2 und 3 in Einklang, mit einer gewissen Akzentverschiebung. Lag dort der Ton mehr auf dem zeichenhaften Beginn des Reiches, rückt hier

---

[59] *R. Bultmann,* Syn. Tradition 216, hält ihre Gewinnung für unmöglich. *J. Dupont,* „Semeur" 5, nennt drei Möglichkeiten: im Mittelpunkt steht (a) das Verhalten des Sämanns, (b) das Schicksal der Saat oder (c) die Beschaffenheit des Bodens. Das Wichtigste, den Kontrast, behandelt er nur am Rande. Richtig *J. Jeremias,* Gleichnisse 149f. Wie sehr die Deutung Mk 4,14–20 immer wieder auf die Auslegung von Mk 4,3–8 durchschlägt, kann man bei *R. Pesch,* Mk 234, nachlesen: „Die Parabel handelt vom Geschick des Wortes bei verschiedenen Hörern." Ähnlich u. a. *P. Doncoeur,* „Semeur" 609–611; *A. George,* „Semailles" 167.

[60] Diese Denkbewegung der Gleichnisse hat *E. Linnemann,* Gleichnisse 35, gut herausgearbeitet.

die künftige Vollendung stärker in den Blick. Beides, Beginn und Vollendung, ist nicht nur zeitlich zu verstehen, innerhalb der Koordinaten von Gegenwart und Zukunft, sondern auch qualitativ. Es geht darum, in welchem Umfang die Herrschaft Gottes sichtbar und erfahrbar wird.

Diese eigentümliche Eschatologie ist von jüdisch-apokalyptischer Enderwartung und urchristlichem Ausblick auf die Parusie, aber auch von einer durchreflektierten präsentischen Eschatologie gleich weit entfernt. Sie wird auf Jesus selbst zurückgehen.[61] Die Sämannsparabel hat ihren theologischen Ort im Kontext der unverwechselbaren eschatologischen Botschaft Jesu, das ist das stärkste Argument für ihre Authentizität. Jesus deutet mit Hilfe der Parabel seinen Hörern ihre Situation angesichts der Basileia. Bei dieser allgemeinen Intentionsangabe läßt man es am besten bewenden. Einschränkungen auf Selbstreflexion[62] oder Jüngerbelehrung[63] empfehlen sich nicht. Auch der Versuch, einen genaueren biographischen Haftpunkt auszumachen (Ende des „galiläischen Frühlings"? erste Krise und Mißerfolge? Schicksal des Täufers?[64]), will nicht gelingen, da jedes Indiz fehlt.

(2) Bei der Analyse ergaben sich Anhaltspunkte dafür, daß die Parabel in der mündlichen Tradition aufgefüllt wurde. Die Ausmalung Mk 4,5f. stört die erzählerische Balance und verleiht dem Mißerfolg das Übergewicht. Wahrscheinlich stehen negative missionarische Erfahrungen im Hintergrund. Daß gerade das Thema „Wurzellosigkeit" eingetragen wurde, läßt auf ein moralisierendes Verständnis schließen.[65] καὶ καρπὸν οὐκ ἔδωκεν V. 7c wirkt gleichfalls wie ein moralischer Tadel.[66] Wann ἀναβαίνοντα καὶ αὐξανόμενα hinzukam, ist schwer zu sagen. In der Deutung wird es nicht aufgegriffen. Es erinnert an das Wachsen des

---

[61] Vgl. nur *G. E. Ladd*, „Parables" 207; *ders.*, „Life-Setting" 197. Zur Diskussion *E. Linnemann*, „Zeitansage" 237–263.

[62] *J. Wellhausen*, Mc 32:„Jesus lehrt hier eigentlich nicht, sondern er reflektiert laut über sich selbst." *C. Dietzfelbinger*, „Gleichnis" 92.

[63] *G. Eichholz*, Gleichnisse 78. Zu weiteren Deutungen vgl. den Überblick bei *V. Taylor*, Mk 250f.; *R. Bultmann*, „Interpretation" 30–34.

[64] So *C. H. Dodd*, Parables 136; *E. Linnemann*, Gleichnisse 123f. (nur in der letzten Auflage). Nicht befriedigen können historisierende Auslegungen, die den unterschiedlichen Boden auf verschiedene Gruppen innerhalb der Zuhörerschaft Jesu (Pharisäer, Jünger, Menge etc.) beziehen, so *in extenso W. O. E. Oesterley*, Parables 41–50; auch *M. Didier*, „Semence" 188f. Unergiebig bleibt *J. M. Bover*, „Sembrador" 169–185.

[65] *J. D. Crossan*, „Seed-Parables" 247f., führt diesen Eintrag auf den Einfluß der Deutung (V. 17) zurück. Mit dem gleichen Recht könnte man ὅτε ἀνέτειλεν ὁ ἥλιος, das Crossan stehen läßt, verdächtigen, wie es *T. Schramm*, Markus-Stoff 119, tut: „Die Sonnenglut ist Bild der in der Deutung V 17b beschriebenen Verfolgungssituation." In Wirklichkeit folgt die Auslegung in beiden Fällen der Vorgabe im Parabeltext, nicht umgekehrt.

[66] Vgl. *A. Jülicher*, Gleichnisreden II, 538, der den Zusatz Mk zuschreibt.

Wortes der christlichen Verkündigung in der Apg[67], an das fruchtbare
Wachstum des Evangeliums Kol 1,6 (καρποφορούμενον καὶ αὐξανόμε-
νον) und an den Appell Kol 1,10: „… damit ihr Frucht bringt und
wachst (καρποφοροῦντες καὶ αὐξανόμενοι) in der Erkenntnis Gottes.“
An sich legt sich vom Duktus der Parabel her ein missionarisches oder
moralisierendes Verständnis keineswegs nahe. Die Saat, die fruchtlos
bleibt, spielt eine passive Rolle. Der schlechte Boden und die Opponenten werden als Widerwärtigkeiten behandelt, die hinzunehmen sind. Eine
paränetische Auswertung ist nicht intendiert. Ermöglicht hat eine solche
Ausdeutung die isolierte Betrachtungsweise der Metaphorik, die es
erlaubt, geprägte Bildfelder mit der Parabel zu verknüpfen. Als Motiv
können wir u. a. die Tatsache namhaft machen, daß die eigentümliche
Eschatologie der Parabel nach Ostern wenig aktuell war. Daß es nicht zu
weitergehenden interpretierenden Eingriffen in den Text gekommen ist –
wie z. B. in Mk 12,1–12 oder in Mt 22,1–14 – hängt damit zusammen,
daß relativ früh eine eigene, formal abgesetzte Deutung mit der Parabel
verbunden wurde, die eine zusätzliche Allegorisierung überflüssig
machte.

ff) Redaktion

(1) Bei der symbolischen Ausdeutung der Evangelienredaktion ist sicher
Vorsicht am Platz. Dennoch scheint es möglich, ἐξῆλθεν ὁ σπείρων bei
Mk christologisch zu verstehen. Wir können dafür auf den gefüllten Sinn
von ἔρχομαι in den ἦλθον-Sprüchen verweisen (Mk 2,17), ferner auf die
Aussage, daß Jesus hinausgeht (1,38: ἐξῆλθον; 2,13: ἐξῆλθεν), um zu
verkünden und zu lehren. Der Sämann ist Jesus, der das Wort der Verkündigung hinausträgt.[68] Damit hat Mk eine ursprüngliche Intention der
Parabel in veränderter Weise wieder eingebracht, denn daß der Sämann
in der Verkündigung Jesu die Funktion haben konnte, indirekt auf die
Bindung des eschatologischen Geschehens an seine Person anzuspielen,
dürfen wir nach den Erkenntnissen, die wir zu den Bildworten in Mk 2
und 3 gewonnen haben, mit einigem Recht vermuten.
(2) Mt stellt die steigenden Ertragsangaben der Parabel um. Die fallende
Linie erzeugt eine Antiklimax. So groß ist der Erfolg nun auch wieder
nicht. Hier meldet sich die Erfahrung des Gemeindeseelsorgers zu Wort.
Auch unter den Gläubigen gibt es ein unterschiedliches Maß an Eifer, an

---

[67] Apg 6,7; 12,24; 19,20: ὁ λόγος τοῦ Κυρίου (Θεοῦ) ηὔξανεν. *P. Zingg,* Wachsen 25f.,
    vermutet eine Übertragung der atl Vorstellung vom Wachsen des Volkes in Ägypten,
    vgl. Ex 1,7; Apg 7,17.
[68] So auch *P. von der Osten-Sacken,* „Parabel“ 389. Gleiches vermuten für Mt X. *Léon-Dufour,*
    „Semeur“ 298; *J. D. Kingsbury,* Parables 34.

Überzeugung und Einsatz.[69] Die Allegorese der Väter, die den dreifachen Ertrag auf verschiedene Stände oder Stufen der Vollkommenheit innerhalb der Kirche deutet[70], ist noch nicht durchgeführt, aber vorbereitet. Nicht umsonst ist das Thema des Fruchtbringens im Makrotext des MtEv besonders betont.

(3) Lk läßt an zwei Stellen sein allegorisches Verständnis erkennen.[71] Die Einleitung mit σπεῖραι τὸν σπόρον bereitet die allegorische Identifikation vor, die nur Lk 8,11 bringt: ὁ σπόρος ἐστὶν ὁ λόγος τοῦ θεοῦ. Aus dem dreifachen Ertrag bei Mk scheint Lk wie Mt verschiedene Abstufungen der Gläubigkeit herausgelesen zu haben. Das hat ihm wohl widerstrebt. In der Parabel von den Talenten drückt er von der Vorlage abweichend allen Knechten je ein Talent in die Hand (Lk 19,13). Hier ändert er die mk Angabe in ein einfaches ἑκατονταπλασίονα. Das Anliegen ist in beiden Fällen dasselbe: geistliche Klassen gibt es nicht.[72] Von Einleitung und Schluß abgesehen hat Lk die Erzählung erheblich verbessert, ohne damit eine bestimmte Aussageabsicht zu verbinden. Er konnte das tun, weil ihm die ausführliche, im Mk-Text vorgegebene Deutung genug Möglichkeiten bot, seine eigenen Anliegen zur Sprache zu bringen.

(4) Die Fassung der Parabel in ThEv 9 hat keine Aussicht auf Ursprünglichkeit.[73] Allein die Zweiteilung des Ertrags (60fach und 120fach) spricht zwingend dagegen. Auffällig ist, daß der Samen auf dem Fels die Wurzel nicht „tief in die Erde" (epesēt epkah) und die Ähre nicht „hoch in den Himmel" (ehrai etpe) schickt, während die gute Saat empor zum Himmel sproßt. Man kann das auf das Selbst des Gnostikers deuten, das Gefahr läuft, in der Welt entwurzelt und zerstreut zu sein, während es seiner Entelechie nach zum Himmel zurückkehren soll.[74] Andererseits

[69] Vgl. schon *T. Zahn*, Mt 488; *A. H. McNeile*, Mt 188; *D. Haugg*, „Ackergleichnis" 200f.; ferner *G. Barth*, Gesetzesverständnis 56, Anm. 1. Anders *J. Schmid*, Mt 218, der die Antiklimax übersieht. *T. Schramm*, Markus-Stoff 122, verweist auf die Verschiedenheit der Charismen 1 Kor 7,7b.

[70] Hieron., In Mt 13,23 (CC 77,106 Hurst–Adriaen): *centesimum fructum virginibus, sexagesimum viduis et continentibus, tricesimum sancto matrimonio deputantes.* Ps.-Chrysost., Exiit qui seminat (PG 61, 775): ὁ πιστεύων ποιεῖ τὰ τριάκοντα, ὁ ἐλπίζων ποιεῖ τὰ ἑξήκοντα, ὁ τελειούμενος ἐν ἀγαπῇ, ποιεῖ τὰ ἑκατόν.

[71] Vgl. speziell zur Lk-Fassung *U. Holzmeister*, „Exiit..." 8–12; *J. Dupont*, „Version de Luc" 97–108.

[72] Vgl. *H. Schürmann*, Lk 465.

[73] Das *ečin* (auf) wird von *G. Quispel*, „Remarks" 277f., erheblich überbewertet. Kritisch mit Recht *J. É. Ménard*, ThEv 92. *H. W. Bartsch*, „Thomas-Evangelium" 250f., denkt an eine bewußte Korrektur. Ausführlich zum Text *J. B. Sheppard*, Study 142–168.

[74] Vgl. *H. Montefiore*, „Parables" 229. Etwas anders deutet *W. Schrage*, ThEv 47f. Er erwägt ebd. auch die Möglichkeit, „daß die veränderten Zahlenangaben mit bestimmten Äonenspekulationen in Verbindung stehen". *R. M. Grant – D. N. Freedman*, Worte 124, interpretieren die Wendung „und der Wurm aß sie" als allegorische Anspielung auf den Wurm der Gehenna.

könnte der gute Boden auch „das Reich im Innern des Gnostikers"[75] darstellen. Dazu kommt, daß grammatisch eindeutig die Erde die Frucht hervorbringt (*afti* kann sich nur auf *pkah* = die Erde beziehen), nicht der Samen. Deshalb liegt es näher, den Samen als göttlichen Lichtfunken zu interpretieren, der im Inneren des Gnostikers wachsen und reifen muß.

b) Die Deutung (Mk 4,14–20 parr Mt 13,19–23; Lk 8,11b–15)

aa) Analyse

Die Deutung macht in der Version des Mk einen geschlossenen Eindruck. Doppelungen und Spannungen, die zu literarkritischen Differenzierungen Anlaß geben könnten, fehlen. Die Hand des Mk mag man in dem dreimaligen εὐθύς V. 15.16.17 am Werk sehen. Für weitergehende Eingriffe gibt es keine sprachlichen Anhaltspunkte.[76] Im Gegenteil, es finden sich acht mk Hapaxlegomena[77], die z. T. für die Konstituierung des Textes von zentraler Bedeutung sind. Das spricht entschieden gegen mk Autorschaft.

Im Vergleich zur Parabel ist das Fehlen von Semitismen in der Deutung bemerkenswert. Es begegnen die hypotaktischen Partizipialkonstruktionen, die wir in der Parabel vermissen. πρόσκαιρος hat kein aramäisches Äquivalent.[78] Der Tempuswechsel von σπείρειν im Präsens und ἀκούω im Aorist in den VV. 15–18 zu σπαρέντες und ἀκούουσιν in V. 20 gibt nur im Griechischen einen Sinn.[79] Die Deutung ist keine Übersetzung, sondern ursprünglich griechisch konzipiert.

Die einzige wirkliche Übereinstimmung von Mt und Lk gegen Mk besteht in der je anderen Einfügung von καρδία Mt 13,19 und Lk 8,12. Daß Gottes Wort seinen Platz im Herzen des Menschen findet, ist ein biblischer Gedanke (Dtn 30,14), der von beiden Evangelisten unabhängig eingetragen wurde. Als gemeinsame Vorlage genügt der Mk-Text.[80]

---

[75] *E. Haenchen*, Botschaft 45.

[76] *J. Dupont*, „Semeur" 16f., hält ἀλλὰ πρόσκαιροί εἰσιν und ἢ διωγμοῦ διὰ τὸν λόγον für mk, ersteres wegen der Vorliebe des Mk für ἀλλά, letzteres wegen Mk 10,30. Beides läßt sich ebensogut im Rahmen der vormarkinischen Einheit erklären. Noch weiter geht wie gewohnt *J. Lambrecht*, „Redaction" 300f.

[77] χαρά, πρόσκαιρος, μέριμνα, ἀπάτη, πλοῦτος, ἐπιθυμία, ἄκαρπος, παραδέχομαι.

[78] *J. Jeremias*, Gleichnisse 76.

[79] Darauf hat *H. W. Kuhn*, Sammlungen 117, aufmerksam gemacht: nur bei den Letztgenannten gelangt die Aussaat zu ihrem Ziel (Aor.), sie hören das Wort immer wieder (Präs.). Bei den anderen bleibt die Aussaat unabgeschlossen (Präs.), das Hören punktuell (Aor.).

[80] *D. Wenham*, „Interpretation" 299–319, will eine vormarkinische Version der Deutung erweisen, die Mt und Lk als Vorlage gedient habe. Die signifikanten *agreements*, von

bb) Form und Gattung

Formal ist die Deutung eng auf die Parabel bezogen. Das zeigen vor allem die anaphorischen Demonstrativpronomina. Dreimal begegnet οὗτοί εἰσιν, das je einmal durch ἐκεῖνοί εἰσιν und ἄλλοι εἰσίν variiert wird. Wichtige Vokabeln der Parabel werden in der Deutung wieder aufgenommen. σπείρειν wird insgesamt siebenmal verwandt. Zitatartig wirken ferner ἐπὶ τὰ πετρώδη V. 16, οὐκ ἔχουσιν ῥίζαν V. 17, εἰς τὰς ἀκάνθας V. 18, ἐπὶ τὴν γῆν τὴν καλήν V. 20, mit einigen Abstrichen auch συμπίγουσιν V. 19 sowie ἄκαρπος und καρποφοροῦσιν V. 19f. Neu eingeführt werden eine Reihe von Begriffen, die die eigentlichen Sachaussagen enthalten. Daraus resultieren mehrfach eigentümliche Verschmelzungen von metaphorischer und direkter Aussageweise, etwa V. 15: σπείρεται ὁ λόγος, und V. 19: συμπίγουσιν τὸν λόγον.

Der Gattung nach handelt es sich Mk 4,14–20 um eine Allegorese, die aber nicht in der Tradition der hellenistischen Mythenallegorese steht, sondern in der Tradition des prophetisch-apokalyptischen Traum- und Visionsdeuteschemas, das wir in § 15 erarbeitet haben. In diese Richtung weist nicht nur die Verwendung der identifizierenden Pronomina. Auch die Wiederaufnahme des Bildes und seine Vermischung mit Sachaussagen hat im apokalyptischen Deuteschema ihr Vorbild (vgl. z. B. Dan 4,17–19 mit Dan 4,8f.), ebenso die relative Ausführlichkeit der Deutung gegenüber der Vorlage (extreme Beispiele sind syrBar 56–74 und Herm 89–110), die somit gattungsgebunden ist und nicht als Ausgangspunkt für literarkritische Operationen dienen kann. Daß die negativen Abschnitte der Parabel stärker ausgedeutet sind als der kaum erweiterte Schluß, hat inhaltliche Gründe.

cc) Bild- und Wortfeld

Es ist nicht schwer zu sehen, wie verschiedene Elemente des besprochenen Bildfelds zum Entstehen der Deutung beitragen konnten. Die Vögel aus Mk 4,4 werden V. 15 auf den Satan gedeutet. Dazu ist neben Jub 11,11 noch ApkAbr 13,3–7 (Azael als unreiner Vogel) zu vergleichen, evtl. auch Sib 5,471; TestIjob 27,1 und äthHen 90,8–13 (vgl. Ez 39,4).[81] Das schnelle Aufgehen des Samens ist eine adäquate Metapher für

---

denen er spricht, vermag ich selbst in der Liste von *F. Neirynck*, Agreements 90–92, nicht zu entdecken. Mk 4,19 ist πλούτου zu lesen, nicht κόσμου (D Θ it). Die Lesarten mit καρδία für Mk 4,15 in zahlreichen Handschriften sind Ergebnis sekundärer Harmonisierung.

[81] Vgl. *G. Baumbach*, Verständnis 37f.

anfänglichen Überschwang, der es nur zu einer Scheinblüte bringt. Die Wurzellosigkeit wird im Sinn der Weisheitsliteratur mit innerer Haltlosigkeit verbunden, die in der Glut der Verfolgung nicht standhält. Die Dornen werden als Symbol für weltliche Sorgen und Begierden ausgelegt, die das Streben nach Höherem im Keim ersticken. Die sittlichen Implikationen der Metapher vom Fruchtbringen sind so evident, daß nichts zu übersetzt werden braucht. In der Deutung haben ἄκαρπος und καρποφορεῖν nicht agrarischen, sondern moralischen Sinn.

Eine solche Auslegung setzt eine isolierte Betrachtungsweise der Parabelmetaphorik voraus. Ihr engerer Kontext, d. h. die Struktur der Parabel selbst, wird aufgebrochen und durch den weiteren Kontext geprägter metaphorischer Felder ersetzt. Das zeigt sich deutlich an der Gleichsetzung von Samen und Wort, die das organisierende Prinzip von Mk 4,14–20 ausmacht. Dem Samen an sich kommt in der Parabel kein besonderes Gewicht zu, deshalb wird er nicht ausdrücklich genannt. Die Deutung muß auf eine allegorische Gleichung „der Same ist das Wort" (so Lk) verzichten und stattdessen mühsam umschreiben: ὁ σπείρων τὸν λόγον σπείρει. Daß der Sämann nur genannt, nicht gedeutet wird, ist zugleich ein Hinweis dafür, daß die Deutung keine christologischen Interessen verfolgt.[82]

Mit der Identifizierung von Samen und Wort konkurriert die Beobachtung, daß in der Einleitung der einzelnen Abschnitte οὗτοι, d. h. bestimmte Hörer, als das, was gesät ist, bezeichnet werden. In der Fortsetzung erweist sich jedoch, daß sie den Samen des Wortes aufnehmen und zur Entfaltung bringen, bzw. verkümmern lassen. Vergleichspunkt wäre demnach der Boden mit seiner unterschiedlichen Beschaffenheit. Wie die Aussagen in der Schwebe bleiben, macht V. 17 besonders deutlich: „sie haben keine Wurzel in sich". Das kann heißen, daß sie selbst nicht fest im Glauben verwurzelt sind, es kann ebensogut meinen, daß sie das Wort in ihrem Inneren keine Wurzel schlagen ließen.

Diese Inkonzinnität der Deutung ist schon immer als Problem empfunden worden.[83] Sie wird z. T. damit zusammenhängen, daß die Parabel nicht für die Deutung geschaffen ist und daß die allegorischen Gleichungen deshalb nicht glatt aufgehen. Außerdem überlagern sich hier zwei Bildkreise. Wie in der apokalyptischen Literatur ist die atl Vorstellung,

---

[82] *L. Marin*, „Essai" 93–134, wertet in seiner eigenartigen strukturalistischen Exegese gerade das Fehlen der Deutung christologisch aus: „Jésus, qui s'y désigne métaphoriquement par cette absence dans l'espace du texte, lui qui est devenu métonymiquement parole dans ce même espace ..." (a.a.O. 124). Hier ist Skepsis sehr am Platz.

[83] Auslegungsgeschichtliche Aspekte bietet *É. Suys*, „Commentaire" 247–254. *F. X. Steinmetzer*, „Redefigur" 26–32, spricht von einer echt semitischen (?) Kombination einer Ellipse mit einer Brachylogie, die zu paraphrasieren sei: „Jene, bei welchen das gepredigte Gotteswort das auf Felsen Gesäte bedeutet ...".

daß Gott Menschen aussät oder anpflanzt, mit dem stärker griechisch bestimmten Bild vom Logos als Sperma kombiniert. Der innere Grund ist in der paränetischen Ausrichtung der Deutung zu suchen. Zwar kann man, wie H. W. Kuhn einwendet, niemanden auffordern, guter Boden oder guter Samen zu sein.[84] Doch lautet die implizite Mahnung anders, nämlich: Frucht zu bringen. Dann aber stellt sich die Frage, wer die Frucht bringt, der Boden oder der Samen, im Klartext: der Hörer oder das Wort. Für den Verfasser der Deutung heißt die Lösung: der Samen im Boden, oder ohne Bild: das Wort im Leben des Hörers. Dieses nicht ganz auflösbare Ineinander mit seinen weitreichenden theologischen Dimensionen gewinnt gerade im Verschwimmen der Bilder Gestalt.

Die nichtbildhaften Begriffe der Deutung gehören zum größeren Teil dem Wortfeld der apostolischen Predigt an, wie J. Jeremias dargelegt hat, leider etwas zu global.[85] Das absolut gebrauchte ὁ λόγος, das nur hier im Munde Jesu begegnet, ist *terminus technicus* urchristlicher Verkündigungssprache.[86] Sein Inhalt ist das nachösterliche Evangelium von Jesus Christus. „Das Hören des Menschen stellt die Entsprechung zu der Offenbarung des Wortes dar"[87], deshalb verwendet die Deutung viermal ἀκούω und differenziert zugleich zwischen einem bloß äußeren, physischen Hören und dem rechten, vertieften Hören, das zu christlicher Lebensgestaltung führt.[88]

Von der freudigen Annahme der Verkündigung sprechen auch Apg 8,6–8 und 1 Thess 1,6 (δεξάμενοι τὸν λόγον ἐν θλίψει πολλῇ μετὰ χαρᾶς). Das seltene πρόσκαιρος gewinnt 4 Makk 15,2.8.23 martyrologische Konnotationen. Die Entscheidung gegen den zeitlichen Vorteil hat Leiden zur Folge.[89] θλῖψις kommt mehrfach in apokalyptischen Kontexten vor[90], ebenso σατανᾶς und αἰών, doch meint θλῖψις hier nicht die eschatologische Drangsal, sondern die gegenwärtige Mühsal und Not gläubiger Existenz, die zur geschichtlichen Erfahrung des atl Gottesvolkes (Ex 4,31; Dtn 4,29) und der christlichen Gemeinde (Apg 11,19; 14,22) gehört. Der Beter der Psalmen weiß von der θλῖψις des Gerechten zu berichten (Ps 34,20; 138,7 u. ö.). Kol 1,24 schreibt der Trübsal des Apostels paradigmatischen Wert zu (vgl. Röm 5,3).

---

[84] *H. W. Kuhn,* Sammlungen 116.

[85] Gleichnisse 75f. Vgl. schon *C. Masson,* Paraboles 37f.

[86] Mk 16,20; Lk 1,2; Apg 4,4 u. ö.; Gal 6,6; Kol 4,3; 1 Petr 2,8 etc. Vgl. *G. Kittel,* ThWNT IV, 115–124.

[87] *G. Kittel,* ThWNT I, 217 (im Orig. gesperrt). Vgl. *E. von Dobschütz,* „Fünf Sinne" 398f.; *J. Gnilka,* „Theologie" 71–81.

[88] Vgl. die Mahnung Jak 1,21–25, das eingepflanzte Wort nicht bloß zu hören, sondern auch zu tun. Ferner Röm 2,13; Mt 7,24.

[89] Vgl. 2 Kor 4,17f. (mit v. l. D G zu V. 17); Hebr 11,25. Vgl. *B. Gerhardsson,* „Sower" 176.

[90] Dan 12,1; Hab 3,16; Mk 13,19.24; Offb 2,9.10.22. Vgl. *H. Schlier,* ThWNT III, 139–148.

Neben ϑλῖψις steht Röm 8,35 und 2 Thess 1,4 (vgl. 2 Kor 4,8f.) διωγμός. An unserer Stelle ist zunächst wohl nicht an die großen Christenverfolgungen im römischen Reich gedacht, sondern an die Anfeindungen und Nachstellungen, von denen die Apg berichtet (Apg 8,1; 13,50). σκανδαλίζω ist das einzige Wort der Deutung, das vorwiegend bei den Synoptikern, besonders bei Mt, belegt ist. Es bezieht sich meist auf ein Irrewerden an Jesus und an seinem Wort.[91] μέριμνα = ängstliche Besorgnis ist überhaupt recht selten, αἰών wird im NT sonst fast nie absolut gebraucht.

Vom lügnerischen Trug (ἀπάτη) ist wiederum vorwiegend in der Briefliteratur die Rede (fünf Belege). Gleiches gilt für πλοῦτος, doch ist sehr zu beachten (was J. Jeremias unterlassen hat), daß es in der Briefliteratur in positivem Sinn gebraucht wird, für den Reichtum der göttlichen Herrlichkeit (Röm 9,23) und Gnade (Eph 1,7).[92] Im Sinn von böser Begierde, sündigem Verlangen kennen die Synoptiker ἐπιϑυμία sonst nicht mehr (vgl. im Gegenteil Lk 22,15). Dagegen finden sich zahlreiche diesbezügliche Belege in den Briefen.[93] Zu παραδέχομαι = annehmen sind Apg 16,21; 22,18; 1 Tim 5,19 zu vergleichen.

Rückblickend kann festgehalten werden, daß Parabel und Deutung in der gleichen Bildtradition stehen, sie aber je verschieden auswerten. Die Parabel beschreibt mit Hilfe der Saatmetaphorik die Daseinsweise der Basileia, die Deutung vergleicht das Geschick des Samens mit dem Weg der christlichen Botschaft. Inhaltlich kommt ein Stück Kirchengeschichte in den Blick: „Von der Erfahrung der Mission (V 15) ist der Blick über die Bedrängnis der Anfangszeit (VV 16f.) zum Leben der christlichen Gemeinde hinübergeschwenkt" (V. 19).[94]

dd) Tradition

Wie wir in § 15 sahen, wird das Deuteschema, dem Mk 4,14–20 folgt, gern für die Aktualisierung überkommener Stoffe verwandt. Die Bildrede oder Vision enthält traditionelle Elemente, die Deutung ihre Anwendung. Das Schema setzt das Medium der Schriftlichkeit voraus oder geht in einzelnen Fällen mit der Verschriftlichung einher. Theologische Grundlage ist die Vorstellung von einem zweigestuften Offenbarungsempfang.

---

[91] Vgl. G. Stählin, ThWNT VII, 348–350. Die Verteilung ist 14/8/2/0, dazu zwei Belege bei Joh und drei bei Pl.
[92] Vgl. aber Herm 40,4: "Die in Geschäfte, Reichtum ... und andere weltliche Geschäfte verwickelt sind ... verstehen den Sinn der Gleichnisse nicht."
[93] Röm 1,24; Gal 5,24; Tit 3,3. Weitere Stellen bei F. Büchsel, ThWNT III, 170f.
[94] R. Pesch, Mk 244.

Das Zustandekommen von Mk 4,14–20 können wir uns ähnlich denken. Die Parabel, die als Jesuswort überliefert wurde, wird durch die Deutung für die Gegenwart neu erschlossen. Sie erweist auch in veränderter Situation ihre Offenbarungsqualität. Die Deutung ist von Anfang an in griechischer Sprache konzipiert und unmittelbar verschriftlicht worden[95], deshalb hat sie ihre Gestalt bis ins MkEv hinein weitgehend bewahrt. Gleichzeitig ist eine gewichtige inhaltliche Verschiebung zu beobachten. Die Deutung der Sämannsparabel will nicht nur Mahnung an Konvertiten (J. Jeremias) oder Reflexion über den Mißerfolg der Verkündigung (H. W. Kuhn) sein. Sie wendet sich an die Gemeinde, und sie räumt anders als die Parabel nicht den Mißerfolg ein, um ihn anschließend hyperbolisch zu überbieten, sondern sie richtet drei mahnende, warnende und abschreckende Beispiele auf, die durch den abschließenden Erfolgsbericht kaum aufgewogen werden.

Nun kommen im prophetisch-apokalyptischen Deuteschema Paränesen gelegentlich vor[96], doch nie in einer so massierten Form. In 4 Esr wird die Saatmetaphorik gerade nicht paränetisch ausgewertet, sie beschreibt vielmehr das unabwendbare Verhängnis. Umgekehrt suchen die apokalyptischen Deutungen die Geheimnisse der Endzeit zu entschlüsseln, während Mk 4,14–20 die eschatologische Pointe der Parabel geradezu unterschlägt.

Hier hilft ein Blick auf den Hirt des Hermas weiter. Die Inhalte, die Hermas aus seinen visionären Gleichnissen mit Hilfe des Deuteschemas herausliest, sind teils heilsgeschichtlicher, teils ausgesprochen paränetischer[97], niemals apokalyptischer Art. Wir dürfen annehmen, daß Mk 4,14–20 in einem Traditionsstrom steht, der in gewisser Breite im Hirt des Hermas mündet. Träger ist eine urchristliche Gruppe, die apokalyptische Formschemata und apokalyptisches Gegankengut übernimmt, sie aber nicht eschatologisch verwendet, sondern mit ihrer Hilfe die Lebensformen einer Gemeinde begründet, die sich für längere Zeit in der Welt eingerichtet hat. Daß vom synoptischen Material gerade die Sämannsparabel Objekt einer solchen Deutung wurde, hängt u. a. mit der Saatmetaphorik zusammen, die in der Apokalyptik offensichtlich verbreitet war.

---

[95] Vgl. *A. N. Wilder*, „Sower" 137.

[96] Vgl. Dan 4,24. Die heilsgeschichtliche Bildrede von den buhlerischen Schwestern wird Ez 23,36–49 sekundär als Warnung vor Ehebruch und Mord ausgelegt, vgl. *W. Zimmerli*, Ez 555.

[97] Vgl. Herm 51,5–10; 56,3–9; 60,1–4; 72,1–6; 77,1–5; 109,1–5, sowie die lange Deutung der zwölf Berge von 78,1–10, die z. T. gleichfalls auf Pflanzenmetaphorik aufruht. Zum Verhältnis des Herm zu den Synoptikern vgl. *H. Köster*, Überlieferung 254–256: voneinander weitgehend unabhängig greifen sie z. T. auf gleiche Traditionen zurück.

In der Literatur wird gelegentlich noch die These vertreten, die Sämannsparabel und ihre Deutung seien vom Ursprung her aufeinander bezogen.[98] Einige Forscher halten gegen einen breiten exegetischen Konsens die Deutung wenigstens in der Substanz für jesuanisch.[99] Dagegen spricht so ungefähr alles, was wir bisher ausgeführt haben, der unterschiedliche Skopus, die griechische Sprachgestalt, das urchristliche Wortfeld, die Vorstellung vom Logos als Sperma, die Übernahme des Deuteschemas. Es wird dabei bleiben: die Parabel ist jesuanisch, die Deutung nicht.

ee) Redaktion

(1) Mk hat die Deutung aus seiner Vorlage fast unverändert übernommen. Wahrscheinlich fehlten ihm die notwendigen Anhaltspunkte für eine christologische Überarbeitung. Gebrauchen konnte er die Deutung als eindrucksvolles Beispiel für eine private Jüngerbelehrung. Außerdem finden sich verschiedene Gedanken der Deutung im Evangelium wieder. Die Verfolgung um des Wortes willen ist Mk 10,29f. präzisiert als Verfolgung um Jesu und seines Evangeliums willen (vgl. Mk 8,35). Die Perikope vom reichen Jüngling Mk 10,17–22 illustriert die Warnung vor den Gefahren des Reichtums. Satan kommt an mehreren Stellen als Widersacher in den Blick (Mk 1,13; 3,23; 8,33). Dadurch ist gewährleistet, daß Mk 4,14–20 nicht isoliert im Makrotext steht.

(2) Mt hat versucht, die starke Bildmischung bei Mk zu mildern, indem er den Vergleich von Wort und Samen sorgfältig meidet.[100] Deshalb läßt er Mk 4,14 aus und streicht aus Mk 4,15 σπείρεται ὁ λόγος und τὸν λόγον bei ἐσπαρμένον.[101] Der Vorgang der Aussaat wird ganz auf die Hörer des Wortes bezogen. Das erlaubt formal eine weitgehende Vereinheitlichung des Deuteschemas. Die VV. 20.22.23 werden stereotyp

---

[98] Vgl. E. Lohmeyer, „Saat" 37; B. Gerhardsson, „Sower" 187.192. Gerhardssons Vorgehen ist das Musterbeispiel für einen unkontrollierten midrashic approach, vgl. auch ders., „Parables" 16–37.

[99] C. E. B. Cranfield, „St. Mark 4,1–34" 412; R. E. Brown, „Parable" 259; C. F. D. Moule, „Mark 4,1–20" 110–113; M. Didier, „Semeur" 32.

[100] Vgl. J. D. Kingsbury, Parables 53. Zu Mt 13 vgl. u. a. A. M. Denis, „Parabels" 273–288; M. Didier, „Paraboles" 633–641.

[101] Außerdem ersetzt Mt σατανᾶς durch πονηρός (26/2/13/3) und αἴρει durch ἁρπάζει (3/0/0/2). Letzteres bringt das Gewaltsame an der Handlung des Widersachers zum Ausdruck. Strittig ist, ob πονηρός auch an anderen Stellen (Mt 5,37.39; 6,13) die Bedeutung „der Böse" gewinnt oder ob es neutrisch zu fassen ist, vgl. G. Harder, ThWNT VI, 558–562; G. Baumbach, Verständnis 56–93. Doch ist für 13,38 gegen Harder sicher die personale Bedeutung in Anschlag zu bringen.

eingeleitet mit ὁ δὲ … σπαρείς, οὗτός ἐστιν ὁ τὸν λόγον ἀκούων. Nur in der ersten Strophe steht οὗτός ἐστιν σπαρείς am Schluß, aus durchsichtigen Gründen. Der *genetivus absolutus* παντὸς ἀκούοντος τὸν λόγον τῆς βασιλείας gibt gleichsam als Überschrift das Thema der Deutung an.[102]

Das folgende καὶ μὴ συνιέντος betrifft die drei ersten Abschnitte und bildet mit καὶ συνιείς V. 23 eine Inklusion. Mt macht durch die Einfügung von συνίημι, das er aus dem Zitat Mk 4,12 entnimmt (wie βασιλεία aus Mk 4,11), sein eigenes Anliegen deutlich. Das Hören kommt im Verstehen an sein Ziel. Im Buch Daniel begegnet συνίημι dreimal in der LXX und 21mal in der Theodotion-Version[103] als Wiedergabe von בין und שכל, zweier Worte, die auch in der Qumranliteratur eine bedeutsame Rolle spielen. Die Erkenntnis, um die es geht, ist die gottgeschenkte Einsicht in die Offenbarung, die in Qumran zur strikten Einhaltung des Gesetzes drängt.

Mt hat die ethischen Implikationen kräftig unterstrichen. Das emphatische δή V. 23 zeigt an, daß rechtes Verstehen zum Tun des Erkannten führen muß.[104] Damit wird das Thema aus dem Schlußgleichnis der Bergpredigt Mt 7,24–27 weiter ausgebaut. Mt zeigt ferner, daß die Jünger Jesu die idealen Vorbilder rechten Verstehens sind. Sie beantworten die Frage Jesu, ob sie den Inhalt der Gleichnisrede verstanden haben, mit einem zuversichtlichen Ja (Mt 13,51; vgl. 16,12; 17,13).

Mt ist der einzige unter den Synoptikern, der dem Formschema der Deutung ein eigenes Interesse abgewinnt. Im ersten Teil der Auslegung des Unkrautgleichnisses wird es wieder verwandt.[105] Siebenmal begegnet in 13,37–39 das identifizierende ἐστίν, bzw. εἰσίν. Ein Demonstrativum kommt allerdings nur einmal vor. Von V. 40 an geht die allegorische Auslegung in eine allegorische Anwendung über, die sprachlich durch

---

[102] Der absolute Gebrauch von βασιλεία begegnet fast nur bei Mt: 4,23; 6,33; 9,35.

[103] Die griechische Übersetzung des AT durch Theodotion ist erst im 2. Jh. n. Chr. entstanden. Doch ist für das Buch Daniel die Existenz einer Proto-Theodotion-Version, die den ntl Schriftstellern zugänglich war, gesichert – falls nicht die Zuweisung des griechischen Danielbuches an Theodotion überhaupt auf einem Irrtum des Hieronymus beruht. Vgl. zum Problem *A. Schmitt*, Daniel 11–16.

[104] Vgl. Bl-Debr § 451, Anm. 10; *G. Strecker*, Weg 229f.; *G. Barth*, Gesetzesverständnis 99–104.

[105] Gegen *M. de Goedt*, „L'explication" 32–54, der einen jesuanischen Kern herausschälen will, hat *J. Jeremias*, „Deutung" 261–265, die Autorschaft des Mt erneut untermauert. Doch bleibt die formale Differenz von 13,37–39 und 13,40–43 zu bedenken. Es könnte sein, daß für 13,37–39 der Endredaktion ein Stück Schultradition vorausliegt. Vgl. *W. Trilling*, Israel 124–126. Weitere Literatur bei *J. Dupont*, „Point de vue" 224f., Anm. 7. διασαφέω V. 36 gehört zu den Fachausdrücken der Deuteterminologie, vgl. Dan 2,6 LXX; Thes Steph II, 1308, ebenso die v. l. φράζω, vgl. Dan 2,4 LXX; Mt 15,15; Bauer WB 1711. ThEv 57 läßt erwartungsgemäß die Deutung aus.

οὕτως ἔσται kenntlich gemacht ist. Die Anwendung gibt mit Hilfe apokalyptischer Bilder und Zitate (vgl. nur zu V. 43 Dan 12,3 Theod: καὶ οἱ συνιέντες ἐκλάμψουσιν) eine knappe, aber eindrucksvolle Skizze des Endgerichts.[106]

(3) Bei Lk setzt die Deutung mit der allegorischen Gleichung „der Same ist das Wort Gottes" ein.[107] Das Hören des Wortes hat Glauben, der Glaube Rettung zum Ziel.[108] Doch stellen sich dem viele Widerstände in den Weg. Mit ἵνα μὴ πιστεύσαντες σωθῶσιν trägt Lk 8,12 den Schluß des Jesajazitats Mk 4,12 nach, den Lk 8,10 ausgelassen hat.[109] Lk beseitigt so einen theologischen Anstoß. Es ist der Widersacher, nicht Gott, der Umkehr, Vergebung und Rettung verhindert.

Aus πρόσκαιρος bei Mk hat Lk πρὸς καιρόν gemacht. Manche glauben für eine bestimmte Zeit (nicht: für den Moment). Die Ersetzung von γενομένης θλίψεως ἢ διωγμοῦ durch ἐν καιρῷ πειρασμοῦ hat S. Brown einleuchtend erklärt. θλῖψις meint bei Lk die Bedrängnis des gläubigen Christen, πειρασμός hingegen reserviert Lk abweichend von der Briefliteratur (vgl. z. B. Jak 1,12) für die Versuchung, die die Kraft des einzelnen überfordert und fast notwendig den Abfall zur Folge hat. Genau das ist Lk 8,13 der Fall, wie das abschließende ἀφίστανται unmißverständlich konstatiert.[110]

Im kleinen Lasterkatalog V. 14 verwendet Lk μεριμνῶν absolut, ohne den Zusatz τοῦ αἰῶνος. Er will vor jeglicher Art unnützer Sorge warnen, das zeigen Stellen wie 10,41; 12,11.22 und 21,34 in je verschiedener Weise. Auch πλοῦτος bedarf für Lk keiner näheren Qualifizierung durch ἀπάτη. Seine Aversion gegen Reichtum und Besitz ist durchgehend zu spüren, nicht zuletzt im Gleichnisgut (12,19; 16,9.19). ἐπιθυμία und ἐπιθυμέω habe für Lk positiven Sinn (22,15). Stattdessen schreibt er hier ἡδοναὶ τοῦ βίου, worunter er etwa Herrschsucht, Genußsucht und Trunkenheit versteht (12,45; 21,34).[111]

---

[106] Nur die Anwendung, nicht aber das Deuteschema wird Mt 13,49f. in verkürzter Form wiederholt, obwohl sie zum Gleichnis vom Schleppnetz strenggenommen nicht paßt. Auch hier wird man mit einer Differenz von Schultradition und Endredaktion rechnen können. Vgl. die vorsichtigen Hinweise von E. Schweizer, „Sondertradition" 98–105. H. Köster, Entwicklungslinien 164, verweist auf Babr., Fab Aesop 4 (8 Perry). ThEv 8 verzichtet auf die Anwendung.

[107] Dennoch vermeidet Lk im folgenden die Verbindung von λόγος und σπείρω, die bei Mk vorliegt. Die Bildmischung war anscheinend auch ihm ein Problem. Vielleicht ist das auch der Grund für den keineswegs konsequenten Wechsel von οἱ δέ V. 12.13 zu τὸ δέ V. 14.15.

[108] σώζω allein ist noch nicht typisch für Lk, wohl die Verbindung von πίστις und σώζειν (Lk 7,50; 8,48.50; Apg 14,9; 16,31) und die Wortgruppe σωτηρ-, die von den Synoptikern nur Lk bringt, z. T. allerdings in Lk 1–2.

[109] J. Schmid, Lk 159.

[110] S. Brown, Apostasy 13–15.

[111] Auf εἰσπορευόμενοι Mk 4,19 geht πορευόμενοι Lk 8,14 zurück. Nur sind es bei Mk die

Die Interpretation von συμπίγνονται durch οὐ τελεσφοροῦσιν verrät hellenistischen Einfluß[112], die Kennzeichnung aufnahmebereiter Herzen durch καλῇ καὶ ἀγαθῇ nicht minder. Statt von Aufnehmen (παραδέχονται) spricht Lk vom energischen Festhalten (κατέχουσιν) des Wortes. Daraus ergibt sich das Verständnis von ἐν ὑπομονῇ. Nicht das Ausharren im πειρασμός ist gemeint (so Jak 1,12), auch nicht die Standhaftigkeit im Martyrium[113], sondern die Bewährung des Glaubens in den Mühen und Nöten des Alltags. L. Cerfaux verweist mit Recht auf Lk 9,23: „Wer nicht täglich sein Kreuz auf sich nimmt ...“[114]

Von ὁ σπόρος V. 11 abgesehen bezieht sich die Deutung des Lk nicht auf seine eigene Version der Parabel.[115] Wie W. C. Robinson treffend bemerkt, bietet Lk „an interpretation of the interpretation“[116], d. h. eine Auslegung von Mk 4,14–20. Lk hat die mk Deutung fast wie eine selbständige Perikope behandelt und sie wie gewohnt bearbeitet, ohne sich um einem Ausgleich mit seinem eigenen Parabeltext zu bemühen. Anscheinend war ihm das apokalyptische Schema, das einen solchen Ausgleich zumindest anstrebt, fremd, u. U. sogar suspekt. Lk scheut weder die Allegorie noch die Allegorisierung, wohl aber die apokalyptische Allegorese.

(4) Daß der Redaktor des ThEv die synoptische Deutung gänzlich wegläßt, hängt mit dem Charakter seiner Sammlung „geheimer Worte des lebendigen Jesus" (Titel) zusammen. Der Eingeweihte versteht den tieferen Sinn, der den Wortsinn weit hinter sich läßt, ohnehin. Dem Nichteingeweihten soll absichtlich keine Verstehenshilfe geboten werden.[117]

Laster, die auf den Menschen eindringen, bei Lk ist es der Mensch auf seinem Lebensweg, der den Lastern begegnet, vgl. *M. J. Lagrange*, Lc 242. Einen ausgedehnten Versuch, Lk 8,14f. im Makrotext zu verankern, unternimmt *J. Gervais*, „Epines" 5–39.

[112] *T. Zahn*, Lk 344f., Anm. 17, verweist auf Epict., Diss IV 8,36 (431,8f. Schenkl). Dort heißt es vom geistigen Werdegang des Philosophen: „Vergraben werden muß das Samenkorn eine Zeit lang, verborgen werden, allmählich wachsen, damit es vollkommene Frucht bringt (ἵνα τελεσφορήσῃ)." Vgl. Philo, Fug 170.

[113] Martyrologische Konnotationen haben ὑπομένω und ὑπομονή 4 Makk 1,11; 9,6; 16,1; 17,17. Vgl. *F. Hauck*, ThWNT IV, 589. *A. Festugière*, „Ὑπομονή" 477–486, stellt ihr Vorkommen in Martyriumsberichten als typisch christlichen Sprachgebrauch heraus. Die biblischen Vorgaben untersucht *C. Spicq*, „Ὑπομονή" 95–106.

[114] *L. Cerfaux*, „Fructifiez ..." 120.

[115] Der lk Einschub κατεπατήθη V. 5 wird nicht ausgelegt, V. 13 benutzt das Bild von der Wurzellosigkeit, das Lk in V. 6 gestrichen hat.

[116] *W. C. Robinson*, „Preaching" 133. Vgl. zum Ganzen *I. H. Marshall*, „Tradition" 56–75; *P. Zingg*, Wachsen 85–100.

[117] Vgl. *H. Montefiore*, „Parables" 237f. *C. Barth*, Interpretation 60–62, macht darauf aufmerksam, daß die Valentinianer bei ihrer Gleichnisexegese von den ntl Deutungen regelmäßig absehen.

§ 30: Das Senfkorn (Mk 4,30–32 par Mt 13,31–32)

a) Analyse

Die weitreichenden Übereinstimmungen von Mt und Lk gegen Mk[118] zeigen, daß wir es mit einer Doppelüberlieferung zu tun haben. Lk bringt den Text an anderer Stelle, verbunden mit dem Gleichnis vom Sauerteig. Im allgemeinen läßt Lk Dubletten, die er in seinen Quellen findet, entweder stehen oder er streicht sie, aber er arbeitet sie nicht zusammen. Wir können annehmen, daß Lk 13,18–20 dem Text und der Akolouthie von Q folgt, während Mt im Senfkorngleichnis Mk und Q kombiniert und das Gleichnis vom Sauerteig in den Mk-Kontext einbringt.

Umstritten ist die Frage, ob Senfkorn und Sauerteig ein ursprüngliches Doppelgleichnis bilden oder ob ihre Verbindung in Q sekundär ist.[119] Ein Argument ist meines Wissens noch nicht beachtet worden. Es darf als sicher gelten, daß die beiden Gleichnisse vom Senfkorn und von der selbstwachsenden Saat gemeinsam ins Gleichniskapitel Mk 4,1–34 aufgenommen wurden, von wem, bleibe zunächst dahingestellt. In beiden Gleichnissen kommen ἡ βασιλεία τοῦ θεοῦ, ὡς und ἐπὶ τῆς γῆς vor, auch σπόρος und κόκκος haben miteinander zu tun. Diese Berührungspunkte sind vielleicht zu schwach, um von bewußter Angleichung zu sprechen. Doch genügen sie für die Feststellung, daß ein Sammler kein Interesse daran haben konnte, vorhandene Korrespondenzen ohne Not zu zerstören. Genau das hätte der Redaktor der Gleichnissammlung aber getan, wenn er die Q-Version vor Augen gehabt hätte. Daß er ἔβαλεν Lk 13,19 durch σπαρῇ ersetzte, ließe sich zur Not mit dem Hinweis auf σπείρειν Mk 4,3f. erklären. Immerhin steht Mk 4,26 βάλῃ. Völlig unklar müßte bleiben, warum er ἄνθρωπος Lk 13,19 streicht. In 4,3 und 4,26 nennt er jeweils den Akteur, obwohl das Interesse sich dann auf die Saat verlagert. Das kann nur heißen, daß ἄνθρωπος nicht in seiner Quelle stand. Umgekehrt läßt sich ὃν λαβὼν ἄνθρωπος ἔβαλεν εἰς Lk 13,19 sehr leicht als Angleichung an ἣν λαβοῦσα γυνὴ ἔκρυψεν εἰς Lk 13,21 erklären.[120] Daraus ergibt sich (a) die ursprüngliche Selbständigkeit des Senfkorngleichnisses und (b) eine leichte Präferenz für die Mk-Fassung.

---

[118] Im einzelnen handelt es sich um ὁμοία ἐστὶν ἡ βασιλεία, ὃν λαβὼν ἄνθρωπος, αὐτοῦ/ἑαυτοῦ, αὐξηθῇ/ηὔξησεν, γίνεται/ἐγένετο (εἰς) δένδρον, ἐν τοῖς κλάδοις αὐτοῦ.

[119] Ein Referat der Diskussion gibt J. Dupont, „Couple parabolique" 331–345. Da er für ursprüngliche Zusammengehörigkeit eintritt, muß er die Priorität der Q-Version verteidigen. Anders noch ders., „Paraboles" 902.

[120] Vgl. W. Michaelis, Gleichnisse 56. Man vgl. die Verbindung von τίς ἄνθρωπος Lk 15,4 und τίς γυνή Lk 15,8. Auch hier liegt kein echtes Doppelgleichnis vor.

Die Einleitung ist in beiden Versionen zweigliedrig gehalten (vgl. Lk 7,31). Das dürfte ursprünglich sein. Lk 13,18 erinnert stärker an die stereotype Eingangsformel rabbinischer Gleichnisse in ihrer ausgeführten Form: „Ich will dir ein Gleichnis erzählen. Wem gleicht die Sache? Einem König …"[121] Doch läßt sich auch Mk 4,30 auf dieser Basis erklären. Der Plural dient der Verstärkung des Hörerbezugs.[122] Ein Rekurs auf Jes 40,18 LXX, wo es um das Verbot von Götzenbildern geht, erübrigt sich.[123] Das einleitende πῶς kann durch ὡς motiviert sein. ὡς mit Dativ entspricht dem rabbinischen ־ל, das auch isoliert als Gleichniseinleitung ausreicht (MekEx 14,5). ὁμοία ἐστίν Lk 13,19 wirkt demgegenüber wie eine Erleichterung.[124]

Zu εἰς κῆπον Lk 13,19 ist zu beachten, daß in Palästina Senf nicht im Garten, sondern im Feld angebaut wird, während Theophrast ihn zu den κηπευόμενα rechnet.[125] Doch erweckt auch ἄγρος bei Mt sehr den Verdacht, aus Mt 13,24.27.36 eingetragen zu sein. Trotz ähnlicher Formulierungen Mk 4,8.20.26 verdient das neutrale ἐπὶ τῆς γῆς bei Mk den Vorzug[126].

Mk 4,31f. weist Spannungen und Doppelungen auf. ὅταν σπαρῇ und ἐπὶ τῆς γῆς werden in chiastischer Verschränkung wiederholt, der Satzteil von μικρότερον bis γῆς ist ein Anakoluth, statt des Neutrums ὄν, das sein Genus anscheinend von σπερμάτων bezieht, müßte in Übereinstimmung mit κόκκος und ὅς richtiger ein Maskulinum stehen. Die Schwierigkeiten lösen sich, wenn man die Wendung μικότερον ὄν πάντων τῶν σπερμάτων τῶν ἐπὶ τῆς γῆς καὶ ὅταν σπαρῇ als Einschub erkennt.

ἀναβαίνειν Mk 4,32 (vgl. Hist Plant VIII 3,2) und αὐξάνειν Lk 13,19 (vgl. grBar 10,6) erinnern an ἀναβαίνοντα καὶ αὐξανόμενα Mk 4,8, das allegorischer Absicht entsprungen ist. Doch läßt die doppelte Bezeugung

---

[121] bBer 61b: ־ל רומה הדבר למה .משל לך אמשול. Die umfassendste Übersicht bietet T. Guttmann, Mašal-Gleichnis 3–6. Vgl. ferner Bill. II, 7–9; J. Dupont, „Royaume" 247–253.

[122] Vgl. Bl-Debr § 280. J. D. Crossan, „Seed-Parables" 255, findet hier das vermißte Indiz dafür, daß sich Mk 4,30 wieder an die Menge von 4,1f. richtet. Dann müßte der Plural auf Mk zurückgehen, was unsicher ist. ThEv 20 hat aus der Frage Jesu eine Jüngerfrage gemacht.

[123] Gegen G. D. Kilpatrick, „Problems" 201f.; H. W. Bartsch, „Zitierung" 126–128. Die Textvarianten zeigen, welche Schwierigkeiten man mit dem ungewöhnlichen ἐν … παραβολῇ θῶμεν (eine Umschreibung von משל אמשול o. ä.?) hatte.

[124] Mt harmonisiert auch die Überleitungen. ἄλλην παραβολὴν παρέθηκεν αὐτοῖς ist wörtliche Übernahme von Mt 13,24. Mt 13,33 ist eine Variante dazu. Zu ὁμοία ἐστίν vgl. Mt 13,33.44.45.47.

[125] Kil 3,2; TKil 2,8; Pea 3,2; Theophr., Hist Plant VII 1,1. Vgl. H. K. McArthur, „Mustard Seed" 201.

[126] Von C. Masson, Paraboles 45f., wird es mit allegorischer Bedeutung überfrachtet: die Erde sei der geeignete Ort für die Aufnahme des göttlichen Wortes.

erkennen, daß eine nichtmetaphorische Notiz über das Wachstum zum Grundbestand des Senfkorngleichnisses gehört.[127]
Die meisten Ausleger, die μικρότερον ... σπαρῇ streichen, halten auch γίνεται μεῖζον πάντων τῶν λαχάνων für sekundär.[128] Dafür sehe ich keinen Grund. Der sprachliche Ablauf wird durch diese inhaltlich sachgerechte Aussage nicht gestört. Daß sie dem μικρότερον πάντων τῶν σπερμάτων korrespondiert, ist erst *post festum* erkennbar. Es kann ebensogut sein, daß μικρότερον κτλ. nach dem Modell von 4,32b gebildet wurde. Wahrscheinlich haben wir mit καὶ γίνεται μεῖζον πάντων τῶν λαχάνων den ursprünglichen Schluß des Gleichnisses vor uns. Denn von καὶ ποιεῖ κλάδους μεγάλους an ist mit dem Einfluß des abschließenden AT-Zitats zu rechnen. Für die Q-Version ist von καὶ ἐγένετο εἰς δένδρον an atl Einfluß in Anschlag zu bringen.[129]
Als Vorlage kommen Ez 17,23; 31,6; Dan 4,9(12).18(21) in Frage. In den griechischen Übersetzungen ist an den genannten Stellen oder im näheren Kontext mehrfach von δένδρον und κλάδοι die Rede.[130] An längeren wörtlichen Parallelen sind zu nennen Ez 17,23e: καὶ πᾶν πετεινὸν ὑπὸ τὴν σκιὰν αὐτοῦ ἀναπαύσεται, Ez 31,6a: ἐνόσσευσαν πάντα τὰ πετεινὰ τοῦ οὐρανοῦ (vgl. 31,13) und Dan 4,18(21) Theod: καὶ ἐν τοῖς κλάδοις αὐτοῦ κατεσκήνουν τὰ ὄρνεα τοῦ οὐρανοῦ. Hinzuzunehmen ist Ps 104(103),12 LXX: ἐπ' αὐτὰ τὰ πετεινὰ τοῦ οὐρανοῦ κατασκηνώσει.
Die Nähe der verschiedenen atl Stellen erklärt sich daher, daß Ez 17,23 und Dan 4,9.18 auf Ez 31,6 zurückgreifen oder zumindest in gleicher Tradition stehen. Die Berührungen mit Mk 4,32 parr sind so eng, daß keine bloße Allusion, sondern ein bewußtes Zitat vorliegt. Wahrscheinlich haben wir es zunächst mit einer gedächtnismäßigen Reproduktion von Ez 17,23 zu tun[131]. Unter dem Einfluß der atl Parallelen bildeten

---

[127] Mt hat ὅταν δὲ αὐξηθῇ, was sichtlich eine verkürzte Kombination aus Q und Mk darstellt. Auch das folgende μεῖζον τῶν λαχάνων ἐστὶν καὶ γίνεται δένδρον ist zu gleichen Teilen aus Mk und Q zusammengesetzt. ἐλθεῖν nach ὥστε dürfte von Mt stammen.

[128] Vgl. z. B. *J. D. Crossan*, „Seed-Parables" 257; *H. W. Kuhn*, Sammlungen 100f.; anders *A. M. Ambrozic*, Kingdom 126.

[129] Auch ThEv 20 spricht von „einem großen Zweig" und vom „Schutz für die Vögel des Himmels". Das AT-Zitat ist vorausgesetzt, aber mit Absicht fast unkenntlich gemacht, vgl. *H. K. McArthur*, „Mustard Seed" 203f.206. Ferner *L. Cerfaux*, „Paraboles" 65f.69f.72.

[130] δένδρον: Dan 4,7(10).17(20).20(23).23(26)LXX/Theod und Dan 4,8(11).11(14) Theod; κλάδοι: Ez 31,5.6.7.8.9.12LXX; Dan 4,9(12)LXX/Theod; 4,15(17a)LXX und 4,11(14).18(21)Theod.

[131] Im Hebräischen lautet Ez 17,23e: כל-כנף בצל דליותיו תשכנה. Kodex A liest statt πᾶν πετεινόν z. B. τὰ πετεινά. Die LXX hat דלית hier nicht übersetzt. Ez 31,7.9.12 gibt sie es mit κλάδος wieder. Für שכן steht statt ἀναπαύω sonst fast immer κατασκηνόω (vgl. Hatch-Redp 744). Wir könnten also auch übersetzen: ὑπὸ τὴν σκιὰν τῶν κλάδων αὐτοῦ τὰ πετεινὰ (τοῦ οὐρανοῦ) κατασκήνωσεν. Das bringt uns beiden synoptischen Fassungen erheblich näher.

sich dann die beiden Formen heraus, die im MkEv, das näher bei Ez
17,23 steht, und in Q, wo der Einfluß aus Dan 4,18 überwiegt, ihren
Niederschlag fanden.

Zur Erstfassung des Gleichnisses braucht das Zitat nicht zu gehören.[132]
Wir haben bislang schon gesehen, daß nicht das längere Zitat oder der
midraschartige Kommentar für den Umgang der ältesten Gleichnistradition mit dem AT kennzeichnend ist, sondern die mehr oder minder deutliche Anspielung.

Auf einen Rekonstruktionsversuch müssen wir angesichts der Quellenlage verzichten. Wir heben nur die inhaltlichen Schwerpunkte heraus.
Als Vorlage von Mk und Q ist eine Fassung zu erschließen, die eine
zweigliedrige Einleitung, den Bericht von der Aussaat, eine Wachstumsnotiz, die Beschreibung der erreichten Größe und ein atl Zitat enthält.
Die Existenz einer älteren Fassung ohne Zitat kann vermutet werden.

b) Form und Gattung

Der Unterschied von Gleichnis und Parabel wird bei Jülicher und Bultmann ausschließlich vom Stoff her bestimmt. Nur Dodd hat sich um eine
sprachliche Differenzierung bemüht. Er bemerkt zu Bildwort, Gleichnis
und Parabel[133]:

> „If we say that the first class has no more than one verb, the second
> more than one verb, in the present tense, and the third a series of verbs
> in an historic tense, we have a rough grammatical test."

Vom Stoff her haben wir es nicht mit einem einmaligen, sondern mit
einem typischen Vorgang zu tun. Dem entspricht formal die präsentische
Fassung des Mk, die auch unter gattungskritischem Aspekt den Vorzug
verdient. Mk 4,30–32 gehört zu den Gleichnissen im engeren Sinn.

c) Bildfeld und Realien

Die Kleinheit des Senfkorns gilt in Palästina als sprichwörtliche Erfah-
rungstatsache[134]. Ihre Erwähnung erübrigt sich im ursprünglichen sozio-
kulturellen Kontext des Gleichnisses. Die Einfügung von μιϰϱότεϱον

---

[132] So auch E. *Gräßer*, Parusieverzögerung 142; P. *Zingg*, Wachsen 104; H. K. *McArthur*,
„Mustard Seed" 209f.

[133] Parables 18.

[134] An mehreren Stellen geht es um Reinheitsfragen. Ein Ausfluß „so klein wie ein Senfkorn" verunreinigt schon: jBer 8d; bBer 31a; Nidda 5,2 (Bill. I, 669). Schwierig zu
deuten ist LevR 31,9, vgl. O. *Michel*, ThWNT III, 811, Anm. 1. In ganz anderem

κτλ. kann deshalb vor allen theologischen Erwägungen als notwendige Information für nichtpalästinensische Leser angesehen werden.[135] Daß die ausgewachsene Senfstaude eine ungewöhnliche Höhe erreichen konnte, stimmt mit der Wirklichkeit überein. Doch gehören rabbinische Aussagen über ihre wunderbare Größe ins Reich der Phantasie.[136] Auffälligerweise wird hier die anfängliche Kleinheit des Samens nirgends erwähnt, wie umgekehrt die sprichwörtliche Verwendung nicht auf die spätere Größe reflektiert.

Insofern gewinnt das Gleichnis eine überraschende Dimension. Es lenkt den Blick auf zwei Erfahrungstatsachen, die normalerweise nicht miteinander in Beziehung gesetzt wurden. Der so erzielte Kontrast von Anfangs- und Endstadium macht die Pointe des Gleichnisses aus. Doch stehen Anfang und Ende nicht so unvermittelt nebeneinander, daß man von einem Wunder sprechen oder gar den Gedanken an die Totenauferstehung bemühen müßte.[137] Das Wachsen der Pflanze stellt die nötige Kontinuität her. Die Wachstumsnotiz rückt deswegen nicht ins Zentrum des Gleichnisses, aber sie gehört dazu.

Damit sind die sachlichen Voraussetzungen geklärt. Alle weiteren „archäologischen" Materialien[138] hindern mehr, als sie helfen. Die Diskussion um den persischen Senfbaum, die noch zu Jülichers Zeiten die Gemüter erhitzte, ist glücklicherweise ad acta gelegt.[139] Zu einem Baum konnte die Senfstaude nie werden, darüber kann auch die eigenartige Wortbildung δενδρολάχανα bei Theophrast nicht hinwegtäuschen.[140] Doch ist das allein kein Grund, das ἐγένετο εἰς δένδρον der Q-Fassung für sekundär zu halten. Eine derartige hyperbolische Aussage wäre auch im Munde Jesu denkbar.[141] Der Grund für die Bevorzugung der Mk-Fas-

---

Kontext steht die Aussage Nazir 1,5; Toh 8,8. Aus der synoptischen Tradition vgl. Mt 17,20 par Lk 17,6. Daß es in Wirklichkeit noch kleinere Samenkörner gibt, spielt keine Rolle. Im Zweifelsfall zieht volkstümliches Erzählen die sprichwörtliche Wahrheit der botanischen vor.

[135] Vgl. *E. Schweizer*, Mk 58; *M. E. Boismard*, Synopse II, 192.

[136] bKet 111b (Bill. I, 669); jPea 20a (Bill. I, 656): „Ein Senfstengel hat auf meinem Besitztum gestanden, auf den ich hinaufgestiegen bin, wie man auf die Spitze eines Feigenbaums steigt".

[137] So *J. Jeremias*, Gleichnisse 148. Zustimmend *E. Lohse*, „Gottesherrschaft" 156. Dagegen *O. Kuss*, „Senfkornparabel" 78–84; *ders.*, „Sinngehalt" 93.

[138] Das gesamte Material, von dem die Diskussion zehrt, findet sich in ungeordnetem Zustand bei *I. Löw*, Flora I, 516–527. Vgl. auch Dalman Arbeit I, 369f.; II, 293f., sowie Levy-Wört und Jastrow, s. v. (חרדלא) חרדל.

[139] Vgl. die Polemik bei *A. Jülicher*, Gleichnisreden II, 575f., und die endgültige Richtigstellung bei *C. H. Hunzinger*, ThWNT VII, 288. Haltlose Aufstellungen bei *L. Szimonidesz*, „Rekonstruktion" 128–155.

[140] Hist Plant I 3,4. Vgl. *K. W. Clark*, „Mustard Plant" 82.

[141] Vgl. *R. W. Funk*, „Looking-Glass Tree" 3–9, der das Gleichnis vom Gegensatz zwischen Senfkorn und Libanonzeder (Ez 17,23) her als karikierende Satire oder Burleske interpretiert.

sung liegt vielmehr darin, daß (a) mit μεῖζον πάντων τῶν λαχάνων ein guter Abschluß gegeben ist und (b) δένδρον nur der Vorbereitung des AT-Zitats dient. Auch die Frage, ob die Vögel von dem begehrten Samen zu kurzem Aufenthalt angelockt werden[142] oder ob sie unter der Staude ihre Nester bauen[143], ist falsch gestellt, da es hier nicht um die Schilderung realer Verhältnisse geht, sondern um die Auswertung der theologischen Konnotationen der atl Vorgaben.

Ez 31 beschreibt Größe und Sturz des Pharao mit Hilfe des Mythologems vom Weltenbaum, „der in den Tiefen des unterirdischen Ozeans wurzelt … und der mit seiner Spitze in die Wolken, bis zum Himmel hinaufreicht"[144]. Er bietet allen Lebewesen Schutz, nicht nur Vögeln und Tieren, sondern auch den Völkern (V. 6c: גוים רבים / πλῆθος ἐθνῶν). Wegen seiner Hybris wird er auf Gottes Geheiß gefällt. Die Völker entfliehen, die Vögel sitzen auf dem gefällten Stamm, ein Bild, das „die Wertlosigkeit des Gestürzten malt"[145].

Nicht viel anders verhält es sich Dan 4,8f.17f. Der heidnische Herrscher Nebukadnezar gleicht dem Weltenbaum, von dem sich alles Lebende nährt. Nur die LXX hat noch den Zusatz, daß ihm alle Völker und Zungen bis an die Enden der Erde dienen.[146] Auch Nebukadnezar wird erniedrigt, erhält aber die Möglichkeit zu Buße und Umkehr.

Ez 17,22–24 ist eine nachgetragene Heilsverheißung, die der allegorischen Bildrede über das Gericht an Zidkija einen trostvollen Ausblick verschafft. Das Schema von Größe und Sturz wird umgekehrt: „Alle Bäume des Feldes (= Völker der Welt) werden erkennen, daß ich, der Herr, den hohen Baum erniedrige und den niedrigen (= Israel) erhöhe" (V. 24). An allen genannten Stellen überlagern Elemente der Pflanzenfabel die mythologischen Vorstellungen, ohne sie jedoch verdrängen zu können.

ὑπὸ τὴν σκιάν oder ἐν τῇ σκιᾷ begegnen mehrfach als Metapher für den machtvollen Schutz, den Gott gewährt.[147] Besondere Beachtung verdient Klgl 4,20: „Der Gesalbte des Herrn (χριστὸς κυρίου) ist gefangen … von dem wir sagten: in seinem Schatten werden wir unter den Heidenvölkern leben."[148]

---

[142] So im Gefolge von Maldonat *D. Buzy*, Paraboles 58; *J. Pirot*, Paraboles 127.

[143] Vgl. *W. Michaelis*, „Zelt" 34f.47.

[144] *W. Zimmerli*, Ez 751. Den gleichen Hintergrund haben Sach 4,3.11 (die beiden Ölbäume) und Jes 10,33f., vgl. *H. Greßmann*, Messias 263–268. Vgl. auch Ps 104,10.12.16f.; Sir 14,25–27.

[145] *W. Eichrodt*, Ez 294.

[146] Dan 4,21b LXX: ἡ ἰσχὺς τῆς γῆς καὶ τῶν ἐθνῶν καὶ τῶν γλωσσῶν πασῶν ἕως τῶν περάτων τῆς γῆς καὶ πᾶσαι αἱ χῶραι σοὶ δουλεύουσι.

[147] Ps 57,2; Jes 4,6; 51,16. Erzählerische Ironie ist am Werk, wenn in der Jothamsfabel Ri 9,8–15 der Dornbusch sagt: „Wollt ihr mich wirklich zum König salben, so kommt und bergt euch in meinem Schatten."

[148] Vgl. Bar 1,12: καὶ ζησόμεθα ὑπὸ τὴν σκιὰν Ναβουχοδονοσορ βασιλέως Βαβυλῶνος …

Zu κατασκηνόω hat J. Jeremias auf JosAs 15,6 verwiesen: „... viele
Heidenvölker fliehen zu dir (Aseneth) und wohnen unter deinen Flü-
geln". Er schließt daraus, κατασκηνόω sei „eschatologischer Terminus
technicus für die Einverleibung der Heiden in das Gottesvolk"[149]. Nun
haben Burchard und Philonenko die Lesart κατασκηνώσουσιν als *varia
lectio* erwiesen[150], doch bleibt nach dem Grund für die Textänderung zu
fragen. Außerdem darf nicht übersehen werden, daß κατασκηνόω an
zwei atl Stellen das Ziel der endzeitlichen Sammlung Israels angibt.[151]
In gleicher Absicht hat J. Jeremias nachzuweisen versucht, daß mit den
Vögeln des Himmels die Heidenvölker gemeint seien[152]. Seine Belege
können nicht alle überzeugen. Doch sind ganz unabhängig davon die
Kontextindizien zu beachten, auf die wir in Ez 17, Ez 31 und Dan 4
gestoßen sind. An allen drei Stellen und darüber hinaus (Klgl 4,20; Bar
1,12) wird die bildhafte Schilderung des machtvollen Reiches in Bezug
gesetzt zu den Völkern der Welt.
Die Brücke, die zum Senfkorngleichnis führt, ist leicht zu erkennen. Die
Fabelfragmente bieten formale Anknüpfungspunkte, die inhaltliche Nähe
ist mit dem Thema der Basileia und mit dem Gegensatz von Klein und
Groß gegeben. Da von den engeren Parallelen nur Ez 17,23 eine positive
Wendung nimmt, wird diese Stelle der Ausgangspunkt für die Übernahme der atl Metaphorik in die synoptische Tradition sein.[153]

d) Tradition

(1) Das Gleichnis läßt sich nach den Kriterien der Unähnlichkeit und der
Kohärenz als jesuanisch erweisen. Es bringt die gleiche eigenständige
Eschatologie zum Ausdruck wie die Sämannsparabel. Die kommende
Basileia, deren Größe keinem Hörer Jesu zweifelhaft war, bricht nicht
unvermittelt herein. Sie ist in der unscheinbaren Gegenwart am Werk,

---

[149] *J. Jeremias,* Gleichnisse 146.
[150] *C. Burchard,* JosAs 118f.; *M. Philonenko,* JosAs 182.
[151] Jer 23,6 LXX; Sach 8,8 LXX. Vgl. noch Num 14,30 LXX; Dtn 33,28 LXX. Sonst wird
κατασκηνόω gern vom Wohnen Gottes gebraucht, vgl. *W. Michaelis,* ThWNT VII,
389–391.
[152] *J. Jeremias,* Verheißung 58f. Er nennt Hen 90,33: die Raubvögel, die den Schafen (=
Israel) vorher feindlich gesinnt waren, versammeln sich beim Gericht friedlich in einem
Haus; NumR 13,14 (mit Zitat aus Jes 10,14); MidrPs 104,13. Fragwürdig ist sein
Verweis auf bAZ 41a; jAZ 42c. Dort ist ein Vogel Bestandteil einer Götzenstatue.
[153] *F. Mußner,* „Senfkorn" 128–130, zieht zusätzlich 1QH 6,14–17 und 1QH 8,4–9 heran.
Dazu ist eher Ez 47,7–12 zu vergleichen: der Fluß, der im Tempel entspringt, fließt
durch die Wüste und ergießt sich ins Tote Meer. An seinen Ufern wachsen fruchtbare
Bäume. Das entspricht geographisch und spirituell dem Standort der Qumrangemeinde,
vgl. *S. Fujita,* „Metaphor" 42–44.

sie steht mit Wort und Wirken Jesu in ursächlichem Zusammenhang. „Jesus lenkte also von der wunderbaren Zukunft der Basileia her den Blick auf die Gegenwart als Zeit der Entscheidung."[154] Es liegt die gleiche Denkbewegung zugrunde wie in den authentischen Menschensohnlogien, für die wir mit H. E. Tödt bei Lk 12,8 einsetzen können. Die apokalyptische Erwartung wird nicht in Frage gestellt, aber grundsätzlich relativiert. Die Entscheidung über die eschatologische Zukunft fällt hier und jetzt im Angesicht Jesu.

(2) Die drei Stadien Aussaat – Wachstum – vollendete Größe, die im Gleichnis angelegt sind, mußten in einer nachösterlichen Situation dazu einladen, das Gleichnis auf die zeitliche Dimension der Basileia zu beziehen. Ihre Gegenwart im Wirken des irdischen Jesus ist begründende Vergangenheit, ihre Ausbreitung wird als lebendige Gegenwart erfahren, ihre Vollendung, die mit einem Bild aus dem AT ins Universale ausgeweitet wird, erwartet man von der nahen Zukunft. Vergangenheit und Zukunft wirken qualifizierend auf die Gegenwart zurück. Die bedrükkende Erfahrung von Mißerfolgen und Fehlschlägen wird durch den Hinweis auf den unansehnlichen Anfang trostvoll unterfangen, unstreitige Erfolge[155] werden als zeichenhafte Vorwegnahme der künftigen Größe verstanden.[156]

e) Redaktion

(1) Die Einfügung von μικρότερον κτλ., die wohl auf Mk zurückgeht, bringt neben der informativen Absicht auch das Anliegen zum Ausdruck, Unscheinbarkeit und Kümmerlichkeit als notwendige Begleiterscheinungen christlichen Lebens zu erweisen. Die Saatmetaphorik wird Mk von der Sämannsparabel und ihrer Deutung her auf den Logos der urchristlichen Verkündigung bezogen haben. Für das Verständnis des AT-Zitats können wir den redaktionellen Vers Mk 13,10 heranziehen. Die missionarische Tätigkeit unter den Heiden schafft die Voraussetzung für die künftige Vollendung, die Mk in V. 32c ausgedrückt sieht.[157]

---

[154] *E. Jüngel,* Paulus und Jesus 153.

[155] Vgl. *J. Wellhausen,* Mt 70: „Die christliche Gemeinde muß überraschend schnell gewachsen sein." Das im Bild ausgedrückte Hinzuströmen der Völker erinnert an die Völkerwallfahrt bei Deuterojesaja. Es wird insofern mit Jesu eigener Zukunftserwartung in Einklang stehen, vgl. Lk 13,29 par Mt 8,11.

[156] Damit ist gegeben, daß eine rein ekklesiologische Deutung, wie sie u. a. von *F. Jehle,* „Senfkorn" 713–719; *B. Schultze,* „Senfkorn" 362–386, vertreten wird, zu kurz greift. Doch muß auch gesagt werden, daß Kirche und Basileia nicht beziehungslos nebeneinander stehen, sondern daß Kirche sich als Trägerin der Basileiabotschaft versteht und formiert, vgl. *N. A. Dahl,* „Parables" 160.

[157] Verfehlt ist die präsentische Deutung durch *A. Suhl,* Zitate 156. Suhl hält das Zitat anscheinend für ein Werk des Mk, ohne sich klar zu äußern.

(2) Bei Mt fällt die teils redaktionelle Formulierung ἄνθρωπος ἔσπειρεν ἐν τῷ ἀγρῷ αὐτοῦ auf. Mt schafft so ein Äquivalent zu ἀνθρώπῳ σπεί-ραντι ... ἐν τῷ ἀγρῷ αὐτοῦ 13,24. *Mutatis mutandis* gilt die Deutung von 13,24 auch für 13,31f.[158] Der Säende ist der Menschensohn, der Acker ist die Welt als der Ort, den die Basileia einst umspannen soll. Nur den Samen wird man auf das Wort vom Reich (13,19), nicht auf die Söhne des Reiches (13,38) beziehen. Der Ausblick ὥστε ἐλθεῖν κτλ. hat ekklesiologische Konsequenzen. Die Kirche als die Statthalterin der kommenden Basileia vereinigt in sich Juden (10,6; 15,24) und Heiden (24,14; 28,19).

(3) Lk 13,28f. bietet zwar eine Interpretation zu Lk 13,19, doch sind beide Stellen schon in Q miteinander verbunden, nicht erst in der Lk-Redaktion. Redaktionell wird hingegen der Abschluß der vorausgehenden Wundergeschichte sein: die Gegner Jesu werden beschämt und das ganze Volk freut sich über seine großen Taten (Lk 13,17). Dazu liest sich 13,18–21 wie eine Illustration. Die Anfänge mögen bescheiden und umstritten sein, der machtvolle Durchbruch ist dennoch nicht aufzuhalten. Daß der atl Abschluß gut ins lk Konzept einer universalen Heidenkirche paßt, bedarf kaum der Erwähnung.

(4) Für die redaktionelle Sicht des ThEv ist zweierlei kennzeichnend: (a) die Wendung (auf die Erde), „die man bearbeitet hat" (*etüir hōb erof*) und (b) die Tatsache, daß wie im Sämannsgleichnis nicht der Same, sondern die Erde den Zweig emporwachsen läßt. Die Seele des Gnostikers muß einem sorgfältig bearbeiteten Boden gleichen. Wachstum geschieht nicht von selbst, sondern setzt menschliche Anstrengung voraus.[159]

§ 31: Die selbstwachsende Saat (Mk 4,26–29)

a) Analyse

Mk 4,26–29 ist das einzige Gleichnis im umfangmäßig geringen Mk-Sondergut. Der kurze Text gibt einige sprachliche Rätsel auf. Der Erzähleinsatz mit ὡς ἄνθρωπος ist nach Bauer WB s. v. ὡς II, 4c unerträglich, ein ἐάν nach Bl–Debr § 380, Anm. 7 unerläßlich. Anders lassen sich die folgenden Konjunktive nicht erklären. Erst V. 28 ist als Hauptsatz erkennbar. Vor ἄνθρωπος könnte ein ἄν ausgefallen sein[160], doch ist ὡς

---

[158] Vgl. *J. D. Kingsbury*, Parables 80.
[159] Vgl. *W. Schrage*, ThEv 65f. Schrage erklärt weitere Besonderheiten einleuchtend aus der Eigenart der koptischen Bibelübersetzungen.
[160] So *A. Jülicher*, Gleichnisreden II, 539. *H. Sahlin*, „Verständnis" 53f., vermutet, ὡς ἄν ὅς sei als Abkürzung für ὡς ἄνθρωπος mißverstanden worden (was bei Majuskelschrift leicht möglich ist). Jüngere Textzeugen ändern in ὥσπερ, ὡς ἐάν, ὡς ὅταν.

ἄνθρωπος die schwierigere und besser bezeugte Lesart. Wahrscheinlich war ursprünglich an einen Dativanfang nach rabbinischem Muster gedacht[161], der dann verkannt wurde, so daß es zu der halbherzig realisierten konditionalen Konstruktion kam, die auch das οὕτως zu Beginn[162] notwendig machte.

Den Nebensatz ὡς οὐκ οἶδεν αὐτός übersetzt man meist „wie, weiß er (sc. der Landmann[163]) selbst nicht", oder „ohne daß er darum weiß". E. Lohmeyer hat eingewandt, dann müsse im Griechischen καὶ οὐκ οἶδεν ὅπως (sc. γίνηται) stehen.[164] Auch inhaltlich darf man gegenüber der Annahme, ein Landmann wisse nicht um Faktum oder Modus des Wachsens und Reifens, seine Reserven haben. Befriedigender wäre die Übersetzung: „während er sich nicht darum kümmert"[165], d. h. ohne sein Zutun. Die Schwierigkeit besteht darin, daß temporales ὡς in der hier geforderten Bedeutung nicht zu belegen ist. Vielleicht haben wir es wieder mit einer nachlässigen Übersetzung zu tun.[166]

Für V. 29a ὅταν δὲ παραδοῖ ὁ καρπός hat zunächst T. W. Manson, dann, mit besserer Begründung, M. Black eine aramäische Vorlage postuliert, etwa des Inhalts: wenn die Frucht reif ist. G. D. Kilpatrick verweist zwar auf eine *varia lectio* zu Hab 3,17: ἡ συκῆ οὐ μὴ παραδῷ τὸν καρπὸν αὐτῆς, doch steht dort ein Objekt. Objektloses παραδίδωμι im Sinn von „erlauben" begegnet im Griechischen nur in Verbindung mit θεός, καιρός o. ä.[167] Das verstärkt den Eindruck, daß Mk 4,26–29 eine Übersetzung aus dem Semitischen vorliegt.

Das abschließende Zitat aus Joel 4,13 lautet in der MS שלחו מגל כי בשל קציר, in der LXX ἐξαποστείλατε δρέπανα ὅτι παρέ-

---

161 *M. J. Lagrange*, Mc 115.

162 Als Gleichniseinleitung kommt οὕτως ἐστὶν ἡ βασιλεία sonst nicht mehr vor. *R. Otto*, Reich Gottes 64.83–88, faßt es als Rückverweis auf Mk 4,1–8 und interpretiert Mk 4,26–29 als Auslegung der Sämannsparabel, schwerlich zu Recht.

163 *G. Wohlenberg*, Mk 138, bezieht αὐτός auf σπόρος. Er hat prominente Vorgänger (Erasmus z. B.).

164 *E. Lohmeyer*, Mk 87. Er hält die Konstruktion für latinisierend, vgl. Vulgata: *dum nescit ille.*

165 So *K. Weiß*, Voll Zuversicht 12–14; *G. Harder*, „Saat" 55.60. Eine eigenwillige Schlußfolgerung zieht *H. Baltensweiler*, „Saat" 71–73: der Landmann will nichts von der Saat wissen, er wirft sie achtlos zu Boden, weil er nicht an ihr Wachstum glaubt. Zu weiteren Auslegungen vgl. *J. Dupont*, „Semence" 368–375.

166 Eine weitere Unstimmigkeit ergibt sich, wenn V. 28 πλήρης σῖτος zu lesen ist (so Nestle-Aland, 25. Aufl., nach B). Aland-Synopse, 9. Aufl., und GreekNT, 3. Aufl., lesen πλήρη[ς] σῖτον (mit indeklinablem Adjektiv, vgl. Moult-Mill 519). Man beachte aber *J. Wellhausen*, Mc 34: „Καρποφορεῖ verträgt kein Objekt, und vermutlich sind die folgenden Substantive eigentlich alle als Nominative gemeint." Auf palästinensisches Milieu verweist die Wortfolge νύκτα καὶ ἡμέραν, vgl. *E. Lohmeyer*, Mk 86.

167 Vgl. *T. W. Manson*, „Note" 399f.; *M. Black*, Approach 164f.; *G. D. Kilpatrick*, „Mark IV. 29" 191.

ἕστηκεν τρύγητος. Mk 4,29 und Apk 14,15.19 haben den Singular τὸ
δρέπανον, wie die MS (dort fehlt allerdings der Artikel). קָצִיר = Ernte
wird in der LXX meist mit θερισμός übersetzt, einige Male auch mit
τρύγητος[168]. Joel 4,13 ist die einzige Stelle, an der die LXX בָּשַׁל mit
παρίστημι wiedergibt. Deshalb muß trotz der sonstigen Abweichungen
LXX-Einfluß für Mk 4,29 als gesichert gelten.[169]
Es fragt sich, inwieweit diese Beobachtungen literarkritisch auszuwerten
sind. Manche Ausleger streichen V. 29 als allegorisierende Zutat und
sehen πλήρης σῖτος ἐν τῷ στάχυϊ als Abschluß an.[170] Letzteres erscheint
zweifelhaft. Die Ernte ist vom Duktus der Erzählung gefordert. Es steht
eher zu vermuten, daß in einer frühen Form die Erntemetapher
gebraucht wurde, aber ohne ein explizites AT-Zitat.[171] Die vorhandene
Metapher gab dann Anlaß, Joel 4,13 in den Gleichnistext zu ziehen.
Im Textkorpus selbst mag es zu einzelnen erzählerischen Ausschmük-
kungen gekommen sein (man wird am ehesten ὡς οὐκ οἶδεν αὐτός als
Verdoppelung von αὐτομάτη dazu rechnen). Für weitergehende literarkritische Eingriffe in die Substanz der VV. 26–28 fehlen die sprachlichen
Anhaltspunkte.[172]

b) Form und Gattung

Der Text läßt sich zwanglos in drei Abschnitte gliedern: Aussaat –
Wachstum – Ernte. Der Landmann fungiert auf der ersten und auf der

---

[168] 1 Kön 8,12; Am 4,7; Joel 1,11; Jes 16,9. Daß eine Verwechslung von קָצִיר und בָּצִיר
(Weinlese) vorliegt, ist nicht unbedingt gesagt. Es kommt auf den Kontext an. Vgl. z. St.
H. W. Wolff, Joel 97: „מַגָּל kann sowohl Sichel wie Winzermesser sein. An die Weinlese
möchte man denken, weil בָּשַׁל (‚kochen' Ez 24,5) an das Reifen der Trauben erinnert
(vgl. Gen 40,10)."
[169] Gegen R. Stuhlmann, „Beobachtungen" 161f. Vgl. J. Dupont, „Encore …" 102f.; K. Stendahl, School 144. Der Targum bietet keine Hilfe, da er die Bilder auflöst: „Zieht das
Schwert gegen sie, denn die Zeit ihres Endes ist gekommen." Ebenso übersetzt der
Targum im gleichen Vers das Bild vom Keltern: „Vergießt ihr Blut, denn ihrer Übeltat
ist viel."
[170] J. Wellhausen, Mc 34; A. Jülicher, Gleichnisreden II, 544f.; A. Suhl, Zitate 154f.; B. T. D.
Smith, Parables 132. Zur Sache vgl. S. Krauß, Archäologie II, 183: „‚Frucht im Halm' …
bezeichnet das noch nicht ausgedroschene Korn."
[171] Der ursprüngliche Schluß könnte etwa so ausgesehen haben: „Wenn die Frucht reif ist,
kommt er, um sie zu ernten." In ThEv 21 lautet das dritte Bildwort (85,15–18): „Unter
euch sei ein verständiger Mann. Als die Frucht reifte, kam er mit der Sichel und erntete
sie." Das ist trotz des ersten Augenscheins nicht dasselbe. Die Sichel stammt aus dem
Joel-Zitat, nicht aus der Erzählung selbst. ThEv 21 ist eine Reminiszenz an Mk 4,29
unter gleichzeitiger Abschwächung des Zitatcharakters und zusätzlicher Betonung gnostischen Wissens.
[172] Die literarkritischen Operationen von J. D. Crossan, „Seed-Parables" 251–253, und H.
W. Kuhn, Sammlungen 105–108, halte ich für mißlungen. Vgl. zur Kritik J. Dupont,
„Encore …" 104–106.

dritten Stufe als Subjekt. Die zweite Stufe ist breit ausgestaltet. Subjekt sind nacheinander σπόρος und γῆ, die auf der ersten Stufe als Objekt und adverbiale Ortsangabe dienten. Das vorherrschende Tempus ist das Präsens. Es wird kein interessanter Einzelfall beschrieben, sondern ein häufig wiederkehrendes Geschehen. Der Text gehört zur Gattung der Gleichnisse im engeren Sinn.

c) Bildfeld

(1) R. Stuhlmann hat zu Mk 4,26–29 die These von J. Jeremias erneuert, das natürliche Wachstum sei im antiken Judentum als Gotteswunder verstanden worden.[173] Als Gegenbeleg müßte eigentlich die nüchtern realistische Schilderung genügen, die S. Krauß in seiner Talmudischen Archäologie aus rabbinischen Quellen zusammengestellt hat.[174] Nun zieht Stuhlmann zur Stützung seiner These die semantischen Nuancen von αὐτόματος heran. Gegen Bauer WB 243, der für Mk 4,28 die Bedeutung „ohne Zutun" (von Menschen) notiert, behauptet er, in Verbindung mit dem Wachstum von Pflanzen bedeute αὐτόματος „ohne sichtbare Ursache", genauer noch „wunderbar", „von Gott gewirkt".
Apg 12,10 und Jos 6,5 fallen als Belege aus, da beide Stellen zwar von einem Gotteswunder handeln, aber nicht vom Wachstum.[175] Für Jos., Ant 12,317 (Judas Makkabäus stimmt ein Klagelied an, weil im verlassenen Tempel wildwachsende Pflanzen aufgesproßt waren[176]) trifft die Bedeutung „von Gott gewirkt" sicher nicht zu. Lev 25,5.11 steht αὐτόματος im Ernteverbot für das Sabbatjahr, bzw. Jobeljahr, das auch für selbstwachsende Pflanzen gilt. Daß αὐτόματος hier als Gegensatz zu menschlichem Tun gedacht ist, geht aus dem Kontext eindeutig hervor.
Bleiben noch die Belege bei Philo. In seiner Schrift *De fuga et inventione* nennt Philo den Isaak einen αὐτομαθὴς καὶ αὐτοδίδακτος σοφός (166).

---

[173] R. Stuhlmann, „Beobachtungen" 156.
[174] S. Krauß, Archäologie II, 183. Kil 5,7 heißt es von Samen, der verbotenerweise auf einen Weinberg fällt: „Sind Gräser daraus entsprossen, ackere man um, ist bereits eine Kornähre daraus geworden, schlage man die Körner aus den Ähren; trägt er aber reifes Getreide, so muß alles verbrannt werden" (übersetzt nach A. Sammter, Mischnajot I, 70).
[175] Apg 12,10 steht in der Tradition der Türöffnungswunder, zu deren Topik αὐτόματος gehört, vgl. Artapan., Fr. 3 (PVTG III 192,24 Denis); Jos., Bell 6,293.295; H. Conzelmann, Apg 78f.; H. D. Betz, Lukian 168–171. Mit gleichem Recht ließe sich Jos., Bell 1,373.378; 3,100f.386.433, heranziehen, wo sicher die Bedeutung „ohne menschliches Zutun" überwiegt. Vgl. noch Ijob 24,24.
[176] φυτὰ διὰ τὴν ἐρημίαν αὐτόματα ἐν τῷ ἱερῷ ἀναβεβλαστηκότα. Die Bedeutung „wildwachsend" trifft sich mit Herod., Hist 3,100; 4,74: ἡ κάνναβις ... αὐτομάτη καὶ σπειρομένη φύεται. Unbrauchbar ist das Vergleichsmaterial bei L. Szimonidesz, „Gleichnisse" 354–360.

Als Schriftbeweis führt er u. a. Lev 25,11 an, wozu ihn hauptsächlich das Wortspiel bewegt hat: ἔστι δὲ καὶ τρίτος ὅρος τοῦ αὐτομαθοῦς, τὸ ἀναβαῖνον αὐτόματον (170). Man darf αὐτομαθής und αὐτόματος nach Philo nicht mißverstehen. Es sieht nur so aus, als ob das Lernen bzw. Wachsen von selbst gehe. In Wirklichkeit soll lediglich die menschliche Mitwirkung ausgeschlossen werden. Gott ist es, der aussät und durch seine Kunst die Vollendung bewirkt.[177] Wir lernen aus dieser Stelle einiges über Philos platonisierende Psychologie, aber so gut wie nichts über seine Auffassung vom organischen Wachstum.

In *De opificio mundi* schreibt Philo, wie jeder wisse (τίς γὰρ οὐκ οἶδεν), komme zuerst das Säen und Pflanzen, dann das Wachsen mit seinen verschiedenen Stufen, schließlich die Frucht. Nur bei der Schöpfung war es anders. Da hat die Erde entgegen dem normalen Verlauf der Dinge auf Gottes Geheiß alle Arten von Pflanzen plötzlich und vollkommen entstehen lassen. Das ändert sich nach dem Sündenfall. Zur Strafe müssen die Menschen jetzt mühsam den Acker pflügen und bewässern, sie müssen säen und pflanzen, Tag und Nacht schwere Landarbeit leisten, um ihren kärglichen Lebensunterhalt zu verdienen. Dabei laufen sie ständig Gefahr, daß Regen, Hagel, Schnee und Sturm sie um die Frucht ihrer Mühe bringen. Als Kontrast malt Philo einen idyllischen Idealzustand, in dem der Mensch vollkommen tugendhaft lebt und Gott ihm deshalb alles Gute wie von selbst entstehen läßt (τἀγαθὰ αὐτόματα παρασχεῖν ἐξ ἑτοίμου τῷ γένει).[178]

Philo verknüpft hier den biblischen Bericht vom Paradies mit der gemeinantiken Tradition vom goldenen Zeitalter. Ihr „Kernmotiv ist das *Automaton,* die Vorstellung von der selbsttätigen Erde, die ohne menschliches Mühen ihren Segen gewährt"[179]. Doch dürfte der Schluß, Mk 4,28 wecke „paradiesische Assoziationen"[180], verfrüht sein. Wichtig ist etwas anderes. Das Gleichnis liest sich wie eine Umkehrung der Philo-Stelle. Der Mensch sät zwar, aber alle nachfolgende Mühe bleibt ihm erspart.[181] Die Opponenten, die in der Sämannsparabel auftreten, fehlen völlig. Das harmonische Zusammenwirken von Saat und Erde führt ohne

---

[177] Vgl. noch Fug Inv 172.199; Mut Nom 260; Rer Div Her 121; Somn 1,11. Bei Plut., Pyth Or 8 (397E; 398B); 10 (399A) und 11 (399E) begegnet αὐτόματος in einer Diskussion über blinden Zufall, menschliches Zutun und göttliches Walten.

[178] Vgl. Op Mund 40–43.80–81.167. Ähnlich Jos., Ant 1,46.49.

[179] *B. Gatz,* Weltalter 203. Vgl. Hes., Op 117f.; Hom., Od 9,108f.; Babr., Fab Aesop Prooem (2,12 Perry); Sib 1,297f.

[180] *P. Stuhlmacher,* Schriftauslegung 156.

[181] Treffend *E. Lohmeyer,* Mk 86f. Vgl. das Gegenbild ActJoh 67 (II, 167 Hennecke): „Und der Bauer, der der Erde die Saat anheimgegeben und sich mit ihrer Pflege und Bewahrung viel Mühe gemacht hat, soll erst dann Ruhe von seinen Mühen haben, wenn er die vielfach vermehrte Saat im Vorratshaus aufgespeichert hat."

Widerstand zum guten Ende. Das ist ein überraschender Zug, der die Typik des Alltäglichen durchbricht. Dahinter muß Absicht stehen.

(2) Einen anderen Weg zum Verständnis der Wachstumsangaben hat N. A. Dahl gewiesen, indem er auf die analogische Verwendung des geordneten Ablaufs der Natur in der Apokalyptik aufmerksam macht.[182] äthHen 2–5 beschreibt den festen Lauf der Sterne, den steten Wechsel der Jahreszeiten, das Grünen und Kahlwerden der Bäume als unveränderliche Geschehnisse. Nur der Mensch fällt durch seinen Ungehorsam aus dieser gottgesetzten Ordnung heraus (äthHen 5,4f.; TestN 3,2–5), seinetwegen ist sie gestört (äthHen 80,1–8).

Zur Hauptsache dient das organische Geschehen als Analogie für den Ablauf der Geschichte. Wie auf Säen und Pflanzen die Zeit der Früchte folgt (syrBar 22,5f.) und auf die Schwangerschaft die Geburt (4 Esr 4,40–42), so wird auf diesen Äon notwendig der kommende Äon folgen. Mit dieser teleologischen Zielsetzung wird die Vorstellung vom eschatologischen Maß verbunden. Eine Frau kann nicht zehn Kinder auf einmal gebären, „sondern nur jedes zu seiner Zeit" (4 Esr 5,47). Ebenso hat Gott der Welt ein bestimmtes Nacheinander festgesetzt (4 Esr 5,49). Die Zahl der Gerechten (4 Esr 4,36) oder der Toten (syrBar 23,5) muß erst voll sein, ehe das Ende kommt.[183]

In ausgeprägter Form findet sich diese Vorstellung erst in den späten Apokalypsen 4 Esr und syrBar. Sie dient der Bewältigung des Verzögerungsproblems. Die Necessität des Endgeschehens bleibt gewahrt. Gleichzeitig wird versucht, der verstreichenden Zeit einen Sinn zu geben.[184]

(3) Die Ernte ist im atl und im apokalyptischen Schrifttum als feste Metapher für das Endgeschehen belegt. Joel 4,13 ist uns inzwischen bekannt. Im Kontext geht es um ein Strafgericht an den Feindvölkern Israels. Die negative Ausrichtung des Bildes überwiegt.[185] Die Sichel wird vom Erntegerät zum bedrohlichen Kriegswerkzeug (Joel 4,10).[186]

---

[182] N. A. Dahl, „Parables" 140–147. Vgl. Gen 8,22; Lev 26,4; Jer 5,24.

[183] Locus classicus ist fraglos 4 Esr 4,37. Man beachte die Saatmetaphorik im engeren Kontext. Weitere Belege bei Volz Esch 138–140.

[184] Ausführlich dazu W. Harnisch, Verhängnis 268–293. Hierher gehören auch das Gleichnis vom geduldigen Landmann Jak 5,7f. und das Gleichnis vom Wachsen des Weinstocks 1 Clem 23,4 par 2 Clem 11,3, das zwei sprachliche Berührungspunkte mit Mk 4,27.29 aufweist (βλαστὸς γίνεται, παρηστηκυῖα). Metaphorisch wird βλαστάνω Jes 27,6 LXX gebraucht, wörtlich Gen 1,11 LXX, in einem Gleichnis Herm 53,1.2 (vgl. auch Jak 5,18). Zu μηκύνω vgl. einerseits Jes 44,14 LXX (wörtlich), andererseits Ez 12,25.28 LXX (metaphorisch vom Verzögern der Verheißung).

[185] Vgl. Jes 17,5; 18,5; Jer 9,21; 51,33; Mich 4,13 und das verwandte Bild vom Keltertreten Jes 63,3; Jer 25,30.

[186] Vgl. noch Jer 50(27),16 LXX: κατέχοντα δρέπανον ἐν καιρῷ θερισμοῦ, Sach 5,1.2 LXX (diff MS) und den Strafengel, bzw. Todesengel mit der Sichel Herm 67,2.3; TestAbr(A) 4; bSanh 95b.

Für Israel bringt das Gericht an den Völkern Befreiung und Erlösung, was Jes 27,12 (Hos 6,11?) zum Ausdruck kommt. Die Freude bei der Ernte nehmen Jes 9,2 und Ps 126,6 als Vergleichspunkt. 4 Esr 4,30.32.39 ist die Ernte mit dem ersehnten Endgeschehen gleichgesetzt. Nach syrBar 70,2 gehen mit der Ernte große Wirren einher, in denen die Frevler vernichtet werden. An den wenigen rabbinischen Stellen überwiegt der positive Aspekt.[187] Im urchristlichen Schrifttum steht neben dem Strafgericht Offb 14,15–19; 19,15 der Aufruf zur apokalyptischen Erntearbeit, d. h. zur Sammlung Israels im Zeichen des hereinbrechenden Endes, Mt 9,37f. par Lk 10,2 (Q)[188].

d) Tradition

(1) Das semitisierende Gleichnis kann ohne Schwierigkeit in den Kontext der eschatologischen Botschaft Jesu eingeordnet werden.[189] Die künftige Ernte wird in der Aussaat grundgelegt und steht mit ihr in kausalem Zusammenhang. Ebenso hat im gegenwärtigen Wirken Jesu die erwartete Basileia schon begonnen. Die breite Schilderung des problemlosen Wachstums ist in ihrer erzählerischen Funktion mit der Ausmalung des Mißerfolgs und dem hyperbolischen Schluß in der Sämannsparabel zu vergleichen. Jesus räumt die Bedenken seiner Hörer aus dem Weg. Mögliche Widerstände werden einfach ausgeblendet. Es gibt nichts, was den machtvollen Einbruch der Basileia hindern kann.[190]
Der Zuspruch der Basileia bleibt an die Gegenwart Jesu gebunden. Im Gleichnis bringt die auslösende Tätigkeit des Landmanns diesen Sachverhalt andeutungsweise zur Sprache.[191]

---

[187] MidrPs 8,1; HldR 8,14 § 1 (Bill. I, 672): „Die Erlösung Israels wird verglichen mit vier Dingen: der Ernte, der Weinlese, dem Gewürz und der gebärenden Frau."

[188] Vgl. *P. Hoffmann*, Studien 289–292. Präsentisch ist das Bildwort vom Säen und Ernten Joh 4,35–38 konzipiert, das allegorisch auf Jesus, den Vater und die Jünger zu deuten ist, vgl. *R. Schnackenburg*, Joh I, 482–488.

[189] Gegen Authentizität spricht sich *G. Harder*, „Saat" 69, aus. Er deutet das Gleichnis sehr gezwungen auf das Preisgegebensein der Gemeinde in der Zeit bis zur Parusie. Ihm folgt ohne neue Begründung *M. Lehmann*, Quellenanalyse 68. Existential interpretieren *E. Fuchs*, „Theologie" 394; *E. Jüngel*, Paulus und Jesus 151.

[190] Auslegungen, die das Gleichnis darüber hinaus in Frontstellung gegen pharisäischen oder zelotischen Eifer um das Gottesreich sehen (*W. Grundmann*, Mk 99; *C. W. F. Smith*, Parables 57; *H. Zimmermann*, „Botschaft" 174 u. a.), entgehen nicht ganz der Gefahr einer historisierenden Engführung.

[191] Vgl. *F. Mußner*, „Gleichnisauslegung" 264–266. Ähnlich trotz verbaler Gegenwehr *W. G. Kümmel*, „Saat" 234. Diese indirekte Christologie, die wir in den authentischen Jesusgleichnissen beobachten, ist von der mysteriösen Esoterik, die man der Allegorik nachsagt, scharf zu unterscheiden. Sie will nichts verbergen oder verhüllen, sondern einen provozierenden Anspruch auf die einzig mögliche Weise zur Geltung bringen.

(2) Auffälligerweise hat die Christologisierung bei der Ausgestaltung des Textes keine Rolle gespielt. Der Grund wird in der gleichen Tatsache zu suchen sein, die auch späteren allegorischen Auslegern große Schwierigkeiten machte. Das Gleichnis widersetzt sich einer punktuellen christologischen Deutung. Konnte man καθεύδῃ καὶ ἐγείρηται zur Not noch auf Tod und Auferstehung deuten[192], so war doch die Sorglosigkeit und Unbekümmertheit des Landmanns kein passendes Bild mehr für den erhöhten Herrn, der seiner Gemeinde in sorgender Liebe naheblieb.[193] Die Interpretation setzt deshalb beim Schluß ein. Die Ernte wird zum Endgericht, das Parusie, Strafe – man beachte die Konnotation von Joel 4,13 – und Vollendung einschließt. Eingetragen wird ferner der Gedanke des apokalyptischen Maßes (ὅταν δὲ παραδοῖ ὁ καρπός). Vom Schluß her sind Wachstums- und Anfangsstadium zu verstehen. Von Jesus in Gang gesetzt, nimmt der Plan Gottes in der Gegenwart verborgen, aber unbeirrbar seinen Lauf. Erst wenn er erfüllt ist, kommt das erwartete Ende.

e) Redaktion

(1) Sprachliche Eingriffe des Mk lassen sich kaum ausmachen[194], selbst das drängende εὐθύς V. 29 scheint diesmal eher der Vorlage anzugehören. Im jetzigen Kontext ist es möglich, καρποφορεῖ und ἐπὶ τῆς γῆς V. 26.28 auf καρποφοροῦσιν und ἐπὶ τὴν γῆν τὴν καλήν V. 20 zu beziehen. Die Widerstände, die sich dem Wort entgegenstellen (V. 14–19), sind nicht mehr im Blick, nur noch seine verborgene, aber unbezwingbare Wirksamkeit in der Gemeinde der Glaubenden. Auf dieser Linie wird Mk das Gleichnis verstanden haben. Für ihn kommt darin die innere Dynamik des Heilsgeschehens zum Ausdruck, das mit der Basileiabotschaft Jesu beginnt und in der Verkündigung des Evangeliums seine Fortsetzung findet. Weil V. 29 auch für Mk in die Zukunft blickt, bleibt der eschatologische Vorbehalt gewahrt, der christliche Existenz in der Zeit zwischen Saat und Ernte prägt und prägen muß.
(2) Die redaktionskritische Frage stellt sich auch unter negativem Aspekt. Warum fehlt das Gleichnis von der selbstwachsenden Saat bei Mt und Lk? Hat es in ihrem Mk-Exemplar nicht gestanden? Ist es erst nachträglich ins abgeschlossene MkEv eingefügt worden?[195] Zunächst

---

[192] Beispiele bei *K. H. Weiß*, Voll Zuversicht 22–31.
[193] Vgl. *K. H. Weiß*, a.a.O. 41–49. Zur Verteidigung der Allegorese noch *J. Freundorfer*, „Auslegung" 51–62. Patristisches bei *A. Orbe*, Parábolas II, 181–206.
[194] Es sei denn, *A. M. Ambrozic*, Kingdom 121, hätte Recht, wenn er ὡς οὐκ οἶδεν αὐτός in fast tadelndem Sinn auf das mk Thema vom Jüngerunverständnis bezieht.
[195] So *G. Harder*, „Saat" 69f.; *H. Baltensweiler*, „Saat" 69; *P. Vielhauer*, Geschichte 273.

fehlt solchen weitreichenden Hypothesen jeder Anhaltspunkt in der Text-überlieferung. Des weiteren kann die Verfahrensweise von Mt und Lk auf redaktioneller Ebene erklärt werden.

(3) Mt hat das Gleichnis von selbstwachsender Saat nicht eigentlich ausgelassen. Zumindest hat er es durch ein verwandtes Stück ersetzt, nämlich durch das Gleichnis vom Unkraut unter dem Weizen Mt 13,24–30, das durch mehrere Verse von seiner Deutung Mt 13,36–43 getrennt ist. Der Grund dafür ist u. a. darin zu suchen, daß Mt bis 13,35 treu der Mk-Akolouthie folgt und 13,24–30 an der Stelle einbringt, an der Mk 4,26–29 seinen Platz gefunden hätte.

Sodann sind die wörtlichen Übereinstimmungen, die in einigen Fällen relativ seltene Worte betreffen, nicht zu übersehen[196]:

Mk 4:	*Mt 13:*
V. 26: ἄνθρωπος	V. 24: ἀνθρώπῳ
V. 27: καὶ καθεύδῃ	V. 25: ἐν δὲ τῷ καθεύδειν
V. 27: βλαστᾷ	V. 26: ἐβλάστησεν
V. 28: πρῶτον	V. 30: πρῶτον
V. 28: σῖτος	V. 25: σίτου
	V. 29: σῖτον (= V. 30)
V. 29: καρπός	V. 26: καρπόν
V. 29: θερισμός	V. 30: θερισμοῦ (bis)
(V. 29: ἀποστέλλει	V. 41: ἀποστελεῖ)

Das kann nicht als bloßer Zufall infolge thematischer Nähe erklärt werden. Zumindest muß man zugeben, daß Mt das Gleichnis von der selbstwachsenden Saat vor Augen oder im Gedächtnis hatte, als er sein Gleichnis vom Unkraut unter dem Weizen niederschrieb.[197] Die beiden Gleichnisse sind auch nicht so grundverschieden, wie manche Ausleger vorgeben, wenn man Mk 4,29 auf das Endgericht deutet. Die Bildhälfte wird Mt 13,24–30 ungewöhnlich strapaziert.[198] Das macht eine Annahme

---

[196] Die Änderungen werden z. T. schriftstellerischer Absicht entspringen. Für σπόρος schreibt Mt σπέρμα (vgl. Mt 13,32 par Mk 4,31), für βάλλειν hat er σπείρειν (vgl. Mt 13,31 par Mk 4,31 diff Lk 13,19) und γῇ ist durch ἀγρός ersetzt (vgl. Mt 13,31.44). Mt 13,30d τὸν δὲ σῖτον συναγάγετε εἰς τὴν ἀποθήκην lehnt sich an die eschatologische Botschaft des Täufers an, vgl. Mt 3,12 καὶ συνάξει τὸν σῖτον αὐτοῦ εἰς τὴν ἀποθήκην.

[197] So *C. E. Carlston*, Parables 202, Anm. 3.

[198] Unstimmigkeiten sind schon oft aufgezählt worden, vgl. *E. Lohmeyer*, Mt 214f.; *P. Bonnard*, Mt 199; *I. K. Madsen*, Parabeln 41–46 (mit guten Belegen). Dalman Arbeit II, 308f., kann im Ernst nicht als Gegenbeispiel gelten. Im Gleichnis SDtn 11,17 schneidet der Feind das Getreide ab. *J. D. Crossan*, „Seed-Parables" 260, sieht den springenden Punkt in einem ingeniösen Schachzug des Besitzers, der aus der Aktion des Feindes geschickt seinen Vorteil zieht, indem er wertvollen Brennstoff gewinnt – wahrlich eine kühne Auslegung von Mt 13,30.

wahrscheinlich, die nicht neu ist, aber noch nicht die verdiente Zustimmung gefunden hat. Mt 13,24–30 ist eine freie Paraphrase von Mk 4,26–29 mit eigener erzählerischer und theologischer Intention.[199] Mt wird den Text nicht selbst verfaßt haben.[200] Der sprachliche Befund ist nicht sehr typisch, die Deutung läßt eine gewisse Verschiebung der Pointe erkennen. Wir treffen im MtEv öfter auf solche Spuren schriftgelehrter Tätigkeit, die der Endredaktion vorausliegen. Wo Gleichnisse davon betroffen sind, entstehen Texte mit hohem Allegorieanteil, die einen Einfluß midraschartiger exegetischer Technik und eine gewisse Nähe zu rabbinischen Gleichnissen erkennen lassen. Unter diesem Aspekt müßte der gesamte Gleichnisstoff bei Mt einmal untersucht werden.

(4) Lk hat das Apophthegma von den wahren Verwandten Jesu Mk 3,31–35 umgestellt. Er bringt es 8,19–21 im Anschluß an die Gleichnisrede. V. 21 οἱ τὸν λόγον τοῦ θεοῦ ἀκούοντες καὶ ποιοῦντες muß mit V. 15 zusammengesehen werden: ἀκούσαντες τὸν λόγον κατέχουσιν καὶ καρποφοροῦσιν. Die wahren Verwandten sind mit den auf gute Erde Gesäten identisch. Bedingung für beide ist, daß sie das Gotteswort hören, aufnehmen, festhalten und im christlichen Leben verwirklichen. Lk hat σπόρος, das als sprachliche Reminiszenz an Mk 4,26 gelten kann, in V. 11 mit dem Wort Gottes identifiziert. Das mußte für Mk 4,26 Verständnisschwierigkeiten mit sich bringen. Die betonte Untätigkeit des Landmanns hätte sich mit der Aufforderung zum christlichen Tun Lk 8,15.21 unerträglich hart gestoßen. Das Gleichnis auszulassen, erwies sich als die einfachste Lösung.[201]

§ 32: Einzelsprüche

a) Die Leuchte (Mk 4,21 par Lk 8,16)

aa) Analyse

Das Logion von der Leuchte liegt in einer Doppelüberlieferung vor. Lk 8,16 ist die Parallele zu Mk 4,21. Lk 11,33 folgt Q. Mt läßt die Mk-Paral-

---

[199] So B. W. Bacon, „Discourse" 258f.; M. D. Goulder, „Characteristics" 52f.; ders., Midrash 65; mit Nachdruck T. W. Manson, Sayings 193. Eine ausführliche, aber nicht überzeugende Verteidigung der Authentie bei J. Corell, „Cizaña" 19–38. ThEv 57 findet sich das Gleichnis in einer verkürzten Form, von der selbst H. Montefiore, „Parables" 228, sagt, sie sei „a striking instance of compression to the point of absurdity". Zur Erklärung vgl. R. Kasser, ThEv 84 („plein mythe gnostique").

[200] Vgl. A. Kretzer, Herrschaft 125. Was die generative Poetik zu unserem Text zu sagen hat (E. Güttgemanns, „Bemerkungen" 86–89; D. Ellena, „Wachstumsgleichnisse" 51–53), fördert das Verständnis in keiner Weise.

[201] So u. a. E. Haenchen, Weg 172; J. Dupont, „Chapitre" 810f.

lele aus und bringt das Logion innerhalb der Bergpredigt, wo er große
Blöcke von Q-Material verarbeitet hat.
Die Mk-Fassung ist in Frageform gehalten. Auf die emphatische Eröff-
nung (μήτι ...) folgen zwei parallele Finalsätze. Überschüssig wirkt ὑπὸ
τὴν κλίνην. Es kann als redaktionell angesehen werden und läßt, wenn
A. Dupont-Sommer mit seiner Beobachtung recht behält[202], auf eine
Verschiebung des Bildes schließen. Mk setzt den Akzent auf ein zweck-
widriges Verbergen der Leuchte, das er in zwei Anläufen schildert.
Auffällig ist die personale Formulierung ἔρχεται ὁ λύχνος. J. Jeremias
meint, diese „Belebung unbelebter Gegenstände" entspreche semitischer
Redeweise.[203] Der einzige Beleg, den er beibringt, wirkt etwas mager, vor
allem, wenn man bedenkt, daß ἔρχεσθαι in Verbindung mit Sachen und
Gegenständen im Griechischen nachzuweisen ist. Bevorzugt wird es
allerdings von Terminen und Ereignissen gebraucht. Im NT überwiegt
die theologisch gefüllte Verwendung.[204] Es spricht viel dafür, daß ἔρχε-
ται Mk 4,21 ein besonderes Anliegen des Mk zum Ausdruck bringt.[205]
Daß Mk zweimal τεϑῇ setzt, könnte auf seine Vorliebe für Doppelungen
zurückgehen. Die Konjunktion ἵνα wird von Mk im Vergleich zu Mt und
Lk deutlich bevorzugt.[206] Auch die finale Form der beiden Nebensätze
kann redaktionell bedingt sein.
Die Q-Fassung liegt Mt 5,15 par Lk 11,33 vor. Die Einleitung mit οὐδέ
Mt 5,15 dient dem Anschluß an Mt 5,14 und erinnert an οὐδὲ βάλλουσιν
Mt 9,17, das wir als redaktionell erkannten. Andererseits ist οὐδείς Lk
11,33 durch die hypotaktische Konstruktion bedingt, die gegenüber der
doppelten Parataxe bei Mt eine Gräzisierung darstellt. Der Anfang wird
in Q also gelautet haben: οὐ καίουσιν ... ἀλλά (vgl. zum Satzbau Mk
2,17). Der unpersönliche Plural ersetzt in semitisierender Weise ein Passiv.
Im Ganzen hat Mt den Wortlaut von Q besser erhalten. Die lk Abweichungen sind redaktionell. ἅπτω im Sinn von „anzünden" kommt nur bei

---

[202] A. *Dupont-Sommer,* „Note" 790f., vertritt die These, mit μόδιος sei nicht der Scheffel als
    Maßeinheit gemeint, sondern ein größerer Getreidebehälter, der auf drei oder vier Füßen
    stand. Man konnte eine Leuchte in wörtlichem Sinn „unter" einen solchen Behälter
    stellen, wie unter ein Bett.
[203] J. *Jeremias,* „Lampe" 100.
[204] J. *Schneider,* ThWNT II, 664–667. In den vorausgegangenen Kapiteln bei Mk bezieht
    ἔρχεσθαι sich in der Hälfte der Fälle auf Jesus (1,7.9.14.24.29.39; 2,17; 3,20). Zum
    klassischen Sprachgebrauch vgl. Passow I, 1185; Liddell–Scott s. v. V; Bauer WB s. v. I
    cβ.
[205] So M. J. *Lagrange,* Mc 113; W. *Grundmann,* Mk 96; E. *Schweizer,* Mk 55. Varianten sind
    aus Mt und Lk eingedrungen: καίεται (W φ sa bo^pt) und ἅπτεται (D it).
[206] Das zeigt ein Blick auf die Statistik: 41/65/46/15. Vgl. W. *Wilkens,* „Redaktion" 313,
    Anm. 32.

Lk vor.[207] ὑπὸ τὸν μόδιον ist mit einigen gewichtigen Textzeugen zu streichen.[208] Lk ersetzt es auch 8,16, wahrscheinlich, weil er Fremdwörter meidet.[209] Mit κρύπτη (Kellerloch) führt Lk ein Hapaxlegomenon ein, das auch im außerbiblischen Griechisch nur schwach belegt ist.[210] Es könnte eine Reminiszenz[211] an οὐ γάρ ἐστιν κρυπτόν vorliegen, das Lk 8,17 par Mk 4,22 auf das Logion von der Leuchte folgt. Auch der abschließende Finalsatz ist in der Konstruktion von Mk 4,21 beeinflußt. Inhaltlich ersetzt er das letzte Element von Mt 5,15 (καὶ λάμπει πᾶσιν τοῖς ἐν τῇ οἰκίᾳ), das Mk 4,21 keine Parallele hat, aber in Q stand. Daß die Lk-Fassung einen Wechsel des sozio-kulturellen Kontexts voraussetzt, ist schon oft bemerkt worden.[212]

Die Einleitung von Lk 8,16 ist Lk 11,33 nachgebildet. μόδιος umschreibt Lk hier mit dem neutralen σκεῦος. τεθῇ ersetzt er sachgemäß durch καλύπτει (vielleicht wieder unter dem Einfluß von Lk 8,17, bzw. 12,2). Der abschließende Finalsatz ist mit 11,33fin fast wörtlich identisch.[213] Er wird aber von P[75] B für Lk 8,16 nicht bezeugt.

Wir erreichen zwei Grundformen des Logions in Q und bei Mk. Gemeinsam haben beide Fassungen λύχνος, ὑπὸ τὸν μόδιον, ἐπὶ τὴν λυχνίαν und τίθημι. Wahrscheinlich bilden nur diese Elemente den Grundbestand des Logions. καίουσιν und die Parataxe in Q werden näher beim Original stehen als ἔρχεται und die Finalsätze des Mk. Was die Alternative Fragesatz – Aussagesatz angeht, so ist zwar beides im alten Gleichnisgut zu belegen, doch verdient im Zweifelsfall die Frageform den Vorzug.[214] Es besteht ein traditionsgeschichtliches Gefälle von der Frageform zur Aussageform.

[207] Lk 8,16; 15,8; Apg 28,2. Dazu ἀνάπτω Lk 12,49; περιάπτω Lk 22,55. Vgl. Tob 8,13(S): ἧψαν τὸν λύχνον. Nicht zufällig setzt Plut., Def Or 18 (419F) ähnlich ein: ὡς γὰρ λύχνος ἀναπτόμενος (der Vergleich zielt auf die Seelen großer Männer).

[208] P[45] P[75] L Ξ f¹ 700 1241 syrˢ copˢᵃ arm geo. Vgl. *B. M. Metzger,* Commentary 159. Der Artikel bei μόδιον stößt sich außerdem mit dem artikellosen εἰς κρύπτην, das lk Sprachgebrauch entspricht. Für die Streichung sprechen sich aus *L. Vaganay,* Problème 427; *J. Dupont,* „Lampe" 46.

[209] *T. Schramm,* Markus-Stoff 24f. Eine andere Begründung bei *A. Dupont-Sommer,* „Note" 793f. μόδιος ist Lehnwort aus dem Lateinischen, vgl. Bauer WB s. v.

[210] Vgl. bes. Moult–Mill 361. Die Lesart κρύπτον (P[45]) ist eine Erleichterung. Das Wort auf die Grabeskammer Jesu zu deuten (so *T. Zahn,* Lk 471), geht sicher nicht an.

[211] Vgl. zu diesem sprachlichen Phänomen grundsätzlich *H. Schürmann,* „Reminiszenzen" 111–125.

[212] Vgl. bes. *C. H. Dodd,* Parables 106, Anm. 32. Mt denkt an das fensterlose palästinensische Haus, das nur aus einem Raum besteht, den die Leuchte erhellt, Lk an das hellenistisch-römische Haus mit Keller und Vestibül, das die Eintretenden mit Lichtschein empfängt.

[213] Sofern man dort mit P[75] ℵ B D u. a. die Lesart φῶς bevorzugt statt φέγγος (P[45] ℵA W).

[214] Vgl. *R. Bultmann,* Syn. Tradition 82; *G. Schneider,* „Lampe" 187.191.197 (sein Versuch, die Frageform dann doch auf Mk zurückzuführen, überzeugt deshalb nicht).

bb) Form und Gattung

Die griechische Vorlage des Mk darf man sich nach dem Gesagten vielleicht so vorstellen:

> μὴ καίουσιν λύχνον
> καὶ   τιθέασιν αὐτὸν ὑπὸ τὸν μόδιον,
> ἀλλὰ μὴ   ἐπὶ τὴν λυχνίαν;

Der Gattung nach haben wir es wieder mit einem eingliedrigen Bildwort in Frageform zu tun.

cc) Realien

J. Jeremias hat die Frage nach dem Hintergrund des Bildes dahingehend beantwortet, daß es um den Gegensatz zwischen Anzünden und Auslöschen gehe.[215] Dem ist zu widersprechen. Zunächst heißt καίω nicht anzünden, sondern brennend haben (Bauer WB 782). Ob eine Leuchte – gedacht ist an ein kleines tönernes Öllämpchen – unter einem Getreidemaß von nicht unbeträchtlicher Größe notwendig erlischt, mag man bezweifeln.[216] Weigern wird man sich auf jeden Fall, in dieser Löschtechnik „wenn auch nicht das Normale, so doch etwas Alltägliches"[217] zu sehen. Die rabbinischen Parallelen, die Jeremias beibringt, beweisen genau das Gegenteil.[218] Es geht um ausgesprochene Notfälle. Außerdem müßte das Bildwort dann lauten: „Man stülpt doch keinen Scheffel über eine brennende Lampe." Die umgekehrte Formulierung, wie sie Mk 4,21 vorliegt, ist ohne Parallele.[219] Der angezielte Kontrast lautet nicht Anzünden vs Auslöschen, sondern unter den Scheffel vs auf den Leuchter.

[215] *J. Jeremias*, „Lampe" 102. Zustimmend *F. Hahn*, „Licht" 112. Kritisch zu Recht *G. Schneider*, „Lampe" 191f.; *R. Schnackenburg*, „Ihr seid …" 127, Anm. 17.
[216] Vgl. *C. E. B. Cranfield*, „Message" 152, der sich auf eigene Experimente beruft. Material zur Lampe bei *S. Krauß*, Archäologie I, 68–70; Dalman Arbeit IV, 269–273; VII, 231f.; *K. Galling*, „Beleuchtungsgerät" 14–29.
[217] *J. Jeremias*, „Lampe" 102.
[218] Vgl. *I. K. Madsen*, Parabeln 143f. Nach Schab 16,7 ist es am Sabbat bei Gefahr erlaubt, ein Gefäß über die Leuchte zu stülpen, „damit das Licht nicht die Stubendecke anzünde". *J. D. M. Derrett*, Law 189–207, zieht in phantasievoller Weise jüdisches Brauchtum um Sabbatlicht und Hanukkalampe heran. Für das Verständnis von Mk 4,21 sind seine Ausführungen völlig irrelevant.
[219] Vgl. *G. Schneider*, „Lampe" 192. Sucht man schon nach Analogien, ist viel eher an Ri 7,16 (Jos., Ant 5,223) zu erinnern. Gideon befiehlt seinen Männern, Fackeln (λαμπάδες, nach Bauer WB s. v. 2 auch = Öllampe) beim nächtlichen Angriff in leeren Krügen zu verstecken.

dd) Bildfeld

Wir müssen zunächst eine terminologische Unterscheidung treffen. Licht im umfassenden Sinn heißt im Griechischen φῶς. Hingegen meint λύχνος zunächst die Lampe, dann metonymisch das von einer Lampe gespendete Licht.[220] Im Hebräischen korrespondiert dem ungefähr die Opposition von אור und נר.[221] Wir sind in erster Linie an der metaphorischen Verwendung von λύχνος interessiert. An einigen Stellen erweisen sich die beiden Begriffe als austauschbar. Deshalb ist die umfassendere Lichtsymbolik[222] am Rande mitzuberücksichtigen. Der Einfachheit halber wird eine systematisch angeordnete Übersicht geboten.

(1) Leuchte und Licht sind Metaphern für Gott. David bekennt: „Du Herr, bist meine Leuchte, mein Gott erhellt meine Nacht" (2 Sam 22,29). In glücklicheren Tagen strahlte Gottes Leuchte über Ijobs Haupt (Ijob 29,3). Im eschatologischen Ausblick bei Tritojesaja heißt es „Der Herr strahlt über dir auf" (Jes 60,1), „Er ist dein ewiges Licht" (Jes 60,19f.), „Wie ein Licht bricht seine Gerechtigkeit hervor" (Jes 62,1).[223]

(2) Leuchte und Licht dienen als Metaphern für die Torah. Die entscheidenden Stellen sind Ps 119,105: „Dein Wort ist eine Leuchte meinem Fuß und meinen Pfaden ein Licht"[224] und Spr 6,23: „Denn eine Leuchte ist das Gebot und deine Weisung ein Licht"[225]. Der Targum übersetzt in Jes 2,5 und Ps 89,16 Licht mit Gesetz.[226] Der Vergleich der Torah mit einem Licht ist auch in der zwischentestamentlichen[227] und rabbinischen[228] Literatur oft bezeugt. Eine prägnante Zusammenfassung gibt R. Juda bMeg 16b: אורה זו תורה. Erst dieser Hintergrund macht klar, wieso in

---

[220] Bei Philo begegnet λύχνος nur in der allegorischen Auslegung der Lampen des Stiftszelts Ex 25,31–40. Sie sind ihm Archetypen der himmlischen Sphären (Rer Div Her 225; vgl. Spec Leg 1,296).

[221] Die Lichtterminologie in Qumran hängt am Stamm אור. Zur Selbstbezeichnung der Gemeinde als Söhne des Lichts vgl. 1QS 3,13.24.25; 1QM 1,1.3.11.13; zur Erleuchtung durch den Lehrer 4QH 4,27; durch die Torah 4Qtest 17f.; zum Leuchten Gottes 1QM 1,8; 1QH 7,25. Vgl. O. Betz, Offenbarung 111–114. Der Dualismus von Licht und Finsternis in Qumran und in den Testamenten (z. B. TestL 19,1) braucht hier nicht zu interessieren, vgl. dazu H. Conzelmann, ThWNT IX, 317f.

[222] Ihr hat für den griechischen Raum R. Bultmann, „Lichtsymbolik" 323–355, eine eindringliche Studie gewidmet. Zum Judentum vgl. die Untersuchungen von S. Aalen, Licht, die weit ins Kosmologische und Mythologische ausgreifen. Zu den Synoptikern ders., „Lysets begrep" 17–31. Ferner E. Lövestam, Wakefulness 8–24.

[223] Vgl. Jes 42,6–7.16; 51,4; Mich 7,8; Zef 3,5; Hos 6,5; Ps 43,3; 67,2; MidrPs 36,6 (Bill. I, 162); NumR 15,5; TestL 18,3; TestSeb 9,8. Vgl. S. Aalen, Licht 78–86.314–321.

[224] MS: נר לרגלי דברך ואור לנתיבתי. LXX: λύχνος τοῖς ποσίν μου ὁ λόγος σου καὶ φῶς ταῖς τρίβοις μου. Vgl. Ps 119,130; 19,9.

[225] MS: כי נר מצוה ותורה אור. LXX: ὅτι λύχνος ἐντολὴ νόμου καὶ φῶς.

[226] Vgl. G. Vermes, „Torah" 437.

der sakralen Kunst des Judentums „nur der Leuchter und kein anderer Kultgegenstand geeignet war, zum Symbol des Judentums überhaupt zu werden"[229].

(3) Weil durch Israel „der Welt das unvergängliche Licht des Gesetzes geschenkt werden soll" (Weish 18,4), kann die Lichtmetapher auf Israel, das „Licht der Völker"[230], angewandt werden, daneben auf Jerusalem und auf den Tempel[231].

(4) Leuchte/ Licht wird metaphorisch auf das Leben des Menschen oder seine Seele bezogen.[232] Mehrfach begegnet für das Sterben des Frevlers die Umschreibung „die Leuchte des Gottlosen erlischt"[233]. Daß λύχνος in dieser Weise den Einzelmenschen betreffen kann[234], ist die eine Voraussetzung für seine Verwendung als Ehrentitel bestimmter Personen. Die andere bildet deren enge Verbindung zum Gesetz.

(5) Das wird SNum 11,17 besonders deutlich. Moses, der das Gesetz empfängt, gleicht einer Lampe auf einem Leuchter[235]. Im AT wird David Leuchte Israels genannt.[236] Den gleichen Ehrentitel erhalten der Prophet Samuel (Ant Bibl 51,6f.) und Rabbi Jochanan ben Zakkai[237].

(6) Es bleiben noch die messianischen Konnotationen des Bildfelds. Sie sind nicht sehr ausgeprägt, aber vorhanden. Der goldene Leuchter des Tempelkultes mit seinen sieben Lampen steht Sach 4,2 in messianischem

[227] syrBar 17,4; 18,1f.; 59,2; 77,16; 4 Esr 14,20f.; TestL 14,4 (v. l.); Ant Bibl 11,1; 19,6; 23,10. Aristob., Fr. 5 (PVTG III 224,11f. Denis) bezeichnet die Weisheit als Licht und Fackel. In diesen Umkreis gehört die wichtige Stelle Sir 48,1 LXX: das Wort des Propheten Elija brennt wie eine Fackel (ὁ λόγος αὐτοῦ ὡς λαμπὰς ἐκαίετο). Vgl. aus dem NT 2 Petr 1,19: der prophetische Logos ist eine strahlende Leuchte an düsterem Ort.

[228] MekEx 13,18; SNum 6,25; bSota 21a; bKet 111b; GenR 3,5; ExR 36,3; DtnR 4,4; 7,3 (Bill. II, 357); jHag 76c (Bill. III, 621). Vgl. S. Aalen, Licht 183–195.273–280.

[229] K. H. Rengstorf, „Fresken" 57.

[230] Jes 42,6; 49,6; 58,8; polemisch Röm 2,19; von Jesus und Paulus Lk 2,23; Apg 13,47. Ferner HldR 1,3 § 2; 1,15 § 4 (Bill. I, 237). Vgl. auch äthHen 108,11f.

[231] 1 Kön 15,4; Sib 5,262; GenR 59,5; Bill. I, 237. Vgl. Offb 1,12.20: der geheime Sinn der sieben Leuchter ist ihre Deutung auf die sieben Gemeinden. S. Aalen, Licht 282f.290f.

[232] Vgl. Spr 20,27 (zitiert 1 Clem 21,2); 2 Sam 14,7; Ps 18,29; Sir 26,17; bSchab 30b; MidrPs 17,8; PesR 8 (Bill. I, 432); AbRN 31 (Bill. II, 346).

[233] Ijob 18,6; 21,17; TestIjob 43,5: ὁ λύχνος αὐτοῦ σβεσθεὶς ἠφάνισεν τὸ φέγγος αὐτοῦ. Spr 21,4. Zum Ganzen W. Michaelis, ThWNT IV, 326.

[234] Vgl. jSchab 5b (Adam); bPes 8a (Bill. I, 237f.); MidrPs 27,2 (Bill. II, 553).

[235] 94,2f. Horovitz: למה משה דומה לנר שעה באותה דומה משה למה. Ein vergleichbarer Zusammenhang bBB 4a: Herodes hat durch die Ermordung der Schriftgelehrten das Licht der Welt ausgelöscht.

[236] 2 Sam 21,17; 1 Kön 11,36; 2 Kön 8,19; 2 Chron 21,7. Licht der Völker heißt Jes 49,6 (vgl. 50,10) der Gottesknecht, äthHen 48,4 der Menschensohn. Vgl. Lk 17,24. λύχνος wird im christlichen Schrifttum angewandt auf den Täufer (Joh 5,35), auf das Lamm (Offb 21,23), auf die beiden Zeugen (Offb 11,4) und auf Jesus (ParJer 9,13).

[237] bBer 28b; AbRN 25 (Bill. I, 208f.). Vgl. bSanh 14a (Bill. II, 466); SDtn 6,5.

Kontext.[238] Belege aus der zwischentestamentlichen Literatur fehlen. Im rabbinischen Schrifttum finden wir einige Male die Verbindung von Leuchte/Licht und Messias, bzw. Erlösung.[239] Aus dem NT sei noch die christologische Deutung von Jes 9,1 in Mt 4,16 erwähnt.

ee) Tradition

(1) Die aramäische Grundlage des Logions, die doppelte Bezeugung und das Fehlen einer wirklichen Parallele berechtigen uns, an der Authentizität von Mk 4,21 festzuhalten. Schwierigkeiten bereitet die Frage nach der ursprünglichen Botschaft des Bildworts, da ein entsprechender kontextualer Hinweis fehlt.

Man kann diesem Mangel durch Hypothesen abhelfen. C. H. Dodd gibt dem Bildwort eine antipharisäische Note. Jesus wirft seinen Gegnern vor, sie würden das Licht der Torah vor den Menschen verbergen.[240] J. Jeremias vermutet, Jesus habe das Wort „im Blick auf seine Sendung" gesprochen, „etwa in einer Situation, in der man ihn vor Gefahren warnte und ihn bat, sich zu schonen"[241].

Wir werden gut daran tun, das Bildwort in den umfassenden Kontext der Basileiabotschaft einzuordnen, dem alle bisher untersuchten Gleichnistexte verpflichtet waren. Nur so läßt sich der fehlende Situationskontext einigermaßen ersetzen. Das Licht brennt schon und wird allen sichtbar gemacht. Anders würde es seine Entelechie verfehlen. Ebenso ist die Basileia in Jesu Wirken schon gegenwärtig. Das kann und darf den Einsichtigen nicht verborgen bleiben. Die Selbstaussage ist nur indirekt, sie betrifft die Relation Jesu zur Basileia.[242]

(2) In Q steht das Logion im Kontext der Zeichenforderung. Die Lichtmetapher wird dadurch christologisch ausgerichtet. Jesus selbst ist das geforderte, allen sichtbare Zeichen.[243] So erklärt sich auch das Hinzutreten des Nachsatzes „es leuchtet allen im Hause". Mit οἰκία ist das Haus Israel (Jes 5,7 etc.) gemeint[244], zu dem die Q-Gemeinde sich gesandt

---

[238] Zu beachten ist auch Ps 131,17: ἡτοίμασα λύχνον τῷ χριστῷ μου. Umgekehrt Jer 25,10: Gott nimmt beim Gericht das Licht der Leuchte hinweg. Vgl. Offb 18,23; 22,5.

[239] GenR 3,6 (Bill. I, 67); PesR 36 (Bill. I, 151); LevR 31,11 (Bill. I, 161f.); HldR 1,3 § 3 (Bill. I, 162); bSanh 98b. Vgl. *H. Conzelmann*, ThWNT IX, 319; *S. Aalen*, Licht 299–306.

[240] *C. H. Dodd*, Parables 108. Vgl. *B. T. D. Smith*, Parables 171. *A. T. Cadoux*, Parables 83, rechnet mit einer Aufforderung Jesu an die Adresse des Volkes Israel, Gottes Licht vor den Völkern der Welt erstrahlen zu lassen.

[241] *J. Jeremias*, Gleichnisse 121 (z. T. gesperrt).

[242] Vgl. zu dieser Auslegung *A. Loisy*, Évangiles I, 761; *E. Lohmeyer*, Mk 85; *J. B. Souček*, „Salz" 172.

[243] Vgl. *J. Dupont*, „Lampe" 57f.; *L. Vaganay*, Problème 434.

[244] Vgl. *A. Plummer*, Lk 223; *G. Schneider*, „Lampe" 193.

weiß. Die Möglichkeit, Jesus den Menschensohn zu erkennen, ist dem Volk geboten. Daß es sie ausschlägt, wird seine Folgen haben beim Endgericht (Lk 11,31f.). Die Verse Lk 11,34–36 geben der Lichtmetaphorik in Q eine Wendung ins Paränetische. Wer das Licht verschmäht, um den wird es bald gänzlich finster sein. Mit ἀστραπή V. 36b (vgl. Mt 24,27 par Lk 17,24) ist der eschatologische Ausblick gewahrt. Es geht „um das endzeitliche Aufblitzen der göttlichen Macht und Wirklichkeit"[245].

ff) Redaktion

(1) Die personale Formulierung bei Mk legt ein christologisches Verständnis nahe. Mk geht es um Jesus, oder genauer: um Jesus als Anfang und Inhalt der urchristlichen Evangeliumsverkündigung (Mk 1,1). Sie muß aller Welt sichtbar werden (Mk 13,10). Die ἵνα-Sätze lassen erkennen, daß ein Bezug auf Mk 4,11 intendiert ist.[246] Doch stellen wir diese Frage zweckmäßigerweise zurück, bis wir auch Mk 4,22 behandelt haben.

(2) Fraglos paränetisch ist die Auslegung des Logions bei Mt. Die redaktionelle Einleitung Mt 5,14 identifiziert die Jünger allegorisch mit dem Licht. Gleichfalls redaktionell ist die Anwendung auf die guten Werke Mt 5,16. Die Metaphorik und Thematik dieser Verse ist fest im Makrotext verankert, man erinnere sich an 13,43 (οἱ δίκαιοι ἐκλάμψουσιν) und an 25,1–13. Das theologische Fundament für die paränetische Mahnung bietet die Lichtmetapher Mt 4,16. Christen können leuchten, weil Jesus Christus selbst das Licht ist.

(3) Lk hat 11,33 den christologischen Kontext von Q beibehalten. Den Öffentlichkeitsanspruch der Botschaft Jesu (Apg 26,26) bringt die Negierung von εἰς κρύπτην zur Geltung. Den Nachsatz καὶ λάμπει κτλ. hat Lk missionarisch ausgelegt (was durch die Niniviten und die Königin des Südens als Vertreter der Heidenwelt Lk 11,31f. sicher begünstigt wurde). Die εἰσπορευόμενοι[247] sind die Konvertiten, die bei ihrem Eintritt Jesus als das Licht der Völker (Lk 2,32) erfahren.

---

[245] *F. Hahn*, „Licht" 131. Ebd. der Nachweis, daß der Nachsatz schon in Q stand und nicht lk-redaktionell ist.

[246] Die Annahme eines reinen Stichwortanschlusses von σπείρειν/καρποφορεῖν zu μόδιος und von dort zu μέτρον (*T. Soiron*, Logia 77; *J. Sundwall*, Zusammensetzung 27) bleibt recht äußerlich und kann die Frage nach dem sachlichen Zusammenhang nicht ersetzen. *M. Gertner*, „Midrashim" 272f., postuliert eine midraschartige Verbindung von 4,14–20 zu 4,21 auf der Basis von Jer 4,3. Zur Sache vgl. ThWNT IV, 326f., Anm. 17 (G. Bertram).

[247] Ein lk Vorzugswort, vgl. Lk 8,16; 11,33; Apg 3,2; 8,3; 9,28; 28,30.

Lk 8,16 hingegen trägt paränetischen Akzent. Lk hat den Vers ohne Überleitung an den Schluß der Auslegung der Sämannsparabel angeschlossen. Dadurch werden zwei Gedankengänge parallelisiert: (a) Das rechte Hören des Wortes, das den Jüngern in besonderer Weise erschlossen ist (Lk 8,10), muß in ihrem Leben fruchtbar werden. (b) Das Licht ist entzündet und den Jüngern anvertraut. Sie müssen davon Gebrauch machen und es weithin leuchten lassen.[248]

b) Verbergen und Entbergen (Mk 4,22 par Lk 8,17)

(1) Wir können uns hier kürzer fassen, da wir es Mk 4,22 parr nicht mit einem Bildwort zu tun haben, sondern mit einem nicht-bildhaften Weisheitswort, das auf ein profanes Sprichwort zurückgehen wird.[249] Das Logion liegt in doppelter Überlieferung vor.[250] Mt 10,26 par Lk 12,2 gibt die Q-Vorlage fast wortgetreu wieder.[251] Sie ist zweigliedrig gehalten, in synonymem Parallelismus. Die beiden Nachsätze sind relativisch angeschlossen. Lk 8,17 folgt im Vokabular Mk, im Satzbau Q. Außerdem hat Lk γνωσθῇ eingefügt. Das könnte ebenfalls aus der Q-Fassung stammen (γνωσθήσεται), kann aber auch als Anspielung auf γνῶναι Lk 8,10 gedacht sein.[252]
Der Satzbau in Q bewahrt die Argumentationsweise weisheitlichen Denkens. Es wird ein Erfahrungssatz hingestellt, der Allgemeingültigkeit beansprucht. Demgegenüber ist die Mk-Fassung „an sich ein logischer Widersinn"[253]. Hier wird etwas verborgen, damit es um so sicherer offen-

---

[248] Vgl. *J. Schmid*, Lk 160; *H. Schürmann*, Lk 466f. Bei dieser Deutung erübrigt sich der textkritisch strittige ἵνα-Satz. Die Form des Logions in ThEv 33b ist nachweislich von der redaktionellen Lk-Fassung beeinflußt und kann nicht ursprünglich sein, gegen *H. Montefiore*, „Parables" 241. Der „verborgene Ort" im ThEv entspricht κρύπτῃ bei Lk, vgl. *R. Kasser,* ThEv 66. Der Zusatz „und die hinausgehen" bezieht sich entweder auf die Menschen, die die Welt betreten und wieder verlassen (ThEv 28), oder auf den wahren Gnostiker, der freiwillig auf die Welt verzichtet, wenn er zur Erleuchtung gefunden hat. Zwischen ThEv 33a und 33b besteht ein Stichwortzusammenhang *ad vocem maače* (= Ohr oder Maß), vgl. *W. Schrage,* ThEv 82.

[249] *R. Bultmann,* Syn. Tradition 99f., denkt an eine „volkstümliche Warnung, jemandem Geheimnisse anzuvertrauen". Er verweist auf verbreitete Sprichwörter anderer Kulturen und auf Koh 10,20. Bill. I, 578f., nennt TgKoh 12,13f. und Ab 2,4b. Vgl. noch Sir 20,30f. = Sir 41,14f.

[250] Dazu kommen als weitere (abhängige) Zeugen POxy 654,4; ThEv 5 und 6fin.

[251] Lediglich γάρ bei Mt und δέ bei Lk sind redaktionelle Überleitungen. συν- bei καλύπτω ist auf lk Vorliebe für Komposita zurückzuführen. Vgl. *S. Schulz,* Q 461f.

[252] Vgl. *J. Gnilka,* Verstockung 126; *H. Schürmann,* Lk 467f.

[253] *W. Grundmann,* Mk 96. In der Einleitung vermißt man ein τί (ergänzt von א A C) oder ein οὐδέν (W).

bar werde. Es steht eine Absicht dahinter, die sich ihres paradoxen Erfolges sicher ist.

Daraus folgt, daß der zweimalige finale Nachsatz wohl von Mk redaktionell gesetzt ist.[254] Auch ἔλθῃ geht wahrscheinlich auf Mk zurück. Schließlich begegnet φανερός bei den Synoptikern nur in Abhängigkeit von den insgesamt drei mk Belegen[255]. φανερόω und φανερῶς kommen nur je einmal bei Mk vor.[256]

Wahrscheinlich hat erst Mk das Logion 4,22 mit 4,21 verbunden. Dafür spricht die Struktur von Mk 4,21–25. Die Einleitung καὶ ἔλεγεν αὐτοῖς V. 21 und V. 24 ist redaktionell, ebenso der Weckruf V. 23 und die Aufforderung βλέπετε τί ἀκούετε[257]. V. 22 und V. 25 sind durch γάρ angeschlossen. Das kann mk sein, vgl. Mk 9,39–41.49. Die Vorlage für Mk 4,22 hat zumindest im Satzbau näher bei Q gestanden. Die Finalisierung und Personalisierung des Logienpaars hat erst Mk geschaffen.

(2) Die Authentizität des Logions muß zweifelhaft bleiben. Die profanen Parallelen und das esoterische Vokabular geben Bedenken auf.[258] Eine theologische Interpretation des volkstümlichen Sprichworts wird erst in Q faßbar. Die futurische Passivform ist wie in den folgenden beiden Logien als *passivum divinum* zu verstehen. Gott selbst wird alles Verborgene aufdecken, vermutlich am Jüngsten Tag, wenn der Menschensohn zum Gericht kommt. Über eine mögliche Anwendung als Trost- oder Mahnwort ist damit noch nichts entschieden. Die Kontexte bei Mt und Lk bieten keine Hilfe, da sie teils redaktionell sind und im Verständnis nicht unerheblich differieren.[259] Die große Bandbreite referentialer Bezüge gehört zum sprachlichen Potential des Sprichworts.

---

[254] *J. Wellhausen,* Einleitung 15, führt ἵνα (Mk) und ὅ (Q) auf ein aramäisches ﬦ zurück. Vgl. dagegen *M. Black,* Approach 76f.

[255] Mk 3,12 steht es in einem Schweigegebot, Mk 6,14 in einer Notiz über die wachsende Berühmtheit Jesu.

[256] Neben 4,22 noch 1,45: ὥστε μηκέτι αὐτὸν δύνασθαι φανερῶς εἰς πόλιν εἰσελθεῖν. Für epiphanes Geschehen steht φανερόω zweimal im sekundären Mk-Schluß (16,12.14). ἀπόκρυφος kommt noch Kol 2,3 in Verbindung mit μυστήριον vor. Überhaupt stehen κρύπτω und ἀπόκρυφος oft in Mysterientexten, Zauberpapyri und im gnostischen Schrifttum, vgl. Plut., Is et Os 9 (354C); Philo, Sacr AC 60.62; Somn 1,164; Moult–Mill 65.663; *A. Oepke,* ThWNT III, 962–973.

[257] Auch Mk 13,5.9.23.33 ist βλέπετε redaktionell gesetzt, vgl. *J. Lambrecht,* Redaktion 272–274. *J. Jeremias,* Gleichnisse 90, nimmt an, daß der ganze Zusammenhang Mk 4,21–25 vorgegeben war. Mit zwei selbständigen Logienpaaren rechnen *H. Zimmermann,* Methodenlehre 187; *A. M. Ambrozic,* Kingdom 103. Lk 8,18 ändert das τί aus Mk 4,24a in πῶς und verlagert damit den Akzent vom Inhaltlichen auf die Art und Weise rechten Hörens.

[258] *J. M. Bover,* „Nada ...“ 319–323, möchte gleich beide Fassungen als authentisch erweisen. Nach *H. Braun,* Radikalismus II, 18, setzt das Logion sich bewußt von der Esoterik in Qumran ab.

[259] Mt 10,26 dient als Trostwort. Die Verkündigung der Jünger wird sich trotz aller Anfein-

(3) Der gesonderten Betrachtung bedarf die Funktion von Mk 4,21f. innerhalb des Gleichniskapitels. Fast alle Ausleger vertreten die begründete Ansicht, daß erst Mk die VV. 21–25 hier eingefügt habe und daß sich V. 21f. insbesondere auf die änigmatische Parabeltheorie V. 11f. beziehe.[260] Der verhüllende Zweck der Gleichnisse hat nur begrenzte Geltung. Das Geheimnis der Basileia, das sie enthalten, darf nicht auf Dauer verborgen bleiben. Die Frage nach der Geltungsdauer der Geheimnistheorie hat W. Wrede von Mk 9,9 aus beantwortet. Was den Jüngern an esoterischem Wissen anvertraut ist, „sollen sie … nach der Auferstehung enthüllen und verbreiten"[261].

Obwohl Wrede damit viel Zustimmung gefunden hat, überzeugt seine These nicht ganz. Sicher bedeutet Ostern in der Konzeption des Mk eine Zäsur, doch betrifft sie in erster Linie die Christologie und die Evangeliumsverkündigung. Jesus ist als der leidende Gottessohn erkannt und kann als solcher aller Welt bekannt gemacht werden. Die Verborgenheit der Basileia bleibt auch nach Ostern bestehen. Ihrer Ausbreitung stellen sich Widerstände in den Weg (Mk 4,14–19), ihr äußeres Merkmal ist ihre Unscheinbarkeit (Mk 4,31), ihre Vollendung steht unter einem eschatologischen Vorbehalt (Mk 4,29.32). Man wird deshalb mit F. Hahn erwägen, ob mit der endgültigen Enthüllung des Geheimnisses nicht eher „die in 13,24–27 beschriebene Parusie Jesu gemeint" ist[262].

Lehrreich ist ein Blick auf die abweichende Position Jülichers, die H. Räisänen erneuert hat. V. 21f. auf V. 11f. zu beziehen, wäre nach Jülicher „der gröbste Widerspruch". Die beiden Verse hängen einzig und allein an dem καρποφορεῖν von Mk 4,20. Sie wollen „die Forderung, dass der Glaube mit Früchten hervortrete, begründen"[263].

Das trifft für Lk teilweise zu, für Mk sicher nicht. Warum Jülicher auf diese gezwungene Deutung ausweicht, ist unschwer zu erraten. Die Geheimnistheorie von V. 11f. bringt für Jülicher die ureigene allegorische Gleichniskonzeption des Evangelisten zum Ausdruck. Deshalb verbietet sich eine Abschwächung, wie sie Mk 4,21f. vorzuliegen scheint. Immerhin hat Jülicher erkannt, daß V. 21f. keine bloße Modifizierung von V.

---

dung und Verfolgung durchsetzen. Wenn man Lk 12,2 auf die Warnung vor dem Sauerteig der Pharisäer Lk 12,1 bezieht, was plausibler scheint, enthält der Vers eine Warnung, daß alle Heuchelei eines Tages entlarvt wird. Lk 8,17 ist eng an den Lichtspruch und an die Gleichnisdeutung anzuschließen. Das verborgene Wort ist offenbar geworden und muß bekannt gemacht werden.

[260] Umfänglich belegt bei *A. M. Ambrozic*, Kingdom 93, Anm. 200. Vgl. zusätzlich *C. E. Carlston*, Parables 155; *J. Lambrecht*, „Parabels" 41f.; *K. Stock*, Boten 80.

[261] *W. Wrede*, Messiasgeheimnis 70.

[262] *F. Hahn*, „Licht" 119.

[263] *A. Jülicher*, Gleichnisreden II, 86.92. Ähnlich *H. J. Ebeling*, Messiasgeheimnis 191; *H. Räisänen*, Parabeltheorie 80–82.

11f. ist. Wenn schon, dann handelt es sich um eine einschneidende, von Widerspruch nicht weit entfernte Korrektur.[264] Das Problem ist nicht durch eine unzureichende paränetische Interpretation zu lösen, sondern durch eine Neubesinnung auf das Konzept, das hinter V. 11f. steht.

c) Das Maß (Mk 4,24)

Das Logion kann zur Not als Bildwort angesprochen werden, doch ist die zugrundeliegende Metapher vom Maß derart abgeschliffen, daß ihr bildhafter Charakter fast verloren gegangen ist. Es handelt sich eher um ein reines Sprichwort. Diese Gattungsbestimmung wird durch die rabbinischen Parallelen gestützt.[265]

Die Überlieferungslage ist durchsichtig. Mt 7,2 par Lk 6,38 geben fast wortgetreu den Text der Logienquelle wieder: ἐν ᾧ μέτρῳ μετρεῖτε μετρηθήσεται ὑμῖν.[266] Mk 4,24 ist im ersten Satzteil mit der Q-Fassung identisch, enthält aber den Zusatz καὶ προστεθήσεται ὑμῖν.[267] Das kann auf Mk zurückgehen, der δοθήσεται V. 25 vorwegnimmt.[268] Mt und Lk haben die Mk-Parallele übergangen, doch scheint es möglich, das „gute, gerüttelte, geschüttelte und überfließende Maß" Lk 6,38a als Reminiszenz an προστεθήσεται Mk 4,24 aufzufassen.[269]

Es ist möglich, daß Jesus selbst das verbreitete Sprichwort aufgegriffen und ihm folgende spezifische Wendung gegeben hat: „Mit dem Maß, mit dem ihr mich jetzt meßt, wird Gott euch messen (wenn er endgültig seine Herrschaft antritt)." In welcher Relation der Mensch zur Herrschaft Gottes steht, entscheidet sich an seiner Stellungnahme zu Jesus hier und jetzt (vgl. Lk 12,8).

Die Logienquelle hat den Spruch mit dem Verbot menschlichen Richtens verbunden, daß wohl von der Nähe des Endgerichts her seine Begrün-

---

[264] Richtig gesehen, aber einseitig ausgewertet von *T. J. Weeden*, Mark 141.144.

[265] SNum 12,15: לוֹ מוֹדְדִים בָּהּ מוֹדֵד שֶׁאָדָם בְּמִדָּה. Vgl. Bill. I, 444–446. *H. P. Rüger*, „Maß" 174f., nennt 25 Belege. Nach ihm liegt in einigen Textzeugen des palästinensischen Targums zu Gen 38,26 die passivische Formulierung „es wird ihm gemessen" (nämlich von Gott beim Endgericht) vor. Vgl. auch *M. McNamara*, Targum 140–142. An Parallelen vgl. weiter Hes., Op 349f.; Wettstein z. St.; 1 Clem 13,2; Pol 2,3. *B. Couroyer*, „Mesure" 369–370, verweist auf die Sitte, beim Ausleihen und bei der Rückgabe von Saatgetreide denselben Meßbehälter zu verwenden, um Übervorteilung zu vermeiden.

[266] Lk hat ἐν vor ᾧ weggelassen, weil im Griechischen πρός stehen müßte, vgl. Bl-Debr § 195, Anm. 10. γάρ dient der Satzverknüpfung, das Verbum kompositum entspricht lk Stil.

[267] Er fehlt in D W b e l, ist aber beizubehalten. Zu streichen ist mit den besseren Textzeugen τοῖς ἀκούουσιν, das A ℵ Θ λ φ syᵖ sa boᵖᵗ hinzufügen. Vgl. *H. Zimmermann*, Methodenlehre 182.

[268] Vgl. *E. Schweizer*, Mk 56; *E. Neuhäusler*, „Maßstab" 113.

[269] Vgl. *S. Schulz*, Q 146. Anders *H. Schürmann*, Lk 363.

dung erfuhr. Mt verschiebt den Akzent auf eine Warnung vor lieblosem Richten hin. Bei Lk geht es um die Aufmunterung, freigiebig und großzügig Almosen zu spenden. Mk gibt durch die Einleitung βλέπετε τί ἀκούετε das Thema an. Das Maß, nach dem den Jüngern die in V. 11 verheißene Einsicht geschenkt wird, richtet sich nach dem Maß anfänglicher Bereitschaft zum Hören und Aufnehmen, das sie mitbringen. Das überreiche Geben Gottes (προστεθήσεται) schließt menschliche Verantwortung nicht aus, sondern ein.

d) Geben und Nehmen (Mk 4,25 parr Mt 13,12; Lk 8,18)

Das Logion kommt bei den Synoptikern 5mal vor.[270] In Mt 25,29 par Lk 19,26 hat die Logienquelle es als deutende Schlußgnome an das Gleichnis von den Talenten angefügt. Die Satzstruktur ist in Q durch die beiden Partizipien τῷ ἔχοντι παντί und (ἀπό) τοῦ μὴ ἔχοντος bestimmt. Die Einfügung von καὶ περισσευθήσεται geht auf Mt zurück (vgl. Mt 5,20; 13,12).
Mk 4,25 stimmt mit der Q-Fassung im Schlußsatz überein. Statt der Partizipien hat Mk konditionale Relativsätze. Wegen des anaphoren αὐτῷ im Hauptsatz hält K. Beyer hier semitischen Einfluß für sicher[271], so daß die Mk-Fassung in dem Fall ursprünglicher wäre.
Lk 8,18 hält sich in Akolouthie und Satzbau an die Mk-Vorlage. Lk bringt lediglich den konditionalen Charakter der Relativsätze durch ἄν zum Ausdruck. Die Aussage des Schlußsatzes schien Lk zu gewagt. „Die darin enthaltene Paradoxie mildert er"[272], indem er δοκεῖ einfügt: „was einer (irrtümlicherweise) zu besitzen glaubt …"
Mt 13,12 folgt in der Formulierung Mk 4,25, bringt das Logion aber früher als Mk im Anschluß an die Parabeltheorie. Der äußere Anlaß ist das passivische δέδοται Mt 13,11. Wieder fügt Mt περισσευθήσεται hinzu. Vielleicht hat ihn u. a. προστεθήσεται Mk 4,24 dazu bewogen.
Der Gattung nach ist das Logion ein zweigliedriges Weisheitswort (kein Rechtssatz). Es thematisiert die „aus der praktischen Lebenserfahrung gewonnene Regel, daß der Reiche immer noch mehr erwirbt, während der Arme von seinem Wenigen immer noch verliert"[273]. Vergleichbare Sentenzen sind aus der Weisheitsliteratur[274] und aus dem rabbinischen

---

[270] Dazu noch ThEv 41 (Anklänge auch ThEv 70). Zur Auslegung vgl. *E. Haenchen*, Botschaft 61f.
[271] *K. Beyer*, Syntax I, 175.214. In der Textüberlieferung sind zahlreiche Harmonisierungsversuche zu beobachten, vgl. ausführlich *G. Lindeskog*, „Logia-Studien" 134–140.
[272] *J. Schmid*, Lk 160. Vgl. *A. Plummer*, Lk 223.
[273] *J. Gnilka*, Verstockung 126.
[274] Spr 1,5; 9,9; 11,24; 15,6. Ferner Soph., Ai 157; Eurip., Alc 57.

Schrifttum[275] bekannt (dazu noch 4 Esr 7,25: *vacua vacuis et plena plenis*). Die Frage nach der Authentizität muß unentschieden bleiben.[276] Im Parabelkapitel erfüllt das Logion bei allen Synoptikern eine bestimmte Funktion. Mt begründet damit die Aussage von 13,11. Ob Erkenntnis geschenkt wird oder nicht, ist keine Frage reiner Willkür, sondern hängt mit der Verfassung des Hörers zusammen. Lk 8,18 setzt die paränetische Ausrichtung der vorangegangenen Verse fort. Göttliches Geben und menschliches Haben sind eng miteinander verflochten. Der Wille zum Fruchtbringen wird reich belohnt, sein Fehlen ebenso hart gestraft. Mk zeigt durch den Zusatz in V. 24, daß er die beiden Logien in enger Beziehung sieht. Das Maß des Hörens ist das, was einer hat oder nicht hat. Daran hängen Erfolg und Mißerfolg. Die Thematik von Mk 4,24f. weist auf die Deutung der Sämannsparabel zurück.[277]

§ 33: Der Rahmen

a) Analyse

aa) Mk 4,1–2 parr

Die Einleitung Mk 4,1f. braucht uns nicht lange aufzuhalten. Läßt man Artikel und Wiederholungen beiseite, kommen die beiden Verse mit 26 Vokabeln aus, von denen 17 bei Gaston in der Liste der redaktionellen Vorzugswörter des Mk stehen.[278] Es sind einige Doppelungen zu beobachten. θάλασσα kommt dreimal vor, ὄχλος und διδάσκω je zweimal. V. 2a und V. 2b laufen parallel. ἐμβάντα καθῆσθαι ist wahrscheinlich ein Aramaismus für „an Bord eines Schiffes gehen".[279] Das wäre zusam-

---

[275] Besonders aufschlußreich ist wegen des Nachsatzes bBer 40a (Bill. I, 661): „Bei den Menschen ist es so, daß ein leeres Gefäß aufnimmt, aber nicht ein volles Gefäß; aber bei Gott ist es nicht so; bei ihm nimmt ein volles Gefäß (= ein Gelehrter) auf, aber kein leeres ... Wenn du hörst, wirst du weiter hören, wenn aber nicht, wirst du nichts mehr hören."

[276] Von einer „Originalschöpfung Jesu" spricht G. *Lindeskog*, „Logia-Studien" 153f. Kriterien nennt er nicht.

[277] Vgl. J. *Gnilka*, Verstockung 40.

[278] Es handelt sich in der Reihenfolge ihres Vorkommens um καί, πάλιν, ἄρχω, διδάσκω, παρά, θάλασσα, συνάγω, αὐτός, ὄχλος, πολύς, ὥστε, εἰς, πλοῖον, ἐμβαίνω, πᾶς, παραβολή, διδαχή. Vgl. L. *Gaston*, Horae 58–60. J. C. *Hawkins*, Horae 12, nennt noch ἔλεγεν (αὐτοῖς). Zu διδάσκω und παραβολή als redaktionellen Termini vgl. E. *Schweizer*, „Anmerkungen" 95–99.

[279] Vgl. J. R. *Harris*, „Aramaism" 248–250. Damit erübrigt sich die Vermutung von W. H. *Kelber*, Kingdom 27, Anm. 27: „This is reminiscent of a motif from royal ideology according to which the king is enthroned at the center of the primeval flood (Ps. 29:10; Ezek. 28:2)." Zwar steht ἐμβαίνω εἰς τὸ πλοῖον auch Mk 5,18; 6,45; 8,10, aber ohne das befremdliche καθῆσθαι.

men mit der sichtlichen Redundanz das stärkste Argument für die Annahme einer traditionellen Vorlage, die aber nicht mehr rekonstruierbar ist.
Mt 13,1–3a ist die redaktionelle Überarbeitung der Mk-Vorlage.[280] Lk hat die mk Einleitung schon in 5,1–3 verwandt.[281] Lk 8,4 beschreibt in partizipialer Konstruktion das Herbeiströmen von Hörern aus Stadt und Land. Die Eröffnung mit εἶπεν διὰ παραβολῆς ist ohne Parallele.

bb) Mk 4,3a.9.(23.24a) parr

Der Weckruf „Wer Ohren hat zu hören, der höre" begegnet im Gleichniskapitel in dreifacher Fassung. Mk 4,9 wird er relativisch eingeleitet, Mk 4,23 konditional und Mt 13,9 par Lk 8,8b partizipial. Letzteres ist die gebräuchlichere Form, wie die Parallelen zeigen.[282] Zugrunde liegt in allen Fällen im Semitischen ein konditionaler Relativsatz.[283]
Wir haben es mit einem nicht-jesuanischen Wanderlogion zu tun, das vorzugsweise im Anschluß an Gleichnisse, Bild- und Rätselworte steht. Bei den Synoptikern begegnet es noch Mt 13,43 (Deutung des Unkrautgleichnisses), Mt 11,15 (Stürmerspruch) und Lk 14,35 (Salzwort). Verschiedene Textzeugen ergänzen es zu Mk 7,16; Mt 25,29; Lk 12,21; 13,9; 21,4. Als Abschluß der Tiervision verwendet es Offb 13,9. Die sieben Sendschreiben enden Offb 2,7.11.17.29; 3,6.13.22 stereotyp mit der Formel ὁ ἔχων οὖς ἀκουσάτω ...[284] Das ThEv verbindet den Weckruf mehrfach mit Bild- und Gleichnisworten (ThEv 8.21.24.63.65.96). Es gibt sich damit „als eine Sammlung von ‚verborgenen' Jesussprüchen, deren eigentlichen Sinn es zu enträtseln gilt"[285], zu erkennen.

---

[280] Mt gibt eine unbestimmte Zeitangabe, führt Jesus namentlich ein, bevorzugt hier wie andernorts ὄχλοι πολλοί (Mt 4,25; 8,1; 15,30 etc.) und beseitigt die Häufung von θάλασσα, indem er es einmal streicht und einmal durch αἰγιαλός ersetzt. Zu ἐξελθών vgl. 13,3b, zu ἐλάλησεν 13,34.

[281] R. Bultmann, Syn. Tradition 389. Mit θάλασσα meint Lk das Mittelmeer, für den See Genesaret sagt er λίμνη (8,22.23.33), vgl. M. Lehmann, Quellenanalyse 59f.; H. Conzelmann, Mitte 35f.

[282] Ein echtes agreement zwischen Mt und Lk liegt deshalb nicht vor. Mt läßt außerdem ἀκούειν aus. D it fügen zu Mk 4,9 καὶ ὁ συνίων συνιέτω hinzu. Das ist eine Interpretation, die aus συνιῶσιν Mk 4,12 gewonnen wurde.

[283] K. Beyer, Syntax I, 227.

[284] Vgl. F. Hahn, „Sendschreiben" 377–381. Hahn macht darauf aufmerksam, daß von Daniel an in der Apokalyptik „die Visionsdeutung bzw. Offenbarungsmitteilung mit dem Ruf zum ‚Verstehen' und ‚Aufmerken' verbunden" ist (a.a.O. 380). Er nennt u. a. Dan 8,17; 9,23; 10,11; 4 Esr 5,32; syrBar 13,1 etc. Vgl. noch 4 Esr 10,56; äthHen 82,3.4; Ez 3,27 (LXX: ὁ ἀκούων ἀκουέτω); Mk 13,14 par Mt 24,15.

[285] E. Haenchen, „Anthropologie" 208.

Der Weckruf erfüllt eine hermeneutische Funktion.[286] Er ist Mk 4,9 sekundär (καὶ ἔλεγεν), aber vormarkinisch mit der Parabel verbunden worden, als Hinweis darauf, daß sich in der scheinbar so schlichten Erzählung ein tiefes Geheimnis verbirgt, das der gespannten Aufmerksamkeit bedarf.

Mk 4,3a steht eine doppelte Einleitung, ἀκούετε und ἰδού. Während ἰδού wahrscheinlich als einfacher Erzähleinsatz zu ἐξῆλθεν zu ziehen ist[287], bildet ἀκούετε mit ἀκουέτω V. 9 eine bewußte Inklusion. Es ist wahrscheinlich auf der gleichen Traditionsstufe wie V. 9 angefügt worden. Die Rahmung gibt das Thema der Parabel an, das in der Deutung näher entfaltet wird. Daß die Imitation von V. 3a.9 in 4,23.24a auf Mk zurückgeht, wurde schon erwähnt.

Ob mit ἀκούετε auf das Sch^{e}ma angespielt werden soll, ist nicht so sicher. Der Imperativ steht mehrfach in den Gesetzesparänesen des Deuteronomiums (Dtn 4,1; 5,1; 9,1; 20,3), nicht nur an den Grundstellen Dtn 6,4; 11,13. Außerdem gehören die Imperative von ἀκούειν zu den Leitworten der prophetischen Botschaft, die in der Apokalyptik wieder aufgegriffen werden.[288] Schließlich beginnt auch die Jothamsfabel Ri 9,7 LXX ἀκούσατέ μου, und das Gleichnis vom pflügenden Landmann Jes 28,23–25 wird eingeleitet: „Horcht her und hört meine Stimme, vernehmt es und hört mein Wort!"

cc) Mk 4,10 parr

Die Bitte um esoterische Belehrung, die V. 10 von den Jüngern vorgetragen wird, ist ein mk Thema.[289] Das Vokabular jedoch ist untypisch. Mk schreibt κατ' ἰδίαν (7mal) und bringt nur 9,2 die appositionelle Wendung κατ' ἰδίαν μόνους. Das Hapaxlegomenon κατὰ μόνας fällt angesichts dieser stilistischen Eigentümlichkeit besonders ins Gewicht. Mk bevorzugt ferner ἐπερωτάω (25mal) anstelle von ἐρωτάω (3mal). Die Verständnisfrage läßt er sonst von den μαθηταί stellen. Der Unterschied tritt klar zutage, wenn wir Mk 4,10 mit Mk 9,28 vergleichen: οἱ μαθηταὶ αὐτοῦ κατ' ἰδίαν ἐπηρώτων αὐτόν.

---

[286] Vgl. *M. Dibelius*, „Wer Ohren hat ..." 471. Die rein paränetische Interpretation von *H. Räisänen*, Parabeltheorie 83–87, ist verfehlt.

[287] Als Gleichniseinleitung kommt ἰδού sonst nicht mehr vor. Die Doppelung von ἀκούετε und ἰδού könnte auf βλέπετε τί ἀκούετε Mk 4,24a eingewirkt haben. Auch ἴδωσιν und ἀκούωσιν Mk 4,12 sind zu beachten.

[288] Vgl. nur Ez 18,25; 36,1; Am 7,16; Jes 7,13; 51,1.4; Jer 2,4; 11,4.6.7; Bar 3,9. Aus der apokalyptischen Literatur vgl. äthHen 91,3; 4 Esr 5,32; 7,2; 10,38; TestSim 2,1; CD 1,1; 2,2.14; bes. Herm 43,17; 55,1 (ἄκουε τὴν παραβολήν); 62,3; 69,2.

[289] Vgl. Mk 7,17; 9,28; 10,10; 13,3. Dazu *H. Räisänen*, Messiasgeheimnis 55f.; *S. Brown*, „Secret" 71f.

Das bedeutet, daß 4,10 schon in der Vorlage des Mk eine abgesonderte Gruppe als Fragesteller auftritt. Sie wird durch οἱ περὶ αὐτόν ganz allgemein als Anhängerschaft Jesu ausgewiesen. Die Wendung σὺν τοῖς δώδεκα, die den Vers überfüllt, hat Mk hinzugesetzt.[290] Sie läßt Rückschlüsse auf das mk Verständnis von οἱ περὶ αὐτόν zu. Zur Verdeutlichung ist Mk 3,20–35 heranzuziehen. Mit τοὺς περὶ αὐτὸν κύκλῳ καθημένους 3,34 ist die Volksmenge gemeint (3,32: ἐκάθητο περὶ αὐτὸν ὄχλος), soweit sie in dem Haus von 3,20 Platz fand, unter Einschluß der Jünger (V. 20: αὐτούς). Diese Gruppe bezeichnet Jesus als *familia Dei*. Richtet man von dort aus den Blick auf 4,10, könnte man οἱ περὶ αὐτὸν mit einer Gruppe aus der Menge identifizieren, trotz der esoterischen Szenerie, die schließlich auch 3,20 (εἰς οἶκον) vorausgesetzt ist. Um zu betonen, daß sich die folgenden Jesusworte vor allem an die Jünger richten, nennt Mk zusätzlich die Zwölf als Vertreter der Jüngerschar. Das Volk wird im Bewußtsein des Lesers zurückgedrängt, aber nicht gänzlich ausgeschaltet.

Mit dieser Konzeption steht neben Mk 3,34 auch Mk 8,34 in Einklang. Für eine zentrale Aussage über die Leidensnachfolge ruft Jesus τὸν ὄχλον σὺν ταῖς μαθηταῖς αὐτοῦ zusammen. Ihr widerspricht Mk 7,17. Zur Jüngerbelehrung geht Jesus εἰς οἶκον ἀπὸ τοῦ ὄχλου. Wir stoßen hier auf eine strittige Frage, deren Beantwortung unerläßlich ist, weil davon u. a. auch die Identifizierung von οἱ ἔξω Mk 4,11 abhängt. Welche Rolle spielt ὁ ὄχλος im MkEv?

Von einer feindlichen Gesinnung der Menge weiß nur die Passionsgeschichte zu berichten (Mk 15,8.11.15). Diese Feindseligkeit wird auf Verhetzung durch die Hohenpriester zurückgeführt. Ansonsten verhält die Volksmenge sich neutral bis freundlich. Sie bildet den unerläßlichen Hintergrund für das Wirken Jesu (5,27.30; 7,33; 9,14.15.17). Mehr noch, sie drängt sich in Scharen zu ihm (2,4.13; 5,21.31; 6,33; 9,25; 10,1.46), so daß sie ihm manchmal lästig wird (3,9). Sie folgt ihm auf seinen Wegen (3,7; 5,24), sie hört ihm gern zu (12,37) und zeigt sich von seiner Lehre und von seinen Taten beeindruckt (7,37; 11,18).[291] Seine Gegner wagen nicht, gegen ihn einzuschreiten, weil sie die Sympathie der Menge für Jesus kennen und fürchten (11,18.32; 12,12). Jesus seinerseits lehrt die Menge, „wie er es gewohnt war" (10,1), er empfindet mit dem Volk herzliches Erbarmen (6,34), sein Elend tut ihm in der Seele leid (8,2). Die

---

[290] So *R. Bultmann,* Syn. Tradition 71; *M. Horstmann,* Studien 116; *G. Schmahl,* Die Zwölf 84. Seltsam zweifelnd *G. Minette de Tillesse,* Secret 175–178. Nicht überzeugen kann *R. P. Meye,* „Those about him" 216f. (mit οἱ περὶ αὐτόν sei eine kleinere Gruppe gemeint, die zu den Zwölf zähle).

[291] Von bloßer Neugier oder Wundersucht steht kein Wort im Text. Mk 7,3 πάντες οἱ Ἰουδαῖοι ist mit den Aussagen über die Gegner Jesu zusammenzusehen, nicht mit den Notizen über die Menge. λαός Mk 7,6 steht in einem atl Zitat.

Vorstellung, daß Jesus zu dieser Volksmenge in unverständlichen Gleichnissen spricht, um sie zu verstocken und ins Verderben zu führen, ist mit dem Gesamtaufriß des MkEv schlechterdings unvereinbar. Wir werden für Mk 4,11f. nach einer anderen Lösung suchen müssen.[292] Es bleibt noch τὰς παραβολάς am Schluß von V. 10 zu erörtern. Die Verständnisfrage gehört zum festen Bestandteil des prophetisch-apokalyptischen Deuteschemas.[293] Sie ist normalerweise direkt formuliert. Die indirekte Fassung geht wohl auf Mk zurück (vgl. 7,17). Daß in der Vorlage der Singular stand, den erst Mk im Blick auf V. 11 in den Plural verwandelt hat[294], ist zwar möglich, aber nicht unbedingt sicher. Auch Herm 56,1; 57,2 wird die Frage nach einem einzelnen Gleichnis durch den Plural ausgeweitet zur Frage nach dem Verstehensgrund der Gleichnisrede. Und V. 11, der auf eine prinzipielle Frage antwortet, war schon in der Vorlage des Mk mit V. 10 verbunden, was noch zu begründen sein wird.

Mt und Lk haben die umständliche Angabe des Mk durch das eindeutige οἱ μαθηταὶ αὐτοῦ ersetzt. Einen eigentlichen Szenenwechsel im räumlichen Sinn setzen beide nicht voraus. Bei Mt folgt dieser Wechsel erst in 13,36a. Doch markiert Mt 13,10 durch προσελθόντες[295] eine Distanzierung der Jünger von der Volksmenge. Sie kommt auch in der direkt formulierten Frage der Jünger, warum Jesus zum Volk in Gleichnissen spreche, zum Ausdruck. Der Gegensatz zwischen Jüngern und Volk ist bestimmend für das Verständnis von Mt 13,10–18.[296] Aus Lk 8,19 geht hervor, daß bei Lk das Volk die ganze Zeit über als anwesend gedacht ist. In 8,9a wird diese Anwesenheit nicht negiert, sondern zeitweilig erzählerisch abgeblendet. Die Jünger bilden gleichsam den inneren Kreis um Jesus, der jetzt in Aktion tritt.[297] Die Verständnis-

---

[292] Vgl. in diesem Sinn *P. S. Minear,* „Audience Criticism" 79–89; *A. M. Ambrozic,* Kingdom 55–72; *K. Tagawa,* Miracles 55–73. Zu οἱ περὶ αὐτόν vgl. *D. E. Dozzi,* „Chi soni …" 153–183.

[293] Es seien einige Belege in Erinnerung gerufen: Sach 1,9; 2,2; 4,4.11; Ez 24,19; 37,18; Dan 7,16.19; syrBar 54,6: „Du hast deinem Knecht das Gesicht kundgetan, offenbare mir auch seine Deutung"; Herm 11,2; 24,1; 51,2.5; 69,1 u. ö. (der Seher wird mehrfach wegen seines aufdringlichen Fragens getadelt).

[294] So u. a. *T. A. Burkill,* Relevation 98; *W. Marxsen,* „Parabeltheorie" 18. Seltsame Querverbindungen entdecken *D. W. B. Robinson,* „Use" 95f.98, und *G. H. Boobyer,* „Redaction" 64–68.

[295] Zu προσέρχεσθαι (52/5/10/10) vgl. nur Mt 13,27.36. *J. D. Kingsbury,* Parables 40f., denkt an kultische Obertöne. So tritt man vor einen König oder eine Gottheit hin.

[296] Mt hat diesen Gegensatz bereits 12,46–50 vorbereitet. Nicht das zuhörende Volk (12,46), sondern nur die Jünger, auf die Jesus mit der Hand weist (12,49), konstituieren die *familia Dei*.

[297] Vgl. *H. Schürmann,* Lk 458. Wie wenig Jünger und Volk grundsätzlich geschieden sind, zeigt die Kombination der Hörerangaben Lk 20,45: „Während das ganze Volk zuhörte, sagte er zu seinen Jüngern …"

frage 8,9b, die stilistisch die Hand des Lk verrät, richtet sich präzise und ausschließlich auf die Sämannsparabel (τίς αὕτη εἴη ἡ παραβολή). Damit ist zugleich gegeben, daß sich die theoretische Reflexion in V. 10 nur auf diesen einen Fall bezieht, nicht auf die Gleichnisrede überhaupt.[298]

dd) Mk 4,11 parr

Die Interpretation der Parabeltheorie Mk 4,11f.[299] ist von erheblicher Bedeutung für das Problem der synoptischen Gleichnisallegorik. Die Positionen der Forschung sind rasch summiert. Die Mehrzahl der Erklärer hält Mk 4,11f. für ein isoliertes Logion, das erst Mk aufgegriffen und zwischen die Sämannsparabel und ihre Deutung eingefügt hat[300], nach J. Jeremias aufgrund eines sprachlichen Mißverständnisses, nach W. Marxsen in bewußter Absicht[301]. Als abweichende Meinung von einigem Gewicht ist die Position von E. Schweizer und H. Räisänen zu verzeichnen. Beide nehmen an, daß V. 11f. schon in der Gleichnisquelle mit Parabel und Deutung verbunden war.[302] Die These, erst Mk habe V. 11f. redaktionell gebildet, wird, soweit ich sehe, nur von J. Lambrecht und B. Noack vertreten.[303] A. Suhl und P. Lampe schließlich haben die Vermutung geäußert, das Zitat in V. 12 könne auf Mk zurückgehen.[304] Wir wenden uns zunächst V. 11 zu. Der Vers enthält einen teils chiastisch verschränkten antithetischen Parallelismus. Mit ὑμῖν korrespon-

---

[298] *J. Gnilka,* Verstockung 123.

[299] Für die ältere Diskussion verweise ich auf *U. Holzmeister,* „Verstockungszweck" 321–324. Aus der neueren Literatur seien noch genannt *W. Manson,* „Purpose" 132–135; *A. M. Ambrozic,* „Concept" 220–227; *M. Hubaut,* „Mystères" 454–461; *K. H. Schelkle,* „Zweck" 71–75.

[300] Eine mehr zufällige Auswahl an Stimmen: *M. J. Lagrange,* Mc 98f.; *V. Taylor,* Mk 255f.; *W. Grundmann,* Mk 91; *E. Linnemann,* Gleichnisse 180; *C. E. Carlston,* Parables 104f.; *C. Masson,* Paraboles 24f.; *K. G. Reploh,* Markus 60–64; *E. Sjöberg,* Menschensohn 165f.; *F. D. Gealy,* „Composition" 40; *J. Dupont,* „Chapitre" 803. Vgl. den Überblick bei *L. Oberlinner,* Überlieferung 215–221.

[301] *J. Jeremias,* Gleichnisse 13f.; *W. Marxsen,* „Parabeltheorie" 21.23.26.

[302] *E. Schweizer,* „Messiasgeheimnis" 6; *ders.,* Mk 51f.; *H. Räisänen,* Parabeltheorie 46f.110. Vgl. ferner *D. W. Riddle,* „Evolution" 83; *J. W. Pryor,* „Parable Theology" 244; *T. J. Weeden,* Mark 141f.147–149. Zu weit geht *J. R. Kirkland,* „Understanding" 16–18, der die VV. 10–13.21–25 für eine selbständige, von Mk 4,3–9 unabhängige vormarkinische Einheit hält.

[303] *B. Noack,* Lignelseskapitel 55; *J. Lambrecht,* „Redaction" 284f. Zu knapp *R. Bultmann,* Syn. Tradition 351, Anm. 1.

[304] *A. Suhl,* Funktion 150f.; *P. Lampe,* „Deutung" 146f. Etwas anders *P. Merendino,* „Gleichnisrede" 12. Eigenwillig wie gewohnt *E. Trocmé,* Formation 127, Anm. 71, und 149, Anm. 129.

diert ἐκείνοις δὲ τοῖς ἔξω, mit τὸ μυστήριον, einem synoptischen Hapaxlegomenon, τὰ πάντα[305] und mit δέδοται die ganze Wendung γίνεται ἐν παραβολαῖς. Es wird unterschieden zwischen denen, die im Innenraum der Gemeinde stehen, und denen, die „draußen"[306] sind. Den einen wird das Geheimnis von Gott aufgeschlossen (theologisches Passiv), den andern wird es zum undurchdringlichen Rätsel gemacht. Die eigentümliche Verwendung des Parabelbegriffs und die ausgesprochene Esoterik lassen eine Rückführung auf Jesus nicht zu. Der religionsgeschichtliche Hintergrund des Logions ist die frühjüdische bzw. urchristliche Apokalyptik.[307] In den jüdischen Apokalypsen und in Qumran ist, wie schon gezeigt, das eschatologische Geheimnis vorwiegend in visionären Meschalim enthalten, bzw. in Prophetenworten, die wie Visionen behandelt werden. Diese Gleichnisse bleiben selbst dem Seher unverständlich, erst recht jedem Außenstehenden. Sie geben ihr Geheimnis erst preis, wenn der *angelus interpres* (in Qumran der charismatische Lehrer) es den dazu Privilegierten in der Deutung erschließt.

Man kann sich V. 11 als isoliertes Logion vorstellen, das etwa in der Gemeindeversammlung als liturgischer Zuruf Verwendung fand[308]. Es enthält dann die Versicherung, daß die anwesenden Gläubigen zum Geheimnis der Basileia, d. h. zur umfassenden eschatologischen Heilswirklichkeit, die mit Jesus angebrochen ist, Zugang haben. In dem Fall geht die Einbeziehung des Verses in die Gleichnisrede mit einer Verengung der eigentlichen Aussage einher. Es wäre aber auch möglich, daß das Logion von Anfang an als theoretische Begründung für die Deutung Mk 4,14–20 konzipiert wurde, die die Sämannsparabel mit Hilfe der Peschertechnik auslegt. Man sollte dagegen nicht zu schnell einwenden,

---

[305] So zu Recht *J. A. Baird*, „Approach" 202, gegen *J. Jeremias*, Gleichnisse 12, der μυστήριον zu ἐν παραβολαῖς zieht. Unbefriedigend bleibt *K. Haacker*, „Erwägungen" 219–225.

[306] 1 Kor 5,12f.; Kol 4,5; 1 Thess 4,12 ist οἱ ἔξω *terminus technicus* für die Heiden. Zu vergleichen ist das rabbinische החיצונים = Angehöriger einer anderen Religionsgemeinschaft oder Häretiker, vgl. Bill. II, 7; III, 362; Levy Wört s. v. (bes. jMeg 24b; jSanh 28a); auch Jos., Bell 2,137 (Nicht-Essener).

[307] Vgl. Jes 24,16 Theod: τὸ μυστήριόν μου ἐμοὶ καὶ τοῖς ἐμοῖς. 1QS 9,17.20.22; CD 3,12–14; 4 Esr 14,46. Vgl. *H. Braun*, Radikalismus II, 20–23; *L. Cerfaux*, „Connaissance" 132f.; *F. Parente*, „Contributo" 674–679. *H. J. Ebeling*, Messiasgeheimnis 185f., hat die Parabeltheorie aus der hellenistischen Mysterienterminologie abgeleitet. Vgl. dagegen *C. E. B. Cranfield*, „Mark 4,1–34" 54f.: in der Mysterienterminologie werden ἀμύητος, ἀτέλεστος und βέβηλος verwandt, niemals οἱ ἔξω. Vgl. Plut., Def Or 16 (418D); Aud Poet 4 (21F). Immerhin begegnet Plut., Is et Os 32 (364A), ἔξωθεν im Zusammenhang der Mysterienterminologie. Das rabbinische Schema von „Public Retort and Private Explanation" (*D. Daube*, Judaism 141–150) ist nicht heranzuziehen, da es (a) nichts mit der Auslegung von Gleichnissen zu tun hat und (b) die Verbindung zum Geheimnisbegriff fehlt, gegen *J. W. Bowker*, „Mystery" 305–310.

[308] Daran denkt *P. Merendino*, „Gleichnisrede" 9–11.

daß die Deutung keinen sonderlich mysteriösen Eindruck macht und jeden eschatologischen Bezug vermissen läßt.[309] Immerhin stammen die Schlüsselbegriffe μυστήριον und οἱ ἔξω aus dem gleichen urchristlich-apostolischen Milieu, dem nach exegetischem Konsens das Wortfeld der Deutung Mk 4,14–20 entnommen ist. Sie kommen nur in der paulinischen und nachpaulinischen Briefliteratur vor.[310] Die paränetische Ausrichtung des apokalyptischen Schemas ist uns auch im Hirt des Hermas begegnet.

Wichtiger wiegt als Gegenargument die palästinensische Färbung des Logions, die dem griechischen Sprachgewand der Deutung widersprechen könnte. Doch darf dieses Argument nicht überzogen werden. Die Begriffe παραβολή, μυστήριον und ἐπιλύω sowie die Identifikationsformel οὗτός ἐστιν, die alle semitische Äquivalente haben, können problemlos von der griechischsprechenden urchristlichen Apokalyptik adoptiert werden, wie ihr Gebrauch in den Briefen und im Hirt des Hermas zeigt. Nimmt man dennoch eine isolierte Existenz des Logions an, machen diese Querverbindungen zumindest verständlich, warum es ohne Schwierigkeiten in den vormarkinischen Zusammenhang integriert werden konnte.[311] Auch ergänzt es sich inhaltlich gut mit der Ankündigung eines tieferen Sinns in V. 9 und der Aussonderung einer privilegierten Hörergruppe in V. 10.

Die Parabelquelle setzt eine ebenso einfache wie grundsätzliche Scheidung von zwei Gruppen voraus. Für das MkEv, das mehrere Gruppen in einer je verschiedenen Relation zu Jesus kennt, trifft das nicht mehr zu. Vom Volk heben sich einerseits die Zwölf und die Jünger ab, andererseits die Gegner Jesu. Bei ihnen handelt es sich neben seinen eigenen Verwandten (3,21) und Landsleuten (6,4) insbesondere um verschiedene offizielle und halboffizielle jüdischen Gruppierungen wie Pharisäer (2,16), Schriftgelehrte (2,6), Herodianer (12,13), Sadduzäer (12,18) und Hohepriester (11,18). Jene sind es, die von Anfang an planen, Jesus zu vernichten (3,6; 8,31; 12,12). Aufschlußreich ist, daß Jesus gerade zu den Schriftgelehrten und Hohenpriestern zweimal ἐν παραβολαῖς spricht (3,23; 12,1).[312] Hinzuzunehmen sind die Bildworte in den Streitgesprä-

---

[309] Apodiktisch *G. Haufe*, „Erwägungen" 414.

[310] μυστήριον bezeichnenderweise auch Offb 1,20; 10,7; 17,5.7, z. T. für schwer deutbare Symbole.

[311] Daß V. 11 mit der mk Überleitungsformel καὶ ἔλεγεν αὐτοῖς einsetzt, braucht unserer Annahme einer vormarkinischen Verbindung nicht zu widersprechen. Mk kann die Einleitungen überarbeitet haben. Außerdem entspricht die Verwendung von καὶ ἔλεγεν αὐτοῖς V. 11 und καὶ λέγει V. 12 gar nicht sonstigem mk Sprachgebrauch, vgl. *M. Zerwick*, Markus 60f.67.69f. Ginge Mk rein redaktionell vor, müßte er die Einleitungsformeln genau umgekehrt verteilt haben. Ausführlich *H. Räisänen*, Parabeltheorie 92f.107.

[312] Nicht: sie ἐν παραβολαῖς *lehrt*. Das tut Jesus nur gegenüber dem Volk Mk 4,2.

chen und die παραβολή von 7,15 (vgl. 7,5). Ferner ist wieder an 3,31.34 zu erinnern (ἔξω στήκοντες vs τοὺς περὶ αὐτόν). Aus all dem ergibt sich: im Makrotext des MkEv sind die οἱ ἔξω die entschiedenen Gegner Jesu.

Auch der Inhalt des Mysteriums ist bei Mk genauer bestimmt als in der Quelle. Wir sind bei der Einzelexegese mehrfach auf die christologischen Konnotationen mk Gleichnisse gestoßen. Die Schweigegebote im Anschluß an Christusbekenntnis (8,30) und Verklärung (9,9) geben weitere Fingerzeige. Für Mk besteht das Mysterium der Basileia in dem „Wissen darum, daß das Reich Gottes mit Jesus, dem verborgenen Messias, bereits in diese Zeit eingebrochen ist"[313].

Mit ὑμῖν hat Mk gewiß in erster Linie die Jünger im Blick. Die Volksmenge, aus der beide Gruppen, Jünger und Gegner, sich letztlich rekrutieren, gehört potentiell eher zu den ὑμῖν (= οἱ περὶ αὐτόν), doch tritt sie für Mk zeitweilig in den Hintergrund. Sie ist von dem fundamentalen Gegensatz, der sich hier auftut, nicht – noch nicht – betroffen. Es bleibt abzuwarten, wie sie sich gegenüber der Belehrung durch Jesus verhält.[314] Die Parallelen bei Mt und Lk stellen uns vor ein literarkritisches Problem. Gegen Mk lesen Mt und Lk übereinstimmend γνῶναι τὰ μυστήρια mit vorgezogenem δέδοται. Der Plural μυστήρια könnte unabhängig aus τὰ πάντα bei Mk gewonnen sein. Schwierig bleibt γνῶναι. Ein Lösungsversuch wäre die Annahme, daß Mt und Lk in ihrem Mk-Exemplar bereits γνῶναι (τὸ μυστήριον?) lasen.[315] In diesem Fall müßte man konsequenterweise darauf verzichten, die Änderung mit theologischer Bedeutsamkeit zu überfrachten. Eine selbständige, von Mk unabhängige Variante des Logions anzunehmen[316], empfiehlt sich nicht.

In der zweiten Vershälfte weichen Mt und Lk wieder voneinander und von Mk ab. Bei Mt sind mit ὑμῖν und ἐκείνοις eindeutig die Jünger und das Volk gemeint. Den Gegensatz zwischen beiden Gruppen beschreibt Mt mit δέδοται und οὐ δέδοται. Das Weisheitswort V. 12 führt die Gabe der Erkenntnis auf die Disposition des Hörers zurück. Den Jüngern

---

[313] *J. Gnilka,* Verstockung 44.

[314] Vielleicht hat Mk auf redaktioneller Ebene mit ὄχλος die missionsfähigen Scharen im Blick, die sich teils neutral, teils zugänglich, manchmal auch potentiell feindselig zeigen, wie die jüdische Volksmenge gegenüber Jesus.

[315] So *J. P. Brown,* „Revision" 221f. Er verweist auf die Lesart δέδοται γνῶναι τὸ μυστήριον für Mk 4,11 in ℵ A D C² W Θ 0133 lat syᵖ, die er nicht als Harmonisierung, sondern als naheliegende (Eph 3,3; 6,19; Kol 2,2) frühe Änderung ansieht. Die harmonisierte Lesart δέδοται γνῶναι τὰ μυστήρια haben λ φ. V. *Taylor,* Mk 255, rechnet mit der Möglichkeit, daß Lk 8,10 ursprünglich den Singular μυστήριον liest (lat syˢ). Zur grundsätzlichen Berechtigung texkritischer Lösungsversuche vgl. *E. Burrows,* „Agreements" 87–99.

[316] So *L. Cerfaux,* „Connaissance" 126–128; *L. Sabourin,* „Mystères" 60.

ist es gegeben, dem Volk nicht. Diese Einschätzung der Menge mag zunächst überraschen, da Mt sonst in den Rahmenbemerkungen von Mk eine Reihe positiver Aussagen über die Menge übernimmt. Doch wird bei Mt die Ebene der historischen Darstellung hier transzendiert. Der Gegensatz von einsichtigen Jüngern und uneinsichtigem Volk zielt auf das Verhältnis von Kirche und Synagoge.[317] Mt 13,10–18 ist in die anti-jüdische Polemik des MtEv einzuordnen, die ihren gewiß problematischen Höhepunkt in dem Blutruf Mt 27,25 erreicht.

Lk 8,10b hat die zweite Vershälfte von Mk 4,11 in einer Weise verkürzt, die fast änigmatisch wirkt. Was τοῖς δὲ λοιποῖς ἐν παραβολαῖς eigentlich heißen soll, würde man kaum verstehen, wenn man die Mk-Vorlage nicht kennt. Wahrscheinlich hat Lk die Esoterik und die schroffen Gegensätze von Mk 4,11 mildern wollen.[318]

ee) Mk 4,12 parr

Mk 4,12 ist ein verkürztes Zitat aus Jes 6,9f.[319] Es fehlt der ausdrückliche Befehl „Verstocke das Herz dieses Volkes", den alle Versionen (MS, LXX, Targum) bieten.[320] Aus dem abschließenden Finalsatz sind nur die letzten Worte übernommen. Dafür ist das Zitat entgegen der MS und der LXX mit ἵνα eingeleitet und in der dritten Person Plural gehalten. Eine gewisse Nähe der synoptischen Fassung zum Jesaja-Targum ist längst erkannt.[321] Sie erstreckt sich vor allem auf die Partizipien in der ersten Satzhälfte und auf die Schlußworte. MS und LXX lesen „heilen", der Targum und Mk „vergeben".

Im Targum ist V. 9 durch ein relativisches ־ר an die einleitende Sendformel angeschlossen. In V. 10b ersetzt der Targum פן durch דלמא, daß (a) „vielleicht", (b) „damit nicht" und (c) „es sei denn daß" bedeuten kann

---

[317] Im Einzelnen nachgewiesen von *J. Gnilka*, Verstockung 89.94f.97–102, vgl. *ders.*, „Verstockungsproblem" 119–128. Vergeblich bestritten von *J. Dupont*, „Point de vue" 239–245.

[318] οἱ λοιποί (4/3/6/6) trägt nicht den gleichen ausschließenden Ton wie οἱ ἔξω. Vgl. *H. Flender*, Heil 28.

[319] Zum atl Hintergrund vgl. *F. Hesse*, Verstockungsproblem 40–60.66–79.89–91; *J. M. Schmidt*, „Verstockungsauftrag" 68–90; *F. E. Eakin*, „Obduracy" 89–99. Drei Punkte sind festzuhalten. (a) Verstockung steht in enger Relation zu menschlicher Schuld. (b) Verstockung wird nirgendwo mit Gleichnissen in ursächliche Verbindung gebracht. Jesaja selbst bedient sich nicht der Rätselrede, sondern der unzweideutigen Gerichtsankündigung. (c) Die Androhung der Vernichtung wird aufgefangen durch die Hoffnung auf den heiligen Rest, vgl. Jes 4,3; 7,3; 8,18.

[320] Vgl. die Textsynopse bei *J. Gnilka*, Verstockung 13–17.

[321] Darauf hat lange vor *T. W. Manson*, Teaching 77–80, dem man meist diese Entdeckung zuschreibt, *E. Nestle*, „Mark iv, 12" 524, hingewiesen. Weitere Vorgänger bei *A. Poynder*, „Mark iv, 12" 141f.

(Dalman Wört 99). Möglicherweise ist im Targum an Bedeutung (a) oder (c) gedacht. Das prophetische Drohwort wäre dann abschwächend interpretiert als nachdrücklicher Appell zur Umkehr und zur Buße, die Vergebung bewirkt. Ein solches Verständnis ist in der rabbinischen Exegese belegt.[322] Dafür spricht auch, daß im Targum die nachgetragene Heilsverheißung Jes 6,13d ausgeweitet wird: „so versammeln sich die Zerstreuten Israels und kehren heim in ihr Land."
Doch kann der Targum nicht über das Verständnis des griechischen Textes von Mk 4,12 entscheiden. Deshalb sind alle Versuche, ἵνα und μήποτε auf dem Hintergrund von ד־ und דלמא relativisch und konzessiv zu interpretieren, skeptisch zu beurteilen. Zum Gedanken der Schrifterfüllung, der in ἵνα stecken soll[323], ist zu sagen, daß ἵνα πληρωθῇ einfach nicht im Text steht (vgl. aber Mk 15,28 v. l.) und daß die Denkweise der mt Reflexionszitate nicht ins MkEv einzutragen ist. Man hat im Anschluß an A. N. Jannaris und H. Pernot ferner an ein kausales ἵνα gedacht.[324] Auch konsekutives[325] und epexegetisches[326] Verständnis sind vorgeschlagen worden. Am nächsten liegt es, ἵνα final aufzufassen. Damit ist auch der Sinn von μήποτε festgelegt. Zwar kann μήποτε „ob nicht etwa", „vielleicht" bedeuten, aber nicht, wenn es subordiniert mit Konjunktiv auf ἵνα folgt. Dann kommt nur die Bedeutung „damit nicht" in Frage.[327]
Die ursprüngliche Zusammengehörigkeit von Mk 4,11 und Mk 4,12 wird fast allgemein vorausgesetzt, aber nie ausführlich begründet. Eine solche Begründung wird umso schwerer fallen, je weniger man geneigt ist, V. 11f. von Jesus herzuleiten. V. 11 hat eine in sich geschlossene sprachliche Gestalt und ist auf eine Fortsetzung nicht angewiesen. Explizite Schriftzitate werden sonst in Testimoniensammlungen vereinigt[328], in vorgegebene Zusammenhänge eingeführt oder christologisch ausgelegt, aber sie

---

[322] MekEx 19,2 (205,14f. Horovitz): **ושב אננקי לתשובה לעשות שלה ורפא לו**. Vgl. ferner SederElijR 16 (Bill. I, 663). Bemerkenswert ist schon die Antithese in der sekundären Heilsankündigung Jes 32,3: „Dann werden die Augen der Sehenden nicht mehr blind sein, die Ohren der Hörenden werden hören."

[323] J. Weiß, „Parabelrede" 306; M. J. Lagrange, „But" 28f.; E. F. Siegman, „Teaching" 176.

[324] A. T. Robinson, „Causal Use" 51–57; T. A. Sinclair, „Note" 18. Vgl. Bl-Debr § 457, Anm. 2. Skeptisch zu Recht H. Windisch, „Verstockungsidee" 203–209. E. Stauffer, ThWNT III, 325f., verweist auf die Beliebtheit teleologischer Finalsätze in der Apokalyptik.

[325] A. Suhl, Funktion 149f.; C. H. Peisker, „Konsekutives ἵνα" 126f.

[326] P. Lampe, „Deutung" 141f. (der Finalsatz gibt den Inhalt von τὰ πάντα V. 11 an).

[327] Bauer WB s. v. 2bα; H. Räisänen, Parabeltheorie 14f. Vgl. Kühner–Gerth II 2,396; Bl-Debr § 370,3.

[328] Ihre zeitweise sehr umstrittene Existenz hat durch 4Qtest eine gewichtige Stütze erhalten, vgl. J. A. Fitzmyer, „4Q Testimonia" 513–537. Zum Problem B. Lindars, Apologetic 13–31.

werden nicht mit einem einzelnen Logion verbunden auf einsame Reise geschickt. Es spricht viel dafür, daß V. 12 erst sekundär zu V. 11 getreten ist, wohl nicht in der vormarkinischen Quelle. Jes 6,9f. hat im Prädestinationsdenken der Apokalyptik keine Rolle gespielt. Im apokalyptischen Deuteschema kommen Schriftzitate nicht in dieser Weise zum Einsatz, sondern werden gegebenenfalls selbst zum Objekt der Pescherauslegung. Wahrscheinlich hat erst Mk das Schriftzitat mit V. 11 verbunden. Ein Indiz dafür sind die ἵνα-Sätze Mk 4,21f., die sich gleichfalls auf V. 11 beziehen und die mit ziemlicher Sicherheit auf Mk zurückgehen. Der Rückgriff auf Jes 6,9f. kann u. a. mit der thematischen Nähe dieser Stelle zu den Ausführungen über die verschiedenen Arten des Hörens in V. 14–20 begründet werden.

Eine gewisse Schwierigkeit liegt darin, daß Mk zur Targum-Fassung von Jes 6,9f. Zugang gehabt haben muß. Doch ist diese Schwierigkeit nicht unüberwindlich. Mk zeigt sich, wo nötig, mit jüdischer Tradition durchaus vertraut. Es läßt sich außerdem plausibel machen, warum Mk aus redaktionellen Gründen an der Targumversion interessiert sein mußte. In den Kontext des Beelzebulstreites, den Jesus ἐν παραβολαῖς beantwortet, hat Mk 3,28f. das Logion von der unvergebbaren Sünde eingebracht. Es wurde im Anschluß an E. Lövestam schon gezeigt, daß die Lästerung des Geistes in enger Beziehung zu atl Verstockungsaussagen steht. Im weiteren Umkreis einer Parabelrede steht eine Verstockungsaussage Mk 7,6f., wo Jes 29,13 auf die Schriftgelehrten und Pharisäer bezogen wird. Auch Mk 2,5–10 (die Gegner bestreiten Jesus das göttliche Privileg des Sündenvergebens) und Mk 3,5 (ihr Herz ist verhärtet) sind heranzuziehen.[329] In diese Thematik paßt besonders μήποτε … ἀφεθῇ αὐτοῖς, das nur Mk im Anschluß an den Targum bringt.

Im Urchristentum ist das Zitat aus Jes 6,9f. verwandt worden, um den rätselhaften Unglauben des Volkes Israel zu erklären.[330] Mk setzt die Akzente ein wenig anders. Wir müssen hier sehr genau unterscheiden. Auf der Ebene des historischen Berichts hat Mk von der Volksmenge verschiedene jüdische Gruppierungen abgehoben, die sich als erbitterte Gegner Jesu erweisen. Sie verstehen den provozierenden Anspruch der Parabeln sehr wohl, sind aber nicht bereit, ihn zu akzeptieren. Für Mk ist nicht die Parabelrede als solche rätselhaft (Stellen wie 3,23 und 12,12 sind unwiderlegbare Gegenbeweise), rätselhaft ist ihm das Verhalten, das sie hervorrufen: daß man das personifizierte Heil sehen kann und dennoch nicht zu Umkehr und Glauben gelangt.[331]

---

[329] Vgl. zum Thema der Verstockung bei Mk L. *Cerfaux,* „L'aveuglement" 3–15.

[330] Apg 28,26f.; Joh 12,40. Vgl. *G. Haufe,* „Erwägungen" 418–421. Darauf zielt die Interpretation von Mk 4,11f. bei *T. A. Burkill,* Revelation 110–116, ab.

[331] Die Bemerkung von *J. Kögel,* Zweck 45, ist nicht so paradox, wie sie zunächst klingt: „… nicht Verhüllung und Verstockung gehören zusammen, sondern vielmehr Enthüllung und Verstockung" (im Orig. z. T. gesperrt).

Wie Mt transzendiert Mk die historische Ebene, aber in anderer Richtung. Für ihn werden die Gegner zum Paradigma eines hoffungslosen Unglaubens, der jetzt, auf der Ebene der theologischen Aussage, auch das Volk Israel als ideelle Größe betrifft, soweit es sich nach Ostern noch immer nicht zu Jesus bekennt, darüber hinaus alle, die der Evangeliumsverkündigung ablehnend begegnen. Diesen Widerstand kann Mk sich nicht anders als durch Rekurs auf göttliche Vorherbestimmung erklären. Damit hat die simple Esoterik der Parabelquelle eine an prophetischem Denken orientierte Neuinterpretation erfahren.[332]

Von den Seitenreferenten bringt Mt eine gewichtige Änderung an, indem er ὅτι statt ἵνα setzt. Das Zitat gibt nicht mehr das Ziel an, sondern beschreibt einen Zustand. Mk 4,12c läßt Mt aus. Die Möglichkeit zur Umkehr erscheint ihm auch ohne diesen Zusatz ausgeschlossen.[333] Mt setzt die Linie, die er in V. 10 eingeschlagen hat, konsequent fort. Er macht durch V. 13a διὰ τοῦτο ἐν παραβολαῖς αὐτοῖς λαλῶ unmißverständlich klar, daß die Gleichnisse nicht Ursache, sondern Antwort und Strafe für das verstockte Verhalten des Volkes sind.

Worin besteht für Mt dieser Strafcharakter der Gleichnisse? In ihrer verhüllenden und verbergenden Tendenz, die echtes Erkennen nur für Jünger zuläßt? Doch werden wie bei Mk Gleichnisse von Gegnern verstanden (Mt 21,45). Volksgleichnisse wie Mt 7,24–27 oder 11,16f. machen keinen sonderlich mysteriösen Eindruck. Vor allem fragt sich, warum dann die Deutung der Gleichnisse ausgerechnet an die Jünger ergeht. Mit der Annahme einer Doppelfunktion der Gleichnisse – belehrend gegenüber den Jüngern, verstockend gegenüber dem Volk – ist nicht durchzukommen.

J. D. Kingsbury kann den Sachverhalt nicht anders erklären als durch die Annahme, Mt besitze keine geschlossene Gleichniskonzeption. Im Gleichniskapitel übernehme er teilweise die mk Verhüllungstheorie und mache sie den eigenen Absichten dienstbar. Außerhalb des Gleichniskapitels fühle er sich an die Verhüllungstheorie in keiner Weise gebunden. Die Deutungen betrachte Mt nicht so sehr als Geheimbelehrung, sondern als Möglichkeit, den Gleichnisstoff paränetisch zu aktualisieren.[334] Kingsburys Thesen erscheinen plausibel. Die Verstockungstheorie hängt bei Mt weder an dem verhüllenden Charakter der Gleichnisrede noch an

---

[332] Vgl. L. Cerfaux, „Connaissance" 130: „Deux courants, l'un apocalyptique, l'autre ‚prophétique', auraient conflué dans la rédaction actuelle …" Letzteres wird hier für Mk in Anspruch genommen.

[333] Die Wiederholung des Jesajazitats Mt 13,14f. ist auf nachträgliche Interpolation, wahrscheinlich aus Apg 28,26f., zurückzuführen, mit B. W. Bacon, „Discourse" 249; K. Stendahl, School 131; J. Gnilka, Verstockung 103–105. Die Gegenargumente von W. Trilling, Israel 78, und F. Segbroeck, „Scandale" 349–351, überzeugen nicht.

[334] J. D. Kingsbury, Parables 49–51.62f.

den allegorischen Auslegungen. Sie ist eine heilsgeschichtliche Aussage über das Schicksal Israels. Mt hat sie mit dem Gleichniskapitel nur deshalb verknüpft, weil er diese Verbindung bei Mk im Ansatz vorfand. Lk hat die Einleitung mit ἵνα beibehalten, im übrigen hat er das Zitat am stärksten gekürzt. Wie Mt läßt er Mk 4,12c aus, doch wohl in anderer Absicht. Er kann nicht zulassen, daß einem Hörer der Predigt Jesu die Umkehrmöglichkeit abgesprochen wird. Das volle Zitat aus Jes 6,9f. bringt er erst am Schluß der Apg (28,26f.). Hier steht es nach seiner Konzeption am richtigen Platz. Die Verstockung Israels vollendet sich in der Ablehnung der nachösterlichen apostolischen Verkündigung. Der Übergang des Evangeliums zu den Heiden ist damit vollzogen.

Lk hat sichtlich alles getan, um die Bedeutung der mk Parabeltheorie herunterzuspielen. In seinen übrigen Gleichnissen, besonders in seinem umfangreichen Sondergut, findet sich keine Spur eines mysteriösen Gleichniskonzepts. Manche seiner Gleichnisse sind Muster an argumentativer Klarheit und Präzision, oft wird der Sinn durch enge Kontextverflechtung deutlich, notfalls helfen erklärende Zusätze.[335]

Es fragt sich, warum Lk unter diesen Umständen überhaupt Elemente aus Mk 4,11f. aufgenommen hat. Schien ihm die Auslegung Mk 4,14–20 sonst zu unmotiviert? Fühlte er sich an seine Tradition gebunden? Über allgemeine Erwägungen kommen wir kaum hinaus. Vielleicht hat Lk doch aus gegebenem Anlaß auf Apg 28,26 vorausgeblickt. Was sich als Endresultat der paulinischen Verkündigung ergibt, hat gewisse Anhaltspunkte schon in der Predigt des irdischen Jesus.

ff) Mk 4,13 parr

Mk 4,13 bringt eine tadelnde Rückfrage Jesu, die in Aufbau und Inhalt an Mk 7,18 erinnert. Die Formel „Weißt du nicht, was das bedeutet?" ist als Rückfrage des *angelus interpres* an den Seher im prophetisch-apokalyptischen Deuteschema belegt[336], gehört dort allerdings nicht zum unverzichtbaren Bestand und hat nicht immer tadelnden Sinn. Sie wird nicht in der Quelle gestanden haben, weil sie der Zusage von V. 11 direkt widerspricht. Immerhin ist es möglich, daß Mk diesen stilistischen Zug vom Deuteschema her kannte. Er hat ihn selbst hier angewandt, um die Parabeltheorie mit seinem Theologoumenon vom Jüngerunverständnis[337] in Verbindung zu bringen.

---

[335] Vgl. *E. Sjöberg*, Menschensohn 146.200.
[336] Sach 4,5.13; Ez 17,12a; Dan 10,20; TestAbr(B) 8. Vgl. auch syrBar 55,4; 4 Esr 10,31.38 sowie (öfter tadelnd) Herm 18,9; 40,2; 51,1; 57,3; 64,3; 65,2.
[337] Vgl. *W. Wrede*, Messiasgeheimnis 101–114; *K. G. Reploh*, Markus 75–86; *D. H. Hawkin*, „Incomprehension" 491–500.

Mk beschreibt das Unverständnis der Jünger mehrfach mit Hilfe von Verstockungsaussagen (Mk 6,52). Jesus selbst erhebt Mk 8,17f. im Anschluß an die Metapher vom Sauerteig der Pharisäer den Vorwurf: „Ihr habt euer Herz verstockt. Augen habt ihr und seht nicht, Ohren habt ihr und hört nicht." Das atl Zitat in V. 18 folgt mehr Jer 5,21 und Ez 12,2, doch ist die Nähe zu Jes 6,9f. unverkennbar, zumal beide Stellen zusammen mit Dtn 29,3 zur atl Nachgeschichte von Jes 6,9f. zählen[338]. Der Unterschied zwischen Mk 4,12 und Mk 8,18 macht zugleich die Absicht des Redaktors deutlich. Statt der finalen Aussage ist 8,17f. die Frageform gewählt[339], vor allem fehlt die Schlußbemerkung, die jegliche Umkehr ausschließt. Das Nichtverstehen der Jünger ist nicht unüberwindlich, es ist insofern nicht dasselbe wie der wissende, aber hoffnungslose Unglaube der Gegner.

In diese Thematik ordnet Mk auch die Gleichnisdeutung 4,14–20 ein. Jesus selbst führt die Jünger über alle Widerstände und Mißverständnisse hinweg in sein Geheimnis ein, das von 8,31 her letztlich als Leidensgeheimnis zu verstehen ist. Dieser Prozeß bleibt bis zum Ende des Evangeliums unabgeschlossen (16,8), er scheint nicht einmal wesentliche Fortschritte zu machen, aber – und das ist entscheidend – er ist im Gang. Wir dürfen annehmen, daß Mk hier ein Bild der christlichen Gemeinde entwirft, die sich um ein tieferes Eindringen in den Glauben müht, der auch nach Ostern stets angefochten und gefährdet bleibt.[340] Für Mk ist ὑμῖν τὸ μυστήριον δέδοται eine Zusage, die je neu eingelöst werden muß.

Die Seitenreferenten können mit dem mk Theologoumenon vom Jüngerunverständnis nicht viel anfangen.[341] Das kommt in ihrer Bearbeitung von Mk 4,13 zum Ausdruck. Die Frage Jesu lassen beide aus.[342] Bemerkenswert ist die Überleitung Mt 13,18: ἀκούσατε τὴν παραβολὴν τοῦ σπείραντος. Dem läßt sich im synoptischen Gleichnisgut nur Mt 13,36 an die Seite stellen: διασάφησον ἡμῖν τὴν παραβολὴν τῶν ζιζανίων τοῦ ἀγροῦ. Die beiden Parabeln, bzw. ihre Deutungen haben schon feste

---

[338] F. Hesse, Verstockung 61. Vgl. auch das Versagen der Jünger Mk 14,40: „die Augen waren ihnen schwer geworden" (βαρύνω gehört zur Verstockungsterminologie, vgl. Ex 8,15.32; 9,7.34 LXX; Sach 7,11 LXX).

[339] Zur Bedeutung der katechetischen Jüngerfrage siehe J. Gnilka, Verstockung 33.

[340] Vgl. M. Horstmann, Studien 133f.; G. Schmahl, Die Zwölf 125. Insofern mildert sich die von S. Brown, „Secret" 61–63, scharf herausgestellte Spannung zwischen Mk 4,11 und dem fortgesetzten Jüngerunverständnis.

[341] Vgl. nur Mk 4,40 mit Mt 8,26; Mk 6,52 mit Mt 14,33; Mk 8,17–21 mit Mt 12,8–12; dazu W. Trilling, Israel 91–93.

[342] Mt hat sie schon in 13,16f. ersetzt oder besser korrigiert. Er übernimmt aus Q die Seligpreisung der Augenzeugen und bringt sie durch Umarbeitung in enge sprachliche Beziehung (ὑμῶν, ὅτι βλέπουσιν, ὅτι ἀκούουσιν) zu V. 11–13. Vgl. zur Analyse S. Schulz, Q 419f.

Titel[343], wie sie in einem Perikopenbuch oder Gleichnisbuch stehen könnten. Lk 8,11b sagt lapidar ἔστιν δὲ αὕτη ἡ παραβολή und greift damit auf die Frage Lk 8,9b zurück.

gg) Mk 4,33–34 parr

Die beiden Schlußverse weisen mk und nichtmarkinische Sprachmerkmale auf. Als mk könnten gelten: in V. 33 die adjektivische Verwendung von πολύς und ἐλάλει τὸν λόγον[344], in V. 34 das redundante κατ᾽ ἰδίαν. Mk Hapaxlegomena sind χωρίς, τοῖς ἰδίοις und ἐπέλυεν. Ganz unmarkinisch ist das zweimalige δὲ V. 34, zumal innerhalb einer Rahmenbemerkung. Hier würde man unbedingt καί erwarten. V. 33f. ist also in der Substanz vormarkinisch. Mk hat vielleicht ein oder zwei Retuschen angebracht.

Die beiden parallel gebauten Verse lassen sich der vormarkinischen Parabelquelle gut zuordnen. In V. 33 weisen τοιαύταις παραβολαῖς und αὐτοῖς auf ἐν παραβολαῖς und τοῖς ἔξω V. 11 zurück, τὸν λόγον und ἀκούειν auf die Deutung V. 14–20. ὑμῖν aus V. 11 wird durch τοῖς ἰδίοις μαθηταῖς V. 34 konkretisiert, τὰ πάντα durch πάντα wiederaufgenommen. Die konsequente Esoterik der Parabelquelle, die nur zwei Gruppen kennt, ist V. 33f. durchgehalten.

V. 34b steht ἐπέλυεν. Als griechisches Äquivalent für pšr gehört es eng mit μυστήριον = rz und παραβολή = mšl zusammen. Das Wort muß notwendigerweise in der Quelle mit V. 11 und mit der Deutung V. 14–20, die eine formal korrekte ἐπίλυσις darstellt, verbunden gewesen sein. Daran scheitert jeder Versuch, V. 33f. oder auch nur V. 34 auf Redaktion des Mk zurückzuführen.

Eine gewisse Schwierigkeit bildet lediglich V. 33b „wie sie es hören, bzw. verstehen konnten"[345]. Im Verständnis der Quelle kann es sich nicht um ein wirkliches Verstehen handeln, da die ungedeutete Parabel, die allein Außenstehenden zugänglich ist, ein Rätsel bleibt. Das ἀκούειν ist als fruchtloses Hören aufzufassen, wie es die ersten Etappen der Parabeldeutung beschreiben.

Das ist zugegebenermaßen ein gezwungenes Verständnis von καθὼς ἠδύναντο ἀκούειν. Näher läge es, die Worte auf ein wirkliches Verstehen zu beziehen.[346] Hier liegt der Rest einer alten Tradition vor, die um

---

[343] Vgl. Herm 11,2: ἄκουε οὖν τὰς παραβολὰς τοῦ πύργου.

[344] Mk 2,2; 5,36; 8,32; vgl. aber auch Apg 11,19; 14,25; 16,6.

[345] *E. Molland*, „Auslegung" 86f.91, versucht, die Übersetzung „wie sie ihm zuhören mochten" zu begründen, ohne Erfolg.

[346] Insofern ist der Gegensatz, den viele Erklärer zwischen V. 33 und V. 34 sehen (z. B. *S. Pedersen*, „Parable Chapter" 409f.; *P. H. Igarashi*, „Mystery" 85), nicht aus der Luft gegriffen. Er ist aber in der Quelle zum Ausgleich gebracht.

die werbende und erhellende Kraft der Volksgleichnisse Jesu wußte. Es kann sich u. U. um den Abschluß einer alten Gleichnissammlung handeln, die Mk 4,4–8.26–32 enthielt.[347] Mk wird diese Worte nicht im Sinn seiner Vorlage verstanden haben, eher im Sinn einer Konzession an die Aufnahmefähigkeit der Menge. Im mk Kontext ist αὐτοῖς V. 33 sicher auf αὐτούς und αὐτοῖς in V. 2 zurückzubeziehen. Dann muß für Mk aber τοῖς ἔξω V. 11 aus dem Spiel gelassen werden. Die Volksbelehrung Jesu ist eine echte, werbende Lehre, keine Farce. Die Gleichnisse geben erste Verstehenshilfen, die freilich vertieft werden müssen. Diese Vertiefung erfolgt innerhalb der Gemeinde, sie ist das Privileg derer, die schon Jünger sind. Für Gegner bestimmte Gleichnisse sind polemisch, Volksgleichnisse missionarisch, esoterische Deutungen katechetisch ausgerichtet.

Während Lk durch die Umstellung des Apophthegmas von den wahren Verwandten Jesu auf den mk Schluß ganz verzichten kann, markiert Mt mit seiner Hilfe einen Abschnitt in seinem Gleichniskapitel. Die Szenerie wechselt von 13,36 an zur privaten Jüngerbelehrung im Hause, eine für Mt seltene Situation, für die er sich wohl von Mk inspirieren ließ. 13,35 fügt Mt ein Reflexionszitat aus Ps 78,2[348] ein, das Jesu Gleichnisrede als Offenbarungsgeschehen gemäß göttlichem Heilsplan erweist. Die Verbindung zu V. 34, die manchen Erklärern problematisch erscheint[349], kann man sich so denken: die Enthüllung der Basileia Gottes in den Gleichnissen bringt die vorhandene Verstocktheit des Volkes ans Licht, die sich jetzt bis zur Ablehnung des Messias steigert.

b) Rekonstruktionsversuch

Wir können mit einiger Sicherheit aus Mk 4 eine vormarkinische schriftliche Parabelquelle eruieren, die neben einer knappen Einleitung die Verse 3–8.9.10*.11.14–20.33–34* umfaßt. Diese Quelle hat präzise religionsgeschichtliche und theologische Konturen. Sie ist dem apokalyptischen Deuteschema eng benachbart, was aus dem gemeinsamen Vorlie-

---

[347] Erwogen von *J. Jeremias*, Gleichnisse 10, Anm. 5; *E. Haenchen*, Weg 161, Anm. 2.

[348] Daß Mt es als anonymes Prophetenzitat ausgibt (ℵ* Θ Φ präzisieren Ἠσαΐου, Hieron *Asaph*, vgl. Ps 78,1 mit 1 Chron 25,2), ist weiter verwunderlich. Die Psalmen wurden auch in Qumran als prophetische Texte behandelt. Mt weicht in der zweiten Zeile von der LXX stark ab. κεκρυμμένα ist wahrscheinlich von Mt 13,33.44, vielleicht auch von Mk 4,22 beeinflußt, zu ἀπὸ καταβολῆς (v. l. κόσμου) vgl. Mt 25,34. Zu den philologischen und textkritischen Problemen *F. Segbroeck*, „Scandale" 355–364; *K. Stendahl*, School 116–118. Zur Auslegung *J. D. Kingsbury*, Parables 89f.

[349] *P. Bonnard*, Mt 203; *G. Strecker*, Weg 71.

gen der Termini παραβολή, μυστήριον, ἐπιλύω und aus den Identifikationsformeln der Deutung hervorgeht. Das Gleichnis V. 3–8 wird als visionärer, geheimnisvoller Maschal aufgefaßt. Der Weckruf V. 9 macht auf seinen verborgenen Sinn aufmerksam. Weder die zuhörende Menge, die als Adressat der Jesusgleichnisse aus der Tradition übernommen ist, noch die Jünger sind imstande, es zu verstehen. Getrennt von der Menge fragt die privilegierte Jüngerschar nach dem Verständnis der Parabel, möglicherweise damit verbunden nach dem prinzipiellen Sinn der parabolischen Unterweisung (V. 10). Jesus stellt in V. 11 heraus, daß seine Gleichnisse esoterisches Geheimwissen beinhalten, das nur im Raum der Gemeinde zugänglich ist. Anschließend legt er selbst in der Funktion des *angelus interpres* seinen Jüngern die Sämannsparabel aus (V. 14–20).

Im Hintergrund steht die apokalyptische Vorstellung vom zweigestuften Offenbarungsempfang, die der theologischen Bewältigung vorgegebener Traditionen dient. Der spürbare Abstand zum Wort des irdischen Jesus wird dadurch überbrückt, daß der erhöhte, in der Gemeinde gegenwärtige Herr (durch den Mund der Propheten und Lehrer?) das Wort Jesu interpretiert.[350] Der paränetische Inhalt der Deutung weicht von der jüdischen Apokalyptik ab, trifft sich aber mit dem Hirt des Hermas. Es liegt eine Korrektur apokalyptischer Naherwartung vor. Die Schlußnotiz V. 33f. unterstreicht die Esoterik des Verstehens und weitet das Gesagte wieder ins Prinzipielle aus. Die Predigt Jesu besteht aus rätselhaften apokalyptischen Meschalim. Sie bedarf der inspirierten Auslegung, wenn sie für die Gemeinde fruchtbar werden soll.

Offen bleibt die Frage nach der Einordnung der beiden Gleichnisse Mk 4,26–29.30–32. καθὼς ἠδύναντο ἀκούειν V. 33b und καὶ ἔλεγεν V. 26.30 können als Argument dafür dienen, daß eine ältere, möglicherweise mündliche Sammlung vorausging, die nur die drei Saat- und Wachstumsgleichnisse umfaßte (ohne die Deutung). Die Einordnung der beiden letzten Gleichnisse in die Quelle hat man sich dann so vorzustellen: sie enthalten gleichfalls geheime Jüngerbelehrung; die Saatmetaphorik zeigt, daß es wie V. 3–8.14–20 um das Schicksal der nachösterlichen Verkündigung geht; die Einleitung macht in beiden Fällen klar, daß sie es mit dem Geheimnis der Basileia zu tun haben. Der Plural παραβολαῖς V. 11.33 gewinnt dann neben dem prinzipiellen auch einen guten konkreten Sinn. Doch ist nicht völlig auszuschließen, daß die beiden Gleichnisse erst nachträglich *ad vocem* σπείρειν und βασιλεία eingefügt worden sind. Wichtig ist für unsere Zwecke die Beobachtung, daß sie Spuren allegorischer Überarbeitung zeigen, die von der Parabeltheorie V. 11 und der Allegorese V. 14–20 völlig unbeeinflußt sind, wie ansatzweise auch die Sämannsparabel.

---

[350] Vgl. *H. J. Ebeling*, Messiasgeheimnis 182f.

Von Mk stammen sicher die Verse 1–2*. 21–25, wahrscheinlich auch die Verse 12 und 13. Darüber hinaus hat Mk V. 10 überarbeitet und in den drei Gleichnissen sowie in der Schlußnotiz kleinere Eingriffe vorgenommen. Mk, der nach dem bekannten Wort von M. Dibelius „ein Buch der geheimen Epiphanien" verfaßt hat[351], mußte sich von der mysteriösen Esoterik seiner Vorlage angezogen fühlen. Er konnte ihr theologisches Konzept aber nicht ohne weiteres übernehmen, sondern sah sich gezwungen, einige Korrekturen anzubringen. Diese Korrekturen liegen in den Versen 12.13.21–25 vor. Zugleich schneiden sich hier einige Linien, die im Makrotext weiter ausgezogen sind. V. 12 rückt die apokalyptische Parabeltheorie in die prophetische Perspektive der Verstockung, die sich an den Gegnern Jesu vollzieht. V. 13 bringt das Thema des Jüngerunverständnisses zur Geltung und wehrt so dem Mißverständnis, als seien mit der Teilhabe am Geheimnis Gefährdung und Mühsal des Glaubens ein für allemal überwunden. Die Verse 21–25 betonen, daß die Verborgenheit und die ausstehende Vollendung nicht davon dispensieren, in der Gegenwart das Wort des Evangeliums weltweit zu verkünden und es im eigenen Leben sichtbar zu verwirklichen. Hinzu kommt, daß auch der Geheimnisbegriff von V. 11 im Kontext neu, nämlich christologisch bestimmt wird. Mk hat das Gleichniskapitel seiner Gesamtkonzeption vom Messiasgeheimnis einverleibt, die auch an anderen Stellen die dialektische Spannung von Einsicht und Mißverstehen, Verbergen und Offenbaren, Bekenntnis und Verwerfung kennt.[352]

Da Mt und Lk die Messiasgeheimnistheorie nicht übernehmen, fällt für sie jegliches Interesse am geheimnisvollen Charakter der Gleichnisse, auch in der korrigierten Mk-Fassung, dahin. Ihre Bearbeitung des Gleichniskapitels macht das hinreichend deutlich. Das ist umso wichtiger, als das MtEv aufs Ganze gesehen das allegoriefreundlichste Evangelium ist. Es weist eine ausgeprägte Metaphorik auf und kennt auch andernorts apokalyptische Bild- und Formelemente. Auch Lk zeigt bei der Bearbeitung von Traditionsstoffen keine Allegoriefeindlichkeit.[353]

Das Problem der synoptischen Parabeltheorie ist gewiß schwierig. Man mag es für unlösbar halten und dem hier entwickelten Lösungsversuch

---

[351] *M. Dibelius,* Formgeschichte 232 (im Orig. gesperrt).

[352] Vgl. zum Stand der Forschung *H. Räisänen,* Messiasgeheimnis 7–56 (mit guter Typisierung der Lösungsversuche). Räisänens Arbeit bietet gegen manche Übertreibungen ein notwendiges Korrektiv, doch wird man den bewußten Gestaltungswillen des Autors und die integrative Kraft des Makrotextes nicht so gering veranschlagen dürfen, wie Räisänen es tut, vor allem im Blick auf die Parabeltheorie.

[353] Hier ist auch auf die sogenannte Parabel vom Thronanwärter Lk 19,12.14.(15a.17c. 19).27 hinzuweisen. Genauer handelt es sich um eine historische Reminiszenz, die Lk in allegorischer Absicht in die Parabel von den Talenten eingearbeitet hat. Der wiederkehrende Königsprätendent ist der Parusiechristus. Vgl. *M. Zerwick,* „Thronanwärter" 671–674; *G. Schneider,* Parusiegleichnisse 40f.

entsprechend skeptisch gegenüberstehen. Eines aber sollte deutlich geworden sein: aus Mk 4,11f. zu schließen, die Evangelisten und Tradenten hätten alle Gleichnisse als esoterische, mysteriöse Allegorien mißverstanden, ist sachlich ungerechtfertigt und methodisch willkürlich. Doch sind wir damit schon bei den Ergebnissen angelangt.

Ergebnisse

(1) Die Sämannsparabel, die beiden Gleichnisse Mk 4,26–29.30–32 und das Bildwort vom Leuchter sind als authentische Jesusworte anzusehen. Sie stehen im Kontext seiner Basileiabotschaft mit ihrer unverwechselbaren Eschatologie. In allen Texten wird die Realitätsnähe in verschiedenem Grade strapaziert. Elemente geprägter Metaphorik sind vorhanden.

(2) In der Tradition ist eine zunehmende Allegorisierung zu beobachten, die sich formal der metaphorischen Expansion bedient. Geprägte Bildfelder aus dem AT und der Umweltliteratur können zur Erhellung dieses Prozesses mit Gewinn herangezogen werden. Die treibenden Motive sind christologischer, paränetischer und ekklesiologischer Art.

(3) Die Gleichnisdeutung Mk 4,14–20 ist gattungsmäßig als Allegorese apokalyptischer Provenienz anzusprechen. Es handelt sich dabei um die einzige wirkliche Allegorese der *traditio triplex*. Die Gleichnisse Jesu werden als visionäre Meschalim aufgefaßt und mit einer esoterischen und mysteriösen Verhüllungstheorie verbunden.

(4) Diese apokalyptische Konzeption liegt in den Evangelien nicht mehr in reiner Form vor. Mk hat sie durch die Verstockungsidee und das Jüngerunverständnis überlagert. Darin ist ihm Mt z. T. gefolgt. Lk hat den ganzen Komplex minimalisiert. Das zunehmende Bestreben, Gleichnistradition und Verhüllungstheorie auseinanderzuhalten, ist nicht zu verkennen.

(5) Weder die Form der Allegorese noch ihre theoretische Begründung können als Modellfall für das gesamte Gleichnisverständnis der vorsynoptischen Tradenten und der Endredaktoren gelten. Ihre Ausdehnung auf das ganze Gleichnisgut war ein Fehlurteil neuzeitlicher Forschung.

Kapitel XII

BILDWORTE IN MK 7 UND 9

§ 34: Rein und Unrein (Mk 7,15 par Mt 15,11)

a) Analyse

(1) Das Logion Mk 7,15, das V. 17 ausdrücklich παραβολή genannt wird[1], steht innerhalb des Abschnittes Mk 7,1–23, der redaktionell als Einheit gedacht ist. Doch zwingen zahlreiche Beobachtungen zur literarkritischen Differenzierung.[2] Zunächst sind einige Doppelungen festzuhalten. V. 2b wird V. 5c in Frageform wiederholt. V. 6 und V. 9 setzen beide mit καλῶς ein. V. 8 und V. 9 sind inhaltlich, z. T. auch wörtlich gleich. V. 13a variiert dasselbe Anliegen. Ganz unübersichtlich wird die Lage in den Versen 15–23. 3mal kommt in diesem kurzen Text εἰσπορεύεσθαι vor, 5mal ἐκπορεύεσθαι, 5mal κοινόω und 8mal ἄνθρωπος. V. 18b ist eine leicht abgewandelte Wiederholung von V. 15a. V. 20 und V. 23 laufen parallel und nehmen V. 15b wieder auf.[3] In V. 15 wirken die beiden Partizipien εἰσπορευόμενον und ἐκπορευόμενον plenonastisch. Sie können ohne Substanzverlust weggelassen werden.[4] Gleiches gilt für τὸν ἄνθρωπον am Versende. Der antithetische Parallelismus, der den Vers strukturiert[5], kommt so besser zur Geltung:

οὐδέν ἐστιν ἔξωθεν τοῦ ἀνθρώπου ὃ δύναται κοινῶσαι αὐτόν·
ἀλλὰ τὰ ἐκ τοῦ ἀνθρώπου ἐστὶν τὰ κοινοῦντα αὐτόν.

Als nächstes sind die Glossen zu nennen, die Mk 7,1–23 in seltener Dichte begegnen. Dazu gehören τοῦτ᾽ ἔστιν ἀνίπτοις V. 2 (als Erklä-

---

[1] A. Jülicher, Gleichnisreden II, 66, bemerkt zu Recht: „Stünde nicht τὴν παρ. in 17, wäre wohl niemand auf den Gedanken gekommen, dass 15 ein Gleichnis enthält." Der Vers wird u. a. behandelt bei A. T. Cadoux, Parables 216f., und C. E. Carlston, Parables 162–167.

[2] D. Daube, Judaism 142f., hält die Perikope aufgrund des schon erwähnten rabbinischen Schemas von „public retort and private explanation" zu Unrecht für „one whole from the outset".

[3] Daß hier eine ältere Übersetzungsvariante von V. 15 erhalten geblieben ist, wie W. Paschen, Rein 176, und H. Hübner, Gesetz 167f., vermuten, ist sehr unwahrscheinlich.

[4] Vgl. V. Taylor, Mk 343. Doch braucht der Einschub nicht von Mk zu stammen, vgl. W. G. Kümmel, „Reinheit" 37f. Zumindest waren ihm die Vokabeln in 18b.19 vorgegeben.

[5] Das spricht für die Einheitlichkeit des Logions. Die inhaltlichen Gegenargumente von H. Merkel, „Jesuswort" 353–355, der V. 15b als Zuwachs abtrennen will, schlagen nicht durch.

rung zu κοιναῖς), ὅ ἐστιν δῶρον V. 11 (als Erklärung zu κορβᾶν), die
generalisierende Feststellung καὶ παρόμοια τοιαῦτα πολλὰ ποιεῖτε V.
13b und das grammatisch schwierige καθαρίζων πάντα τὰ βρώματα V.
19c. Auch die Verse 3 und 4, die in Parenthese stehen (V. 2 ist ein
Anakolouth, als Hauptverb folgt erst V. 5 ἐπερωτῶσιν mit redundantem
καί), können als Glosse gelten. Sie greifen teils traditionelles, teils redaktionelles Material aus dem übrigen Text auf.[6]
Es begegnen verschiedene Reihungsformeln: ὁ δὲ εἶπεν αὐτοῖς V. 6, καὶ
ἔλεγεν αὐτοῖς V. 9, ἔλεγεν αὐτοῖς (eingebettet) V. 14, καὶ λέγει αὐτοῖς
V. 18 und ἔλεγεν δέ V. 20. Nimmt man ausschließlich diese Formeln als
Gliederungssignale, kann man folgende Einheiten ausgrenzen: V. 6–8;
9–13; 14–17; 18f.; 20–23.
Das deckt sich in bemerkenswerter Weise mit inhaltlichen Gegebenheiten. In der Frage V. 5 sind zwei Themen angesprochen, (a) die Geltung
der Überlieferung der Alten und (b) das Essen mit unreinen Händen. V.
6–8 und V. 9–13 geben in doppeltem Anlauf eine grundsätzliche Antwort
auf das erste Problem (παράδοσις: V. 8.9.13), V. 14–17.18–19.20–23
beschäftigen sich mit dem zweiten. Dabei entsteht eine inhaltliche Inkon-
gruenz, denn die eigentliche, recht einfache Frage von V. 5, warum die
Jünger mit ungewaschenen Händen essen, scheint gar nicht wirklich
beantwortet zu werden, sondern nur als Sprungbrett für prinzipielle
Erörterungen zu dienen.
Weitere Beobachtungen ergeben sich aus dem Textvergleich. Die Einleitung V. 1–2.5 hat manche Elemente mit den Streitgesprächen in Mk 2
und 3 gemeinsam.[7] Pharisäer treten auch Mk 2,24 als Fragesteller auf.
Daß die Schriftgelehrten aus Jerusalem kommen, erinnert an Mk 3,22.
Zu Mk 7,2 ist Mk 2,16 zu vergleichen: ἰδόντες ὅτι ἐσθίει. Die vorwurfsvolle Frage Mk 7,5 hat ihre Parallele in Mk 2,18 (διὰ τί ... οἱ δὲ σοὶ
μαθηταί) und Mk 2,24.
Schließlich sind die formalen Berührungspunkte mit dem Gleichniskapitel Mk 4,1–34 festzuhalten.[8] Dem ἀκούετε Mk 4,3 und dem Weckruf Mk
4,9[9] entspricht ἀκούσατέ μου πάντες καὶ σύνετε Mk 7,14b, das zugleich
auf καὶ ἀκούοντες ἀκούωσιν καὶ μὴ συνιῶσιν Mk 4,12b anspielt. Das
Gleichniswort selbst richtet sich hier wie dort an die Menge. Es folgen der
Wechsel zu einer esoterischen Szenerie (4,10a/7,17a), die Frage der Jünger nach dem Sinn der Parabel (4,10b/7,17b) und die tadelnde Rückfrage
Jesu (4,13/7,18a), die eine Auslegung einleitet (4,14–20/7,18b–23). Auch

---

[6] Zu Φαρισαῖοι vgl. V. 1 und V. 5; zu νίψωνται τὰς χεῖρας und zu ἐσθίουσιν V. 2 und
  V. 5, zu κρατέω V. 8, zu τὴν παράδοσιν (τῶν πρεσβυτέρων) V. 5.8.9.13.
[7] Das wird gesehen von E. Wendling, Entstehung 88f.; J. Horst, „Reinheit" 430f.
[8] Vgl. K. L. Schmidt, Rahmen 197f.; W. Marxsen, „Parabeltheorie" 16f.
[9] Der Weckruf Mk 7,16 ist aus textkritischen Gründen (er fehlt in B ℵ L Δ) zu streichen,
  vgl. B. M. Metzger, Commentary 94f. Gegen K. Berger, Gesetzesauslegung 469.479.

das Zitat Mk 4,12 hat eine gewisse Parallele in dem Zitat aus Jes 29,13 in Mk 7,6f. Als Zufall lassen sich diese Parallelen nicht erklären. Man muß entweder auf eine gemeinsame Quelle (die „ältere Jüngerschicht" bei W. Marxsen) oder auf ein vorgegebenes katechetisches Schema rekurrieren, oder man muß versuchen, die Angleichungen redaktionell verständlich zu machen.

Mk 7,1–23 erweist sich bei näherem Hinsehen als ein komplexes Gebilde. Ein Rekonstruktionsversuch des literarischen Werdegangs der Perikope muß, soll er überzeugen, drei Bedingungen erfüllen. Er muß (a) eine intelligible kleine Einheit herausarbeiten, die als Ausgangsbasis dienen kann, (b) die Doppelungen und Glossen verständlich machen und (c) die Parallelen zu Mk 4,1–20 erklären.

(2) Diese Bedingungen scheinen am ehesten erfüllbar, wenn man eine Basiseinheit annimmt, die V. 5, V. 15 und Elemente aus V. 1–2 umfaßt[10]. Wir hätten es dann mit einem Apophthegma zu tun, näherhin mit einem apophthegmatischen Streitgespräch reinster Prägung. Ausgangspunkt bildet wie in anderen Fällen ein markantes Jesuslogion (vgl. Mk 2,17.19.27), das bei isolierter Betrachtungsweise als Weisheitswort anzusprechen ist (eigentliche Bildelemente fehlen). In der mündlichen Tradition wird ein Rahmen hinzukonstruiert, der eine allgemeine Situationsangabe und einen konkreten Vorwurf umfaßt (vgl. Mk 2,15f.18.23f.). Dieser Rahmen kann zutreffende historische Erinnerung enthalten – in unserem Fall etwa das Faktum, daß Jesus sich samt seinen Jüngern nicht an die pharisäischen Reinheitsvorschriften hielt, was sich nicht recht mit seinem hohen religiösen Anspruch zu vertragen schien (vgl. Mk 2,18f.). Unter rein literarischem Gesichtspunkt ist er als „ideale Szene" anzusehen.[11]

Die inhaltliche Verbindung von V. 5 und V. 15 muß man sich im Verständnis der Tradenten so vorstellen: das Essen mit unreinen Händen macht die Speisen unrein, diese wiederum verunreinigen den Menschen.[12] Deshalb ist eine Stellungnahme Jesu zum Problem der Verunreinigung am Platz. Die Rückführung der rituellen Händewaschung auf die

---

[10] Diese Vermutung ist nicht neu. Sie wird ähnlich von *A. Meyer*, „Entstehung" 39, und *K. Berger*, Gesetzesauslegung 463f., erwogen. Doch geht der Trend in eine andere Richtung. Vgl. *M. Dibelius*, Formgeschichte 222f.: V. 9–13 und V. 15 sind der Grundbestand; *R. Bultmann*, Syn. Tradition 15f.: Kern der ganzen Komposition ist V. 1–8; *W. G. Kümmel*, „Traditionsgedanke" 29: V. 9–13 ist die ursprüngliche Antwort auf V. 5.

[11] *R. Bultmann*, Syn. Tradition 40. Das erklärt die „Unanschaulichkeit" der Szenerie, die *E. Wendling*, Entstehung 88, zu der Frage veranlaßt: „Wo sehen die Pharisäer die Jünger mit ungewaschenen Händen essen?"

[12] Daß diese Gedankenverbindung historisch möglich und belegbar ist, konzediert auch *H. Hübner*, Gesetz 159–164. Zur Unreinheit der Hände und zur Verunreinigung der Speisen vgl. *W. Brandt*, Reinheitslehre 29–33. Zur Unreinheit durch Speisen SLev 17,15 (Bill. I, 718f.).

παράδοσις τῶν πρεσβυτέρων ist sachgerecht. Die schriftliche Torah kennt die Sitte in dieser Form nicht (vgl. immerhin Lev 15,11). Sie scheint im 1. Jh. n. Chr. in pharisäischen Kreisen entstanden zu sein, in Anlehnung an die Reinheitsvorschriften des Tempelkults (Lev 22,6).[13] Demnach gehört sie zur mündlichen Torah, zur pharisäischen Halaka (V. 5 περιπατεῖν = הלך).[14]

Von dieser Basis aus lassen sich zunächst V. 9–13 und V. 18b–19 als vormarkinische Erweiterungen verständlich machen. V. 9–13 greift aus V. 5 das Stichwort παράδοσις heraus und führt es an einem Einzelbeispiel *ad absurdum*. V. 18b–19 erläutert das unanschauliche Weisheitswort V. 15, indem er den Vorgang der Nahrungsaufnahme physiologisch beschreibt, was nicht analogielos ist.[15] Mit der Nennung des Herzens als Zentrum des Menschen wird die anthropologische Sachaussage näher bestimmt. Wahrscheinlich gehört zu V. 19 auf dieser Traditionsstufe noch ein Nachsatz, der jetzt in V. 20.21a eingegangen ist. Mk hat diese beiden Einschübe glossierend kommentiert. In V. 13c läßt er einen bemerkenswerten Hang zur Verallgemeinerung erkennen, in V. 19c hält er fest, daß alle Speisegebote endgültig aufgehoben sind[16].

Der Restbestand der Perikope kann ohne Schwierigkeit redaktionell erklärt werden. Die Einleitung Mk 7,1–2 in der jetzigen Form hat Mk mit Hilfe seiner Vorlage und in Anlehnung an frühere Streitgespräche selbst gestaltet. In V. 2 muß er κοιναῖς, das aus V. 5 stammt, erläutern, da es

---

[13] Die Entwicklung ist im einzelnen nicht ganz durchsichtig. Frühe Belege sind Arist 305 (ὡς δὲ ἔθος ἐστὶ πᾶσι τοῖς Ἰουδαίοις, ἀπονιψάμενοι τῇ θαλάσσῃ τὰς χεῖρας – doch geschieht das vor dem Gebet, nicht vor dem Essen); Sib 3,591–593. jSchab 3d (Bill. I, 696) führt die Anordnung des Händewaschens (aitiologisch?) auf Hillel und Schammai zurück, vgl. Ber 8,2–4. Weiteres bei Bill. I, 702–704; *R. Meyer*, ThWNT III, 425. Der rabbinische Gelehrte *A. Büchler*, „Purification" 34–40, möchte die entsprechenden Vorschriften für das 1. Jh. n. Chr. auf Priester beschränken, anders Schürer II, 564f. Von Bedeutung ist vielleicht Jub 21,16: Isaak wird von Abraham ermahnt: „... und wasche deine Hände und deine Füße, ehe du an den Altar herantrittst".

[14] παραδίδωμι/παράδοσις und παραλαμβάνω Mk 7,3f. entsprechen den rabbinischen Termini מסר und קבל, vgl. Ab 1,1; 1 Kor 15,3.

[15] Vgl. TestIjob 38,3: διὰ στόματος ἡ τροφὴ εἰσέρχεται, καὶ πάλιν τὸ ὕδωρ ... ὅταν δὲ καταβῇ τὰ δύο εἰς τὸν ἀφεδρῶνα ... Ferner Sir 27,4 LXX; SNum 11,6 (236 Kuhn): „Gibt es einen Weibgeborenen, der nicht ausführt, was er ißt?" Ein beachtliches Gegenbild bei Plut., Is et Os 4 (352D): περίττωμα δὲ τροφῆς καὶ σκύβαλον οὐδὲν ἁγνὸν οὐδὲ καθαρόν ἐστιν.

[16] V. 19c ist nicht als nachmarkinische Glosse anzusehen. Der Satz bezieht sich auf καὶ λέγει V. 18a und ist so zu übersetzen: „So erklärte er (Jesus) alle Speisen für rein." Die Textvarianten (man beachte vor allem das neutrische καθαρίζον Κ Π al) verdeutlichen die Schwierigkeiten dieser Konstruktion. Konjekturen wie die von *M. Black*, Approach 217f., oder *H. Sahlin*, „Verständnis" 59–61, sind dennoch überflüssig, vgl. Bl-Debr § 126, Anm. 9.

in der Bedeutung „unrein" zur jüdischen Sondersprache gehört.[17] Der Einschub V. 3–4 dient nicht nur der Information heidenchristlicher Leser über jüdische Sitten und Gebräuche, sondern verfolgt zugleich polemische Zwecke[18]. Er arbeitet mit groben Vereinfachungen, die den Gegner der Lächerlichkeit preisgeben.[19] Das Prophetenzitat in V. 6–7, das nur auf der Basis der LXX den gewünschten Sinn ergibt[20], rückt die Verstockung der Gegner ins rechte Licht. V. 8 dient der Verklammerung mit dem Folgenden. Die Angleichung von 7,14.17.18a an das teils traditionelle Vorbild Mk 4,9–13 kann auch vokabelstatistisch als mk Redaktionsarbeit erwiesen werden[21]. Auch in V. 20–23 hat Mk gestaltend eingegriffen. Wahrscheinlich hat er die Fortsetzung von V. 19 abgetrennt und mit V. 23 zu einer Inklusion verbunden, die den nach Form und Inhalt traditionellen, von Mk hier eingebrachten Lasterkatalog in V. 21f. rahmt.

(3) Die Parallele Mt 15,1–20 gibt sich als straffende Überarbeitung der Mk-Vorlage zu erkennen. Bemerkenswert ist die Auslassung von Mk 7,3f. Hatte die Gemeinde des Mt diese Information nicht nötig oder hat Mt sie als nicht ganz zutreffend erkannt? Auf die Verdoppelungen in Mk 7,2 und 7,5 kann Mt verzichten. Er zieht ferner die Korbankontroverse vor und bringt das Jesajazitat im Anschluß daran als treffende Beschreibung des heuchlerischen Verhaltens der Pharisäer. Das Logion Mk 7,15 erklärt Mt 15,11 durch die Einfügung von εἰς τὸ στόμα und ἐκ τοῦ στόματος, d. h., er „schränkt schon in der Formulierung des Logions die Aussage Jesu auf das Essen und Reden ein"[22]. Die Zwischenbemerkung

---

[17] Das Wort fehlt in dieser Bedeutung selbst bei Philo und in weiten Teilen der LXX. Es findet sich 1 Makk 1,47.62; Jos., Ant 3,181 u. ö.; Arist 315; 4 Makk 7,6 (καὶ καθαρισμὸν χωρήσασαν γαστέρα ἐκοίνωσας μιαροφαγίᾳ); Apg 10,14.28; 11,8; Röm 14,14. Vgl. W. Paschen, Rein 165–168.

[18] Das räumt auch M. Hengel, „Markus 7 3" 196f., ein.

[19] Daß alle Juden sich an das pharisäische Ritual des Händewaschens halten und daß sie jedes Mal, wenn sie vom Markt kommen, ein Tauchbad nehmen, ehe sie essen (so wird man V. 4a am besten übersetzen, anders C. H. Hunzinger, ThWNT VI, 981, Anm. 23), ist sicher übertrieben, trotz Jdt 12,7. Der Rekurs auf eine Diasporasituation (E. Lohmeyer, Mk 139) hilft nicht viel weiter. Das regelmäßige Tauchbad in Verbindung mit der täglichen Mahlzeit ist in Qumran belegt. Die Gemeinde hat von ihrem Selbstverständnis als geistiger Tempel her die priesterlichen Reinheitsvorschriften (Ex 30,17–21; Kelim 1,9; Joma 3,2f.) noch verschärft, vgl. 1QS 5,13; Jos., Bell 2,129; G. Klinzing, Umdeutung 106–114.

[20] Vgl. K. Stendahl, School 57f.; E. Haenchen, Weg 262.

[21] V. Taylor, Mk 343. Zu προσκαλεσάμενος vgl. Mk 3,23; 8,1.34; 10,42; 12,43; 15,44. πάλιν ist mk (17/28/3/5). Statt des traditionellen ἐρωτάω 4,10 steht 7,17 ἐπερωτάω (8/25/17/2), statt κατὰ μόνας schreibt Mk hier εἰς οἶκον, für οἱ περὶ αὐτὸν κτλ. hat er das gebräuchlichere μαθηταί. ἀπὸ τοῦ ὄχλου reicht nicht aus, um eine traditionelle Vorlage zu postulieren.

[22] W. G. Kümmel, „Reinheit" 36. Zur Verbindung von Unreinheit und Mund (Lippen, Zunge, Reden etc.) vgl. Jes 6,5; äthHen 5,4; Sib 3,496–500. Zum Bild Philo, Op Mund

Mt 15,12 schafft Raum für die beiden antipharisäischen Bildworte Mt 15,13f. V. 13 greift auf die atl Metapher von der Pflanzung Gottes zurück. Der blinde Blindenführer V. 14 (vgl. Röm 2,19) stammt aus Q.[23] Damit zeigt Mt, daß er an seine antipharisäische Weherede denkt, wo er τυφλός mehrfach redaktionell setzt (Mt 23,16.17.19.24.26), zweimal in unmittelbarer Nähe des Q-Logions Mt 23,25 par Lk 11,39, das die äußere Reinheit und die innere Unreinheit von Bechern und Schüsseln betrifft (vgl. auch Mt 23,27f.).

Die Frage nach dem Sinn der Parabel[24], die Petrus stellt, richtet sich aber nicht auf diese Einschübe, sondern auf Mt 15,11. Dem Jüngertadel wird Mt 15,16 durch ἀκμήν einiges von seiner Schärfe genommen. Den Lasterkatalog kürzt Mt um die Hälfte und gleicht ihn an die zweite Dekalogtafel (Dtn 5,17–20) an. Auffallend ist der überschießende Schluß: τὸ δὲ ἀνίπτοις χερσὶν φαγεῖν οὐ κοινοῖ τὸν ἄνθρωπον. Mt möchte die Kontroverse auf das Problem des Händewaschens eingeschränkt sehen. Deshalb leitet er V. 11 mit οὐ statt mit οὐδέν ein und übergeht mit Bedacht Mk 7,19c.[25]

b) Bild- und Wortfeld

Im Kontext unseres Themas sind zwei Einzelfragen von Interesse, nämlich die metaphorische und allegorische Verwendung des Reinheitsbegriffs im Judentum und die Herkunft des Lasterkatalogs Mk 7,21f.
(1) Der Ursprung des Vorstellungskomplexes um Reinheit und Unreinheit verliert sich im Dunkel eines archaisch-primitiven Tabudenkens. W. Paschen hat ihn im Anschluß an G. von Rad auf die numinose Sphäre des Todes zurückgeführt.[26] Dazu ist sehr früh der Gegensatz zu den Fremdkulten in Anschlag zu bringen. Die Reinheitsvorschriften dienen der Abwehr von Tierverehrung, Totenkult und kultischer Prostitution.

119: „Durch den Mund nehmen, wie Platon sagt (Tim 75d), sterbliche Dinge ihren Eingang, unsterbliche ihren Ausgang. Denn hinein gehen Speisen und Getränke, vergängliche Nahrung des vergänglichen Leibes, hinaus gehen Worte, unsterbliche Gesetze einer unsterblichen Seele." Die Fassung des Logions ThEv 14 (83,24–27) erweist sich durch „in den Mund" und „aus dem Mund" als abhängig von der Mt-Redaktion.

[23] Par Lk 6,39 nennt den Vers redaktionell παραβολή. Die Frageform bei Lk ist sicher älter. Parallelen bei Bill. I, 721.

[24] φράζω gehört wie ἐπιλύω und διασαφέω zur Deuterminologie.

[25] Bei Lk fehlt Mk 7,1–23. Der äußere Grund liegt in der großen Auslassung, die von Mk 6,45 bis 8,26 reicht. Der innere Grund dürfte sein, daß Lk die Stelle als Dublette zu Lk 11,39f. ansah und daß er die prinzipielle Aufhebung der Speisevorschriften erst Apg 10,11–15; 11,6–10 brauchen konnte, wo er sie auf Gott zurückführt (Apg 10,15: ἃ ὁ θεὸς ἐκαθάρισεν σὺ μὴ κοίνου). Vgl. H. Hübner, Gesetz 182–191.

[26] G. von Rad, Theologie I, 285–290; W. Paschen, Rein 55–64.

Damit ist die Basis für eine Anwendung der Reinheitsvorstellung gegeben, die eigentümlich zwischen realistischem und metaphorischem Verständnis schwankt: das Volk verunreinigt sich durch Götzendienst, es ist rein, wenn es die Götzen aus dem Land verbannt und Gott allein dient.[27] Im übrigen hat sich die priesterliche Überlieferung des ganzen Komplexes bemächtigt und ihn fast ausschließlich in den Dienst des Tempelkults gestellt.[28] Reinheit macht kultfähig, Unreinheit schließt vom Kult aus und stellt somit eine wesentliche Form der Beziehung zu Gott in Frage.

Der nie grundsätzlich angezweifelte kultische Reinheitsbegriff gibt das *vehicle* ab für die Metaphorik der kultlyrischen und der prophetischen Überlieferung, die auch in der Weisheitsliteratur ihren Nachhall findet. Hier treffen wir auf die Verbindung von Unreinheit und persönlicher Schuld, die für den Kult zunächst nicht essentiell ist. Das Gebet um ein reines Herz und einen neuen Geist geht einher mit der Bitte: „Wasche mich von meiner Schuld, reinige mich von meiner Sünde … Entsündige mich mit Ysop, und ich werde rein, wasche mich, und ich werde weißer als Schnee."[29] Jes 1,16 interpretiert die Aufforderung „Wascht euch, reinigt euch" durch den Imperativ „Laßt ab davon, Böses zu tun".[30] In der prophetischen Polemik wird das Volk unrein genannt wegen seiner Sünden, die es von Gott trennen.[31] Nur weil der kultische Reinheitsbegriff so fest im Bewußtsein verankert ist, kann er in dieser bildhaften Weise verwandt werden. Für seine Abrogierung gibt es keine Anhaltspunkte.[32]

Für das allegorische Gesetzesverständnis des hellenistischen Diasporajudentums können wir auf Ergebnisse zurückgreifen, die wir in § 16a erarbeitet haben. Der Aristeasbrief interpretiert die Speisegebote auf ihren ethischen und psychologischen Gehalt hin, aber nicht, um sie aufzuheben, sondern um ihre unverbrüchliche Befolgung einem aufgeklärten

---

[27] Vgl. Gen 35,2; Ps 106,38f.; Hos 5,3; Jer 2,23; 7,30; Ez 22,4; 23,30; 36,25; AssMos 5,3.

[28] Vgl. Lev 7,19–21; 11–15; 21,1–24; 22,1–9; Num 5,1–4; 8,5–22; 1 Chron 23,28; 2 Chron 29,15; Esr 6,20; Ez 44,23. Eine gewisse Konzilianz läßt 2 Chron 30,18–20 erkennen.

[29] Ps 51,4.9.12; vgl. Spr 22,11; 30,12; 6,16 LXX; 17,15 LXX; Ijob 11,13f.; Sir 38,10: Reinheit des Herzens. Dazu Mt 5,8; 2 Kor 7,1; Jak 1,27; 1 Tim 3,9.

[30] Vgl. Ez 36,33; Jes 6,7; Jer 33,8; Ps 15,1–5; 18,21–25; 24,3–5; Spr 20,9; Ijob 4,17; 14,4; 17,9; Koh 9,2.

[31] Hag 2,14; Ez 20,26. Vgl. auch Mal 3,3 (der Bote Jahwes wird die Söhne Levis reinigen) und Jes 35,8 (Gott legt für die Heimkehr Israels eine reine Straße an, die kein Unreiner betritt).

[32] Vgl. *G. von Rad*, Theologie I, 292. Die innere Reinheit im exklusiven Sinn ist eine griechische Vorstellung, vgl. Plat., Resp 496d; Leg 716e; dazu *H. Merkel*, „Jesuswort" 356. Zur Reinheitslehre in der zwischentestamentlichen Literatur, wo das Bild sich nicht wesentlich ändert, vgl. *J. Neusner*, Purity 34–43.50–57. Zur inneren Reinheit im Rabbinat vgl. bNidda 30b; bSanh 49a; 65b; bBer 17a (*R. Meyer*, ThWNT III, 426f.).

Bewußtsein gegenüber in etwa zu rechtfertigen. Philo legt großen Wert auf eine moralische Fundierung des Reinheitsbegriffs[33] und gerät manchmal in gefährliche Nähe zu einer spiritualisierenden Verflüchtigung[34], doch gegen seinen Willen. Er betont die Notwendigkeit, am Wortlaut der Gebote festzuhalten, und er grenzt sich gegen radikale Ausleger ab, die andere Konsequenzen ziehen. Das ist und bleibt auch für Philo Apostasie.

Im vierten Makkabäerbuch, das hellenistischen Geist atmet, wird im Rahmen einer philosophischen Erörterung über die Frage, ob die fromme Vernunft Beherrscherin der Triebe sei, eine rationale Begründung der Gesetzesvorschriften versucht. Das ändert aber nichts daran, „daß es keine stärkere Macht gibt als den Gehorsam gegenüber dem Gesetz" (5,16), und es hindert den greisen Eleazar nicht, lieber einen grausigen Martertod zu sterben als auch nur zum Schein Schweinefleisch zu essen. Daß die Einhaltung der Speisegebote als das unterscheidende Merkmal des Judentums angesehen wurde, geht auch aus der nichtjüdischen antiken Literatur in wünschenswerter Deutlichkeit hervor[35]. Ihre Geltung zu leugnen, war innerhalb des antiken Judentums nicht möglich[36].

(2) Mk 7,21f. reiht unter der allgemeinen Überschrift οἱ διαλογισμοὶ οἱ κακοί[37] asyndetisch zwölf Laster aneinander, die ersten sechs im Plural, der hier die konkrete Erscheinungsform von Abstraktbegriffen zum Ausdruck bringt (Bl-Debr § 142), die nächsten sechs im Singular. Die Hälfte dieser Begriffe hat wörtliche oder sachliche Parallelen in Röm 1,29–31.

---

[33] Vgl. Det Pot Ins 20f. (θρησκείαν ἀντὶ ὁσιότητος ἡγούμενος); Vit Cont 66; Vit Mos 2,24; Cher 95 („sie säubern den Körper mit Waschungen und Reinigungen, aber sie bemühen sich nicht, die Leidenschaften von der Seele abzuwaschen, mit denen das Leben verunreinigt ist"); Deus Imm 8; Spec Leg 1,257; Fug Inv 113.

[34] Plant 64 (der „gereinigte" Geist ist imstande, das Eine, Ungeschaffene zu erkennen); Ebr 143; Deus Imm 134; Spec Leg 4,112 (unreine Fische sind Symbole für die nach Lust begierige Seele); Omn Prob Lib 4. K. *Berger*, Gesetzesauslegung 465–467, benutzt als Hauptbeleg Spec Leg 3,208f. Diese Stelle ist für Philos Spiritualisierungstendenz nicht einmal besonders typisch. Die Schlußfolgerung von Berger, „daß eine Sentenz wie Mk 7,15 sehr wohl zu dieser Zeit innerhalb des Judentums möglich war", bleibt mir unverständlich. Vgl. zur Kritik H. *Hübner*, „Gesetzesverständnis" 319–345.

[35] Ich nenne nur Plut., Quaest Conv 4,5 (669E–671C).

[36] Auch angesichts des vielzitierten Satzes von Jochanan ben Zakkai Pesik 40b (Bill. I, 719: „... nicht der Tote verunreinigt und nicht das Wasser macht rein, aber es ist eine Verordnung des Königs aller Könige") ist sehr zu beachten, daß die absolute Heteronomie des Gebots gerade unterstrichen wird. Es liegt in dem Satz eher der resignierende Verzicht auf eine vernunftgemäße, einsichtige Begründung, vgl. *J. Neusner*, Purity 105f. Vgl. noch Jdt 10,5; 12,2; Dan 1,8; Est 14,17; Tob 1,10f.; Jub 22,16: „Trenne dich von den Völkern und iß nicht mit ihnen."

[37] διαλογισμός begegnet im pejorativen Sinn Röm 1,21; Phil 2,14; 1 Tim 2,8; Jak 2,4. Vgl. ferner Lk 2,35; 5,22; 6,8; 9,46.47; 24,38 (von den bösen Plänen der Gegner Jesu). Vgl. Jer 4,14 LXX; Jes 59,7 LXX; Dan 2,30 Theod (διαλογισμοὺς τῆς καρδίας).

Wir haben es der Gattung nach mit einem Lasterkatalog zu tun, wie er
im NT mehrfach in den Briefen begegnet (ca. 15mal, dazu 3mal in der
Offb). Religionsgeschichtliche Verbindungslinien laufen in die Stoa und
in die hellenistische Diatribe. Das direkte Vorbild für die ntl Autoren sind
nach A. Vögtle allerdings die polemischen Heidenspiegel der helleni-
stisch-jüdischen Literatur.[38] An Vögtles Einsichten wird grundsätzlich
festzuhalten sein, auch wenn S. Wibbing in der Folgezeit nachgewiesen
hat, daß sich der ausführliche Lasterkatalog 1QS 4,9–11 terminologisch
mit den ntl Texten berührt[39].
Wie sehr Mk 7,21f. dem Wortfeld der Lasterkataloge verpflichtet ist, sei
in einer Übersicht anhand ausgewählter Beispiele dokumentiert (vgl. die
Tabelle auf Seite 270f.).

c) Tradition

(1) Das isolierte Logion Mk 7,15 stellt in seinem ersten Teil in apodikti-
schem Tonfall, ohne nähere Begründung, die These auf, daß es nichts
außerhalb des Menschen gibt, was ihn verunreinigen, d. h. letztlich von
Gott trennen kann. Damit ist zweifellos eine wesentliche Grundlage der
levitischen Reinheitsgesetzgebung prinzipiell in Frage gestellt.[40] Der
zweite Teil, der nach dem Gesetz des Achtergewichts den Ton trägt,
wechselt in fast paradoxer Weise auf eine metaphorische Ebene.[41] Was
aus dem Menschen hervorgeht, sind seine Worte, Taten, Verhaltensweisen als Ausdruck seiner inneren Gesinnung. Das allein entscheidet darüber, wie der Mensch vor Gott dasteht. Die anthropologische Fundierung des Reinheitsbegriffs bei den Propheten wird aufgegriffen, radikali-
siert und überboten, und zwar in einer Weise, die im Judentum ohne
Parallele ist. Nach dieser Seite hin sind die Bedingungen des Unähnlichkeitskriteriums erfüllt.[42]

---

[38] Vgl. *A. Vögtle*, Lasterkataloge, bes. 58–72.92–112. Im AT finden sich bestenfalls Ansätze
(z. B. Hos 4,2), aber keine ausgeführten Kataloge. *W. Paschen*, Rein 187–194, versucht,
Mk 7,21f. aus dem Zahlenspruch Spr 6,16–19 abzuleiten. Anklänge finden sich bezeichnenderweise erst in der LXX. Den Rekord hinsichtlich der Länge eines Lasterkatalogs
hält wohl Philo, Sacr AC 32, der auf 150 Laster kommt.

[39] Vgl. *S. Wibbing*, Lasterkataloge 52–61.92–94.

[40] Vgl. *E. Käsemann*, „Problem" 207.

[41] Abwegig ist der Versuch von *L. Fonck*, Parabeln 285f., V. 15b in wörtlichem Sinn auf die
Verunreinigung durch Aussatz und Ausscheidung zu beziehen. Auch mit der Vermutung von *A. Jülicher*, Gleichnisreden II, 67, Jesus habe Verunreinigen vielleicht
„im vulgärsten Sinne = beschmutzen genommen", ist es nicht zum besten bestellt.

[42] *N. J. McEleney*, „Criteria" 456, geht zweifach in die Irre. Er isoliert V. 15 nicht genügend
vom Kontext und er überschätzt den Ausspruch des Jochanan ben Zakkai. Die apokryphe Parallele POxy 840 (vgl. *J. Jeremias*, in: Hennecke I, 57), hat wenig Aussicht auf
Ursprünglichkeit, vgl. *J. Horst*, „Reinheit" 451–453.

Bestehen bleibt die Möglichkeit, daß Mk 7,15 erst in der christlichen Gemeinde entstanden ist (falls Verbindungslinien zu Röm 14,14 vorliegen, könnten die Abhängigkeitsverhältnisse ja in beiden Richtungen verlaufen). Ein nicht zu unterschätzender Einwand besagt: wenn eine so eindeutige Stellungnahme Jesu vorlag, wie erklären sich dann die erbitterten Kämpfe um die Geltung des Gesetzes in der Urgemeinde, die zu einem beträchtlichen Teil der Tisch- und Mahlgemeinschaft galten?[43]

Befragt man die wohl authentischen Texte nach der Stellung Jesu zum Gesetz, ergibt sich zunächst kein eindeutiges Bild. Das Verbot der Ehescheidung (Mk 10,11) ist das eklatante Beispiel einer Torahverschärfung. In der Kontroverse um das Fasten (Mk 2,18f.) geht es nur um die Geltung der pharisäischen Halaka.[44] Die Relativierung des Sabbatgebots (Mk 2,27) hingegen trifft das mosaische Gesetz an einer empfindlichen Stelle. Der Umgang mit Zöllnern und Sündern (Mk 2,17) läßt eine gewisse Gleichgültigkeit gegenüber den Reinheitsgeboten erkennen. Andererseits bleibt zu fragen, mit welchem relativen Recht sich eine wohl sekundäre Bildung wie Mt 5,18 par Lk 16,17 auf Jesus beruft.

H. Braun hat in diesem Zusammenhang von der „Ungrundsätzlichkeit" Jesu gesprochen, die eine gewisse Unschlüssigkeit in der frühen Gemeinde erklären kann[45]. Verschärfung, Kritik, Aufhebung und Befolgung stehen nebeneinander. Nichts wird zum Prinzip erklärt, und doch wird eine einheitliche Gesamthaltung sichtbar, die am deutlichsten im Grundbestand der Antithesen (Mt 5,21f.27f.33–37) zum Ausdruck kommt. Mit autoritativem Anspruch fragt Jesus hinter die Torah zurück nach dem Willen Gottes, wie immer sich das im Einzelfall konkret auswirkt. Diese Haltung ist typisch für Jesus, sie ist in sich kohärent und kommt in Wort und Tat zum Ausdruck. In diesem Gesamtbild läßt sich Mk 7,15 kriterologisch abgesichert unterbringen.

(2) Die Rahmung des Logions zum Zweck der Überlieferung bringt eine Verengung mit sich, insofern ein eindeutiger Bezug auf die Speiseunreinheit hergestellt wird. Die älteste Auslegung in V. 18b.19.20* berücksichtigt bereits diesen sekundären Rahmen (ἀφεδρῶνα!). Die Nennung des Herzens läßt den verbreiteten Topos der Herzensreinheit anklingen. Das Paradox des Logions wird gemildert, die Metaphorizität verstärkt, die paränetische Auswertung begünstigt.

---

[43] *V. Taylor*, Mk 343; *C. E. Carlston*, „Things" 95.

[44] Doch hat Jesus die pharisäische Lehre nicht, wie gelegentlich zu lesen steht, im Ansatz verworfen. In der Auferstehungsfrage z. B. geht er mit den Pharisäern gegen die Sadduzäer einig (Mk 12,18–27), vgl. *W. G. Kümmel*, „Traditionsgedanke" 27.

[45] *H. Braun*, Radikalismus II, 7–14. Ein weiterer Faktor sind Differenzierungen innerhalb der frühen Gemeinde. Die Vermutung, die torahkritischen Jesusworte seien im Kreise der Jerusalemer Hellenisten tradiert worden, hat viel für sich, vgl. *H. Conzelmann*, Apg 49: „Die Hellenisten ... müssen mit der Gesetzeshaltung des Judentums in Konflikt gekommen sein, dh sie dürften die Linie Jesu klarer als die Zwölf fortgeführt haben."

Mk 7,21f.	NT	Apost. Väter	LXX
πορνεία	2 Kor 12,21 Gal 5,19 Eph 5,3	Herm 1,8; 29,1 Did 5,1	Hos 4,11f. Sir 23,23
κλοπή	1 Kor 6,10 (κλέπται) 1 Petr 4,15 (κλέπτης)	Did 5,1	Hos 4,2 Weish 14,25
φόνος	Röm 1,29 Offb 9,21	Did 5,1 Barn 20,1	Hos 4,2 Weish 14,25
μοιχεία	vgl. μοιχός (1 Kor 6,9; Hebr 13,4)	Herm 29,4–9 Did 5,1 Barn 20,1	Hos 4,2 Weish 14,26
πλεονεξία	Röm 1,29 Eph 5,3 Kol 3,5	Herm 36,5 Did 5,1 Barn 20,1	2 Makk 4,50 Sir 14,9 (Adj.)
πονηρία	Röm 1,29 1 Kor 5,8	Herm 6,2; 14,3; 92,3	Spr 26,25 Sir 19,22
δόλος	Röm 1,29 1 Petr 2,1	Did 5,1 Barn 20,1	Weish 14,25 Spr 26,24.26
ἀσέλγεια	2 Kor 12,21 Gal 5,19 Eph 4,19	Herm 6,2; 15,2; 92,3	Weish 14,26 3 Makk 2,26
ὀφθαλμὸς πονηρός	vgl. φθόνος (Röm 1,29; Gal 5,21; 1 Petr 2,1)		Sir 14,10; 34,13 Tob 4,7
βλασφημία	Eph 4,31 Kol 3,8 1 Tim 6,4	Herm 38,3 62,3	2 Makk 8,4 Weish 1,6 (Adj.)
ὑπερηφανία	Röm 1,30; 2 Tim 3,2 (Adj.)	Herm 36,5 Did 5,1 Barn 20,1	Weish 5,8 Spr 8,13 Sir 22,22
ἀφροσύνη	vgl. ἀσύνετος (Röm 1,31) vgl. ἀνόητος (Tit 3,3)	Herm 65,3; 92,3	Spr 18,2.13.22 Weish 12,23

Qumran	Philo	Test XII	Sonstiges
1QS 4,10 (זנות) CD 4,17	Vit Mos 1,300 Spec Leg 1,282	R 3,3; 5,5 L 9,9	grBar 4,17 grHen 10,9
	Rer Div Her 173 Conf Ling 117	R 3,6 As 2,5 (Verb)	grBar 4,17 Jos., Bell 5,402 Ps.-Plut., Lib Educ 16 (12B)
	Dec 51	Seb 2,3 v.l.	grBar 4,17 Jos., Bell 5,402 Sib 2,256
	Rer Div Her 173 Conf Ling 117	L 17,11 v.l. (μοιχοί) As 2,8 (Verb)	grBar 4,17 Jos., Bell 5,402 Sib 3,764
CD 4,17 (הון)	Omn Prob Lib 159 Agric 83	L 14,6 G 5,1 D 5,7	ApkMos 11 grBar 13,3
1QS 4,11 (רוע, vgl. Jer 4,4 LXX)	Ebr 233 Jos 212	D 5,5.6.8 As 2,3.4	grHen 10,16 Jos., Bell 7,34
1QS 4,9 (רמיה)	Spec Leg 4,183	Is 7,4 B 6,4	grHen 9,6 v.l.
	Vit Mos 1,3.305 Spec Leg 3,23	Jud 23,1 L 17,11 (Adj.)	Ps.-Plut., Lib Educ 17 (13A) (Verb)
(1QS 4,11: עורון עינים)		Is 4,6	
1QS 4,11 (גדופים, vgl. 2 Kön 19,6 LXX)	Migr Abr 117 Jos 74		Sib 2,261 (βλάσφημοι)
1QS 4,9 (גוה, vgl. Dan 4,34 Theod)	Virt 171	R 3,5 D 5,8	grHen 5,8
1QS 4,10 (אולת, vgl. Spr 5,23 LXX)	Poster C 93 Mut Nom 197	Sim 2,13 L 7,3	grHen 99,8

d) Redaktion

(1) Erst Mk hat das Logion παραβολή genannt. Natürlich kann man sagen, daß der atl Maschal-Begriff infolge seiner notorischen Unschärfe auch Weisheitsworte wie Mk 7,15 einschließt[46], mit der Behauptung hingegen, Mk verstehe παραβολή hier als Rätselwort[47], sollte man vorsichtiger umgehen. Es ist vielmehr so, daß die Jünger gerade deswegen so scharf getadelt werden, weil sie etwas nicht verstehen, was als unmißverständliche Belehrung für das Volk gedacht war. Es liegen die gleichen Gegensätze vor, wie wir sie für 4,1–20 vermutet haben. Die Gegner, die hier noch stärker pauschalisiert werden (πάντες οἱ Ἰουδαῖοι), sind verstockt, die Jünger unverständig, die Menge (ὄχλος) ist neutraler Adressat der Lehre Jesu.

Offensichtlich hat Mk die Parallelisierung mit Mk 4,1–20 bewußt gesucht. Das ist der eigentliche Grund für die Einführung des Parabelbegriffs. Das Stilmittel der esoterischen Belehrung hebt die Bedeutung der Botschaft dieses Textes für die Gemeinde hervor. Wahrscheinlich geht es Mk vor allem um eine Absicherung der Evangeliumsverkündigung an die Heiden, die ohne allen jüdischen Ballast erfolgen kann. Der traditionelle Lasterkatalog soll im Sinn des Mk die allegorische Gleichnisdeutung 4,14–20 ersetzen und die formale Nähe zum Gleichniskapitel sichern. Der mahnende und warnende Tonfall des Katalogs – auch das eine Parallele zu Mk 4,14–20 – wird Mk nicht unwillkommen gewesen sein. Er unterstreicht die bleibende Bedeutung der Sorge um die Reinheit des Herzens.

(2) Zwei Tendenzen zeichnen die Bearbeitung der Perikope durch Mt aus. (a) Die antipharisäische Polemik wird im Ton und in der Sache erheblich verschärft. (b) Unverkennbar ist das Bestreben, die torahkritischen Akzente abzuwiegeln und die ganze Episode zu einer Diskussion um halakische Fragen herunterzuspielen.[48]

Die formalisierte Deutung (φράζω) richtet sich wieder an die Jünger, als deren Repräsentant Petrus auftritt, obwohl gerade sie Gleichnisse grundsätzlich verstehen (13,51), auch ohne Deutung. Das zeigt erneut, daß Mt Gleichnisdeutungen als ekklesiologische Aktualisierungen versteht, nicht aber als Aufschlüsselung mysteriöser Allegorien.

---

[46] *P. Fiebig,* Gleichnisreden 144.

[47] *W. Wrede,* Messiasgeheimnis 59f.; *K. Berger,* Gesetzesauslegung 479.

[48] Ein Blick in die redaktionsgeschichtlichen Monographien zeigt, daß die Interpretation von Mt 15,1–20 weitgehend von Vorentscheidungen abhängt, die den Standort des Mt und seine Stellung zum Gesetz betreffen. Vgl. die sehr divergierenden Auslegungen von *G. Barth,* Gesetzesverständnis 80–84: *R. Hummel,* Auseinandersetzung 46–49; *G. Strecker,* Weg 30f.245; *R. Walker,* Heilsgeschichte 41; *A. Sand,* Gesetz 68–72. Eine knappe Besprechung der einschlägigen Texte bei *C. E. Carlston,* „Things" 78–88.

§ 35: Das Brot (Mk 7,27–28 par Mt 15,26–27)

a) Analyse

(1) Das dialogisierte Bildwort Mk 7,27–28[49] steht innerhalb der redaktionellen Einheit Mk 7,24–30. Die Überleitung V. 24a arbeitet mit stereotypen Elementen (vgl. Mk 10,1) und stammt sicher von Mk. Auch V. 24b schlägt mit εἰσελθὼν εἰς οἰκίαν und οὐδένα ἤθελεν γνῶναι (vgl. Mk 5,43; 9,30) mk Themen an. Zwar ist λανθάνειν V. 24fin mk Hapaxlegomenon, doch stimmt die Aussage mit Stellen wie Mk 1,35.45; 3,9.20 grundsätzlich überein. Der Vers gehört in den Komplex des Messiasgeheimnisses mit seiner dialektischen Spannung von Verhüllung und Offenbarung.[50] In 7,25 (vgl. Mk 5,25–27) setzt die vormarkinische Einheit ein. Doch hat Mk auch hier gestaltend eingegriffen. Sicher geht ἀλλ' εὐθύς auf sein Konto, wahrscheinlich auch πνεῦμα ἀκάθαρτον, denn ἀκάθαρτος wird von Mk deutlich bevorzugt[51], und in den traditionellen Versen 7,26.29.30 steht δαιμόνιον. In V. 26 fällt die Doppelung von Ἑλληνίς und Συροφοινίκισσα[52] auf. Die letztere Angabe wird die ältere sein, da sie gleichzeitig Nationalität und Religion zum Ausdruck bringt, während Ἑλληνίς allein auch von einer Diasporajüdin ausgesagt sein könnte[53]. V. 27a wirkt überschüssig. τὰ τέκνα ist eine Verdoppelung von τῶν τέκνων V. 27b und τῶν παιδίων V. 28. πρῶτον erinnert sehr an Röm 1,16: Ἰουδαίῳ τε πρῶτον καὶ Ἕλληνι (vgl. Röm 2,9f.; Apg 13,46). Der ablehnenden Stellungnahme V. 27b wird die eigentliche Spitze abgebrochen, die ingeniöse Antwort der Frau V. 28 ist vorweggenommen. χορτάζω begegnet noch Mk 6,42; 8,4.8. Wahrscheinlich hat Mk V. 27a geschaffen[54], um die Perikope mit den Speisungsgeschichten zu verklammern.

(2) Die Parallele bei Mt stimmt nur im Dialog mit Mk überein. Ansonsten entfernt sie sich so weit von der Vorlage, daß die Vermutung man-

---

[49] Es wird behandelt bei *A. Jülicher*, Gleichnisreden II, 254–259; *L. Fonck*, Parabeln 304–313; *A. T. Cadoux*, Parables 149f.

[50] Vgl. sehr pointiert *W. Wrede*, Messiasgeheimnis 142.

[51] Die Verteilung ist 2/11/6/5.

[52] Die auf sy[s] (v. l. χήρα) gestützte Konjektur von *E. Lohmeyer*, Mk 146; *E. Hirsch*, Frühgeschichte I, 73, u. a., die aus der Syrophönizierin eine phönizische Witwe machen, gewinnt auch durch den Hinweis auf Elija und die Witwe von Sarepta 1 Kön 17,8–24 nicht an Wahrscheinlichkeit. Wenn man schon nach einem atl Hintergrund sucht, wird man eher an Elischa und den Syrer Naaman 2 Kön 5,1–14 denken, vgl. *B. Flammer*, „Syrophönizerin" 469f.

[53] Vgl. *G. Theißen*, Wundergeschichten 130.

[54] So *T. A. Burkill*, Light 119f; *K. Kertelge*, Wunder 153. Anders *D. A. Koch*, Wundererzählungen 87f.; *L. Schenke*, Wundererzählungen 257f.

cher Erklärer, Mt kenne eine Variante aus der mündlichen Tradition[55], nicht verwundern kann. Doch lassen sich die wichtigsten Änderungen auch redaktionell verständlich machen.[56] Es finden sich eine Reihe von Vorzugswörtern und -wendungen des Mt.[57] Die Hinzufügung von Σιδῶνος (vgl. Jes 23,4; Jer 27,3; Jdt 2,28; 1 Makk 5,15) und die Bezeichnung der Frau als Χαναναία (vgl. Gen 24,3; Ex 33,2; Dtn 20,17; Ri 1,1–10) geben der Geschichte biblischen Klang. Die Anrede mit κύριε, die auch Mk möglicherweise als Hoheitstitel versteht[58], hebt Mt bedeutungsschwer hervor (15,22.25.27). Die Bitte der Jünger V. 23 schafft die Möglichkeit, aus dem Sondergut ein partikularistisches Logion einzuschieben, das auf die Jünger bezogen auch Mt 10,6 Verwendung findet. Dieser inhaltlichen Verschärfung korrespondiert die Auslassung des abschwächenden Verses Mk 7,27a. In V. 28 bringt Mt das Thema des Glaubens zur Sprache, das zum variablen Motivbestand der Wundergeschichten gehört.[59] γενηθήτω σοι ὡς θέλεις zeigt, daß Mt an einer bewußten Parallelisierung zur Erzählung vom heidnischen Hauptmann gelegen ist.[60] Auch die Schlußbemerkung καὶ ἰάθη ἡ θυγάτηρ αὐτῆς ἀπὸ τῆς ὥρας ἐκείνης weist in diese Richtung.[61]

b) Form und Gattung

Als Vorlage des Mk ergibt sich eine kleine Einheit, die V. 25*.26 (ohne Ἑλληνίς). 27b.28–30 umfaßt. Für weitere literarkritische Differenzierungen fehlen die sprachlichen Anhaltspunkte. Sie können auch durch gattungskritische Erwägungen nicht ersetzt werden. Die Gattungsbestim-

---

[55] So u. a. *T. W. Manson*, Sayings 200f.; *D. Bosch*, Heidenmission 98; *F. Hahn*, Mission 24, Anm. 4.

[56] Vgl. *W. C. Allen*, Mt 169; *E. Klostermann*, Mt 133; *T. A. Burkill*, Light 75–80; *S. Légasse*, „Cananéenne" 21.27.

[57] Vgl. die Statistik zu ἀναχωρεῖν (10/1/0/2), zu κράζω (12/10/3/11), zu δαιμονίζεσθαι (7/4/1/0) und zu προσκυνεῖν (13/2/2/4). Die Bitte um Erbarmen in Wundergeschichten ist typisch für Mt, ebenso die Verbindung mit dem Davidssohntitel (vgl. Mt 9,27; 17,15; 20,30f.). Zu προσελθόντες οἱ μαθηταὶ αὐτοῦ vgl. nur Mt 13,10; 15,12. Zur Verwandlung der indirekten Bitte Mk 7,26 in eine direkte vgl. Mt 13,10 diff Mk 4,10.

[58] So *B. Flammer*, „Syrophönizerin" 474. Anders *F. Hahn*, Hoheitstitel 82f. Doch wird man für Mk berücksichtigen müssen, daß Kyrie signifikanterweise von einer Heidin gebraucht wird (vgl. Mk 15,39).

[59] Vgl. *G. Theißen*, Wundergeschichten 133–143. *J. Roloff*, Kerygma 160, stellt das Glaubensmotiv auch für Mk einseitig in den Vordergrund.

[60] Vgl. Mt 8,13: ὡς ἐπίστευσας γενηθήτω σοι. Auch Mt 9,29.

[61] Vgl. Mt 8,13: ἰάθη ὁ παῖς ἐν τῇ ὥρᾳ ἐκείνῃ. Daß Lk die Perikope nicht bringt, hängt einmal mit der großen Auslassung zusammen. Wahrscheinlich paßte außerdem der für heidenchristliche Ohren nicht sehr freundliche Tonfall der Erzählung nicht in sein Konzept, vgl. *C. E. Carlston*, Parables 36.

mung der vormarkinischen Einheit ist umstritten. Die Vorschläge reichen vom Apophthegma über das Streit- oder Lehrgespräch bis zur
Wundergeschichte. Je nachdem grenzt man den Dialog als Basiseinheit
aus, dem Elemente einer Wundergeschichte nach und nach zugewachsen
seien[62], oder man postuliert eine selbständige Wundergeschichte, in die
der Dialog sekundär eingefügt wurde[63].
Beides überzeugt nicht. Zwar ist V. 27b allein als isoliertes Sprichwort
denkbar[64], aber in V. 27b–28 liegt eine dialogisierte Form vor, die notwendig auf einen Kontext angewiesen ist, wenn sie einen Sinn ergeben
soll. Und was ohne Dialog übrig bleibt, sind bestenfalls Fragmente einer
Wundergeschichte, die nicht selbständig existieren konnten. Die Vorlage
des Mk ist eine geschlossene, mit Bedacht konzipierte Einheit, die zur
Gattung der Fernheilungen (vgl. Mt 8,5–13 par Lk 7,1–10; Joh 4,46b–54)
gehört[65]. Bei dieser Gliedgattung der Wundergeschichten ist es von der
Sache her gegeben, daß der Wundertäter nicht in direkten Kontakt mit
dem Patienten tritt und daß deshalb der Dialog, der topische Elemente
wie Erschwernis, Sich-Entziehen des Wundertäters und wunderwirkendes Wort aufnimmt, eine zentrale Rolle spielt.

c) Bildfeld

Das Bildwort Mk 7,27b weist drei Bestandteile auf, die als Bildspender
für eine Metapher dienen können: κυνάριον, τέκνον und ἄρτος.
(1) Die Verwendung von κύων (Hund) als abwertende Bezeichnung für
bestimmte Personen oder Personengruppen ist mehrfach belegt. Ansatzpunkt sind atl Wendungen, in denen das Wort als Ausdruck der Verachtung oder der Selbsterniedrigung vorkommt.[66] Jes 56,11 nennt die berufenen Führer des Volkes in ihrem Versagen stumme, schlafende und
gierige Hunde. Der Beter der Psalmen benutzt das Bild für die Beschreibung seiner gottlosen Gegner.[67] Im NT wird es im Rahmen der Ketzerpolemik verwandt.[68] Im Henochbuch dient das Wort als Deckname für

---

[62] E. Lohmeyer, Mk 145; M. Dibelius, Formgeschichte 261, Anm. 3.
[63] B. M. F. van Iersel, „Speisung" 188f.; K. Kertelge, Wunder 152. Vgl. auch R. A. Harrisville,
„Woman" 284.
[64] Daß ein solches Sprichwort Ausgangspunkt des ganzen Komplexes sei, vermutet T. A.
Burkill, Light 118. Parallelen fehlen, doch vgl. vielleicht Mt 7,6?
[65] Vgl. R. Pesch, Mk 385f. G. Theißen, Wundergeschichten 120f., spricht von einer Untergruppe, die „teils den Therapien, teils den Exorzismen zuzuordnen" ist.
[66] Dtn 23,19; 1 Sam 17,43 (vgl. ExR 31,3); 1 Sam 24,14; 2 Sam 9,8; 16,9; 2 Kön 8,13; Spr
26,11 (zitiert 2 Petr 2,22); Sir 13,18. Vgl. zum Ganzen O. Michel, ThWNT III,
1100–1104; Wettstein I, 424f.; D. W. Thomas, „Kelebh" 414–427 (mit weiteren Belegen).
[67] Ps 22,17.21; Ps 59,7.15.
[68] Phil 3,2; Offb 22,15. Vgl. Did 9,5; Ign., Eph 7,1: „Denn sie sind tolle Hunde, tückisch
beißende."

die Feinde Israels[69], im rabbinischen Schrifttum ist es zur festen Metapher für Nichtisraeliten, Gottlose und Heiden geworden[70]. In diesen Rahmen ist κυνάριον Mk 7,27b zu stellen. Das Wort hat die heidnische Herkunft der Frau im Blick. Daß hier die Diminutivform vorliegt, besagt nicht viel. Sie dient der erzählerischen Angleichung an die übrigen Diminutiva θυγάτριον, ψιχίον[71] und παιδίον. Das krasse Bild wird dadurch nur unwesentlich abgeschwächt.[72]

(2) Von da aus legt es sich nahe, τὰ τέκνα auf das Volk Israel zu beziehen. Das deckt sich mit dem unbestreitbaren Anspruch Israels, in besonderer Weise ein Volk von Söhnen und Kindern Gottes zu sein[73]. Es ist demnach nicht möglich, Mk 7,27b–28 nur als Schilderung einer anheimelnden häuslichen Szene zu betrachten, die als Ganzes ein *tertium comparationis* hergibt.[74] Selbst wer das Vorliegen geprägter metaphorischer Felder bestreitet, muß doch zugeben, daß der fiktive Situationskontext auf das Bildwort zurückwirkt und eine punktuelle Identifizierung unausweichlich macht.[75]

(3) J. Jeremias geht einen Schritt weiter. Er gewinnt dem Bildwort eine johanneische Nuance ab, indem er annimmt, daß die Frau „Jesus als den Bringer des Lebensbrotes anerkennt"[76].

Für ein derartiges metaphorisches Verständnis gibt es zweifellos einiges Vergleichsmaterial, angefangen bei der atl Tradition vom Manna, das Ex 16,4 „Brot vom Himmel" genannt wird[77]. Eine Identifizierung von Brot

---

[69] äthHen 90,4; grHen 89,42.43.46.47.49.

[70] Vgl. Bill., I, 724f.: LevR 9,3; ExR 9,2; MidrPs 4,11; bMeg 7b. Bezogen auf einen Samariter GenR 81,3, von Nebukadnezar („du und ein Hund, ihr seid für uns gleich") LevR 33,6; NumR 15,14; MidrPs 28,2, von einem Götzenbild jSchab 11d; bAZ 46a, von Ahasver bMeg 15b (Bill. II, 577). Die Vorstellung, daß es sich bei Hunden um unreine Tiere handelt, ist für diesen Sprachgebrauch nicht unbedingt vorausgesetzt.

[71] ψιχίον fehlt in der klassischen und nachklassischen Gräzität. Bauer WB s. v. nennt zwei entlegene und späte Stellen, die übrigen Lexika (einschließlich Thes Steph) schweigen. Ob eine Verbindung zu Ri 1,7 vorliegt (so *W. Storch*, „Syrophönizierin" 256f.), bleibt doch sehr fraglich. Die atl Anklänge, die *J. D. M. Derrett*, „Woman" 162–174, aufdeckt, bewegen sich im Bereich unkontrollierter Assoziationen.

[72] Richtig *J. Jeremias*, Verheißung 25; *T. A. Burkill*, Light 110–114. Anders *E. Lohmeyer*, Mk 255; *B. Flammer*, „Syrophönizerin" 465f.; *D. Bosch*, Heidenmission 99f.: es handle sich um Haus- oder Schoßhunde, eine schroffe Abweisung sei daher nicht intendiert. Dann erübrigt sich der ganze Dialog.

[73] Ex 4,22; Dtn 14,1; Hos 11,1; Jes 1,2; Jub 1,24; Röm 9,4. Vgl. *G. Fohrer*, ThWNT VIII, 352–354; *E. Lohse*, ebd. 360.

[74] So etwa *M. Meinertz*, Heidenmission 132. Anders schon *A. Jülicher*, Gleichnisreden II, 258.

[75] So *A. Loisy*, Évangiles I, 974f. Vgl. auch *K. Tagawa*, Miracles 118f.

[76] *J. Jeremias*, Gleichnisse 118f., Anm. 2. Vgl. *ders.*, Abendmahlsworte 226. Wie sich das mit seinem Anspruch verträgt, nichtallegorisch auszulegen, verstehe, wer will.

[77] Vgl. Ps 78,24; 105,40; Neh 9,15; Weish 16,20; 19,21; syrBar 29,8. Dazu *B. J. Malina*, Manna Tradition 1–41.

und Lehre ist Dtn 8,3 vorbereitet: „Nicht vom Brot allein lebt der Mensch, sondern von jedem Wort, das aus dem Munde Gottes kommt." Jes 55,1–3 vergleicht das Wort Gottes mit Brot und Wein für die Hungernden. In der Weisheitsliteratur begegnet die Vorstellung, daß die personifizierte Sophia ihre Jünger mit dem Brot der Einsicht speist (Sir 15,3; vgl. Spr 9,5; Weish 16,26). Für Philo ist das himmlische Manna Speise der Seele, Sinnbild des Logos und Vermittlerin göttlicher Weisheit.[78] In TgN Ex 16,15 findet sich eine strittige Lesart, die wohl dahingehend zu deuten ist, daß Moses selbst als das Brot bezeichnet wird, das Gott dem Volk schenkt.[79] Das rabbinische Schrifttum kennt den Vergleich von Torah und Brot.[80] In Joh 6 werden Mannasymbolik und Brotmetaphorik christologisch ausgerichtet. Die Wendung „Brot des Lebens" (Joh 6,35) ist offensichtlich eine exegetische Neuschöpfung.[81] Sie findet sich außerhalb des JohEv nur JosAs 8,5.11; 15,4 und bezieht sich dort wahrscheinlich auf die tägliche Mahlzeit des Frommen, die, in gottesfürchtigem Geist genossen, Heil und Leben schenkt[82].

Aus den angeführten Stellen geht hervor, daß Brotsymbolik nur dort vorliegt, wo eine Querverbindung zur Mannatradition gezogen oder wo der religiöse Bezugspunkt ausdrücklich genannt wird. In der vormarkinischen Wundergeschichte fehlt jegliches Indiz, das in diese Richtung zielte. Eine andere Frage ist, ob der Makrotext des MkEv vielleicht allegorisierend auf das Wort vom Brot zurückwirkt. Sie ist auf redaktioneller Ebene zu verhandeln.

d) Tradition

Weder das Bildwort noch die rahmende Episode, mit der es untrennbar verbunden ist, lassen sich auf Jesus zurückführen.[83] Allzu deutlich ist die Perikope von der nachösterlichen Auseinandersetzung um die Heidenmission bestimmt, die ja zu einem beträchtlichen Teil der Tisch- und Mahlgemeinschaft galt (darauf könnte die Brotthematik zunächst hindeuten). Der harte Klang von Mk 7,27b, der zu einer aitiologischen

---

[78] Leg All 3,162.169.173; Mut Nom 259f.; Fug 137; Congr 173f.; Rer Div Her 79. Dazu *P. Borgen*, Bread 99–146.

[79] So *G. Vermes*, Studies 139–141; *A. Díez Macho*, Neophiti 1, Bd. 2, 59*–60*.

[80] MekEx 13,17; GenR 54,1; 70,5; vgl. Bill. II, 483f.

[81] *P. Borgen*, Bread 73f; *R. Schnackenburg*, „Brot" 341f.

[82] So *C. Burchard*, JosAs 126–131.

[83] Anders *F. Hahn*, Mission 24. Doch vgl. *L. Schenke*, Wundererzählungen 261–264. Ps.-Clem Hom II 19,1–20,4 (GCS 42, 42f. Rehm) ist eine judenchristliche Überarbeitung der Perikope.

Begründung der Mission nicht so recht zu passen scheint, erklärt sich auf zweierlei Weise. Es mußte (a) das Anliegen, das hinter der Perikope steht, mit dem unbestreitbaren Faktum in Einklang gebracht werden, daß der irdische Jesus seine Wirksamkeit auf Israel beschränkt hat. Und es legt sich (b) vom Vergleichsmaterial her die Vermutung nahe, daß Mk 7,27b ein jüdisches oder judenchristliches Schlagwort aufgreift und unter Verwendung der gleichen Metaphorik ironisch widerlegt.

e) Redaktion

(1) E. Lohmeyer hat in seinem Markuskommentar den ganzen Abschnitt Mk 6,30–8,26 unter die Überschrift „Das Brotwunder" gestellt. Die beiden Speisungsgeschichten Mk 6,30–44 und Mk 8,1–9 haben zweifellos symbolische Konnotationen. Daß sie schon in der vormarkinischen Tradition einem eucharistischen Verständnis offenstanden, wird man nach der besonnenen Untersuchung von H. Patsch nicht mehr gut bestreiten können[84]. Doch muß im gleichen Atemzug betont werden, daß Mk selbst diese eucharistische Verstehensmöglichkeit nicht aufgegriffen hat. Anders ließe sich nicht erklären, warum er sich nicht um eine stärkere terminologische Angleichung an seinen eigenen Einsetzungsbericht bemüht.

Der erste Speisungsbericht spielt deutlich auf atl Stellen an. Das Hirtenmotiv 6,34 (vgl. Num 27,17) und die Lagerordnung der Menge 6,39f. (vgl. Ex 18,21.25) erinnern an Moses und an das Volk in der Wüste. Die übriggebliebenen Brocken 6,43 zeigen, daß eine Überbietung von Elischas Brotvermehrung beabsichtigt ist (vgl. 2 Kön 4,43). Auch die Vorstellung vom eschatologischen Freudenmahl der messianischen Zeit wird auf die Ausgestaltung beider Berichte eingewirkt haben.[85] Inwieweit sich die verschiedenen Zahlenangaben symbolisch ausdeuten lassen[86], ist eine schwierige Frage. Hier genügt die Feststellung, daß Mk an den zuletzt genannten Motiven kein besonderes Interesse zeigt.

Wenn man für Mk überhaupt eine symbolische Ausdeutung des Brotes zugestehen will, wird man von dem redaktionellen Vers 6,34c καὶ ἤρξατο διδάσκειν αὐτοὺς πολλά her am ehesten an die Lehre Jesu denken. Diese Möglichkeit ist im Bildfeld angelegt (Brot = Torah). Vor

---

[84] *H. Patsch*, „Abendmahlsterminologie" 210–231. Vgl. den Forschungsbericht bei *J. M. van Cangh*, Multiplication 19–38.

[85] Vgl. *K. Tagawa*, Miracles 138–140.

[86] Vgl. etwa *J. Sundwall*, Zusammensetzung 50: die 12 Körbe bedeuten das Zwölferkollegium, die 7 Körbe die Jerusalemer Hellenisten. *R. Pesch*, Mk 355.403: die 5 Brote sollen vielleicht auf die 5 Bücher Mose hinweisen, die 7 Brote auf die 7 noachischen Gebote.

allem aber hat Mk die Brotwunder in die theologische Aussagelinie des
Jüngerunverständnisses eingeordnet. Der Entschluß der Jünger, Brot
einzukaufen (6,37), ist eine inadäquate Reaktion[87], ihre verlegene Frage
in 8,4 müßte sich nach der vorausgegangenen ersten Speisung von selbst
erübrigen[88]. In 6,52 wirft Mk den Jüngern vor, daß weder Brotwunder
noch Seewandel sie zur Erkenntnis gelangen ließen, wer Jesus wirklich
ist.[89]
Diese Thematik behandelt auch der redaktionell gestaltete Dialog Mk
8,14–21. Daß die Jünger *ein* Brot bei sich haben, ist ein Rückverweis auf
die fünf Brote von 6,39 (vgl. 8,19) und die sieben Brote von 8,5 (vgl.
8,20).[90] Das macht es unmöglich, das eine Brot 8,14 als verschleiertes
Symbol für Jesus zu interpretieren und den Jüngertadel allein auf deren
eucharistisches Unverständnis zu beziehen, so, als wüßten sie nicht, daß
sie ja mit Jesus das wahre Brot des Lebens immer bei sich haben.[91] Sicher
ist das Mißverständnis der Jünger christologischer Art, aber es betrifft
Person und Wirken Jesu insgesamt und ist nicht an die punktuelle allegorische Identifizierung des Brotes gebunden.
Demnach ist die Deutung von Mk 7,27f. auf Jesus als das Lebensbrot
auch dann abzulehnen, wenn man den evangeliaren Kontext heranzieht.
Die redaktionelle Verklammerung mit den Speisungsgeschichten, die Mk
7,27a herstellt, hat eine andere Funktion. Der erste Bericht ist unverkennbar atl-jüdisch gefärbt, der zweite stellt demgegenüber eine helleni-
sierte Fassung dar.[92] Man braucht nicht so weit zu gehen, die erste
Speisung nur für Juden und die zweite nur für Heiden bestimmt sein zu
lassen, doch scheint Mk ein gewisses Gefälle empfunden zu haben. Es
geht von 6,30 bis 8,10 um eine fortschreitende Zuwendung zu den Heiden, die durch die Aufhebung der Reinheitsgebote ermöglicht und durch
Rekurs auf das Verhalten Jesu begründet wird, unter Berücksichtigung
der heilsgeschichtlichen Prärogative Israels. In 8,1–9 sind die Schranken
aufgehoben, es verwirklicht sich die universale Gemeinschaft (8,3: καί
τινες αὐτῶν ἀπὸ μακρόθεν εἰσίν), die Juden und Heiden umfaßt.
(2) Für Mt besteht bei den Erklärern größere Einigkeit hinsichtlich der
eucharistischen Dimension der Speisungsgeschichten. Für uns ist das

---

[87] Vgl. *L. Schenke,* Wundererzählungen 223f.
[88] *K. Kertelge,* Wunder 142.
[89] Bei diesem Vers setzt *Q. Quesnell,* Mind 187–208.221–268, seine ins Extrem gesteigerte
      eucharistisch-symbolische Deutung der Brotthematik bei Mk an. Vgl. zur Kritik *D. A.
      Koch,* Wundererzählungen 108f., Anm. 24.
[90] Das hat *L. Schenke,* Wundererzählungen 304, gut beobachtet.
[91] In diesem Sinn äußern sich u. a. *M. Dibelius,* Formgeschichte 230; *E. Klostermann,* Mk
      76f.; *V. Taylor,* Mk 363f.; *K. G. Reploh,* Markus 85; *T. A. Burkill,* Light 56.83–85; *D. J.
      Hawkin,* „Incomprehension" 495.
[92] Vgl. *B. M. F. van Iersel,* „Speisung" 183–186.

ohne Belang, da Mt die Verklammerung der Perikope Mk 7,24–30 mit den Brotwundern gestrichen hat und durch nichts zu erkennen gibt, daß er eine anderweitige Querverbindung sieht[93]. Wir können für Mt 15,26f. jede Brotsymbolik ausschließen und bleiben von der Metaphorik her auf das Problem von Juden und Heiden in der christlichen Gemeinde verwiesen. Mt hat durch seine Bearbeitung der mk Vorlage die Frontstellung zwischen beiden Gruppen wieder verschärft.[94] Offensichtlich macht er Zugeständnisse an seine judenchristliche Tradition, die er erst am Schluß seines Werkes durch den universalen Missionsbefehl des erhöhten Kyrios in etwa wieder auffängt[95].

§ 36: Das Salz (Mk 9,50)

a) Analyse

(1) Das Bildwort vom Salz Mk 9,50 bildet den Abschluß einer Redekomposition, die Mk 9,39 als Antwort auf die Frage nach dem fremden Exorzisten einsetzt. Der Abschnitt enthält sehr heterogenes Material[96], das stärker als sonst nach dem Stichwortprinzip aneinander gebunden ist[97]. Für V. 49 ist mit den besten Zeugen (א B al) an der Kurzform πᾶς γὰρ (א: ἐν) πυρὶ ἁλισθήσεται festzuhalten.[98] Die Varianten sind Erleichterungen und Interpretationsversuche aufgrund von Lev 2,13 (LXX: καὶ πᾶν δῶρον θυσίας ὑμῶν ἁλὶ ἁλισθήσεται). Mit πυρί knüpft der Vers an das Zitat aus Jes 66,24 in Mk 9,48 an. Durch ἁλισθήσεται ist die Verbindung zum Salzwort V. 50 hergestellt. V. 49 kann ein versprengtes Einzellogion sein. Doch ist nicht auszuschließen, daß erst ein Redaktor den Vers als Überleitung von V. 47f. zu V. 50 geschaffen hat.

Das Salzwort selbst besteht bei Mk aus drei Teilen. V. 50a καλὸν τὸ ἅλας enthält einen thematischen Aufhänger, der erst sekundär zu dem isolierten Logion hinzugetreten ist.[99] Das eigentlich Bildwort V. 50b, das

---

[93] Zwar bringt Mt 15,24 das Bildwort von den verlorenen Schafen Israels (epexegetischer Genetiv) in den Kontext ein. Aber in der Einleitung zur ersten Speisungsgeschichte läßt Mt 14,14 gerade Mk 6,34b ὡς πρόβατα μὴ ἔχοντα ποιμένα aus.

[94] S. *Légasse*, „Cananéenne" 38, mißt auch der Ersetzung von τῶν τέκνων Mt 15,26 durch τῶν κυρίων Mt 15,27 eine Bedeutung bei: die Kinder (d. h. Israel) essen nicht am Tisch des Herrn, weil sie nicht wollen.

[95] Vgl. *G. Strecker*, Weg 108f.; *R. Walker*, Heilsgeschichte 60–63.

[96] Der Versuch von *J. D. M. Derrett*, „Salted with Fire" 364–368, für Mk 9,42–50 eine gedankliche Einheit aufzuzeigen, ist völlig haltlos.

[97] Vgl. *R. Schnackenburg*, „Mk 9,33–50" 184–197; *K. L. Schmidt*, Rahmen 234.

[98] *H. Zimmermann*, „Mit Feuer …" 30f., hält an der längeren Lesart fest, doch vgl. *B. M. Metzger*, Commentary 102f. Andere Hypothesen bei *T. J. Baarda*, „Mark ix. 49" 318–321.

[99] Vgl. *R. Bultmann*, Syn. Tradition 95.

mit einem Konditionalsatz einsetzt, ist in Frageform gehalten. V. 50c
bringt eine paränetische Anwendung mit zwei Imperativen.

(2) Mt und Lk übergehen das Salzwort in der Mk-Akolouthie und bringen es an anderer Stelle in einer Fassung, die aus Q stammt. Lk 14,34f.
zeigt sich möglicherweise an drei Stellen von Mk beeinflußt.[100] καλὸν
(οὖν) τὸ ἅλας V. 34a, ἀρτυθήσεται V. 34b und αὐτό V. 35a können aus
Mk 9,50 stammen. Die Einleitung ὑμεῖς ἐστε τὸ ἅλας τῆς γῆς Mt 5,13a
ist redaktionell (vgl. Mt 5,14) und läßt keine Rückschlüsse auf Q zu.
Im mittleren Glied stimmen Mk und Q in der Satzstruktur überein, im
Wortlaut ergeben sich Abweichungen. Q hat μωρανθῇ, eine etwas
schwierige Wendung[101], die dem erleichternden ἄναλον γένηται bei Mk
vorzuziehen ist. Q las wahrscheinlich ἁλισθήσεται und wird sich auch
damit näher beim Original bewegen. Es fehlt in Q αὐτό Mk 9,50b. Bei
Mk stellt es den Bezug der Frage sicher: „... womit wollt ihr es (d. h. das
Salz) würzen?". In Q könnte die Frage zunächst viel allgemeiner gefaßt
sein: „Wenn das Salz seine Kraft verliert, womit soll man dann sal-
zen?"[102] Daß sich ἁλισθήσεται auch in Q auf das Salz bezieht, macht
erst der Nachsatz deutlich.

In diesem letzten Versteil steht Mt 5,13c z. T. näher bei Q als Lk 14,35a.
Nach K. Beyer verrät die Satzkonstruktion mit εἰ μή = außer semitischen Einfluß.[103] Die Parataxe bei Lk ist in diesem Fall eine Gräzisierung. Außerdem entsprechen οὔτε ... οὔτε und das artikellose εἰς γῆν,
εἰς κοπρίαν lk Stil.[104]

(3) Wahrscheinlich hat Mk (oder der vormarkinische Sammler) das
letzte Glied des Logions in der Q-Fassung nicht gekannt. Anders wäre
schwer einsichtig, warum er βληθὲν ἔξω, das eine hervorragende Verbindung zu βληθῆναι εἰς τὴν γέενναν Mk 9,45.47 abgegeben hätte, gestrichen hat. Die früheste erreichbare Form des Logions wird man deshalb
auf Mk 9,50b parr Mt 5,13b; Lk 14,34b beschränken. Wir haben es der
Gattung nach dann mit einem einfachen Bildwort in Frageform zu tun,
das Mt am getreusten überliefert hat:

ἐὰν τὸ ἅλας μωρανθῇ, ἐν τινὶ ἁλισθήσεται;

---

[100] Vgl. *S. Schulz,* Q 470; *B. T. D. Smith,* Parables 229.
[101] Doch ist zumindest μῶρος im Sinne von schal, fade auch im Griechischen belegt, vgl.
Liddell–Scott s. v. 4. Der beliebte Rekurs auf einen Übersetzungsfehler ist unnötig.
[102] Vgl. *J. Jeremias,* Gleichnisse 168.
[103] Syntax I, 139.
[104] εὔθετος begegnet bei Lk noch 9,62. κοπρία (vgl. Klgl 4,5 LXX) ist Hapaxlegomenon,
doch vgl. κόπριον Lk 13,8. Zwar zeigt Lk eine leichte Vorliebe für ἰσχύω, doch ist die
Auslassung des ἰσχύει aus Mt durch die Schwierigkeit der Satzkonstruktion hinreichend
begründet. καταπατέω Mt 5,13 findet sich noch Mt 7,6 und Lk 8,5; 12,1. Es ist möglich,
daß καταπατεῖσθαι ὑπὸ τῶν ἀνθρώπων in Q fehlt und von Mt stammt.

b) Bildfeld und Realien

(1) Die Frage nach den Realien hat den Erklärern immer große Schwierigkeiten bereitet.[105] Salz kann zwar feucht werden oder sich auflösen, aber es verändert seine chemische Zusammensetzung nicht, d. h., es wird strenggenommen nicht fade oder schal. Man hilft sich auf zweierlei Weise. Der erste Lösungsversuch besagt, es handle sich hier um Sudsalz, das am Toten Meer durch Verdunsten gewonnen wird.[106] Dieses Salz sei mit allerlei Fremdstoffen vermischt, die je nach Gunst und Ungunst der Verhältnisse seine Unbrauchbarkeit bewirken.[107] Ein anderer Lösungsvorschlag verweist auf die Sitte arabischer Bäcker, ihre Backöfen mit Salzplatten auszulegen. Nach einigen Jahren läßt deren katalytische Wirkung nach, sie sind unbrauchbar und werden buchstäblich hinausgeworfen.[108] Naheliegender ist eine andere, selten vertretene Vermutung. Ursprünglich wird die Tatsache, daß Salz nicht salzlos werden kann, als bekannt vorausgesetzt und zum Ausgangspunkt für ein Paradox genommen.[109] Daß R. Jehoschua b. Chananja (90 n. Chr.) an der vielzitierten Stelle bBek 8b auf eben diese Weise argumentiert („Kann denn Salz schal werden?"), mag als indirekte Bestätigung dienen.[110]

(2) Auf die Verwendung des Salzes als Bildspender einer festen Metapher treffen wir vorzugsweise in der griechischen Literatur. Erfahrungsgrundlage ist die Unentbehrlichkeit des Salzes als Speisewürze und seine konservierende Kraft.[111] „Ohne Salz kann man kein zivilisiertes Leben führen", sagt Plinius, und er fährt sinngemäß fort: deshalb wird Salz metaphorisch auch auf besondere Freuden des Geistes wie Humor, Heiterkeit, Witz etc. angewandt.[112] Eine Rede ohne Esprit ist salzlos, eine gute Rede

---

[105] Das hat G. Aicher, „Mt 5,13" 48–54, gut gesehen. Seine eigene Konjektur ist abenteuerlich.

[106] Vgl. Ez 47,11. Doch kannte man auch Steinsalz, das im Bergbau gewonnen wurde. Nach S. Krauß, Archäologie I, 119f.499f., wurde es allgemein bevorzugt. Anders Bill. I, 232.

[107] Vgl. Bauer WB 114; C. W. F. Smith, Parables 154f. Eine hübsche Arabeske bei T. Zahn, Mt 201f., Anm. 55.

[108] L. Köhler, „Salz" 133f. Vgl. O. Cullmann, „Salz" 193f.

[109] Vgl. E. Schweizer, Mt 60.

[110] Diese Stelle ist als polemische Anspielung auf Mt 5,13 zu verstehen, vgl. Bill. I, 236, gegen F. Perles, „Übersetzungsfehler" 96, Anm. 9. Sie kann deshalb nicht als Beweis dafür dienen, daß das Salzwort zur Zeit Jesu geläufiges Sprichwort war.

[111] Vgl. Arist., Probl 927a 38–927b 5; Plut., Quaest Conv 4,4 (668E). Auch Wettstein I, 291f.601.

[112] Hist Nat 31,88: *ergo, Hercules, vita humanior sine sale non quit degere, adeoque necessarium elementum est uti transierit intellectus ad voluptates animi quoque nimias.* Ebd. 102: *ibi maxime usurpanda observatione quae totius corporibus nihil esse utilius sale et sole dixit.*

muß gesalzen (wir würden sagen: gepfeffert) sein.[113] Beliebt ist der Vergleich von Salz und Seele. Die Seele erfüllt am Körper eine salzähnliche Funktion, sie bewahrt ihn vor Fäulnis und Verderb.[114] Salz miteinander essen ist ein sprichwörtliches Zeichen der Freundschaft.[115] Nach Diogenes Laertius betrachtete Pythagoras das Salz als Symbol der Gerechtigkeit, weil es „aus dem Reinsten gewonnen wird, aus Wasser und Meer".[116] Plutarch hat in seinen Tischgesprächen einen eigenen Abschnitt über die Frage, warum Homer das Salz göttlich nennt.[117]

Philo zeigt sich in seiner Verwendung der Salzmetapher vom griechischen Sprachgebrauch beeinflußt. Salz ist Symbol der Freundschaft[118], der Beständigkeit[119] und der Seele, des lebenserhaltenden Prinzips[120].

Nach einer ähnlich ausgeprägten Metaphorik suchen wir im atl-jüdischen Schrifttum vergeblich. Die Unentbehrlichkeit des Salzes ist im AT bekannt[121], doch begegnet an metaphorischen Bildungen nur die Vorstellung vom Salzbund, den Gott mit dem Volk schließt[122]. Das Salz versinnbildlicht hier die Kraft und Beständigkeit des Bundes.[123] Wahrscheinlich steht das in Zusammenhang mit der Vorschrift, beim Opfer Salz zu verwenden.[124]

Aus der rabbinischen Literatur ist eine Baraita zu bNidda 31a (vgl. GenR 34,10) zu nennen, wo der Körper ohne Seele mit ungesalzenem Fleisch verglichen wird. Soph 15,8 bezeichnet die Torah als Salz, ohne das die Welt keinen Bestand hat. Als nächste Parallele zum Salzwort Mk 9,50 nennt Bill. I, 235f. das Sprichwort: „Das Salz des Geldes ist der Mangel" (bKet 66b; AbRN 17), das zum Almosengeben aufmuntern will.[125]

---

[113] Cic., De Orat 1, 159; Quint., Inst Orat VI 3,18f.; Diog. L., Vit Phil 4,67. Vgl. auch Plut., De Garr 23 (514E/F): das Salz eines Gesprächs würzt den Zeitvertreib. Kol 4,6.

[114] Cic., Nat Deor 2,160 (aus Chrysipp); Varro, Rer Rust II 4,10; Plinius, Hist Nat 8,207.

[115] Arist., Eth Nic 1156b 26–28; Plut., Quaest Conv 4,1 (663F); 7, Prooem (697D).

[116] Diog. L., Vit Phil 8,35 (407,19–22 Long): ... γεγόνασιν ἐκ τῶν καθαρωτάτων ὕδατος καὶ θαλάσσης.

[117] Plut., Quaest Conv 5,10 (684E–685F).

[118] Somn 2,210; Jos 196.210 (ἃ σύμβολα γνησίου φιλίας); Vit Cont 41; Spec Leg 3,96.

[119] Spec Leg 1,175. Vgl. auch Ign., Magn 10,2: ἁλίσθητε ἐν αὐτῷ, ἵνα μὴ διαφθαρῇ τις ἐν ὑμῖν.

[120] Op Mund 66; Spec Leg 1,289: φυλακτήριον γὰρ οἱ ἅλες σωμάτων, τετιμημένοι ψυχῆς δευτερείοις.

[121] Ijob 6,6; 2 Kön 2,19–22; Sir 39,26; vgl. Ez 16,4.

[122] Num 18,19; 2 Chron 13,5.

[123] Vgl. SNum 18,19 (400f. Kuhn): „Die Schrift schließt (also) einen Vertrag mit Aaron vermittels einer Sache, die kräftig ist, und – mehr noch – die sogar andere (Dinge) kräftig macht."

[124] Ex 30,35; Ez 43,24; Esr 6,9; TestL 9,14; Bill. II, 21–23. Vgl. auch Plinius, Hist Nat 31,89: *nulla conficiuntur sine mola salsa.*

[125] Weitere Belege bei *I. K. Madsen,* Parabeln 151f. Vgl. bes. bBer 34a: „Wer an das Vorbeterpult tritt, der soll sich weigern, und wer sich nicht weigert, gleicht einer Speise,

(3) Wir werfen anhangweise einen kurzen Blick auf das mit „Feuer“ verknüpfte Bildfeld, das u. U. zur Erklärung von Mk 9,49 beitragen kann.[126] Es begegnen folgende hauptsächliche Verwendungsmöglichkeiten. (a) Das Feuer ist ein Bild für Jahwe selbst[127], für seine Epiphanie[128], für seinen Zorn[129] oder für sein Kommen zum Gericht[130]. (b) In der Apokalyptik wird das Feuer zum Bild für das Endgericht schlechthin.[131] Es übt (c) eine läuternde und prüfende Funktion aus[132], oder es wird (d) zum Strafmittel, zum Werkzeug ewiger Höllenqual[133]. Der intensive eschatologische Bezug des Bildfeldes wird auch im NT durchgehalten.[134]

c) Tradition

(1) Wie bei den meisten isolierten Bildworten, die ohne Kontextindizien überliefert sind, bereitet die Rückführung auf Jesus gewisse Schwierigkeiten. Andererseits liegen aber keine Gründe vor, die eine Entstehung in der Gemeinde unausweichlich machten. Es wird wesentlich darauf ankommen, ob sich das Logion im Kontext der Botschaft Jesu verankern läßt.

Eine beliebte Deutung, die allem Anschein nach A. T. Cadoux begründet und C. H. Dodd ausgebaut hat, besagt, Jesus habe das Logion warnend gegen Israel gerichtet.[135] Als einer von wenigen hat G. Bertram hingegen vorgeschlagen, das Bildwort als Basileiagleichnis zu deuten.[136] Dieser Versuch verdient es, ernst genommen zu werden. Er wird der paradoxen Intention des Logions am ehesten gerecht. Die Basileia ist so

---

in der kein Salz ist, wer sich über Gebühr weigert, gleicht einer Speise, die zuviel Salz verdorben hat.“ W. *Nauck*, „Salt“ 165–178, deutet das Salz als Bild für die rechte Weisheit in der eschatologischen Situation. Seine rabbinischen Belege überzeugen nicht.

[126] Vgl. zum folgenden F. *Lang*, ThWNT VI, 929–947.

[127] Dtn 9,3; Ez 1,27f.; äthHen 14,15–23.

[128] Ex 3,2; Dtn 4,11.12.15.33.36.

[129] Ps 89,47; Ez 22,31; Jer 17,4; Nah 1,6.

[130] Jes 66,15; Ez 38,22; 39,6; Joel 3,3; Mal 3,19; Dan 7,9.

[131] Jub 9,15; PsSal 15,4; 1QS 4,13; äthHen 52,6; 4 Esr 13,10f.; syrBar 48,39; Sib 3,673f. Ein Einfluß der stoischen Ekpyrosislehre ist anzunehmen.

[132] Mal 3,2; Sach 13,9; vgl. auch Sir 2,5; Weish 3,6.

[133] Jes 66,24; Sir 21,9f.; Jdt 16,17; 1QH 17,3; äthHen 91,9; 4 Esr 7,38; syrBar 44,15.

[134] Vgl. die eschatologische Verkündigung des Täufers Mt 3,10–12 par Lk 3,9.16f. Ferner Lk 12,49f.; 1 Kor 3,13; 2 Thess 1,8; Hebr 10,27; Jud 7; Offb 11,5. Vgl. auch das apokryphe, von Origenes und ThEv 82 überlieferte Jesuswort: „Wer mir nahe ist, ist dem Feuer nahe, wer mir fern ist, ist dem Reiche fern.“

[135] A. T. *Cadoux*, Parables 81; C. H. *Dodd*, Parables 105; J. *Jeremias*, Gleichnisse 169; K. H. *Rengstorf*, Lk 181. Anders deutet O. *Cullmann*, „Salz“ 199: „Das ‚Salz‘ ist der Geist der Opferbereitschaft und der Selbstverleugnung als *conditio sine qua non* für den Jünger.“

[136] G. *Bertram*, ThWNT IV, 843.

unersetzbar wie das Salz, ihr Verlust wäre ein unvorstellbarer Schaden. Aber so wenig Salz seine Kraft je verliert, so wenig kann die anbrechende Basileia ihrer inneren Dynamik und ihrer beharrenden Kraft je verlustig gehen. Die Basileiabotschaft Jesu erweist sich immer wieder als der hermeneutische Schlüssel für die früheste Schicht der Gleichnisse.

(2) Für Q haben wir mit einem Referentenwechsel zu rechnen. Wahrscheinlich bezieht sich das Bildwort jetzt tatsächlich auf Israel, dem mit εἰ μὴ βληθὲν ἔξω sein künftiges Schicksal warnend vor Augen gestellt wird. Dafür spricht vor allem Mt 8,12 par Lk 13,28: οἱ δὲ υἱοὶ τῆς βασιλείας ἐκβληθήσονται. Die Sachaussage hat das Bild überlagert. Die Untauglichkeit und das Hinausgeworfenwerden des Salzes sind schwerlich realen Verhältnisses abgeschaut, sondern zielen auf das endzeitliche Schicksal des ungläubigen Israel.

d) Redaktion

(1) Bei Mk macht sich der Einfluß des Bildfelds bemerkbar, das wir im griechischen Schrifttum eruieren konnten. Die Einleitung καλὸν τὸ ἅλας erinnert an Plinius, die Mahnung, Salz in sich zu haben und Frieden zu halten, legt den Gedanken an das Salz als Symbol der Freundschaft, der Gerechtigkeit, der Beständigkeit und der Seele („in sich") nahe.

Der ganze Abschnitt von Mk 9,33 an ist von Mk als esoterische Jüngerbelehrung konzipiert. Daß dem Bildwort in Mk 9,50c eine Art Auslegung gegeben wird, stimmt daher mit dem mk Konzept überein, demzufolge Gleichnisauslegungen für den Innenraum der Gemeinde bestimmt sind. Da diese paränetische Ausdeutung außerdem mit dem Rangstreit der Jünger Mk 9,34 eine Inklusion bildet, wird sie von Mk verfaßt sein.

Der änigmatische Vers 9,49 kann auch bei isolierter Betrachtungsweise eigentlich nur auf das Feuer des eschatologischen Gerichts gedeutet werden. Noch einfacher erklärt er sich, wenn man eine überleitende redaktionelle (wahrscheinlich vormarkinische) Bildung annimmt. Der Vers will zeigen, daß es niemandem erspart bleibt, durch das endzeitliche Gerichtsfeuer (Mk 9,48) hindurchzugehen, auch dem Jünger nicht. Nur wird es den einen zum Mittel der Läuterung, den anderen zum Mittel ewiger Qual. Mk selbst scheint das Feuer eher auf die Prüfungen und Verfolgungen bezogen zu haben, die in dieser Erdenzeit auf den Jünger harren.

(2) Mt und Lk stellen beide die Anwendung auf die Jüngerschaft betont heraus[137], Mt durch die allegorisch identifizierende Einleitung, Lk durch die Einordnung in einen Kontext, in dem es um Bedingungen der Nach-

---

[137] Vgl. dazu *J. B. Souček*, „Salz" 171.

folge geht (Lk 14,26–33). Bei Mt ist die Warnung vor dem Hinausgeworfenwerden im eschatologischen Sinn fest im evangeliaren Makrotext verankert (Mt 13,48; 22,13; 25,30). Lk hat diesen Satzteil sachlich nicht gerade glücklich umgestaltet.[138] Der abschließende Weckruf hat bei Lk weniger esoterische als vielmehr paränetische Funktion.

Ergebnisse

(1) In Mk 7,18–23 liegt eine allegorische Auslegung vor, doch erschöpft sich das eigentlich Allegorische an dieser Allegorese in einer Imitation des vorgegebenen Schemas von Mk 4,1–20. Mit dem allegorischen Gesetzesverständnis des Diasporajudentums steht die Perikope insofern in loser Verbindung, als beide die Metapher von der Reinheit des Herzens und als Gegenbild die katalogartige Aufzählung schmutziger Laster kennen.

(2) Mk 7,27f. haben wir als im Ansatz allegorische nachösterliche Bildung erkannt, die mit festen Metaphern arbeitet. Zugleich wurden Grenzen deutlich, die der symbolischen Interpretation synoptischer Metaphorik und Allegorik gesetzt sind.

(3) Für Mk 9,50 ist der Einfluß eines Bildfelds nur am Rande in Anschlag zu bringen. Das hängt damit zusammen, daß ein solches Bildfeld zwar in der griechischen Literatur belegt ist, nicht aber in der atl-jüdischen Überlieferung, die das wichtigere Vergleichsmaterial liefert.

Kapitel XIII

DIE PARABEL VON DEN BÖSEN WINZERN

(Mk 12,1–12 parr Mt 21,33–46; Lk 20,9–19)

§ 37: Analyse, Form und Gattung

a) Analyse

(1) Die Einleitung καὶ ἤρξατο αὐτοῖς ἐν παραβολαῖς λαλεῖν Mk 12,1a ist eine mk Bildung. Subjekt ist ὁ Ἰησοῦς aus 11,33. αὐτοῖς weist auf die

---

[138] Salz wird nicht zum Düngen verwandt, ob schal oder nicht. Salzboden gilt als unfruchtbar und verödet, vgl. Ri 9,45; Ps 107,34; Ijob 39,6; Jer 17,6; Zef 2,9. Dazu *L. Fonck*, Parabeln 783; *J. Schmid*, Lk 249.

Hohenpriester, Schriftgelehrten und Ältesten 11,27 zurück. ἐν παραβολαῖς (vgl. 3,23; 4,2) bedeutet „in gleichnishafter Redeweise". Es ist somit
weder als Indiz für eine nicht erhaltene umfangreichere Sammlung zu
werten[1], noch kann es die Vermutung tragen, Mk habe den Psalmvers
12,10f. als eigenes Gleichnis betrachtet[2].

Während ἀμπελῶνα ἄνθρωπος ἐφύτευσεν 12,1b und καὶ ἐξέδετο
αὐτὸν γεωργοῖς καὶ ἀπεδήμησεν 12,1d als unverfängliche erzählerische
Exposition gelten können[3], enthält καὶ περιέθηκεν φραγμὸν καὶ ὤρυξεν
ὑπολήνιον καὶ ᾠκοδόμησεν πύργον 12,1c Anklänge an das Weinberglied des Jesaja in der LXX-Fassung[4] und muß als sekundäre, aber
vormarkinische Erweiterung gelten. Die sprachliche Brücke für diese
Einfügung bilden ἀμπελῶνα ἐφύτευσεν Mk 12,1b und ἀμπελὼν
ἐγενήθη, bzw. ἐφύτευσα ἄμπελον Jes 5,1–2 LXX.
Überschüssig wirkt V. 5. καὶ ἄλλον ἀπέστειλεν ist eine Doppelung zu
καὶ ... ἀπέστειλεν ... ἄλλον V. 4. κἀκεῖνον ἀπέκτειναν nimmt die
Tötung des Sohnes in V. 8 vorweg. V. 5b mit den beiden relativisch
angeschlossenen Partizipien, denen kein Verb folgt, fällt syntaktisch aus
dem Rahmen. V. 5 kann gleichfalls als vormarkinischer Einschub
angesehen werden.[5]
Da ἀγαπητός V. 6 in Verbindung mit υἱός nicht nur „geliebt", sondern
mehr noch „einzig" heißt[6], ist es eine Wiederholung von ἕνα. Es erinnert
an die Prädikation Jesu als υἱὸς ἀγαπητός in Taufe und Verklärung.
Wahrscheinlich hat erst Mk es als makrosyntaktisches Signal eingefügt.[7]
Ein zusätzlicher Einfluß von Jes 5,1 LXX, wo τοῦ ἀγαπητοῦ und τῷ
ἠγαπημένῳ vorkommen, ist nicht auszuschließen.
Mk 12,7c δεῦτε ἀποκτείνωμεν αὐτόν ist ein wörtliches Zitat aus der
Josefsgeschichte Gen 37,20 LXX (vgl. auch Gen 37,24 LXX καὶ λαβόντες αὐτόν mit Mk 12,8). Literarkritisch wird sich diese Beobachtung
nicht auswerten lassen, da der betreffende Versteil für den Ablauf der

---

[1] So K. L. Schmidt, Rahmen 288; M. Dibelius, Formgeschichte 238.

[2] Vgl. T. A. Burkill, Revelation 202, Anm. 27.

[3] In Jes 5,1–2 haben diese Worte kein exaktes Äquivalent. Vgl. aber u. a. (nichtallegorisch) Dtn 20,6: καὶ τίς ὁ ἄνθρωπος, ὅστις ἐφύτευσαν ἀμπελῶνα.

[4] Jes 5,2 LXX: καὶ φραγμὸν περιέθηκα καὶ ἐχαράκωσα καὶ ἐφύτευσα ἄμπελον σωρηχ
καὶ ᾠκοδόμησα πύργον ἐν μέσῳ αὐτοῦ καὶ προλήνιον ὤρυξα ἐν αὐτῷ. Statt „er
umgab ihn und umzäunte ihn mit einem Zaun" (LXX) liest die MS „er grub ihn um und
säuberte ihn von Steinen" (וַיְעַזְּקֵהוּ וַיְסַקְּלֵהוּ).

[5] Für V. 5b wird das von der Mehrzahl der Ausleger angenommen. Den ganzen Vers 5
streichen u. a. C. H. Dodd, Parables 96 (spricht irrtümlich von 12,4); H. Frankemölle,
„Implikationen" 198.

[6] Gen 22,2.12.16 LXX steht ἀγαπητός = יָחִיד für Isaak. So auch TestAbr(A) 8. An eine
Isaak-Typologie braucht man deswegen noch nicht zu denken. Vgl. ferner Ri 11,34
LXX(A) und Tob 3,10(S): ἀγαπητή im Wechsel mit μία und μονογενής. Vgl. auch Il
6,401; Od 2,365; Arist., Rhet 1365b 16. Dazu C. H. Turner, „ΥΙΟΣ" 113–129.

[7] Anders J. Blank, „Sendung" 39.

Erzählung unentbehrlich ist. Vielleicht geht nur die wörtliche Angleichung auf einen Nacherzähler zurück, dem die parallele Situation in
Winzerparabel und Josefsgeschichte aufgefallen war.[8]
Gegen den jetzigen Abschluß der Parabel in V. 9 erheben sich schwerwie-
gende Bedenken. Zwar sind Fragegleichnisse nichts Ungewöhnliches,
aber daß eine Parabel mit einer rhetorischen Frage des Erzählers
schließt, die von diesem selbst beantwortet wird, ist eine singuläre
Erscheinung.[9] Aus dem ἄνθρωπος von V. 1 ist inzwischen ein κύριος
geworden. Das erinnert an Jes 5,7 LXX: ὁ γὰρ ἀμπελὼν κυρίου. Zu τί
ποιήσει V. 9a ist τί ποιήσω Jes 5,4.5 LXX zu vergleichen. Das V. 9b
angekündigte Gericht hat seine Parallele in der Zerstörung des Weinbergs Jes 5,5. Wir werden den ursprünglichen Schluß der Parabel hinter
V. 8 ansetzen müssen und V. 9 der gleichen vormarkinischen Hand[10]
zuweisen, die auch die Exposition unter dem Einfluß des jesajanischen
Weinbergliedes umgestaltet hat.

Das Zitat aus Ps 118,22f. in Mk 12,10f. ist durch die Einleitung οὐδὲ τὴν
γραφὴν ταύτην ἀνέγνωτε von der Parabel abgesetzt. Sie erinnert an Mk
12,26 οὐκ ἀνέγνωτε ἐν τῇ βίβλῳ Μωϋσέως und an Mk 2,25 οὐδέποτε
ἀνέγνωτε. Daß alle drei Stellen in der Tradition per Zufall gleichlautend
formuliert waren, ist unwahrscheinlich. Redaktionelle Angleichung
erscheint zumindest für 12,10 wahrscheinlicher. Das ἀποδοκιμάζειν des
Psalmzitats steht bei Mk noch im ersten Passionssummarium 8,31, in
Verbindung mit der gleichen Personengruppe, die auch Mk 11,27; 12,12.

---

[8] Der Gedanke an eine christologische Josefstypologie legt sich verführerisch nahe (vgl.
noch TestJ 1,2: Ἰωσὴφ τοῦ ἠγαπημένου), zumal sachliche Ansatzpunkte in Geschick
Josefs gegeben wären. Doch scheitert diese Hypothese an den fehlenden Belegen. Apg
7,9–16 und Hebr 11,21f. haben nur paradigmatischen Sinn, vgl. *L. Ruppert,* Josephserzählung 250–253. TestB 3,8 ist in Herkunft und Aussagewert sehr umstritten, vgl. *W.
Popkes,* Christus traditus 47–55. Eine zweifelsfreie Typologie findet sich nach Ansätzen
bei Just., Dial 91,1f.; 126,1 erst bei Melito von Sardes. *B. Murmelstein,* „Gestalt Josefs"
52–55, möchte vom ungenähten Rock Jesu und vom Verrat um 30 Silberlinge (vgl.
TestG 2,3 v. l.) her Parallelen ziehen. Das bleibt ungesichert. Die rabbinischen Zeugnisse, die von einem kriegerischen Messias ben Joseph sprechen, sind ins 2. Jh. n. Chr.
zu datieren. Sie stehen möglicherweise unter samaritanischem Einfluß und reflektieren
den Bar Kochba-Aufstand. Vgl. an Texten GenR 75,6; 99,2; bSukka 52a/b; Bill. II,
292–299. Zur Diskussion *M. P. Miller,* Scripture 60–62.
[9] Mt 21,31; Lk 7,42f.; 10,36f. sind (a) wahrscheinlich redaktionell und (b) gibt hier nicht
der Erzähler, sondern der Adressat die Antwort. Vgl. *R. Bultmann,* Syn. Tradition 197f.
[10] Im Parabelkorpus finden sich von ἀγαπητός abgesehen keine Anzeichen für mk Redaktionsarbeit. Es begegnen eine Reihe von Vokabeln, die bei Mk nur an dieser Stelle
vorkommen: ἀμπελών, φυτεύω, ἐκδίδοναι, γεωργός, ἀποδημέω, ἀτιμάζω, κενός,
κεφαλιόω, ἐντρέπειν, κληρονόμος, κληρονομία (ohne das Zitat 12,1c). Die relativ
zahlreichen Semitismen, die nur V. 5 unberührt lassen, hat *M. Hengel,* „Weingärtner"
7f., Anm. 31, in teilweisem Rückgriff auf *W. G. Kümmel,* „Weingärtner" 211, Anm. 20,
zusammengestellt. Überzeugende Beispiele sind das pleonastische λαβόντες V. 3 und V.
8, das redundante ἐκεῖνοι V. 7 und die gehäufte Parataxe mit καί.

Subjekt und Mk 12,1 Adressat ist. Das legt den Schluß nahe, daß erst Mk den Psalmvers aus einer Testimoniensammlung übernommen und hier angefügt hat.[11]
Der Schlußvers Mk 12,12 ist redaktionell. Das Verlangen, Hand an Jesus zu legen, begleitet seine Gegner seit Mk 3,6 (vgl. 11,18). Die Furcht vor dem Volk hält sie auch Mk 11,18 (vgl. 11,32) zurück. καὶ ἀφέντες αὐτὸν ἀπῆλθον schließt die Szene, die Mk 11,27 einsetzt, ab und ermöglicht das Auftreten der Pharisäer und Herodianer 12,13.
(2) Die Rahmenbemerkungen bei Mt und Lk dienen der Einordnung der Parabel in den veränderten Kontext. Mt 21,33 knüpft mit ἄλλην παραβολὴν ἀκούσατε an das voraufgegangene Gleichnis von den zwei Söhnen an. Der Plural τὰς παραβολάς im Schlußvers blickt somit auf zwei Gleichnisse zurück. Die Nennung der Adressaten ist in 21,45 gegenüber 21,23 leicht variiert. Lk 20,9–19 setzt die doppelte Hörerangabe von Lk 20,1 voraus. Nach 20,9 richtet sich die Parabel an das Volk, nach 20,19, wo zwei lk Semitismen oder besser Septuagintismen vorkommen[12], reagieren die Gegner.
Im Traditionsstoff weisen Lk und Mt gegen Mk einige Übereinstimmungen auf. Neben den Auslassungen und Verbesserungen, die als unabhängige stilistische Änderungen zu werten sind[13], behalten zwei *agreements* ihr Gewicht: der Anhang zum Psalmzitat Mt 21,44 par Lk 20,18 (mit ganz geringfügigen Abweichungen im Wortlaut) und die Umstellung von ἐξέβαλον und ἀπέκτειναν Mt 21,39 par Lk 20,15 diff Mk 12,8.
Während Lk 20,18 textkritisch einwandfrei bezeugt ist, fehlt Mt 21,44 bei Vertretern des westlichen Textes (D 33 it syr[s] Ir Os Eus). Er gehört zu den *Western non-interpolations*, denen man heute in der Textkritik mit größerer Skepsis begegnet als in den Tagen von Westcott und Hort.[14] Doch können sie im Einzelfall durchaus die ältere Textform bezeugen. Sinnge-

---

[11] Für mk Autorschaft treten ein *R. Bultmann*, Syn. Tradition 191; *E. Wendling*, Entstehung 152; *A. Suhl*, Funktion 141. Zögernd *A. Fridrichsen*, „Vingartnere" 356. *M. Black*, „Use of the OT" 12, vermutet ein Wortspiel mit בֵּן = Sohn und אֶבֶן = Stein, das auch 1 Kön 18,31; Klgl 4,1f.; GenR 68,11 u. ö. belegt sei. Dann müßte die Verbindung schon vor der Übersetzung ins Griechische erfolgt sein, was schwerlich zutrifft. Interessant bleibt die LXX-Lesart zu Sach 4,7: τὸν λίθον τῆς κληρονομίας (der Übersetzer hat הראשה von ירש abgeleitet).

[12] Nämlich ἐπιβαλεῖν ἐπ' αὐτὸν τὰς χεῖρας, vgl. Lk 21,12; 22,53; Jer 6,12; 1 Makk 12,42; dazu Bl-Debr § 170, Anm. 3, und ἐν αὐτῇ τῇ ὥρᾳ, vgl. Lk 2,38; 24,33; Dan 3,6.15; Bl-Debr § 288, Anm. 4.

[13] Dazu gehören die Umstellung von ἄνθρωπος und ἀμπελῶνα in der Einleitung, die Auslassung von παρὰ τῶν γεωργῶν Mk 12,2 und πρὸς αὐτός Mk 12,4, die ersatzweise Einführung des Subjekts οἱ γεωργοί Mt 21,35 par Lk 20,10 diff Mk 12,3, die Streichung von Mk 12,5b und die erzählerisch notwendige Ergänzung von ἰδόντες Mt 21,38 par Lk 20,14 diff Mk 12,7. Das οὖν Mt 21,40 par Lk 20,15 ist auch für Mk 12,9 ausgezeichnet bezeugt.

[14] *K. Aland*, „Bedeutung" 172; *K. Snodgrass*, „Western non-interpolations" 377.

mäß würde man V. 44 hinter Mt 21,42 erwarten. Hinter 21,43 stört er den logischen Zusammenhang.[15] Eine isolierte Existenz hat der Vers in dieser Form sicher nicht geführt.[16] Eine Paralleltradition des ganzen Komplexes in Q bleibt mehr als unwahrscheinlich. Mt 21,44 ist daher aus äußeren und inneren Gründen als Harmonisierung mit Lk aus dem Text zu streichen. Das macht den Weg frei für die plausible Annahme, daß erst Lk V. 18 zwar nicht gebildet, aber (aus einer Sammlung?) aufgegriffen und in den Kontext der Winzerparabel eingebracht hat.

Das Hinauswerfen des Getöteten aus dem Weinberg Mk 12,8 charakterisiert die Bosheit der Winzer, die selbst vor einer Schändung des Leichnams[17] nicht zurückschrecken. Die Umstellung von ἐξέβαλον und ἀπέκτειναν hingegen führt man meist auf ein naheliegendes christologisches Theologoumenon zurück. Jesus wurde nach Joh 19,17.20 und Hebr 13,12 außerhalb der Stadt gekreuzigt.[18] Das wäre eine mögliche Erklärung, die auf die Annahme gegenseitiger Abhängigkeit verzichten kann. Doch fällt auf, daß ein Teil der gleichen Zeugen, die Mt 21,44 auslassen, für Mt 21,39 ἀπέκτειναν καὶ ἐξέβαλον lesen (D it Ir, dazu Θ geo Luc Juv). Eine Angleichung an Mk ist möglich, doch könnte genausogut eine ursprüngliche Lesart vorliegen, die in den übrigen Zeugen unter dem Einfluß des genannten Theologoumenons mit Lk harmonisiert wurde. Das wird gestützt durch die Beobachtung, daß gerade Lk an diesem Motiv verstärktes Interesse zeigt[19], nicht aber Mt. Daß für Mk nur in wenigen Minuskeln die harmonisierte Lesart bezeugt ist, wird an der geringen Bedeutung liegen, die man dem zweiten Evangelium beimaß. Eine nichtmarkinische Vorlage für Mt und Lk läßt sich aus den z. T. nur vermeintlichen *agreements* nicht erschließen.[20]

---

[15] Vgl. *D. Buzy*, Paraboles 418: die Reihenfolge ist gestört, sie müßte richtig lauten: V. 41.43.42.44.

[16] Es handelt sich zunächst wohl um ein Sprichwort, vgl. Sir 13,2; EstR 7,10 (Bill. I, 877): „Fällt der Stein auf den Topf, wehe dem Topf. Fällt der Topf auf den Stein, wehe dem Topf. So oder so, wehe dem Topf" (im Kontext werden u. a. Ps 118,22 und Dan 2,45 zitiert). Doch ist die jetzige Form mit an Jes 8,14 und Dan 2,34.45 deutlich auf den vorangehenden Psalmvers bezogen. Daß der Text sich mit der Theodotionversion von Dan 2,44 berührt (λικμήσει), berechtigt nicht zur Annahme, er sei erst nach 130 n. Chr. ins LkEv geraten, gegen *H. Oort*, „Lucas 20[18b] 140. Die Tatsache, daß Dan 2,44 auch βασιλεία vorkommt, ist noch kein Argument für die Zusammengehörigkeit von Mt 21,43 und 21,44, gegen *R. Swaeles*, „L'arrière-fond" 312f. Zu συνθλασθήσεται vgl. Ps 110(109), 5–6 LXX (Gerichtsaussage).

[17] Vgl. 1 Sam 17,44; 1 Kön 14,11; *J. Schmid*, Mk 219.

[18] Vgl. die Steinigung der Gotteslästerer außerhalb des Lagers Lev 24,14.23; Num 15,35f.

[19] Lk hat diesen Zug an den Anfang des Wirkens Jesu (Lk 4,29: ἐξέβαλον αὐτόν ἔξω τῆς πόλεως) und in die Leidensgeschichte des Stephanus (Apg 7,57: καὶ ἐκβαλόντες ἔξω τῆς πόλεως) transponiert.

[20] *J. A. T. Robinson*, „Husbandmen" 456f., sucht seine Zuflucht wieder bei einer synoptischen Grundschrift. Vgl. dagegen schon (mit Bezug auf die Winzerparabel) *E. A. Abbott*, EBrit X[9], 790f. *M. Hubaut*, Vignerons 95, nimmt für Mt eine eigenständige Traditionsvariante an.

Die übrigen Änderungen sind fraglos redaktioneller Art. Der ἄνθρωπος οἰκοδεσπότης ist eine für Mt typische Erscheinung (vgl. Mt 13,52; 20,1). Mt zeigt ferner ein deutliches Interesse am καιρός und an den Früchten.[21] Von den Knechten spricht er nur im Plural. Den mk Zusatz ἀγαπητός läßt er aus, wahrscheinlich, weil er der Parabel weniger eine christologische als vielmehr eine ekklesiologische und paränetische Nuance abgewinnt.[22] Daß Mt die Parabel in einen Dialog überführt, hat seine unmittelbare Parallele Mt 21,31f. Außerdem ist an atl Vorbilder zu erinnern, besonders an 2 Sam 12,1–7, daneben an 1 Kön 20,38–42; 2 Sam 14,1–17 und Jona 4,9–11. Das Schema von Frage – Antwort – Gegenantwort steht dort im Dienst einer *disclosure*-Erfahrung, die den Angesprochenen zur Einsicht führt, daß ihm das Urteil gilt, das er auf den fiktiven Fall anwandte.[23] Der neueingeführte Vers 43 ist in der Formulierung traditionell. Mt schreibt sonst βασιλεία τῶν οὐρανῶν statt βασιλεία τοῦ θεοῦ.[24]

Die Lk-Version weist eine Reihe von Lukanismen auf.[25] Der Wegfall der Anspielungen auf Jes 5,2 ist u. a. wohl durch die Erkenntnis bestimmt,

---

[21] Über Mk hinaus schreibt er V. 34a: ἤγγισεν ὁ καιρὸς τῶν καρπῶν, und V. 41b: οἵτινες ἀποδώσουσιν αὐτῷ τοὺς καρποὺς ἐν τοῖς καιροῖς αὐτῶν (eine Anspielung auf Ps 1,3, vgl. *E. Schweizer*, Mt 270). Mk 12,2 heißt es ἀπὸ τῶν καρπῶν. Der Pachtzins besteht in einem Teil des Ertrags. Nach Mt 21,34fin fordert der Besitzer jedoch τοὺς καρποὺς αὐτοῦ, d. h. alle Früchte. Die paränetische Auswertung schimmert durch, vgl. *J. Schmid*, Mt 305.

[22] Vgl. *F. Mußner*, „Winzer" 130. Auch das spräche für die Bevorzugung der Mk-Lesart in Mt 21,39.

[23] Vgl. 2 Sam 12,7: „Du selbst bist dieser Mann"; 1 Kön 20,40: „Du hast dir selbst das Urteil gesprochen"; 4 Esr 4,20. Dazu *R. Bultmann*, Syn. Tradition 198. Zur Dialogisierung in Wundergeschichten bei Mt vgl. *H. J. Held*, Wundergeschichten 221–224. Die Paronomasie κακοὺς κακῶς ist gut griechisch und kein Semitismus, vgl. nur Eurip., Tro 1055f., Cyc 267f.; Med 805. 1386; Wettstein I, 468; *E. Lohmeyer*, Mt 313f. Belege aus Jos. (Ant 2,300 etc.) bei *A. Schlatter*, Mt 632.

[24] Von den beiden übrigen textlich gesicherten Stellen, an denen Mt βασιλεία τοῦ θεοῦ hat, stammt 12,28 aus Q, und 21,31 enthält auch nach Trilling alte Tradition. Wenn *W. Trilling*, Israel 58–60, dennoch den redaktionellen Charakter des Verses zu erweisen sucht, überzeugt das keineswegs. Wir haben mit Schultradition zu rechnen, die der Endredaktion vorausliegt. Vgl. die Kritik bei *R. Hummel*, Auseinandersetzung 167 (in teilweisem Widerspruch zu seinen früheren Ausführungen ebd. 148).

[25] προσέθετο πέμψαι ist lk Semitismus für ... ל יוסף, vgl. Lk 19,11; Apg 12,3; Bl-Debr § 435, Anm. 4. χρόνος ἱκανός begegnet nur bei Lk (8,27; 23,8; Apg 8,11; 14,3; 27,9). Zu ἕτερος (9/11/33/17), zu πέμπω (4/1/10/11) und zu πρὸς ἀλλήλους (0/4/8/4) vgl. nur die Statistik. διαλογίζομαι wird von allen drei Synoptikern von den bösen Plänen der Gegner Jesu gebraucht. τραυματίζειν ist synoptisches, ἴσως ntl Hapaxlegomenon. ἐξαποστέλλω geht auf die lk Vorliebe für Komposita zurück. Vgl. im einzelnen *A. Plummer*, Lk 459–461. Vielleicht hat Lk auch die Einleitung an seine ἄνθρωπός-τις-Gleichnisse angeglichen, wenn der Lesart in A W Θ syr arm geo und einigen Minuskeln zu trauen ist.

292 Die Parabel von den bösen Winzern

daß diesen Details erzählerisch keine Funktion zukommt.[26] Die Dreizahl der Knechte bei Lk bedeutet eine sichtliche Glättung, ist aber nicht ursprünglich. Die schöne Klimax von δείραντες über δείραντες καὶ ἀτιμάσαντες und τραυματίσαντες zu ἀπέκτειναν wäre für mündliches Erzählen zu lang, sie macht einen literarisch stilisierten Eindruck. Daß Lk schon V. 13 vom κύριος τοῦ ἀμπελῶνος spricht und ihn die Frage τί ποιήσω stellen läßt, kann sehr wohl eine Beinflussung durch Jes 5,4.5.7 verraten. Hier war eine derartige Anspielung für Lk auch erzählerisch in Ordnung. Die monologische Selbstreflexion des Herrn hat ihre Parallele in anderen lk Gleichnissen[27]. Den Schluß dramatisiert Lk, indem er die Hörer den an Pl (Röm 3,4.6.31 etc.) gemahnenden Einwand μὴ γένοιτο machen läßt[28]. Wie in der Sämannsparabel hat Lk auch in der Winzer- parabel seine literarische Erzählkunst, die sich von mündlichem Erzäh- len durchaus unterscheidet, unter Beweis gestellt. Eine ältere Sondertra- dition der Parabel liegt bei Lk nicht vor.[29]

(3) Die Fassung der Parabel in Logion 65 des ThEv macht auf den ersten Blick einen frappierend altertümlichen Eindruck. Es fehlen die Ausma- lungen mit Hilfe des jesajanischen Weinbergliedes in Einleitung und Schluß, es fehlt der Zusatz ἀγαπητός. Da dem Sohn nur zwei Knechte vorausgeschickt werden, ergibt sich eine gute Dreizahl von Sendungen. Das Zitat aus Ps 118,22, das in Logion 66 folgt, steht mit der Parabel in keinem erkennbaren Zusammenhang. Das hat eine Reihe von Autoren veranlaßt, ThEv 65 als ältere Überlieferungsvariante anzusehen.[30] Doch der erste Blick täuscht. Formal ist anzumerken, daß die unentbehr- liche Klimax der Mißhandlungen nicht wirklich durchgehalten ist. Schon vom ersten Knecht[31] heißt es: „Sie schlugen ihn, fast hätten sie ihn getötet" (93,6f.), während der zweite Knecht nur geschlagen wird. Fer- ner fällt die Doppelung in 93,3f. („damit er seine Frucht erhalte von ihnen") und 93,5f. („damit die Winzer ihm die Frucht des Weinbergs gäben") auf. Sie darf als Kombination von Mk 12,2 (ἵνα λάβῃ) und Lk 20,10 (ἵνα δώσουσιν) gelten. Die Zweizahl der Knechte könnte Harmo-

---

[26] Zu erinnern ist auch an die Kürzung des atl Zitats Lk 8,10. Daß Lk 20,17 den zweiten Vers des Psalmzitats wegläßt, ist zunächst durch V. 18 bedingt, der so besser an λίθον anschließt. Des weiteren zitieren auch Apg 4,11; 1 Petr 2,7; Barn 6,4 nur die erste Hälfte von Ps 118,22f.

[27] Vgl. Lk 12,17–19; 15,17–19; 16,3–4; 18,4–5.

[28] Vgl. die überraschte Reaktion der Hörer Lk 19,25 diff Mt.

[29] Gegen S. Pedersen, „Problem" 172f.; X. Léon-Dufour, „Vignerons" 319; T. Schramm, Mar- kus-Stoff 166f.

[30] So etwa H. Montefiore, „Parables" 326f; J. D. McCaughey, „Parables" 25f.; J. É. Ménard, ThEv 167.

[31] Daß es im ThEv nicht ein Knecht, sondern sein Knecht ist, kann aus dem Gastmahl- gleichnis ThEv 64 herrühren.

nisierung nach Mt 21,35f. hin sein, wie sie für Mk und Lk in der syrischen Textüberlieferung faßbar wird.[32]
Aus dem gütigen Mann[33] von 93,1 wird schon 93,8 ein Herr (čoīs = κύριος), der zweimal eine mit „vielleicht" (mešak) eingeleitete Selbstreflexion anstellt. Formal und im Wortlaut erinnert das an Lk 20,13 (κύριος, ἴσως). Auch die Tilgung der Anklänge an Jes 5 und die Kürzung des Psalmzitats ThEv 66 um den zweiten Vers haben ihre Parallele bei Lk.
Überhaupt ist die Tatsache, daß in Logion 66 das Zitat aus Ps 118,22 folgt[34], das stärkste Argument für die Abhängigkeit des ThEv von den Synoptikern. Daß auf einer vorsynoptischen Traditionsstufe Parabel und Psalmzitat inhaltlich unverbunden, sozusagen zufällig nebeneinander standen und daß ThEv 65f. ebenso zufällig diese Traditionsform bezeugt[35], glaube, wer will. Die Verknüpfung von Parabel und Zitat hatte von Anfang an ein inhaltliches Ziel. Der Psalmvers diente zur Interpretation der Parabel. Da der Verfasser des ThEv Gleichnisauslegungen grundsätzlich skeptisch gegenübersteht, hat er sich bemüht, diesen ihm durchaus bekannten Zusammenhang herunterzuspielen. Er konnte das um so eher tun, als sich schon bei Mt und Lk die Tendenz zeigt, das Zitat formal von der Parabel abzurücken, indem sie gegen Mk λέγει αὐτοῖς ὁ Ἰησοῦς, bzw. ὁ δὲ ἐμβλέψας αὐτοῖς εἶπεν einfügen. Vorsynoptische Tradition liegt im ThEv an keiner Stelle vor.[36]

[32] Hinweis von K. Snodgrass, „Husbandmen" 143f.

[33] Diese Qualifizierung des Mannes widerspricht einer Beobachtung von A. Olrik, „Gesetze" 8: „jede eigenschaft der personen und der dinge muss sich in handlung aussprechen, sonst ist sie nichts." Vgl. ebd. Anm. 1 das sehr instruktive Beispiel für die Vermeidung von psychologisierenden Adjektiven. Auch unter erzählerischem Gesichtspunkt ist die Fassung des ThEv demnach nicht unbedingt primär.

[34] Für die Einleitung „Zeige mir (matseboi) den Stein" verweist B. Dehandschutter, „Vignerons" 210–212, auf Logion 24: „Zeige uns den Ort". Doch wäre es, wie er selbst vermerkt, auch möglich, hier einen Reflex der Zitationsformel ἀνέγνωτε bei Mt und Mk zu sehen. W. Schrage, ThEv 146, denkt an Einfluß des δείξατέ μοι Lk 20,24 in der koptischen Übersetzung.

[35] So etwa argumentieren J. Jeremias, Gleichnisse 72, Anm. 2; T. Schramm, Markus-Stoff 165; sehr gequält auch J. D. Crossan, „Husbandmen" 458.

[36] Zu diesem Ergebnis gelangen u. a. W. Schrage, ThEv 139; B. Dehandschutter, „Vignerons" 218f.; J. B. Sheppard, Study 213–215; W. R. Schoedel, „Parables" 558–560 (der u. a. darauf hinweist, daß die Tendenz des ThEv, die „ecclesiastical explanations and allegories" der Synoptiker zu hinterfragen nach einem ursprünglich gnostischen Sinn, gelegentlich zu Textfassungen führe, die irrigerweise einen archaischen Eindruck machten).

b) Form und Gattung

Die literarkritischen Analysen haben ergeben, daß wir für die Rekonstruktion auf Mk angewiesen bleiben.[37] Es scheint möglich, einen Schritt hinter die Vorlage des Mk zurück zu tun. Wir gelangen mit einiger Sicherheit zu einer kleinen Einheit, die folgenden Bestand aufweist: V. 1b.d.2–4.6*. 7–8.[38] Diese Einheit hat klare erzählerische Konturen. Das herrschende Tempus ist der Aorist. Davon weicht auf der Erzählebene lediglich das Imperfekt εἶχεν V. 6a ab, das einen Zustand beschreibt. Präsens und Futur stehen nur innerhalb der direkten Rede (V. 6.7). Als Subjekt fungieren je 7mal der Besitzer und die Winzer, wobei dem Besitzer, der die ganze Handlungsfolge auslöst, die Rolle der Hauptperson zukommt[39]. Sie sind die eigentlichen Handlungsträger. Knechte und Sohn, die gemeinsam die Gruppe der Boten bilden, sind grammatisch Objekt. Sie werden im Erzählverlauf zum Spielball des eskalierenden Geschehens, das aus dem Gegensatz zwischen Besitzer und Pächter[40] herauswächst. Ihre Mißhandlung bildet eine perfekte Klimax. Der erste Knecht wird geschlagen und mit leeren Händen weggeschickt[41], der zweite am Kopf verwundet[42] und entehrt[43]. Der Sohn und Erbe wird getötet und hinausgeworfen. Die *regel de tri*[44] ist gleich zweimal eingehalten. Die je paarweise (Besitzer –

[37] Weil sie das nicht berücksichtigen, sind die Rekonstruktionsversuche von *X. Léon-Dufour,* „Vignerons" 316–327, und *B. M. F. van Iersel,* Sohn 132–141, methodisch verfehlt. Am ehesten überzeugt noch *M. Hubaut,* Vignerons 131.

[38] Anders *E. Hirsch,* Frühgeschichte I, 128f., der V. 1–5.9 als Einheit angibt, und *B. T. D. Smith,* Parables 224, der V. 5b–8.9b streicht und V. 1–5a.9a übrig behält.

[39] Vgl. *A. Olrik,* „Gesetze" 10: „Das höchste gesetz der volksüberlieferung ist die *concentration* um eine Hauptperson" (Hervorheb. immer im Orig.).

[40] Ebd. 6 spricht Olrik vom „grosse(n) *gesetz des gegensatzes.* die sage wird sich immer polarisieren."

[41] Vgl. Gen 31,42 LXX: νῦν ἂν κενόν με ἐξαπέστειλας. Jdt 1,11: καὶ ἀνέστρεψαν τοὺς ἀγγέλους αὐτοῦ κενοὺς ἐν ἀτιμίᾳ.

[42] Die Bedeutung von ἐκεφαλίωσαν (אB L) hat die Vulgata wohl sinngemäß getroffen: *in capite vulneraverunt.* Die Mehrzahl der Texte liest ἐκαφαλαίωσαν (die Lesart wird in den letzten Auflagen des GreekNT und der Aland-Synopse nicht einmal mehr genannt), was normalerweise „summieren", „zusammenfassen" bedeutet. Vgl. Bauer WB 851; Moult–Mill 342; Bl-Debr § 108, Anm. 1. An Konjekturen sind u. a. vorgeschlagen worden ἐκολάφισαν (ohrfeigen), ἐφαλάκρωσαν (kahl scheren) und ἐξεφαύλισαν (schmähen), vgl. *M. Black,* „Parables" 281, Anm. 2. *J. D. Crossan,* „Husbandmen" 452, vermutet eine redaktionelle Anspielung auf das Schicksal des Täufers (ἀπεκεφάλισεν Mk 6,27). Einen Ansatzpunkt zur allegorischen Ausdeutung gibt VitProph 2: Amos wird mit einer Keule auf den Kopf geschlagen.

[43] Vgl. die schmähliche Behandlung der Boten Davids durch Hanun 2 Sam 10,4: „Da ließ Hanun die Leute Davids greifen, ihnen den Bart zur Hälfte abscheren und die Kleider zur Hälfte bis aufs Gesäß wegschneiden und schickte sie dann fort."

[44] *A. Olrik,* „Gesetze" 4: „nichts unterscheidet so deutlich die große menge der volkspoesie von der modernen dichtung und von der würklichkeit (*sic*), wie die dreizahl es tut."

Knecht, Knecht – Pächter etc.) auftretenden Akteure[45] ergeben insgesamt eine Dreizahl von Personengruppen: Besitzer – Pächter – Boten. Die Boten selbst sind drei an der Zahl, mit deutlicher Betonung auf dem letzten, dem Sohn (Achtergewicht).

Die von A. Olrik bleibend verdienstvoll herausgestellten Gesetze der Volkspoesie lassen sich fast ausnahmslos an unserem Text verifizieren.[46] Selbst eine Beschreibung mit Mitteln der strukturalen Erzählforschung, wie sie E. Güttgemanns ansatzweise versucht[47], scheint in diesem Fall nicht ganz aussichtslos. Der Text ist zweifellos das stilechte Beispiel einer erzählenden Parabel. Damit ist seine Gattung eindeutig bestimmt. Für anderslautende Äußerungen gibt es von der Form- und Gattungskritik her keinen Anhaltspunkt.

§ 38: Problem und Lösungsversuche

R. Bultmann hat die beiden Einwände, die seit A. Jülicher gegen die Winzerparabel immer wieder erhoben werden, in prägnanter Kürze formuliert[48]:

> „Freilich liegt nicht eine Parabel, sondern eine Allegorie vor; denn nur als solche ist der dargestellte Vorgang sinnvoll. Auch inhaltlich erweist sich das Stück als Gemeindebildung."

Der erste Einwand zielt auf die fehlende Realitätsnähe der Bildseite[49], der zweite geht vom referentialen Bezug des Textes aus. Die beiden Argumente verschränken sich meist, bewußt oder unbewußt, auf folgende Weise: Weil die nachösterliche Gemeinde in der Winzerparabel ein theologisches Anliegen ausspricht[50], wirkt die Bildseite so konstruiert und wirklichkeitsfremd. Somit wird an diesem Text Jülichers Verdikt, daß Jesus selbst sich nur der lebensechten Parabel bedient habe, nicht aber der realitätsfernen Allegorie, eindrucksvoll bestätigt.

Die verschiedenen Lösungsvorschläge bleiben Jülichers Ansatz auch im Widerspruch noch verpflichtet. Katholischerseits wird in der älteren Literatur das Problem durch Eliminierung aus dem Weg geräumt. Jesus hat in dem Gleichnis in vollem Wissen um seine Gottessohnschaft einen

---

[45] A. Olrik, ebd. 5: „zwei ist die höchste zahl der auf einmal auftretenden personen."
[46] Vgl. auch M. Hengel, „Weingärtner" 32f., Anm. 104.
[47] Vgl. E. Güttgemanns, „Analyse" 53f.
[48] R. Bultmann, Syn. Tradition 191.
[49] Vgl. E. Hirsch, Frühgeschichte I, 129; I. K. Madsen, Parabeln 73–75; A. Loisy, Évangiles II, 306f. (mit fast grotesken Übertreibungen).
[50] In diesem Sinne etwa W. G. Kümmel, „Weingärtner" 215f.; D. Merli, „Vignaioli" 104–107; C. E. Carlston, Parables 185–187.

prophetischen Abriß der vergangenen und künftigen Heilsgeschichte
gegeben.[51] In anderen Lagern bemüht man sich mehr darum, die Ver-
haltensweise der Rollenträger auf der Handlungsebene psychologisch
verständlich zu machen.[52]
Es bedeutet einen Schritt nach vorn, wenn C. H. Dodd es unternimmt,
die Motive der Akteure nicht nur in ihrer Psyche, sondern auch in der
Zeitgeschichte zu fundieren. Die zelotische Gesinnung der unterdrückten
galiläischen Bauern und ihr Haß auf ausländische Großgrundbesitzer
boten nach Dodd genügend Konfliktstoff, der eine Episode wie die in der
Winzerparabel geschilderte sehr wohl nähren konnte.[53]
Als die eigentlichen Exponenten dieses Ansatzes, der von der Erhellung
des sozio-kulturellen Kontextes ausgeht, können in verschiedener Weise
J. D. M. Derrett und M. Hengel gelten. Nach Derrett nehmen die Pächter für sich das im Talmud bezeugte Ersitzungsrecht in Anspruch, demzufolge herrenloses Gut nach drei Jahren in den Besitz dessen übergeht,
der es bearbeitet. Um dem zuvorzukommen, muß der Herr im entscheidenden vierten Jahr seinen Sohn als einzigen rechtskräftigen Stellvertre-
ter senden.[54] Die jüdischen Rechtsvorschriften werden von Derrett über
Gebühr strapaziert[55], ihr Zusammenhang mit der Parabel bleibt mehr
als zweifelhaft.
Mehr Zutrauen verdienen die Untersuchungen von M. Hengel. Er zeigt,
daß sich die Schlüsselbegriffe der Parabel aus der nüchternen Geschäfts-
sprache der Zenonpapyri belegen lassen. Dort ist von der Anpflanzung
eines Weinbergs die Rede[56], ἐκδιδόναι kommt in der Bedeutung „ver-

---

[51] *S. M. Gozzo*, Disquisitio 137–142.190f.; *J. M. Vosté*, Parabolae I, 360–365; *F. Hofmans*,
„Parabels" 85–89. Vgl. *R. Silva*, „Parábola" 347–351.

[52] Vgl. *C. A. Bugge*, Hauptparabeln 296; *S. Goebel*, Parabeln III, 67; *H. Weinel*, Bildersprache 35f.; *A. T. Cadoux*, Parables 41.

[53] Vgl. *C. H. Dodd*, Parables 94; *J. Jeremias*, Gleichnisse 73; *W. Grundmann*, Mk 238f. Weite
Teile Galiläas waren Königsland (γῆ βασιλική), aus dem Beamte und Freunde des
jeweiligen Herrschers ihren Nutzen zogen, vgl. *S. Krauß*, Archäologie II, 109f.; *J. Herz*,
„Großgrundbesitz" 98–113; *M. Rostowzew*, Studien 246–256 (grundlegend).

[54] *J. D. M. Derrett*, Law 286–312. Ähnlich schon *E. Bammel*, „Gleichnis" 11–17, der auf die
Verfügung von Todes wegen rekurriert, d. h. eine „Zuwendung unter Lebenden, die
freilich ihre volle Wirkung erst mit dem Tode des Zuwendenden entfaltet", so *W. Selb*,
„Erbrecht" 174.

[55] Nach BB 3,3 sind Pächter ausdrücklich vom Ersitzungsrecht (חזקה) ausgeschlossen.
Vgl. auch die Einschränkungen bei *Z. W. Falk*, Introduction 133. Kil 7,6 heißt es von
räuberischer Inbesitznahme: „Von welcher Zeit an gehört der Weinberg dem Gewalttä-
tigen? Von da ab, wo der Name des vorigen Besitzers erlischt." *J. Jeremias*, Gleichnisse
73f., nimmt deshalb an, daß die Pächter aus dem Erscheinen des Sohnes auf den Tod des
Besitzers schließen.

[56] PCairZen 59 352,5f.: ἀμπελ[ῶνα] πεφύτευκεν. PCairZen 59 604,2: ἄμπελον πεφύτευ-
κας, ἐπικεχώρηκα τοῖς υἱοῖς. Die erste Ausgrabung eines antiken Weinbergs ist in
Pompei gelungen, vgl. den Bericht von *W. F. Jashemski*, „Vineyard" 821–830.

pachten" vor[57], ἀποδημεῖν in der Bedeutung „außer Landes gehen"[58]. Als Pächter treten die γεωργοί auf.[59] Die Modalitäten der Pacht, die das Gleichnis voraussetzt, sind gleichfalls in den Papyri belegt.[60] Zahlungsunwilligkeit und Aufsässigkeit der Pächter waren nichts Ungewöhnliches.[61] Selbst das gewaltsame Hinauswerfen eines Knechtes liegt im Bereich des Möglichen.[62]

Aus all dem ergibt sich: die Winzerparabel verarbeitet auf der erzählerischen Ebene realistische Versatzstücke. Die Wirklichkeit wird nicht stärker strapaziert und nicht mehr verfremdet als in anderen Parabeln auch. Soviel kann die Rückfrage nach den Realien leisten, mehr nicht.[63]

Eine weitere Gruppe von Lösungsversuchen ist dadurch bestimmt, daß sie für die Parabel nach einem unverdächtigen Referenten im Leben Jesu sucht. Für E. Lohmeyer bringt die Parabel Jesu Kritik am jüdischen Kult zum Ausdruck. Den äußeren Anknüpfungspunkt bilde der goldene Weinstock über dem Portal des Tempelheiligtums.[64] Seine These hat M. Hubaut in einer modifizierten Form erneuert.[65] Nach A. Gray und P. D.

---

[57] PCairZen 59 172,32; 59 422,5f. Vgl. Moult–Mill 192.

[58] PCairZen 59 368,31; 59 569,55. Vgl. auch Mt 25,14f.; Lk 15,13. Dazu *J. Lendrum*, „Country" 377–380. Gegen *W. G. Kümmel*, „Weingärtner" 208, Anm. 10.

[59] PCairZen 59 410,1; 59 467,9. Die Äquivalente sind *coloni* und אריסין.

[60] Zur Gemeinschaftspacht vgl. PCairZen 59 340; Dem 6,8. An Pachtverträgen vgl. PCair Zen 59 666; POxy 729 (137 n. Chr.); DJD II, 122–134; TosBM 9,13; weitere Beispiele bei *E. H. Minns*, „Parchments" 28–30. Zu den Natural- und Geldabgaben ExR 41,1; Bill. I, 869–871; Dalman Arbeit II, 158f.; für die Zenonpapyri *W. L. Westermann*, „Taxes" 38–51. Zum Ganzen *J. Herrmann*, Studien 16–55.98–111.217–221; *G. Prenzel*, Pacht 6f.26f.34f.

[61] PCairZen 59 179 (Kleruchen beanspruchen einen Weinberg des Apollonios als ihr Eigentum); PCairZen 59 300 (Beschwerde über einen unzuverlässigen Pächter); PCairZen 59 624 (unrechtmäßige Inbesitznahme eines Weinbergs).

[62] PCairZen 59 018: ἐγβαλ[εῖ]ν ἐκ τῆς κώμης. Vgl. PCair Zen 59 368,30: κενὸν ἀπῆλθεν.

[63] Hengel selbst hat über die Frage nach den Realien hinaus auf die erzählerischen Topoi aufmerksam gemacht, die die Winzerparabel mit rabbinischen Gleichnissen gemeinsam hat. Vgl. *M. Hengel*, „Weingärtner" 18.22.24f.28.35; ferner *I. Ziegler*, Königsgleichnisse 255–258.444–453; *A. Feldman*, Parables 39–44. Es lassen sich folgende Züge belegen: 1. Anlage eines Weinbergs oder Gartens (ExR 20,5; 43,9). 2. Übergabe an Pächter (AbRN 16; KohR 6,9: „gleich einem König, der einen Weinberg besaß, und er übergab ihn Pächtern zum Bearbeiten"). 3. Wegziehen des Besitzers (LevR 23,3; TanchB בשלח § 7 = Bill. I, 875: „Da der König in ein fernes Land ziehen wollte, sprach er zu seinem Kolonen, er solle das Besitztum hüten ..."). 4. Enttäuschung über schlechte Pächter (GenR 22,5; ExR 27,9; DtnR 7,4). 5. Sendung eines Bevollmächtigten (LevR 11,7; KohR 5,10). 6. Mißhandlungen und Widersetzlichkeit (LevR 11,7; GenR 5,6; 42,3,IV; SNum 25,1; ExR 15,19). 7. Bedrohung des Sohnes (ExR 18,6; 20,12.13.14; MekEx 14,19; jTaan 68c).

[64] *E. Lohmeyer*, „Weingärtner" 165f. Lohmeyer verbindet das mit seiner ideengeschichtlichen Sicht des Urchristentums. Der Text, der die Mitte zwischen Parabel und Allegorie hält, entstammt der galiläischen Christenheit, die synoptische und johanneische Motive verbindet.

[65] *M. Hubaut*, Vignerons 139.

van Royen neigt jetzt auch M. P. Miller zu der Annahme, mit dem Sohn
sei zunächst nicht Jesus gemeint, sondern Johannes der Täufer.[66] J. E.
und R. R. Newell interpretieren die Parabel als Warnung Jesu vor zeloti-
scher Gewaltanwendung.[67] T. Schramm und J. D. Crossan schließlich
vertreten die Ansicht, den von Jesus intendierten Vergleichspunkt bilde
das in einer Hinsicht vorbildliche Verhalten der Pächter. Sie handeln
schnell, entschlossen und situationsgerecht. Genauso sollen sich die
Hörer Jesu angesichts der Basileia verhalten.[68] Die Allegoriefurcht muß
schon groß sein, wenn sie zu solchen Gewaltstreichen führt.

Getreu dem Ansatz, der in dieser Arbeit vertreten wird, wenden wir uns
im folgenden dem paradigmatischen Umfeld der verschiedenen potentiel-
len Metaphern der Parabel zu. In einem zweiten Schritt ist zu prüfen,
inwieweit diese Felder sich mit der Parabel in Verbindung bringen lassen
und somit einen Beitrag zum Verständnis dieses schwierigen Textes leisten.

§ 39: Bildfelder

a) Weinberg

Die weitaus meisten der ca. 100 Belege für כרם/ἀμπελών im AT setzen
ein wörtliches Verständnis voraus.[69] Für eine metaphorische Verwendung ergeben sich zwei Ansatzpunkte. Die erotische Bildersprache des
Hohenliedes verwendet den Weinberg als nirgends ausdrücklich identifizierte Metapher für die Geliebte.[70] Im Weinberglied des Jesaja[71] wird die

---

[66] *M. P. Miller*, Scripture 269f. (seine Arbeit vertritt ansonsten eine Art besser reflektierten *midrashic approach*). Vgl. *A. Gray*, „Husbandmen" 48–52; *P. D. van Royen*, Jezus 15–20.

[67] *J. E. – R. R. Newell*, „Wicked Tenants" 235f.

[68] *T. Schramm*, Markus-Stoff 168f.; *J. D. Crossan*, „Husbandmen" 464f. Unentschlossen *H. Patsch*, Abendmahl 202. Kurios ist die strukturalistische Auslegung bei *L. Marin*, Passionsgeschichte 53–56. Die Codes von Parabel, Rahmenhandlung und Psalmzitat wer-
den ineinander überführt. Der Weinberg ist der Tempel, der Stein ist der Sohn. Das
Fallen des Ecksteins Lk 20,18 gleicht der Tätigkeit der Weinpresse und deutet auf die
Zerstörung des Tempels. Der Turm Mk 12,1 ist Symbol für das Kreuz Jesu, die Kelter
für sein Grab, das in den Felsen gehauen ist etc. Der souveräne Verzicht auf philologische Detailarbeit geht mit einer unkontrollierten Allegorese einher, die der allegorischen Exegese der Väter um nichts nachsteht und weniger entschuldbar ist.

[69] So in der Geschichte von Naboths Weinberg 1 Kön 21,1–16, die nicht ohne Parallelen
zur Winzerparabel ist. Ahab setzt sich durch einen Mord (Steinigung vor den Toren der
Stadt) in den Besitz des Weinbergs, der Naboths Erbteil ist. Die Gerichtsankündigung
wird mit der Frage eingeleitet: „Hast du nach deiner Mordtat auch schon das Erbe
angetreten?"

[70] Hld 1,6; 2,15; 6,11; 7,13; 8,11f. Vgl. Ps 128,3. Im TgHld werden die Stellen auf Israel
gedeutet.

[71] Vgl. zur Auslegung *W. Schottroff*, „Weinberglied" 72–90. Interessant ist, daß immer

Gleichsetzung vollzogen: „Denn der Weinberg des Herrn der Heerscharen ist das Haus Israel" (Jes 5,7). Daß diese Aufschlüsselung nötig ist, läßt eine Neuprägung der Metaphorik durch Jesaja vermuten. Wahrscheinlich wird man zwischen beiden Belegen Verbindungslinien ziehen müssen. Jesaja hat das Bild vom Weinberg möglicherweise aus der Liebeslyrik aufgegriffen und auf Israel angewandt. Die Brücke bildet dann die bei Hosea vorgegebene Metapher von Israel als der ungetreuen Braut Jahwes. Die weiteren Belege sind eher spärlich zu nennen.[72] Das meiste Gewicht kommt dem eschatologischen Ausblick Jes 27,2–5 zu, der einzigen Stelle mit positiven Konnotationen:

> An jenem Tage heißt es:
> Lieblicher Weinberg, singt ihm zu.
> Ich, der Herr, bin sein Hüter ...

Die Materialbasis läßt sich erweitern, wenn man die Belege heranziehen darf, die vom Weinstock (גפן / ἄμπελος) reden. Eine gewisse Berechtigung dazu ergibt sich aus Ps 80, wo V. 9f. und V. 16f. Israel als Weinstock auftritt, der V. 11f. gar mythische Dimensionen annimmt, während die VV. 13f. („Warum hast du seine Mauern zerbrochen ...?") nur verständlich werden, wenn der Weinberg den Vorstellungshintergrund bildet.[73] Aus den einschlägigen Stellen[74] geht hervor: die Weinstockmetapher gilt dem Volk oder seinen Repräsentanten, den Kontext bildet die Ankündigung eines Strafgerichts, das Gott an Israel vollzieht.

In diesem Sinn begegnen Weinberg oder Weinstock (*vinea*) mehrfach im *Liber Antiquitatum Biblicarum*. Bemerkenswert ist die Verbindung, die an mehreren Stellen zur Vorstellung von Israel als Erbe (*hereditas*) Gottes hergestellt wird.[75] Die inhaltliche Ausrichtung auf Erwählung und Versagen Israels kommt in der Rede des Pinehas Ant Bibl 28,4 zum Ausdruck.

Bei Philo treffen wir auf die gewohnte Umsetzung der Metapher ins Psychologische. In seiner Auslegung von Jes 5,7 sagt er, der Weinberg sei

---

wieder die Gattungsbestimmung Liebeslied vorgeschlagen wurde. Schottroff denkt an eine Fabel, Gunkel will Märchenmotive erkennen (Märchen 26), *H. Wildberger*, Jes 166, entscheidet sich für die Gattung der Gerichts- oder Anklagerede.

[72] Jer 12,10a; Jes 3,14: „Der Herr geht ins Gericht mit den Ältesten seines Volkes und seinen Fürsten: Ihr habt den Weinberg abgeweidet ..."

[73] Wahrscheinlich tritt V. 18 Israel zugleich unter dem Bild des Sohnes auf (LXX: υἱὸν ἀνθρώπου; der Targum deutet messianisch).

[74] Dtn 32,32; Hos 10,1f.; Joel 1,7; Jer 2,21 („wie bist du mir verwandelt zu einem entarteten Weinstock"); Ez 15,1–8; 17,1–21; 19,10–14. Vgl. *W. Zimmerli*, Ez 328f.

[75] Ant Bibl 12,8f.; 30,4; 39,7; zu *vinea* noch 18,10f.; 23,12; zu *hereditas* 19,8f.; 21,2.4; 28,5; 49,6. Ferner grBar 1,2: „Warum hast du deinen Weinberg angezündet und verödet ... warum hast du uns einem solchen Volk (ἔθνη) übergeben?" 4 Esr 5,23. Messianisch syrBar 36,3; 39,7. Christlich überarbeitet ist grBar 4,8–17.

die Seele, die als göttliche Frucht die Tugend hervorbringt.[76] An anderer Stelle nennt er den Weinberg ein Symbol der Besonnenheit.[77] In rabbinischen Gleichnissen wird der Bezug auf das Volk und seine Geschichte ausgebaut. Polemische Töne werden abgebogen, der Aspekt von Erwählung und Verheißung stärker betont.[78] Aus der urchristlichen Literatur ist das 5. Gleichnis im Hirt des Hermas heranzuziehen, das Berührungen mit der Winzerparabel zeigt (Herm 55,1–11).[79] In der nicht ganz kongruenten Deutung werden Weinstock (58,2: αἱ δὲ ἄμπελοι ὁ λαὸς οὗτός ἐστιν) und Weinberg (59,2: ἀμπελῶνα … τοῦτ᾽ ἔστι τὸν λαόν) auf das Volk Gottes gedeutet. In drei synoptischen Gleichnissen (Mt 20,1; 21,28; Lk 13,6) dient der Weinberg nur als Requisit und ist nicht isoliert metaphorisch zu verstehen.

b) Knecht

Neben dem sehr häufigen Vorkommen der Vokabel עבד/δοῦλος in profanem Sinn steht in MS und LXX ihre auffällige Verwendung in religiösen Zusammenhängen, auffällig deshalb, weil ein entsprechender Sprachgebrauch in der klassischen Gräzität fehlt. Der Grieche konnte das demütigende Sklavendasein und das Gottesverhältnis des Menschen nicht zusammendenken. Wenn die religiöse Knechtsmetaphorik bei Philo keine wesentliche Rolle spielt[80], so ist das ein Beweis für seine Abhängigkeit von griechischem Denken.

Im einzelnen dient die Metapher zur Selbstbezeichnung des betenden Frommen[81], zur Charakterisierung Israels[82] und zur Qualifizierung bedeutender Gestalten der vergangenen Geschichte[83]. Auch einzelne Propheten werden so genannt.[84] Das verdichtet sich zu der fast stereotypen Aussage: „alle meine Knechte die Propheten"[85]. In der zwischente-

---

[76] Somn 2,173: αὕτη δ᾽ ἐστὶν ἀμπελὼν ἱερώτατος … καρποφορῶν ἀρετήν.

[77] Deus Imm 154. Vgl. noch Somn 2,169; Fug Inv 176. Dazu *R. Borig,* Weinstock 120f.

[78] Vgl. ExR 30,17; 44,1; LevR 36,2; HldR 8,11 § 1f.; bHull 92a; Bill. II, 563f. Weitere Anwendungsbereiche sind: Jerusalem, die Hochschule zu Jabne, die Torah, die Bet- und Lehrhäuser. Vgl. *A. Feldman,* Parables 127–139.

[79] Der Duktus ist freilich grundverschieden. Der eifrige Sklave wird zum Lohn für seine Mühe zum Miterben des geliebten Sohnes eingesetzt. Der Sklave ist christologisch, der Sohn pneumatologisch zu deuten, vgl. *L. Cirillo,* „Christologie" 25–48.

[80] Vgl. *K. H. Rengstorf,* ThWNT II, 266f. 272. Zum Ganzen *A. Weiser,* Knechtsgleichnisse 19–41.

[81] Ps 19,12; 27,9; 31,17; 119,17 etc.

[82] Jer 30,10; 46,27f. (Jakob = Israel); Jes 41,8f.; 44,1f.; 48,20.

[83] Abraham: Ps 105,42; Dtn 9,27; Isaak: Dan 3,35 LXX; Jakob: 2 Makk 1,2; Moses: Jos 14,7(A); Neh 10,29; Josua: Jos 24,29; Ri 2,8; David: Ps 89,4; Ez 34,23; 1 Makk 4,30.

[84] Elija: 1 Kön 18,36; 2 Kön 10,10; Jesaja: Jes 20,3.

[85] 2 Kön 17,23; 21,10; Am 3,7; Sach 1,6; Ez 38,17.

stamentlichen[86] und in der rabbinischen[87] Literatur bleibt dieser Sprachgebrauch weitgehend konstant.

In den rabbinischen Gleichnissen gehört der Knecht zum festen Personenbestand. Seine Funktion als Sinnträger ist variabel. Die rein profane Bedeutung kommt vor, doch überwiegt die geprägte religiöse Metaphorik, die der Nachzeichnung heilsgeschichtlicher Konstellationen und der Beschreibung der Beziehung zu Gott dient.[88] Bei den Synoptikern ist δοῦλος ein Vorzugswort der Gleichnissprache.[89]

Die Knechtsmetaphorik geht mit verschiedenen theologischen Konzeptionen eine enge Verbindung ein. Die Gottesknechtslieder aus Deuterojesaja brauchen uns nicht zu beschäftigen, da sie die Winzerparabel nicht beeinflußt haben (außerdem übersetzt die LXX hier nicht mit δοῦλος, sondern mit παῖς).[90] Doch müssen wir unsere Aufmerksamkeit dem Theologoumenon vom gewaltsamen Geschick der Propheten zuwenden, dessen Umrisse O. H. Steck erarbeitet hat. Der in biblischem und frühjüdischem Schrifttum oft wiederholte Vorwurf, Israel töte gewohnheitsmäßig seine Propheten[91], ist historisch nicht gedeckt[92]. Es handelt sich um eine theologische Aussage im Rahmen des deuteronomistischen Geschichtsbildes, die der Bewältigung nationaler Katastrophen dient. Als Beleg für ihre Kombination mit der Knechtsmetaphorik möge eine Stelle aus Jeremias genügen[93]:

Von dem Tag an, da eure Väter auszogen aus Ägypten,
bis auf den heutigen Tag
sandte ich zu euch all meine Knechte, die Propheten,
Tag für Tag, früh und spät.

---

[86] Etwa in 4 Esr 3,23: David; 1QH 5,15.28; 4 Esr 7,75: der Fromme oder Beter; 1QS 1,3; 1QpH 2,9; 7,5: die Propheten.

[87] Ein kleines Kompendium bietet SDtn 3,24 (§ 27), eine Liste mit 14 Namen atl Gestalten, die sich selbst Knechte nannten und /oder von Gott so genannt wurden.

[88] Vgl. etwa SNum 10,35; 12,8 (Knecht = Moses); MekEx 12,1 (Knecht = Jona); NumR 13,4; 11,5 (Knecht = Mensch vor Gott); bBB 10a; DtnR 4,2 (Knecht = Israel); bTaan 25b (Knecht = Beter). Zahlreiche Beispiele bei *A. Weiser*, Knechtsgleichnisse 28–40.

[89] *L. Gaston*, Horae 43 (37 von 50 Belegen stehen in Gleichnissen).

[90] Wenn *J. J. Vincent*, „Parables" 92–95, die synoptischen Knechtsgleichnisse vom Selbstbewußtsein Jesu als Gottesknecht herleitet, befindet er sich damit sehr im Irrtum.

[91] Als ältesten Beleg nennt *O. H. Steck*, Israel 60–64, Neh 9,26: „Sie verwarfen deine Gesetze und töteten deine Propheten, die sie ermahnten, um sie zur Umkehr zu dir zu bewegen." Vgl. ferner 2 Chron 36,14–16; Jos., Ant 9 265.281; Bar 1,21; 4 Esr 7,130; äthHen 89,51–53 (verschlüsselt); TestL 16,2.

[92] Anhaltspunkte bieten nur die Ermordung des Uria Jer 26,20–23, die Steinigung eines Sacharja 2 Chron 24,21 und die generalisierenden Aussagen von 1 Kön 18,4.13; 19,10.14.

[93] Jer 7,25f. (Zürcher Bibel). Die gleiche Verbindung liegt vor Jer 25,4; 26,5; 29,19; 35,15; 44,4; Esr 9,11; 2 Kön 17,13; Dan 9,6; 4QpHos^b II, 5.

Aber sie gehorchten mir nicht, schenkten mir kein Gehör,
sondern waren halsstarrig,
trieben es ärger als ihre Väter.

Für den naheliegenden Vergleich dieses Theologoumenons mit der Winzerparabel ist zu beachten, daß mit seiner Hilfe das Verhalten Israels
gedeutet wird, nicht aber das Geschick der getöteten Propheten. Letztere
erfüllen eine Funktion, ohne daß ihnen ein eigenständiges Interesse
gewidmet würde.[94]

c) Sohn

Es hat wenig Sinn, sich bei den fast 5000 Belegen für בֵּן aufzuhalten, das
im AT die verschiedensten Zuordnungsverhältnisse ausdrückt.[95] Wir
wenden uns gleich der Verbindung „Sohn Gottes" zu. Sie gehört wie die
Rede vom Vatergott zu jenen grundlegenden religiösen Metaphern, die
dem familiären Leben des Menschen entnommen sind und ihre Verwur-
zelung im Mythos noch durchscheinen lassen.
Die Auseinandersetzung mit dem Mythos bestimmt die Sohn-Gottes-
Aussagen im AT. Die Gottessöhne am himmlischen Hofstaat, die im Ijob-
prolog auftreten, sind depotenzierte Götterwesen des kanaanäischen Pan-
theons, die der Souveränität Jahwes unterworfen werden.[96] Mehrfach
wird die Beziehung zwischen Jahwe und Israel mit Hilfe des Vater-Sohn-
Verhältnisses beschrieben, meist innerhalb einer Jahwerede[97] und nicht
zufällig öfter in Kontexten, in denen es um Israels Versagen geht[98], das
seiner Sonderstellung nicht entspricht. Eine naturhafte Verbindung zwischen dem Stammesgott und seinem Volk ist dadurch ausgeschlossen,
daß Israels Sohnschaft an die Erwählungstradition und somit an die freie
geschichtliche Entscheidung Jahwes zurückgebunden wird.[99]
An einigen Stellen wird der König Sohn Gottes genannt. In der Nathans-

---

[94] In den älteren Arbeiten von *H. J. Schoeps*, „Prophetenmorde" 128–130, und *H. A. Fischel*,
„Martyr" 272–277, werden auch die legendarischen Überlieferungen vom Martertod
einzelner Propheten mit einbezogen. *O. H. Steck*, Israel 243–250, klammert sie wohl zu
Recht aus.

[95] *G. Fohrer*, ThWNT VIII, 340–347.

[96] Ijob 1,6; 2,1; Ps 29,1; 82,6; 89,7; vgl. Gen 6,2.4. Vgl. *W. Schließke*, Gottessöhne 15–78. Die
Targume bemühen sich durchweg um eine Abschwächung der Sohn-Gottes-Aussagen,
vgl. *P. S. Alexander*, „Targumim" 60–71; Bill. III, 15.

[97] Ex 4,22; Jes 43,6; 63,8. Aus der zwischentestamentlichen Literatur vgl. Sir 36,14; Ant
Bibl 32,10.

[98] Jes 1,2.4; Dtn 32,20; Jer 3,14; 4,22.

[99] Vgl. Hos 11,1: „Als Israel jung war, gewann ich es lieb. Aus Ägypten rief ich meinen
Sohn."

weissagung heißt es vom Nachfolger Davids: „Ich werde ihm Vater sein, und er soll mir Sohn sein" (2 Sam 7,14). Das Trostwort Ps 89,27f. baut darauf auf, 1 Chron 17,13f. hält diese Verheißung auch in königsloser Zeit aufrecht[100]. Den Hintergrund verdeutlicht Ps 2,7: „Mein Sohn bist du, heute habe ich dich gezeugt." Der König stammt nicht wie in der ägyptischen Mythologie durch physische Zeugung von der Gottheit ab, sondern er wird bei seiner Inthronisierung durch Adoption und Legitimation zum Sohn Gottes eingesetzt.[101]

Von diesen Aussagen her sollte es nicht sonderlich schwierig sein, im Rahmen einer königlichen Messianologie das Sohn-Gottes-Prädikat auf den Messias zu übertragen. Doch sprechen die spärlichen jüdischen Belege keine eindeutige Sprache.[102] 4Qflor 1,11 wird 2 Sam 7,14 in messianischem Kontext zitiert und auf den Sproß Davids gedeutet. Eine direkte Titulatur fehlt. Die 4Qflor 1,19 einsetzende Deutung von Ps 2 bricht nach der ersten Zeile ab. 1QSa 2,11f. bringt wahrscheinlich die Vorstellung zum Ausdruck, daß Gott den Messias aus der Mitte der Gemeinde geboren werden läßt.[103] In 4Q 243 II, 1, einem Danielapokryphon, sind die Titel ברה די אל und ובר עליון textlich gesichert, nur ist ihr Bezugspunkt angesichts des fragmentarischen Textbestands nicht mehr auszumachen.[104] Eine messianische Deutung scheint eher fernzuliegen.

Zweifelsfrei belegt ist die Verwendung von Sohn Gottes als Bezeichnung für Josef in JosAs. C. Burchard möchte das aus innerjüdischen Voraussetzungen ableiten, muß aber zugeben, daß es ohne genaue Parallele ist. Sollte nicht doch eine christliche Überarbeitung vorliegen? Oder steht Josef hier als Repräsentant für ganz Israel, so wie Aseneth als Urbild aller Proselyten gelten darf? Dann wäre das Gottessohnprädikat am ehesten aus seiner Anwendung auf Israel als Volk abzuleiten.[105]

---

[100] *H. Haag,* „Sohn Gottes" 231, findet hier „die erste Stelle der Heiligen Schrift, aber auch die einzige im gesamten jüdischen Schrifttum aus vorchristlicher Zeit, an der der Messias als ‚Sohn Gottes' bezeichnet wird". Das scheint in dieser Schärfe vom Text nicht gedeckt. Jub 1,24 deutet die Stelle auf das Volk. Vgl. *E. Lohse,* ThWNT VIII, 360.

[101] Vgl. *W. Schlißke,* Gottessöhne 78–115. Möglicherweise gehört hierher auch die textlich verderbte Stelle Ps 110,3. Weisheitlich beeinflußt ist der Vergleich des einzelnen Israeliten oder Frommen mit einem Sohn Gottes: Spr 3,11–12; Dtn 8,5; Weish 2,18; 5,5; Sir 4,10; PsSal 13,9. Vgl. *H. Haag,* „Sohn Gottes" 228.

[102] äthHen 105,2 ist längst als Interpolation erkannt und fehlt in grHen. *filius meus* 4 Esr 7,28 u. ö. geht auf παῖς/עבד zurück, vgl. *B. Violet,* GCS 32,74f. TestL 18,6–8 ist z. T. christlich beeinflußt und enthält keine eindeutige Prädikation. Vgl. *E. Lohse,* ThWNT VIII, 361f. *M. Hengel,* Sohn 73–77, zieht noch hebrHen und OratJos (PVTG III 61,16 Denis: ἀρχιχιλίαρχός εἰμι ἐν υἱοῖς θεοῦ) heran. Das sind wenig überzeugende, weil späte und keineswegs eindeutige Belege.

[103] Vgl. *O. Betz – O. Michel,* „Von Gott gezeugt" 8–12.

[104] Vgl. *J. A. Fitzmyer,* „Contribution" 391–384.

[105] Der Sprachgebrauch ist variabel, vgl. 6,2; 21,3: ὁ υἱὸς τοῦ θεοῦ. 6,6: υἱὸς θεοῦ. 13,10: υἱός σου. Dazu *C. Burchard,* JosAs 115–117.

Wesentlich freizügiger geht Philo mit der Sohn-Gottes-Bezeichnung um, aber es fehlt jegliche messianische Komponente.[106] Die rabbinische Literatur setzt die Linie des AT z. T. fort. Ab 3,15 u. ö. werden die Israeliten Söhne Gottes genannt, daneben steht der Bezug auf einzelne auserwählte Fromme (z. B. bTaan 24b).[107] In rabbinischen Gleichnissen kommt der Sohn des Königs sehr häufig vor. In fast allen Fällen ist das Volk Israel gemeint, im Kontext geht es meist um den Auszug aus Ägypten.[108] Demgegenüber fallen die wenigen messianischen Stellen kaum ins Gewicht. Sie besagen im Grund nicht mehr, als daß ein naheliegendes messianisches Verständnis von Ps 2,7 im Rabbinat nicht gänzlich verloren gegangen ist.[109]

Die Anwendung des Sohn-Gottes-Titels auf den Messias ist im Judentum sicher vorbereitet, aber nicht wirklich durchgeführt worden.[110] Anfänglich mögen die Scheu vor dem Rückfall in den Mythos und der strenge Monotheismus maßgebend gewesen sein, in christlicher Zeit ist zusätzlich ein polemisches Sich-absetzen von der Gottessohnschaft Jesu zu vermuten. Das *argumentum e silentio* hat in diesem Fall einiges Gewicht.

d) Erbe

In der LXX steht κληρονομία meist für נחלה = Besitz, Anteil. Damit geht eine Bedeutungserweiterung des mehr juridischen griechischen Begriffs ins Theologische einher. κληρονομία/נחלה meint zunächst das Land Kanaan, das Jahwe durch freie Zusage den Israeliten zum unveränderlichen Besitz gegeben hat.[111] Aus Jeremia ist die Vorstellung zu notieren, daß Gott seine נחלה wieder entziehen kann (Jer 17,4). An

---

[106] Vgl. *E. Schweizer*, ThWNT VIII, 356f. Im einzelnen deutet Philo den Sohn Gottes auf die Welt (Deus Imm 31f.), auf den Logos (Somn 1,215) und auf den tugendhaften Weisen (Spec Leg 1,318; Sobr 56).

[107] Vgl. Bill. III, 17f.; E. Lohse, ThWNT VIII, 360f.

[108] MekEx 14,15.22; ExR 15,9; 18,10; LevR 29,7; HldR 2,5 § 2. Hierher gehört auch der meist als Parallele zu Mk 12,1–9 angeführte Text SDtn 32,9 (§ 312), ein Gleichnis von einem König und seinen ungetreuen Pächtern, die dem Sohn weichen müssen, vgl. dazu *J. D. M. Derrett*, „Allegory" 426–432 (wie immer mit fragwürdigen Konsequenzen) und *E. Mihaly*, „Defense" 103–143.

[109] Die Stellen (bSukka 52b Bar; MidrPs 2,9 u. a.) bei Bill. III, 19.

[110] Zu viel Zuversicht legt *F. Hahn*, Hoheitstitel 286f., an den Tag. Er braucht die frühjüdischen Belege, weil er die christologische Sohn-Gottes-Titulatur ausschließlich aus der königlichen Messianologie ableiten will. Demgegenüber bleibt die Kritik bei *B. M. F. van Iersel*, Sohn 185–191, bedenkenswert. Daß der Versuch, den Sohn-Gottes-Titel aus der paganen Religiosität herzuleiten, mit einer verzweifelten Quellenlage fertig werden muß, hat *M. Hengel*, Sohn 39–67, eindrucksvoll verdeutlicht.

[111] Vgl. etwa Dtn 2,12; Num 34,2; 36,2; Jer 12,14f.; Sir 44,23; Jub 1,19.21. So noch das rabbinische Gleichnis ExR 20,15. Vgl. *J. Herrmann*, ThWNT III, 758–775; *H. Langkammer*, „Erbe" 157–165; *P. L. Hammer*, Inheritance 10–26.

einigen Stellen ist das Land nicht Israels, sondern Gottes Erbe.[112] Eine verstärkte Metaphorisierung liegt vor, wenn das Volk Israel als Jahwes Erbteil gilt[113] oder wenn Jahwe selbst Erbteil der Leviten, die kein Land besitzen, genannt wird[114]. Bedeutsamer noch ist die Ausweitung ins Eschatologische: „Du wirst zu deinem Erbteil erstehen am Ende der Tage" (Dan 12,13). Sie ist auch in der frühjüdischen Literatur bezeugt.[115]

Auffälligerweise wird die Vokabel κληρονόμος in diese religiösen Zusammenhänge nicht mit einbezogen[116], obwohl sich eine solche Verbindung über die Vorstellung von Israel als Sohn Gottes leicht hätten herstellen lassen (vgl. Jer 3,19). Zustande kommt sie erst bei Paulus, für den die Gottessohnschaft Jesu Christi und die eschatologische Situation die Grundlage abgeben. Der Gläubige kann Sohn und Erbe heißen (Gal 4,6; vgl. Röm 8,17), weil die Zeit erfüllt ist und Gott seinen Sohn gesandt hat (Gal 4,4). Hierher gehört auch Hebr 1,1f. Die Stelle liest sich wie der theologische Nukleus der allegorisch verstandenen Winzerparabel: auf die Propheten läßt Gott am Ende der Tage seinen Sohn folgen, den er zum Erben eingesetzt hat (vgl. Barn 4,3).

e) Stein

Den Ausgangspunkt für die Steinmetaphorik im NT bildet Ps 118,22. Im Hauptteil des Psalmes dankt der Beter für seine Errettung aus lebensbedrohender Krankheit (oder, falls es sich doch um ein kollektives Ich handelt, für die Bewahrung des Volkes in aussichtsloser Bedrängnis).[117] Dieses wunderbare, gottgewirkte Geschehen fassen die Umstehenden V. 22 in einer bildhaften Sentenz zusammen. Ob bei dem Stein an den Eckstein im Fundament gedacht ist, der zwei Grundmauern verbindet[118], oder an den Schlußstein im Gewölbe über dem Tempeltor[119], macht für die Interpretation keinen wesentlichen Unterschied.

---

[112] Ps 68,10; Jer 2,7; 1 Sam 26,19; 2 Sam 21,3.

[113] Dtn 4,20; 9,26; 33,4; Jer 12,7–9; 2 Kön 21,14.

[114] Dtn 10,9; Ez 44,28.

[115] PsSal 14,3–10; 1QS 11,7; äthHen 40,9; 71,16; syrBar 44,13. Dazu *P. L. Hammer,* Inheritance 30–40. Vorbereitet ist diese Aussage etwa durch Sach 8,12; Jes 60,21. Vgl. auch Jub 22,9.15.27 und das eschatologische Gleichnis vom Erbe 4 Esr 7,7–14.

[116] Vgl. *W. Foerster,* ThWNT III, 776.780. Philo hat der Frage „Wer ist der Erbe der göttlichen Verheißungen?" im Anschluß an Gen 15,2–18 einen eigenen Traktat gewidmet. Seine Antwort: der vollkommene, tugendhafte Weise, bzw. seine Seele in ihrem ständigen Bemühen um das Ewige, vgl. Rer Div Her 69.76.98.298.313f.

[117] Wenig wahrscheinlich ist die königlich-messianische Deutung auf den triumphalen Einzug des siegreichen Herrschers, wie sie *B. Lindars,* Apologetic 169f., im Anschluß an die skandinavische Schule vertritt.

[118] So *H. Greßmann,* „Eckstein" 38–45; *R. J. McKelvey,* „Cornerstone" 352–359.

Jes 8,14, wohl *ipsissimum verbum* des Propheten, nennt in einem Drohwort Jahwe den Stein des Anstoßes und den Fels des Strauchelns für Israel. Die wahrscheinlich frühexilische Stelle Jes 28,16 hingegen bringt mit dem Bild vom kostbaren Eckstein auf dem Zionsberg Heilserwartung zum Ausdruck. An der sehr umstrittenen Stelle Sach 4,7.10 dient die Erwähnung des Schlußsteins der Absicherung der prophetischen Verheißung. Der mit messianischen Zügen ausgestattete Statthalter Serubbabel wird den begonnenen Tempelbau trotz aller Widerstände zu Ende führen. Apokalyptische Traumsymbolik liegt Dan 2,34–35.44–45 vor. Der Stein, der ohne menschliches Zutun vom Berge losbricht, den Koloß auf tönernen Füßen zermalmt und die ganze Erde erfüllt, ist Symbol für das endzeitliche Reich, das alle anderen vernichtet und selbst ewig besteht. Das Paradigma vom Stein ließe sich noch in andere Richtungen erweitern.[120] Hier genügt die Feststellung, daß es teils personale, teils eschatologische Konnotationen annehmen kann. Die jüdische Schriftauslegung hält diese Ausrichtung bei.[121] Das Qumranschrifttum deutet den kostbaren Eckstein und das Felsenfundament auf die eigene Gemeinde (1QS 8,7f.; 1QH 6,26f.). Die Weigerung des Josephus, über die Deutung des Steines aus Dan 2,34 Auskunft zu geben, könnte ein messianisches Verständnis in zelotischen Kreisen zur Ursache haben.[122] Der Targum löst die einzelnen Bilder auf. TgPs 118,22 spricht vom Jüngling, der zum Herrscher wird. Das ist dem ganzen Kontext nach nicht messianisch zu verstehen, sondern historisierend auf David zu beziehen.[123] Vom Messias sprechen TgJes 28,16 („ich setze in Zion einen König ein") und TgSach 4,7 („er wird seinen Messias offenbaren").[124] Die rabbinische Exegese kennt die Deutung von Ps 118,22 auf Abraham, auf Jakob und auf David (bPes 119a).[125] Vereinzelt begegnen messianische Auslegungen der atl Steinmetaphorik (z. B. bSanh 38a zu Jes 8,14).

---

[119] So *J. Jeremias*, „Eckstein" 65–70; „Κεφαλὴ γωνίας" 264–280, u. ö. Die wichtigsten Belege für diese Deutung sind TestSal 22,7–8.17; 23,2–4; 2 Kön 25,17 Symm. Wieder anders *J. D. M. Derrett*, „Stone" 180–186.

[120] Vgl. etwa Gen 28,18; Ijob 38,6; Jes 54,11; Jer 51,26; Sach 3,9; 10,4; Mich 6,2. Ferner könnte die Vorstellung von Jahwe als dem Fels des Heils und die Tradition vom heiligen Felsen auf dem Zionsberg herangezogen werde.

[121] In den monographischen Untersuchungen von *P. Sciascia*, Lapis, und *M. Gieseler*, Stone, vermißt man eine dem Umfang der Arbeiten angemessene Behandlung der jüdischen Exegese. Diese Lücke füllt *M. P. Miller*, Scripture 66–84.

[122] Jos., Ant 10,210; vgl. *J. Jeremias*, ThWNT IV, 276f.

[123] Bill. I, 876, nennt als einzigen sicheren Beleg für das messianische Verständnis von Ps 118,22 den Kommentar des Raschi zu Mich 5,1.

[124] Vgl. *J. Jeremias*, ThWNT IV, 276f.; *ders.*, „Golgatha" 117–120. Vgl. auch TgSach 10,4: „Aus ihm geht hervor der König, aus ihm kommt sein Messias." Dazu *S. H. Levey*, Messiah 101.

[125] Vgl. Bill. I, 875f.; II, 632.

Im NT werden die Steintestimonien auf christologischer Grundlage polemisch-apologetisch und ekklesiologisch entfaltet. Apg 4,11 legt Ps 118,22 in einer von der LXX abweichenden Textform auf Kreuzigung und Auferstehung hin aus. Röm 9,33 erläutert mit einem Mischzitat aus Jes 8,14 und Jes 28,16 die These, daß Israel an Jesus Christus gescheitert ist. Der Text steht näher bei der MS als bei der LXX. Er stimmt zum Teil mit der Kontamination von Ps 118,22; Jes 8,14 und Jes 28,16 in 1 Petr 2,6–8 überein. Dort geht es im Kontext um die Auferbauung der Gemeinde und um das Zuschandewerden der Ungläubigen. Am stärksten ekklesiologisch ist Eph 2,20 ausgerichtet. Doch liegt dort kein direktes Zitat mehr vor.[126]

f) Auswertung

Das mögliche Angebot an geprägter religiöser Metaphorik ist damit nicht erschöpft. Der καιρός Mk 12,2 evoziert das Bild von der eschatologischen Erntezeit. ἀποστέλλω läßt die paulinischen Sendeformen anklingen. καρπός dient andernorts als Metapher für die sichtbaren Folgen der sittlichen Haltung des Menschen. ἔσχατον Mk 12,6 erinnert an Hebr 1,2. Das Kommen des Herrn Mk 12,9 bringt die apokalyptische Dimension von ἔρχομαι ins Spiel. Am Ende fühlt man sich versucht, jeder Vokabel des Textes einen theologischen Doppelsinn zu unterlegen.[127]
Andererseits bringt ein rein allegorisches Verständnis Aporien mit sich. Das beginnt bei der Weinbergmetapher.[128] Von Jesaja her ist die Identifizierung Israels mit dem unfruchtbaren Weinberg, der zerstört wird, vorgegeben. In der Parabel bleibt der Weinberg erhalten, Israel scheint eher den Part der Pächter zu übernehmen. Auch der Vergleich von Knechten und Propheten ist nicht spannungslos. Die Propheten sollen Gottes Wort zu Gehör bringen und zur Umkehr mahnen, nicht aber Früchte einsammeln, und seien es Früchte der Buße.[129]
Sehr problematisch bleibt auf der allegorischen Ebene der Satz „Und unser wird das Erbe sein". Ist diese Aussage im Munde eines Volkes

---

[126] Zu den patristischen Zeugnissen (Barn 6,2–4 etc.) vgl. die Übersicht bei *L. W. Barnard*, „Testimonium" 308.

[127] Den möglichen allegorischen Nuancen geht *M. Hubaut*, Vignerons 16–66, bis ins Einzelne nach, nicht ohne Übertreibungen. Sicher verfehlt ist für die Synoptiker die punktuelle Ausdeutung des Jesajazitats, wie sie sich in der jüdischen Exegese und bei den Vätern findet, wo u. a. der Zaun auf das Gesetz, der Turm auf den Tempel und die Kelter auf den Altar gedeutet wird, vgl. TgJes 5,2; TSukka 3,15, für die Väter *A. Stuiber*, „Wachhütte" 86–89.

[128] Gut beobachtet von *S. Pedersen*, „Problem" 171f.

[129] Vgl. *V. Taylor*, Mk 474; *J. Gnilka*, Verstockung 69.

denkbar, das sich im Besitz des göttlichen Erbes fühlte? Und was soll heißen „Das ist der Erbe"? Ist damit etwa eine widerwillige Anerkennung der messianischen Funktion Jesu durch Israel ausgesagt? Einen kühnen Lösungsvorschlag hat O. H. Steck entwickelt. Israel erkenne, daß der Sohn den Heiden die Teilnahme am Heil zueignen wolle. Das sei in der Sicht des Gleichniserzählers die eigentliche Ursache für den Kreuzestod Jesu.[130] Wo aber ist ein solches Geschichtsbild sonst noch belegt? Im Galaterbrief in dieser Form sicher nicht.

In V. 9 besteht die Schwierigkeit, den κύριος zu identifizieren. Dem Gefälle der Erzählung nach ist es Gott. Doch ist an anderer Stelle (Mk 13,26; 14,62) der Messias oder Menschensohn Subjekt des apokalyptischen ἔρχεσθαι. Schiebt man Mk 12,9f. als sekundäre Anfügung beiseite, sieht man sich mit der Frage konfrontiert, wo im restlichen Text die theologische Interpretation des Todesschicksals Jesu bleibt. Ein Hinweis auf seine Auferstehung sollte bei einer Gemeindebildung unerläßlich sein.[131]

Die letzte Bemerkung deutet die Richtung an, in der meines Erachtens die Lösung zu suchen ist. Der sinnstörende Zusammenprall verschiedener Metaphern macht die Annahme einer theologisch motivierten nach-österlichen Bildung schwierig. Man hätte in diesem Fall mehr innere Geschlossenheit erwartet. Die Inkonsequenzen erklären sich leichter, wenn man mit der Überlagerung einer selbständigen Vorlage rechnet, deren mögliche Verankerung in der Botschaft Jesu nicht so leicht von der Hand zu weisen ist. Wir jagen damit nicht dem Phantom einer allegorie-freien Urform nach – eine solche hat es in der Tat nie gegeben –, sondern wir fragen nach einer Fassung, in der Erzählstruktur, Metaphorik und Aussage zusammenstimmen.

§ 40: Tradition und Redaktion

a) Tradition

(1) Die älteste Fassung der Parabel weist Semitismen auf, ihr erzählerischer Aufbau ist perfekt. Die Wirklichkeit wird in noch erträglichem Maß in den Dienst der Aussage gezwungen. Die Metaphorik kann von anderen Jesusgleichnissen her beleuchtet werden. Der Weinberg kommt sonst nur in nichtmetaphorischem Sinn vor. Setzen wir für die Winzerparabel Ähnliches voraus, entfällt auch der Zwang, das Erbe, das auf der erzähle-

---

[130] O. H. Steck, Israel 272f. Vgl. zum Ganzen B. M. F. van Iersel, Sohn 130f.
[131] So zahlreiche Erklärer seit F. C. Burkitt, „Parable" 321f. Nicht zufällig zählt J. Blank, „Sendung" 18f., der mit einer Gemeindebildung rechnet, Ps 118,22f. zum ursprünglichen Textbestand.

rischen Ebene mit dem Weinberg identisch ist, metaphorisch zu deuten. Die Knechte stehen in den thematischen Knechtsgleichnissen nicht für die Propheten[132], sondern bezeichnen allgemeiner das Verhältnis zwischen Mensch und Gott. Die Hintergrundfigur der Parabel (Besitzer, Vater, Hausherr, König) ist in fast allen Fällen durchsichtige Metapher für Gott. Der Sohn braucht nicht im Sinne einer messianischen Selbstprädikation verstanden zu werden, aber er kann sich in ähnlich indirekter Weise auf Person und Wirken Jesu beziehen, wie es die Bilder vom Arzt, vom Bräutigam und vom Sämann tun. Als Anknüpfungspunkt kommt das besondere Gottesverhältnis Jesu in Betracht, das sich in der analogielosen Anrede Gottes mit Abba (Vater) seinen sprachlichen Ausdruck schafft.[133] Als weiteres Element aus dem Gesamtrahmen des Auftretens Jesu ist das Bewußtsein seines nahen Todes heranzuziehen, das ihn in der Schlußphase seines Wirkens sicher begleitet hat.[134]

Diese Beobachtungen berechtigen dazu, die Vermutung zu äußern: in der Parabel von den bösen Winzern bringt Jesus in indirekter, d. h. parabolischer Weise sein eigenes Schicksal in Relation zur Basileia zur Sprache. Sein Tod ist die unvermeidliche Folge seines Auftrags, dem er sich verpflichtet weiß. Aber sein Sterben bleibt eingebunden in den Willen Gottes, der seine Basileia durchsetzen wird, auch wenn seine Boten scheitern. So macht die Parabel letztlich eine Aussage über Gott und seinen ungebrochenen Herrschaftsanspruch, was mit der formalen Beobachtung hinsichtlich der zentralen Rolle des Besitzers auf der Erzählebene in Einklang steht.

(2) Von der Hypothese einer jesuanischen Vorlage aus können die vormarkinischen Erweiterungen als Ergebnis einer Neuinterpretation verstanden werden, die in sich einen geschlossenen Wurf darstellt. Ausgangspunkt ist das Vorkommen von Weinberg und Knechten in der Parabel. Sie werden mit den vorhandenen Bildfeldern in Verbindung gebracht und metaphorisch ausgedeutet. Die Einführung von V. 5 macht unmißverständlich klar, daß mit den Knechten die Propheten gemeint sind, deren leidvolles Geschick die Parabel schildert. Die Pächter, die erst jetzt ins Zentrum rücken, stehen ganz im Sinne der deuteronomistischen Prophetenaussage für das prophetenmörderische Israel. Das jesajanische Weinbergslied konnte insofern auch unter sachlichem Aspekt integriert werden, als es im Dienst einer scharfen Gerichtsandrohung steht. Eine gewisse Unstimmigkeit der Metaphorik ergab sich aus der Diskrepanz

---

[132] Ob Jesus das Theologoumenon vom gewaltsamen Geschick der Propheten auf sich selbst angewandt hat, bleibt sehr fraglich. Ein allgemeines prophetisches Sendungsbewußtsein ist damit nicht ausgeschlossen. Vgl. *F. Schnider*, Prophet 257–260.

[133] Vgl. *J. Jeremias*, „Abba“ 56–67.

[134] Vgl. *H. Schürmann*, „Wie hat Jesus …?“ 337; *J. Gnilka*, „Wie urteilte Jesus …?“ 24.

zwischen Vorlage und Deutung und mußte in Kauf genommen werden. Der Schluß in V. 9 führt entgegen dem offenen Ende der ursprünglichen Parabel einen *deus ex machina* ein, der dem Gefälle der Erzählung nicht entspricht, ist aber für die theologische Neuinterpretation unentbehrlich. Die Strafandrohung und die Ablösung Israels sind eher untergeordnete Aspekte. Wichtiger ist das eschatologische Kommen des Herrn, das im Verständnis der Tradenten den oft vermißten Hinweis auf die Auferstehung des Sohnes ersetzt. An sich sollte ὁ κύριος τοῦ ἀμπελῶνος sich auf Gott beziehen. Wahrscheinlich schimmert aber die Erwartung der endzeitlichen Wiederkunft des erhöhten Herrn durch, die mit seiner richterlichen Tätigkeit einhergeht. Der Sohnestitel selbst scheint auf dieser Stufe nicht mit der messianischen Sohn-Gottes-Christologie verbunden zu sein, sondern mit der absoluten Sohnesaussage, wie sie in der Logienquelle begegnet (Mt 11,27 par Lk 10,22).

Überhaupt ist die innere Nähe dieser Konzeption zur Theologie der Logienquelle mit Händen zu greifen. Nicht nur der Sohnestitel ist davon betroffen, sondern auch die Prophetenmordtradition, die Israelpolemik und die Parusieerwartung.[135] Das Verhältnis der Q-Tradition zu den Mk-Stoffen ist noch ungeklärt. Wir müssen uns mit der Feststellung dieser auffälligen Berührungspunkte begnügen.

b) Redaktion

(1) Das mk Verständnis erschließt sich von der einzigen redaktionellen Änderung im Parabelkorpus her. Mk 12,6 nennt den Sohn ἀγαπητός. In Tauferzählung und Verklärung spricht die Himmelsstimme Jesus das Prädikat „*mein* geliebter Sohn" zu. Für Mk ist demnach υἱὸς ἀγαπητός mit υἱὸς θεοῦ identisch. Somit steht Mk 12,6 in einem Spannungsbogen, der Mk 1,1 einsetzt[136] und der im Gottessohnbekenntnis des heidnischen Hauptmanns unter dem Kreuz sein Ziel erreicht (Mk 15,39). In seinem irdischen Leben hat Jesus seine Sohnschaft in Leiden und Kreuzestod verwirklicht, das bringt die Parabel für Mk zum Ausdruck.

Die Anfügung des Psalmzitats in V. 10f. ordnet sich dem gut ein. Der erste Vers stimmt mit dem Passionssummarium Mk 8,31 überein (nur der Titel wechselt). Die Auferstehungsverheißung von 8,31 bringt 12,10b in einem Bild, dessen richtiges Verständnis durch den urchristlichen Gebrauch dieses Testimoniums abgesichert ist. Die Bauleute aus Ps

---

[135] *J. Blank,* „Sendung" 22–25.27–30, hat einige Berührungspunkte herausgearbeitet. Zur Prophetentradition in Q vgl. *P. Hoffmann,* Studien 158–190.

[136] Der Genetiv υἱὸς θεοῦ ist textlich ungesichert, aber nicht schlecht bezeugt und aus inneren Gründen beizubehalten. Abwegig ist der Versuch von *J. Schreiber,* „Christologie" 166f., in der Parabel die Präexistenz Christi ausgedrückt zu finden.

118,22 werden in der jüdischen Exegese auf die Schriftgelehrten und auf die Mitglieder des Synhedriums gedeutet.[137] Damit sind die gleichen Personen angesprochen, die nach Mk 8,31 die Verwerfung Jesu betreiben, nach 11,27 die Winzerparabel provozieren und nach 12,12 mit einer Erneuerung ihrer mörderischen Pläne darauf reagieren.[138] Für Mk sind sie zugleich mit den bösen Winzern der Parabel identisch. Gegenüber der globalen Polemik der Vorlage zeichnet sich eine Differenzierung ab, die durch den umfassenderen Evangelienkontext ermöglicht wird.

Der zweite Vers des Psalmzitats weist über V. 10 ausgreifend auf V. 9 zurück. In beiden Versen handelt der κύριος, den Mk sicher auf Gott deutet. Die Auferstehung Jesu, das Gericht über seine Verfolger[139] und der Einbezug der Heiden in die neue Basileia[140] sind verschiedene Aspekte des einen Heilshandelns Gottes in seinem Sohn Jesus Christus. Wichtig ist, daß die Adressaten nach Mk 12,12 die Sinnspitze der Parabel verstehen. Man wird dieses Verstehen nicht zu eng fassen und ausschließlich auf die polemische Ausrichtung der Parabel beziehen dürfen. Die Parabel enthält die Antwort auf die Vollmachtsfrage Mk 11,28. Wahrscheinlich besteht eine Verbindungslinie zu Mk 14,61: „Bist du der Christus, der Sohn des Hochgelobten?" Historisch gesehen ist diese Kombination von Messias und Gottessohn im Munde des Hohenpriesters wenig wahrscheinlich. Sie erklärt sich leicht auf redaktioneller Ebene. Nach Mk wußten die jüdischen Hierarchen, daß Jesus beanspruchte, Sohn Gottes in messianischem Sinn zu sein. Sie wußten es nicht zuletzt aus der Winzerparabel. Das bestätigt die These, daß der Anspruch der Gleichnisse bei Mk von den Gegnern verstanden wird und gerade so zur Verstockung führt. Bei einer engeren Fassung der Parabeltheorie läßt sich Mk 12,12 kaum sinnvoll einordnen.[141]

(2) Mt hat die Winzerparabel in eine Parabeltrilogie hineingestellt, die thematisch und sprachlich derart aufeinander abgestimmt ist, daß sie als überlegte redaktionelle Schöpfung gelten muß. [142] Vorangestellt hat Mt das Gleichnis von den beiden Söhnen, das er mit dem Wirken des Täufers in Zusammenhang bringt (Mt 21,28–32). Durch die Erwähnung des Weinbergs in 21,28 ist ein äußerer Anschluß an 21,33 gegeben.[143] Die

---

[137] Bill. I, 876 (bSchab 114a; bBer 64a).

[138] Überhaupt sind im Umkreis der Winzerparabel sämtliche Gegner Jesu auf engem Raum versammelt, in 11,27 die Hohenpriester, Schriftgelehrten und Ältesten, in 12,13 die Pharisäer und Herodianer, in 12,18 die Sadduzäer.

[139] Ob V. 9 schon an die Zerstörung Jerusalems denkt, muß für Mk offen bleiben.

[140] So wird man καὶ δώσει τὸν ἀμπελῶνα ἄλλοις auf redaktioneller Ebene deuten, vgl. E. Schweizer, Mk 136.

[141] Die Schwierigkeiten werden bei T. A. Burkill, Revelation 122f., deutlich.

[142] R. Dillon, „Tradition-History" 1–42, versucht, eine vormatthäische Verbindung von 21,33–46 und 22,1–14 wahrscheinlich zu machen, die ihren Sitz im Leben in der baptismalen Paränese habe. Für 21,28–32 wird das schwerlich gelingen.

innere Verbindung ist in der Parallelisierung des Täufers mit Jesus zu suchen. An die Winzerparabel schließt Mt 22,1–14 die Erzählung vom königlichen Hochzeitsmahl an. Hier gehen die Angleichungen noch weiter. Der Sohn des Königs Mt 22,2 hat im Gastmahlgleichnis keine Funktion. Er stammt aus der Winzerparabel. Mt 22,3–6 spricht gegen Lk von der zweimaligen Aussendung einer Mehrzahl von Knechten, die beim zweiten Mal gar geschmäht und getötet werden. Ebenso hat Mt 21,34–36 aus der überladenen Mk-Vorlage die zweifache Aussendung einer Gruppe herausdestilliert. Das Schicksal, das diese Knechte erleiden, evoziert schon in der Wortwahl die Tradition vom Prophetengeschick.[144] Hat Mt hier sichtlich die atl Propheten im Blick[145], so ist man für 22,3–6 geneigt, die Knechte mit den nachösterlichen Boten Jesu und ihrer Ablehnung durch Israel in Verbindung zu bringen[146]. In eindrucksvoller Weise stänter dann die atl Propheten, Johannes der Täufer, Jesus selbst und die ersten christlichen Missionare nebeneinander, verbunden durch das gemeinsame Schicksal, das ihnen das Volk bereitet.

Die Strafe für dieses Verhalten folgt auf dem Fuß. Der Rachefeldzug des Königs, von dem Mt 22,7 berichtet, ist zweifellos auf die Zerstörung Jerusalems zu beziehen. Damit muß Mt 21,41 in Zusammenhang gebracht werden. Von 22,7 her erweist sich, daß die dort angedrohte Vernichtung sich in der Geschichte schon verwirklicht hat. Auch das liegt auf der Fluchtlinie der deuteronomistischen Prophetenaussage, die ja z. T. aus dem Bemühen geboren ist, die Zerstörung Jerusalems und die Exilierung des Volkes im 6. Jh. v. Chr. zu bewältigen.

Die Schärfe und Unerbittlichkeit der Polemik, die hier getrieben wird, kann betroffen machen. Doch bleibt Mt bei der reinen Polemik nicht stehen, sondern setzt sie auf dem Umweg über die Ekklesiologie in Paränese und Katechese um. Aufschlußreich ist Mt 21,43, ein Satz aus dem Sondergut, der das Selbstbewußtsein der Gemeinde des Mt zum Ausdruck bringt.[147] Die Futura ἀρθήσεται und δοθήσεται (das Passiv umschreibt das Handeln Gottes) sind wie die Futura in 21,40.41 vom Standpunkt der Gleichniserzählung aus formuliert, d. h., sie sind futu-

---

[143] Es ist zu überlegen, ob auf ὕστερον Mt 21,37 (Mk hat ἔσχατον) nicht das dreimalige ὕστερον (je nach Lesart) Mt 21,29.32 eingewirkt hat.

[144] Zu ἐλιθοβόλησαν vgl. 2 Chron 24,21; Mt 23,37 par Lk 13,34.

[145] Ohne daß man die beiden Gruppen detailliert auf die vor- und nachexilischen Propheten o. ä. deuten müßte, so u. a. *M. J. Lagrange*, Mt 415; *P. Bonnard*, Mt 316; *D. Bosch*, Heidenmission 118.

[146] Sehr suggestiv *R. Walker*, Heilsgeschichte 67.

[147] Zur sprachlichen Formulierung vgl. 1 Sam 15,28; TestB 9,1; Dan 4,28(31) LXX: ἡ βασιλεία ... ἀφήρηταί σου, und Dan 7,27 Theod: ἡ βασιλεία ... ἐδόθη ἁγίοις ὑψίστου. Auch Mt 23,38 par Lk 13,35.

risch nur auf einer fiktionalen Ebene und beschreiben von der Gegenwart des Redaktors aus gesehen vergangene Ereignisse.[148] Die Basileia ist nach V. 43 dem neuen Gottesvolk übergeben, das sich in der christlichen Gemeinde formiert.[149] Aber diese Übergabe ist an Bedingungen gebunden. Das Partizip ποιοῦντι in 21,43b hat ebenso wie der Relativsatz οἵτινες ἀποδώσουσιν in 21,41b fast finalen und konditionalen Sinn. Von den neuen Trägern der Basileia wird erwartet, daß sie die bei ihren Vorgängern vermißten Früchte bringen. Dem entspricht in 22,11–14 die Forderung, auch als Geladener ein hochzeitliches Gewand anzulegen. Und die Zöllner und Dirnen von 21,31 gehen nicht schon aufgrund ihres bloßen Status in die Basileia ein, sondern nur deswegen, weil sie geglaubt haben. Der Glaube, der sich in Werken konkretisiert, wird dem neuen Gottesvolk mit aller Dringlichkeit abverlangt.
Die polemische Ausrichtung der Parabeltrilogie stimmt mit der Fassung der Gleichnistheorie bei Mt überein. Parabeln sind die Antwort Jesu auf die bereits erfolgte Verstockung des Volkes. Insofern ist die Parallele zwischen Mt 21,43 und Mt 13,12 sehr bemerkenswert.
(3) Lk hat das Jesajazitat in der Einleitung u. a. auch deshalb gekürzt, weil er die metaphorische Identifizierung des Weinbergs mit Israel im Ansatz verhindern wollte. Einmal räumt Lk so die Spannung zwischen Bildebene und Handlungsebene aus dem Weg, die sich sonst einstellen kann. Zum andern vermeidet er eine globale Diskreditierung des Volkes Israel. Lk unterscheidet zwischen dem (zwar nicht ganz schuldlosen, aber) unwissenden, irregeleiteten Volk und seinen unbußfertigen Führern, denen er die Hauptschuld am Tode Jesu zuschiebt.[150] Da Lk in V. 9 das Volk als Zuhörerschaft der Parabel einführt, ist anzunehmen, daß er dem Volk auch den entsetzten Zwischenruf „Das möge nicht geschehen" in den Mund legt. Sollte diese Abwehrreaktion nur der Drohung mit dem Strafgericht in V. 16 gelten? Oder will Lk nicht vielmehr zum Ausdruck bringen, daß sich das Volk von dem in der Parabel beschriebenen Geschehen, d. h. im Klartext von der Kreuzigung Jesu, die im Ablauf des Evangeliums noch bevorsteht, distanziert?
Ob χρόνους ἱκανούς V. 9 auf die Parusieverzögerung anspielt[151] oder auf „die lange Ausdehnung der Heilsgeschichte seit der Zeit der Prophe-

---

[148] Vgl. G. Strecker, Weg 111; H. Frankemölle, Jahwebund 252. Anders G. Bornkamm, „Enderwartung" 18.40; R. Hummel, Auseinandersetzung 148f.

[149] Mit ἔθνει sind nicht die Heiden gemeint, dann müßte der technische Plural stehen, vgl. W. Trilling, Israel 61. Die entgegengesetzte Auslegung von R. Walker, Heilsgeschichte 81f., ist philologisch unbegründet. Vielleicht ist auch das Zitat aus Ps 118,22f. bei Mt gegen A. Kretzer, Herrschaft 164, für eine unhaltbare christologische Auslegung vertritt, im Sinne von 1 Petr 2,5 mehr ekklesiologisch zu verstehen.

[150] Lk 24,20: „Unsere Hohenpriester und Führer haben ihn dem Todesurteil ausgeliefert und ihn gekreuzigt." Vgl. H. Conzelmann, Mitte 136.

[151] J. Schmid, Lk 296.

ten"[152], ist nicht sicher zu entscheiden. Wahrscheinlicher ist das erstere (vgl. Lk 19,11). Das bei Lk eigentümliche ἴσως will schwerlich die Allwissenheit Gottes absichern, die durch das Vertrauen des Besitzers gefährdet erscheinen könnte[153], eher ist es in den heilsgeschichtlichen Rahmen von Jer 26,3 zu stellen: „Vielleicht (LXX 33,3: ἴσως) hören sie und kehren um, ein jeder von seinen bösen Wegen" (es folgt eine unverkennbare deuteronomistische Prophetenaussage).

Das weckt auch Bedenken gegen die verbreitete These, die dreifache Aussendung der Knechte bei Lk sei Reflex einer nichtallegorischen Vorform oder stehe im Dienst einer entallegorisierenden Tendenz, die jede Anspielung auf das Prophetenschicksal streiche.[154] Dann wäre auch der Sohn aus der Reihe der Propheten herausgenommen. Das widerspricht den Ansätzen (oder sind es Rudimente?) einer Prophetenchristologie, auf die wir bei Lk allerorts treffen.[155] Lk 4,24 wendet das Sprichwort von der Verachtung des Propheten in seiner Heimatstadt auf Jesus an, illustriert es am Beispiel Elijas und Elischas (4,25–27) und konkretisiert es schließlich durch das Verhalten der Bewohner Nazareths, die Jesus zur Stadt hinauswerfen, um ihn zu töten (4,29). Das tatsächliche prophetische Verwerfungsgeschick Jesu wird 4,24–29 und 20,15 vorausgreifend dargestellt.

Damit hat Lk in anderer Weise als Mk, aber nicht minder deutlich die christologische Ausrichtung der Parabel fortgeführt. Das Psalmzitat in V. 17b hat demnach das Auferstehungskerygma zum Inhalt. V. 18, der zum Sondergut gehört, verlängert das christologische Geschehen bis zum Endgericht. Der zermalmende Stein, der alle, die gegen ihn anstürmen, zerschmettert, ist ein Bild für Jesus Christus. Er ist der jesajanische Stein des Anstoßes, das Zeichen des Widerspruchs, nach den Worten des greisen Simeon gesetzt zum Fall und zur Auferstehung vieler in Israel (Lk 2,34). Diese Prophetie wird sich nach Lk 20,18 bei dem Wiedererscheinen des Parusiechristus in seiner richterlichen Funktion bestätigen.[156]

(4) Es ist nicht ganz einfach, die Parabel in der gnostischen Gedankenwelt des ThEv unterzubringen. Der über die Synoptiker hinausgehende Zusatz „damit sie ihn bearbeiten" könnte auf einen Gedanken hinweisen, dem wir auch in Logion 20 begegnet sind. Der Gnostiker muß das Seine dazutun, damit er als Frucht die Erlösung erlangt. Hinter dem „gütigen

---

[152] W. Grundmann, Lk 372, Anm. 1.
[153] So A. Jülicher, Gleichnisreden II, 392; W. Grundmann, Lk 372, Anm. 2.
[154] Vgl. etwa J. Jeremias, Gleichnisse 69f.; M. D. Goulder, „Characteristics" 61; C. E. Carlston, Parables 78, Anm. 7.
[155] Es kommen zusammen die Tradition vom Todesgeschick der Propheten (vgl. Lk 13,33) und die Erwartung des Endzeitpropheten nach Dtn 18,18 (vgl. Lk 7,16; 24,19). Dazu F. Schnider, Prophet 108–147.163–172.
[156] Vgl. J. Schmid, Lk 297; M. Rese, Motive 172f.

Mann" möchte man fast ein bestimmtes Gottesbild vermuten, das sich aber mangels weiterer Anhaltspunkte nicht recht präzisieren läßt. W. Schrage denkt an das gnostische Thema des rechten Erkennens und an das Los des Offenbarers, der in der Welt unerkannt bleibt und verfolgt wird.[157] Auch das hat seine Probleme. Die Pächter erkennen den Sohn und Erben ja.

Einen anderen Weg hat J. B. Sheppard eingeschlagen. Er geht vom unmittelbaren Kontext aus. ThEv 63 bringt das Gleichnis vom törichten Reichen. ThEv 64 enthält das Gastmahlgleichnis in einer eigenständigen Fassung, die auf den Satz hinausläuft: „Käufer und Kaufleute werden nicht eingehen in den Ort meines Vaters." Stellt man Logion 65 in diese Linie, so enthält es eine weitere eindringliche Warnung vor den Gefahren des Reichtums. Der Sohn erleidet den Tod, weil er Erbe eines wertvollen Besitztums ist. Also soll sich der Gnostiker im eigenen Interesse vor einer Verwicklung in weltliche Geschäfte hüten, das ist die Botschaft des Textes.[158]

Darf man die drei Perikopen in dieser Weise zusammensehen, gewinnt die Rahmung erhöhtes Gewicht. Auf die Winzerparabel folgt der Weckruf „Wer Ohren hat, soll hören", der als hermeneutisches Signal für einen verborgenen Sinn dient. Logion 62a hat dann als Einleitung zur folgenden Parabeltrias zu gelten: „Meine Geheimnisse denen, die meiner Geheimnisse würdig sind."[159]

Die Parabeltheorie des ThEv ist esoterisch und individualistisch. Es ist daher kein Zufall, sondern entspricht einer inneren Dynamik gnostischen Denkens, wenn ausgerechnet die verdeutlichenden (!) und ekklesiologischen Allegorisierungen der synoptischen Tradition gestrichen werden.

Ergebnisse

(1) An Mk 12,1–12 parr erweist sich das Ungenügen der Antithese von Parabel und Allegorie besonders deutlich. Der Text ist im Ansatz eine erzählende Parabel, zu der gleichfalls im Ansatz das allegorische Moment als Strukturelement hinzutritt. Im Laufe der Traditionsgeschichte wird der Allegorieanteil verstärkt. Das hat Eintragungen in den Text und eine erhöhte punktuelle Identifizierbarkeit zur Folge, führt aber keineswegs zu einem Wechsel der Gattung.

---

[157] W. Schrage, ThEv 144f. Für Logion 66 verweist Schrage auf Hipp., Ref V 7,35 (GCS 26, 87,15–19 Wendland): οὗτος , φησίν, ἐστὶν ὁ ἀδάμας ὁ λίθος ὁ ἀκρογωνιαῖος ... ἀλληγορῶν, φησί, τὸ πλάσμα τοῦ ἀνθρώπου λέγει.

[158] J. B. Sheppard, Study 202–204.

[159] Vgl. B. Dehandschutter, „Vignerons" 205, Anm. 10. Das Logion steht in einer gewissen Nähe zur synoptischen Parabeltheorie und zu Jes 24,16 Theod.

(2) Den äußeren Anlaß für die zunehmende Allegorisierung bieten geprägte metaphorische Felder, die mit dem Text in Zusammenhang gebracht werden konnten. Inhaltlich geht es um die nachösterliche Entfaltung der impliziten Christologie der Jesusparabel und um ihre Auswertung für polemische und paränetische Zwecke.

(3) Federführend ist auf allen Traditionsstufen die intendierte Aussage. Der Realitätsnähe der Bildseite kommt nur untergeordnete Bedeutung zu. Sie darf als extra-textuale Größe keinesfalls zum alleinigen Maßstab für die Beurteilung des Textes genommen werden.

(4) Bewußte Mystifizierung oder gewollte Esoterik liegt nirgends vor. Mit eigentlicher Allegorese hat die Winzerparabel schon aus formalen Gründen nichts zu tun.

Kapitel XIV

GLEICHNISSE IN MK 13

Die beiden letzten Texte, die zu behandeln sind, stehen innerhalb der synoptischen Apokalypse Mk 13 parr. Über Herkunft und Aussageabsicht dieses Textes besteht in der Forschung keine Einigkeit. Für unsere Zwecke genügt der Hinweis, daß die Vorlage des Mk, wie immer man sie im Detail bestimmt, wahrscheinlich mit V. 27 zu Ende ist und daß die beiden Gleichnisse im Schlußabschnitt nicht mehr dazugehören.[1] Wir können für die Einzelanalyse V. 28–32 (mit Schwerpunkt auf V. 28f.) und V. 33–37 als vorläufige Einheiten ausgrenzen.

§ 41: Der Feigenbaum
(Mk 13,28–29 parr Mt 24,32–33; Lk 21,29–31)

a) Analyse

Die Einleitung ἀπὸ δὲ τῆς συκῆς μάθετε τὴν παραβολήν ist in der Gleichnistradition ohne Parallele. Der Imperativ μάθετε setzt das redak-

---

[1] Vgl. *R. Pesch,* Naherwartungen 175.205.211; *L. Hartman,* Prophecy 223. Manche Ausleger ziehen noch Elemente aus V. 30–32 zur apokalyptischen Vorlage, vgl. *G. R. Beasley-Murray,* Commentary 104. Die These von *F. Hahn,* „Parusie" 244f.257f., überrascht: V. 28f. sei der Kristallisationspunkt der Vorlage, die apokalyptischen Teile seien als Auslegung des Gleichnisses konzipiert und lediglich in etwas ungewöhnlicher Weise vorangestellt. Eine derartige Gleichnisauslegung wäre mehr als überdimensioniert, und sie hätte in der synoptischen Tradition keine Parallele. Die Auslegung des Gleichnisses wird in V. 29 geboten, nirgends sonst.

tionelle βλέπετε V. 5.9.23 fort und bereitet die Imperative in V. 29.33.35.37 vor. Der Text könnte vormarkinisch mit ὁμοία ἐστὶν συκῇ (vgl. Lk 13,19) oder ὡς συκῇ (vgl. Mk 4,26.31) eingesetzt haben. Als Haftpunkt scheint die Frage „Womit soll ich das Reich Gottes vergleichen" o. ä. möglich.

Der ὅταν-Satz Mk 13,28b scheint nicht bearbeitet zu sein, bis auf ἤδη, das wie das häufigere εὐθύς redaktionell anmutet.[2] γινώσκετε V. 28c bereitet die Anwendung in V. 29 schon vor. Als vormarkinischer Schluß genügt ἐγγὺς τὸ θέρος ἐστίν (als Hauptsatz).

V. 29 stammt wahrscheinlich von Mk. γινώσκετε greift die Imperative βλέπετε und μάθετε auf (ob Mk an das γινώσκειν seiner Fassung der Parabeltheorie Mk 4,13 denkt?). ἐπὶ θύραις ist aus dem folgenden Gleichnis vom Türhüter gewonnen.[3] Die beiden Nebensätze ὅταν ἴδητε und ὅτι ἐγγύς ἐστιν sind bewußt mit V. 28bc parallelisiert. Außerdem stellt ὅταν ἴδητε die Verbindung zu ὅταν μέλλῃ im redaktionellen Rahmenvers Mk 13,4 und zu den drei ὅταν-Sätzen V. 7.11.14 her. Da Mk selbst am Werk ist, wird ταῦτα auf die Jüngerfrage V. 4a zurückblicken und somit auf die Tempelzerstörung. Unbestimmt ist das Subjekt zu ἐστίν. Die Wendung „vor der Tür" läßt an einen personalen Referenten denken (vgl. Jak 5,9; Offb 3,20: ἕστηκα ἐπὶ τὴν θύραν). Deshalb muß man zu ἐγγύς ἐστιν als Subjekt wohl den Menschensohn aus V. 26 ergänzen.[4]

Die VV. 30–32 heben sich als ursprünglich isolierte Logien deutlich genug vom Vorstehenden ab. Das Amen-Wort in V. 30 ist durch ταῦτα πάντα mit V. 4b verklammert und hat das Gesamt der Endereignisse im Blick. Doch braucht man nur das summarische τὰ πάντα einzusetzen, das in apokalyptischen Kontexten vorkommt (Mk 4,11), und man hat ein selbständiges Logion. Es entstammt wie Mk 9,1[5] einer Traditionsschicht, die mit solchen Logien die gefährdete Naherwartung ungebrochen durchhalten wollte. Jesu eigene Eschatologie wird man von diesen Stellen her nicht zutreffend erfassen können. Wahrscheinlich war V. 30 mit V. 31 schon vormarkinisch zu einer Einheit verbunden, wie die Stichwortver-

---

[2] Vgl. *J. Zmijewski*, Eschatologiereden 263. Die Verteilung ist 7/8/10/3. In der zweiten Satzhälfte ist ἐκφύῃ zu lesen, nicht ἐκφυῇ, vgl. Bauer WB 490. Dadurch wird ein erneuter Subjektwechsel vermieden.

[3] *E. Wendling*, Entstehung 164.

[4] Vgl. *E. Lohmeyer*, Mk 281. Dazu darf an die personale Fassung des ἔρχεται im Spruch von der Leuchte Mk 4,21 erinnert werden.

[5] Mk hat diesen Vers auf die Verklärung als antizipatorisches Erleben der Vollendung bezogen und somit entschärft, vgl. *M. Horstmann*, Studien 97f. Anders *A. M. Ambrozic*, Kingdom 231–240. *K. Berger*, Amen-Worte 62–67, möchte das in seiner Termingebundenheit schwierige Logion auf dem Hintergrund der „Tradition über das Bewahrtwerden von Propheten bis zum Ende" erklären.

bindung von παρέλθῃ zu παρελεύσονται vermuten läßt.[6] Das Logion
vom Nichtwissen des Sohnes V. 32 hat Mk als bewußte Korrektur der
VV. 30f., die er vielleicht nur unter dem Druck der Tradition aufgenommen hat, hier eingebracht.[7]
Die Parallele Mt 24,32–36 gibt wenig Probleme auf, da sie in allen Teilen
fast wörtlich mit Mk übereinstimmt, mit geringfügigen Änderungen.[8]
ἕως ἄν Mt 24,34 par Lk 21,32 und – je nach Lesart – μή im folgenden
Vers sind die einzigen, recht unbedeutenden Übereinstimmungen von
Mt und Lk gegen Mk.
Lk 21,32f. steht in den Logien sehr nahe bei Mk. Nur läßt Lk Mk 13,32
aus, wohl aus christologischen Gründen.[9] In der Anwendung des Gleichnisses hat Lk 21,31 ἐπὶ θύραις fortgelassen und als Subjekt ἡ βασιλεία
τοῦ θεοῦ ergänzt, was aufschlußreich ist für seinen enteschatologisierten
(nach Conzelmann „metaphysischen") Reich-Gottes-Begriff. Lk 21,29
hat mit καὶ εἶπεν παραβολὴν αὐτοῖς eine neue Einleitung geschaffen,
die an Lk 6,39; 12,16; 18,9 erinnert. Offensichtlich hat Lk hinter Mk
13,27 eine Zäsur verspürt, wie auch seine zusammenfassende Bemerkung
in 21,28 zeigt, die das Ziel des eschatologischen Geschehens angibt
(ἀπολύτρωσις). Der Neuansatz der Rede macht ἴδετε τὴν συκῆν als
neue Gleichniseinleitung nötig. Der Zusatz καὶ πάντα τὰ δένδρα ist
sachlich für Palästina unzutreffend. Folgt Lk hier nur seiner Vorliebe für
Verallgemeinerungen?[10] Verrät er seine Unkenntnis palästinensischer
Verhältnisse?[11] Oder sollte er nicht doch einen inneren Grund dafür
haben? Die umständliche Beschreibung des Knospens ersetzt Lk durch
das eine Wort προβάλωσιν.[12] Den Zusatz βλέποντες ἀφ’ ἑαυτῶν hat Lk
z. T. aus dem thematisch verwandten Bildwort von den Vorzeichen des
Wetters und der Zeit Lk 12,54–57 übernommen (12,57: ἀφ’ ἑαυτῶν, vgl.
auch ἴδητε 12,54 mit ἴδετε 21,29).[13] Dafür, daß Lk einer abweichenden
Vorlage folgte, bietet der Text keine Anhaltspunkte.[14]

---

[6] Vgl. *W. Marxsen*, Markus 126, Anm. 5.

[7] *J. Lambrecht*, Redaktion 237, hält ἢ τῆς ὥρας für einen mk Eintrag, der die VV. 33–37 vorbereite.

[8] Mt setzt V. 33a πάντα und V. 36fin μόνος hinzu. Er läßt V. 33 γινόμενα und V. 36 τῆς aus. Er ändert V. 34 μέχρις οὗ in ἕως ἄν, V. 35 παρελεύσονται in παρελθώσιν und V. 36 ἢ in καί.

[9] Vgl. *H. Conzelmann*, Mitte 122.

[10] Vgl. *M. J. Lagrange*, Lc 533; *J. Dupont*, „Figuier" 534, der auf πᾶν λάχανον Lk 11,42 diff Mt 23,23 verweist.

[11] Vgl. *A. Plummer*, Lk 485; *J. Dupont*, „Figuier" 534: Parallelen seien Lk 6,48f. und 8,16, wo hellenistisch-römischer Hausbau vorausgesetzt ist.

[12] In anderer Bedeutung noch Apg 19,33. Die Verwendung ohne Objekt ist ungewöhnlich, vgl. Bauer WB s. v. D lat syr ergänzen deshalb τὸν καρπὸν αὐτῶν.

[13] Vgl. *R. Geiger*, Endzeitreden 230.

[14] Der Versuch von *T. Schramm*, Markus-Stoff 181, eine Sondertradition zu erweisen, wirkt zu Lk 21,29f. besonders fehl am Platz.

b) Form und Gattung

Die vormarkinische Einheit läßt sich nur schwer rekonstruieren. Folgender Text sei versuchsweise vorgeschlagen:

ὁμοία ἐστὶν συκῇ·
 ὅταν ὁ κλάδος αὐτῆς ἁπαλὸς γένηται
 καὶ ἐκφύῃ τὰ φύλλα,
 ἐγγὺς τὸ θέρος ἐστίν.

Die Pointe, die im abschließenden Hauptsatz liegt, wird in dem temporalen Nebensatz in gewisser Breite vorbereitet. Als Tempus der Verbformen dominiert das Präsens. Inhaltlich wird mit der unstreitigen Evidenz eines allbekannten, jährlich sich wiederholenden Naturgeschehens argumentiert. Für ein Bildwort fehlt dem Text die geschliffene sprachliche Struktur und die sprichwörtliche Prägnanz, wie sie etwa Mk 2,17.19.21f. eigen ist. Auch die vermutete Einleitung weist in eine andere Richtung. Formal steht der Text näher bei den Gleichnissen von Senfkorn und Sauerteig. Es empfiehlt sich die Gattungsbestimmung Gleichnis im engeren Sinn.

c) Bildfeld

(1) Im AT wird der Feigenbaum häufig neben dem Weinstock genannt (Ps 105,33). Beide gehören zur Ausstattung des gelobten Landes (Num 13,23; Dtn 8,8). In der Jothamsfabel Ri 9,7–15 sind es Ölbaum, Feigenbaum und Weinstock, die um ihres Nutzens für den Menschen willen die Königswürde über die Pflanzenwelt ablehnen. Daß jeder Israelit ungestört unter seinem Feigenbaum und seinem Weinstock sitzen kann, ist ein Zeichen für Ruhe und Frieden im Land.[15] Das Welken des Feigenbaums kennzeichnet Zeiten der Not und des Strafgerichts.[16] Jes 34,4 wird gar die kosmische Katastrophe, das Stürzen der Sterne vom Himmel, mit dem Abfallen des welken Laubes von Weinstock und Feigenbaum verglichen.[17] Von der Heilszeit wird erwartet, daß Feigenbaum und Weinstock wieder ihren vollen Ertrag geben (Joel 2,22; Hag 2,19).

---

[15] 1 Kön 5,5; 2 Kön 18,31; Jes 36,16; Mich 4,4; Sach 3,10; 1 Makk 14,12. Vgl. *C. H. Hunzinger,* ThWNT VII, 752f.

[16] Joel 1,12; Hab 3,17; Hos 2,14: „Ihren Weinstock und ihren Feigenbaum will ich verwüsten." Vgl. auch Nah 3,12.

[17] Die Stelle wird Mk 13,25 und Offb 6,13 teilweise zitiert. *J. Bowman,* Mark 247, stellt eine midraschartige Verbindung von Mk 13,25 zu Mk 13,28f. über Jes 34,4 her, zu Unrecht.

Eine eigentlich metaphorische Verwendung findet sich ansatzweise an einigen Stellen, wo der Kontext eine Identifizierung von Feigenbaum und Volk Israel nahelegt, mag sie auch im Einzelfall vom Autor noch nicht beabsichtigt sein. Joel 1,7 faßt die Verwüstung des Landes durch ein feindliches Volk in das Bild: „Meinen Weinstock hat es verwüstet und meinen Feigenbaum geknickt." Hos 9,10 bringt einen Vergleich: „Wie Trauben in der Wüste fand ich Israel, wie eine Frühfeige am Feigenbaum (LXX: ἐν συκῇ) erspähte ich eure Väter." Jer 8,13 beschreibt die geistliche Unfruchtbarkeit des Volkes[18]:

> Will ich einheimsen ihre Ernte, spricht der Herr,
> so sind keine Trauben am Weinstock
> und keine Feigen am Feigenbaum
> und die Blätter verwelkt.
> So will ich ihnen geben nach ihrem Ertrag.

In der Vision von den zwei Feigenkörben Jer 24,1–10 deutet die Gottesstimme die guten Feigen im ersten Korb auf die Verbannten, denen Rückkehr verheißen wird, die schlechten Feigen im zweiten Korb auf Zidkija und die im Land Zurückgebliebenen, denen ein Strafgericht bevorsteht (vgl. Jer 29,17). Mehr aufs Individuum ist Mich 7,1 ausgerichtet. Die Klage, daß die Frommen und Redlichen aus dem Land verschwunden sind, ist vorbereitet durch das Bild: „Wehe, es geht mir wie beim Sammeln der Sommerfrucht ... keine Feige zum Essen, nach der mein Herz sich sehnt."[19]
Rabbinische Belege sind SDtn 1,1 und HldR 7,5 § 3 (das Wachsen des Feigenbaums als Bild für die eschatologische Erweiterung Jerusalems und Israels) sowie GenR 46,1 (wie man Feigen zunächst einzeln, dann zu mehreren abpflückt und schließlich in Körbe schaufeln kann, so war zunächst Abraham allein, dann kamen Isaak und Jakob, bis das Volk am Ende über die Maßen zahlreich war).[20] Ansonsten bezieht sich die Feigenbaummetaphorik auf die Gerechten (bHag 5a; ExR 15,1) und auf die

---

[18] Zürcher Bibel. Die LXX übersetzt Joel 1,7 und Jer 8,13 den Singular der MS durch den Plural. Anscheinend wurde die Israelmetaphorik, die den Singular verlangt, nicht als solche empfunden, vgl. *J. Gnilka*, Verstockung 128, Anm. 32.

[19] Aus der zwischentestamentlichen Literatur vgl. zu Mk 13,28 und zu Mk 11,20f. noch Hen 82,16: „Dies sind die Zeichen ... alle Bäume tragen Frucht, und die Blätter kommen hervor ... aber die Winterbäume verdorren." Zu Mk 11,12–14 vgl. das Feigenwunder ParJer 3,15; 5,1–3; speziell 5,31: „Die Zeit für Feigen ist noch nicht gekommen" (Rießler 910). Bei Philo kommt συκῆ nicht vor.

[20] Bei Bill. sind diese Belege nicht erfaßt. Vgl. aber *A. Feldman*, Parables 151–156; Volz Esch 372. Einige Stellen auch bei *J. D. M. Derrett*, „Figtrees" 257, Anm. 1.

Torah[21]. Erwähnenswert ist noch die an Gen 3,7 anknüpfende Spekulation, derzufolge der Paradiesbaum ein Feigenbaum war.[22]
Spr 27,18 ist der einzige atl Ansatzpunkt für sprichwortähnliche Bildungen, wie sie Mt 7,16 par Lk 6,44 und Jak 3,12 begegnen. Engere Parallelen liegen in der hellenistischen Literatur vor, etwa bei Plutarch. Doch geht es an diesen Stellen mehr um die Unverrückbarkeit der Naturordnung, für die der Feigenbaum als Beispiel dient.[23]
(2) θέρος bedeutet normalerweise Sommer und nicht Ernte. Dafür wird meist θερισμός verwandt. Das ist im Griechischen nicht dasselbe. In der LXX sind die beiden Begriffe weniger deutlich abgegrenzt, doch sprechen auch die Realien für Mk 13,28 gegen eine Identifizierung von Sommerzeit und Erntezeit. Der Feigenbaum verliert als einer der wenigen Bäume in Palästina im Winter sein Laub. Wenn er neue Blätter ansetzt, ist das ein sicheres Zeichen, daß der Winter vorübergeht und der Sommer beginnt (der Frühling kommt als eigene Jahreszeit nicht in Betracht).[24] Die eigentliche Erntezeit dagegen ist erst im Hochsommer und gegen Ende des Sommers anzusetzen. Der Versuch, Mk 13,28 von der Ernte als Metapher für die eschatologische Gerichtszeit her zu interpretieren[25], wird dem Bild und den Realien nicht gerecht.

d) Tradition

(1) Das isolierte kleine Gleichnis auf Jesus zurückzuführen, sollte nicht allzu schwer fallen. Es fügt sich gut in den Kontext seiner Basileiabotschaft mit ihrer proleptischen Eschatologie ein. Zwischen dem Ausschlagen des Feigenbaums und dem Kommen des Sommers besteht eine unverrückbare kausale Relation. Der nahende Sommer ist die eigentliche Ursache für das Sprossen des Baumes. In ähnlicher Weise wird die Gegenwart, in der Jesus steht, durch das kommende Reich Gottes

[21] NumR 12,9; 21,15; bErub 54a/b (Auslegung von Spr 27,18): „Weshalb werden die Worte der Gesetzeslehre mit einem Feigenbaum verglichen? Wie man am Feigenbaum, sooft man ihn auch durchsucht, immer Feigen findet, ebenso findet man an den Worten der Gesetzeslehre, sooft man sie auch wiederholt, immer einen Geschmack" (II, 179 Goldschmidt). Vgl. Bill. I, 857f.; II, 26f.
[22] ApkMos 21; bSanh 70b; GenR 15,7. Ob das Joh 1,48.50 im Hintergrund steht, bleibt sehr fraglich, vgl. *R. Schnackenburg,* Joh I, 315f.
[23] Plut., Tranq An 13 (472F): νῦν δὲ τὴν μὲν ἄμπελον σῦκα φέρειν οὐκ ἀξιοῦμεν οὐδὲ τὴν ἐλαίαν βότρυς. Weitere Parallelen aus Marc Aurel und Seneca bei *M. Dibelius,* Jak 247. Die Anspielungen, die *V. Buchheit,* „Feigensymbolik" 200–229, bei Martial u. a. entdeckt, betreffen die biblischen Belege nicht. In Frage käme höchstens Hld 2,13.
[24] Vgl. Dalman Arbeit I, 378. Weiteres ebd. 257–261.
[25] Vgl. *I. Löw,* Flora I, 240, und *R. Schütz,* „Feigengleichnis" 88, die ein Wortspiel von קיץ und קץ vermuten.

bestimmt. Die Basileia ist zeichenhaft, vorausgreifend schon am Werk. Ob darüber hinaus ein Rückgriff auf Joel 2,22 (Feigenbaum als Symbol der Heilszeit) vorliegt, wie J. Jeremias will[26], bleibt doch fraglich.

(2) Auch in der Tradition hat das wenig ausgeprägte Bildfeld keine wesentliche Rolle gespielt. Es ist anzunehmen, daß das Gleichnis nach Ostern den Referenten wechselte und nicht mehr die spannungsvolle Gegenwart der Basileia, sondern die Erwartung der nahen Parusie illustrierte. Sprachlich hat sich diese Umdeutung kaum niedergeschlagen.

e) Redaktion

(1) Auch bei Mk steht das Gleichnis im Dienst der Parusieerwartung, aber in einem bestimmten Sinn. Nachdem Mk allen Spekulationen, die eine direkte Verbindung von den Wirren des jüdischen Krieges zur Parusie herstellen wollten, eine entschiedene Absage erteilt hat, kann er sich jetzt den positiven Aspekten der Enderwartung zuwenden, die auch für ihn ein entscheidendes Movens christlichen Lebens bleibt. Die zeitgeschichtlichen Ereignisse dürfen nicht für die Berechnung von Terminen mißbraucht werden, aber sie sollen den Leser daran erinnern, daß alle Zeit unter einem eschatologischen Vorbehalt steht. Mk befreit die Geschichte von apokalyptischem Determinus, aber er läßt nicht zu, daß sie in einem innerweltlichen System erstarrt, sondern hält sie offen für ihr eigentliches Ziel, die Wiederkunft Christi.[27]

Seine eigene, differenzierte Gleichnistheorie hält Mk hier durch.[28] Weil durch den Rahmen die esoterische Situation gesichert ist, kann Mk mit dem Gleichnis unmittelbar, ohne Hörerwechsel die Auslegung verbinden. Auf der fiktiven Erzählebene ist sie für vier auserwählte Jünger bestimmt. Im Kommunikationsprozeß zwischen Autor und Leserschaft richtet sie sich an die christlichen Leser. Diese Nuance darf man hinter dem betonten οὕτως καὶ ὑμεῖς vermuten.

Geprägte Metaphorik scheint für Mk 13,28f. keine Rolle zu spielen. War unsere Bildfelduntersuchung also umsonst? Wir müssen vor einem endgültigen Urteil die Textbasis etwas erweitern. E. Schwartz hat von Mk 13,28 aus eine Brücke zu Mk 11,12–14.20f. schlagen wollen. Der Feigen-

---

[26] *J. Jeremias,* Gleichnisse 120.

[27] Vgl. *H. Conzelmann,* „Geschichte" 69: „Die Christologie wirkt eo ipso reduzierend und ermöglicht es, geschichtliche Vorgänge als geschichtliche zu nehmen, ohne daß sie dadurch den Bezug auf das Ende verlieren würden." Daß damit der Markusdeutung von W. Marxsen u. a. eine Absage erteilt ist, sei nur am Rande erwähnt.

[28] Verkannt von *H. Räisänen,* Parabeltheorie 29f. Vgl. aber *R. Pesch,* Naherwartungen 197.

baum aus dem Gleichnis ist der verdorrte Feigenbaum von 11,20.[29] Die Verknüpfung der beiden Texte durch Schwartz ist phantastisch, seine aitiologische Erklärung der Verfluchung des Feigenbaums erfreut sich zu Recht keiner großen Beliebtheit mehr. Das Problem von Mk 11,12–14.20f. bleibt bestehen.[30]

Eine neuere Erklärung besagt, Jesus habe das Ende in so großer Nähe erwartet, daß dem Feigenbaum zum Fruchtbringen keine Zeit mehr bleiben werde.[31] Hier hat letztlich die konsequente Eschatologie A. Schweitzers Pate gestanden. Demgegenüber setzt sich mehr und mehr die Einsicht durch, daß es im Ansatz um eine Symbolhandlung[32] oder genauer um eine symbolische Wundergeschichte geht. Der Feigenbaum ist eine Chiffre für Israel als heilsgeschichtliche Größe, das vor dem Anspruch Jesu versagt und deshalb keine Zukunft mehr hat. Im Hintergrund stehen die oben erörterten prophetischen Stellen.[33]

In einer Phase der vormarkinischen Tradition scheint dieser Symbolgehalt zurückgedrängt und durch die Betonung der wunderwirkenden Kraft des Glaubens ersetzt worden zu sein. Mk selbst hat die geprägte Metaphorik wieder belebt, wie sein redaktionelles Arrangement zeigt. In typischer Schachteltechnik hat er die Wundergeschichte in zwei Phasen zerlegt und die Tempelreinigung dazwischen geschoben. Die beiden Perikopen interpretieren sich jetzt gegenseitig. Jesus spricht über den Tempelkult, ein Herzstück des religiösen Lebens Israels, und über das Volk in zeichenhaften Aktionen ein vernichtendes Urteil aus und kündigt ihr Ende an.

---

[29] E. Schwartz, „Feigenbaum" 83. Aufgegriffen von E. Hirsch, Frühgeschichte I, 123; J. Wellhausen, Mt 126. Sehr phantasievoll auch J. Schreiber, Theologie 134–140. Der Artikel bei συκῇ ist natürlich generisch zu verstehen und kann diese These nicht tragen.

[30] Zur Analyse: die ursprüngliche Einheit wird V. 13a–c.14ab.20b* oder 21b* umfaßt haben. Wohl vormarkinisch ist diese Einheit mit den Sprüchen über den Glauben V. 23–25 verbunden worden, die in V. 22 durch eine Übergangsbildung vorbereitet sind. Dafür ist von Belang, daß in Lk 17,6, der älteren, weil paradoxeren und analogielosen Fassung von Mk 11,23 par Mt 21,21, das Glaubensmotiv mit dem Maulbeerbaum verbunden ist (συκάμινος), vgl. J. Wellhausen, Lc 92f. Auf Mk geht vor allem die Aufteilung der Geschichte auf zwei Tage zurück, d. h. V. 14c.20a.21, ferner die Verklammerung mit dem Kontext V. 12 und die änigmatische Wendung ὁ γὰρ καιρὸς οὐκ ἦν σύκων.

[31] H. W. Bartsch, „Verfluchung" 257f. R. H. Hiers, „Season" 395–398, zieht das Motiv von der wunderbaren Fruchtbarkeit der messianischen Zeit heran. B. Violet, „Verfluchung" 139, vermutet ein Jesuswort, das etwa so aussah: „Der Menschensohn wird nie wieder von dir Früchte genießen" (weil er sich auf seinem Todesweg befindet).

[32] Zu den synoptischen Symbolhandlungen fehlen die nötigen gattungskritischen Vorarbeiten. Der Versuch von G. Stählin, „Gleichnishandlungen" 9–22, steht vereinzelt da.

[33] Vgl. A. de Q. Robin, „Cursing" 279f.; G. Münderlein, „Verfluchung" 94–103; H. Giesen, „Feigenbaum" 103–109. Dagegen protestiert J. G. Kahn, „Figuier" 38–45. Sein Anliegen ist sehr berechtigt, seine Mittel sind unzureichend.

Viel Schwierigkeiten bereitet die Wendung ὁ γὰρ καιρὸς οὐκ ἦν σύκων. Manche Autoren vermuten, Mk habe so eine Perikope, die ursprünglich zu einer Zeit spielte, da der Feigenbaum Frucht trägt, mit dem engeren Kontext verknüpfen wollen, der die Passazeit voraussetzt.[34] Doch wollte Mk vielleicht nur ein Signal setzen, das sein symbolisches Verständnis der Perikope unterstreicht. Es geht nicht um die Feigen, es geht um das Volk Israel, das Gott zu jeder Zeit die Früchte des Glaubens bringen sollte und sie ebenso kontinuierlich verweigert hat.

Auf Mk 13,28 wirkt Mk 11,12–14.20f. trotz allem nicht zurück. Dennoch ist der Vergleich in zweifacher Hinsicht lehrreich. Es zeigt sich (a) erneut: darüber, ob geprägte Metaphorik vorliegt, entscheidet der engere Kontext. Und wir stellen (b) wie schon bei der Brotthematik fest, daß in der Wundertradition feste Metaphern in einer Weise verwandt werden können, die an die Gleichnistradition erinnert.

(2) Bei Mt ist die Esoterik etwas zurückgedrängt, da nach Mt 24,3 die Parusierede allen Jüngern gilt. Von einigem Belang ist ferner, daß Mt schon 24,33 πάντα ταῦτα schreibt und die mk Unterscheidung von ταῦτα und ταῦτα πάντα somit aufhebt (was sich schon in der Rahmenbemerkung andeutete).

In der Erzählung von der Verfluchung des Feigenbaums hat Mt 21,18–22 die Aufsplitterung durch Mk wieder rückgängig gemacht. Das Wunderbare tritt stärker in den Vordergrund (der Baum verdorrt sofort), und die Verbindung mit dem Glaubensmotiv wirkt weniger gezwungen.[35] Die metaphorischen Deutung auf Israel tritt demgegenüber fast ganz zurück.

(3) Bei Lk ist jegliche Esoterik getilgt. Die Endzeitrede hält Jesus nicht auf dem Ölberg, sondern im Tempel. Adressaten sind nicht die Jünger, sondern die Menge (21,5.7.37f.).

Zur Ausweitung von συκῆ durch πάντα τὰ δένδρα hat E. Grässer gefragt, ob Lk vielleicht eine mit dem Feigenbaum verbundene eschatologische Symbolik abschwächen wolle.[36] Daran ist richtig, daß Lk mit der Feigenbaummetaphorik anscheinend vertraut war. Er hat sie aber weniger auf das Ende, sondern mehr auf das Volk Israel bezogen. Wenn Lk nun neben den Feigenbaum „alle anderen Bäume" stellt, will er mögli-

---

[34] Vgl. *C. W. F. Smith*, „No Time" 317f. Die Auskunft von Bill. I, 856f., und Dalman Arbeit I, 380f., Jesus habe auch zur Passazeit mit Früchten rechnen können, verkennt, selbst wenn sie zuträfe, die Aussageabsicht und den metaphorischen Gehalt des Textes. *K. Romaniuk*, „Saison" 278, faßt V. 13d als Frage: „War denn nicht die Zeit der Feigen?" Da als Antwort ein emphatisches Ja erwartet wird, müßte die Negation vorangestellt sein, vgl. Kühner–Gerth II 2,523f. Romaniuk beruft sich auf Bl-Debr § 452, 1. Alle dort genannten Beispiele beginnen mit einem Fragepronomen.

[35] Vgl. *H. J. Held*, Wundergeschichten 276f.

[36] *E. Gräßer*, Parusieverzögerung 166 mit Anm. 1.

chen Mißverständnissen vorbeugen und zeigen, daß es „nicht mehr nur um Israel und seine Geschichte geht, sondern daß die gesamte Heilsgeschichte mit ins Bild hineingenommen werden soll"[37].
Daß diese Deutung nicht zu weit hergeholt ist, zeigt das Gleichnis vom unfruchtbaren Feigenbaum Lk 13,6–9, das zum Sondergut gehört. Erstaunlich viele Exegeten haben in diesem Gleichnis die Vorlage für die Verfluchung des Feigenbaums entdeckt.[38] Die sprachlichen Berührungen zwischen beiden Texten tragen diese These nicht (sie beschränken sich auf συκῆν, ἦλθεν, καρπόν, ἐν αὐτῇ und εὗρεν im ersten Vers Lk 13,6). Doch steckt dahinter die Spur einer richtigen Intuition. Lk hat die metaphorische Verwandtschaft von Mk 11,12–14.20f. mit seinem Gleichnis erkannt und die mk Perikope in rückschauender Dublettenvermeidung[39] übergangen. Allenfalls scheint eine terminologische Angleichung in der Exposition Lk 13,6 möglich.
Daran, daß Lk den unfruchtbaren Feigenbaum auf das Volk Israel deutet, dem die Anwesenheit Jesu eine letzte Frist der Bewährung schafft, kann ein begründeter Zweifel nicht bestehen. Das macht zu allem Überfluß der Kontext deutlich, der das Schicksal von Galiläern und Jerusalemern aus gegebenem Anlaß zum Bußruf für das Volk auswertet. Damit ist nicht der an die Väterexegese gemahnenden Auslegung von T. Zahn das Wort geredet, der den Weinberg auf Israel deutet, den Feigenbaum auf Jerusalem, die drei Jahre auf die Wirksamkeit des Täufers, den Eigentümer auf Gott und den Gärtner auf Jesus.[40] Andererseits kann man bei der Lektüre fast aller Auslegungen gespannt auf den Moment warten, wo nach verbalen Kraftakten gegen die Allegorie die Deutung des Feigenbaums auf Israel vorgenommen wird. Ob man sich dafür auf den Situationskontext beruft (so A. Jülicher), auf den näheren sprachlichen Kontext oder auf vorgegebene Metaphorik (beides trifft bei Lk zu), ist prinzipiell gleichgültig. Allegorisch ist eine solche Auslegung allemal. Doch bestehen zwischen der Deutung von einer zentralen, das Ganze organisierenden biblischen Metapher her, die der Intention des Textes gerecht wird, und der punktuellen, teils anachronistischen Allegorese der Väter feine Unterschiede, die es sehr zu beachten gilt.

[37] *J. Zmijewski*, Eschatologiereden 267.
[38] So nach D. F. Strauß und der Tübinger Schule *E. Wendling*, Entstehung 150; *M. Dibelius*, Formgeschichte 103; *E. Klostermann*, Mk 116; *W. Grundmann*, Mk 229; *C. H. Hunzinger*, ThWNT VII, 757; *J. Roloff*, Kerygma 168, Anm. 227. Den umgekehrten Weg von der Wundergeschichte zur Parabel beschreitet wie schon Renan u. a. *R. Michiels*, „Conception" 59. Nach Hipp., Ref VIII 8,3 (GCS 26, 226,7–12 Wendland) haben die Doketen Mt 21,19f. und Lk 13,6f. unter allegorischem Aspekt kombiniert. Eine Verknüpfung von Mk 13,28 und Lk 13,6–9, gleichfalls verbunden mit einer allegorischen Auslegung („Verstehst du nicht, daß der Feigenbaum das Haus Israel ist?"), findet sich ApkPetr 2 (II, 472f. Hennecke). Vgl. *A. Orbe*, Parábolas I, 205–212.
[39] Dieses Phänomen hat *H. Schürmann*, „Dublettenvermeidungen" 279–289, aufgedeckt.
[40] *T. Zahn*, Lk 525–538.

§ 42: Der Türhüter (Mk 13,33–37)

a) Analyse

(1) Mit den beiden asyndetischen Imperativen βλέπετε und ἀγρυπνεῖτε
V. 33a[41] setzt Mk ein Gliederungssignal, das mit den sinngebenden
Imperativen im engeren Kontext (V. 5.9.23.28.29.35.37) in Verbindung
steht. Das seltene ἀγρυπνέω kann einer vormarkinischen Überarbeitung
des Gleichnisses entstammen. οὐκ οἴδατε γάρ V. 33b greift das vorgegebene οὐδεὶς οἶδεν aus V. 32 auf[42] und setzt es in direkter Anrede um,
während καιρός V. 33fin die eschatologische Qualifizierung von ἡμέρα
ἐκείνη und ὥρα in V. 32 redaktionell unterstreicht.
In V. 34 wechselt das Subjekt abrupt zur 3. Person Singular. Die Einleitung ὡς ἄνθρωπος entspricht dem rabbinischen Gleichnisanfang לאדם.
Das Adjektiv ἀπόδημος ist Hapaxlegomenon (das Verb ἀποδημέω
gehört ausschließlich zur Gleichnissprache[43]). Der syntaktische Aufbau
des folgenden Satzes ist empfindlich gestört und wird nicht schon
dadurch verbessert, daß man τὴν ἐξουσίαν – eine auf Mk zurückgehende
Verdoppelung zu ἑκάστῳ τὸ ἔργον αὐτοῦ – als redaktionellen Einschub
herausnimmt.[44] Für ἵνα γρηγορῇ kann vermutet werden, daß γρηγορέω
im Blick auf die Deutung gesetzt ist und eine andere Vokabel verdrängt
hat.[45]
Mit dem Imperativ γρηγορεῖτε ist in V. 35 wieder die Sprachebene des
redaktionellen Verses 13,33 erreicht. V. 35b ist eine teils wörtliche, nur
durch das dazwischenliegende Bild beschwerte Reproduktion von V.
33b. Das πότε in beiden Versen greift auf das πότε der Jüngerfrage 13,4
zurück und gibt darauf die Antwort: ihr könnt nicht wissen, wann das
Ende kommt.
Der Wechsel von ἄνθρωπος V. 34 zu κύριος V. 35 erinnert an den
gleichen Vorgang Mk 12,1 diff Mk 12,9, der sich als Ergebnis sekundärer
Ausgestaltung erweist. ὁ κύριος hat wenig Aussichten, zu einem
ursprünglichen Gleichnisfragment zu gehören. Darüber kann auch der
qualifizierende Genetiv τῆς οἰκίας nicht hinwegtäuschen, der aus ἀφεὶς

---

[41] Die meisten Zeugen lesen zusätzlich καὶ προσεύχεσθε (txt: B D it). Das ist als Angleichung an Mk 14,38 zu werten, vgl. *B. M. Metzger*, Commentary 112.

[42] Der Zusatz εἰ μὴ ὁ πατὴρ καὶ ὁ υἱός in W unterstreicht diese Verbindung.

[43] D Θ λ 565 lesen zu Mk 13,34 deshalb ἀποδημῶν. Zu ἀπόδημος vgl. Plut., Praec Ger
Reip 3 (799E); Jos., Ant 2,165; Bauer WB s. v.

[44] So *R. Pesch*, Naherwartung 198f. Der Rückzug auf einen Aramaismus scheidet aus, vgl.
K. Beyer, Syntax I, 199.

[45] γρηγορέω ist eine Neubildung der hellenistischen Zeit und ein Vorzugswort des christlichen Vokabulars, wo es vor allem wachen im Sinne von wach sein, bereit sein bedeutet,
nicht aber bewachen (φυλάττειν), Wache stehen o. ä., vgl. Liddell–Scott 360; Bl-Debr §
73, Anm. 2.

τὴν οἰκίαν V. 34 gewonnen ist. Man wird im Gegenteil fragen, ob τῆς οἰκίας nicht eine von sachlichen Erwägungen geleitete mk Erweiterung darstellt, während κύριος wie in 12,9 eher einer vormarkinischen Überarbeitung zuzuweisen ist.[46] Die Aufzählung V. 35c setzt die römische Aufteilung der Nacht in vier Nachtwachen voraus (vgl. Mk 6,48), im Gegensatz zur griechischen und palästinensischen Übung, die mit drei Nachtwachen rechnete.[47] ὀψέ und πρωΐ können als Indizien mk Redaktionsarbeit gelten.[48] Die Spannung, die durch diese Zeittafel ins Bild hineinkommt, ist oft bemerkt und beklagt worden. Ist es sinnvoll, einen Hausherrn, der offenbar weit außer Landes reist und sein Hauswesen für eine längere Zeit der Abwesenheit ordnet, zu jeder beliebigen Zeit irgendeiner Nacht zurückzuerwarten?[49] Dafür, daß auch in V. 35 Traditionssplitter vorliegen, spricht wiederum die gestörte Satzkonstruktion. V. 35b liefert die Begründung für den Imperativ γρηγορεῖτε V. 35a. Der negierte Finalsatz V. 36 gibt die Zielsetzung für das Wachen an. Obwohl V. 36 als Subjekt ὁ κύριος aus V. 35b voraussetzt, hängt er syntaktisch direkt von γρηγορεῖτε V. 35a ab. Daß V. 36 z. T. auf mk Redaktion zurückgeht, zeigen die Parallelen zur Gethsemane-Erzählung.[50] Nicht zweifelhaft sein kann der ausschließlich redaktionelle Charakter des Schlußverses Mk 13,37. Er knüpft unmittelbar an V. 34f. an, bezieht sich aber darüber hinaus auf das ganze Kapitel Mk 13. Man kann geradezu von einem Durchbrechen der fiktionalen Erzählebene sprechen. Was der Redaktor als esoterische Jüngerbelehrung durch Jesus konzipiert hat (ὑμῖν λέγω), möchte er durch das Medium seines Evangeliums allen Lesern mitteilen (πᾶσιν λέγω). Anliegen und Inhalt seiner eschatologischen Paränese faßt der Imperativ zusammen, der das Ganze eindrucksvoll beschließt: γρηγορεῖτε.

---

[46] Dafür spricht, daß Mk an κύριος als Hoheitstitel wenig Interesse zeigt. Morgenthaler gibt die Verteilung mit 80/18/103 an. Läßt man den Mk-Schluß beiseite, verringert sich diese Zahl noch um zwei Belege. An entscheidenden Stellen steht κύριος in atl Zitaten, so 1,3; 12,29f.36f. Anders verhält es sich mit οἰκία, das in eine mk Thematik hineingehört, vgl. 7,24; 9,33; 10,10, ferner 1,29; 2,15, auch οἶκος 3,20; 7,17.

[47] Vgl. Ri 7,19; Jub 49,10.12; Dalman Arbeit I, 632f.; *S. Krauß,* Archäologie II, 420.

[48] Die Verteilung zu ὀψέ ist 1/3/0/0 (vgl. auch ὀψία: 7/5/0/0), zu πρωΐ 3/5/0/1 (ohne den kanonischen Mk-Schluß). Vgl. *J. C. Hawkins,* Horae 13. Wegen Mk 14,30.68.72 (ἀλέκτωρ und φωνεῖν) sieht *J. Lambrecht,* Redaktion 246, Anm. 2, auch ἀλεκτοροφωνίας als mk an.

[49] Vgl. *E. Lohmeyer,* Mk 284f.; *R. Bultmann,* Syn. Tradition 125; *H. Kahlefeld,* Gleichnisse I, 120f. Ein gezwungener Rettungsversuch bei *W. Michaelis,* Gleichnisse 83.

[50] 13,36: μὴ   ἐλθὼν ... εὕρῃ ὑμᾶς   καθεύδοντας.
14,37: καὶ   ἔρχεται καὶ εὑρίσκει αὐτοὺς καθεύδοντας.
14,40: καὶ πάλιν ἐλθὼν   εὗρεν   αὐτοὺς καθεύδοντας.
Die Parallele wird u. a. gesehen von *C. H. Dodd,* Parables 123f.; *J. Dupont,* „Maître" 99.

(2) Mt trennt sich nach Mk 13,32 von Mk und geht seine eigenen Wege. Zunächst bringt er wie schon 24,27 Materialien aus der kleinen Apokalypse Lk 17,22–37, die wahrscheinlich den Abschluß der Logienquelle gebildet hat[51]. Von 24,45 an bietet er Parusiegleichnisse aus Q und aus seinem Sondergut.[52] Er gestaltet die Parusierede so zur fünften großen Redekomposition seines Evangeliums aus. Eine direkte Reminiszenz an Mk 13,35 liegt nur Mt 24,42 vor (vgl. Mt 25,13).

Lk 21,34–36 bringt die Eschatologierede mit drei Versen zum Abschluß, die in einzelnen Vokabeln noch die Bekanntschaft mit dem Mk-Text verraten.[53] Daneben stehen typische Lukanismen[54], Septuagintismen[55] und einige synoptische Hapaxlegomena, die in den Bereich der Briefliteratur weisen[56]. Der redaktionelle Charakter der Verse liegt auf der Hand.

Die eigentlichen Probleme geben für Mk 13,34–36 nicht die unmittelbaren Seitenreferate auf, sondern die Parallelen zu verschiedenen Knechtsgleichnissen der synoptischen Tradition, die schwierig zu beurteilen sind. (3) Die Parabel von den Talenten beginnt Mt 25,14 mit ὥσπερ γὰρ ἄνθρωπος ἀποδημῶν. Das stimmt fast wörtlich mit Mk 13,34 überein. Ferner entsprechen sich τοὺς ἰδίους δούλους und τοῖς δούλοις αὐτοῦ, (παρ)έδωκεν und δούς sowie ἑκάστῳ κατὰ τὴν ἰδίαν δύναμιν und ἑκάστῳ τὸ ἔργον αὐτοῦ.

Es wäre nicht undenkbar, daß Mt sich, als er die Parabel von den Talenten niederschrieb, an Mk 13,34 erinnerte und in der Formulierung davon beeinflussen ließ.[57] Daß diese Hypothese aber kein Zutrauen verdient, beweist ein Blick auf Lk 19,12f., wo trotz starker Überarbeitung einige signifikante Übereinstimmungen mit Mt 25,14f. vorliegen. Mt und Lk

---

[51] Vgl. S. Schulz, Q 227–287; D. Lührmann, Logienquelle 71–75.

[52] Eine Siebenzahl von Gleichnissen wie in Mt 13 entdeckt G. Bornkamm, „Verzögerung" 119, Anm. 7. Das läßt sich nur sehr gezwungen bewerkstelligen. Zur Konzeption der Eschatologierede bei Mt vgl. u. a. J. Lambrecht, „Parousia Discourse" 309–342.

[53] Vor allem ἀγρυπνέω Lk 21,36. Vgl. ferner αἰφνίδιος Lk 21,34 (vgl. 1 Thess 5,3) und ἐξαίφνης Mk 13,36; ἐπεισελεύσεται Lk 21,35 und ἔρχεται, bzw. ἐλθών Mk 13,35f.; πάντας Lk 21,35 und πᾶσιν Mk 13,37. In beiden Texten begegnen ὡς und καιρός, letzteres bei Lk allerdings in nichteschatologischem Sinn. Vgl. J. Zmijewski, Eschatologiereden 291–294.

[54] Dazu zählen προσέχετε ἑαυτοῖς, καρδία (16/11/22/20), ἐφίστημι (0/0/7/11) und πρόσωπον τῆς γῆς (vgl. Apg 17,26). κατισχύω wird mit der lk Vorliebe für Komposita zusammenhängen. Vgl. R. Geiger, Endzeitreden 244f.

[55] Zu ὡς παγίς κτλ. vgl. Jes 24,27 LXX, zu κραιπάλη Jes 24,20 LXX.

[56] Vgl. zu μέθη Röm 13,13; Gal 5,21; zu βιωτικός 1 Kor 6,3f.; zu ἐκφεύγω Röm 2,3; 2 Kor 11,33; 1 Thess 5,3; zu βαρέομαι (1/0/2/0) 2 Kor 1,8; 5,4; 1 Tim 5,16. μερίμναις kommt bei den Synoptikern nur noch im kleinen Lasterkatalog Lk 8,14 parr vor. R. Bultmann, Syn. Tradition 126, möchte „fast vermuten …, Lk habe ein Stück aus einem verlorenen Brief des Paulus … benutzt".

[57] Mit diesem Gedanken spielt J. Dupont, „Maître" 97.

haben gemeinsam: ἄνθρωπος, ἐκάλεσεν/καλέσας, ἰδίους δού-
λους/δούλους ἑαυτοῦ, (παρ)έδωκεν αὐτοῖς. Und ἐπορεύθη εἰς χώραν
μακράν ist eine Umschreibung von ἀποδημῶν. Ob die Talenteparabel
in Q stand oder nicht[58], in jedem Fall geht die Einleitung bei Mt auf die
gleiche Tradition zurück wie Lk 19,12f. Die Abhängigkeitsverhältnisse
sind also genau umgekehrt zu bestimmen.

(4) Die direkte Parallele zu Mk 13,34–36 bildet Lk 12,35–38.[59] Der Text
hat seine eigenen, beträchtlichen Probleme. V. 35 enthält zwei Metaphern zum Thema Bereitsein[60], die als Überschrift dienen. Daß eine
redaktionelle Naht vorliegt, zeigt der nicht sehr glückliche Anschluß mit
καὶ ὑμεῖς ὅμοιοι ἀνθρώποις. Möglicherweise liegt eine Reminiszenz
daran vor, daß ursprünglich wie noch bei Mk der Hausherr ἄνθρωπος
genannt wurde. Lk hat dafür zweimal κύριος.

Das einzige weitere Element, das Lk 12,36 mit Mk gemeinsam hat, ist
πότε. προσδεχομένοις erweist sich durch Wortwahl und Konstruktion
als lk.[61] ἀναλύω ist synoptisches Hapaxlegomenon und in der Bedeutung
„zurückkehren" nicht gerade häufig belegt.[62] Es könnte von Lk stammen,
der gelegentlich eine Vorliebe für seltene Vokabeln zeigt. Zu ἐκ τῶν
γάμων fällt auf, daß Lk zwar Gastmahlszenen liebt, aber von γάμος, das
nicht nur Hochzeit, sondern auch Festmahl bedeutet[63], nur zweimal
spricht. Daß der Herr vom Gastmahl zurückkommt, ist kein gelungenes
Bild für den Beginn des eschatologischen Freudenmahls[64], wohl aber eine
überzeugendere Motivation für das Wachen des Türhüters als die lange
Abwesenheit des Herrn bei Mk. Zu ἐλθόντος καὶ κρούσαντος ist der
Weisheitsspruch Lk 11,9f. par Mt 7,7f. (Q) zu vergleichen sowie das
Gleichnis von der verschlossenen Tür Lk 13,25, das wahrscheinlich in Q

---

[58] Die Zugehörigkeit zu Q wird bestritten von *A. Weiser*, Knechtsgleichnisse 255–258.

[59] *P. Joüon*, „Parabole" 365–368, denkt noch an zwei verschiedene, gleichermaßen authentische Jesusgleichnisse.

[60] Vgl. Spr 31,17f.: „Sie gürtet ihre Lenden mit Kraft … auch bei Nacht erlischt ihre
Leuchte nicht", vgl. *B. T. D. Smith*, Parables 106f. Zum Gürten der Lenden vgl. u. a. Jer
1,17; Philo, Sacr AC 63; 1 Petr 1,13. *E. Lövestam*, Wakefulness 93f., erinnert an die
Bereitschaft zum Passa Ex 12,11 LXX: αἱ ὀσφύες ὑμῶν περιεζωσμέναι. Zu λύχνοι
καιόμενοι (*A. Plummer*, Lk 330: „This is the parable of the Ten Virgins condensed") vgl.
Mt 25,8: αἱ λαμπάδες ἡμῶν σβέννυνται. Literarische Abhängigkeit liegt in diesem Fall
nicht vor, es genügt die Bekanntschaft mit geprägter Metaphorik, vgl. auch Did 16,1.

[61] Die Verteilung ist 0/1/5/2.

[62] Die Lutherbibel schlägt deshalb die Übersetzung vor: „Wenn er von der Hochzeit
aufbrechen wird …" In den späten Schichten der LXX sind beide Bedeutungen anzutreffen, vgl. Tob 2,9; Jdt 13,1; Weish 5,12; 2 Makk 8,25; 15,28.

[63] Est 9,22 LXX. Vgl. *T. Zahn*, Lk 504f., Anm. 31.

[64] *E. Klostermann*, Lk 139, meint: „Lc hat jedenfalls die Wiederkehr des Messias von der
Himmelsfreude hier dargestellt gefunden." Davon ist nur das allegorische Verständnis
betroffen, nicht die ursprüngliche Funktion dieses erzählerischen Zugs.

stand und neben anderen Metaphern in der Parabel von den zehn Jungfrauen Mt 25,10–12 verarbeitet ist.[65] Doch steht an diesen Stellen der
Mensch vor der Tür, hier jedoch der Kyrios selbst. Auch das klingt
verdächtig nachösterlich, doch sollte ein ursprüngliches Gleichnis wenigstens ein Äquivalent zu ἀνοίξωσιν enthalten haben, das dann schon in Q
κρούω an sich zog.
V. 37a ist ein Makarismus, zu dem V. 38fin das Echo bildet. V. 37b
enthält ein Amen-Wort. Diese Kombination selbständiger Gattungen mit
einem Gleichnis ist sicheres Indiz für sekundäre Zusammenstellung. Das
wird überraschend bestätigt durch die Beobachtung, daß sich im Gleichnis vom guten und bösen Knecht wenige Zeilen später der Makarismus
V. 37a fast wörtlich wiederfindet (Lk 12,43 par Mt 24,46). Er ist dort
durch die Mt-Parallele als Bestandteil von Q ausgewiesen. Nun finden
sich gerade in V. 37a, dessen Herkunft aus Q gesichert ist, wörtliche
Anklänge an Mk 13,34–36. Sie betreffen οἱ δοῦλοι, ἐλθών, ὁ κύριος und
γρηγοροῦντας, Elemente also, deren Ursprünglichkeit wir bei der Analyse des Mk-Textes aus inneren Gründen angezweifelt haben. Lk fällt als
Urheber dieser Berührungen aus. Selbst wenn er für die Transposition
von V. 43 nach V. 37a verantwortlich zeichnete, bliebe die vorgängige
Übereinstimmung von Mk und Q ungeklärt.
Das Amen-Wort Lk 12,37b hat seinen formalen Anknüpfungspunkt
ebenfalls im Gleichnis vom guten und bösen Knecht (Lk 12,44 par Mt
24,47). Doch weist Lk 12,37b inhaltlich in eine andere Richtung. Das
Gleichnis vom allzeit zum Dienst verpflichteten Sklaven Lk 17,7–8 enthält drei Schlüsselworte von Lk 12,37b: παρελθών, περιζώννυμι und
διακονεῖν. Nur ist es 17,7f. der von der Arbeit kommende Sklave, der
sich schürzen und seinen Herrn bedienen muß, wie es wohl der rauhen
Wirklichkeit entsprach, während 12,37b der heimkehrende Hausherr
sich gürtet und seinen Dienern zum nächtlichen Mahl aufwartet. Hier
wird die Wirklichkeit in einer Weise gesprengt, die die Strapazierung der
Realität in den authentischen Jesusgleichnissen weit hinter sich läßt.[66] Es
geht um das selbstlose Dienen Jesu (Lk 22,27), um die eschatologische
Umkehr der Verhältnisse und um den Lohn, der den treuen Diener
Christi im Himmel erwartet. Für V. 37b können wir mit der Redaktions-

---

[65] Vgl. ἀποκλείσῃ τὴν θύραν Lk 13,25 und ἐκλείσθη ἡ θύρα Mt 25,10 (dazu als möglichen biblischen Hintergrund Mal 1,10 LXX: ἐν ὑμῖν συγκλεισθήσονται θύραι). Ferner
κύριε, ἄνοιξον ἡμῖν Lk 13,25 par Mt 25,11; οὐκ οἶδα ὑμᾶς Lk 13,27 par Mt 25,12.

[66] Abwegig A. T. Cadoux, Parables 191. Auch die Überlieferung, nach der R. Gamaliel II
andere Rabbinen bei Tisch bedient habe, erklärt nichts, gegen P. Fiebig, Gleichnisreden
163, vgl. I. K. Madsen, Parabeln 120f. Gleiches gilt für das Fest der Saturnalien, an dem
Herrn und Sklaven für kurze Zeit ihre Rolle tauschten (Lukian berichtet uns davon in
seinen saturnalischen Briefen).

tätigkeit des Lk rechnen, zumal die redaktionelle Überschrift aufgegriffen wird (περιεζωσμέναι). V. 37a hingegen weist in die Logienquelle. Die Aufzählung der Nachtwachen Lk 12,38 hat gegenüber Mk zwei Besonderheiten. Die Aufteilung der Nacht in drei Wachen folgt palästinensischer Sitte. Daß die erste Nachtwache als Rückkehrtermin von vorneherein ausgeklammert bleibt, ist ein feiner realistischer Zug. Hier bietet Mk 13,35 mit unverkennbar redaktionellen Zügen die abgeleitete Fassung.[67] Eine weitere Übereinstimmung enthalten die Schlußworte. ἔλθῃ καὶ εὕρῃ bei Lk entspricht μή ἐλθὼν εὕρῃ bei Mk.[68]

(5) Im Gleichnis vom Dieb in der Nacht, das sich großer Beliebtheit erfreut[69], heißt es Mt 24,43: „Wenn der Hausvater wüßte, zu welcher Nachtwache (ποίᾳ φυλακῇ) der Dieb kommt ...“ Lk 12,39 hat ποίᾳ ὥρᾳ. Wahrscheinlich steht Lk näher bei Q. Warum sollte er φυλακή, das einen hervorragenden Stichwortanschluß zu Lk 12,38 ergeben hätte, gestrichen haben? Auch zählt ὥρα nicht zu seinen Vorzugswörtern. Im übrigen ersetzen beide Zeitangaben ein neutrales „wann". Die Logik des Bildes besagt nämlich, daß es unmöglich ist zu wissen, ob der Dieb überhaupt kommt und wenn ja, zu welchem Zeitpunkt. Deshalb ist als mediale Zeitform der Irrealis der Gegenwart gewählt.[70] Man kann aber nicht Tag und Nacht auf der Lauer liegen in Erwartung eines Ereignisses, das sich so vollständig jeder Kenntnis entzieht. Genausowenig läßt sich das Kommen der Basileia einkalkulieren, das wird die Pointe sein.[71] Die Mahnung zur Stetsbereitschaft ist das Ergebnis nachträglicher Auswertung, die auch den Eintrag von φυλακή zur Folge hatte. Dabei mag die Erwähnung der Nachtwachen im Türhütergleichnis, das in Q anscheinend mit dem Gleichnis vom Dieb zu einer Art Doppelgleichnis verbunden war, auf die Mt-Fassung eingewirkt haben. Keinesfalls aber – und darauf kommt es hier an – besteht Anlaß für die Vermutung von E. Lohmeyer, der im Hintergrund von Mk 13,33–37 das Gleichnis vom Dieb aufschimmern sieht.[72]

(6) Der literarkritische Befund ist verwirrend, die Verlegenheit der For-

---

[67] Ein Einwand könnte lauten: auch Lk setzt vier Nachtwachen voraus. Die letzte ist nur ausgelassen, weil eine so späte Heimkehr nicht mehr realistisch schien. Für die oben vertretene Ansicht spricht aber eine Beobachtung von K. Beyer, Syntax I, 267: die Konstruktion von Lk 12,38 verrät einen Aramaismus.

[68] Demnach ist in Mk 13,36 nur καθεύδοντας auf Mk 14,37.40 zurückzuführen.

[69] 1 Thess 5,2; 2 Petr 3,10; Offb 3,3; 16,15; ThEv 21. Die Traditionsgeschichte wird ausführlich behandelt von W. Harnisch, Existenz 84–116, und A. Smitmans, „Gleichnis" 43–68, mit unterschiedlichen Ergebnissen.

[70] So zu Recht G. Strecker, Weg 241, mit Verweis auf Kühner–Gerth II 2,470f.

[71] Vgl. W. Harnisch, Existenz 90f.

[72] E. Lohmeyer, Mk 285.

schung entsprechend groß.[73] Verblüffend einfach sieht auf den ersten
Blick die Lösung von J. Lambrecht aus.[74] Mk kannte aus der Logien-
quelle die vier Gleichnisse Lk 12,35–38.39–40.42–46 und Mt 25,14–30.
Man kann mit A. Jülicher fortfahren: „... und so schob er sich denn aus
einer Fülle von ‚Motiven' diese allegorisierende Symphonie zurecht" [75].
Ein anderer Vorschlag besagt, Lk 12,35–38 sei nichts anderes als die lk
Version von Mk 13,33–37.[76]
Ein Lösungsversuch, der die wichtigsten analytischen Gesichtspunkte
integriert, muß notwendig diffiziler aussehen. Folgender Werdegang
scheint denkbar. Am Anfang steht ein Gleichnis vom Türhüter (der in
den übrigen Knechtsgleichnissen keine Parallele hat). In der Logienquelle wird das Gleichnis in eine kleine Sammlung verwandter Stücke
eingebracht. Dabei wird der Türhüter eliminiert und durch die wachen-
den Knechte ersetzt. Die Wachsamkeitsparänese, die zum Gemeingut
von Parusietexten gehört (1 Thess 5,6), wird durch einen Makarismus
verstärkt. In dieser Form gelangt das Gleichnis zu Lk, der es sprachlich
überarbeitet, um das Amen-Wort erweitert und seinem Kontext anpaßt.
Die Mk-Parallele hat Lk nur insoweit berücksichtigt, als er sie im gegebe-
nen Moment übergeht.
Die vormarkinische Tradition hält am Türhüter fest und vermeidet den
stilwidrigen Makarismus, zeigt sich aber sonst von sekundären Zügen der
Q-Fassung beeinflußt und bringt zusätzlich ad vocem δοῦλοι die Exposition der Talenteparabel ein.[77] Das erklärt die Spannung, die zwischen
der steten Wachsamkeit des Türhüters und der überlangen Abwesenheit
des Hausherrn entsteht. Inwieweit in diesem Prozeß Mündlichkeit und
Schriftlichkeit eine Rolle spielen, ist schwer zu entscheiden. Q lag sicher
schriftlich vor, anders ist die Korrespondenz von Lk 12,37 und 12,43
nicht zu erklären. Für die vormarkinische Fassung wird mündliches
Erzählen, das zum Zersagen neigt und das ja auch nach der schriftlichen
Fixierung einzelner Stücke nicht abrupt aufhört, eine stärkere Rolle
gespielt haben.

---

[73] Vgl. einige Urteile: „a homiletical echo of several parables" (V. Taylor, Mk 524); „an
abbreviated and confused conflation" (A. T. Cadoux, Parables 190); „un fragment ou une
ébauche de parabole" (D. Buzy, Paraboles 467); „a condensation of the three better-
known stories" (G. R. Beasley-Murray, Commentary 112); „zusammengeklebte Trümmer
der Tradition" (R. Bultmann, Syn. Tradition 125).

[74] J. Lambrecht, Redaktion 250.

[75] A. Jülicher, Gleichnisreden II, 170.

[76] C. E. Carlston, Parables 84f.

[77] Dafür, daß diese Kombination in der vormarkinischen Tradition erfolgte, spricht auch
der sprachliche Befund. Weder δοῦλος (30/5/26/3) noch ἔργον (6/2/2/10) zählen zu den
Vorzugswörtern des Mk. ἕκαστος kommt bei Mk nur an dieser Stelle vor. Die Berührung der vormarkinischen Tradition mit Material aus Q müßte sehr viel eingehender
untersucht werden, was in diesem Rahmen nicht geschehen kann.

Mk fand in seiner Tradition ein Gleichnis vor, das schon Ergebnis einer weitreichenden Überarbeitung war, aber noch eine geschlossene Perikope abgab. Er hat die vorgegebene Einheit aufgelöst, indem er einen seiner paränetischen Imperative mitten hinein sprengte (V. 35a). Er hat ferner die Zeitangaben überarbeitet, einzelne Schlüsselbegriffe eingefügt (ἐξουσία, οἰκία, καθεύδοντας) und den Kontext (Mk 13) zur Geltung gebracht.

b) Form und Gattung

Eine wörtliche Rekonstruktion ist angesichts der Überlieferungslage nicht mehr möglich. Aber eine paraphrasierende Inhaltsangabe darf versucht werden. Sie sieht etwa so aus[78]:

> (Es verhält sich damit) wie mit einem Mann, der zu einem Festmahl ging und dem Türhüter auftrug, ihm zu öffnen, gleichgültig, wann er zurückkommt, ob in der zweiten oder in der dritten Nachtwache.

Bei Lk steht der Text im Futur, bei Mk wechseln Aorist und Präsens, ein weiteres Zeichen für das Ausmaß der Überlagerung. In der Paraphrase wurde mit Absicht das Präteritum gewählt, das dem Stoff am ehesten entspricht. Berichtet wird ein episodisches Geschehen. Trotz der Kürze sind expandierbare narrative Ansätze vorhanden. Der Gattung nach liegt eine kleine Parabel vor.

c) Bildfeld

Es sind verschiedene Vorschläge unterbreitet worden. E. Lövestam interpretiert das Gleichnis von der metaphorischen Verwendung der Nacht in rabbinischen Texten her. Die Nacht mit ihrer Dunkelheit ist ein Bild der gegenwärtigen Weltzeit (Röm 13,12), die für den Gläubigen Versuchungen, Verfolgungen und Gefahren bereithält. Es folgt der Morgen der Erlösung, der Licht und ewigen Tag mit sich bringt.[79] Doch ist in der Parabel der Gegensatz von Tag und Nacht überhaupt nicht angesprochen.

---

[78] Zu einer längeren Grundform kommt auf anderem Wege A. *Weiser*, Knechtsgleichnisse 174. Vgl. auch *ders.*, „Predigt Jesu" 25–31. Unergiebig ist *J. D. Crossan*, „Servant Parables" 20f.

[79] E. *Lövestam*, Wakefulness 85–89. An einschlägigen Texten, die auf Ps 92,3 und Jes 21,11 aufruhen, vgl. AbRN 1; jTaan 64a (Bill. I, 599f.); SNum 6,24. Mit Vorbehalt kann auch das Gleichnis NumR 16,23 herangezogen werden.

Lövestam zieht weiter die symbolischen Konnotationen von Schlafen und
Wachen heran. Nach TestR 3,7 ist der Geist des Schlafens ein Geist der
Täuschung. Philo vergleicht das Aufwachen aus tiefem Schlaf mit dem
Übergang vom trügerischen Schein zur Wahrheit.[80] Der Schläfer hat die
Augen seiner Seele geschlossen.[81] In der Gnosis steht der Schlaf für das
Gefangensein in der Materie und für die Weltverfallenheit.[82] Doch
betrifft die mit καθεύδω verbundene Metaphorik hauptsächlich die
Ebene der mk Redaktion.
A. Strobel ordnet Mk 13,33–37 in sein passatheologisches Gesamtbild
ein.[83] Er rekonstruiert aus zerstreuten Belegen eine frühjüdisch-urchrist-
liche Zukunftserwartung, die mit dem erlösenden Eingreifen Gottes in
der Passanacht rechnete.[84] Strobel kann seine sicher anregenden Beobachtungen nur sehr gezwungen mit dem Text verbinden. Die verschiedenen Nachtwachen hält er für Ausgestaltung unter dem Einfluß der Parusieverzögerung. Den Türhüter deutet er als Passasymbol, indem er ihn
mit der verschlossenen Tür Mt 25,10; Lk 13,25 und dem vor der Tür
stehenden Kyrios Lk 12,36; Offb 3,20 in Verbindung bringt. Die ver-
schlossene Tür wiederum sei eine Weiterbildung der „Sitte, in der Passa-
Nacht die Türe zu öffnen als Ausdruck der Bereitschaft auf das Kommen
der messianischen Erlösung"[85]. Die Künstlichkeit der Konstruktion
spricht gegen ihre Richtigkeit.
Eine besondere Rolle spielt für Strobel Hld 5,2. Die LXX-Version weist
einige Berührungen mit Mk 13,33–37 und Lk 12,36–38 auf: ἐγὼ
καθεύδω, καὶ ἡ καρδία μου ἀγρυπνεῖ. φωνὴ ἀδελφιδοῦ μου,
κρούει ἐπὶ τὴν θύραν, Ἄνοιξόν μοι. Diese Stelle sei schon früh
messianisch-eschatologisch interpretiert worden und stehe in diesem
Sinn hinter dem synoptischen Gleichnis. Doch ist die jüdische Ausle-
gungstradition so deutlich nicht[86], und von der terminologischen Ähn-
lichkeit sind vorwiegend sekundäre Züge betroffen.

[80] Somn 2,106. Vgl. Migr Abr 222; Quaest in Gen 4,2: „But the spiritual eyes of the
virtuous man are awake and see; or rather, he is sleepless because of his desire of seeing."
[81] Somn 2,160; vgl. Abr 70. Unbeachtet läßt Lövestam Sir 22,7f.: „Einen Toren belehren
... heißt einen Schlafenden aus tiefem Schlummer wecken wollen."
[82] H. Jonas, Gnosis I, 113–115. Vgl. E. Lövestam, Wakefulness 25f.36f.90f.
[83] Vgl. A. Strobel, Verzögerungsproblem 223–233.
[84] Vgl. z. B. Hieron., In Mt 25,6 (CC 77,237 Hurst-Adriaen): traditio Iudaeorum est Christum
media nocte venturum in similitudinem Aegypti temporis, quando pascha celebratum est.
[85] A.a.O. 240. Vgl. zum Bild von der Tür noch Gen 4,7; J. Jeremias, ThWNT III, 178. Eine
Verbindung von ἀγρυπνέω und θύρα ist Spr 8,34 belegt: μακάριος ἀνήρ, ὃς ... φυλά-
ξαι ἀγρυπνῶν ἐπ' ἐμαῖς θύραις καθ' ἡμέραν. Vgl. zu ἀγρυπνέω ferner Ijob 21,32
LXX; Weish 6,15. Aus der urchristlichen Paränese Eph 6,18; Hebr 13,17; Did 5,2; Barn
20,2.
[86] Nach TgHld 5,2 gleicht die Gemeinde Israel im Exil einer Schlafenden. Sie soll jetzt
ihren Mund auftun zum Lobe Gottes und sich bußfertig zeigen. HldR 5,2 § 1f. spricht die
Erlösung an, stellt aber die rechte Lebensführung und die Buße in den Vordergrund.

E. Kamlah hat die Aufmerksamkeit entschiedener auf den Türhüter gelenkt. Der Türhüter hat vor allen Dingen die Aufgabe, Haus und Hof (größere Höfe besaßen zu diesem Zweck ein eigenes Torhäuschen) vor unerwünschten Eindringlingen zu schützen.[87] Einen schönen Beleg bietet 2 Sam 4,6. Rechab und Baana können um die Mittagszeit ungestört in das Haus eindringen und Isbaal, den Sohn Sauls, ermorden, weil die Pförtnerin gerade schläft (LXX: ἡ ϑυρωρός … ἐκάϑευδεν).[88] Der Auftrag, dem nächtlich heimkehrenden Hausherrn die von innen verriegelte Tür (Hld 5,5f.) zu öffnen, gehörte anscheinend nicht zu den üblichen Verpflichtungen des Türhüters, obwohl es für den Einzelfall durchaus vorstellbar ist.

Nun fällt auf, daß ϑυρωρός nirgends als Bildspender für eine Metapher gebraucht wird, auch bei Philo nicht.[89] Kamlah muß deshalb zu einer Notlösung greifen. Er sieht in der Metapher vom Türhüter „ein Mißverständnis der ja viel umfassenderen Verfügungsgewalt über die Schlüssel"[90]. Die Schlüsselgewalt stand dem Hausverwalter (οἰκονόμος) zu. Dessen metaphorische Bedeutung ist fixiert. Er steht für die religiösen Autoritäten, die von Gott mit besonderer Verantwortung betraut sind oder das zumindest behaupten.[91] In diesem Sinn wird die Metapher von den Rabbinen polemisch gegen die Priesterschaft gerichtet (syrBar 10,18). Jesus bedient sich ihrer in seiner Auseinandersetzung mit den Pharisäern und Schriftgelehrten. Positiv ist die Metapher Mt 16,18f. verwandt (Übertragung der Schlüsselgewalt an Petrus). In die Linie der letztgenannten Stelle scheint Kamlah Mk 13,34 einordnen zu wollen, womit wir wieder bei der früher beliebten Deutung des Türhüters auf Petrus, den Apostelfürsten, oder auf die Apostel allgemein angelangt wären.[92]

Alle Versuche, für den Kern des Gleichnisses geprägte Metaphorik nachzuweisen, verlaufen im Sande. Wir haben es zunächst mit einem *ad hoc* geschaffenen Bild zu tun.

---

[87] Vgl. Bill. II, 47f.; Dalman Arbeit VII, 175; *E. Lövestam,* Wakefulness 80f.

[88] Vgl. Jos., Ant 7,48. Von einer Türhüterin sprechen auch Joh 18,16f.; TestIjob 6,5; 7,1.5 (dort steht Satan in Person vor der Tür und klopft an). Vom Türhüter spricht die LXX anscheinend nur, wenn es um den Wächter am Stadttor oder auf den Mauern geht, vgl. 2 Kön 7,11; 3 Esr 1,15. Vgl. noch Jos., Ant 11,108; Joh 10,3; TestIjob 43,6: οἱ δὲ ϑυρωροὶ τῆς σκοτίας.

[89] Ez 33,7 wird Ezechiel zum Wächter über Israel bestellt. Doch liest die LXX hier σκόπος, die MS צפה, während ϑυρωρός Ez 44,11 einem hebräischen שוער (Tempelwächter) entspricht.

[90] *E. Kamlah,* „Verwalter" 289.

[91] Vgl. zu diesem Bildfeld Bill. I, 737.967f.

[92] Vgl. *L. Fonck,* Parabeln 550; *E. P. Gould,* Mk 255; *G. Wohlenberg,* Mk 340; *E. Lohmeyer,* Mk 285. Jetzt wieder *J. Schreiber,* Theologie 92.

d) Tradition

(1) Die Singularität des Bildgehalts gibt uns das Recht, das Gleichnis in seinem Grundbestand nach dem Unähnlichkeitskriterium auf die Verkündigung Jesu zurückzuführen. Da der jetzige Kontext keine Anhaltspunkte für das ursprüngliche Verständnis bietet, werden wir gut daran tun, auf eine bekannte Größe zurückzugreifen und das Gleichnis in der Basileiabotschaft Jesu zu verankern. Es besagt dann: die Zukunft der Basileia entzieht sich jeder Berechnung (vgl. Lk 17,20f.). Man weiß, daß sie kommt, aber man weiß nicht genau, wann sie kommt. Die Sicherheit ihrer Ankunft stellt den Menschen vor eine ständige Forderung und qualifiziert seine Gegenwart als eine Zeit, die indirekt bereits dem Herrschaftsanspruch Gottes unterstellt ist.[93]

(2) Nach Ostern wird aus dem Basileiagleichnis ein Parusiegleichnis. Der Mann der fortgeht, bietet sich als durchsichtige Metapher für den Kyrios Jesus an. Der Türhüter wird als Sonderfall der umfassenden Knechtsmetaphorik gewertet. Das führt in der Logienquelle zu seiner Eliminierung und in der vormarkinischen Tradition zur Kombination mit der Einleitung der Talenteparabel.

Daß das Gleichnis vom Türhüter in einer abgewandelten Form, nämlich als Gleichnis von den wartenden Knechten, in der Logienquelle stand, legen neben den literarischen auch innere Gesichtspunkte nahe. Die Träger der Q-Gemeinde sehen sich selbst als Boten des Menschensohns, die in seinem Auftrag handeln und ihm bei seiner Parusie Rechenschaft schulden. In den Knechtsgleichnissen entdeckt man den adäquaten bildlichen Ausdruck dieses Theologoumenons.[94]

Interpretiert wird das Gleichnis in Q durch die Zusammenstellung mit dem Gleichnis vom Dieb in der Nacht, das die Bereitschaft für das Kommen des Menschensohns einschärft, und dem Gleichnis vom guten und bösen Knecht. Der böse Knecht, der mit der Rückkehr des Herrn nicht mehr rechnet, sich dem Wohlleben hingibt, seinen Mitknecht Gewalt antut und schließlich dem ewigen Gericht verfällt, ist ein negatives Paradigma und eine dunkle Folie zu den treuen Knechten, denen die Heilsverheißung des Makarismus gilt.

---

[93] Die Auslegung als Krisisgleichnis bei *C. H. Dodd*, Parables 123f., bleibt ganz verschwommen. Dodd hat sichtlich Mühe, das Gleichnis mit seiner *realized eschatology* in Einklang zu bringen. *J. Jeremias*, Gleichnisse 52, ist zuzugestehen, daß Jesus die Knechtsmetaphorik auch auf die Schriftgelehrten anwenden konnte. Für die Verwalterparabel hat Kamlah das nachweisen können, für die Türhüterparabel trifft es nicht zu, vgl. *W. Michaelis*, Gleichnisse 84.

[94] Vgl. zu den Knechtsgleichnissen in Q *P. Hoffmann*, Studien 43–50.

e) Redaktion

(1) Den Schlüssel für das Verständnis des Gleichnisses bei Mk geben die Eintragungen ἐξουσία, οἰκία, γρηγορεῖτε und καθεύδοντας an die Hand. Die ἐξουσία kommt bei Mk zunächst nur Jesus zu (1,22.27; 2,10; 11,28.29.33), dann im abgeleiteten Sinn den Zwölfen, denen Jesus die Vollmacht über die Dämonen überträgt (3,15; 6,7). Eine vergleichbare Vorstellung wird Mk mit der Vollmachtsübertragung an die Knechte verbunden haben. Die Vorliebe des Mk für die häusliche Szenerie hat man mit dem Hinweis auf die Hausgemeinde erklärt, die in den ersten Jahrzehnten Keimzelle und Lebensraum christlichen Glaubens war.[95] Trifft diese Vermutung zu, dann ergibt sich, daß ὁ κύριος τῆς οἰκίας bei Mk Jesus als den Herrn seiner Gemeinde meint. γρηγορέω und καθεύδω erhalten ihr Relief auf dem Hintergrund der Szene am Ölberg. Die drei Jünger, die in Gethsemane mit dem Herrn in seiner schwersten Stunde nicht wach bleiben und beten können, sind die gleichen, die im Erzählverlauf kurz zuvor das Gleichnis vom Türhüter vernommen habe. Die Notwendigkeit der eindringlichen Paränese, die Mk 13,34–36 rahmt und durchdringt, wird dem Leser drastisch vor Augen geführt.

Nach dem Gesagten fragt sich erneut, ob Mk die Knechte und den Türhüter nicht doch als Metaphern für die Zwölf oder für die Amtsträger versteht.[96] Man wird aber die umfassendere Funktion des Jüngerbegriffs im MkEv berücksichtigen müssen. Jenseits der historischen Ebene, die nicht einfach übersprungen werden darf, sind die Jünger Chiffren, nicht für die theologischen Gegner des Mk oder für die befeindete Jerusalemer Hierarchie, sondern für den Christen schlechthin. In Auserwählung, Belehrung, Unverständnis und Versagen der Jünger erkennt der Christ sein eigenes Ringen um den Glauben wieder.

Auch im Umgang mit der Türhüterparabel bleibt Mk seiner literarischen Konzeption treu. Weil eine esoterische Belehrung gegeben ist, kann die paränetische Auslegung mit dem Gleichnis unmittelbar verbunden, ja eingearbeitet werden (daher der stilistisch störende ständige Wechsel zwischen Anrede und Bericht). Die Esoterik aber wird geschaffen, weil Mk seinen Lesern wichtige Dinge zu sagen hat.

(2) Lk hat das Gleichnis aus Q übernommen, es aber seiner eigenen, von Naherwartung freien Eschatologie dienstbar gemacht. Er erreicht es dadurch, daß er auf den himmlischen Lohn verweist, der den Getreuen im Himmel erwartet (Lk 23,43). Lk erinnert ferner an den demütigen und dienenden Herrn Jesus, der ihm als Vorbild für die christliche Lebensgestaltung am Herzen lag. Die Anwendung, die er mit dem

---

[95] E. Trocmé, Formation 128f.; G. Minette de Tillesse, Secret 248.
[96] So wieder A. Weiser, Knechtsgleichnisse 151f.

Gleichnis verbunden wissen will, zeigt er durch ὑμεῖς in der Einleitung
an.
Wer ist mit ὑμεῖς gemeint? Die Rede, in der das Gleichnis steht, richtet
sich nach 12,22 an die Jünger. Das ist bemerkenswert, da Lk, wenn er
will, durchaus Mittel und Wege findet, die Menge zu integrieren. Wenige
Zeilen später läßt Lk den Petrus fragen: „Hast du dieses Gleichnis zu uns
gesagt oder zu allen?" Man darf vermuten, daß Lk hier die Amtsträger in
den Gemeinden anspricht. Die Knechtsgleichnisse in Lk 12 bieten, wenn
man so will, ein Stück Sonderbelehrung für den geistlichen Stand.[97] Deshalb fügt Lk 12,47f. zwei Verse an, in denen es u. a. heißt: „Wem viel
gegeben ist, von dem wird auch viel verlangt."

Ergebnisse

(1) Die Untersuchung des Feigenbaumgleichnisses machte Grenzen
deutlich, die der Anwendung der Bildfeldtheorie gesetzt sind. Obwohl
das Angebot geprägter Metaphorik vorliegt und im Rahmen einer Wundergeschichte ausgewertet wird, ist die Überlieferung des Gleichnisses bis
hin zu Mk und Mt davon unbeeinflußt geblieben. Erst Lk hat den Feigenbaum auch innerhalb der Gleichnissprache als Metapher für Israel verstanden.
(2) Das Türhütergleichnis zeigt, daß Jesus nicht unbedingt auf bekannte
Metaphern angewiesen war, sondern neue Bilder geschaffen hat. Doch ist
der Türhüter sehr schnell in der Knechtsmetaphorik aufgegangen. Das
vorgegebene Bildfeld und die damit verbundenen sachlichen Interessen
haben die eigene Gestalt des Gleichnisses fast völlig überlagert. Der Referentenwechsel ist der gleiche wie beim Feigenbaumgleichnis: von der
Basileia zur Parusie. Er hat sich je verschieden ausgewirkt.
(3) Da wir mit den beiden Perikopen aus Mk 13 alle Gleichnisse des
MkEv untersucht haben, ist an dieser Stelle eine kurze Zusammenfassung der Gleichnistheorie des Mk angebracht, die im Verlauf der Arbeit
immer deutlicher zutage trat. Drei Aspekte sind zu unterscheiden. (a)
Gleichnisse, die an Gegner gerichtet sind, enthalten einen provozierenden Vollmachtsanspruch, der von den Gegnern verstanden, aber nicht
akzeptiert wird, sondern im Gegenteil ihre mörderischen Pläne noch
beschleunigt. Es ist festzuhalten, daß die christologischen Implikationen
nirgends eine solche Dichte erreichen wie in den Bildworten der Streitgespräche und in der Winzerparabel. (b) Innerhalb der Belehrung des
Volkes durch Jesus, die durchaus positive Ziele verfolgt, haben Gleich-

---

[97] Vgl. schon *A. Jülicher*, Gleichnisreden II, 160.

nisse die Funktion, einen ersten Zugang zur Basileiabotschaft zu vermitteln, der zum Aufmerken und Nachdenken anregt. (c) Alle Gleichnisauslegungen sind an die Jünger adressiert, alle Gleichnisse, die in Jüngerreden stehen, sind mit Anwendungen verbunden. Das heißt, die katechetische und paränetische Auswertung der Gleichnisse für die christliche Lebenspraxis gehört in den Binnenraum der Gemeinde.

Zu diesem differenzierten Gesamtentwurf hat Mk die apokalyptische Gleichnistheorie seiner Vorlage ausgebaut.[98] Bei aller Nuancierung im einzelnen kann die entschlossene christologische Zuspitzung als Hauptmerkmal dieses Entwurfs herausgestellt werden. Das Geheimnis der Gleichnisse ist das Persongeheimnis Jesu Christi. Nur wer Jesus Christus annimmt, wird der Botschaft seiner Gleichnisse gerecht.

---

[98] *N. M. Wilson,* Interpretation, und *P. C. Patten,* Parable, bes. 187–205, lassen in ihren einschlägigen Dissertationen die unterschiedlichen Adressatenangaben außer Acht und differenzieren nicht genügend zwischen der apokalyptischen Parabeltheorie der Vorlage in Mk 4 und dem Parabelverständnis des Endredaktors.

Teil E

AUSWERTUNG

Kapitel XV

GLEICHNISALLEGORIK UND WUNDERTRADITION

Bei der Besprechung der Brotthematik in Mk 6–8 und der Feigenbaum-
perikopen sind wir auf geprägte Metaphern gestoßen, die in den untersuchten Gleichnissen keine Rolle spielten, in Wundergeschichten jedoch
in einer Weise zum Zug kamen, die an parallele Vorgänge in anderen
Gleichnissen erinnert. Diese Beobachtung verdient eine Überprüfung
und Vertiefung. Das soll im folgenden anhand der Perikopen von der
Stillung des Seesturms und der Heilung des Blinden von Bethsaida
geschehen.

§ 43: Der Seesturm
(Mk 4,35–41 parr Mt 8,23–27; Lk 8,22–25)

a) Das Bildfeld

(1) Die Entwicklung des maritimen und nautischen Bildfelds in der griechisch-römischen Literatur setzt bei Homer ein. In seinen epischen
Gleichnissen dient das stürmische Meer als Bild für das Getümmel der
Schlacht, für das Verhalten einer aufgebrachten Menschenmenge und für
die innere Erregung des Gemüts.[1] In Philosophie und Dichtung treten
neben dem elementaren Naturgeschehen die technischen Daten der See-

---

[1] Ein Beispiel aus Il 15,381–384.618–629: die Troer dringen auf das Lager der Griechen
ein, „wie die mächtige Woge des weitbefahrenen Meeres über die Wände des Schiffes
hinab sich ergießt", die Griechen leisten Gegenwehr, „wie der Felsen an des bläulichen
Meeres Gestade Widerstand bietet dem Wind und den Wogen", bis Hektor sich in den
Kampf stürzt, „wie die reißende Woge sich wirft auf das eilende Schiff ... da erzittert
das Herz den geänstigten Schiffern" (übersetzt nach H. Rupé). Vgl. noch Il 2,144–146.
207–210.394–397; 7,4–7; 9,1–9; 13,795–800. Als lobende Würdigung eines antiken
Kunstrichters Ps.-Long., De Sub 10,5–7 (52 Brandt). Dazu *J. Kahlmeyer,* Seesturm 1–14;
A. Lesky, Thalatta 165–173.

fahrt mehr in den Vordergrund. Wir können (mit Kahlmeyer) drei Bezugspunkte[2] unterscheiden: (a) leidenschaftliche Gemütszustände; (b) das menschliche Leben, das ständig von Schicksalsschlägen und Gefahren bedroht ist[3]; (c) das fragile und führungsbedürftige Gebilde des Staates.

Die letztgenannte Vorstellung hat im Topos vom Staatsschiff ihren einprägsamen, unendlich oft variierten Ausdruck gefunden. Pseudo-Heraklit beruft sich, wie erinnerlich, für seine Rechtfertigung der allegorischen Exegese auf drei Seefahrtsgedichte von Alkaios und Archilochos, die drohende Bürgerkriegsgefahr schildern.[4] Quintilian führt unbelastet von den Problemen der Allegorese die 14. Ode des Horaz, die in der gleichen Tradition steht, als Musterbeispiel einer literarischen Allegorie an.[5] Platon sagt an einer Stelle, es sei schwierig, ein passendes Bild für die Vorgänge im schlecht regierten Staat zu finden, hält aber den Vergleich mit einem Schiff für brauchbar und unmittelbar einsichtig. Er führt aus, daß der Staat notwendig untergeht, wenn alle nur versuchen, zum eigenen Nutzen ans Ruder zu kommen.[6] Was die reiche Nachgeschichte angeht, möge der Hinweis auf einige Stellen bei Cicero[7] und Plutarch[8] genügen. Es ist auffallend, daß die Metapher vom Staatsschiff vorzugsweise dann verwandt wird, wenn dem Staatswesen Gefahr droht.

(2) Israel war, wie E. Hilgert richtig bemerkt, ein Nomadenstamm, ein Volk der Wüste und des Berglands, das dem offenen Mittelmeer fremd gegenüberstand.[9] Die Schiffe von Tarsis bleiben im AT, wo sie erwähnt werden, den Fremdvölkern zugeordnet.[10] Ein ausgeführtes Bild enthält

---

[2] Hinzunehmen könnte man noch den Vergleich der Welt mit einem Schiff, das vom Logos gesteuert wird, eine makrokosmische Variante der Vorstellung vom Logos als Steuermann der Seele, vgl. Plat., Polit 272e; 273c/e; Plut., Is et Os 66 (377E). Bemerkenswert ist die variable Auflösung nautischer Traumsymbole bei Artemid., Oneirocr 2,23 (140f. Pack).

[3] Soph., Ant 586–592; El 335; Eurip., Tro 695f.; Hec 116f.; Med 362f.; Plat., Resp 553b; Leg 803a; Cic., Att IV 19,2; Plut., Tranq An 6 (467E); Exil 13 (604D): „Die wenigsten Besonnenen und Weisen sind in ihrem Vaterland begraben, die meisten haben freiwillig die Anker gelichtet und einen neuen Hafen für ihr Leben gefunden."

[4] All Hom 5,3–9. Vgl. noch Pind., Pyth 10,72; Soph., Ant 163f.; Oed Tyr 694f.; Ai 1083; Eur., Suppl 473f.880.

[5] Quint., Inst Orat VIII 6,44: *totusque ille Horati locus, quo navem pro re publica, fluctus et tempestates pro bellis civilibus, portum pro pace atque concordia dicit.* Vgl. *J. Kahlmeyer,* Seesturm 39–47.

[6] Plat., Resp 488a–489d. Vgl. Leg 758a; Polit 302a; Ps.-Plat., Alk I, 135a.

[7] De Orat I (11),46; Att II 7,4; Pis 20.

[8] Solon 19 (88C); Coriol 32 (228F); Phoc 1 (741E); Aud Poet 4 (20C); Fort Rom 9 (321C); Praec Ger Reip 15 (812C).

[9] *E. Hilgert,* Ship 26.

[10] 1 Kön 22,49; 2 Chron 20,35f.; Ps 48,8; Jes 2,16; 60,9. Vgl. die Schiffe der Kittäer (Römer) Dan 11,30; Num 24,24. Ansätze zum bildhaften Gebrauch liegen in der Weisheitsliteratur vor, vgl. Spr. 30,19; 31,14.

nur das Klagelied über Tyrus Ez 27,1–36. Die stolze Handelsstadt gleicht einem herrlichen Prachtschiff, doch sie wird im Sturm untergehen und vernichtet werden.

Israel sah sich mit dem Meer auf eine andere, indirektere, aber bedrängende Weise konfrontiert. In den Mythen seiner Umwelt galt das Meer als chaotisches Urelement, aus dem der Demiurg in erbittertem Kampf die Welt geschaffen hat. Die Auseinandersetzung mit diesem Mythos bestimmt das Reden vom Meer im AT.[11] Mythische Motive tauchen mehrfach in gebrochener und verfremdeter Weise auf. In der archaischen Schöpfungstheologie einiger Psalmen wird Jahwes triumphaler Sieg über den Meeresdrachen Leviathan beschrieben: „Du hast das Meer zerspalten in deiner Kraft, die Häupter der Drachen über den Fluten zerschmettert."[12] Der Schöpfergott herrscht über das Meer: „Sein ist das Meer, er hat es gemacht."[13] Als weiteres Mittel der Entmythisierung bewährt sich die Rückbindung an das Handeln Gottes in der Geschichte Israels. Rahab ist nicht nur der Name des Meeresungetüms, sondern zugleich Chiffre für Ägypten.[14] Am Schilfmeer hat Jahwes Macht sich bewährt: „Hast du nicht das Meer ausgetrocknet, die Wasser der großen Urflut, hast du nicht die Tiefen des Meeres zum Weg gemacht, daß die Erlösten hindurchziehen?"[15] Von hier aus wird verständlich, warum der Ansturm der Völker gegen Israel mit dem Tosen des Meeres verglichen werden kann.[16]

Das mythische Erbe klingt nur noch als fernes Echo mit, wenn der Beter sich in seiner Not an Gott wendet[17]:

Das Wasser steht mir bis zum Halse,
ich bin versunken in bodenlosen Schlamm,
ich bin in Wassertiefen geraten,
die Flut geht über mich her ...
Errette mich, daß ich nicht versinke ...
laß nicht die Flut mich überströmen,
die Tiefe mich nicht verschlingen.

---

[11] Vgl. *H. Gunkel*, Schöpfung 82–90.110–114; *O. Kaiser*, Bedeutung 153–159. Man erinnere sich an die Gleichsetzung des bösen Typhon mit dem Meer im ägyptischen Mythos bei Plut., Is et Os 32 (363D).

[12] Ps 74,13 (Übersetzung hier und im folgenden nach der Zürcher Bibel). Vgl. Ps 89,10f.; 148,7; Ijob 7,12; 26,12f.; Jes 51,9; Am 9,3.

[13] Ps 95,5. Vgl. Ps 33,7; 93,3f.; 104,6–9; Ijob 12,15; 38,8–11; Jes 40,12; 51,15; Jer 5,22; 31,35; Am 5,8; 9,6; Hab 3,15; Spr 8,27–29; 1QH 1,14.

[14] *O. Kaiser*, Bedeutung 146–148. Vgl. Ez 32,2.

[15] Jes 51,10. Vgl. Ex 15,10; Ps 77,17.20f.; 106,9. Das steht wohl auch Jes 44,27; 50,2; Nah 1,4; Jer 51,36 im Hintergrund.

[16] Jes 17,12f.; Ps 46,3–4.7; 65,8; 1QH 2,12. Vgl. auch Jes 43,2: „Wenn du (Israel) durch Wasser gehst, ich bin mit dir."

[17] Ps 69,2f.15f. Vgl. Ps 32,6; 18,16–18; 1QH 8,31.

Mit realistischen Farben malt Ps 107,23–32 aus, wie Jahwe den Wind aufstehen läßt, daß sich die Wellen türmen, und wie er auf das Klagegeschrei der bedrohten Seefahrer hin „den Sturm zum Säuseln stillt". Der Beter der Hodayot fühlt sich angesichts seiner Feinde „wie ein Seemann im Schiff im Toben der Meere, ihre Wogen und all ihre Wellen stürmen gegen mich an" (1QH 6,22f.).

In der Jesajaapokalypse ist der Mythos ins Eschatologische gewendet: „An jenem Tage wird der Herr mit seinem starken Schwert Leviathan heimsuchen ... und den Drachen töten, der im Meere haust" (Jes 27,1). Wenn der Messias sich offenbart, erscheinen auch „die beiden gewaltigen Seeungeheuer ... sie werden zur Speise dienen allen, die übrig sind" (syrBar 29,4).[18] Im Buch Daniel steigen die vier furchterregenden Tiere, Sinnbilder der tyrannischen Weltreiche, aus dem Meer empor (Dan 7,2–8). Der endzeitliche Triumph Jahwes über diese Reiche gleicht seinem Sieg über den Seedrachen beim Schöpfungsakt. Es zeichnet sich eine Tendenz zur Remythisierung atl Überlieferung ab.

(3) In der jüdisch-hellenistischen Literatur ist ein Hervortreten der Schifffahrtsmetaphorik zu beobachten, das im AT nur ungenügend vorbereitet ist und auf griechischen Einfluß schließen läßt. Das liegt auf der Hand bei Philo, der etwa ausführt, der Nous müsse das Schiff der Seele auf geradem Kurs halten[19], oder der davor warnt, sich mit vollen Segeln auf das Meer der sinnlichen Leidenschaften zu begeben, weil unweigerlich ein menschliches Wrack das Resultat sei[20]. Nicht minder deutlich ist es Arist 251, wo Gott selbst als Steuermann das Lebensschiff sicher geleitet, oder 4 Makk 7,1–3, wo von Eleazar gesagt wird, seine Vernunft habe wie ein trefflicher Steuermann das Schiff der Frömmigkeit durch das Meer der Triebe und die Wogen der Martern hindurchgelenkt.[21]

Ein Bild eigener Art bietet TestN 6,1–10. Naftali sieht in einem Traum: „Ein Schiff kam angesegelt ohne Schiffer und Steuermann. Auf dem Schiff war aufgeschrieben: Schiff Jakobs." Jakob steigt mit seinen Söhnen in das Schiff, ein heftiges Unwetter kommt auf (V. 4: γίνεται λαῖλαψ ἀνέμου μεγάλου, vgl. Mk 4,37), die Wogen schlagen in das Schiff, bis es zerschellt. Jakob wird vom Steuer weggerissen, Josef entkommt in einem

---

[18] Vgl. 4 Esr 6,51f.; 12,11; 13,25; TestAs 7,3; Offb 12,12; 17,1.15; 18,21; 21,1.

[19] Leg All 3,223f.; vgl. Deus Imm 129. Vgl. auch Abr 272; Cher 36; Migr Abr 6: Gott selbst lenkt als Steuermann des Alls mit Hilfe des Logos wie mit einem Ruder den Lauf der Dinge.

[20] Mut Nom 215. Vgl. Somn 2,147.

[21] Vgl. auch Sir 33,2 (wer das Gesetz verachtet, wird umhergeworfen wie ein Schiff im Sturm) und Weish 5,10.13 (das menschliche Leben gleicht einem Schiff, das die Flut durchmißt, ohne eine Spur zu hinterlassen). Auch bei Josephus und in Qumran finden sich Spuren dieses Bildgebrauchs, vgl. Jos., Ant 10,278f.; 1QH 3,6. Ferner syrBar 85,10f.

Kahn[22], die übrigen treiben auf Planken einher und werden bis ans Ende der Erde zerstreut. Levi betet zum Herrn, der Sturm legt sich, das Schiff kommt wunderbarerweise wohlbehalten ans Land, wo alle sich jubelnd versammeln.

Eine längere, stark abweichende Version des gleichen Traums ist in hebräischer Sprache erhalten.[23] Das Verhältnis der beiden Fassungen ist umstritten.[24] Möglicherweise gehen sie auf eine gemeinsame Vorlage zurück. Ob diese vielleicht mit dem Text identisch ist, von dem man in Qumran Fragmente gefunden hat, kann bestenfalls als Frage aufgeworfen werden. Jedenfalls besteht aufgrund der Überlieferungslage kein Anlaß, für TestN 6,1–10 christlichen Einfluß zu postulieren. Es steht somit fest, daß im 1. Jh. n. Chr. in jüdischen Kreisen die Gefährdung des Volkes Israel und seine endzeitliche Rettung mit der Metapher vom Schiff im Sturm beschrieben werden konnte.[25]

Im rabbinischen Schrifttum begegnet die Vorstellung vom Schiff des Lebens, das einer steuernden Hand bedarf[26], ebenso wie der Vergleich der Welt in kosmischem und politischem Sinn mit einem Schiff[27]. Auch die Verwendung des Schiffes als Symbol für Israel ist bei den Rabbinen zu belegen.[28]

(4) Die christlichen Schriftsteller kennen die Metapher vom Schiff der Kirche spätestens von der zweiten Hälfte des 2. Jh. n. Chr. an. Wahrscheinlich bietet Tertullian den ersten eindeutigen Beleg, doch setzt er die Metapher bereits als bekannt voraus.[29] Wir begnügen uns mit dem Hinweis auf den Brief des Clemens, der den pseudoklementinischen Homilien vorangestellt ist. Dort heißt es u. a., die Kirche sei einem Schiff vergleichbar, das Menschen vieler Orte, die zur Stadt Gottes möchten, durch einen heftigen Sturm trägt. Das evozierte Bild wird dann allegorisch entfaltet. Gott ist der Schiffsherr, Christus der Steuermann, der Bischof der erste Offizier. Die Priester sind die Matrosen, die Insassen die Gesamtheit der Gläubigen. Die Gegenwinde, die Stürme und die felsigen Klippen symbolisieren Versuchungen, Verfolgungen und Irrleh-

---

[22] Eine gewagte symbolische Ausdeutung im Anschluß an B. Reicke bei *E. Hilgert,* Ship 38: Josef repräsentiert das synkretistische Judentum Alexandriens, das sich von der offiziellen Ideologie des Mutterlandes abgesetzt hat.

[23] hebrTestN 4–6 (241f. Charles).

[24] Problemskizze und eigener Lösungsversuch bei *T. Korteweg,* „Naphthali's Visions" 263–282.

[25] Vgl. vielleicht auch 4 Esr 12,42: „Von allen Propheten bist du allein uns übrig geblieben ... wie ein sicherer Hafen für ein Schiff im Sturm."

[26] LevR 21,5; ExR 48,1. Vgl. *R. Mach,* Zaddik 235f.

[27] bBB 91a/b; GenR 12,12 (*R. Mach,* a.a.O. 225f.).

[28] DtnR 11,3; NumR 15,18 (*R. Mach,* a.a.O. 230f.).

[29] Vgl. *E. Peterson,* „Schiff" 92, der auch darauf aufmerksam macht, daß die allegorische Auswertung der Arche Noahs zunächst nichts mit dem Schiff der Kirche zu tun hat.

ren. Die Heuchler gleichen gefährlichen Piraten, der tödliche Schiffbruch ist die Sünde, die es zu meiden gilt.[30]

Das Bild wird nur eben angedeutet, dann aber wie ein Text ausführlich exegesiert (man beachte die Verwendung von ἐστίν oder das unverbundene Nebeneinanderstehen von Begriffen aus Bild und Deutung). Neben den metaphorischen Bildvergleich ist die exegetische Allegorese getreten.

b) Der Text

(1) Zunächst gilt es, die vormarkinische Form des Texts in Umrissen zu bestimmen. Die Rahmenbemerkungen können hier außer Betracht bleiben. Wichtig ist, daß der Jüngertadel V. 40[31] erzählerisch aus dem Rahmen fällt. Man würde ihn, wenn überhaupt, vor der Konstatierung des Wunders erwarten, wohin ihn Mt auch plaziert hat. Das Versagen der Jünger ist ein bevorzugtes Thema des Mk. Der Tadel geht daher auf sein Konto. Auch die vorwurfsvolle Frage der Jünger V. 38 dürfte redaktionell verschärft sein und eine einfache Bitte um Hilfe, wie sie Mt und Lk restituieren, verdrängt haben.[32]

Die Vorlage, die übrig bleibt, trägt alle Merkmale einer Wundergeschichte. Eine Notsituation wird geschildert, die Betroffenen wenden sich an den Wundertäter mit der Bitte um Hilfe, ein zusätzliches Erschwernismotiv ist eingebaut (das Schlafen Jesu), das Machtwort des Wundertäters und sein schlagartiger Erfolg werden berichtet, am Ende steht als Chorschluß die staunende Frage der Zeugen, die als Antwort die Akklamation der hörenden Gemeinde provozieren will.[33]

Die erzählerischen Parallelen zur Jonasgeschichte sind schon oft bemerkt worden. Sie reichen bis in den Wortlaut hinein.[34] Jonas schläft im Schiff, während draußen der Sturm tobt. Der Kapitän fordert ihn auf, zu Gott zu beten, „damit wir nicht untergehen" (Jon 1,6). Das Meer beruhigt sich, als die Seeleute Jonas über Bord werfen. Ihre Reaktion ist Gebet und große Furcht (Jon 1,16 LXX: καὶ ἐφοβήθησαν ... φόβῳ μεγάλῳ,

---

[30] Ep Clem 14,1–6 (GCS 42,16f. Rehm). Ähnlich ergiebig ist Hipp., De Antichr 59 (GCS I 2,39f. Achelis). Vgl. zu beiden Texten *H. Rahner*, Symbole 307–309.381–385.479f.

[31] Wahrscheinlich ist mit C A ℜ πῶς οὐκ ἔχετε πίστιν zu lesen. Das besser bezeugte οὔπω ἔχετε πίστιν ist eine Abschwächung des Tadels und eine Angleichung an den sonstigen mk Sprachgebrauch, vgl. *H. W. Kuhn*, Sammlungen 199, Anm. 44.

[32] Vgl. *D. A. Koch*, Wundererzählungen 96f.; *L. Schenke*, Wundererzählungen 33–44. Übertreibend *J. Schreiber*, Theologie 95f.122.

[33] Vgl. *M. Dibelius*, Formgeschichte 91f.; *G. Theißen*, Wundergeschichten 166f.

[34] Vgl. den Einzelnachweis bei *L. Goppelt*, Typos 84f.; *R. Pesch*, Mk 269–274. Anders *J. Wellhausen*, Mc 37.

vgl. Mk 4,41). Das Seeungeheuer, das Jonas verschlingt, ist niemand anders als der große Meeresdrachen aus dem Mythos. Das nachträglich eingefügte Gebet des Jonas im Bauche des Fisches faßt die fiktive Situation im Sinne des Psalmisten als durchsichtige Metapher für jegliche menschliche Not, die ihre Hoffnung nur auf Gott setzen kann: „Die Wasser gingen mir bis an die Seele, die Tiefe umschloß mich … da zogst du mein Leben empor" (Jon 2,6f.).[35]

Die Parallelen sehen heißt zugleich die Unterschiede konstatieren. In der synoptischen Erzählung ist Jesus nicht an die Stelle des Beters, sondern an die Stelle Gottes getreten. Er wirkt das Wunder kraft eigener Vollmacht auf die Bitte der Jünger hin. Wenn erzählerische Farben bei der Jonasgeschichte ausgeliehen sind, dann nur in dem Sinn, daß zugleich der Anspruch mitgehört wird: „Siehe, hier ist mehr als Jonas".[36]

Jesus fährt den Wind an, wie er Mk 1,25 den Dämon angefahren hat. Er gebietet dem Meer mit den gleichen Worten Schweigen wie dem Dämon. Die Stillung des Sturms wird berichtet, als handle es sich dabei um einen Exorzismus. Dahinter steht die Vorstellung, daß auch im Wüten der Elemente Geister und Dämonen am Werk sind.[37] Das Verb ἐπιτιμάω, hebräisch גער, kommt in hellenistischen Wundertexten nicht vor. Dafür bezeichnet es im AT das Schelten Gottes gegen die feindlichen Mächte. Nicht zufällig steht es an mehreren Stellen, die uns bei der Bildfelduntersuchung begegnet sind und die Gottes Sieg über die Gewalt des Meeres zum Inhalt haben.[38]

Damit ist die erzählerische Intention der vormarkinischen Einheit und ihr Zusammenhang mit der mythisch gefärbten Seemetaphorik im AT in ihren Grundzügen deutlich. Die Erzählung trägt Epiphaniecharakter, ihre Absicht ist christologischer Art. Die exorzistische Wunderkraft Jesu wird auf seine Herrschaft über die Elemente ausgedehnt. Es werden ihm

---

[35] Die Jonasgeschichte liegt einigen rabbinischen Wundergeschichten zugrunde, in denen Gott auf das Schuldbekenntnis eines Rabbis oder auf das Bittgebet eines jüdischen Knaben hin den Seesturm zum Schweigen bringt, zum großen Staunen der heidnischen Zeugen, vgl. bBM 59b (Bill I, 489f.); jBer 13b (Bill. I, 452f.). Ähnliche Motive Bill. III, 851; IV, 555f.778. Vgl. R. Bultmann, Syn. Tradition 249f.

[36] Auch eine Überbietung von 2 Kön 2,8.14 könnte intendiert sein, wird aber sprachlich nicht recht faßbar.

[37] Vgl. den Geist oder Engel des Meeres, bzw. Wassers äthHen 60,16; 61,10; 66,2; 69,22; Bill. II, 453f.; III, 819f. Dazu O. Böcher, Dämonenfurcht 50–53; ders., Mächte 23.

[38] גער: Jes 17,13; Nah 1,4; Ps 106,9. ἐπιτιμάω: Ps 105(106),9 LXX; Ps 106(107),29 LXX (nur S²). Vgl. H. C. Kee, „Terminology" 232–246. Der atl Horizont der Erzählung macht Anleihen bei hellenistischen θεῖος-ἀνήρ-Vorstellungen überflüssig. Genannt werden u. a. Herod., Hist 7,191; Emped., Fr B 111 (VS I 353,11f.: „Stillen wirst du auch der unermatteten Winde Gewalt, die gegen die Erde losbrechen"); 2 Makk 9,8; Hom Hymn 33,6–17; Plut., Caes 38 (726D). Vgl. R. Bultmann, Syn. Tradition 252f.; G. Theißen, Wundergeschichten 108–110; H. D. Betz, Lukian 171–174.

Attribute zugesprochen, die im AT nur Jahwe selbst zukommen. Die Gefahr des Rückfalls in mythische Projektionen ist durch die entschiedene Rückbindung an den irdischen Jesus und sein historisch zweifelsfrei bezeugtes exorzistisches Wirken gebannt. Wahrscheinlich ist schon impliziert, das Jesus auch den Beter aus tiefer Not retten kann, wie es Jahwe mit dem Beter der Psalmen und mit Jonas tat. Damit wird die primär missionarische Wundergeschichte schon vormarkinisch transparent auf die individuelle Situation des Glaubenden hin.[39]

(2) Auf Mk geht die Verbindung der Wundergeschichte mit dem Jüngerunverständnis zurück. Es fragt sich, weswegen die Jünger so scharf getadelt werden. Wohl kaum, weil sie nicht wußten: „Jesus läßt sie, wenn er bei ihnen ist, nicht untergehen."[40] Im Gegenteil, das Zugrundegehen (ἀπόλλυμι), vor dem die Jünger sich fürchten (Mk 4,38), ist das Schicksal, dem Jesus selbst entgegengeht (Mk 3,6; 11,18).[41] Jüngersein heißt Jesus auch ins Scheitern und in den Tod folgen. Vor diesem Risiko schrecken selbst Christen immer wieder zurück, deswegen werden sie bei Mk in der Gestalt der Jünger exemplarisch getadelt.

Sicher hat Mk an der historischen Realität des Erzählten nicht gezweifelt, aber er hat ihm neue symbolische Konnotationen abgewonnen, die eine Aktualisierung ermöglichten. Wahrscheinlich versteht Mk das Wüten des Sturms nach dem Beispiel der Psalmen als Bild für die äußerste Anfechtung und Bedrohung des Glaubens. Und da die Jünger bei Mk u. a. für die Gemeinde stehen, ist ferner anzunehmen, daß ihm das Boot als prägnantes Symbol für die stets gefährdete Gemeinschaft der Glaubenden gilt. Das setzt hellenistischen Einfluß voraus, der aber durch frühjüdisches Denken vermittelt sein kann.[42]

(3) Auch wenn man dieser Interpretation für Mk noch Skepsis entgegenbringt, muß sie für Mt nach dem Aufsatz von G. Bornkamm als gesichert gelten.[43] Mt schickt der Perikope von der Sturmstillung zwei Apophthegmen über die Jüngernachfolge voraus (Mt 8,19–22). Wenn er in der Einleitung zur Wundergeschichte abweichend von Mk die Jünger Jesus ins Boot folgen läßt, ist klargestellt, daß ἀκολουθέω hier im theologisch gefüllten Sinn zu nehmen ist. G. Bornkamm erschließt daraus mit Recht, daß Mt die „Sturmfahrt der Jünger mit Jesus und die Stillung des Stur-

---

[39] Vgl. *D. A. Koch*, Wundererzählungen 94.

[40] So *J. Roloff*, Kerygma 165. Was Roloff eigentlich erreichen will, wenn er den Jüngertadel zum Grundbestand rechnet, bleibt unklar. Soll damit etwa historische Faktizität behauptet werden?

[41] Vgl. *L. Schenke*, Wundererzählungen 83–85.

[42] Abzulehnen ist die Deutung des Schlafens und Aufwachens Jesu auf Tod und Auferstehung, wie sie *E. Hilgert*, Ship 77f., vertritt. Hilgert verwischt die Grenzen zwischen dem metaphorischen Erzählen der Synoptiker und der Väterallegorese.

[43] *G. Teißen*, Wundergeschichten 290, widerspricht, ohne zu überzeugen.

mes auf die Nachfolge und damit auf das Schifflein der Kirche deutet"[44]. Vielleicht darf man für Mt ein bewußtes und polemisches Sich-absetzen von jenem Schiff hinzunehmen, das nach TestN 6,2 die Aufschrift „Schiff Jakobs" trägt.

In 8,24 schreibt Mt nicht λαῖλαψ, sondern σεισμός, das sonst in apokalyptischen Zusammenhängen auftaucht.[45] Die Bedrängnis der Kirche wird dadurch in eine apokalyptische Perspektive gerückt.[46] Auch hier steht wohl ein Aspekt des atl Bildfeldes im Hintergrund, nämlich die Deutung des tosenden Meeres auf den gefährlichen, aber letztlich vergeblichen Ansturm der Völker gegen Israel.

(4) Für Lk hat H. Schürmann seine Skepsis hinsichtlich der Deutung des Schiffes auf die Kirche angemeldet. In der Tat läßt sich für Lk dieses Verständnis aus Text und Kontext nicht mit genügender Sicherheit erheben. Doch deutet Schürmann selbst eine andere symbolische Dimension an, wenn er es für denkbar hält, „daß Luk den Blick seiner Leser auch auf die ‚Stürme und Wogen' der Verfolgungen um des Wortes willen richten wollte"[47]. Daß sich dafür Anknüpfungspunkte vor allem in den Psalmen finden lassen, bedarf kaum der Erwähnung. Lk hat den Seesturm als Paradigma für die innergeschichtlichen Prüfungen des Gläubigen aufgefaßt, in denen es gilt, den vorhandenen Glauben zu bewähren. Der Jüngertadel lautet bei Lk mit signifikanter Sinnverschiebung: „Wo bleibt denn euer Glaube" (Lk 8,25).[48]

§ 44: Der Blinde von Bethsaida (Mk 8,22–26)

a) Das Bildfeld

(1) In Sophokles' Tragödie *Oedipus Tyrannus* kündet der blinde Seher Teiresias dem König den Frevel, den er unwissentlich getan. Oedipus glaubt ihm nicht und wirft ihm vor: „Für dich gibt es keine Wahrheit, weil du an Ohr und Geist so blind wie an den Augen bist"[49], worauf

---

[44] G. Bornkamm, „Sturmstillung" 51. Zustimmend H. J. Held, Wundergeschichten 192. Das gleiche Verständnis ist für Mt 14,22–32 anzusetzen, vgl. E. Schweizer, Mt 143.209, während es für Mk 6,45–52 ungesichert bleibt.

[45] Mk 13,8 parr Mt 24,7; Lk 21,11; Offb 6,12; 8,5; 11,13.19; 16,18.

[46] Vgl. G. Bornkamm, „Sturmstillung" 52. K. Kertelge, Wunder 98, nimmt das schon für die vormarkinische Tradition an.

[47] H. Schürmann, Lk 474. Die ebd. 478 vermutete Verbindung zu Apg 27,21–26.34f. bleibt wohl doch zu gesucht.

[48] Vgl. S. Brown, Apostasy 58f.

[49] Soph., Oed Tyr 371: ἐπεὶ τυφλὸς τά τ' ὦτα τόν τε νοῦν τά τ' ὄμματ' εἶ. Vgl. auch Pind., Nem 7,23f.

Teiresias mit einer Anspielung auf die kommende Selbstblendung des Königs antwortet. Die Stelle gewinnt ihren Reiz aus dem Spiel mit der wörtlichen und der metaphorischen Bedeutung von „blind". Der blinde Seher beweist mehr Weitsicht als der in seiner Verblendung gefangene König. Und als es Oedipus schließlich wie Schuppen von den Augen fällt, beraubt er sich selbst seiner Sehkraft.

Bei den Vorsokratikern ist Blindheit Metapher für die mangelnde Einsicht des Menschen. Parmenides sagt von den Sterblichen, die das Sein verkennen: „Sie treiben dahin, stumm und blind zugleich, die Verblödeten."[50] Demokrit warnt davor, sich die Seele durch heftige Leidenschaften blenden zu lassen.[51] Von Epicharmos stammt der oft wiederholte Satz: „Verstand nur sieht, Verstand nur hört, das andere – taub und blind."[52]

Auch Platon kennt die Furcht, von der Vielzahl der Sinneseindrücke an der Seele geblendet zu werden, anstatt im Noetischen das wahre Wesen der Dinge zu schauen.[53] An anderer Stelle führt er aus, das Lernbegierige in der Seele müsse ohne sorgsame Pflege taub und blind werden.[54] Epiktet schilt den stumm und blind, dem Selbsterkenntnis, Wissen um Gut und Böse und Unterscheidungsvermögen fehlen.[55]

Auffällig ist die starke Ausrichtung auf das Intellektuelle. Ein eigentlich religiöser Bildgehalt fehlt. Er findet sich, wie Schrage in seinem gutinformierten Artikel herausgestellt hat, erst in der Gnosis. Dort „werden vor allem die unerlösten, durch die Welt verblendeten Nicht-Gnostiker als blind bezeichnet"[56].

(2) Die Belege aus dem AT schillern z. T. zwischen wörtlicher und metaphorischer Bedeutung. Festzuhalten sind die Konnotationen, die sich aus den verschiedenen Kontexten ergeben. Wir haben es zu tun (a) mit Strafandrohungen, (b) mit Verstockungsaussagen und (c) mit eschatologischen Verheißungen.

(a) Dtn 28,28f. droht Moses dem Volk, wenn es die Gebote nicht befolge, werde Gott es „schlagen mit Wahnsinn, Blindheit und Sinnesverwirrung, und du wirst am hellen Mittag umhertappen wie ein Blinder im Dun-

---

[50] Parmen., Fr B 6 (VS I 233,4–7).

[51] Democr., Fr B 72 (VS II 159,9f.).

[52] Epicharm., Fr B 12 (VS I 200,14f.): νοῦς ὁρῆι καὶ νοῦς ἀκούει· τἄλλα κωφὰ καὶ τυφλά. Zitiert u. a. bei Plut., Alex Fort Virt 3 (336B).

[53] Plat., Phaed 99e. Vgl. Gorg 479b; Phaedr 270e.

[54] Resp 411c/d (κωφὸν καὶ τυφλὸν γίγνεται). Auch Sprichwörter wie „Das sieht doch ein Blinder" oder „Liebe macht blind" haben ihre Parallelen bei Platon, vgl. Resp 550d; Leg 731e.

[55] Epict., Diss II 24,19 (224,9f. Schenkl). Vgl. u. a. auch Diss III 26,3 (346,2f. Schenkl).

[56] W. Schrage, ThWNT VIII, 277.

keln". Nach Zef 1,17 werden die Menschen am Gerichtstag „umhergehen wie die Blinden, weil sie wider den Herrn gesündigt haben".[57]

(b) Der *locus classicus* aller Verstockungsaussagen, Jes 6,9f., enthält den Befehl: „Mache taub seine (des Volkes) Ohren und blind seine Augen, daß es mit seinen Augen nicht sehe und mit seinen Ohren nicht höre." Das wirkt im Reden von der Blindheit des Volkes[58] nach und verdichtet sich Jer 5,21 (Ez 12,2; Dtn 29,3) zu dem Vorwurf: „Du törichtes, unverständiges Volk. Augen habt ihr und seht nicht, Ohren habt ihr und hört nicht."[59]

(c) Ps 146,8 führt als Beispiel für die unwandelbare Treue Gottes ins Feld: „Der Herr öffnet den Blinden die Augen, er richtet die Gebeugten auf."[60] Im Buch Jesaja wird dieser Gedanke mit der Zukunftserwartung verbunden: „An jenem Tage werden die Tauben Schriftworte hören und die Augen der Blinden aus Dunkel und Finsternis heraus sehen" (Jes 29,18), oder: „Dann werden die Augen der Blinden geöffnet und die Ohren der Tauben aufgetan" (Jes 35,5). Die LXX trägt diese Erwartung abweichend von der MS auch in Jes 61,1 ein. Zu den Aufgaben des Freudenboten gehört es, den Blinden das Augenlicht zu schenken (καὶ τυφλοῖς ἀνάβλεψιν).[61]

(3) Bei Philo fällt es schwer, überhaupt Stellen beizubringen, wo τυφλός im wörtlichen Sinn gebraucht wird, so sehr ist ihm die Blindheit zum Bild für menschliches Fehlverhalten geworden. Aus Anlaß einer Auslegung von Dtn 27,18 („Verflucht sei, wer einen Blinden in die Irre führt") schreibt Philo die dort angeprangerte Schandtat der sinnlichen Lust (ἡδονή), ja sogar der bloßen Sinneswahrnehmung (αἴσθησις) zu, die gemeinsam als ein Paar von blinden Führern den Verstand in die Irre leiten (Leg All 3,108f.). Blind sind auch jene, die einen biblischen Text nicht allegorisch auslegen wollen (Conf Ling 191), die sich nicht um

---

[57] Vgl. ferner das Wunder des Elischa 2 Kön 6,18: das syrische Heer wird mit Blindheit geschlagen und läßt sich widerstandslos in die Irre führen. Ähnlich 2 Makk 10,30. Vgl. *W. Herrmann*, Wunder 10–14.

[58] Jes 29,9f.; 42,18; 43,8; 59,10.12 („wir tappen einher wie die Blinden an der Wand, wie ohne Augen tasten wir").

[59] Vgl. *F. Hesse*, Verstockungsproblem 24f.60–62.

[60] Demgegenüber sagt Bar 6,36 von den heidnischen Götzen: „Sie können einem Blinden das Augenlicht nicht wiederschenken." Vgl. auch Ps 115,5 (Blindheit der Götzen); Jes 44,18 (Blindheit der Götzendiener).

[61] Vgl. auch Jes 42,7: der Gottesknecht wird beauftragt, „blinde Augen aufzutun", und Jes 42,16: „Blinden will ich (Jahwe) Führer sein". Jes 42,19f. wird der Gottesknecht selbst blind und taub genannt. Nach *G. Fohrer*, ThWNT VIII, 281, Anm. 83, ist das als nachträgliche Kritik eines Glossators an der Gottesknechtstheologie zu verstehen. In Qumran werden alle, die blind und taub sind, aus der Gemeinde der letzten Tage verbannt, vgl. 1QSa 2,6; 1QM 7,4.

Frömmigkeit und Ehrfurcht mühen (Spec Leg 1,54) oder die das Böse und Häßliche zu ihrem Teil machen (Rer Div Her 76f.).[62] Die rabbinische Literatur bringt im Anschluß an die entsprechenden Schriftstellen die Erwartung zum Ausdruck, daß in der Endzeit alle Blinden geheilt werden.[63] Das kann wörtlich gemeint sein, kann sich aber auch auf die geistige Blindheit gegenüber der Torah beziehen.[64] Des weiteren werden fehlende Gotteserkenntnis, Unglaube und Frevel als Blindheit bezeichnet.[65]

b) Der Text

(1) Die mk Redaktion beschränkt sich auf die Ränder der Erzählung. Die Entlassung des Geheilten nach Hause V. 26a kann als topischer Zug einer Wundergeschichte gelten. Mk hat οἶκος aber als esoterischen Ort aufgefaßt und zu der Öffentlichkeit, die durch τὴν κώμην vertreten wird, in bewußten Kontrast gesetzt. Hat man diesen typisierenden Vorgang erkannt, erübrigt sich die Frage, ob der Blinde etwa nicht aus dem besagten Ort stamme[66] oder ob sein Haus außerhalb der Ortschaft stand. Das Verbreitungsgebot V. 26b ist als Teilmoment des umgreifenden Messiasgeheimnisses zu werten.[67]

Die verbleibende Wundererzählung, zu der es hellenistische Parallelen gibt[68], ist dadurch ausgezeichnet, daß sie das ärztliche Handeln Jesu in ungewohnter Ausführlichkeit beschreibt und die Heilung in zwei Stufen vor sich gehen läßt. Schwierigkeitsgrad und Größe des Wunders werden so demonstriert. Man vermißt eine Reaktion des Geheilten oder der Menge, die als anwesend zu denken ist (der Blinde sieht als erstes Menschen umhergehen). Das Rätsel löst sich, wenn man die Heilung des Taubstummen Mk 7,32–37 mit heranzieht. Die Parallelen in Inhalt und Aufbau sind eng, besonders in der Exposition.[69] Die beiden Texte sind mit hoher Wahrscheinlichkeit in der vormarkinischen Tradition zu einem Paar zusammengestellt worden. Als Basis für diese Kombination dürfte

---

[62] Vgl. W. Schrage, ThWNT VIII, 285f. Vgl. auch TestD 2,2.4; TestJud 11,1; TestR 2,9.

[63] MekEx 20,18; GenR 95,1; NumR 7,1; MidrPs 146,5; Bill. I, 594f.

[64] TgJes 42,6f. (Bill. I, 69).

[65] GenR 53,14; ExR 30,20; vgl. W. Schrage, ThWNT VIII, 284.

[66] So J. Wellhausen, Mc 62. In der Textüberlieferung ist dieses Problem empfunden worden, deshalb schwankt sie so stark.

[67] Vgl. W. Wrede, Messiasgeheimnis 134.

[68] Vgl. K. Kertelge, Wunder 162; Moult-Mill 30, s. v. ἀναβλέπω. Zum Kaiserkult A. Jacoby, „Heilung" 185–194.

[69] Vgl. die Synopse bei V. Taylor, Mk 368f. Ferner J. Sundwall, Zusammensetzung 47f.

die Verwandtschaft der beiden Gebrechen und ihre häufige Assoziation im biblischen Schrifttum gedient haben. Die wörtlichen Übereinstimmungen sind dann weniger Voraussetzung als vielmehr Folge der paarweisen Überlieferung. Der Chorschluß Mk 7,37, der den Schöpfungsbericht Gen 1,31 und die Heilserwartung Jes 35,5f. anklingen läßt, hat ursprünglich beiden Erzählungen gegolten. Die beiden Wunderheilungen wurden vormarkinisch in der Verlängerung prophetischer Eschatologie als Zeichen für den Anbruch der messianischen Zeit gedeutet und nach dem Schema von Urzeit und Endzeit mit der Idee der Neuschöpfung in Verbindung gebracht.

(2) Mk hat das überlieferte Perikopenpaar wieder aufgebrochen, indem er die Speisung der Viertausend, die Zeichenforderung und das Gespräch über die Brote dazwischenschob. Dahinter muß kompositorische Absicht stecken. Sie erschließt sich von Mk 8,18 her. In Aufnahme atl Metaphern wird den Jüngern der Vorwurf gemacht: „Augen habend seht ihr nicht und Ohre habend hört ihr nicht." Der Zustand der Jünger ist so hoffnungslos, daß nur ein Wunder ihnen Augen und Ohren öffnen kann. Der Anschluß nach vorne zeigt, wie dieses Wunder im übertragenen Sinn zu denken ist und welchen Effekt es hervorruft. Wenige Verse nach der Heilung des Blinden von Bethsaida legt Petrus das erste formal korrekte Christusbekenntnis im Evangelium ab (Mk 8,29). Seine Blindheit ist für diesen Augenblick überwunden, darüber kann auch sein Rückfall in überholte und falsche Vorstellungen nicht hinwegtäuschen.

Damit ist nicht gesagt, daß die stufenweise Heilung des Blinden für Mk einer stufenweisen christologischen Erkenntnis der Jünger korrespondiere.[70] Die stufenweise Heilung erfüllt eine bestimmte erzählerische Funktionen in der vormarkinischen Einheit und ist nicht auf 8,28f. zugeschnitten. Und ob es dort um Stufen der Erkenntnis geht, wird man bezweifeln dürfen.

Ebensowenig ist damit gesagt, daß Mk die Heilungsgeschichte spiritualistisch verflüchtigt habe. Sie bleibt intentional an den irdischen Jesus gebunden und dient dem Erweis seiner irdischen Vollmacht. Doch ist andererseits unverkennbar, daß Mk der Blindenheilung zusätzlich eine symbolische Dimension verleiht, die eine kerygmatische Aktualisierung ermöglicht. Die geistige Blindheit des Menschen muß überwunden werden, wenn er zum Glauben an Christus gelangen soll.[71] Ermöglicht wird

---

[70] So andeutungsweise *E. Best,* Temptation 108; *T. A. Burkill,* Revelation 149. Dann ausführlich *G. Minette de Tillesse,* Secret 59.272f. (im Anschluß an A. Kuby).

[71] Für eine symbolische Interpretation sprechen sich aus *V. Taylor,* Mk 370; *E. Klostermann,* Mk 77; *E. Schweizer,* Mk 92; *E. Trocmé,* Formation 65; *K. Kertelge,* Wunder 163f.; *L. Schenke,* Wundererzählungen 312; *U. Luz,* „Geheimnismotiv" 14f.; *R. Beauvery,* „Guérison" 1083–1091. Dagegen äußern sich *J. Schmid,* Mk 152; *H. Räisänen,* Messiasgeheimnis 126; *D. A. Koch,* Wundererzählungen 71f.; *J. Roloff,* Kerygma 129f.

dieses Verständnis durch das vorgegebene Bildfeld. Zum Ausdruck bringt Mk es durch das kompositionelle Arrangement der überlieferten Materialien.

Wir könnten unsere Fragestellung auf die übrigen synoptischen Blindenheilungen ausdehnen, doch ist es nicht unsere Aufgabe, eine Monographie zur Metaphorik in der Wundertradition zu schreiben. Die bisher untersuchten Texte erlauben es bereits, einige Ergebnisse festzuhalten.

Ergebnisse

Eine gewisse Nähe von Wundern und Gleichnissen wird in der Forschung des öfteren konstatiert[72], doch bleibt es meist bei intuitiven Bemerkungen ohne sprachtheoretisches Fundament und mit z. T. fragwürdigen Konsequenzen. Die vorstehenden Beobachtungen erlauben es, einen Grund dafür anzugeben, warum der Eindruck entsteht, Wunder und Gleichnisse seien vergleichbare Phänomene. In der Wundertradition läßt sich stellenweise ein Allegorisierungsprozeß beobachten, der mit der Allegorisierung innerhalb der Gleichnisüberlieferung in mehrfacher Hinsicht identisch ist. In beiden Fällen gilt:

(1) Die Texte zeigen sich in zunehmendem Maß von vorgegebenen Bildfeldern beeinflußt, die aus der Umweltliteratur erhoben werden können. Das ist nicht generell als Überfremdung anzusehen, sondern hat gewisse Anknüpfungspunkte im historischen Kern der Überlieferung. Auch in authentischen Jesusgleichnissen werden Metaphern verwandt, und die Exorzismen und Heilungswunder des Irdischen haben von Hause aus eine zeichenhafte Dimension. Sie künden durch die Tat, was die Gleichnisse ins Wort fassen: den Anbruch der Basileia (Lk 11,20).

(2) Die Intention der Tradenten, Wunder und Gleichnisse als Taten und Worte des irdischen Jesus darzustellen, auch dort, wo es sich *de facto* um Neubildungen handelt, wird durch die Allegorisierung nicht aufgehoben. Die Allegorisierung schafft zusätzlich die Möglichkeit christologischer Vertiefung und paränetischer Auswertung. Die Bindung an die

---

[72] Vgl. *E. C. Hoskyns – F. N. Davey*, Rätsel 124f.; *K. Kertelge*, Wunder 125f.166 (mit Lit.). Die gelegentlich zu beobachtende Einebnung des Unterschieds zwischen Wundern und Gleichnissen, die zugleich die Differenz zwischen Worttradition und Geschichtstradition überspringt, ist abzulehnen. Durch die Allegorisierung werden Wunder nicht in Gleichnisse transformiert und Gleichnisse nicht in Wunder, und sie werden auch nicht in einer übergeordneten Gattung zusammengeführt, die man Allegorie nennen könnte. Die jeweiligen Gattungsmerkmale bleiben in der Regel in aller Deutlichkeit erhalten, selbst bei Texten mit hohem Allegorieanteil.

Geschichte bewahrt auch dann vor dem Rückfall in den Mythos, wenn
Metaphern verwandt werden, die mythische Ahnen haben.
Diese Erkenntnisse werden uns bei der folgenden Zusammenfassung der
ganzen Arbeit noch von Nutzen sein.

Kapitel XVI

ZUSAMMENFASSUNG

Die Allegorik erweist sich als ein komplexes sprachliches Phänomen, das
dringend einer Binnendifferenzierung bedarf. Sie läßt sich durchführen,
indem man zwischen Allegorie, Allegorese und Allegorisierung unterscheidet.

(1) Die Allegorie ist eine rhetorische und poetische Verfahrensweise, die
zu den wenigen grundlegenden Modi zählt, die bei der Textproduktion
angewandt werden können. Sie konstituiert selbst keine eigene Gattung,
sondern geht mit den verschiedensten Gattungen, nicht zuletzt mit parabolischen Kleinformen wie Gleichnis und Fabel, eine mehr oder minder
enge Verbindung ein. Ihr Effekt besteht darin, daß sie den Texten eine
symbolische Dimension verleiht.
Ein wichtiges Aufbauelement des Allegorischen sind Metaphern jeglicher
Art, besonders konventionalisierte Metaphern. Des weiteren kann der
situative Kontext die Allegorie konstituieren, insofern er es nahelegt, die
sprachliche Äußerung mit der außersprachlichen Situation in Deckung
zu bringen. Referentialer Außenbezug und punktuelle Identifizierbarkeit
sind in verschiedenem Umfang gegeben. Realien werden in den Dienst
der Aussage gestellt. Inwieweit bewußte Verschlüsselung vorliegt, ist von
Fall zu Fall zu prüfen.
Zum Erfassen des Allegorieanteils eines Textes bedient man sich am
besten eines Skalen- oder Zirkelmodells mit den beiden Polen naiver
Realismus und naive Bilderschrift. Dazwischen liegen zahlreiche Abstufungen. Eine besonders gelungene, sozusagen nahtlose Fusion von Bild
und Aussage kann man in der Mitte der Skala lokalisieren und mit dem
identifizieren, was die klassisch-idealistische Ästhetik unter Symbol versteht.
Die Auslegung eines allegorischen Textes ist selbst nicht allegorisch,
solange sie streng nach der intentionalen Textur des exegetischen

Objekts fragt, d. h. nach sprachlicher Struktur, Intention des Autors und Erwartungshorizont der Hörer. Allegorische Textelemente zu verkennen, ist gerade unter dem Gesichspunkt einer textgebundenen historisch-kritischen Exegese als methodischer Fehlgriff zu werten. Die Allegoriefeindlichkeit, der die Gleichnisexegese im Banne Jülichers verfallen ist, läßt sich forschungsgeschichtlich sehr genau als Relikt der „allgemeinen Verketzerung" (H. G. Gadamer) der Allegorie in der Ästhetik des 19. Jh. bestimmen.

(2) Die Allegorese ist eine exegetische Methode, die auf Texte verschiedenster Art angewandt werden kann. Sie neigt dazu, die intentionale Textur der Vorlage zu mißachten und von einem umgreifenden philosophischen oder theologischen Vorverständnis her anachronistische Einträge vorzunehmen. Sie zeigt ferner einen Hang zur Mystifikation und zur Esoterik: die Wahrheit, die der Exeget erhebt, ist im Text verborgen und richtet sich an auserwählte Hörer. Der Sache, nicht dem Namen nach nimmt sie ihren Ausgangspunkt in der Mythenexegese der vorsokratischen Philosophie, erlebt einen Höhepunkt in der Stoa, einen anderen im Neuplatonismus, beeinflußt die jüdisch-hellenistische und, in geringerem Maß, die jüdisch-palästinensische Schriftauslegung, wird zum wichtigen Werkzeug der Gnosis und speist schließlich aus verschiedenen Quellen die christlich-patristische Exegese.
Die punktuelle Identifizierung von Text und Deutung ist in der Mythenexegese nicht erforderlich. Sie begegnet vor allem in der Traumauslegung, die als selbständige Sonderform der Allegorese anzusehen ist. Verbindungslinien zwischen philosophischer Mythenallegorese und volkstümlicher Traumdeutung werden erst bei Artemidor (2. Jh. n. Chr.) eindeutig faßbar.
Die Traumauslegung ist deshalb so wichtig, weil sie die Allegorese in der apokalyptischen Literatur geprägt hat. Sie liegt der Pescherexegese prophetischer Bücher in Qumran zugrunde, sie hat in den literarischen Apokalypsen zur Ausbildung des Visionsdeuteschemas geführt, das an atl Vorgaben (Josefs Traumdeutungen, Ezechiels Bilderreden, Sacharjas Nachtgesichte) anknüpft. Sprachliches Spezifikum dieser Allegorese ist die Verwendung von identifizierenden Pronomina und Kopulae. Wo wir in der Väterexegese darauf stoßen, ist mit apokalyptischem Einfluß zu rechnen, der z. T. durch das NT vermittelt ist. (Trotz aller Fremdeinflüsse, die zur Reserve berechtigen, hat die Allegorese der Väter mehr Anknüpfungspunkte im NT, als manches historisch-kritische Verdikt über ihren Unwert vermuten läßt).

(3) Die theoretische Unterscheidung von Allegorie und Allegorese, wie sie hier vertreten wird, läßt sich historisch zweifelsfrei verifizieren. Wir konnten das an Quintilian, Plutarch und Pseudo-Heraklit aufzeigen, die

etwa dem gleichen Zeitraum angehören. Quintilian bietet eine immer noch wertvolle Analyse der rhetorischen und poetischen Allegorie, ohne die Allegorese mit einer Silbe zu erwähnen. Plutarch sucht wie Generationen vor ihm nach dem tieferen Sinn von Mythos, Dichtung und Brauchtum, lehnt aber die exegetische Verwendung des Begriffs ἀλληγορία, den er als Modernismus beurteilt, ab. Pseudo-Heraklit hingegen gibt seiner traditionellen Mythenexegese den Namen ἀλληγορία, weil er meint, von der sprachlichen Form der rhetorisch-poetischen Figur her seine Exegese theoretisch besser begründen zu können.

Daß es bald zu einem engen, fast unentwirrbaren Ineinander von allegorischer Textproduktion und exegetischer Allegorese kommt, sei den Literaturwissenschaftlern ohne Zögern zugestanden. Unsere Analyse der kritischen Übergangsphase ändert sich deshalb nicht. Der Fehler Jülichers besteht darin, daß er die Allegorese undifferenziert aus der Allegorie ableitet und beide miteinander verwirft. Er ist insofern entschuldbar, als seine Zeitgenossen in einer Umkehrung der Weichenstellung Pseudo-Heraklits die Allegorese fast ausschließlich für Gleichnisse reservierten.

(4) Allegorisierung meint die nachträgliche Überarbeitung eines Textes im Sinne seines allegorischen Verständnisses. Sie tritt vor allem dann auf, wenn die Vorlage schon allegorische Textelemente, insbesondere Metaphern enthält. Wir sehen uns hier einem schwer zu erfassenden Phänomen konfrontiert, für dessen Beschreibung nicht viel Material zur Verfügung steht, da es nur dann eintreten kann, wenn der Text noch nicht festgeschrieben ist.

Das kann der Fall sein bei einer Verwilderung innerhalb der Textüberlieferung, wie wir an einem Einzelbeispiel bei Homer sahen. Auch für ntl Gleichnisse tauchen vereinzelt Textvarianten auf, die ein allegorisches Verständnis zur Ursache haben. Die Allegorisierung wird jedoch mehr begünstigt, wenn ein Text längere Zeit hindurch mündlich tradiert wird oder wenn er mehrere Stufen schriftlicher Redaktion durchläuft. Auch die Übersetzung von einer Sprache in eine andere ist der Allegorisierung förderlich, vor allem, wenn sie im Medium der Mündlichkeit verbleibt.

Als ein gewisses Exempel für diese Vorgänge konnten wir den Targum namhaft machen, der dank seiner besonderen Situation den atl Text verflüssigt und seine Ausdeutung ermöglicht. Im Umgang des Targums mit der Bildersprache des AT waren zwei gegenläufige Tendenzen am Werk: verstärkte Metaphorisierung und Auflösung der Bilder in Sachaussagen, beides jedoch so, daß formal geschlossene neue Einheiten entstehen. Text und Kommentar sind ineinander gearbeitet und werden nicht voneinander abgesetzt.

Als weiteres Mittel der Allegorisierung ist die Einordnung einer isolierten Einheit in einen übergreifenden Kontext zu nennen. Dadurch kommen auf paradigmatischer Ebene Wechselbeziehungen zwischen Mikrotext und Makrotext zustande, die aus ursprünglich wenig signifikanten Elementen der kleinen Einheit selbständige Bedeutungsträger machen. Doch geht das selten ohne sprachliche Eingriffe vor sich, und sei es, daß sie sich nur an den Rändern, d. h. in Einleitung und Schlußnotiz, bemerkbar machen.

In der allgemeinen Literaturtheorie spielt die Allegorisierung, wie sie hier definiert ist, keine besondere Rolle, weder dem Namen noch der Sache nach, und das mit einigem Recht. Für die Beschreibung des Spezifikums der Gleichnistradition aber ist der Begriff unentbehrlich. Wir kommen damit zur Anwendung unserer historischen und systematischen Überlegungen auf die Gleichnisse Jesu.

(5) Die Texuntersuchungen haben gezeigt, daß sich die Gleichnisse der *traditio triplex* im wesentlichen auf den irdischen Jesus zurückführen lassen, so daß sie ihrerseits als Bausteine für die Rekonstruktion seiner Botschaft dienen können. Unter gattungskritischem Aspekt erwies sich eine Trennung in Bildworte, Gleichnisse im engeren Sinn und Parabeln als vorteilhaft. An Gattungsmerkmalen sind zu nennen: die geschliffene sprachliche Struktur und der intensive Hörerbezug der Bildworte, das über die Satzgrenze ausgreifende präsentische Berichten der Gleichnisse und die Realisierung der wichtigsten Regeln volkstümlichen Erzählens in den Parabeln. Der Stoff kann in allen Fällen der alltäglichen Erfahrungswelt entnommen sein, doch stehen daneben gleichberechtigt geprägte Metaphern, profane Sprichworte und Anspielungen auf das AT. Die Bildworte argumentieren vorzugsweise mit der unstreitigen Evidenz des herangezogenen Erfahrungsbereichs, Parabeln zwingen die Wirklichkeit in verfremdender und provozierender Weise in den Dienst der intendierten Aussage, in eigentlichen Gleichnissen kann (entgegen der bisher üblichen Abgrenzung) beides der Fall sein.

Für alle drei Gattungen gilt: Gleichnisse sind referential auf den Anbruch der Basileia im Wirken Jesu bezogen und bringen seine unverwechselbare Eschatologie zum Ausdruck. Sie implizieren durch die Bindung der eschatologischen Ansage an die Person Jesu einen indirekten christologischen Anspruch. Wo sich die ursprüngliche Redesituation rekonstruieren läßt – nicht als biographischer Haftpunkt, sondern als typische Konstellation –, zeigt sich, daß die Gleichnisse mit ihrem situativen Kontext in Wechselbeziehung stehen.

All das: die Verwendung geprägter Metaphern und Anspielungen, die Strapazierung der Wirklichkeit, der referentiale Bezug, die Rückwirkung des Situationskontextes – all das ist unter literarischem Gesichtspunkt als Erscheinungsform des Allegorischen zu beurteilen, das zu den Aufbauelementen der jesuanischen Gleichnisse gehört. An diesem Urteil führt kein Weg vorbei. Daß jegliche Esoretik fehlt, ist richtig, aber kein Gegenargument, da sie kein unersetzliches Bestandteil der Allegorie ausmacht. Damit ist zugleich gesagt, daß der bloße Allegorieverdacht nie genügt, um ein Gleichnis Jesus abzusprechen.

(6) In der nachösterlichen Tradition ist eine zunehmende Allegorisierung zu beobachten, die an die allegorischen Elemente der jesuanischen Gleichnisse anknüpfen kann. Als wichtigste Träger der Allegorisierung erweisen sich geprägte Metaphern, die aus der Umweltliteratur zu erheben sind. Dabei kann es so sein, daß von einer zentralen Metapher des genuinen Gleichnisses aus weitere Metaphern nach dem Prinzip der metaphorischen Erweiterung in den Text gezogen werden, oder daß Worte, die zunächst nichtmetaphorisch gemeint sind, von vorgegebenen Bildfeldern her metaphorisch verstanden werden. Eruieren läßt sich das aus sprachlichen Indizien im engeren oder weiteren Kontext. Wo sie fehlen, ist von dem Heranziehen geprägter Metaphorik abzusehen.

Auf der Ebene der Endredaktion wirkt der evangeliare Makrotext allegorisierend auf die Gleichnisse zurück. Es ist nicht so, als ob die Gleichnisse sich nur widerwillig ins Evangelium einfügen ließen und ihre ästhetische Autonomie trotz allem behaupteten. Sie sind im Gegenteil mit dem Gesamtkontext auf paradigmatischer Ebene in vielfacher Weise verflochten und erweisen sich durch diese Interaktion als wichtiges Aufbauelement des Evangeliums.

Die punktuelle Identifizierbarkeit der Gleichnisse wird durch die Allegorisierung erhöht. Außerdem geht damit ein Referentenwechsel· einher, der durch das Osterereignis bedingt ist. Die indirekte Christologie wird durch die direkte abgelöst, an Stelle der Basileiabotschaft schiebt sich die Parusieerwartung in den Vordergrund. Daneben werden paränetische und ekklesiologische Interessen wirksam.

Mit gewollter Esoterik hat die Allegorisierung nichts zu tun, sie will vielmehr verdeutlichen. Eine Verzerrung des Wirklichkeitsbezugs über das von Jesus Intendierte hinaus kann im Einzelfall die Folge sein. Man mag das als narratives oder ästhetisches Desinteresse beklagen, wird sich dann aber mit Kierkegaard fragen lassen müssen, ob denn das Ästhetische die einzige oder die wichtigste Kategorie für die Erfassung des Christlichen ist.

Mit der Behauptung, die Tradenten und Redaktoren hätten die Gleichnisse Jesu mißverstanden und allegorisch überfremdet, wird man in Zukunft vorsichtiger umgehen müssen. Ein Gattungswechsel findet nicht statt. Legt man das Skalen- oder Zirkelmodell zugrunde, kann man sagen, daß die Gleichnisse aus einer Mittelposition mit zunehmendem Allegorieanteil mehr und mehr auf den Pol naive Bilderschrift hin verschoben werden, ohne ihn ganz zu erreichen. An diesem Modell wird auch klar, daß es einen Zugangsweg zu den authentischen Jesusgleichnissen gibt. Kennt man die Interessen der Gemeinde und das metaphorische Material, das ihr zur Verfügung stand, kann man die Skala rückwärts abschreiten zur Mitte hin.

(7) Um Analogien zur Allegorisierung in der synoptischen Gleichnistradition ist es schlecht bestellt. Mit der paulinischen Allegorese hat sie nur die christologische Rückbindung gemein, sonst nichts. Daß zur griechischen Mythenallegorese und zur jüdisch-hellenistischen Schriftauslegung weder sachliche Parallelen noch historische Verbindungslinien bestehen, bedarf kaum der Erwähnung. Was wir aus den zeitgenössischen Quellen (Pseudo-Heraklit, Plutarch, Philo) erheben konnten, steht für sich und hat mit den Gleichnissen nichts zu tun.

Mit mehr Aussicht auf Erfolg können die rabbinischen Gleichnisse herangezogen werden. Sie verwenden die gleichen fixierten Metaphern, die z. T. schon in Jesusgleichnissen, dann vor allem in der Gleichnistradition wirksam wurden, und sie kennen das Prinzip der *metaphor expansion* (A. Feldman). Ihr Allegorieanteil ist durchweg hoch. Doch ist die vorgegebene Basis rabbinischer Gleichnisse meist ein Schriftwort, von dem sie als Kommentar formal abgesetzt sind. Wo in synoptischen Gleichnissen Schriftzitate eingeführt werden, sind sie in den Gleichnistext integriert. Nicht die Schrift wird ausgelegt, sondern das Wort Jesu mit Hilfe der Schrift.

Eine weitere, in manchem treffende Vergleichsmöglichkeit bietet der Targum. Der Unterschied besteht darin, daß die Gleichnistradition mehr im metaphorischen Sprachspiel bleibt, auch dort, wo die gewählten Metaphern durchsichtig werden auf die Sache hin. Auch die sekundären Anwendungen greifen gern die Metaphern aus dem vorgegebenen Gleichnis auf, mit dem sie in allen Fällen zu einer neuen, geschlossenen Einheit verbunden sind.

Als nächste Analogie zur Gleichnistradition muß unter diesem Aspekt die Wunderüberlieferung gelten. Bei der Entstehung und Tradierung von Wundergeschichten können vorgegebene Bildfelder in einer Weise beteiligt sein, die dem Umgang mit der Metaphorik in den Gleichnissen verblüffend ähnlich sieht. Diese Beobachtung ist hochbedeutsam, zeigt sie doch, daß (a) die Tradenten den Gleichnissen keine Sonderstellung einräumten, sondern sie behandelten wie andere Stoffe auch, und daß (b) die synoptische Tradition zunächst nach den ihr eigenen, innewohnenden Gesetzen beurteilt werden will. Wie es für die Form des Evangeliums keine wirklichen Vorbilder gibt, so auch nicht für manche Tendenzen innerhalb der vorevangeliaren Überlieferung.

(8) Die Auslegung der Sämannsparabel, die als Kommentar vom Gleichnis abgesetzt ist, stellt eine regelrechte Allegorese dar, die einzige innerhalb der *traditio triplex*. Sie ist aber nicht der stoischen Mythenexegese

verpflichtet, sondern dem apokalyptischen Visionsdeuteschema. Das läßt sich anhand formaler Kriterien beweisen. Die punktuelle Identifizierung mit Hilfe von Demonstrativpronomina und Kopulae hat keine Parallele in der Mythenallegorese und verweist in den Bereich der Traumauslegung. Diese Allegorese konnte nur zustande kommen, wenn man das Jesusgleichnis analog zu den Meschalim der apokalyptischen Literatur als geheimnisvolle Offenbarung des Heilsratschlusses Gottes verstand. Das Moment der Esoterik ist ihr demnach mitgegeben. Sie ist ferner konstitutiv an das Medium der Schriftlichkeit gebunden und von Anfang an in griechischer Sprache konzipiert. Ihr rein paränetischer Inhalt widerspricht den apokalyptischen Formelementen. Er ist das Ergebnis einer christlichen Rezeption der Apokalyptik, die uns auch im Hirt des Hermas begegnet.

Die Sämannsparabel selbst zeigt Ansätze zu einer Allegorisierung, die von der späteren Allegorese noch unbeeinflußt ist und parallelen Vorgängen in anderen Gleichnissen entspricht. In Mk 7,14–23 ist das apokalyptische Deuteschema von Mk 4 redaktionell teilweise imitiert, aber auch nur teilweise. Es fehlt die punktuelle Identifizierung, die angesichts des vorgegebenen kurzen Weisheitsworts auch gar nicht möglich war. Dafür weisen einige inhaltliche Momente in den Bereich der jüdisch-hellenistischen Gesetzesallegorese. Als einzige wirkliche Neuaufnahme der apokalyptischen Allegorese im gesamten Gleichnisstoff ist die Deutung der Parabel vom Unkraut unter dem Weizen bei Mt anzusehen.

Mk 4,14–20 kann also nicht als Musterdeutung gelten, die nach der Intention der Synoptiker auf alle Gleichnisse anzuwenden wäre. Das trifft weder für Mk zu, der nur Jüngern Gleichnisse auslegt, noch für Mt, der ansonsten am stärksten allegorisiert, noch für Lk, der vor Allegorisierung keineswegs zurückschreckt, der apokalyptischen Allegorese aber Reserven entgegenbringt, wahrscheinlich wegen ihres esoterischen Moments.

(9) Die sogenannte Parabeltheorie ist ein Problem für sich, das mit der Frage nach der Gleichnisallegorik nicht ohne weiteres in eins gesetzt werden kann. Wir haben folgenden Lösungsvorschlag entwickelt: der strittige Vers Mk 4,11 gehört mit seiner gewollten Esoterik und seiner Betonung des Mysteriums in die apokalyptische Vorlage des Mk, die die Sämannsparabel und ihre allegorische Deutung umfaßt, und gibt ihre theologische Konzeption wieder. Mk war an seiner Vorlage interessiert, weil er eine Möglichkeit sah, sie in seine umgreifende Messiasgeheimnistheorie einzubauen. Er hat sie aber nicht unkorrigiert übernommen, sondern sie durch die Zufügung des Jesajazitats in die prophetische Perspektive der Verstockung gerückt, die Jesu Gleichnisse bei seinen Gegnern hervorrufen. Indem Mk die Funktion der Gleichnisse je nach Adressatenkreis differenziert, schwächt er die pointierte Gleichnistheorie seiner Vorlage weiter ab.

Mt dreht in seinem dreizehnten Kapitel den Spieß um und versteht die Gleichnisse als strafende Antwort Jesu auf die vorgängige Verstockung des Volkes, zeigt sich aber in seinen sonstigen Gleichnisstoffen von dieser Konzeption wenig beeindruckt, während Lk den ganzen Komplex nach Kräften minimalisiert und in seinem sonstigen Gleichnisgut eine fast entgegengesetzte Konzeption vertritt. Verhüllungstheorie und Gleichnistradition streben wieder auseinander. Es wäre nach allem ungerechtfertigt, wollte man die apokalyptische Parabeltheorie der vormarkinischen Quelle zum Schlüssel für die Gleichnisauffassung der synoptischen Tradenten und Redaktoren machen.

(10) Fragen wir abschließend nach der positiven Bedeutung der Allegorisierung der Gleichnisse, so kann unsere Antwort nur lauten: die Allegorisierung erlaubt es, die verklungene Stimme des irdischen Jesus der glaubenden Gemeinde als *viva vox* ihres erhöhten Herrn zu Gehör zu bringen. Sie erweist sich als eine besondere, nämlich auf metaphorische Texte beschränkte Ausprägung jenes Ineinanders von Historie und Kerygma, das die gesamte evangeliare Überlieferung bestimmt und durchformt. Hier gilt als hermeneutischer Leitsatz: ohne Interpretation keine Tradition. Auf die Gleichnisüberlieferung angewandt bedeutet dies: ohne die Allegorisierung besäßen wir die Gleichnisse Jesu heute nicht mehr.

ABKÜRZUNGEN – ZITATIONSWEISE

Die Sigel für Zeitschriften, Lexika und Reihenwerke richten sich nach:
S. Schwertner, Theologische Realenzyklopädie. Abkürzungsverzeichnis, Berlin 1976
(= IATG²).

Zusätzlich werden verwandt:
BET– Beiträge zur biblischen Exegese und Theologie, Frankfurt – Bern.
SVF– Stoicorum veterum fragmenta, ed. J. von Arnim, Bd. 1–3, Stuttgart 1903–1905.
VS – Die Fragmente der Vorsokratiker, ed. H. Diels – W. Kranz, Bd. 1–2, 9. Aufl.,
   Berlin 1959.

Die Abkürzungen der biblischen Bücher folgen den Loccumer Richtlinien. Für die übrige antike Literatur wurde das Abkürzungsverzeichnis des ThWNT zugrunde gelegt. Auch für Hilfsmittel (Wörterbücher, Konkordanzen, Standardwerke) werden, sofern vorhanden, die Abkürzungen des ThWNT benutzt.

Die Sekundärliteratur wird in den Anmerkungen mit Verfassernamen, Kurztitel und Seitenzahl zitiert. Einem anglo-amerikanischen Brauch folgend sind Aufsätze in den Anmerkungen durch Anführungszeichen kenntlich gemacht. Die vollen bibliographischen Angaben finden sich im alphabetischen Verzeichnis der Sekundärliteratur, das nur solche Titel enthält, die in den Anmerkungen verarbeitet sind.

Aus Raum- und Kostengründen konnten Quellen, Hilfsmittel, Kommentare und Lexikonartikel nicht ins Literaturverzeichnis aufgenommen werden. Soweit ihre Kenntnis nicht beim Benutzer vorausgesetzt werden darf, lassen sie sich in Einleitungswerken, Handbüchern u. ä. leicht verifizieren.

LITERATURVERZEICHNIS

S. Aalen, Die Begriffe „Licht" und „Finsternis" im Alten Testament, im Spätjudentum und im Rabbinismus (SNVAO.HF 1951, 1), Oslo 1951.

– 'Lysets begrep i de synoptiske evangelier: SEÅ 22/23 (1957/58) 17–31.

I. Abrahams, Studies in Pharisaism and the Gospels, Bd. 1–2, Cambridge 1917/24, Repr. New York 1967 (LBS).

M. Adinolfi, L'insegnamento escatologico nelle parabole: Anton. 36 (1961) 137–172.

G. Aicher, Mt 5,13: Ihr seid das Salz der Erde?: BZ 5 (1907) 48–59.

K. Aland, Die Bedeutung des P^{75} für den Text des neuen Testaments. Ein Beitrag zur Frage der „Western non-interpolations", in: Studien zur Überlieferung des Neuen Testaments und seines Textes (ANTT 2), Berlin 1967, 155–172.

P. S. Alexander, The Targumim and Early Exegesis of ‚Sons of God' in Genesis 6: JJS 23 (1972) 60–71.

L. Algisi, Gesù e le sue parabole, Turin 1964.

A. M. Ambrozic, Mark's Concept of the Parable: CBQ 29 (1967) 220–227.

– The Hidden Kingdom: A Redaction-Critical Study of the References to the Kingdom of God in Mark's Gospel (CBQ.MS 2), Washington 1972.

Ø. Andersen, Some Thoughts on the Shield of Achilles: SO 51 (1976) 5–18.

E. Arens, The HΛΘON-Sayings in the Synoptic Tradition. A Historico-Critical Investigation (OBO 10), Fribourg 1976.

M. Arias Reyero, Thomas von Aquin als Exeget. Die Prinzipien seiner Schriftdeutung und seine Lehre von den Schriftsinnen (Sammlung Horizonte NF 3), Einsiedeln 1971.

R. Arnaldez, Introduction générale, in: Les Œuvres de Philon d'Alexandrie, Bd. 1, Paris 1961, 17–112.

E. Auerbach, Figura, in: Neue Dantestudien (IstSchr 5), Istanbul 1944, 11–71.

– Mimesis. Dargestellte Wirklichkeit in der abendländischen Literatur (SD 90), 5. Aufl., Bern 1971.

T. J. Baarda, Mark ix. 49: NTS 5 (1958/59) 318–321.

W. Babilas, Tradition und Interpretation. Gedanken zur philologischen Methode (Langue et Parole 1), München 1961.

R. Bach, Bauen und Pflanzen, in: Studien zur Theologie der alttestamentlichen Überlieferungen (FS G. von Rad), Neukirchen 1961, 7–32.

W. Bacher, Das Merkwort פרדס in der jüdischen Bibelexegese: ZAW 13 (1893) 294–305.

– Die exegetische Terminologie der jüdischen Traditionsliteratur, Teil I/II, Leipzig 1899/1905, Repr. Darmstadt 1965.

– Die Agada der Tannaiten I: Von Hillel bis Akiba, 2. Aufl., Straßburg 1903, Repr. Berlin 1965.

B. W. Bacon, Parable and its Adaptation in the Gospels: HibJ 21 (1922/23) 127–140.

– The Matthean Discourse in Parables, Mt. 13,1–52: JBL 46 (1927) 237–265.

J. A. Baird, A Pragmatic Approach to Parable Exegesis: Some New Evidence on Mark 4 11,33–34: JBL 76 (1957) 201–207.

H. Baltensweiler, Das Gleichnis von der selbstwachsenden Saat (Markus 4,26–29) und die theologische Konzeption des Markusevangelisten, in: Oikonomia. Heilsgeschichte als Thema der Theologie (FS O. Cullmann), Hamburg 1967, 69–75.

E. Bammel, Das Gleichnis von den bösen Winzern (Mk 12,1–9) und das jüdische Erbrecht: RIDA 3,6 (1959) 11–17.

L. W. Barnard, The Testimonium Concerning the Stone in the New Testament and in the Epistle of Barnabas: StEv 3 (1964) 306–313.

C. K. Barrett, The Allegory of Abraham, Sarah, and Hagar in the Argument of Galatians, in: Rechtfertigung (FS E. Käsemann), Tübingen – Göttingen 1976, 1–16.

C. Barry, The Literary and Artistic Beauty of Christ's Parables: CBQ 10 (1948) 376–383.

C. Barth, Die Interpretation des Neuen Testaments in der valentinianischen Gnosis (TU 37,3), Leipzig 1911.

G. Barth, Das Gesetzesverständnis des Evangelisten Matthäus, in: Überlieferung und Auslegung im Matthäusevangelium (WMANT 1), 7. Aufl., Neukirchen 1975, 54–154.

R. Barthes, Introduction à l'analyse structurale des récits: Communications 8 (1966) 1–27.

H. W. Bartsch, Eine bisher übersehene Zitierung der LXX in Mark. 4,30: ThZ 15 (1959) 126–128.

– Das Thomas-Evangelium und die synoptischen Evangelien: NTS 6 (1959/60) 249–261.

– Die „Verfluchung" des Feigenbaums: ZNW 53 (1962) 256–260.

– Die stehenden Bilder in den Gleichnissen als Beispiel für eine existentiale Interpretation des Bildes: KuM VI, 2 (1964) 103–117.

K. Barwick, Probleme der stoischen Sprachlehre und Rhetorik (ASAW.PH 49,3), Berlin 1957.

H. N. Bate, Some Technical Terms of Greek Exegesis: JThS 24 (1923) 59–66.

R. A. Batey, New Testament Nuptial Imagery, Leiden 1971.

J. B. Bauer, Gleichnisse Jesu und Gleichnisse der Rabbinen: ThPQ 119 (1971) 297–307.

G. Baumbach, Das Verständnis des Bösen in den synoptischen Evangelien (ThA 19), Berlin 1963.

J. Baumgarten, Paulus und die Apokalyptik. Die Auslegung apokalyptischer Überlieferungen in den echten Paulusbriefen (WMANT 44), Neukirchen 1975.

W. A. Beardslee, Uses of the Proverb in the Synoptic Gospels: Interp. 24 (1970) 61–73.

G. R. Beasley-Murray, A Commentary on Mark Thirteen, London 1957.

R. Beauvery, La guérison d'un aveugle à Bethsaïde: NRTh 90 (1968) 1083–1091.

J. Becker, Das Heil Gottes. Heils- und Sündenbegriffe in den Qumrantexten und im Neuen Testament (StUNT 3), Göttingen 1964.

C. C. Bell, The Sower. A Study of the Parable of Parables, London 1929.

A. Ben-David, Talmudische Ökonomie. Die Wirtschaft des jüdischen Palästina zur Zeit der Mischna und des Talmud, Bd. 1, Hildesheim 1974.

J. A. Bengel, Gnomon Novi Testamenti, 8. Aufl., Stuttgart 1887.

W. Benjamin, Ursprung des deutschen Trauerspiels, Frankfurt 1963.

K. Berger, Die Amen-Worte Jesu. Eine Untersuchung zum Problem der Legitimation in apokalyptischer Rede (BZNW 39), Berlin 1970.

– Die Gesetzesauslegung Jesu. Ihr historischer Hintergrund im Judentum und im Alten Testament I: Markus und Parallelen (WMANT 40), Neukirchen 1972.

– Materialien zu Form und Überlieferungsgeschichte neutestamentlicher Gleichnisse: NT 15 (1973) 1–37.

– Zur Frage des traditionsgeschichtlichen Wertes apokrypher Gleichnisse: NT 17 (1975) 58–76.

G. A. van den Bergh van Eysinga, Allegorische Interpretatie, Amsterdam 1904.

E. Best, The Temptation and the Passion: The Markan Soteriology (MSSNTS 2), Cambridge 1965.

– Mark iii. 20,21,31–35: NTS 22 (1975/76) 309–319.

H. D. Betz, Lukian von Samosata und das Neue Testament. Religionsgeschichtliche und paränetische Parallelen (TU 76), Berlin 1961.

– Plutarch's Theological Writings and Early Christian Literature (SCHNT 3), Leiden 1975.

O. Betz, Offenbarung und Schriftforschung in der Qumransekte (WUNT 6), Tübingen 1960.
– Neues und Altes im Geschichtshandeln Gottes. Bemerkungen zu Mattäus 13,51f., in: Wort Gottes in der Zeit (FS K. H. Schelkle), Düsseldorf 1973, 69–84.

K. Beyer, Semitische Syntax im Neuen Testament I: Satzlehre 1 (StUNT 1), 2. Aufl., Göttingen 1968.

W. A. Bienert, „Allegoria" und „Anagoge" bei Didymos dem Blinden von Alexandria (PTS 13), Berlin 1972.

E. Biser, Die Gleichnisse Jesu. Versuch einer Deutung, München 1965.

C. J. Bjerkelund, „Nach menschlicher Weise rede ich." Funktion und Sinn des paulinischen Ausdrucks: StTh 26 (1972) 63–100.

M(atthew) Black, The Eschatology of the Similitudes of Enoch: JThS NS 3 (1952) 1–10.
– The Parables as Allegory: BJRL 42 (1959/60) 273–287.
– An Aramaic Approach to the Gospels and Acts, 3. Aufl., Oxford 1967.
– The Christological Use of the Old Testament in the New Testament: NTS 18 (1971/72) 1–14.

M(ax) Black, Models and Metaphors. Studies in Language and Philosophy, Ithaca N. Y. 1962.

E. C. Blackman, New Methods of Parable Interpretation: CJT 15 (1969) 3–13.

J. Blank, Die Sendung des Sohnes. Zur christologischen Bedeutung des Gleichnisses von den bösen Winzern Mk 12,1–12, in: Neues Testament und Kirche (FS R. Schnackenburg), Freiburg 1974, 11–41.

W. Blank, Die deutsche Minneallegorie. Gestaltung und Funktion einer spätmittelalterlichen Dichtungsform (Germanistische Abhandlungen 34), Stuttgart 1970.

E. Bloch, Tübinger Einleitung in die Philosophie (Gesamtausgabe Bd. 13), Frankfurt 1970.

P. Bloch, Studien zur Aggadah: MGWJ 34 (1885) 166–184.210–224.257–269.385–404.

H. Blumenberg, Paradigmen zu einer Metaphorologie: ABG 6 (1960) 7–142.

O. Böcher, Dämonenfurcht und Dämonenabwehr. Ein Beitrag zur Vorgeschichte der christlichen Taufe (BWANT 90), Stuttgart 1970.
– Das Neue Testament und die dämonischen Mächte (SBS 58), Stuttgart 1972.

W. den Boer, Hermeneutic Problems in Early Christian Literature: VigChr 1 (1947) 150–167.

H. Boers, Theology out of the Ghetto. A New Testament Exegetical Study Concerning Religious Exclusiveness, Leiden 1971.

M. E. Boismard, Synopse des quatre Évangiles II: Commentaire, Paris 1972.

J. Bollack, Mythische Deutung und Deutung des Mythos, in: *M. Fuhrmann* (Hrsg.), Terror und Spiel. Probleme der Mythenrezeption (Poetik und Hermeneutik 4), München 1971, 67–119.

A. Bonhöffer, Ein heidnisches Pendant zum neutestamentlichen „Gleichnis vom Säemann": ARW 11 (1908) 571–573.

P. Bonnard, Où en est la question des paraboles évangéliques? De Jülicher (1888) à Jeremias (1947): CBVF 5 (1967) 36–49.

J. Bonsirven, Exégèse allégorique chez les Rabbis Tannaites: RSR 23 (1933) 513–541; 24 (1934) 35–46.
– Exégèse rabbinique et exégèse paulinienne (BTH), Paris 1939.

G. H. Boobyer, The Redaction of Mark iv. 1–34: NTS 8 (1961/62) 59–70.

P. Borgen, Bread from Heaven. An Exegetical Study of the Concept of Manna in the Gospel of John and the Writings of Philo (NT.S 10), Leiden 1965.

R. Borig, Der wahre Weinstock. Untersuchungen zu Jo 15,1–10 (StANT 16), München 1967.

W. Bornemann, Die Allegorie in Kunst, Wissenschaft und Kirche, Freiburg 1899.

G. Bornkamm, Die Verzögerung der Parusie. Exegetische Bemerkungen zu zwei synoptischen Texten, in: In memoriam Ernst Lohmeyer, Stuttgart 1951, 116–126.
– Enderwartung und Kirche im Matthäusevangelium, in: Überlieferung und Auslegung im Matthäusevangelium (WMANT 1), 7. Aufl., Neukirchen 1975, 13–47.
– Die Sturmstillung im Matthäusevangelium, ebd. 48–53.

U. Borse, Der Standort des Galaterbriefes (BBB 41), Köln 1972.

D. Bosch, Die Heidenmission in der Zukunftsschau Jesu. Eine Untersuchung zur Eschatologie der synoptischen Evangelien (AThANT 36), Zürich 1959.

M. I. Boucher, The Mysterious Parable: A Literary Study, Diss. phil., Brown University 1973 (jetzt auch als CBQ.MS 6).

W. Bousset, Jüdisch-Christlicher Schulbetrieb in Alexandria und Rom. Literarische Untersuchungen zu Philo und Clemens von Alexandria, Justin und Irenäus (FRLANT 23), Göttingen 1915.

W. Bousset – H. Greßmann, Die Religion des Judentums im späthellenistischen Zeitalter (HNT 21), 4. Aufl., Tübingen 1966.

J. M. Bover, Las parábolas del Evangelio: EstB 3 (1944) 229–257.

– Problemas inherentes a la interpretación de la parábola del Sembrador: EE 26 (1952) 169–185.

– „Nada hay encubierto que no se descubra": EstB 13 (1954) 319–323.

J. Bowker, The Targums and Rabbinic Literature: An Introduction to Jewish Interpretations of Scripture, Cambridge 1969.

– Mystery and Parable: Mark iv. 1–20: JThS NS 25 (1974) 300–317.

J. Bowman, The Gospel of Mark. The New Christian Jewish Passover Haggadah (StPB 8), Leiden 1965.

W. Brandt, Jüdische Reinheitslehre und ihre Beschreibung in den Evangelien (BZAW 19), Gießen 1910.

G. Braumann, „An jenem Tag" Mk 2,20: NT 6 (1963) 264–267.

H. Braun, Spätjüdisch-häretischer und frühchristlicher Radikalismus. Jesus von Nazareth und die essenische Qumransekte (BHTh 24), Bd. 1–2, Tübingen 1957.

– Gott, die Eröffnung des Lebens für die Nonkonformisten. Erwägungen zu Markus 2,15–17, in: Festschrift für Ernst Fuchs, Tübingen 1973, 97–101.

J. Breitenstein, Les paraboles de Jésus: RThPh 9 (1921) 97–113.

A. M. Brouwer, De Gelijkenissen, Leiden 1946.

J. P. Brown, An Early Revision of the Gospel of Mark: JBL 78 (1959) 215–227.

R. E. Brown, Parable and Allegory Reconsidered, in: New Testament Essays, Milwaukee 1965, 254–264.

– The Semitic Background of the Term „Mystery" in the New Testament (FB.B 21), Philadelphia 1968.

S. Brown, Apostasy and Perseverance in the Theology of Luke (AnBib 36), Rom 1969.

– „The Secret of the Kingdom of God" (Mark 4:11): JBL 92 (1973) 60–74.

L. E. Browne, The Parables of the Gospels in the Light of Modern Criticism (Hulsean Price Essay), Cambridge 1913.

W. H. Brownlee, Messianic Motifs of Qumran and the New Testament: NTS 3 (1956/57) 12–30.195–210.

D. Brüggemann, Fontanes Allegorien: Neue Rundschau 82 (1971) 290–310.486–505.

E. Brunner-Traut, Altägyptische Tiergeschichte und Fabel. Gestalt und Strahlkraft, 4. Aufl., Darmstadt 1974.

V. Buchheit, Feigensymbolik im antiken Epigramm: RMP 103 (1960) 200–239.

A. Büchler, The Law of Purification in Mark vii. 1–23: ET 21 (1909/1910) 34–40.

K. Bühler, Sprachtheorie. Die Darstellungsfunktion der Sprache (1934), 2. Aufl., Stuttgart 1965.

F. Buffière, Les mythes d'Homère et la pensée grecque (CEA), Paris 1956.

C. A. Bugge, Die Haupt-Parabeln Jesu, Gießen 1903.

R. Bultmann, Allgemeine Wahrheiten und christliche Verkündigung, in: Glaube und Verstehen III, 3. Aufl., Tübingen 1965, 166–177.

– Zur Geschichte der Lichtsymbolik im Altertum, in: Exegetica. Aufsätze ..., Tübingen 1967, 323–355.

– Ursprung und Sinn der Typologie als Hermeneutischer Methode, ebd. 369–380.

– Die Geschichte der synoptischen Tradition (FRLANT 29), 8. Aufl., Göttingen 1970 (mit

Ergänzungsheft, 4. Aufl., Göttingen 1971).
- Die Interpretation von Mk 4,3–9 seit Jülicher, in: Jesus und Paulus (FS W. G. Kümmel), Göttingen 1975, 30–34.
C. *Burchard,* Untersuchungen zu Joseph und Aseneth. Überlieferung – Ortsbestimmung (WUNT 8), Tübingen 1965.
H. *Burgmann,* „The Wicked Woman": Der Makkabäer Simon?: RdQ 8 (1972/75) 323–359.
K. *Burke,* Dichtung als symbolische Handlung. Eine Theorie der Literatur (edition suhrkamp 153), Frankfurt 1966.
T. A. *Burkill,* Mysterious Revelation. An Examination of the Philosophy of St. Mark's Gospel, Ithaca 1963.
- New Light on the Earliest Gospel. Seven Markan Studies, Ithaca 1972.
F. C. *Burkitt,* The Parable of the Wicked Husbandmen, in: Transactions of the Third International Congress for the History of Religions, Oxford 1908, Bd. 2, 321–328.
E. *Burrows,* The Use of Textual Theories to Explain Agreements of Matthew and Luke against Mark, in: Studies in New Testament Language and Text (FS G. D. Kilpatrick) (NT.S 44), Leiden 1976, 87–99.
E. *Busse,* Der Wein im Kult des Alten Testamentes. Religionsgeschichtliche Untersuchung zum Alten Testament (FThSt 29), Freiburg 1922.
D. *Buzy,* Introduction aux paraboles évangéliques (EtB), Paris 1912.
- Les paraboles (VSal 6), 9. Aufl., Paris 1932.

A. T. *Cadoux,* The Parables of Jesus. Their Art and Use, London o. J. (1930).
J. M. *van Cangh,* La multiplication des pains et l'eucharistie (LeDiv 86), Paris 1975.
C. E. *Carlston,* The Things that Defile (Mark vii. 14) and the Law in Matthew and Mark: NTS 15 (1968/69) 75–96.
- The Parables of the Triple Tradition, Philadelphia 1975.
J. *Carmignac,* Poème allégorique sur la secte rivale: RdQ 5 (1964/65) 361–374.
L. *Castellani,* Las Parábolas de Chrísto, Buenos Aires 1959.
G. R. *Castellino,* L'abito di nozze nella parabola del convito e una lettera di Mari: EE 34 (1960) 819–824.
S. *Cavalletti,* La tipologia dei Rabbini: SMSR 37 (1966) 223–251.
C. H. *Cave,* The Parables and the Scriptures: NTS 11 (1964/65) 374–387.
L. *Cerfaux,* Influence des Mystères sur le Judaïsme Alexandrin avant Philon, in: Recueil Lucien Cerfaux I (BEThL 6), Gembloux 1954, 65–112.
- „L'aveuglement d'esprit" dans l'évangile de saint Marc, in: Recueil Lucien Cerfaux II (BEThL 7), Gembloux 1954, 3–15.
- Les Paraboles du Royaume dans l'„Évangile de Thomas", in: Recueil Lucien Cerfaux III (BEThL 18), Gembloux 1962, 61–80.
- Fructifiez en supportant (l'épreuve). A propos de Lc., VIII, 15, ebd. 111–122.
- La connaissance des secrets du Royaume d'après Mt., XIII, 11 et parallèles, ebd. 123–138.
- L'influence des „mystères" sur les épîtres de S. Paul aux Colossiens et aux Éphésiens, ebd. 279–285.
M. D. *Chenu,* Histoire et allégorie au douzième siècle, in: Festgabe Joseph Lortz II: Glaube und Geschichte, Baden-Baden 1958, 59–71.
I. *Christiansen,* Die Technik der allegorischen Auslegungswissenschaft bei Philon von Alexandrien (BGBH 7), Tübingen 1969.
L. *Cirillo,* La christologie pneumatique de la cinquième parabole du „Pasteur" d'Hermas: RHR 184 (1973) 25–48.
K. W. *Clark,* The Mustard Plant: ClW 37 (1943/44) 81–83.
H. *Clavier,* Esquisse de Typologie comparée, dans le Nouveau Testament et chez quelques écrivains patristiques: StPatr 4 (1961) 28–49.

C. Clemen, Religionsgeschichtliche Erklärung des Neuen Testaments, 2. Aufl., Gießen 1924, Repr. Berlin 1973.

F. M. Cleve, The Giants of Pre-Sophistic Greek Philosophy. An Attempt to Reconstruct their Thoughts, Bd. 1–2, 2. Aufl., The Hague 1969.

J. J. Collins, The Court-Tales in Daniel and the Development of Apocalyptic: JBL 94 (1975) 218–234.

C. Colpe, Der Spruch von der Lästerung des Geistes, in: Der Ruf Jesu und die Antwort der Gemeinde (FS J. Jeremias), Göttingen 1970, 63–79.

H. Conzelmann, Die Mitte der Zeit. Studien zur Theologie des Lukas (BHTh 17), 5. Aufl., Tübingen 1964.

– Geschichte und Eschaton nach Mc. 13, in: Theologie als Schriftauslegung. Aufsätze ... (BEvTh 65), München 1974, 62–73.

J. Coppens, Das Problem der Schriftsinne: Conc(D) 3 (1967) 831–838.

J. Corell, La parábola de la cizaña y su explicación: Escritos del Vedat 2 (1972) 3–51.

– La problemática de las parábolas a la luz de la historia de su interpretación: EstFr 73 (1972) 5–28; 74 (1973) 5–24.

B. Couroyer, „De la mesure dont vous mesurez il vous sera mesuré“: RB 77 (1970) 366–370.

J. Coutts, „Those Outside“ (Mark 4,10–12): StEv 2 (1964) 155–157.

C. E. B. Cranfield, St. Mark 4.1–34: SJTh 4 (1951) 398–414; 5 (1952) 49–66.

– Message of Hope. Mark 4:21–32: Interp. 9 (1955) 150–164.

F. G. Cremer, Die Fastenansage Jesu. Mk 2,20 und Parallelen in der Sicht der patristischen und scholastischen Exegese (BBB 23), Bonn 1965.

– „Die Söhne des Brautgemachs“ (Mk 2,19 parr) in der griechischen und lateinischen Schrifterklärung: BZ NF 11 (1967) 246–253.

J. D. Crossan, The Parable of the Wicked Husbandmen: JBL 90 (1971) 451–465.

– The Seed Parables of Jesus: JBL 92 (1973) 244–266.

– Parable as Religious and Poetic Experience: JR 53 (1973) 330–358.

– In Parables: The Challenge of the Historical Jesus, New York 1973.

– Mark and the Relatives of Jesus: NT 15 (1973) 81–113.

– Parable and Example in the Teaching of Jesus: Semeia 1 (1974) 63–104.

– The Servant Parables of Jesus: Semeia 1 (1974) 17–62.

– Parable, Allegory, and Paradox, in: *D. Patte* (Hrsg.), Semiology and Parables (Pittsburgh Theological Mongraph Series 9), Pittsburgh 1976, 247–281.

H. Crouzel, La distinction de la „typologie“ et de l'„allégorie“: BLE 65 (1964) 161–174.

O. Cullmann, Das Gleichnis vom Salz. Zur frühesten Kommentierung eines Herrenworts durch die Evangelisten, in: Vorträge und Aufsätze 1925–1962, Tübingen 1966, 192–201.

E. R. Curtius, Europäische Literatur und lateinisches Mittelalter, 8. Aufl., Bern 1973.

N. A. Dahl, The Parables of Growth: StTh 5 (1951) 132–166.

– Der historische Jesus als geschichtswissenschaftliches und theologisches Problem: KuD 1 (1955) 104–132.

G. Dalman, Viererlei Acker: PJ 22 (1926) 120–132.

– Arbeit und Sitte in Palästina, Bd. 1–7, Gütersloh 1928–1942, Repr. Hildesheim 1964.

J. Daniélou, Sacramentum futuri. Études sur les origines de la typologie biblique (ETH), Paris 1950.

J. Danten, La révélation du Christ sur Dieu dans les Paraboles: NRTh 77 (1955) 450–477.

D. Daube, Rabbinic Methods of Interpretation and Hellenistic Rhetoric: HUCA 22 (1949) 239–264.

– The New Testament and Rabbinic Judaism (JLCR 1952), London 1956.

– Responsibilities of Master and Disciples in the Gospels: NTS 19 (1972/73) 1–15.

G. Dautzenberg, Zum religionsgeschichtlichen Hintergrund der διάκρισις πνευμάτων (1 Kor 12,10): BZ NF 15 (1971) 93–104.

– Urchristliche Prophetie. Ihre Erforschung, ihre Voraussetzungen im Judentum und ihre Struktur im ersten Korintherbrief (BWANT 104), Stuttgart 1975.

J. L. Davies, The Literary History and Theology of the Parabolic Material in Mark 4 in Relation to the Gospel as a Whole, Diss. theol., Union Theol. Sem. of Virginia 1966.

D. Deden, Le „Mystère" Paulinien: EThL 13 (1936) 403–442.

B. Dehandschutter, Les Paraboles de l'Évangile selon Thomas. La Parabole du Trésor caché (log. 109): EThL 47 (1971) 199–219.

– La parabole des vignerons homicides (Mc., XII, 1–12) et l'Évangile selon Thomas, in: M. Sabbe (Hrsg.), L'Évangile selon Marc. Tradition et rédaction (BEThL 34), Löwen 1974, 203–219.

G. Delling, Wunder – Allegorie – Mythus bei Philo von Alexandreia, in: Studien zum Neuen Testament und zum hellenistischen Judentum. Aufsätze..., Göttingen 1970, 72–129.

A. M. Denis, De parabels over het koninkrijk (Mt. 13): TTh 1 (1961) 273–288.

J. D. M. Derrett, „The Stone that the Builders Rejected": StEv 4 (1968) 180–186.

– Law in the New Testament, London 1970.

– Law in the NT: The Syro-Phoenician Woman and the Centurion of Capernaum: NT 15 (1973) 161–186.

– Figtrees in the New Testament: HeyJ 14 (1973) 249–265.

– Salted with Fire: Theol. 76 (1973) 364–368.

– Allegory and the Wicked Vinedressers: JThS NS 25 (1974) 426–432.

J. Derrida, White Mythology: Metaphor in the Text of Philosophy: New Literary History 6,1 (1974) 5–74.

F. Dexinger, Das Buch Daniel und seine Probleme (SBS 36), Stuttgart 1969.

M. Dibelius, „Wer Ohren hat zu hören, der höre": ThStKr 83 (1910) 461–471.

– Jungfrauensohn und Krippenkind. Untersuchungen zur Geburtsgeschichte Jesu im Lukas-Evangelium, in: Botschaft und Geschichte I, Tübingen 1953, 1–78.

– Der Offenbarungsträger im „Hirten" des Hermas, in: Botschaft und Geschichte II, Tübingen 1956, 80–93.

– Die Formgeschichte des Evangeliums, 6. Aufl., Tübingen 1971.

M. Didier, Les paraboles de Jésus. Le discours de Mt., XIII: RDN 13 (1959) 633–641.

– Les paraboles du semeur et de la semence qui croît d'elle-même: RDN 14 (1960) 185–196.

– La parabole du semeur, in: Au service de la parole de Dieu (FS A. M. Charue), Gembloux 1969, 21–41.

C. Dietzfelbinger, Das Gleichnis vom ausgestreuten Samen, in: Der Ruf Jesu und die Antwort der Gemeinde (FS J. Jeremias), Göttingen 1970, 80–93.

A. Díez Macho, El Targum. Introducción a las traducciones aramaicas de la Biblia, Barcelona 1972.

– Le Targum palestinien: RevSR 47 (1973) 169–231.

R. J. Dillon, Towards a Tradition-History of the Parables of the True Israel (Matthew 21,33–22,14): Bib. 47 (1966) 1–42.

R. Dithmar, Die Fabel. Geschichte – Struktur – Didaktik (UTB 73), Paderborn 1971.

E. von Dobschütz, Vom vierfachen Schriftsinn. Die Geschichte einer Theorie, in: Harnack-Ehrung, Leipzig 1921, 1–13.

– Die fünf Sinne im Neuen Testament: JBL 48 (1929) 378–411.

C. H. Dodd, The Authority of the Bible (1928), London 1953.

– The Parables of the Kingdom (1935) (FB), London 1969.

H. Dörrie, Spätantike Symbolik und Allegorese: FMSt 3 (1969) 1–12.

– Zur Methodik antiker Exegese: ZNW 65 (1974) 121–138.

J. W. Doeve, Jewish Hermeneutics in the Synoptic Gospels and Acts (GTB 24), Assen 1954.

H. Dombois, Juristische Bemerkungen zum Gleichnis von den bösen Weingärtnern: NZSTh 8 (1966) 361–373.

J. R. Donahue, Tax Collectors and Sinners. An Attempt at Identification: CBQ 33 (1971) 39–61.

P. Donceur, La parabole du semeur qui sème à tout terrain: RSR 24 (1934) 609–611.

K. P. Donfried, The Allegory of the Ten Virgins (Matt 25:1–13) as a Summary of Matthean Theology: JBL 93 (1974) 415–428.

D. E. Dozzi, Chi soni ,Quelli attorno a Lui' di Mc 4,10?: Mar. 36 (1974) 153–183.

J. Draeseke, Zu den Gleichnissen Jesu: NKZ 3 (1892) 665–669.

J. Drury, The Sower, the Vineyard, and the Place of Allegory in the Interpretation of Mark's Parables: JThS NS 24 (1973) 367–379.

J. Dubois u. a., Allgemeine Rhetorik (Rhétorique générale, 1970, dt. von A. Schütz) (UTB 128), München 1974.

A. Dundes, The Morphology of North American Indian Folktales (FFC 195), Helsinki 1964.

D. L. Dungan, Mark – the Abridgement of Matthew and Luke, in: *D. G. Buttrick* (Hrsg.), Jesus and Man's Hope I, Pittsburgh 1970, 51–97.

F. Dunkel, Des Sämanns Arbeit in des Erlösers Heimat (Die realistischen Elemente in der Parabel vom Sämann): HlL 69 (1925) 82–86.

J. Dupont, Vin vieux, vin nouveau (Luc 5,39): CBQ 25 (1963) 286–304.

– La parabole du semeur dans la version du Luc, in: Apophoreta (FS E. Haenchen) (BZNW 30), Berlin 1964, 97–108.

– Le Royaume des Cieux est semblable à . . . : BeO 6 (1964) 247–253.

– Les paraboles du sénevé et du levain: NRTh 89 (1967) 897–913.

– Le chapitre des paraboles: NRTh 89 (1967) 800–820.

– La parabole du semeur: CBVF 5 (1967) 3–25.

– La parabole de la semence qui pousse toute seule: RSR 55 (1967) 367–392.

– Nova et vetera (Matthieu 13:52), in: L'Évangile, hier et aujourd'hui (FS F. J. Leenhardt), Genf 1968, 55–63.

– La parabole du figuier qui bourgeonne: RB 75 (1968) 526–548.

– La Lampe sur le lampadaire dans l'évangile de saint Luc, in: Au service de la parole de Dieu (FS A. M. Charue), Gembloux 1969, 43–59.

– La parabole du maître qui rentre dans la nuit, in: Mélanges bibliques en hommage au R. P. Béda Rigaux, Gembloux 1970, 89–116.

– Le point de vue de Matthieu dans le chapitre des paraboles, in: *M. Didier* (Hrsg.), L'Évangile selon Matthieu. Rédaction et théologie (BEThL 29), Gembloux 1972, 221–259.

– Le couple parabolique du Sénevé et du Levain, in: Jesus Christus in Historie und Theologie (FS H. Conzelmann), Tübingen 1975, 331–345.

– Encore la parabole du Semence qui pousse toute seule, in: Jesus und Paulus (FS W. G. Kümmel), Göttingen 1975, 96–108.

A. Dupont-Sommer, Note archéologique sur le proverbe évangélique: Mettre la lampe sous le boisseau, in: Mélanges Syriens offerts à Monsieur René Dussaud (BAH 30), Paris 1939, Bd. 2, 789–794.

F. E. Eakin jr., Spritual Obduracy and Parable Purpose, in: The Use of the Old Testament in the New and other Essays (FS W. F. Stinespring), Durham 1972, 87–109.

B. S. Easton, The Beezebul Sections: JBL 32 (1913) 57–73.

G. Ebeling, Evangelische Evangelienauslegung. Eine Untersuchung zu Luthers Hermeneutik (FGLP X, 1), München 1942, Repr. Darmstadt 1969.

H. J. Ebeling, Die Fastenfrage (Mk. 2,18–22): ThStKr 108 (1937/38) 387–396.

– Das Messiasgeheimnis und die Botschaft des Marcus-Evangelisten (BZNW 19), Berlin 1939.

J. Eckert, Die urchristliche Verkündigung im Streit zwischen Paulus und seinen Gegnern nach dem Galaterbrief (BU 6), Regensburg 1971.

U. Eco, Einführung in die Semiotik (La struttura assente, 1968, dt. von J. Trabant) (UTB 105), München 1972.

E. L. Ehrlich, Der Traum im Alten Testament (BZAW 73), Berlin 1953.
– Der Traum im Talmud: ZNW 47 (1956) 133–145.

G. Eichholz, Das Gleichnis als Spiel, in: Tradition und Interpretation. Studien ... (ThB 29), München 1965, 57–77.
– Gleichnisse der Evangelien. Form, Überlieferung, Auslegung, Neukirchen 1971.

W. Eichrodt, Ist die typologische Exegese sachgemäße Exegese?, in: Volume du Congrès, Strasbourg 1956 (VT.S 4), Leiden 1957, 161–180.

R. Eisler, Weltenmantel und Himmelszelt. Religionsgeschichtliche Untersuchungen zur Urgeschichte des antiken Weltbildes, Bd. 1–2, München 1910.

O. Eißfeldt, Der Maschal im Alten Testament. Eine wortgeschichtliche Untersuchung nebst einer literargeschichtlichen Untersuchung der משׁל genannten Gattungen „Volkssprichwort" und „Spottlied" (BZAW 24), Gießen 1913.
– Die Menetekel-Inschrift und ihre Deutung: ZAW 63 (1951) 105–114.
– Einleitung in das Alte Testament unter Einschluß der Apokryphen und Pseudepigraphen sowie der apokryphen- und pseudepigraphenartigen Qumran-Schriften (NTG), 3. Aufl., Tübingen 1964.

I. Elbogen, Der jüdische Gottesdienst in seiner geschichtlichen Entwicklung, 3. Aufl., Frankfurt 1931, Repr. Hildesheim 1967.

D. Ellena, Thematische Analyse der Wachstumsgleichnisse: Ling Bibl 23/24 (1973) 48–62.

K. Elliger, Studien zum Habakuk-Kommentar vom Toten Meer (BHTh 15), Tübingen 1953.

E. E. Ellis, Paul's Use of the Old Testament, Edinburgh 1957.
– New Directions in Form Criticism, in: Jesus Christus in Historie und Theologie (FS H. Conzelmann), Tübingen 1975, 299–315.

E. Engdahl, Jesu liknelser som språkhändelser: SEÅ 39 (1974) 90–108.

V. Erlich, Russischer Formalismus (stw 21), Frankfurt 1973.

W. G. Essame, Sowing and Ploughing: ET 72 (1960/61) 54.
– καὶ ἔλεγεν in Mark iv. 21,24,26,30: ET 77 (1965/66) 121.

R. Eucken, Ueber Bilder und Gleichnisse in der Philosophie, Leipzig 1880.

Z. W. Falk, Introduction to Jewish Law of the Second Commonwealth I (AGJU 11), Leiden 1972.

A. Feldman, The Parables and Similes of the Rabbis. Agricultural and Pastoral, 2. Aufl., Cambridge 1927.

Y. Feliks, Ploughing in Talmudic Literature (hebr.): Tarb. 30 (1960/61) 21–45.

A. M. Festiguière, Ὑπομονή dans la tradition grecque: RSR 21 (1931) 477–486.

A. Feuillet, La controverse sur le jeûne: NRTh 90 (1968) 113–136.252–277.

P. Fiebig, Altjüdische Gleichnisse und die Gleichnisse Jesu, Tübingen 1904.
– Jüdische Gleichnisse der neutestamentlichen Zeit: ZNW 10 (1909) 301–306.
– Jesu Gleichnisse im Lichte der rabbinischen Gleichnisse: ZNW 13 (1912) 192–21.
– Die Gleichnisreden Jesu im Lichte der rabbinischen Gleichnisse des neutestamentlichen Zeitalters. Ein Beitrag zum Streit um die „Christusmythe" und eine Widerlegung der Gleichnistheorie Jülichers, Tübingen 1912.
– Der Erzählungsstil der Evangelien im Lichte des rabbinischen Erzählungsstils untersucht, zugleich ein Beitrag zum Streit um die „Christusmythe" (UNT 11), Leipzig 1925.
– Rabbinische Gleichnisse, Leipzig 1929.

P. Fiebig – M. Dibelius, Rabbinische und evangelische Erzählungen. Eine Diskussion: ThBl 11 (1932) 1–12.

P. Fiedler, Jesus und die Sünder (BET 3), Frankfurt–Bern 1976.

A. Finkel, The Pesher of Dreams and Scriptures: RdQ 4 (1963/64) 357–370.

H. Fischel, Martyr and Prophet. A Study in Jewish Literature: JQR NS 37 (1946/47) 265–280.363–386.

J. A. Fitzmyer, „4Q Testimonia" and the New Testament: ThSt 18 (1957) 513–537.

– The Contribution of Qumran Aramaic to the Study of the New Testament: NTS 20 (1973/74) 382–407.

B. Flammer, Die Syrophönizerin Mk 7,24–30: ThQ 148 (1968) 463–478.

H. Flender, Heil und Geschichte in der Theologie des Lukas (BEvTh 41), München 1965.

A. Fletcher, Allegory. The Theory of a Symbolic Mode, 3. Aufl., Ithaca N. Y. 1967.

W. Foerster, Herr ist Jesus. Herkunft und Bedeutung des urchristlichen Kyrios-Bekenntnisses (NTF 2,1), Gütersloh 1924.

– Das Gleichnis von den anvertrauten Pfunden, in: Verbum Dei manet in aeternum (FS O. Schmitz), Witten 1953, 37–56.

G. Fohrer, Die symbolischen Handlungen der Propheten (AThANT 54), 2. Aufl., Zürich 1968.

L. Fonck, Die Parabeln des Herrn im Evangelium, 3. Aufl., Innsbruck 1909.

J. Massingberd Ford, The Parable of the Foolish Scholars: NT 9 (1967) 107–123.

E. M. Forster, Aspects of the Novel, Harmondsworth 1974.

H. Frankemölle, Hat Jesus sich selbst verkündet? Christologische Implikationen in den vormarkinischen Parabeln: BiLe 13 (1972) 184–207.

– Jahwebund und Kirche Christi. Studien zur Form- und Traditionsgeschichte des „Evangeliums" nach Matthäus (NTA NF 10), Münster 1974.

S. Freud, Die Traumdeutung (Studienausgabe 2), Frankfurt 1972.

J. Freundorfer, Eine neue Auslegung der Parabel von der „selbstwachsenden Saat": BZ 17 (1926) 51–62.

H. Freytag, Quae sunt per allegoriam dicta. Das theologische Verständnis der Allegorie in der frühchristlichen und mittelalterlichen Exegese von Gal 4,21–31, in: Verbum et Signum (FS F. Ohly), Bd. 1, München 1975, 27–43.

A. Fridrichsen, Til lignelsen om de onde vingartnere: SvTK 4 (1928) 355–361.

– Den nyere tids parabelforskning: SvTK 5 (1929) 34–55.393–396.

U. Früchtel, Die kosmologischen Vorstellungen bei Philo von Alexandrien. Ein Beitrag zur Geschichte der Gensisexegese (ALGHL 2), Leiden 1968.

N. Frye, Analyse der Literaturkritik (Anatomy of Criticism, 1957, dt. von E. Lohner u. H. Clewing) (Sprache und Literatur 15), Stuttgart 1964.

– The Critical Path: An Essay on the Social Context of Literary Criticism: Daed. 99 (1969/70) 268–342.

E. Fuchs, Bemerkungen zur Gleichnisauslegung, in: Zur Frage nach dem historischen Jesus. Gesammelte Aufsätze II, 2. Aufl., Tübingen 1965, 136–142.

– Die Theologie des Neuen Testaments und der historische Jesus, ebd. 377–404.

– Hermeneutik, 4. Aufl., Tübingen 1970.

– Jesus – Wort und Tat (VNT 1), Tübingen 1971.

M. Fuhrmann, Einführung in die antike Dichtungstheorie, Darmstadt 1973.

S. Fujita, The Metaphor of Plant in Jewish Literature of the Intertestamental Period: JSJ 7 (1976) 30–45.

R. W. Funk, Language, Hermeneutic and Word of God. The Problem of Language in the New Testament and Contemporary Theology, New York 1966.

– Beyond Criticism in Quest of Literacy: The Parable of the Leaven: Interp. 25 (1971) 149–170.

– The Looking-Glass Tree is for the Birds. Ezekiel 17:22–24; Mark 4:30–32: Interp. 27 (1973) 3–9.

H. G. Gadamer, Wahrheit und Methode. Grundzüge einer philosophischen Hermeneutik, 2. Aufl., Tübingen 1965.

K. Galling, Die Beleuchtungsgeräte im israelitisch-jüdischen Kulturgebiet: ZDPV 46 (1923) 1–50.

M. Gaster, The Exempla of the Rabbis (1924), New York 1968.

L. Gaston, Beelzebul: ThZ 18 (1962) 247–255.

– Horae Synopticae Electronicae. Word Statistics of the Synoptic Gospels (SBibSt 3), Missoula 1973.

B. Gatz, Weltalter, goldene Zeit und sinnverwandte Vorstellungen (Spudasmata 16), Hildesheim 1967.

F. D. Gealy, The Composition of Mk iv: ET 48 (1936/37) 40–43.

W. Gebhard, Zum Mißverhältnis zwischen der Fabel und ihrer Theorie: DVfLG 48 (1974) 122–153.

H. Geckeler, Strukturelle Semantik und Wortfeldtheorie, 2. Aufl., München 1971.

R. Geiger, Die Lukanischen Endzeitreden. Studien zur Eschatologie des Lukas-Evangeliums (EHS.T 16), Bern 1973.

A. George, Le sens de la parabole des semailles, in: *J. Coppens u. a.* (Hrsg.), Sacra Pagina II (BEThL 13), Gembloux 1959, 163–169.

D. Georgi, Die Gegner des Paulus im 2. Korintherbrief. Studien zur religiösen Propaganda in der Spätantike (WMANT 11), Neukirchen 1964.

B. Gerhardsson, The Good Samaritan – The Good Shepherd? (CN 16), Lund 1958.

– The Parable of the Sower and its Interpretation: NTS 14 (1967/68) 165–193.

– The Seven Parables in Matthew XIII: NTS 19 (1972/73) 16–37.

M. Gertner, Midrashim in the New Testament: JSS 7 (1962) 267–292.

J. Gervais, „Les épines étouffantes" (Luc 8,14–15): EeT(O) 4 (1973) 5–39.

H. Gese, Τὸ δὲ Ἁγὰρ Σινὰ ὄρος ἐστὶν ἐν τῇ Ἀραβίᾳ (Gal 4 25), in: Das ferne und das nahe Wort (FS L. Rost) (BZAW 105), Berlin 1967, 81–94.

C. M. J. Gevaryahu, The Parable of the Trees and the Keeper of the Garden in the Thanksgiving Scroll: Imm. 2 (1973) 50–57.

H. Giesen, Der verdorrte Feigenbaum – eine symbolische Aussage? Zu Mk 11,12–14.20f.: BZ NF 20 (1976) 95–111.

M. Giesler, Christ the Rejected Stone ... (a Study of Psalm 118,22–23: biblical and ecclesiological implications) (Colección Teológica 8), Pamplona 1974.

G. Glockmann, Homer in der frühchristlichen Literatur bis Justinus (TU 105), Berlin 1968.

J. Gnilka, Die Erwartung des messianischen Hohenpriesters in den Schriften von Qumran und im Neuen Testament: RdQ 2 (1959) 395–426.

– „Bräutigam" – spätjüdisches Messiasprädikat?: TThZ 69 (1960) 298–301.

– Die Verstockung Israels. Isaias 6,9–10 in der Theologie der Synoptiker (StANT 3), München 1961.

– Zur Theologie des Hörens nach den Aussagen des NeuenTestaments: BiLe 2 (1961) 71–81.

– Das Verstockungsproblem nach Matthäus 13,13–15, in: *W. P.Eckert u. a.* (Hrsg.), Antijudaismus in Neuen Testament? Exegetische und systematische Beiträge (ACJD 2), München 1967, 119–128.

– Jesus Christus nach frühen Zeugnissen des Glaubens (BiH 8), München 1970.

– Wie urteilte Jesus über seinen Tod?, in: *K. Kertelge* (Hrsg.), Der Tod Jesu. Deutungen im Neuen Testament (QD 74), Freiburg 1976, 13–50.

A. H. Godbey, The Hebrew Mašal: AJSL 39 (1922/23) 89–108.

S. Goebel, Die Parabeln Jesu methodisch ausgelegt, Teil 1–3, Gotha 1879–80.

M. de Goedt, L'explication de la parabole de l'ivraie. Création matthéenne, ou aboutissement d'une histoire littéraire?: RB 66 (1959) 32–54.

J. W. Goethe, Poetische Werke Bd. 2 (Cotta), Stuttgart 1950.

E. R. Goodenough, By Light, Light: the Mystic Gospel of Hellenistic Judaism, New Haven 1935.

L. Goppelt, Typos. Die typologische Deutung des Alten Testaments im Neuen (BFChTh 2,43), Gütersloh 1939, Repr. Darmstadt 1969.

M. D. Goulder, Characteristics of the Parables in the Several Gospels: JThS NS 19 (1968) 51–69.

- Midrash and Lection in Matthew (The Speaker's Lectures in Biblical Studies 1969–1971), London 1974.

S. M. Gozzo, Disquisitio critico-exegetica in parabolam N. Testamenti de perfidis vinitoribus (StAnt 2), Rom 1949.

E. Gräßer, Das Problem der Parusieverzögerung in den synoptischen Evangelien und in der Apostelgeschichte (BZNW 22), 2. Aufl., Berlin 1960.

R. M. Grant, The Letter and the Spirit, London 1957.

R. M. Grant – D. N. Freedman, Geheime Worte Jesu. Das Thomas-Evangelium (The Secret Sayings of Jesus, 1960, dt. von S. George), Frankfurt 1960.

A. Gray, The Parable of the Wicked Husbandmen: HibJ 19 (1920/21) 42–52.

K. Grayston, The Sower: ET 55 (1943/44) 138–139.

H. Greeven, „Wer unter euch ...?": WuD NF 3 (1952) 86–101.

A. Greimas, Strukturale Semantik. Methodologische Untersuchungen (Sémantique structurale, 1966, dt. von J. Ihwe) (Wissenschaftstheorie 4), Braunschweig 1971.

H. Greßmann, Der Eckstein: PJ 6 (1910) 38–45.

- Der Messias (FRLANT 43), Göttingen 1929.

J. G. Griffiths, Plutarch's De Iside et Osiride, Cardiff 1970.

I. Gruenwald, The Jewish Esoteric Literature in the Time of the Mishnah and Talmud: Imm. 4 (1974) 37–46.

L. Gry, La composition littéraire des paraboles d'Hénoch: Muséon NS 9 (1908) 27–71.

E. Güttgemanns, Die linguistisch-didaktische Methodik der Gleichnisse Jesu, in: studia linguistica neotestamentica. Aufsätze ... (BEvTh 60), München 1971, 99–183.

- Bemerkungen zur linguistischen Analyse von Mt 13,24–30.36–43, in: *E. Gülich – W. Raible* (Hrsg.), Textsorten. Differenzierungskriterien aus linguistischer Sicht (Athenäum Skripten Linguistik 5), Frankfurt 1972, 81–89 (gek.).

- Narrative Analyse synoptischer Texte: LingBibl 25/26 (1973) 50–73.

H. Gunkel, Das Märchen im Alten Testament (RV II, 23–26), Tübingen 1917.

- Schöpfung und Chaos in Urzeit und Endzeit. Eine religionsgeschichtliche Untersuchung über Gen 1 und Ap Joh 12, 2. Aufl., Göttingen 1921.

J. J. Gunther, St. Paul's Opponents and their Background. A Study of Apocalyptic and Jewish Sectarian Teachings (NT.S 35), Leiden 1973.

T. Guttmann, Das Mašal-Gleichnis in tannaitischer Zeit, Diss. phil., Frankfurt 1929.

K. Haacker, Das hochzeitliche Kleid von Mt. 22,11–13 und ein palästinensisches Märchen: ZDPV 87 (1971) 95–97.

- Erwägungen zu Mc. IV 11: NT 14 (1972) 219–225.

H. Haag, Der Sohn Gottes im Alten Testament: ThQ 154 (1974) 223–231.

E. Haenchen, Die Botschaft des Thomas-Evangeliums (TBT 6), Berlin 1961.

- Der Weg Jesu. Eine Erklärung des Markus-Evangeliums und der kanonischen Parallelen (GLB), 2. Aufl., Berlin 1968.

- Die Anthropologie des Thomas-Evangeliums, in: Neues Testament und christliche Existenz (FS H. Braun), Tübingen 1973, 207–227.

F. Hahn, Das Verständnis der Mission im Neuen Testament (WMANT 13), Neukirchen 1963.

- Das Gleichnis von der Einladung zum Festmahl, in: Verborum Veritas (FS G. Stählin), Wuppertal 1970, 51–82.

- Die Bildworte von neuen Flicken und vom jungen Wein: EvTh 31 (1971) 357–375.

- Die Sendschreiben der Johannesapokalypse. Ein Beitrag zur Bestimmung prophetischer Redeformen, in: Tradition und Glaube. Das frühe Christentum in seiner Umwelt (FS K. G. Kuhn), Göttingen 1971, 357–394.

- Die Worte vom Licht Lk 11,33–36, in: Orientierung an Jesus. Zur Theologie der Synoptiker (FS J. Schmid), Freiburg 1973, 107–138.

- Christologische Hoheitstitel. Ihre Geschichte im frühen Christentum (FRLANT 83), 4. Aufl., Göttingen 1974.

- Methodologische Überlegungen zur Rückfrage nach Jesus, in: *K. Kertelge* (Hrsg.), Rückfrage nach Jesus. Zur Methodik und Bedeutung der Frage nach dem historischen Jesus (QD 63), Freiburg 1974, 11–77.

– Die Rede von der Parusie des Menschensohnes Markus 13, in: Jesus und der Menschensohn (FS A. Vögtle), Freiburg 1975, 240–266.

R. Hahn, Die Allegorie in der antiken Rhetorik, Diss. phil., Tübingen 1967.

E. E. Hallewy, Biblical Midrash and Homeric Exegesis (hebr.): Tarb. 31 (1961/62) 157–169.264–280.

P. L. Hammer, The Understanding of Inheritance (ΚΛΗΡΟΝΟΜΙΑ) in the New Testament, Diss. theol., Heidelberg 1958.

E. Hammershaimb, Om lignelser og billedtaler i de gammeltestamentlige Pseudepigrafer: SEÅ 40 (1975) 36–65.

A. T. Hanson, Studies in Paul's Technique and Theology, London 1974.

R. P. C. Hanson, Allegory and Event. A Study of the Sources and Significance of Origen's Interpretation of Scripture, London 1959.

G. Harder, Das Gleichnis von der selbstwachsenden Saat Mark. 4,26–29: ThViat 1 (1948/49) 51–70.

W. Harnisch, Verhängnis und Verheißung der Geschichte. Untersuchungen zum Zeit- und Geschichtsverständnis im 4. Buch Esra und in der syr. Baruchapokalypse (FRLANT 97), Göttingen 1969.

– Eschatologische Existenz. Ein exegetischer Beitrag zum Sachanliegen von 1. Thessalonicher 4,13–5,11 (FRLANT 110), Göttingen 1973.

– Die Sprachkraft der Analogie. Zur These vom ‚argumentativen Charakter‘ der Gleichnisse Jesu: StTh 28 (1974) 1–20.

J. R. Harris, An Unnoticed Aramaism in St. Mark: ET 26 (1914/15) 248–250.

V. Harris, Allegory to Analogy in the Interpretation of Scriptures: PQ 45 (1966) 1–23.

R. A. Harrisville, The Woman of Canaan. A Chapter in the History of Exegesis: Interp. 20 (1966) 274–287.

L. Hartman, Prophecy Interpreted. The Formation of Some Jewish Apocalyptic Texts and of the Eschatological Discourse Mark 13 Par. (CB.NT 1), Lund 1966.

G. Haufe, Erwägungen zum Ursprung der sogenannten Parabeltheorie Markus 4,11–12: EvTh 32 (1972) 413–421.

D. Haugg, Das Ackergleichnis: ThQ 127 (1947) 60–81.166–204.

G. Hauptmann, Große Erzählungen, Zürich o. J.

D. J. Hawkin, The Incomprehension of the Disciples in the Marcan Redaction: JBL 91 (1972) 491–500.

J. Hawkins, Horae Synopticae. Contributions to the Study of the Synoptic Problem, 2. Aufl., Oxford 1909, Repr. 1968.

G. W. F. Hegel, Vorlesungen über die Aesthetik I (Sämtliche Werke, Jubiläumsausgabe, ed. H. Glockner, Bd. 12), 4. Aufl., Stuttgart 1964.

H. Hegermann, Die Vorstellung vom Schöpfungsmittler im hellenistischen Judentum und Urchristentum (TU 82), Berlin 1961.

I. Heinemann, Philons griechische und jüdische Bildung. Kulturvergleichende Untersuchungen zu Philons Darstellung der Jüdischen Gesetze, Breslau 1932, Repr. Darmstadt 1962.

– Altjüdische Allegoristik, Breslau 1936.

– Die wissenschaftliche Allegoristik der Griechen: Mn. IV, 2 (1949) 5–18.

– Die wissenschaftliche Allegoristik des jüdischen Mittelalters: HUCA 23,1 (1950/51) 611–643.

– Die Allegoristik der hellenistischen Juden außer Philon: Mn. IV, 5 (1952) 130–138.

P. Heinisch, Der Einfluß Philos auf die älteste christliche Exegese (Barnabas, Justin und Clemens von Alexandrien). Ein Beitrag zur Geschichte der allegorisch-mystischen Schriftauslegung im christlichen Altertum (ATA I, 1/2). Münster 1908.

L. J. R. Heirman, Plutarchus „De audiendis poetis", Proefschrift, s'Gravenhage 1972.

H. J. Held, Matthäus als Interpret der Wundergeschichten, in: Überlieferung und Auslegung im Matthäusevangelium (WMANT 1), 7. Aufl., Neukirchen 1975, 155–287.

J. Hempel, Jahwegleichnisse der israelitischen Propheten: ZAW 42 (1924) 74–104.

K. W. Hempfer, Gattungstheorie. Information und Synthese (UTB 133), München 1973.

M. Hengel, Das Gleichnis von den Weingärtnern Mc 12 1–12 im Lichte der Zenonpapyri und der rabbinischen Gleichnisse: ZNW 59 (1968) 1–39.

– Nachfolge und Charisma. Eine exegetisch-religionsgeschichtliche Studie zu Mt 8 21f. und Jesu Ruf in die Nachfolge (BZNW 34), Berlin 1968.

– Markus 7 3 πυγμῇ: Die Geschichte einer exegetischen Aporie und der Versuch ihrer Lösung: ZNW 60 (1969) 182–198.

– Judentum und Hellenismus. Studien zu ihrer Begegnung unter besonderer Berücksichtigung Palästinas bis zur Mitte des 2. Jh. v. Chr. (WUNT 10), 2. Aufl., Tübingen 1973.

– Der Sohn Gottes. Die Entstehung der Christologie und die jüdisch-hellenistische Religionsgeschichte, Tübingen 1975.

J. G. Herder, Sämtliche Werke, ed. B. Suphan, Berlin 1877ff., Repr. Hildesheim 1967–68.

M. Hermaniuk, La Parabole Évangélique. Enquête exégétique et critique (DGMFT II, 38), Löwen 1947.

J. Herrmann, Studien zur Bodenpacht im Recht der graeco-ägyptischen Papyri (MBPF 41), München 1958.

W. Herrmann, Das Wunder in der evangelischen Botschaft. Zur Interpretation der Begriffe *blind* und *taub* im Alten und Neuen Testament (AVTRW 20), Berlin 1961.

A. B. Hersman, Studies in Greek Allegorical Interpretation. I. Sketch of Allegorical Interpretation Before Plutarch. II. Plutarch, Diss. phil., Chicago 1906.

J. Herz, Goßgrundbesitz in Palästina im Zeitalter Jesu: PJ 24 (1928) 98–113.

R. Herzog, Die allegorische Dichtkunst des Prudentius (Zet. 42), München 1966.

G. Hess, Allegorie und Historismus. Zum ‚Bildgedächtnis‘ des späten 19. Jahrhunderts, in: Verbum et Signum (FS F. Ohly), Bd. 1, München 1975, 555–591.

F. Hesse, Das Verstockungsproblem im Alten Testament. Eine frömmigkeitsgeschichtliche Untersuchung (BZAW 74), Berlin 1955.

L. Hick, Zum Verständnis des neutestamentlichen Parabelbegriffes: BiKi 8 (1954) 4–19.

R. H. Hiers, „Not the Season for Figs“: JBL 87 (1968) 394–400.

A. Hilgenfeld, Das Gleichnis von dem verlorenen Sohne Luc. XV, 11–32: ZWTh 45 (1902) 449–464.

E. Hilgert, The Ship and Related Symbols in the New Testament, Diss. theol. Basel, Assen 1962.

J. C. Hindley, Towards a Date for the Similitudes of Enoch. An Historical Approach: NTS 14 (1967/68) 551–565.

E. Hirsch, Frühgeschichte des Evangeliums I: Das Werden des Markusevangeliums, Tübingen 1941.

E. D. Hirsch jr., Prinzipien der Interpretation (Validity in Interpretation, 1967, dt. von A. A. Späth) (UTB 104), München 1972.

H. Hörtnagl, Bausteine zu einer Grammatik der Bildsprache. Als wissenschaftliche Grundlage zur Wesensbestimmung, Deutung und Wertung der Bildreden: Der Vergleiche (Gleichnisse), Fabeln, Allegorien und insbesondere der evangelischen Parabeln, Innsbruck 1922.

P. Hoffmann, Studien zur Theologie der Logienquelle (NTA NF 8), Münster 1972.

F. Hofmans, Profetische Parabels: HLa 9 (1956) 85–89.

J. Hoh, Der christliche γραμματεύς (Mt 13,52): BZ 17 (1926) 256–269.

U. Holzmeister, Vom angeblichen Verstockungszweck der Parabeln des Herrn: Bib. 15 (1934) 321–364.

– „Aliud (fecit fructum) centesimum“: VD 20 (1940) 219–223.

– „Exiit qui seminat seminare semen suum“: VD 22 (1942) 8–12.

E. Honig, Dark Conceit. The Making of Allegory, 2. Aufl., Providence 1972.

A. M. Honoré, A Statistical Study of the Synoptic Problem: NT 10 (1968) 95–147.

T. Hopfner, Plutarch, Über Isis und Osiris, Bd. 1–2 (MOU 9), Prag 1940–1941.

N. Hopster, Allegorie und Allegorisieren: Deutschunterricht 23 (1971) 6, 132–148.

H. J. Horn, Zur Motivation der allegorischen Schriftexegese bei Clemens Alexandrinus: Hermes 97 (1969) 489–496.

J. Horst, Die Worte Jesu über die kultische Reinheit und ihre Verarbeitung in den evangelischen Berichten: ThStKr 87 (1914) 429–454.

M. Horstmann, Studien zur markinischen Christologie. Mk 8,27–9,13 als Zugang zum Christusbild des zweiten Evangeliums (NTA NF 6), Münster 1969.

E. C. Hoskyns – F. N. Davey, Das Rätsel des Neuen Testaments (The Riddle of the New Testament, 1931, dt. von H. Bolewski), Stuttgart 1938.

G. Hough, The Allegorical Circle: The Critical Quaterly 3 (1961) 199–209.

E. Howald, Der Mythos als Dichtung, Zürich–Leipzig o. J.

M. Hubaut, Le „mystère" révélé dans les paraboles (Mc 4,11–12): RTL 5 (1974) 454–461.

– La parabole des vignerons homicides (CRB 16), Paris 1976.

H. Hübner, Das Gesetz in der synoptischen Tradition. Studien zur These einer progressiven Qumranisierung und Judaisierung innerhalb der synoptischen Tradition, Witten 1973.

– Mark. vii. 1–23 und das „jüdisch-hellenistische" Gesetzesverständnis: NTS 22 (1975/76) 319–345.

R. Hummel, Die Auseinandersetzung zwischen Kirche und Judentum im Matthäusevangelium (BEvTh 33), 2. Aufl., München 1966.

A. M. Hunter, Interpreting the Parables, 2. Aufl., London 1964.

C. H. Hunzinger, Außersynoptisches Traditionsgut im Thomasevangelium: ThLZ 85 (1960) 843–846.

B. M. F. van Iersel, ‚Der Sohn' in den synoptischen Jesusworten. Christusbezeichnung der Gemeinde oder Selbstbezeichnung Jesu? (NT.S 3), 2. Aufl., Leiden 1964.

– Die wunderbare Speisung und das Abendmahl in der synoptischen Tradition: NT 7 (1964/65) 167–194.

– La vocation de Lévi (Mc., II, 13–17 par.). Traditions et Rédactions, in: *I. de la Potterie* (Hrsg.), De Jésus aux Évangiles (BEThL 25), Gembloux 1967, 212–232.

P. H. Igarashi, The Mystery of the Kingdom (Mark 4:10–12): JBR 24 (1956) 83–89.

J. Ihwe, linguistik in der literaturwissenschaft. zur entwicklung einer modernen theorie der literaturwissenschaft (Grundfragen der Literaturwissenschaft 4), München 1972.

M. Imdahl, Bildsyntax und Bildsemantik, in: *S. J. Schmidt* (Hrsg.), text. bedeutung. ästhetik (Grundfragen der Literaturwissenschaft 1), 2. Aufl., München 1970, 176–188.

W. Ingendahl, Der metaphorische Prozeß. Methodologie zu seiner Erforschung und Systematisierung (Sprache der Gegenwart 14), Düsseldorf 1971.

A. Jacoby, Zur Heilung des Blinden von Bethsaida: ZNW 10 (1909) 185–194.

R. Jakobson, Linguistik und Poetik, in: *J. Ihwe* (Hrsg.), Literaturwissenschaft und Linguistik I (Fischer Athenäum Taschenbücher 2015), Frankfurt 1972, 99–135.

– Zwei Seiten der Sprache und zwei Typen aphatischer Störungen, in: Aufsätze zur Linguistik und Poetik (sammlung dialog 71), München 1974, 117–141.

H. G. Jantsch, Studien zum Symbolischen in frühmittelhochdeutscher Literatur, Tübingen 1959.

W. F. Jashemski, Large Vineyard Discovered in Ancient Pompei: Science 180 (1973) 821–830.

H. R. Jauß, Form und Auffassung der Allegorie in der Tradition der *Psychomachia* (von Prudentius zum ersten *Romanz de la Rose*), in: Medium Aevum Vivum (FS W. Bulst), Heidelberg 1960, 179–206.

– Entstehung und Strukturwandel der allegorischen Dichtung, in: Grundriß der romanischen Literaturen des Mittelalters VI, 1, Heidelberg 1968, 146–224.

– Literaturgeschichte als Provokation (edition suhrkamp 418), 2. Aufl., Frankfurt 1970.

F. Jehle, Senfkorn und Sauerteig in der Heiligen Schrift: NKZ 34 (1923) 713–719.

P. Jensen, Die Joseph-Träume, in: Abhandlungen zur semitischen Religionskunde und Sprachwissenschaft (FS W. W. von Baudissin) (BZAW 33)', Gießen 1918, 233–245.

P. Jentzmik, Zu Möglichkeiten und Grenzen typologischer Exegese in mittelalterlicher Predigt und Dichtung (Göppinger Arbeiten zur Germanistik 112), Göppingen 1973.

G. Jeremias, Der Lehrer der Gerechtigkeit (StUNT 2), Göttingen 1963.

J. Jeremias, Der Eckstein: Angelos 1 (1925) 65–70.

– Golgotha und der heilige Felsen. Eine Untersuchung zur Symbolsprache des Neuen Testamentes: Angelos 2 (1926) 74–128.

– Κεφαλὴ γωνίας – ᾿Ακρογωνιαῖος: ZNW 29 (1930) 264–280.

– Zöllner und Sünder: ZNW 30 (1931) 293–300.

– Jesu Verheißung für die Völker (FDV 1953), 2. Aufl., Stuttgart 1959.

– Abba, in: Abba. Studien zur neutestamentlichen Theologie und Zeitgeschichte, Göttingen 1966, 15–67.

– Die Lampe unter dem Scheffel, ebd. 99–102.

– Die Deutung des Gleichnisses vom Unkraut unter dem Weizen, ebd. 261–265.

– Palästinakundliches zum Gleichnis vom Sämann: NTS 13 (1966/67) 48–53.

– Die Abendmahlsworte Jesu, 4. Aufl., Göttingen 1967.

– Paulus als Hillelit, in: Neotestamentica et Semitica (FS M. Black), Edinburgh 1969, 88–94.

– Jerusalem zur Zeit Jesu. Eine kulturgeschichtliche Untersuchung zur neutestamentlichen Zeitgeschichte, 3. Aufl., Göttingen 1969.

– Die Gleichnisse Jesu, 8. Aufl., Göttingen 1970 (1. Aufl. = AThANT 11, Zürich 1947).

– Neutestamentliche Theologie I: Die Verkündigung Jesu, Gütersloh 1971.

– Das Problem des historischen Jesus (CwH 32), 7. Aufl., Stuttgart 1973.

R. Jewett, The Agitators and the Galatian Congregation: NTS 17 (1970/71) 198–212.

K. P. Jörns, Die Gleichnisverkündigung Jesu. Reden von Gott als Wort Gottes, in: Der Ruf Jesu und die Antwort der Gemeinde (FS J. Jeremias), Göttingen 1970, 157–178.

A. R. Johnson, מָשָׁל, in: Wisdom in Israel and in the Ancient Near East (FS H. H. Rowley) (VT.S 3), Leiden 1955, 162–169.

A. Jolles, Einfache Formen (Konzepte der Sprach- und Literaturwissenschaft 15), 4. Aufl., Tübingen 1972.

H. Jonas, Gnosis und spätantiker Geist I: Die mythologische Gnosis. II, 1: Von der Mythologie zur mystischen Philosophie (FRLANT 51 u. 63), 2. Aufl., Göttingen 1954.

G. V. Jones, The Art and Truth of the Parables. A Study in their Literary Form and Modern Interpretation, London 1964.

M. de Jonge, The Testaments of the Twelve Patriarchs. A Study of their Text, Composition and Origin (GTB 25), 2. Aufl., Assen 1976.

P. Joüon, La Parabole du Portier qui doit veiller (*Marc,* 13,33–37) et la Parabole des Serviteurs qui doivent veiller (*Luc,* 12, 35–40): RSR 30 (1940) 365–368.

A. Jülicher, Die Gleichnisreden Jesu I: Die Gleichnisreden Jesu im allgemeinen (1886 u. 1888, 2. Aufl., 1899), 3. Aufl., Tübingen 1910. II: Auslegung der Gleichnisreden der drei ersten Evangelien (1899), 2. Aufl., Tübingen 1910, Repr. Darmstadt 1969.

– Rez. P. Fiebig, Altjüdische Gleichnisse: ThLZ 29 (1904) 703–706.

– Die Religion Jesu und die Anfänge des Christentums bis zum Nicaenum, in: *P. Hinneberg* (Hrsg.), Die Kultur der Gegenwart I 4,1: Die christliche Religion mit Einschluß der israelitisch-jüdischen Religion, Berlin–Leipzig 1906, 41–128.

E. Jüngel, Paulus und Jesus. Eine Untersuchung zur Präzisierung der Frage nach dem Ursprung der Christologie (HUTh 2), 4. Aufl., Tübingen 1972.

– Metaphorische Wahrheit. Erwägungen zur theologischen Relevanz der Metapher als Beitrag zur Hermeneutik einer narrativen Theologie, in: Metapher. Zur Hermeneutik religiöser Sprache (EvTh Sonderheft), München 1974, 71–122.

E. Käsemann, Das Problem des historischen Jesus, in: Exegetische Versuche und Besinnungen I, 6. Aufl., Göttingen 1970, 187–214.
– Lukas 11,14–28, ebd. 242–248.
– Sackgassen im Streit um den historischen Jesus, in: Exegetische Versuche und Besinnungen II, 3. Aufl., Göttingen 1970, 31–68.

H. Kahlefeld, Gleichnisse und Lehrstücke im Evangelium, Bd. 1–2, 2. Aufl., Frankfurt 1964/65.

J. Kahlmeyer, Seesturm und Schiffbruch als Bild im antiken Schrifttum, Diss. phil. Greifswald, Hildesheim 1934.

J. G. Kahn, La parabole du figuier stérile et les arbres récalcitrants de la Genèse: NT 13 (1971) 38–45.

O. Kaiser, Die mythische Bedeutung des Meeres in Ägypten, Ugarit und Israel (BZAW 78), Berlin 1959.

W. Kallmeyer u. a., Lektürekolleg zur Textlinguistik I (Fischer Athenäum Taschenbücher 2050), Frankfurt 1974.

E. Kamlah, Die Parabel vom ungerechten Verwalter (Luk. 16,1ff.) im Rahmen der Knechtsgleichnisse, in: Abraham unser Vater. Christen und Juden im Gespräch über die Bibel (FS O. Michel) (AGSU 5), Leiden 1963, 276–294.

R. Kasser, L'évangile selon Thomas. Présentation et commentaire théologique (BT.N), Neuchâtel 1961.

A. Kee, The Question about Fasting: NT 11 (1969) 161–173.
– The Old Coat and the New Wine. A Parable of Repentance: NT 12 (1970) 13–21.

H. C. Kee, The Terminology of Mark's Exorcism Stories: NTS 14 (1967/68) 232–346.

W. H. Kelber, The Kingdom in Mark. A New Place and a New Time, Philadelphia 1974.

K. Kertelge, Die Wunder Jesu im Markusevangelium. Eine redaktionsgeschichtliche Untersuchung (StANT 23), München 1970.

G. D. Kilpatrick, Mark IV. 29: JThS 46 (1945) 191.
– Some Problems in New Testament Text and Language, in: Neotestamentica and Semitica (FS M. Black), Edinburgh 1969, 198–208.

J. D. Kingsbury, The Parables of Jesus in Matthew 13. A Study in Redaction-Criticism, London 1969.
– Major Trends in Parable Interpretation: CTM 42 (1971) 579–596.

J. R. Kirkland, The Earliest Understanding of Jesus' Use of Parables: Mark IV 10–12 in Context: NT 19 (1977) 1–21.

H. G. Klemm, Die Gleichnisauslegung Ad. Jülichers im Bannkreis der Fabeltheorie Lessings: ZNW 60 (1969) 153–174.

G. Klinzing, Die Umdeutung des Kultus in der Qumrangemeinde und im Neuen Testament (StUNT 7), Göttingen 1971.

E. C. Knowlton, Notes on Early Allegory: The Journal of English and Germanic Philology 29 (1930) 159–181.

D. A. Koch, Die Bedeutung der Wundererzählungen für die Christologie des Markusevangeliums (BZNW 42), Berlin 1975.

K. Koch, Messias und Sündenvergebung in Jesaja 53-Targum. Ein Beitrag zu der Praxis der aramäischen Bibelübersetzung: JSJ 3 (1972) 117–148.

J. Kögel, Der Zweck der Gleichnisse Jesu im Rahmen seiner Verkündigung (BFChTh 19,6), Gütersloh 1915.

L. Köhler, Salz, das dumm wird: ZDPV 59 (1936) 133–134.

E. König, Stilistik, Rhetorik, Poetik in Bezug auf die biblische Litteratur, Leipzig 1900.

H. Köster, Synoptische Überlieferung bei den apostolischen Vätern (TU 65), Berlin 1957.

H. Köster – J. M. Robinson, Entwicklungslinien durch die Welt des frühen Christentums, Tübingen 1971.

C. E. van Koetsveld, De Gelijkenissen van den Zaligmaker, Bd. 1–2, 2. Aufl., Schoonhoven 1869.

J. L. Koole, Allegorische Schriftverklaring: VoxTh 10 (1938) 14–22.

J. Kopperschmidt, Allgemeine Rhetorik. Einführung in die Theorie der Persuasiven Kommunikation (Sprache und Literatur 79), Stuttgart 1973.

T. Korteweg, The Meaning of Naphtali's Visions, in: Studies on the Testament of the Twelve Patriarchs (SVTP 3), Leiden 1975, 261–290.

C. J. Kraemer jr., Excavations at Nessana III: Non-Literary Papyri, Princeton 1958 (= PColt).

S. Krauß, Talmudische Archäologie, Bd. 1–3 (GGJ), Leipzig 1910–12.

A. Kretzer, Die Herrschaft der Himmel und die Söhne des Reiches. Eine redaktionsgeschichtliche Untersuchung zum Basileiabegriff und Basileiaverständnis im Matthäusevangelium (SBM 10), Stuttgart 1971.

A. Kristianpoller, Traum und Traumdeutung (Monumenta Talmudica IV 2,1), Wien–Berlin 1923, Repr. Darmstadt 1972.

H. Kruse, Die „dialektische Negation" als semitisches Idiom: VT 4 (1954) 385–400.

W. G. Kümmel, Jesus und der jüdische Traditionsgedanke, in: Heilsgeschehen und Geschichte. Aufsätze ... (MThSt 3), Marburg 1965, 15–35.

– Das Gleichnis von den bösen Weingärtnern, ebd. 207–217.

– Einleitung in das Neue Testament, 17. Aufl., Heidelberg 1973.

– Noch einmal: Das Gleichnis von der selbstwachsenden Saat. Bemerkungen zur neuesten Diskussion um die Auslegung der Gleichnisse Jesu, in: Orientierung an Jesus. Zur Theologie der Synoptiker (FS J. Schmid), Freiburg 1973, 220–237.

– Äußere und innere Reinheit des Menschen bei Jesus, in: Das Wort und die Wörter (FS G. Friedrich), Stuttgart 1973, 35–46.

H. W. Kuhn, Ältere Sammlungen im Markusevangelium (StUNT 8), Göttingen 1971.

K. G. Kuhn, Nachträge zur *Konkordanz zu den Qumrantexten*: RdQ 4 (1963/64) 163–234.

O. Kuss, Zur Senfkornparabel, in: Auslegung und Verkündigung I. Aufsätze ..., Regensburg 1963, 78–84.

– Zum Sinngehalt des Doppelgleichnisses von Senfkorn und Sauerteig, ebd. 85–97.

C. J. Labuschagne, Teraphim – a New Proposal for its Etymology: VT 16 (1966) 115–117.

G. E. Ladd, The Life-Setting of the Parables of the Kingdom: JBR 31 (1963) 193–199.

– The *Sitz im Leben* of the Parables of Matthew 13: the Soils: StEv 2 (1964) 203–210.

E. Lämmert, Bauformen des Erzählens, 5. Aufl., Stuttgart 1972.

M. J. Lagrange, La parabole en dehors de l'évangile: RB 6 (1909) 198–212.342–367.

– Le but des paraboles d'après l'Évangile selon Saint Marc: RB 7 (1910) 5–35.

J. Lambrecht, Die Redaktion der Markus-Apokalypse. Literarische Analyse und Strukturuntersuchung (AnBib 28), Rom 1967.

– De vijf parabels van Mc. 4. Structuur en theologie van de parabelrede: Bijdr. 29 (1968) 25–53.

– Ware verwantschap en eeuwige zonde. Ontstaan en structuur van Mc. 3,20–35: Bijdr. 29 (1968) 114–150.234–258.369–393.

– The Parousia Discourse. Composition and Content in Mt., XXIV–XXV, in: *M. Didier* (Hrsg.), L'Évangile selon Matthieu. Rédaction et théologie (BEThL 29), Gembloux 1972, 309–342.

– Redaction and Theology in Mk., IV, in: *M. Sabbe* (Hrsg.), L'Évangile selon Marc. Tradition et rédaction (BEThL 34), Löwen 1974, 269–307.

G. W. H. Lampe – K. J. Woollcombe, Essays on Typology (SBT 22), London 1957.

P. Lampe, Die markinische Deutung des Gleichnisses vom Sämann Markus 4 10–12: ZNW 65 (1974) 140–150.

H. Langkammer, Die Verheißung vom Erbe. Ein Beitrag zur biblischen Sprache: BiLe 8 (1967) 157–165.

K. Latte, Hesiods Dichterweihe: AuA 2 (1946) 152–163.

H. Lausberg, Handbuch der literarischen Rhetorik. Eine Grundlegung der Literaturwissenschaft, Bd. 1–2, 2. Aufl., München 1973.

J. Z. Lauterbach, The Ancient Jewish Allegorists in Talmud and Midrash: JQR NS 1 (1910/11) 291–333.503–531.

A. Le Boulluec, L'allégorie chez les Stoïciens: Poétique 6,23 (1975) 301–321.

J. C. H. Lebram, Perspektiven der gegenwärtigen Danielforschung: JSJ 5 (1974) 1–33.

R. Le Déaut, Traditions targumiques dans le Corpus Paulinien?: Bib. 42 (1961) 28–48.

– Un phénomène spontané de l'herméneutique juive ancienne: le „targumisme": Bib. 52 (1971) 505–525.

S. Legasse, L',„Homme fort" de Luc. xi 21–22: NT 5 (1962) 5–9.

– L'épisode de la Cananéenne d'après Mt. 15,21–28: BLE 73 (1972) 21–40.

M. Lehmann, Synoptische Quellenanalyse und die Frage nach dem historischen Jesus. Kriterien der Jesusforschung untersucht in Auseinandersetzung mit Emanuel Hirschs Frühgeschichte des Evangeliums (BZNW 38), Berlin 1970.

E. Leibfried, Fabel (Sammlung Metzler 66), Stuttgart 1967.

– Kritische Wissenschaft vom Text. Manipulation, Reflexion, transparente Poetologie, 2. Aufl., Stuttgart 1972.

J. Leipoldt, Der Homerdeuter Herakleitos, in: Bekenntnis zur Kirche (FS E. Sommerlath), Berlin 1960, 9–14.

J. Leipoldt – S. Morenz, Heilige Schriften. Betrachtungen zur Religionsgeschichte der antiken Mittelmeerwelt, Leipzig 1953.

J. Lendrum, Into a Far Country: ET 36 (1924/25) 377–380.

X. Léon-Dufour, La parabole du semeur, in: Études d'Évangile (Parole de Dieu), Paris 1965, 255–301.

– La parabole des vignerons homicides, ebd. 303–344.

A. Lesky, Thalatta. Der Weg der Griechen zum Meer, Wien 1947.

– Geschichte der griechischen Literatur, 3. Aufl., München 1971.

G. E. Lessing, Werke Bd. 15: Zur Geschichte der Fabel, ed. E. Stemplinger, Berlin 1925, Repr. Hildesheim 1970.

P. Lévêque, Aurea catena Homeri. Une étude sur l'allégorie grecque (Annales littéraires de l'université de Besançon II, 27), Paris 1959.

S. H. Levey, The Messiah: An Aramaic Interpretation. The messianic exegesis of the Targum (MHUC 2), Cincinnati 1974.

J. Lévi, Les Dorschè Reschoumot: REJ 60 (1910) 24–31.

S. R. Levin, Internal and External Deviation in Poetry, in: W. A. Koch (Hrsg.), Strukturelle Textanalyse (Collecta Semiotica 1), Hildesheim 1972, 284–296.

C. S. Lewis, The Allegory of Love. A Study in Medieval Tradition (1936), Repr. London 1970.

H. H. Lieb, Der Umfang des historischen Metaphernbegriffs, Diss. Phil., Köln 1964.

S. Lieberman, Hellenism in Jewish Palestine. Studies in the Literary Transmission, Beliefs and Manners of Palestine in the I Century B. C. E. – IV Century C. E. (TSJTSA 18), New York 1950.

M. Limbeck, Beelzebul – eine ursprüngliche Bezeichnung für Jesus?, in: Wort Gottes in der Zeit (FS K. H. Schelkle), Düsseldorf 1973, 31–42.

B. Lindars, Two Parables in John: NTS 16 (1969/70) 318–329.

– New Testament Apologetic. The Doctrinal Significance of the Old Testament Quotations, 2. Aufl., London 1973.

– Jotham's Fable – A New Form-Critical Analysis: JThS NS 24 (1973) 355–366.

G. Lindeskog, Logia-Studien: StTh 4 (1951/52) 129–189.

E. Linnemann, Gleichnisse Jesu. Einführung und Auslegung, 6. Aufl., Göttingen 1975.

– Zeitansage und Zeitvorstellung in der Verkündigung Jesu, in: Jesus Christus in Historie und Theologie (FS H. Conzelmann), Tübingen 1975, 237–263.

J. C. Little, Redaction Criticism and the Gospel of Mark with Special Reference to Mark 4:1–34, Diss. Phil., Duke University 1972.

E. Lövestam, Spiritual Wakefulness in the New Testament (Lunds Universitets Årsskrift NF I 55,3), Lund 1963.
– Spiritus blasphemia. Eine Studie zu Mk 3,28f. par Mt 12,31f., Lk 12,10 (SMHVL 1966–67,1) Lund 1968.
I. Löw, Die Flora der Juden I, Wien 1928, Repr. Hildesheim 1967.
R. Loewe, Apologetic Motifs in the Targum to the Song of Songs, in: *A. Altmann* (Hrsg.), Biblical Motifs. Origins and Transformations (STLI 3), Cambridge Ma. 1966, 159–196.
K. Löwith, Die Sprache als Vermittler von Mensch und Welt, in: *W. Schneemelcher* (Hrsg.), Das Problem der Sprache in Theologie und Kirche, Berlin 1959, 36–54.
E. Lohmeyer, Das Gleichnis von der Saat: DTh 10 (1943) 20–39.
– Von Baum und Frucht. Eine exegetische Studie zu Matth. 3,10, in: Urchristliche Mystik. Neutestamentliche Studien, 2. Aufl., Darmstadt 1958, 31–56.
– Vom Sinn der Gleichnisse Jesu, ebd. 125–157.
– Das Gleichnis von den bösen Weingärtnern, ebd. 159–181.
E. Lohse, Die Gottesherrschaft in den Gleichnissen Jesu: EvTh 18 (1958) 145–157.
A. Loisy, Les paraboles de l'évangile, in: Études évangéliques, Paris 1902, 1–121.
A. D. Loman, Bijdragen tot de kritik der synoptische Evangeliën VI: Het mysterie der gelijkenissen . . .: ThT 7 (1885) 175–205.
R. Longenecker, Biblical Exegesis in the Apostolic Period, Grand Rapids 1975.
H. Looff, Der Symbolbegriff in der neueren Religionsphilosophie und Theologie (KantSt.E 69), Köln 1955.
E. Lorenz, Die Träume des Pharao, des Mundschenken und des Bäckers, in: *Y. Spiegel* (Hrsg.), Psychoanalytische Interpretationen biblischer Texte, München 1972, 99–111.
H. de Lubac, Geist aus der Geschichte. Das Schriftverständnis des Origines (Histoire et Esprit, 1950, dt. von H. U. von Balthasar), Einsiedeln 1968.
– „Typologie" et „Allégorisme": RSR 34 (1947) 180–226.
– Exégèse médiévale. Les quatre sens de l'Écriture, Bd. I, 1.2 – II, 1.2 (Theol.P 41,1.2; 42; 59), Paris 1959–1964.
U. Luck, Das Gleichnis vom Säemann und die Verkündigung Jesu: WuD NF 11 (1971) 73–92.
D. Lührmann, Das Offenbarungsverständnis bei Paulus und in paulinischen Gemeinden (WMANT 16), Neukirchen 1965.
– Die Redaktion der Logienquelle (WMANT 33), Neukirchen 1969.
M. Lüthi, Märchen (Sammlung Metzler 16), 5. Aufl., Stuttgart 1974.
U. Luz, Das Geheimnismotiv und die markinische Christologie: ZNW 56 (1965) 9–30.
J. Lyons, Einführung in die moderne Linguistik, 2. Aufl., München 1972.

F. Maass, Von den Ursprüngen der rabbinischen Schriftauslegung: ZThK 52 (1955) 129–161.
R. Mach, Der Zaddik in Talmud und Midrasch, Leiden 1957.
J. MacQueen, Allegory (The Critical Idiom 14), London 1970.
I. K. Madsen, Die Parabeln der Evangelien und die heutige Psychologie, Kopenhagen–Leipzig 1936.
I. Maisch, Das Gleichnis von den klugen und törichten Jungfrauen: BiLe 11 (1970) 247–259.
B. J. Malina, The Palestinian Manna Tradition. The Manna Tradition in the Palestinian Targums and its Relationship to the New Testament Writings (AGJU 7), Leiden 1968.
T. W. Manson, An Note on Mark iv. 28f.: JThS 38 (1937) 399f.
– The Teaching of Jesus. Studies of its Form and Content (1931), Cambridge 1951.
– The Sayings of Jesus (1937), London 1971.
W. Manson, The Purpose of the Parables: A Re-Examination of St. Mark iv. 10–12: ET 68 (1956/57) 132–135.
L. Marin, Essai d'analyse structurale d'un récit-parabole: Matthieu 13,1–23, in: *C. Chabrol* –

L. Marin, Le récit évangélique (BScR), Paris 1974, 93–134.

– Semiotik der Passionsgeschichte. Die Zeichensprache der Ortsangaben und Personennamen (Sémiotique de la Passion, 1971, dt. von S. Virgils, bearb. von E. Güttgemanns) (BEvTh 70), München 1976.

H. I. Marrou, Geschichte der Erziehung im klassischen Altertum (Histoire de l'éducation dans l'antiquité, 1955, dt. von C. Beumann), Freiburg–München 1957.

I. H. Marshall, Eschatology and the Parables (TynNTL), London 1963.

– Tradition and Theology in Luke (Luke 8:5–15): TynB 20 (1969) 56–75.

W. Marxsen, Der Evangelist Markus. Studien zur Redaktionsgeschichte des Evangeliums (FRLANT 67), 2. Aufl., Göttingen 1959.

– Redaktionsgeschichtliche Erklärung der sogenannten Parabeltheorie des Markus, in: Der Exeget als Theologe. Vorträge zum NT, Gütersloh 1968, 13–28.

C. Masson, Les paraboles de Marc IV avec une Introduction à l'explication des Évangiles (CThAP 11), Neuchâtel 1945.

G. Mayer, Index Philoneus, Berlin 1974.

H. K. McArthur, The Parable of the Mustard Seed: CBQ 33 (1971) 198–210.

M. H. McCall jr., Ancient Rhetorical Theories of Simile and Comparison (Loeb Classical Monographs), Cambridge Ma. 1969.

J. D. McCaughey, Two Synoptic Parables in the Gospel of Thomas: ABR 8 (1960) 24–28.

N. J. McEleney, Authenticating Criteria and Mark 7:1–23: CBQ 34 (1972) 431–460.

R. J. McKelvey, Christ the Cornerstone: NTS 8 (1961/62) 352–359.

M. McNamara, The New Testament and the Palestinian Targum to the Pentateuch (AnBib 27), Rom 1966.

X. de Meeûs, Composition de Lc., XIV, et genre symposiaque: EThL 37 (1961) 847–870.

H. Meier, Die Metapher. Versuch einer zusammenfassenden Betrachtung ihrer linguistischen Merkmale, Winterthur 1963.

M. Meinertz, Jesus und die Heidenmission (NTA I, 1/2), 2. Aufl., Münster 1925.

– Die Gleichnisse Jesu, 4. Aufl., Münster 1948.

– Zum Verständnis der Gleichnisse Jesu: HlL 86 (1954) 41–47.

K. Meiser, Zu Heraklits Homerischen Allegorien (SBAW.PPH 1911, 7), München 1911.

N. Meisner, Untersuchungen zum Aristeas-Brief, Diss. theol., Berlin 1970.

J. É. Ménard, L'évangile selon Thomas (Nag Hammadi Studies 5), Leiden 1975.

P. Merendino, Gleichnisrede und Wortliturgie. Zu Mk 4,1–34: ALW 16 (1974) 7–31.

O. Merk, Der Beginn der Paränese im Galaterbrief: ZNW 60 (1969) 83–104.

H. Merkel, Markus 7,15 – das Jesuswort über die innere Verunreinigung: ZRGG 20 (1968) 340–363.

R. Merkelbach, Roman und Mysterium in der Antike, München 1962.

– Inhalt und Form in symbolischen Erzählungen der Antike: ErJb 35 (1966) 145–175.

D. Merli, La parabola dei vignaioli infedeli: BeO 15 (1973) 97–107.

A. Mertens, Das Buch Daniel im Lichte der Texte vom Toten Meer (SBM 12), Würzburg–Stuttgart 1971.

B. M. Metzger, A Textual Commentary on the Greek New Testament, London 1971.

R. P. Meye, Mark 4,10: „Those about Him with the Twelve“: StEv 2 (1964) 211–218.

A. Meyer, Die Entstehung des Markusevangeliums, in: Festgabe für Adolf Jülicher, Tübingen 1927, 35–60.

W. Michaelis, Zelt und Hütte im biblischen Denken: EvTh 14 (1964) 29–49.

– Die Gleichnisse Jesu. Eine Einführung (UCB 32), 3. Aufl., Hamburg 1956.

O. Michel, Paulus und seine Bibel (BFChTh II, 18), Gütersloh 1929.

O. Michel – O. Betz, Von Gott gezeugt, in: Judentum – Urchristentum – Kirche (FS J. Jeremias) (BZNW 26), Berlin 1960, 3–23.

R. Michiels, La conception lucanienne de la conversion: EThL 41 (1965) 42–78.

E. Mihaly, A Rabbinic Defense of the Election of Israel. An Analysis of Sifre Deuteronomy 32:9, Pisqa 312: HUCA 35 (1964) 103–143.

J. Milik, Dix ans de découvertes dans le désert de Juda, Paris 1957.

M. P. Miller, Targum, Midrash and the Use of the Old Testament in the New Testament: JSJ 2 (1971) 29–82.

– Scripture and Parable. A Study of the Function of the Biblical Features in the Parable of the Wicked Husbandmen and their Place in the History of the Tradition, Diss. phil., Columbia University 1974 (NB. Ich zitiere nach einer *proof copy,* die der Autor freundlicherweise zur Verfügung gestellt hat).

P. S. Minear, Audience Criticism and Markan Ecclesiology, in: Neues Testament und Geschichte (FS O. Cullmann), Zürich 1972, 79–89.

G. Minette de Tillesse, Le secret messianique dans l'évangile de Marc (LeDiv 47), Paris 1968.

E. H. Minns, Parchments of the Parthian Period from Avroman in Kurdistan: JHS 35 (1915) 22–65.

C. L. Mitton, Threefoldness in the Teaching of Jesus: ET 75 (1963/64) 228–230.

E. Molland, Zur Auslegung von Mc. 4 33 καθὼς ἠδύναντο ἀκούειν: SO 8 (1929) 83–91.

W. Monselewski, Der barmherzige Samariter. Eine auslegungsgeschichtliche Untersuchung zu Lukas 10,25–37 (BGBE 5), Tübingen 1967.

H. Montefiore, A Comparison of the Parables of the Gospel According to Thomas and of the Synoptic Gospels: NTS 7 (1960/61) 220–248.

G. F. Moore, Judaism in the First Centuries of the Christian Era. The Age of the Tannaim, Bd. 1–3, Cambridge Ma. 1927–30.

R. Morgenthaler, Formgeschichte und Gleichnisauslegung: ThZ 6 (1950) 1–16.

– Statistische Synopse, Zürich 1971.

– Statistik des neutestamentlichen Wortschatzes, 2. Aufl., Zürich 1973.

C. F. D. Moule, Mark 4:1–20 Yet Once More, in: Neotestamentica et Semitica (FS M. Black), Edinburgh 1969, 95–113.

J. B. Muddiman, Jesus and Fasting (Marc ii. 18–22), in: *J. Dupont* (Hrsg.), Jésus aux origines de la Christologie (BEThL 40), Gembloux 1975, 271–281.

G. Müller, Platons Dichterkritik und seine Dialogkunst: PhJ 82 (1975) 285–308.

H. P. Müller, Mantische Weisheit und Apokalyptik, in: Congress Volume, Uppsala 1971 (VT.S 22), Leiden 1972, 268–293.

G. Münderlein, Die Verfluchung des Feigenbaumes: NTS 10 (1963/64) 89–104.

B. Murmelstein, Die Gestalt Josefs in der Agada und die Evangeliengeschichte: Angelos 4 (1932) 51–55.

M. Murrin, The Veil of Allegory. Some Notes Toward a Theory of Allegorical Rhetoric in the English Renaissance, Chicago 1969.

G. Mussies, Dio Chrysostom and the New Testament (SCHNT 2), Leiden 1972.

F. Mußner, Gleichnisauslegung und Heilsgeschichte. Dargetan am Gleichnis von der selbstwachsenden Saat: TThZ 64 (1955) 257–266.

– 1QHodajoth und das Gleichnis vom Senfkorn: BZ NF 4 (1960) 128–130.

– Die bösen Winzer nach Matthäus 21,33–46, in: *W. P. Eckert u. a.* (Hrsg.), Antijudaismus im Neuen Testament? Exegetische und systematische Beiträge (ACJD 2), München 1967, 129–134.

– Methodologie der Frage nach dem historischen Jesus, in: *K. Kertelge* (Hrsg.), Rückfrage nach Jesus. Zur Methodik und Bedeutung der Frage nach dem historischen Jesus (QD 63), Freiburg 1974, 118–147.

W. Nagel, Neuer Wein in alten Schläuchen (Mt 9,17): VigChr 14 (1960) 1–8.

W. Nauck, Salt as a Metaphor in Instructions for Discipleship: StTh 6 (1952) 165–178.

F. Neirynck, Duality in Mark. Contributions to the Study of the Markan Redaction (BEThL 31), Löwen 1972.

– The Minor Agreements of Matthew and Luke against Mark with a Cumulative List (BEThL 37), Löwen 1974.

H. Neitzel, Homer-Rezeption bei Hesiod. Interpretation ausgewählter Passagen (Abhandlungen zur Kunst-, Musik- und Literaturwissenschaft 189), Bonn 1975.

E. Nestle, Mark iv. 12: ET 13 (1901/02) 524.

W. Nestle, Metrodors Mythendeutung: Ph. 66 (1907) 503–510.

– Vom Mythos zum Logos. Die Selbstentfaltung des griechischen Denkens von Homer bis auf die Sophistik und Sokrates, 2. Aufl., Stuttgart 1942.

E. Neuhäusler, Mit welchem Maßstab mißt Gott die Menschen? Deutung zweier Jesussprüche: BiLe 11 (1970) 104–113.

J. Neusner, The Idea of Purity in Ancient Judaism (SJLA 1), Leiden 1973.

J. E. u. R. R. Newell, The Parable of the Wicked Tenants: NT 14 (1972) 226–237.

H. J. Newiger, Metapher und Allegorie. Studien zu Aristophanes (Zet. 16), München 1957.

K. Niederwimmer, Askese und Mysterium. Über Ehe, Ehescheidung und Eheverzicht in den Anfängen des christlichen Glaubens (FRLANT 113), Göttingen 1975.

F. Nietzsche, Über Wahrheit und Lüge im außermoralischen Sinn, in: Werke, ed. K. Schlechta, Bd. 3, München 1956, 309–322.

M. P. Nilsson, Geschichte der griechischen Religion (HAW V, 2), Bd. 1, 3. Aufl., München 1967. Bd. 2, 2. Aufl., München 1961.

B. Noack, Markusevangeliets Lignelseskapitel, Kopenhagen 1965.

A. D. Nuttall, Two Concepts of Allegory. A Study of Shakespeare's *The Tempest* and the Logic of Allegorical Expression, London 1967.

L. Oberlinner, Historische Überlieferung und christologische Aussage. Zur Frage der „Brüder Jesu" in der Synopse (fzb 19), Stuttgart 1975.

W. O. E. Oesterley, The Gospel Parables in the Light of their Jewish Background, London 1936.

F. Ogara, „Quae sunt per allegoriam dicta": VD 15 (1935) 67–76.

A. Olrik, Epische gesetze der volksdichtung: ZDA 51 (1909) 1–12.

H. Oort, Lucas 20[18b]: ThT 43 (1909) 138–140.

A. L. Oppenheim, The Interpretation of Dreams in the Ancient Near East (TAPhS 46,3), Philadelphia 1956.

A. Orbe, Parábolas evangélicas en San Ireneo, Bd. 1–2 (BAC 331/332), Madrid 1972.

E. Osswald, Zur Hermeneutik des Habakuk-Kommentars: ZAW 68 (1956) 243–256.

P. von der Osten-Sacken, Die Apokalyptik in ihrem Verhältnis zu Prophetie und Weisheit (TEH 157), München 1969.

– Gott und Belial. Traditionsgeschichtliche Untersuchungen zum Dualismus in den Texten aus Qumran (StUNT 6), Göttingen 1969.

– Streitgespräch und Parabel als Formen markinischer Christologie, in: Jesus Christus in Historie und Theologie (FS H. Conzelmann), Tübingen 1975, 375–394.

R. Otto, Reich Gottes und Menschensohn. Ein religionsgeschichtlicher Versuch, 3. Aufl., München 1954.

F. Overbeck, Christentum und Kultur. Gedanken und Anmerkungen zur modernen Theologie, Basel 1919, Repr. Darmstadt 1963.

E. H. Pagels, The Johannine Gospel in Gnostic Exegesis. Heracleon's Commentary on John (SBLMS 17), Missoula 1973.

F. Parente, Un contributo alla ricostruzione dell'apocaliticca cristiana originaria al lume degli scritti esseni rinvenuti nel deserto di Giuda. Isaia 6,9–10 in Marco 4,12: RSIt 74 (1962) 673–696.

W. Paschen, Rein und Unrein. Untersuchung zur biblischen Wortgeschichte (StANT 24), München 1970.

F. Pastor, Alegoría o tipología en Gal. 4,21–31: EstB 34 (1975) 113–119.

H. Patsch, Abendmahl und historischer Jesus (CThM A, 1), Stuttgart 1972.

– Abendmahlsterminologie außerhalb der Einsetzungsberichte. Erwägungen zur Traditionsgeschichte der Abendmahlsworte: ZNW 62 (1971) 210–231.

D. *Patte,* Early Jewish Hermeneutic in Palestine (SBLDS 22), Missoula 1975.

P. C. *Patten,* Parable and Secret in the Gospel of Mark in Light of Select Apocalyptic Literature, Diss. Drew University 1976.

J. *Paul,* Vorschule der Ästhetik (Werke, ed. E. Behrend, Bd. 5), Berlin o. J.

R. *Pautrel,* Les canons du mashal rabbinique: RSR 26 (1936) 5–45; 28 (1938) 264–281.

S. *Pedersen,* Den nytestamentlige lignelsesforsknings metodeproblemer: DTT 28 (1965) 146–184.

– Zum Problem der vaticinia ex eventu. Eine Analyse von Mt. 21,22–46 par.; 22,1–10 par.: StTh 19 (1965) 167–188.

– Is Mark 4,1–34 a Parable Chapter?: StEv 6 (1973) 408–416.

C. H. *Peisker,* Konsekutives ἵνα in Markus 4 12: ZNW 59 (1968) 126–127.

J. *Pépin,* A propos de l'histoire de l'exégèse allégorique: l'absurdité, signe de l'allégorie: StPatr 1 (1957) 393–413.

– Mythe et allégorie. Les origines grecques et les contestations judéo-chrétiennes (Collection „Philosophie de l'esprit"), Paris 1958 (jetzt auch 2. Aufl., Paris 1976).

– Remarques sur la théorie de l'exégèse allégorique chez Philon, in: Philon d'Alexandrie (Colloques Nationaux du CNRS, Lyon 11–15 Septembre 1966), Paris 1967, 131–167.

F. *Perles,* Zwei Übersetzungsfehler im Text der Evangelien: ZNW 19 (1919/20) 96.

J. *Perles,* Études talmudiques: REJ 3 (1881) 109–120.

N. *Perrin,* Jesus and the Language of the Kingdom. Symbol and Metaphor in New Testament Interpretation (NTLi), London 1976.

R. *Pesch,* Naherwartungen. Tradition und Redaktion in Mk 13 (KBANT), Düsseldorf 1968.

– Levi – Matthäus (Mc 2 14 / Mt 9 9; 10 3). Ein Beitrag zur Lösung eines alten Problems: ZNW 59 (1968) 40–56.

– Das Zöllnergastmahl (Mk 2,15–17), in: Mélanges bibliques en hommage au R. P. Béda Rigaux, Gembloux 1970, 63–87.

E. *Peterson,* Das Schiff als Symbol der Kirche in der Eschatologie, in: Frühkirche, Judentum und Gnosis. Studien und Untersuchungen, Freiburg 1959, 92–96.

J. J. *Petuchowski,* The Theological Significance of the Parable in Rabbinic Literature and the New Testament: CNFI 23/10 (1972/73) 76–86.

R. *Pfeiffer,* Geschichte der klassischen Philologie. Von den Anfängen bis zum Ende des Hellenismus (rowohlts deutsche enzyklopädie 344–346), Hamburg 1970.

V. C. *Pfitzner,* Paul and the Agon Motif. Traditional Athletic Imagery in the Pauline Literature (NT.S 16), Leiden 1967.

M. *Philonenko* (Hrsg.), Joseph et Aséneth. Introduction, texte critique, traduction et notes (StPB 13), Leiden 1968.

J. *Pirot,* Paraboles et allégories évangéliques. La pensée de Jésus et les commentaires patristiques, Paris 1949.

– Le ‚Mâšâl' dans l'Ancien Testament: RSR 37 (1950) 565–580.

M. *Pohlenz,* Die Stoa. Geschichte einer geistigen Bewegung, Bd. 1, 4. Aufl., Göttingen 1970.

W. *Popkes,* Christus traditus. Eine Untersuchung zum Begriff der Dahingabe im Neuen Testament (AThANT 49), Zürich 1967.

A. *Poynder,* Mark iv. 12: ET 15 (1903/04) 141–142.

G. *Prenzel,* Über die Pacht im antiken hebräischen Recht (StDel 13), Stuttgart 1971.

W. *Propp,* Morphologie des Märchens (Literatur als Kunst), München 1972.

J. W. *Pryor,* Markan Parable Theology. An Inquiry into Mark's Principles of Redaction: ET 83 (1971/72) 242–245.

Q. *Quesnell,* The Mind of Mark. Interpretation and Method through the Exegesis of Mark 6,52 (AnBib 38), Rom 1969.

G. *Quispel,* Some Remarks on the Gospel of Thomas: NTS 5 (1958/59) 276–290.

I. Rabinowitz, Pêsher/Pittârôn. Its Biblical Meaning and its Significance in the Qumran Literature: RdQ 8 (1972/75) 219–232.

G. von Rad, Typologische Auslegung des Alten Testaments: EvTh 12 (1952/53) 17–33.

– Theologie des Alten Testaments, Bd. 1, 6. Aufl., München 1969. Bd. 2, 5. Aufl., München 1968.

H. Räisänen, Die Parabeltheorie im Markusevangelium (Schriften der Finnischen Exegetischen Gesellschaft 26), Helsinki 1973.

– Das „Messiasgeheimnis" im Markusevangelium. Ein redaktionskritischer Versuch (Schriften der Finnischen Exegetischen Gesellschaft 28), Helsinki 1976.

H. Rahner, Symbole der Kirche. Die Ekklesiologie der Väter, Salzburg 1964.

I. T. Ramsey, Religious Language. An Empirical Placing of Theological Phrases, 3. Aufl., London 1973.

E. Ravarotto, La „casa" del vangelo di Marco è la casa di Simone-Pietro?: Anton. 42 (1967) 399–419.

D. B. Redford, A Study of the Biblical Story of Joseph (VT.S 20), Leiden 1970.

B. Reicke, Die Fastenfrage nach Luk. 5,33–39: ThZ 30 (1974) 321–328.

K. Reinhardt, Platons Mythen, Bonn 1927.

– Personifikation und Allegorie, in: Vermächtnis der Antike, 2. Aufl., Göttingen 1966, 7–40.

G. Reiss, „Allegorisierung" und moderne Erzählkunst. Eine Studie zum Werk Thomas Manns, München 1970.

K. H. Rengstorf, Zu den Fresken in der jüdischen Katakombe der Villa Torlonia in Rom: ZNW 31 (1932) 33–60.

– Die Stadt der Mörder (Mt 22,7), in: Judentum – Urchristentum – Kirche (FS J. Jeremias) (BZNW 26), Berlin 1960, 106–129.

K. G. Reploh, Markus – Lehrer der Gemeinde. Eine redaktionsgeschichtliche Studie zu den Jüngerperikopen des Markus-Evangeliums (SBM 9), Stuttgart 1969.

M. Rese, Alttestamentliche Motive in der Christologie des Lukas (StNT 1), Gütersloh 1969.

J. A. Richards, The Philosophy of Rhetoric, Oxford 1936, Repr. 1971.

W. Richter, Traum und Traumdeutung im AT. Ihre Form und Verwendung: BZ NF 7 (1963) 202–220.

– Exegese als Literaturwissenschaft. Entwurf einer alttestamentlichen Literaturtheorie und Methodologie, Göttingen 1971.

P. Ricoeur, Die Interpretation. Ein Versuch über Freud (De l'Interpretation, 1965, dt. von E. Moldenhauer) (stw 76), Frankfurt 1974.

– Stellung und Funktion der Metapher in der biblischen Sprache, in: Metapher. Zur Hermeneutik religiöser Sprache (EvTh Sonderheft), München 1974, 45–70.

– Biblical Hermeneutics: Semeia 4 (1975) 29–148.

D. W. Riddle, Mark 4,1–34; the Evolution of a Gospel Source: JBL 56 (1937) 77–90.

W. Riedel, Die Auslegung des Hohenliedes in der jüdischen Gemeinde und der griechischen Kirche, Leipzig 1898.

H. Riesenfeld, The Parables in the Synoptic and in the Johannine Traditions, in: The Gospel Tradition. Essays, Oxford 1970, 139–169.

– Paul's „Grain of Wheat" Analogy and the Argument of 1 Corinthians 15, ebd. 171–186.

A. de Q. Robin, The Cursing of the Fig Tree in Mark xi. A Hypothesis: NTS 8 (1961/62) 276–281.

A. T. Robinson, The Causal Use of ʽINA, in: Studies in Early Christianity (FS F. C. Porter – B. W. Bacon), New York 1928, 51–57.

D. W. B. Robinson, The Use of *Parabolē* in the Synoptic Gospels: EvQ 21 (1949) 93–108.

J. A. T. Robinson, The Parable of the Wicked Husbandmen: A Test of Synoptic Relationships: NTS 21 (1974/75) 443–461.

J. M. Robinson, Jesus' Parables as God Happening, in: Jesus and the Historian (FS E. C.

Colwell), Philadelphia 1968, 134–150.

– The Problem of History in Mark (SBT 21), 4. Aufl., London 1971.

W. C. Robinson jr., On Preaching the Word of God (Luke 8:4–21), in: Studies in Luke-Acts (FS P. Schubert), Nashville 1966, 131–138.

F. Rodi, Anspielungen. Zur Theorie der kulturellen Kommunikationseinheiten: Poetica 7 (1975) 115–134.

L. Röhrich, Gebärde – Metapher – Parodie. Studien zur Sprache und Volksdichtung (Wirkendes Wort 4), Düsseldorf 1967.

J. Roloff, Das Kerygma und der irdische Jesus. Historische Motive in den Jesus-Erzählungen der Evangelien, Göttingen 1970.

K. Romaniuk, „Car ce n'était pas la saison des figues . . .": ZNW 66 (1975) 275–278.

M. Rostowzew, Studien zur Geschichte des römischen Kolonates (APF.B 1), Leipzig 1910, Repr. Darmstadt 1970.

P. D. van Royen, Jezus en Johannes de Doper. Een historisch onderoek op grond van de Synoptische Evangeliën naar hun onderlinge verhouding sedert de arrestatie van den laatste, Leiden 1953.

K. Rudolph, Gnosis und Gnostizismus. Ein Forschungsbericht. Folge III: ThR NF 34 (1969) 181–231.

H. P. Rüger, „Mit welchem Maß ihr meßt, wird euch gemessen werden": ZNW 60 (1969) 174–182.

L. Ruppert, Die Josephserzählung der Genesis. Ein Beitrag zur Theologie der Pentateuchquellen (StANT 11), München 1965.

N. Ruwet, Synecdoques et métonymies: Poétique 6,23 (1975) 371–388.

D. Sabbatucci, La parabola evangelica. Appunti fenomenologici: SMSR 38 (1967) 488–497.

L. Sabourin, „Connaître les mystères du royaume" (Mt 13,11), in: Studia Hierosolymitana (FS B. Bagatti) (SBF Coll. Major 23), Bd. 2, Jerusalem 1975, 58–63.

H. Sahlin, Zum Verständnis von drei Stellen des Markus-Evangeliums: Bib. 33 (1952) 53–66.

W. Salm, Beiträge zur Gleichnisforschung, Diss. theol., Göttingen 1953.

A. Sand, Das Gesetz und die Propheten. Untersuchungen zur Theologie des Evangeliums nach Matthäus (BU 11), Regensburg 1974.

F. de Saussure, Grundfragen der allgemeinen Sprachwissenschaft, 2. Aufl., Berlin 1967.

J. F. A. Sawyer, The Ruined House in Ecclesiastes 12: A Reconstruction of the Original Parable: JBL 94 (1975) 519–531.

K. T. Schäfer, „ . . . und dann werden sie fasten, an jenem Tage", in: Synoptische Studien (FS A. Wikenhauser), München 1953, 124–147.

C. Schäublin, Untersuchungen zu Methode und Herkunft der antiochenischen Exegese (Theoph. 23), Köln–Bonn 1974.

E. Scheffer, Mysterium und *Sacramentum* in den ältesten römischen Sakramentarien, Diss. theol., Münster 1952.

K. H. Schelkle, Auslegung als Symbolverständnis: ThQ 132 (1952) 129–151.

– Von alter und neuer Auslegung, in: Wort und Schrift. Beiträge . . . (KBANT), Düsseldorf 1966, 201–215.

– Der Zweck der Gleichnisreden, in: Neues Testament und Kirche (FS R. Schnackenburg), Freiburg 1974, 71–75.

L. Schenke, Die Wundererzählungen des Markusevangeliums, Stuttgart o. J. (1974).

D. M. Schenkeveld, Studies in Demetrius *On Style,* Amsterdam 1964.

F. Schiller, Über die notwendigen Grenzen beim Gebrauch schöner Formen, in: Werke. Nationalausgabe, Bd. 21, Weimar 1963, 3–27.

F. Schlegel, Gespräch über die Poesie, ed. H. Eichner, Stuttgart 1968.

W. Schließke, Gottessöhne und Gottessohn im Alten Testament. Phasen der Entmythisierung im Alten Testament (BWANT 97), Stuttgart 1973.

G. *Schmahl,* Die Zwölf im Markusevangelium. Eine redaktionsgeschichtliche Untersuchung (TThSt 30), Trier 1974.

J. *Schmid,* Matthäus und Lukas. Eine Untersuchung des Verhältnisses ihrer Evangelien (BStF 23,2–4), Freiburg 1930.

W. *Schmid – O. Stählin,* Wilhelm von Christs Geschichte der giechischen Litteratur (HAW 7), Bd. II, 1, 6. Aufl., München 1920.

J. M. *Schmidt,* Gedanken zum Verstockungsauftrag Jesajas: VT 21 (1971) 68–90.

K. L. *Schmidt,* Der Rahmen der Geschichte Jesu. Literarkritische Untersuchungen zur ältesten Jesusüberlieferung, Berlin 1919, Repr. Darmstadt 1969.

W. *Schmithals,* Die Häretiker in Galatien, in: Paulus und die Gnostiker. Untersuchungen zu den kleinen Paulusbriefen (ThF 35), Hamburg 1965, 9–46.

A. *Schmitt,* Stammt der sogenannte „ϑ'"-Text bei Daniel wirklich von Theodotion? (NAWG 1966, 8), Göttingen 1966.

R. *Schnackenburg,* Mk 9,33–50, in: Synoptische Studien (FS A. Wikenhauser), München 1954, 184–206.

– „Ihr seid das Salz der Erde, das Licht der Welt", in: J. B. *Bauer* (Hrsg.), Evangelienforschung. Ausgewählte Aufsätze deutscher Exegeten, Graz 1968, 119–146.

– Das Brot des Lebens, in: Tradition und Glaube. Das frühe Christentum in seiner Umwelt (FS K. G. Kuhn), Göttingen 1971, 328–342.

G. *Schneider,* Das Bildwort von der Lampe. Zur Traditionsgeschichte eines Jesus-Wortes: ZNW 61 (1970) 183–209.

– Parusiegleichnisse im Lukas-Evangelium (SBS 74), Stuttgart 1975.

J. *Schneider,* „Mysterion" im Neuen Testament: ThStKr 104 (1932) 255–278.

F. *Schnider,* Jesus der Prophet (OBO 2), Fribourg 1973.

W. R. *Schoedel,* Parables in the Gospel of Thomas: Oral Tradition or Gnostic Exegesis?: CTM 43 (1972) 548–560.

H. J. *Schoeps,* Die jüdischen Prophetenmorde, in: Aus frühchristlicher Zeit. Religionsgeschichtliche Untersuchungen, Tübingen 1950, 126–143.

– Paulus. Die Theologie des Apostels im Lichte der jüdischen Religionsgeschichte, Tübingen 1959.

G. *Scholem,* Die jüdische Mystik in ihren Hauptströmungen, Frankfurt 1957.

– Über einige Grundbegriffe des Judentums (edition suhrkamp 414), Frankfurt 1970.

W. *Schottroff,* Das Weinberglied Jesajas (Jes 5 1–7). Ein Beitrag zur Geschichte der Parabel: ZAW 82 (1970) 68–91.

W. *Schrage,* Das Verhältnis des Thomas-Evangeliums zur synoptischen Tradition und zu den koptischen Evangelienübersetzungen. Zugleich ein Beitrag zur gnostischen Synoptikerdeutung (BZNW 29), Berlin 1964.

T. *Schramm,* Der Markus-Stoff bei Lukas. Eine literarkritische und redaktionsgeschichtliche Untersuchung (MSSNTS 14), Cambridge 1971.

J. *Schreiber,* Die Christologie des Markusevangeliums. Beobachtungen zur Theologie und Komposition des zweiten Evangeliums: ZThK 58 (1961) 154–183.

– Theologie des Vertrauens. Eine redaktionsgeschichtliche Untersuchung des Markusevangeliums, Hamburg 1967.

H. H. *Schroeder,* Eltern und Kinder in der Verkündigung Jesu. Eine hermeneutische und exegetische Untersuchung (ThF 53), Hamburg 1972.

F. *Schröger,* Der Verfasser des Hebräerbriefes als Schriftausleger (BU 4), Regensburg 1968.

E. *Schürer,* Geschichte des jüdischen Volkes im Zeitalter Jesu Christi, Bd. 1–3, 4. Aufl., Leipzig 1901–1909.

– The History of the Jewish People in the Age of Jesus Christ. A New English Version ..., Bd. 1, Edinburgh 1973.

H. Schürmann, Die Sprache des Christus. Sprachliche Beobachtungen an den synoptischen Herrenworten, in: Traditionsgeschichtliche Untersuchungen zu den synoptischen Evangelien (KBANT), Düsseldorf 1968, 83–108.

– Sprachliche Reminiszenzen an abgeänderte oder ausgelassene Bestandteile der Redequelle im Lukas- und Matthäusevangelium, ebd. 111–125.

– Die Dublettenvermeidungen im Lukasevangelium. Ein Beitrag zur Verdeutlichung des lukanischen Redaktionsverfahrens, ebd. 279–289.

– Wie hat Jesus seinen Tod bestanden und verstanden? Eine methodenkritische Besinnung, in: Orientierung an Jesus. Zur Theologie der Synoptiker (FS J. Schmid), Freiburg 1973, 325–363.

R. Schütz, Zum Feigengleichnis: ZNW 12 (1911) 88.

B. Schultze, Die ekklesiologische Bedeutung des Gleichnisses vom Senfkorn: OChrP 27 (1961) 362–386.

S. Schulz, Die Decke des Moses. Untersuchungen zu einer vorpaulinischen Überlieferung in II Cor 3 7–18: ZNW 49 (1958) 1–30.

– Q – Die Spruchquelle der Evangelisten, Zürich 1972.

E. Schwartz, Der verfluchte Feigenbaum: ZNW 5 (1904) 80–84.

E. Schweizer, Anmerkungen zur Theologie des Markus, in: Neotestamentica. Aufsätze ..., Zürich 1963, 93–104.

– Zur Frage des Messiasgeheimnisses bei Markus: ZNW 56 (1965) 1–8.

– Zur Sondertradition der Gleichnisse bei Matthäus, in: Matthäus und seine Gemeinde (SBS 71), Stuttgart 1974, 98–105.

P. Sciascia, Lapis reprobatus (StAnt 13), Rom 1959.

O. Seel, Antike und frühchristliche Allegorik, in: Festschrift für Peter Metz, Berlin 1965, 11–45.

I. L. Seeligmann, Voraussetzungen der Midraschexegese, in: Congress Volume. Copenhagen (VT.S 1), Leiden 1953, 150–181.

F. van Segbroeck, Le scandale de l'incroyance.La signification de Mt., XIII, 35: EThL 41 (1965) 344–372.

W. Selb, Art. Erbrecht: JAC 14 (1971) 170–184.

K. Seybold, Bilder zum Tempelbau. Die Visionen des Propheten Sacharja (SBS 70), Stuttgart 1974.

J. B. Sheppard, A Study of the Parables Common to the Synoptic Gospels and the Coptic Gospel of Thomas, Diss. phil., Emory University 1965.

M. J. Shroyer, Alexandrian Jewish Literalists: JBL 55 (1936) 261–284.

J. Sickenberger, Die Zusammenarbeitung verschiedener Parabeln im Matthäusevangelium (22,1–14): ByZ 30 (1929/30) 253–261.

C. Siegfried, Philo von Alexandria als Ausleger des Alten Testaments, Jena 1875.

E. F. Siegman, Teaching in Parables (Mk 4,10–12; Lk 8,9–10; Mt 13,10–15): CBQ 23 (1961) 161–181.

L. H. Silberman, Unriddling the Riddle. A Study in the Structure and Language of the Habakkuk Pesher: RdQ 3 (1961/62) 323–364.

R. Silva, La parábola de los renteros homicidas. Estudio crítico e interpretación: Comp. 15 (1970) 319–353.

T. Silverstein, Allegory and Literary Form: PMLA 82 (1967) 28–32.

T. A. Sinclair, Note on an Apparent Mistranslation (Mk. 4:12): BibTh 5 (1954) 18.

P. Siniscalco, Mito e storia della salvezza. Ricerche sulle più antiche interpretazioni di alcune parabole evangeliche (PFLUT 5), Turin 1971.

E. Sjöberg, Der verborgene Menschensohn in den Evangelien (SHVL 53), Lund 1955.

E. Slomovic, Toward an Understanding of the Exegesis in the Dead Sea Scrolls: RdQ 7 (1969/71) 3–15.

S. G. P. Small, On Allegory in Homer: CJ 44 (1948/49) 423–430.

B. T. D. Smith, The Parables of the Synoptic Gospels. A Critical Study, Cambridge 1937.

C. W. F. Smith, No Time for Figs: JBL 79 (1960) 315–327.

– The Jesus of the Parables (1948), 2. Aufl., Philadelphia 1975.

A. Smitmans, Das Gleichnis vom Dieb, in: Wort Gottes in der Zeit (FS K. H. Schelke), Düsseldorf 1973, 43–68.

B. Snell, Die Entdeckung des Geistes. Studien zur Entstehung des europäischen Denkens bei den Griechen, 4. Aufl., Göttingen 1975.

K. Snodgrass, Western Non-Interpolations: JBL 91 (1972) 369–379.

– The Parable of the Wicked Husbandmen: Is the Gospel of Thomas Version the Original?: NTS 20 (1974/75) 142–144.

H. von Soden, ΜΥΣΤΗΡΙΟΝ und *sacramentum* in den ersten zwei Jahrhunderten der Kirche: ZNW 12 (1911) 188–227.

B. A. Sörensen (Hrsg.), Allegorie und Symbol. Texte zur Theorie des dichterischen Bildes im 18. und frühen 19. Jahrhundert (Ars poetica. Texte 16), Frankfurt 1972.

T. Soiron, Die Logia Jesu. Eine literarkritische und literargeschichtliche Untersuchung zum synoptischen Problem (NTA VI, 4), Münster 1916.

– Der Zweck der Parabellehre Jesu im Lichte der synoptischen Überlieferung: ThGl 9 (1917) 385–394.

B. de Solages, La Composition des Évangiles de Luc et de Matthieu et leurs sources, Leiden 1973.

J. Sonnen, Landwirtschaftliches vom See Genesareth: Bib. 8 (1927) 65–87.188–208.320–337.

J. B. Souček, Salz der Erde und Licht der Welt. Zur Exegese von Matth. 5,13–16: ThZ 19 (1963) 169–179.

F. E. Sparshott, „As“, or the Limits of Metaphor: New Literary History 6,1 (1974) 75–94.

C. Spicq, Ὑπομονή, patientia: RSPhTh 19 (1930) 95–106.

– Esquisse d'une histoire de l'exégèse latine au moyen âge (BiblThom 26), Paris 1944.

F. Spitta, Der Parabelabschnitt Matt. 13, Mark. 4, Luk. 8 als typisches Beispiel für das Verhältnis der Synoptiker zueinander: ThStKr 84 (1911) 538–569.

H. J. Spitz, Die Metaphorik des geistigen Schriftsinns. Ein Beitrag zur allegorischen Bibelauslegung des ersten christlichen Jahrtausends (Münstersche Mittelalter-Schriften 12), München 1972.

G. Sprenger, Jesu Säe- und Erntegleichnisse, aus den palästinensischen Ackerbauverhältnissen dargestellt: PJ 9 (1913) 79–97.

G. Stählin, Die Gleichnishandlungen Jesu, in: Kosmos und Ekklesia (FS W. Stählin), Kassel 1953, 9–22.

W. Stählin, Symbolon I: Vom gleichnishaften Denken, Stuttgart 1958.

H. Stammerjohann (Hrsg.), Handbuch der Linguistik. Allgemeine und angewandte Sprachwissenschaft, Darmstadt 1975.

W. Stammler, Allegorische Studien: DVfLG 17 (1939) 1–25.

W. B. Stanford, Greek Metaphor. Studies in Theory and Practice, Oxford 1939, Repr. New York 1972.

O. H. Steck, Israel und das gewaltsame Geschick der Propheten. Untersuchungen zur Überlieferung des deuteronomistischen Geschichtsbildes im Alten Testament, Spätjudentum und Urchristentum (WMANT 23), Neukirchen 1967.

E. Stein, Die allegorische Exegese des Philo aus Alexandreia (BZAW 51), Gießen 1929.

– Philo und der Midrasch. Philos Schilderung der Gestalten des Pentateuch verglichen mit der des Midrasch (BZAW 57), Gießen 1931.

M. G. Steinhauser, Neuer Wein braucht neue Schläuche, in: Biblische Randbemerkungen (FS R. Schnackenburg), Würzburg 1974, 113–123.

F. X. Steinmetzer, Über eine Redefigur in der Parabelsprache: BZ 11 (1913) 26–32.

G. Stemberger, Zur Auferstehungslehre in der rabbinischen Literatur: Kairos 15 (1973) 238–266.

K. Stendahl, The School of St. Matthew and its Use of the Old Testament (ASNU 20), 2. Aufl., Lund o. J. (1967).

R. A. Stewart, The Parable Form in the Old Testament and the Rabbinic Literature: EvQ 36 (1964) 133–147.

K. Stock, Boten aus dem Mit-Ihm-Sein. Das Verhältnis zwischen Jesus und den Zwölf nach Markus (AnBib 70), Rom 1975.

W. Storch, Zur Perikope von der Syrophönizierin. Mk 7,28 und Ri 1,7: BZ NF 14 (1970) 256–257.

G. C. Storr, De parabolis Christi, in: Opuscula academica ad interpretationem librorum sacrorum pertinentia, Bd. 1, Tübingen 1796, 89–143.

H. L. Strack, Einleitung in Talmud und Midrasch, 5. Aufl., München 1920, Repr. 1961.

W. Straub, Die Bildersprache des Apostels Paulus, Tübingen 1937.

G. Strecker, Der Weg der Gerechtigkeit. Untersuchung zur Theologie des Matthäus (FRLANT 82), 3. Aufl., Göttingen 1971.

A. Strobel, Untersuchungen zum eschatologischen Verzögerungsproblem auf Grund der spätjüdisch-urchristlichen Geschichte von Habakuk 2,2ff. (NT.S 2), Leiden 1961.

Å. V. Ström, Der Hirt des Hermas – Allegorie oder Wirklichkeit? (ASNU 3), Uppsala 1936 (abweichender Innentitel).

A. Strubel, „Allegoria in factis" et „allegoria in verbis": Poétique 6,23 (1975) 342–357.

T. Struys, Ziekte en Genezing in het Oude Testament, Kampen 1968.

P. Stuhlmacher, Schriftauslegung auf dem Wege zur biblischen Theologie, Göttingen 1975.

R. Stuhlmann, Beobachtungen und Überlegungen zu Markus iv. 26–29: NTS 19 (1972/73) 153–162.

A. Stuiber, Die Wachhütte im Weingarten: JAC 2 (1959) 86–89.

A. Suhl, Die Funktion der alttestamentlichen Zitate und Anspielungen im Markusevangelium, Gütersloh 1965.

A. Sulzbach, Das Maschal im Midrasch: Jesch. 5 (1918) 337–348.

J. Sundwall, Die Zusammensetzung des Markusevangeliums (AAbo 9,2), Abo 1934.

E. Suys, Le commentaire de la parabole du semeur dans les synpotiques: RSR 14 (1924) 247–254.

R. Swaeles, L'Arrière-fond scripturaire de Matt. xxi. 43 et son lien avec Matt. xxi. 44: NTS 6 (1959/60) 310–313.

L. Szimonidesz, Das Gleichnis vom Säemann und von der selbstwachsenden Saat: NThT 25 (1936) 348–361.

– Eine Rekonstruktion des Senfkorngleichnisses: NThT 26 (1937) 128–155.

K. Tagawa, Miracles et évangile. La pensée personelle de l'évangéliste Marc (EHPhR 62), Paris 1966.

J. Tate, The Beginnings of Greek Allegory: ClR 41 (1927) 214–215.

– Cornutus and the Poets: CQ 23 (1929) 41–45.

– Plato and Allegorical Interpretation: CQ 23 (1929) 142–154; 24 (1930) 1–10.

– On the History of Allegorism: CQ 28 (1934) 105–114.

W. Theiler, Der Mythos und die Götter Griechenlands, in: Horizonte der Humanitas (FS W. Wili), Berlin 1960, 15–36.

G. Theißen, Urchristliche Wundergeschichten. Ein Beitrag zur formgeschichtlichen Erforschung der synoptischen Evangelien (StNT 8), Gütersloh 1974.

A. C. Thiselton, The Parables as Language-Event: Some Comments on Fuchs' Hermeneutics in the Light of Linguistic Philosophy: SJTh 23 (1970) 437–468.

W. Thissen, Erzählung der Befreiung. Eine exegetische Untersuchung zu Mk 2,1–3,6 (fzb 21), Würzburg 1976.

D. W. Thomas, Kelebh „dog": its origin and some usages of it in the Old Testament: VT 10 (1960) 410–427.

H. Thyen, Die Probleme der neueren Philo-Forschung: ThR NF 23 (1955) 230–246.

E. J. Tinsley, Parable, Allegory and Mysticism, in: *A. Hanson* (Hrsg.), Vindications. Essays

on the Historical Basis of Christianity, London 1966, 153–192.
– Parable and Allegory. Some literary criteria for the interpretation of the parables of Christ: ChQ 3 (1970) 32–39.

H. E. Tödt, Der Menschensohn in der synoptischen Überlieferung, Gütersloh 1959.

T. F. Torrance, A Study in New Testament Communication: SJTh 3 (1950) 298–313.

L. Treitel, Ursprung, Begriff und Umfang der allegorischen Schrifterklärung, in: Philonische Studien, Breslau 1915, 114–122.

R. C. Trench, Notes on the Parables of our Lord, 8. Aufl., London 1860.

W. Trilling, Zur Überlieferungsgeschichte des Gleichnisses vom Hochzeitsmahl: BZ NF 4 (1960) 251–265.
– Das Wahre Israel. Studien zur Theologie des Matthäus-Evangeliums (StANT 10), 3. Aufl., München 1964.

E. Trocmé, La Formation de l'Évangile selon Marc (EHPhR 57), Paris 1963.
– Jésus de Nazareth vu par les témoins de sa vie (BT.N), Neuchâtel 1971.

P. Trudinger, The Word on the Generation Gap. Reflections on a Gospel Metaphor: BTB 5 (1975) 311–315.

C. M. Turbayne, The Myth of Metaphor, 2. Aufl., Columbia 1970.

C. H. Turner, O ΥΙΟΣ ΜΟΥ O ΑΓΑΠΗΤΟΣ: JThS 27 (1926) 113–129.

J. B. Tyson, Paul's Opponents in Galatia: NT 10 (1968) 241–254.

S. Ullmann, Sprache und Stil. Aufsätze zur Semantik und Stilistik (Language and Style, 1964, dt. von S. Koopmann) (Konzepte der Sprach- und Literaturwissenschaft 12), Tübingen 1972.

A. F. Unger, De parabolarum Jesu natura, interpretatione, usu, scholae exegeticae rhetoricae, Leipzig 1828.

L. Vaganay, Le problème synoptique. Une hypothèse de travail (BT.B 1), Tournai 1954.

G. Vermes, „The Torah is a Light": VT 8 (1958) 436–438.
– Scripture and Tradition in Judaism. Haggadic Studies (StPB 4), Leiden 1961.
– Post-Biblical Jewish Studies (SJLA 3), Leiden 1975.

D. O. Via, Die Gleichnisse Jesu. Ihre literarische und existentiale Dimension (The Parables, 1967, dt. von E. Güttgemanns) (BEvTh 57), München 1970.
– A Response to Crossan, Funk, and Petersen: Semeia 1 (1974) 222–235.

P. Vielhauer, Geschichte der urchristlichen Literatur (GLB), Berlin 1975.

J. J. Vincent, The Parables of Jesus as Self-Revelation: StEv 1 (1959) 79–99.

B. Violet, Die „Verfluchung" des Feigenbaums, in: ΕΥΧΑΡΙΣΤΗΡΙΟΝ. Studien … (FS H. Gunkel) (FRLANT 36), Bd. 2, Göttingen 1923, 135–140.

A. Vögtle, Die Tugend- und Lasterkataloge im Neuen Testament exegetisch, religions- und formgeschichtlich untersucht (NTA XVI, 4/5), Münster 1936.

W. Völker, Fortschritt und Vollendung bei Philo von Alexandrien. Eine Studie zur Geschichte der Frömmigkeit (TU 49,1), Berlin 1938.

H. Vogelstein, Die Landwirtschaft in Palästina zur Zeit der Mišnah I: Der Getreidebau, Breslau 1894.

E. Vogt, „Mysteria" in textibus Qumrān: Bib. 37 (1956) 247–257.

P. Volz, Die Eschatologie der jüdischen Gemeinde im neutestamentlichen Zeitalter, 2. Aufl., Tübingen 1934.

J. M. Vosté, Parabolae selectae Domini Nostri Jesu Christi (Opuscula Biblica Pontificii Collegii Angelici), Bd. 1–2, 2. Aufl., Rom 1933.

R. Walker, Die Heilsgeschichte im ersten Evangelium (FRLANT 91), Göttingen 1967.

N. Walter, Der Thoraausleger Aristobulos. Untersuchungen zu seinen Fragmenten und zu pseudepigraphischen Resten der jüdisch-hellenistischen Literatur (TU 86), Berlin 1964.

H. Wansbrough, Mark iii. 21 – Was Jesus out of His Mind?: NTS 18 (1971/72) 233–235.

J. H. Waszink, Die sogenannte Fünfteilung der Träume bei Chalcidius und ihre Quellen: Mn. III, 9 (1941) 65–85.

T. J. Weeden, Mark – Traditions in Conflict, Philadelphia 1971.

F. Wehrli, Zur Geschichte der allegorischen Deutung Homers im Altertum, Diss. phil. Basel, Borna–Leipzig 1928.

H. Weinel, Die Bildersprache Jesu in ihrer Bedeutung für die Erforschung seines inneren Lebens, Gießen 1900.

– Der Talmud, die Gleichnisse Jesu und die synoptische Frage: ZNW 13 (1912) 117–132.

– Die Gleichnisse Jesu (Aus Natur und Geisteswelt 46), 5. Aufl., Leipzig 1929.

H. Weinrich, Münze und Wort: Untersuchungen an einem Bildfeld, in: Romanica (FS G. Rohlfs), Halle 1958, 508–521.

– Semantik der kühnen Metapher: DVfLG 37 (1963) 325–344.

– Semantik der Metapher: Folia Linguistica 1 (1967) 3–17.

– Sprache in Texten, Stuttgart 1976.

H. Weinrich u. a., Die Metapher (Bochumer Diskussion): Poetica 2 (1968) 100–130.

S. Weinstock, Die platonische Homerkritik und ihre Nachwirkung: Ph. 82 (1927) 121–153.

A. Weiser, Die Knechtsgleichnisse der synoptischen Evangelien (StANT 29), München 1971.

– Von der Predigt Jesu zur Erwartung der Parusie. Überlieferungsgeschichtliches zum Gleichnis vom Türhüter: BiLe 12 (1971) 25–31.

B. Weiß, Ueber das Bildliche im Neuen Testament: DZCW NF 4 (1861) 309–331.

J. Weiß, Die Parabelrede bei Markus: ThStKr 64 (1891) 289–321.

K. Weiß, Voll Zuversicht! Zur Parabel Jesu vom zuversichtlichen Sämann Mk 4,26–29 (NTA X, 1), Münster 1922.

R. Wellek – A. Warren, Theorie der Literatur (Theory of Literature, 1963, dt. von E. u. M. Lohner) (Ullstein Buch 420/21), Berlin 1969.

P. Wendland, Die hellenistisch-römische Kultur in ihren Beziehungen zum Judentum und Christentum (HNT 2), 4. Aufl., Tübingen 1972.

E. Wendling, Die Entstehung des Marcus-Evangeliums. Philologische Untersuchungen, Tübingen 1908.

D. Wenham, The Synoptic Problem Revisited: Some New Suggestions about the Composition of Mark 4,1–34: TynB 23 (1972) 3–38.

– The Interpretation of the Parable of the Sower: NTS 20 (1973/74) 299–319.

– The Meaning of Mark iii. 21: NTS 21 (1974/75) 295–300.

H. Werner, Die Ursprünge der Metapher (Arbeiten zur Entwicklungspsychologie 3), Leipzig 1919.

H. Wernle, Allegorie und Erlebnis bei Luther (Basler Studien zur deutschen Sprache und Literatur 24), Basel 1960.

W. L. Westermann, Orchard and Vineyard Taxes in the Zenon Papyri: JEA 12 (1926) 38–51.

G. A. Wewers, Geheimnis und Geheimhaltung im rabbinischen Judentum (RVV 35), Berlin 1975.

P. Wheelwright, Metaphor and Reality, 4. Aufl., Bloomington 1971.

K. D. White, The Parable of the Sower: JThS NS 15 (1964) 300–307.

S. Wibbing, Die Tugend- und Lasterkataloge im Neuen Testament und ihre Traditionsgeschichte unter besonderer Berücksichtigung der Qumran-Texte (BZNW 25), Berlin 1959.

B. Wiberg, Jesu lignelser. En gennemgang af lignelsesforskningen 1900–1950 (Teologiske Studier 14), Kopenhagen 1954.

U. Wilckens, Die Bekehrung des Paulus als religionsgeschichtliches Problem: ZThK 56 (1959) 273–293.

A. N. Wilder, Early Christian Rhetoric. The Language of the Gospel, 2. Aufl., Cambridge Ma. 1971.

– The Parable of the Sower: Naiveté and Method in Interpretation: Semeia 2 (1974) 134–151.

M. F. Wiles, Early Exegesis of the Parables: SJTh 11 (1958) 287–301.

W. Wilkens, Die Redaktion des Gleichniskapitels Mark. 4 durch Matth.: ThZ 20 (1964) 305–327.

– Zur Frage der literarischen Beziehung zwischen Matthäus und Lukas: NT 8 (1966) 48–57.

N. M. Wilson, Interpretation of the Parables in Mark, Diss. phil., Drew University, Madison 1968.

R. McL. Wilson, Studies in the Gospel of Thomas, London 1960.

W. K. Wimsatt jr., The Verbal Icon. Studies in the Meaning of Poetry, London 1970.

H. Windisch, Die Verstockungsidee in Mc 4 12 und das kausale ἵνα der späteren Koine: ZNW 26 (1927) 203–209.

L. Wittgenstein, Schriften I, Frankfurt 1960.

H. A. Wolfson, Philo. Foundations of Religious Philosophy in Judaism, Christianity, and Islam, Bd. 1–2, 2. Aufl., Cambridge Ma. 1948.

W. Wrede, Das Messiasgeheimnis in den Evangelien. Zugleich ein Beitrag zum Verständnis des Markusevangeliums (1901), 4. Aufl., Göttingen 1969.

A. G. Wright, The Literary Genre Midrash, Staten Island 1967.

M. Wünsch, Allegorie und Sinnstruktur in ‚Erec‘ und ‚Tristan‘: DVfLG 46 (1972) 513–538.

V. Zapletal, Der Wein in der Bibel. Kulturgeschichtliche und exegetische Studie (BSt 20,1), Freiburg 1920.

E. Zeller, Die Philosophie der Griechen in ihrer geschichtlichen Entwicklung, Bd. III, 1.2, 5. Aufl., Leipzig 1923, Repr. Darmstadt 1963.

M. Zerwick, Untersuchungen zum Markus-Stil. Ein Beitrag zur stilistischen Durcharbeitung des Neuen Testaments (SPIB), Rom 1937.

– Die Parabel vom Thronanwärter: Bib. 40 (1959) 654–674.

I. Ziegler, Die Königsgleichnisse des Midrasch beleuchtet durch die römische Kaiserzeit, Breslau 1903.

J. A. Ziesler, The Removal of the Bridegroom: A Note on Mark ii. 18–22 and Parallels: NTS 19 (1972/73) 190–194.

H. Zimmermann, „Mit Feuer gesalzen werden". Eine Studie zu Mk 9,49: ThQ 139 (1959) 28–39.

– Die Botschaft der Gleichnisse Jesu: BiLe 2 (1961) 92–105.171–174.254–261.

– Neutestamentliche Methodenlehre. Darstellung der historisch-kritischen Methode, 3. Aufl., Stuttgart 1970.

P. Zingg, Das Wachsen der Kirche. Beiträge zur Frage der lukanischen Redaktion und Theologie (OBO 3), Fribourg 1974.

J. Zmijewski, Die Eschatologiereden des Lukas-Evangeliums. Eine traditions- und redaktionsgeschichtliche Untersuchung zu Lk 21,5–36 und Lk 17,20–37 (BBB 40), Bonn 1972.

I. STELLENREGISTER (in Auswahl)

1. Altes Testament

Genesis
26,12: 191
31,42: 294A41
37,20: 287
40–41: 68f., 83
49: 113f.

Exodus
15,26: 152

Levitikus
2,13: 280
25,5.11: 221f.

Numeri
12,6–8: 70
22–24: 74A210

Deuteronomium
8,3: 277
20,6: 287A3
28,28f: 349f.
29,3: 254, 350
30,3: 152

Richter
7,13–15: 69A192
7,16: 230A219
9,7–15: 73A207, 106, 189A
   18, 215A147, 242, 319

2 Samuel
4,6: 335
7,14: 303
10,4: 294A43
12,7: 291
22,29: 231

1 Könige
20,40: 291
21,1–16: 298A69

2 Könige
6,18: 350A57
14,9: 71, 73A207, 106

1 Chronik
17,13f.: 303

2 Chronik
16,12f.: 153A 24

Nehemia
9,26: 301A91

Tobit
12,8: 165A87

Judit
1,11: 294A41

1 Makkabäer
1,27: 163A75

Ijob
13,28: 171A121
29,3: 231

Psalmen
2,7: 303
41,5: 152
51,4.9.12: 266
69,2f.15f.: 342
74,13: 342
80,9–16: 71, 299
95,5: 342
104,12: 212
107,23–32: 343
118,22f.:   288,   290A16,
   292f., 305–307, 308A131,
   310f., 313A149
119,105: 231
126,5: 195, 224

146,8: 350

Sprüche
6,23: 231
8,34: 334A85
11,28: 183
22,8: 193
27,18: 321
31,17f.: 329A60

Kohelet
8,1: 78A228, 83
9,8: 168
12,1–6: 90A281

Hoheslied
5,2: 334

Weisheit Salomos
8,2f.: 163A77
8,8: 73
18,4: 232
18,24: 95

Jesus Sirach
9,10: 174A132
15,2f.: 164A81
22,7f.: 334A81
38,1–15: 153
38,14: 78A228, 83A247
48,1: 232A227

Jesaja
1,4–6: 152
1,16: 266
3,14: 299A72
5,1–7: 73A207, 287f., 291f.,
   298f.
6,9f.: 249, 251, 253f., 350
6,10: 152
8,14: 290A16, 306f.

24,16: 246A307, 315A159
27,1: 343
27,2–5: 299
28,16: 306f.
28,23–35: 242
29,13: 251, 262
29,18: 350
32,3: 250A322
34,4: 319
35,5: 350, 352
40,18: 211
40,24: 195
42,7.16.19f.: 350A61
49,24f.: 180
51,10: 342
53,5: 152
53,8: 161
53,12: 180
54,5: 162
55,10f.: 192
56,11: 275
60,1: 231
61,1f.: 152, 159, 350
62,1: 231
62,5: 163

Jeremia
2,2: 162
4,3: 195
5,21: 254, 350
7,25f.: 301f.
8,13: 320
8,22: 152
12,13: 195
17,4: 304
17,7f.: 195f.
18,2–6: 181A170

24,1–10: 320
26,3: 314
33,11: 163

Klagelieder
4,20: 215f.

Baruch
1,12: 215A148
6,36: 350A60

Ezechiel
12,2: 254, 350
15,1–8: 72A201, 299A74
16,1–63: 72A203
16,8.60: 162
17,1–24: 71f., 299A74
17,2: 72–74
17,23: 212f., 215f.
27,1–36: 74, 342
31,6: 212, 215f.
47,7–12: 216A153

Daniel
2: 75f., 83
2,34f.44f.: 290A16, 306
4: 76f.
4,18: 212f., 215f.
4,21: 215
5: 77
5,12: 69A189
7–8: 77
7,2–8: 343
9: 77
10–12: 77f.
12,4: 74A212, 80
12,8: 78

12,13: 305

Hosea
2,14: 319A16
2,25: 193A43
6,6: 158
9,10: 320
10,12: 192
11,1: 110, 302A99

Joel
1,7: 320
1,8: 163A75
2,22: 319, 322
4,13: 219f., 223, 225

Amos
7,7f.: 70
8,1f.: 70

Jona
1,6.16: 345f.
2,6f.: 346

Micha
7,1: 320

Habakuk
3,17: 219

Zefanja
1,17: 350

Sacharja
1–6: 70f.
4,2: 232
4,7: 289A11, 306

2. TARGUME

TgO Gn 26,12: 191A35
TgN Gen 40,12.18:
 69A192
TgN Gen 49: 113f.
TgN 16,15: 277

TgN Num 24,3f.: 74A210
Tg 2 Chron 25,18: 115
TgPs 118,22: 306
TgHld 8,1: 164, 171
TgJes 6,9f.: 152, 249–251

TgJes 53, 4–12: 157A50
TgJoel 4,13: 220A169
TgSach 10,4: 306A124

3. Apokryphen und Pseudepigraphen

3 Makkabäer
2,29f.: 95A301

4 Makkabäer
5,16: 267
5,26: 94A296
7,1–3: 343
7,6: 264A17

Aristeasbrief
131–168: 94
305: 263A13

Jubiläen
10,5–11: 181
11,11: 189A19, 201
21,16: 263A13
22,16: 267A36

Psalmen Salomos
5,3: 180A164

äthHenoch
2–5: 223
8,1: 183A177
43,4: 82
62,8: 193A42
68,1: 81
80,2f.: 195A52
82,16: 320A19
90,33: 216A152

grHenoch
1,7: 171A117
9,6: 127
10,7: 153A26
13,8: 70A193

4 Esra
4,28–32: 193f.
4,37: 223A183
4,47f.: 82
7,25: 240
8,6.41.43f.: 193
9,17.31.34–37: 193f.
9,26–10,24: 80
9,38–10,4: 163
12,11f.: 80
12,42: 82A240, 344A25

syrBaruch
10,9: 195A52
29,4: 343
54,6: 244A293

grBaruch
1,2: 299A75
11,7: 71A198

TestXIIPatriarchen
L 13,6: 193
   18,12: 181
Seb 9,8: 180f.
N 6,1–10: 343f.

8,6: 181

TestAbraham
7: 76A222, 88A273
8: 82A242

TestIjob
38,3: 263A15
38,8: 153A26
43,5: 232A233

Apokalypse Mosis
26: 181

Antiquitates Biblicae
28,4: 299
53,10: 107

Josef und Aseneth
(Zählung nach
Philonenko)
15,6: 216
21,3: 164

Paralipomena Jeremiae
5,31: 320A19

Ascensio Jesajae
4,20: 127A432

Vitae Prophetarum
2: 294A42

4. Qumran

1QS 4,9–11: 268, 271
1QSa 2,11f.: 303
CD 6,4–9: 87
1QH 6,22f.: 343
      8,4–26: 88A274,
      216A153

1QpH 2,1–10: 86
        7,1–5: 86
1Q22 1,3: 85
1Q30 1,6: 85
1QJesa 61,10: 164
4Qtest 25: 181

4Qflor 1,11: 303
4Q184/1: 88A274
4Q243 II,1: 303
11QPsᵃZion 17: 70A193

5. HELLENISTISCHES JUDENTUM

Aristobul
Fr. 2–5: 92–94
Fr. 5: 232A227

Philo von Alexandrien
Abr 89–93: 98
Agric 16: 83A250
Cher 48: 101
49: 100A327
95: 267A33
Congr 4.13.21.35–37: 103
Fug 166.170: 221f.
208: 103
Gig 54: 100A327
Leg All 3,108f.: 350
3,249: 194
Migr Abr 6: 343A19

Mut Nom 10: 102
108: 101A333
215: 343
Omn Prob Lib 14: 100f.
82: 100A
325
Op Mund 40–43.80f.: 222
119: 265A22
Quaest in Gen 2,9: 101A
333
4,2: 334A80
4,21: 102
4,200: 103A
337
4,206: 103A
337
Somn 1,89: 195A57

1,164f.: 101
1,191: 101A330
2,173: 299f.
Spec Leg 1,289: 283A120
3,208f.: 267A34
Vit Cont 28: 83, 100A325
75: 83
78: 100A324
88: 101

Flavius Josephus
Ant 1,24: 97A313
5,220: 69A192
10,210: 306
12,317: 221
Bell 3,352f.: 76A220
Ap 2,255: 97A313

6. RABBINICA

Midraschim
Mek Ex 15,8: 107
15,25: 105
19,2: 250A322
19,7: 163
SLev 14,2: 107A352
26,4: 190A23
SNum 10,9: 195
10,35: 109f., 301A88
11,6: 263A15
11,17: 232
12,8: 74A211,
301A88
12,15: 238A265
15,31: 106f.
18,19: 283A123
19,9: 108A358
25,1: 111, 168A105
35,34: 110
SDtn 1,1: 320
3,24: 301A87
11,17: 226A198
11,18: 153
11,22: 105
32,9: 304A108

GenR 46,1: 320
ExR 15,2: 163f.
EstR 7,10: 290A16
KohR 6,9: 297A63
9,8: 168A106
HldR 7,3 § 3: 191A29
7,5 § 3: 320
8, 14 § 1: 224A187

Mischna
Kil 5,7: 221A174
7,6: 296A55
Schab 16,7: 320A218
Meg 4,9: 107
Ket 1,1: 165A88
BB 3,3: 296A55
Ab 5,22: 104

Tosefta
Sanh 7,11: 99A318

Talmude
jPea 20a: 214A136
jMS 55b/c: 89
jSchab 3d: 263A13

bBer 24a: 105
34a: 283A125
40a: 240A275
55a–57b: 89
61b: 211
bSchab 63a: 107A352
153a: 168
bErub 54a/b: 321A21
bMeg 16b: 231
25a: 107
bQid 22b: 105
bBQ 82a: 105
bBB 4a: 232A235
bSanh 92a/b: 106
bḤull 134b: 105
bBek 8b: 282

Außerkanonisches
AbRN 4: 163
Soph 15,8: 283
Pesik 40b: 267A36
149a: 164
Tanch מקץ 5: 189A19
TanchB בשלה 7: 297A63

7. GRIECHISCH-RÖMISCHE SCHRIFTSTELLER

Aristoteles
Div Somn 464b 5ff.:
 65A176
Rhet 1406b 20: 6A9

Artemidor
On(e)irocr 1,2: 64
 4,22: 154A37

Cornutus
Theol Graec 17: 39A41

Demokrit
Fr. B 18: 36
Fr. B 72: 349 ·

Diogenes Laertius
Phil Vit 2,70: 154
 6,6: 154
 8,35: 283

Dionysius Halicarnassensis
Ant Rom II 20,1: 44
Art Rhet 9,1: 43
De Dem 5: 46A75

Empedokles
Fr. B 111: 346A38

Epicharmos
Fr. B 12: 349

Epiktet
Diss II 24,19: 349
 III 23,30: 153
 IV 8,36: 209A112

Heliodor
Aeth IV 9,1f.: 84

Heraklit
Fr. B 32: 35A14
Fr. B 93: 35A17
Fr. B 123: 35A16, 102

Herodot
Hist 4,74: 221A176

Hesiod
Theog 27: 35A12

Homer
Il 9,501–504: 39A42, 46, 52
 15,381–384.618–629:
 340A1
 20,266–272: 49

Jamblichos
Protr 21: 84

Metrodor
Fr. 4: 38

Parmenides
Fr. B 6: 349

Pherekydes
Fr. A 8–11: 38
Fr. B 2: 95

Philodemos
Rhet 4,3.22f.: 40

Platon
Ion 534e: 36f.
Phaed 99e: 349
Phaedr 276b–277a: 192
Resp 378d: 33
 488a–489d: 341
 598b: 33

Plutarch
Amat 13: 54f.
De Anima (Fr. 178): 59
Apophth Lac, Paus 2: 154
Aud Poet 1f.: 54
 4: 32, 54
 14: 54f.
Daed Plat (Fr. 157): 55A123
Def Or 5: 61A154
 18: 229A207
E ap Delph 6: 60
Exil 13: 341A3
Is et Os 2f.: 59
 4: 263A15
 9: 58
 10: 95A298
 11: 56A127
 20: 56, 58
 27: 59
 63: 60

Lib Educ 4: 192A38
Praec Coniug 27: 60
Pyth Or 1: 192
 7: 61
 30: 61
Tranq An 13: 321A23

Pseudo-Demetrius
Typoi Epistol 15: 40

Pseudo-Demetrius Phal.
De Eloc 8f. 99f. 102. 243: 42
 100f.: 43f.

Pseudo-Heraklit
All Hom 1,1: 47
 3,2f.: 48
 5,2: 45
 5,3–12: 45f., 341
 5,16: 46
 6,1: 47
 14,3: 101A333
 22,1: 47
 22,2: 49
 24,1–3: 49
 26,8–14: 50A101
 32,1–6: 51
 33,1: 51A103
 34,3f.: 101A333
 35,1–9: 50
 50,1–5: 49
 59,1–9: 50
 68,1–6: 51
 69,12–16: 50
 75,12: 47
 76,1: 48
 79,13: 48

Pseudo-Longinus
De Sub 9,7: 47A84
 10,5–7: 340A1

Salloustios
De diis 3–4: 62f.

Scholien zu Homer
Od 11,271: 84

Sophokles
Oed Tyr 371: 348f.

Strabo
Geogr X 3,9: 43f.

Theagenes
Fr. 1–4: 37f.

Theophrast
Hist Plant I 3,4: 214
    VIII 2,9: 191A
    33

Tryphon
Tropon: 40

De Vita et Poesi Homeri
92: 62A160.161, 63A164

Vettius Valens
Anth 4,11: 84

Xenophanes
Fr. B 10: 37A26

Fr. B 11: 35A13

Xenophon
Symp 3,6: 33

Cicero
Att II 20,3: 40
De Orat III (38),155:
    7A14, 42A62, 139A31
Divin 1,116: 64
Nat Deor 1,41: 39A38
    3,62: 40f., 84A253
Orator 27,94: 40

Columnella
Rer Rust III 3,4: 191A31

Horaz
Carm 1,14: 41, 341

Phaedrus
Fab App 7: 63A163

Plinius
Hist Nat 31,88.102: 282

Quintilian
Inst Orat VIII 6,8: 6A11
    VIII 6,44–58:
    41f.
    VIII 6,44: 341
    IX 2,46: 6A8

Varro
Rer Rust I 44,2: 191A33

Vergil
Georg 2,541: 41

8. PAPYRI

PAmherst 91: 189A19
PCairZen 59 352 etc.: 296f.

PColt 82: 191

POxy 840: 268A42

9. NEUES TESTAMENT

Mattäus
3,12: 226A196
4,16: 233f.
5,4: 167
5,13: 281, 282A110, 285f.
5,14: 151, 228, 234
5,15: 227–229, 234
5,16: 168, 234
7,2: 238f.
7,7f.: 329

7,16: 321
7,24–27: 168, 252
8,12: 285
8,13: 274
8,19–27: 347f.
9,9–13: 150, 158
9,14–15: 161, 167
9,16f.: 170, 173
9,17: 228
10,6: 274

10,25: 178
10,26: 235f.
12,7: 158
12,22–45: 182A176
12,22–29: 175f.
12,26: 179
12,28: 179, 291A24
12,29: 179f.
12,43–45: 176
12,46–50: 244A296

13,1–3: 241
13,3–8: 187f., 198f.
13,10–18: 244, 249
13,10: 252, 274A57
13,11: 239f., 248f.
13,12: 239f., 313
13,13: 252f.
13,14f.: 252A333
13,15: 152
13,16f.: 254A342
13,18: 254f.
13,19–23: 200, 206f.
13,24–30: 226f.
13,24: 211A124, 218
13,31f.: 210–212, 218
13,33: 211A124
13,34–36: 256
13,36–43: 207f., 226
13,36: 254
13,38: 206A101
13,43: 168, 208, 234, 241
13,49f.: 208A106
13,51: 207, 272
13,52: 173A130, 291
14,14: 159, 280A93
14,22–32: 348A44
15,1–20: 264f., 272
15,21–28: 273f., 279f.
16,18f.: 335
20,1: 291, 300
21,18–22: 324
21,28–32: 311–313
21,28: 300
21,31f.: 291
21,33–46: 289–291,
   311–313
21,35f.: 293
21,45: 252
22,1–14: 167f., 198,
   311–313
22,7: 176A144
22,10: 161A65
22,11: 171
22,13: 286
23,25: 265
24,3: 324
24,27: 328
24,32–36: 318, 324
24,42: 328
24,43: 331
24,46f.: 330
25,1–13: 167f., 234,
   329A60, 330

25,14f.: 297A58, 328f.
25,29: 239

Markus
1,1: 310
1,25: 346
1,45: 148, 236A256
2,1–12: 156A44, 157, 175
2,5–10: 158A50, 251
2,13–17: 148–150, 156f.
2,16: 261
2,17: 151f., 155, 169, 228,
   269
2,18–20: 160–162, 166f.
2,18f.: 165f., 269
2,18: 261
2,21f.: 169–173
2,24: 261
2,25: 288
2,27: 269
3,5: 251
3,6: 167, 247, 289, 347
3,20–35: 174, 183f., 243
3,20–30: 175f.
3,22: 178, 261
3,23: 206, 247, 251,
   264A21, 287
3,27: 179–182
3,28f.: 184, 251
3,31–35: 227, 248
4,1–34: 185f., 256–259, 261
4,1–20: 272, 261f., 286
4,1f.: 148, 211A122, 240f.
4,2: 247A312, 256, 287
4,3–8: 186–191, 196–198,
   219A162, 245A302
4,3: 210, 242
4,9: 241f., 247
4,10: 70, 137A24, 242–
   244, 247, 264A21, 274A57
4,11f.: 237f., 244f., 250f.,
   253
4,11: 207, 234, 243–249,
   254A340, 255f., 317
4,12: 152, 207f., 241A282,
   242A287, 249–254
4,13: 70, 82A242, 253f.,
   317
4,14–20: 14, 196A59, 200–
   206, 209, 225, 234A246,
   246f., 254f., 359f.
4,15f.: 88
4,19: 208A111

4,21–25: 236f., 245A302
4,21f.: 251, 237f.
4,21: 227–230, 233f.,
   317A4
4,22: 229, 235–238, 256A
   348
4,23: 242
4,24: 238f., 242
4,25: 239f.
4,26–29: 218–227
4,26: 210
4,30–32: 210–217
4,32: 187
4,33f.: 255f.
4,34: 83
4,35–41: 345–347
4,36: 185
4,37: 343
4,40: 254A341
6,30–44: 278f.
6,34: 159, 243, 280A93
6,37: 294A42
6,45–52: 348A44
6,52: 254, 279
7,1–23: 260–264
7,3.6: 243A291
7,6f.: 251
7,14–23: 360
7,15: 248, 260, 267A34,
   268f., 272
7,16: 241
7,17: 243f.
7,18–23: 286
7,18: 253
7,21f.: 264f., 267f., 270
7,24–30: 273–274, 280
7,27f.: 275–279, 286
7,32–37: 351f.
8,1–9: 278f.
8,14–21: 279
8,17–21: 254
8,18: 352
8,22–26: 351–353
8,29: 352
8,31: 247, 254, 288, 310f.
8,34: 243
9,1: 317
9,2: 242
9,28: 242
9,33–50: 280f., 285
9,49: 284f.
9,50: 283–286
10,11: 269

10,17–22: 206
10,29f.: 206
11,12–14.20f.: 320A19,
322–325
11,18: 247, 289, 347
11,22–25: 323A30
11,27: 287, 289, 311
11,28: 311
12,1–12: 21, 198, 286–289,
294–298, 307–311, 315
12,1: 247, 326
12,2: 291A21, 292
12,8: 290
12,9: 326f.
12,12: 247, 251
12,13: 247, 289, 311A138
12,18–27: 269A44
12,26: 288
13,4: 317, 326
13,10: 217, 234
13,28–32: 316–318
13,28f.: 319–324, 338
13,33–37: 316, 326–338
14,3: 148f.
14,37: 327A50, 331A68
14,38: 326A41
14,40: 254A338, 327A50
14,61: 311
14,62: 308
15,39: 274A58, 310

Lukas
4,23: 151, 160
4,24–29: 314
4,29: 290A19
5,27–32: 150, 159
5,33–35: 161, 168f.
5,36–38: 170, 173
5,39: 151, 173f.
6,38: 238f.
6,39: 265A23, 318
6,44: 321
7,33f.: 159, 165
8,4: 241
8,5–8: 187, 199
8,8: 241
8,9: 244f., 255
8,10: 235, 245, 248f., 253,
292A26
8,11–15: 200, 208f.
8,11: 199, 227, 255
8,14: 328A56

8,15: 227
8,16: 227–229, 235, 318A11
8,17: 229, 235–237
8,18: 236A257, 239f.
8,19–21: 227
8,19: 244
8,22–25: 348
9,11: 159
9,23: 209
10,2: 224
11,9f.: 329
11,14–22: 175f.
11,18.20: 179
11,21f.: 183
11,24–26: 176, 181
11,31f.: 234
11,33: 227–229, 234
11,34–36: 234
11,39: 265
12,2: 229, 235–237
12,35–38: 329–332, 334,
337f.
12,39: 180A161, 331
12,43: 330, 332
12,47f.: 338
12,54–57: 318
13,6–9: 325
13,6: 300
13,17: 218
13,18–20: 210–212, 218
13,21: 210, 218
13,25: 329f., 334
31,28f.: 218
13,28: 285
14,15–24: 168A105
14,34f.: 281, 285f.
14,35: 241
17,6: 323A30
17,7f.: 330
17,22–37: 328
19,12f.: 328f.
19,12.14.27: 258A353
19,13: 199
19,25: 292A28
19,26: 239
20,9–19: 289–292, 313f.
20,13: 293
20,18: 298A68
20,45: 244A297
21,29–31: 318, 324f.
21,34–36: 328
21,34: 208
24,20: 313A150

Johannes
3,29: 161A65, 164A85
4,35–38: 224A188
6,35: 277

Apostelgeschichte
4,11: 292A26, 307
7,57: 290A19
10,15: 265A25
12,10: 221
28,26f.: 251A330, 252A
333, 253

Römerbrief
1,16: 273
1,29–31: 267, 270
9,33: 307
10,6–8: 108A359, 121f.
14,14: 269

1 Korinther
9,9f.: 107A354
10,1–13: 121
13,12: 58A137

2 Korinther
3,6–18: 122
11,2f.: 163A79

Galaterbrief
3,6–4,7: 116f.
4,9f.: 120
4,21–31: 116–118, 121–123
5,1: 121

Epheserbrief
2,20: 307

Kolosserbrief
1,6.10: 198

1 Thessalonicher
1,6: 203

1 Timotheus
1,4: 126

Titusbrief
3,9: 125f.

Hebräerbrief
1,1f.: 305, 307
1,10–12: 170f.

9,8f.: 126f.
11,19: 126

Jakobusbrief
1,21–25: 203A88
5,7f.: 223A184

1 Petrus
2,6–8: 292A26, 307

2 Petrus
1,16–18: 125
1,19: 232A227

1,20: 83

Offenbarung
19,8: 168A107

10. APOKRYPHEN (NT)

Johannesakten
67: 222A181

Petrusapokalypse
2: 325A38

Thomasevangelium
9: 187A8, 190A28, 199f.,

209
14: 265A22
20: 211A122, 212A129,
218, 314
21: 220A171, 241
31: 160A61
33: 235A248
35: 182A175

47: 174
57: 207A105, 227A199
62f.: 315
64: 292A31, 315
65: 241, 292f., 314f.
66: 292f., 315A157
82: 284A134
104: 169

11. FRÜHCHRISTLICHES SCHRIFTTUM

Didache
8,1: 165

Barnabasbrief
6,10: 126f.

1. Klemensbrief
23,4: 223A184
24,5: 194A50

Ignatius von Antiochien
Eph 7,1: 275A68
    7,2: 154
Magn 10,2: 283A119
Pol 2,1: 154A39

Hirt des Hermas
11,2: 255A343
33,2: 181

40,4: 204A92
55,1–11: 300
57,2: 82A242, 244
58,1: 83
78,5f.: 196
89,1: 80A232

Aristides
Apol 13,7: 126

Justin
Dial 115,1: 127

Pseudoklementinen
Ep Clem 14,1–6: 344f.
Hom II 38,1: 83

Hippolyt
Ref V 7,35: 315A157

Hieronymus
In Mt 13,23: 199A70
In Mt 25,6: 334A84

Chrysostomus
Ad Gal 4,24: 123A418
Exiit qui seminat: 199A70

Clemens Alexandrinus
Strom VI 126,2f.: 128

Eustathius
Comm in Il A 19,1: 51

II. WORTREGISTER (in Auswahl)

בין: 78, 207
דמה: 114
דרש: 83, 87
חידה: 72f., 78A229
משל: 72–74, 79, 81f., 105., 127, 255
פשר / פתר: 68f., 78f., 82–86, 88, 100A325, 127, 255
רז: 74A210, 75f., 79, 87A268, 89A280, 255
שכל: 78, 207

ἀγαπητός: 287, 291f., 310
ἀγρυπνέω: 326, 334A85
αἴνιγμα, αἰνίττομαι, αἰνιγματώδης: 49A 94, 58, 61A158, 88, 95A298, 97A313, 100, 127A431
ἀκούω: 203, 241f., 255
ἀλληγορία, ἀλληγορέω, ἀλληγορικός: 32, 37, 38A34, 39f., 42A59, 43–45, 47, 49A94, 51f., 54f., 58, 61A158, 62A160, 88, 97A313, 99–101, 119–121, 126, 127A431
ἀμφιλογία: 61
ἀναβαίνω – αὐξάνω: 187, 197f., 211
ἀπάτη: 204, 208
ἀποδημέω, ἀπόδημος: 297, 326
ἅπτω: 228f.
αὐτόματος: 220–222
βλαστάνω: 223A184
γάμος: 329
γνῶναι, γνῶσις: 128, 235, 248
γρηγορέω: 326f., 337
δέω: 181
δηλόω: 92A286, 100, 127
διαλογισμός: 267
διάνοια: 92A286, 100
διασαφέω: 92A286, 94A294, 207A105, 265A24
διωγμός: 204
εἰκών: 6, 46A76
ἐξουσία: 333, 337
(οἱ) ἔξω: 183f., 246–248, 255f.
ἐπιλύω, ἐπίλυσις: 37, 82–84, 100A325, 127, 247, 255, 257, 265A24
ἐπιθυμία: 204, 208

ἐπόπτης: 125
(δι)ἑρμενεύω: 82A286, 100
ἔρχομαι: 198, 228, 307
ζητέω, ζήτησις: 83, 100, 126
θλῖψις: 203, 208
ἵνα: 228, 234, 236A254, 249–253
ἴσως: 293, 314
καινός – νέος: 172f.
καίω: 230
καλέω: 157
καρπός, καρποφορεῖν: 187, 195A54, 201, 219A166, 237
κατὰ μόνας: 242, 264A21
κατασκηνόω: 212A131, 216
κατ' ἰδίαν: 242, 255
κεφαλιόω: 294A42
κίστη: 59, 101
κοινόω, κοινός: 263f.
(δια)κρίνω: 83, 100
κρύπτη, κρύπτω: 229, 236A256
λόγος: 94, 203, 255
μέριμνα: 204, 208, 328A56
μεταφορά, μεταφέρω, μεταφορικός: 6A9, 46A76, 52A108, 61A158, 93A288, 94A 294
μηκύνω: 223A184
μήποτε: 250
μόδιος: 228f.
μυστήριον: 75f., 122, 127f., 236A256, 246–248, 255, 257
νυμφών: 161A65
οἰκία, οἶκος: 148f., 176, 178, 233, 243, 264A21, 326f., 333, 337, 351
οἰκοδεσπότης: 178, 291
οὗτός ἐστιν ο. ä.: 88, 100, 201, 247
(τά) πάντα: 246, 248, 250A326, 255, 317
παραβολή: 46A76, 78f., 81f., 126–128, 184, 240A278, 246f., 255, 257, 260, 265A 23, 272
παράδοσις: 261, 263
παρεμφαίνω: 99A322
πειρασμός: 208f.
πενθέω: 167

περὶ αὐτόν: 183f., 243, 244A292, 248,
  264A21
πλοῦτος: 204, 208
πονηρός: 206A101
πρόσκαιρος: 200, 203, 208
(ὑπερ)σημαίνω, σημειόω: 88, 92A286,
  94A294, 100
σύμβολον, συμβολικός: 42A59, 49A94,
  58, 100, 127A431
συνίημι: 207, 241A282
τέλειος: 126
τελεσφορέω: 209
τρόπος, τροπολογέω: 38A31, 94A294,
  99A322
τύπος (ἀντι-, ἀρχε-):   100, 121, 123, 127A
  431

ὑπομονή: 209
ὑπόνοια: 23–35, 36A23, 37, 39, 43f., 48,
  54, 61, 64, 66, 94A294, 99–101
φανερός: 236
φράζω: 207A105, 265A24, 272
φυσικός: 92, 94A294, 99

distinctio: 82
enodatio, enodare: 40, 84A253
explicatio: 40
interpretatio, interpretari: 82
similitudo: 82, 127A432
(ab)solutio: 82

Vgl. auch: Bildspender, einzelne (im Sachregister).

III. SACHREGISTER

Achtergewicht: 189, 268, 295
Äonen(wechsel): 75, 120, 122A409, 194, 196, 223
Ästhetik
– idealistische:
  s. unter Allegorie
– ästhetische Autonomie: 23–25, 133, 138, 358
– ästhetisches Desinteresse: 5, 11, 25, 55, 108, 358
Allegorese/allegorische Exegese
– Merkmale: 5, 11f., 29, 55, 63, 91, 96, 107f., 146f., 355
– griechisch-römische: 45, 47–63
  vgl. auch: Mythenexegese
– jüdisch-hellenistische: 16, 60, 92–96, 266f.
– philonische: 96–104, 120
– apokalyptische: 87f., 91, 120, 201, 355
– rabbinische: 104–109, 122
– frühchristliche, patristische: 4f., 117–122, 126–129, 146f., 199, 325, 344f., 355
– und Typologie: 123–125, 129
Allegorie
– und Allegorese: 5f., 12, 20, 52f., 64A171, 112, 129–131, 145, 355f.
– und Metapher: 7, 18, 26, 29, 40, 141f., 354
– und Mythos: 44, 145
– in Gleichnissen: 11, 13, 17–19, 24, 227, 357f.
– in der Rhetorik: 6, 40–47, 52f., 61A158, 90
– in der Dichtkunst: 7, 53, 58A139, 132–138
– in der idealistischen Ästhetik: 8f., 15, 26f., 131–133
– in der Gleichnisforschung: 4, 7–10, 14f., 17, 20, 24–26, 134A13
– in der Literaturwissenschaft: 52f., 134–138
– „Decknamen-Allegorie": 41A55, 52, 78, 88A274, 142A47, 178

allegorische Gleichnisexegese: 4f., 7, 12, 16, 18, 21, 128–130, 356
allegorischer Zirkel: 134–136, 354, 358f.
Allegorisierung
– Merkmale: 49f., 91, 353, 356f.
– Analogien: 16, 49, 115, 359
– in Gleichnissen: 167, 172, 174, 184f., 257, 259, 315f., 358
– christologische: 11, 167, 182, 225, 233f., 361
– paränetische: 168, 198, 234f.
anchronistische Einträge: 5, 11, 16, 55, 63, 96, 107
Analogie: 15A53, 140
angelus interpres: 71, 77, 82, 151A19, 246, 253, 257
Anspielung: 19, 40, 42f., 61, 64, 75, 78, 90, 106A348, 142f., 166, 213
Apokalyptik
– und Allegorik: 64, 65A174, 90, 127, 259, 355
– und Prophetie: 74, 82, 86, 90, 104
– im Judentum: 75f., 79–82, 124, 177f., 223f., 246
– urchristliche Rezeption: 79A232, 120, 124A422, 246f., 257, 360
Apologetik (als Motiv der Allegorese): 38f., 47f., 52

Bild, sprachliches: 135, 141A42
Bildfeld: 141–143
Bildrede: 71, 74, 81f., 205A96, 215
Bildspender: 27, 141, 144
– einzelne:
Arzt: 152–254
Blindheit: 265, 349–351
Bräutigam: 163f., 167
Brot: 276–280
Dornen: 195, 202
Dürre: 195
Ehe: 162f.
Erbe: 110, 304f., 307f.
Ernte: 195, 220, 233f., 321

Feige(nbaum): 319–321
Feuer: 184
Frucht(barkeit): 194f., 202, 307, 323A31
Gastmahl: 157, 164, 169, 171, 278, 329
Gerät, Gefäß: 181f.
Hund: 275f.
Kind: 276, 280A94
Kleid, Gewand: 168, 171
Knecht: 110f., 300–302, 307, 336
König, Vater: 110f., 309
Krankheit: 152–154
Leuchte, Licht: 231–233
Nacht, Dunkel: 333f.
Pflanzung: 193A43, 265
Reinheit, Unreinheit: 213A134, 262f., 265–267
Saat, Samen: 192–194, 201f.
Salz: 282–284
Schiff: 41, 46, 341–345
Schlafen – Wachen: 334, 347A42
Schlüssel: 335
See(sturm): 41, 46, 64, 340–344
Senfkorn: 213f.
Sohn: 110f., 302–304
Stein: 305–307
Tür, Türhüter: 317, 330A65, 334A85, 335f.
Verwalter: 335
Vögel: 201, 215f.
Wachstum: 214, 221–223
Wein, Weinberg, Weinstock: 171, 298–300, 307
Wurzel: 195, 202
Bildwort: 151, 162, 170, 180, 230, 238, 281, 357

Christologie
– indirekte: 156, 166, 198, 224A191, 269, 357
– erhöhter Herr: 165, 257, 310
– Gottesknecht: 152, 180, 183, 232A236, 301, 350A61
– Prophet: 309f., 314
– Sohn (Gottes): 237, 303f., 310f.
– Messias: 157, 164, 166, 303f., 311
– Kyrios: 274, 308, 327A46, 336f.
– Menschensohn: 151, 217, 232A236, 234, 336

Dämonologie: 57, 177f., 181
Deuteschema: 68, 70–72, 74–77, 79f., 91, 201, 204–209, 244, 256f., 355, 359f.
Deuteterminologie: 68f., 78f., 82–84, 88,

92, 94A294, 96, 99f.
– einzelne Begriffe:
s. Wortregister
Diatribe: 153f., 268
disclosure: 28, 291

Ekklesiologie: 217A156, 218, 272, 348
Endzeit: 75, 80, 85, 121, 122A409, 205
Erfindertopos: 56, 93, 96
Erzählstruktur, Erzählgesetze: 24, 27–29, 54, 60A149, 63, 111f., 136A21, 142, 156A43, 189, 293A33, 294f.
Eschatologie: 197, 216, 317, 321, 323
Esoterik, Verhüllung: 5, 7, 16, 43f., 48, 52f., 55, 59, 61–63, 90, 96, 108, 122, 136f., 140, 242f., 246, 252f., 255, 258, 324, 354f., 358
– vgl. auch: Geheimnis
Etymologie: 39, 50A101, 52, 57A130, 65, 91, 103
Euhemerismus: 51f., 56, 95
Evangelium
– als Makrokontext der Gleichnisse: 138f., 157, 160, 185, 206, 277, 356–358
– als Verkündigung: 225, 234, 237, 252, 258, 327
Existenz, existentiale Interpretation: 21, 24f., 224A189
Exorzismus: 178f., 182, 346f.

Fabel: 8f., 10A29, 25, 72f., 112A373, 115, 215f.
Fastenpraxis: 164–166, 172f., 269
Fiktion, fiktiv: 28, 33, 35, 135, 313, 327

Gegner
– Jesu: 247f., 251f., 254, 272, 311A138
– des Paulus: 119–121
Geheimnis, Geheimwissen: 13f., 18f., 48, 58f., 75f., 80f., 84, 86f., 89A280, 101, 122, 127, 184, 205, 242, 246, 258
– vgl. auch: Esoterik
Gleichnis
– als Gattungsbegriff: 1A1, 2A7
– im engeren Sinn: 151, 189, 213, 221, 319, 357
– Doppelgleichnis: 210, 331
– Fragegleichnis: 162A71, 168, 288
– und Allegorie (Verhältnis, Verwechslung): 5–8, 11–18, 24–26, 46, 112, 135f.
– und Metapher: 8, 13–17, 26–29, 110–112
– und Midrasch: 19f., 109–113

– bei Homer: 29A117, 340
– im AT: 73A207
– und Apokalyptik: 13f., 18f., 82, 246
– im Targum: 113f.
– Gleichnisse Jesu: 136A18, 155f., 165f., 172, 178f., 182, 197, 216f., 224, 233, 284f., 309, 321f., 336, 357
– rabbinische Gleichnisse: 13, 19, 26A105, 109–113, 117, 163, 195A57, 211, 297A63, 300f., 304, 359
Gnosis
– und Allegorese: 126–128, 174, 209A117
– im ThEv: 169, 174, 199f., 218, 315

Heiden(mission): 216–218, 234, 272, 277–280, 311
Hermeneutik: 44, 47, 52, 93, 97, 101f., 108f.
Hieros Gamos: 34, 50, 162

Inklusion: 175, 242, 264, 285
Inspiration: 36, 61, 86, 89, 101

Jesus
– historische Jesusfrage: 10f., 16, 154f.
– authentische Jesusworte:
  s. Gleichnisse Jesu
– Selbstanspruch:
  s. indirekte Christologie
Jünger(unverständnis, -belehrung): 206f., 243f., 248f., 253f., 258, 272, 279, 337, 345, 347

Kontext
– sprachlicher: 27f., 144f., 156, 357f.
– sozio-kultureller: 112, 144f., 229, 296
– situativer:
  s. Situation

Lasterkatalog: 208, 264, 267f., 270–272

Maschal: 19A75, 72–74, 151A17
Messiasgeheimnis: 237, 258, 273, 351
Metapher: 6f., 26–28, 61, 139–144
– und Allegorese: 52, 65, 70, 91, 103A338, 106
– und Mythos: 36A18
– metaphorische Expansion: 112, 114, 141f., 146, 358
– feste Metaphorik: 8, 13–17, 20, 28f., 41f., 90, 111, 141–143
– s. auch:
  Gleichnis u. Metapher

Allegorie u. Metapher
Bildspender, einzelne
Metonymie: 34f., 50A101, 52, 65, 141
Midrasch: 19f., 113, 115A385, 122, 171A119, 227, 234A246
minor agreements: 2, 161, 170, 188, 200, 241A282, 248, 289f.
Mündlichkeit – Schriftlichkeit: 37A27, 72, 90, 156, 187, 204f., 292, 332, 360
Mysterien
-kult, -ritual: 36, 44, 58–60, 95, 101, 193A44
-sprache, -terminologie: 48, 59f., 76A221, 96, 100f., 246A307
Mythenexegese: 16, 32, 35–40, 47, 52f., 90–92, 126, 171, 201, 355f.
– physikalische: 49f., 54, 57, 95
– moralische: 50f., 53–55
– historische: 51f.
Mythos: 34, 44, 56–58, 62f., 65f., 125f.
– und Dichtung: 33–36, 54–56
– und Philosophie: 34–36, 49, 54, 58
– im AT: 72, 75, 77, 90, 162, 215, 302f., 342
– in der Apokalyptik: 75, 77, 90, 163, 343
– bei Philo: 97, 163A77
– im NT: 125, 150A13, 166A98, 354

Nachfolge: 149, 159A57, 347f.
Naherwartung, Verzögerung: 75, 86, 205, 223, 257, 313f., 317, 334
narratives Desinteresse: 5, 11, 25

Offenbarung: 59, 62f., 67A182, 69, 71, 76A220, 86, 125, 204f., 257
Orakel(deutung): 61, 64, 73A208, 75, 77, 80, 83f.

Parabel: 9, 17, 25, 189, 191, 213, 295, 333, 357
Parabeltheorie: 12, 26, 237, 245, 258f., 360f.
– vormarkinisch: 246f., 257
– markinisch: 251f., 258, 285, 311, 322, 337–339
– bei Mt/Lk: 252f., 258, 313
Paränese: 28, 56, 59, 76, 112, 205, 285
Parusie(erwartung): 197, 225, 237, 310, 322, 336
Passiv, theologisches: 158A50, 236, 238, 312
Personifikation: 46, 49f., 52f., 55, 90
Peschertechnik: 85–89, 246, 355

Propheten(geschick): 301f., 309, 312, 314
Proto-Theodotion: 207A103
punktuelle Entsprechung: 5, 7–9, 11–13,
    21, 63, 108, 112, 137, 156, 182, 185, 276,
    354f., 358
Pythagoreismus: 36, 37A29, 94f.

Rätsel: 11, 12A36, 40–42, 61, 72f., 84, 89,
    137, 140, 185, 272
Realien: 111f., 136, 145, 190f., 214, 282,
    297, 354
Realitätsnähe, bzw. -ferne: 11, 13, 15–17,
    20, 27f., 68, 74, 80, 90, 136, 190f., 295
Referent, referential: 22–26, 112, 137–139,
    295, 297, 354
Referentenwechsel: 285, 322, 338, 358
Reflexionszitate: 158, 250, 256
regel de tri: 189, 294f.
Reich Gottes: 13, 172, 179, 182, 197, 216f.,
    237, 248, 284f., 318, 321f., 336
Reminiszenzen: 227, 229, 238

Schachteltechnik: 175, 183, 323
Schriftauslegung
– im Judentum: 78, 85–89, 92, 98f., 104,
    121
– im NT: 120f., 126f., 158, 250
– s. auch: Allegorese
Schriftsinne: 108A361, 124A420, 129,
    131A2
Semitismen, Aramaismen: 155A42, 161,
    169, 186f., 219, 228, 240, 281, 288A10,
    331A67
Septuagintismen: 186A7, 289, 328
Situation, situativer Kontext: 9f., 16, 41f.,
    71, 144f., 155, 177f., 233, 276, 325, 354
Sitz im Leben: 16A54, 88
Speisetabus: 60f., 94, 262f., 266f.
Spiritualisierung: 48, 59, 76A221, 98, 101,
    107, 267
Sprichwort: 40, 42, 72f., 151, 177, 235f.,
    238, 275
Stichwortanschluß: 160A63,   234A246,
    235A248, 280, 317f.

Stoa: 38–41, 55, 93, 192, 248A131
Streitgespräch, Apophthegma: 150, 154,
    162, 176, 227, 262f., 275
Sünde(r), Sündenvergebung: 149A7, 152f.,
    157, 251, 269
Symbol: 15, 26f., 94f., 124A420, 131–135,
    354
syntagmatisch – paradigmatisch: 23, 111,
    141, 160

Tempus: 189, 221, 294, 319, 331, 333
tertium comparationis: 7f., 10, 151, 276
Textur, intentionale: 24, 146f., 354f.
Torah, Gesetz: 87, 95, 98, 104, 107, 120,
    122, 231, 269, 277, 283
Traum, Traumdeutung
– und Allegorese: 64–66, 91, 355
– und Vision: 69f.
– bei den Griechen: 64f., 84
– im AT: 67–70, 75–77
– in der Apokalyptik: 75–77, 79–81, 88
– im (rabbinischen) Judentum: 70A193,
    88f., 100, 108
– Traumsymbole: 65, 67f., 77, 89, 306
– s. auch:
    Deuteschema
    Deuteterminologie

Vergleich: 6f., 18, 26, 41A54, 111, 141
Verstockung: 184, 244, 249–254, 256, 258,
    350
Vision, Visionsbericht: 69–71, 74, 77–80,
    82, 136, 246
Volk
– Israel: 118, 233f., 251f., 285, 302–304,
    313, 323–325
– Menge: 243f., 247–249, 272, 338f.

Weckruf: 241f., 286, 315
Weisheitstradition: 11, 18, 73, 81A237,
    151, 239
western non-interpolation: 289f.
Wundergeschichten: 275, 345, 347, 351,
    353, 359